中國美術全集

中國美術全集

書　法　三

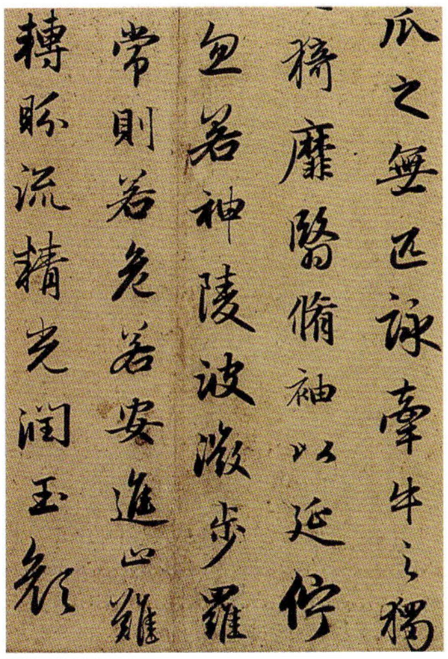

全國百佳圖书出版單位
時代出版傳媒股份有限公司
黄山書社

目　　録

元（公元一二七一年至公元一三六八年）

頁碼	名稱	時代	作者	出處	收藏地
576	訓忠碑	元	虞集		日本京都藤井有鄰館
576	白雲法師帖	元	虞集		故宮博物院
577	陸柬之文賦跋	元	揭傒斯		臺北故宮博物院
578	台仙閣記	元	張雨		上海博物館
579	題畫詩	元	張雨		故宮博物院
580	詩帖	元	張雨		故宮博物院
580	心經	元	吴鎮		故宮博物院
581	題墨竹譜	元	吴鎮		臺北故宮博物院
582	慧慶寺普説	元	維則		香港中文大學文物館
582	春暉堂記	元	歐陽玄		故宮博物院
583	題畫詩	元	王冕		臺北故宮博物院
584	與彦清相公書	元	趙雍		美國普林斯頓大學美術館
584	宮詞	元	柯九思		美國普林斯頓大學美術館
585	萬壽曲跋	元	柯九思		故宮博物院
586	渾淪圖贊	元	朱德潤		上海博物館
586	述張旭筆法記	元	康里巙		故宮博物院
587	李白詩	元	康里巙巙		日本東京國立博物館
588	梓人傳	元	康里巙巙		美國普林斯頓大學美術館
590	奉記帖	元	康里巙巙		故宮博物院
590	謫龍説	元	康里巙巙		故宮博物院
591	周上卿墓志銘	元	楊維楨		遼寧省博物館
592	張氏通波阡表	元	楊維楨		日本東京國立博物館
594	城南唱和詩	元	楊維楨		故宮博物院
596	真鏡庵募緣疏	元	楊維楨		上海博物館
598	游仙唱和詩	元	楊維楨		上海博物館
599	千字文	元	吴叡		上海博物館
599	老子道德經	元	吴叡		故宮博物院
600	通犀飲卮詩	元	周伯琦		故宮博物院
600	宮學箴 國史箴	元	周伯琦		故宮博物院
602	淡室詩	元	倪瓚		故宮博物院
602	詩五則	元	倪瓚		臺北故宮博物院
602	安和帖	元	段天祐		故宮博物院
604	陸柬之文賦跋	元	李倜		臺北故宮博物院
604	青玉荷盤詩	元	郭畀		故宮博物院

明 (公元一三六八年至公元一六四四年)

頁碼	名稱	時代	作者	出處	收藏地
623	雜詩	明	王紱		故宫博物院
623	唐人月儀帖跋	明	解縉		臺北故宫博物院
624	自書詩	明	解縉		故宫博物院
626	題公中塔圖贊	明	于謙		故宫博物院
626	橘頌	明	沈藻		故宫博物院
627	黄州竹樓記	明	沈藻		故宫博物院
627	雪意歌	明	朱瞻基		故宫博物院
628	别後帖	明	徐有貞		故宫博物院
628	雜詩	明	陳謙		上海博物館
629	自書詩	明	劉珏		故宫博物院
629	夜行詩	明	姚綬		故宫博物院
630	贈友詞	明	張弼		首都博物館
630	自書詩文	明	張弼		故宫博物院
630	陸游自書詩卷跋	明	沈周		遼寧省博物館
632	化鬚疏	明	沈周		臺北故宫博物院
634	貧交行	明	張駿		故宫博物院
634	七言絶句	明	張駿		故宫博物院
635	七言絶句	明	陳獻章		上海博物館
635	大頭蝦説	明	陳獻章		故宫博物院
636	自書詩	明	陳獻章		上海博物館
638	致惟顒札	明	李應禎		故宫博物院
638	咏易詩	明	姜立綱		南京博物院
639	書論	明	吴寬		美國普林斯頓大學美術館
640	飲洞庭山悟道泉詩	明	吴寬		故宫博物院
640	自書詩	明	李東陽		湖南省博物館
641	杜甫詩意圖跋	明	李東陽		上海博物館
642	題杜堇古賢詩意圖	明	金琮		故宫博物院
642	山中寫懷詩	明	金琮		廣東省博物館
643	金山詞	明	王鏊		故宫博物院
643	自書詩	明	王鏊		故宫博物院
644	謝安像贊	明	徐蘭		故宫博物院
644	暑氣帖	明	馬愈		故宫博物院
645	乞休帖	明	喬宇		故宫博物院
646	東莊雜咏	明	邵寶		故宫博物院

頁碼	名稱	時代	作者	出處	收藏地
676	自書詩	明	王問		天津博物館
678	慧山寺示僧詩	明	王問		故宮博物院
680	閑居即事詩	明	文彭		廣東省博物館
681	五言律詩	明	文彭		上海博物館
681	宋拓千字文册跋	明	文彭		首都博物館
682	七言律詩	明	吴承恩		江蘇省揚州博物館
682	千字文	明	王穀祥		美國普林斯頓大學美術館
683	贈邵穀詩	明	王穀祥		南京博物院
684	七言絶句三首	明	文嘉		故宮博物院
685	夜坐詩十首	明	羅洪先		故宮博物院
686	七言律詩	明	唐順之		江蘇省常州博物館
686	尺牘	明	莫如忠		臺北故宮博物院
687	尺牘	明	黄姬水		臺北故宮博物院
687	論書語	明	俞允文		故宮博物院
688	陸游劍南詩	明	茅坤		上海博物館
689	韓愈琴操	明	王逢年		上海博物館
690	七言律詩	明	周天球		故宮博物院
690	五言律詩	明	周天球		南京博物院
691	心經	明	周天球		上海博物館
691	七言律詩	明	徐渭		故宮博物院
692	論書	明	徐渭		故宮博物院
693	雜詩	明	徐渭		廣東省博物館
694	唐子西句	明	王穉登		故宮博物院
694	知希齋詩	明	王穉登		故宮博物院
695	七言律詩	明	申時行		上海博物館
695	五言絶句	明	祝世禄		上海博物館
696	七言律詩	明	屠隆		上海博物館
696	五言律詩	明	張鳳翼		江蘇省蘇州博物館
697	尺牘	明	邢侗		南京博物院
697	五言詩	明	邢侗		故宮博物院
698	題畫竹詩	明	邢侗		遼寧省博物館
699	七言古詩	明	邢侗		臺北故宮博物院
700	臨王羲之書	明	邢慈静		南京博物院
700	樂毅論	明	董其昌		廣東省博物館

頁碼	名稱	時代	作者	出處	收藏地
701	東方朔答客難	明	董其昌		遼寧省博物館
702	岳陽樓記	明	董其昌		故宫博物院
703	臨柳公權蘭亭詩	明	董其昌		故宫博物院
704	王維五言絶句	明	董其昌		南京博物院
704	張子房留侯贊	明	陳繼儒		南京博物院
705	自書詩	明	陳繼儒		遼寧省博物館
705	薛文清語	明	陳繼儒		上海博物館
706	綦母潜詩句	明	趙宧光		上海博物館
706	七言對句	明	趙宧光		故宫博物院
707	登福廬詩	明	葉向高		故宫博物院
707	五言絶句	明	莫是龍		吉林省博物院
708	五言律詩	明	莫是龍		故宫博物院
708	五言律詩	明	黄輝		四川博物院
709	五言律詩	明	姜逢元		故宫博物院
709	録佛家語	明	孫慎行		江蘇省常州博物館
710	北嚴寺詩	明	詹景鳳		故宫博物院
710	唐人絶句六首	明	婁堅		上海博物館
711	閒居感懷詩	明	婁堅		故宫博物院
712	七言律詩	明	米萬鍾		首都博物館
712	七言律詩	明	米萬鍾		上海博物館
713	湛園花徑詩	明	米萬鍾		故宫博物院
713	七言對句	明	米萬鍾		故宫博物院
714	言志書	明	張瑞圖		首都博物館
716	五言詩	明	張瑞圖		首都博物館
716	杜甫五言律詩	明	張瑞圖		上海博物館
717	五言律詩	明	張瑞圖		江西省博物館
717	李賀詩	明	喬一琦		上海博物館
718	七言絶句	明	杜大綬		上海博物館
718	西園公讌詩	明	文震孟		故宫博物院
719	自書詩	明	李流芳		遼寧省博物館
719	五言律詩	明	李流芳		上海博物館
720	七言律詩	明	陳元素		上海博物館
720	七言律詩	明	宋鈺		故宫博物院
721	凉州詞	明	劉重慶		首都博物館

頁碼	名稱	時代	作者	出處	收藏地
721	柳永詞句	明	眭明永		故宮博物院
722	七言律詩	明	許光祚		江蘇省蘇州博物館
722	自書詩	明	黄道周		故宮博物院
723	語摘	明	黄道周		上海博物館
723	五言律詩	明	黄道周		首都博物館
724	王忠文祠碑文	明	黄道周		廣東省博物館
724	五言絶句	明	侯峒曾		南京博物院
725	七言律詩	明	侯峒曾		遼寧省博物館
726	七言律詩	明	邵彌		南京博物院
726	臨王筠書	明	王鐸		上海博物館
727	五言律詩	明	王鐸		天津博物館
727	五言律詩	明	王鐸		上海朵雲軒
728	王維詩	明	王鐸		故宮博物院
729	報寇葵衷書	明	王鐸		
730	七言絶句	明	倪元璐		故宮博物院
730	五言律詩	明	倪元璐		上海博物館
731	自書詩	明	倪元璐		湖北省博物館
731	七言聯	明	陳洪綬		私人處
732	五言絶句	明	陳洪綬		南京博物院
732	田家詞	明	黄淳耀		上海博物館

清 (公元一六四四年至公元一九一一年)

頁碼	名稱	時代	作者	出處	收藏地
733	陶潛詩	清	王時敏		故宮博物院
733	自作七絶	清	王時敏		上海博物館
734	語摘	清	普荷		重慶市博物館
734	五言律詩	清	祁豸佳		日本大阪市立美術館
735	五言律詩	清	王光承		江蘇省蘇州博物館
735	六言聯	清	傅山		山西省晉祠文物管理所
736	江山樓觀圖跋	清	傅山		日本大阪市立美術館
736	自書詩	清	傅山		故宮博物院

頁碼	名稱	時代	作者	出處	收藏地
737	七言絶句	清	傅山		南京博物院
738	七絶詩	清	傅山		首都博物館
738	探梅詩	清	程邃		上海博物館
739	七言絶句	清	侯艮陽		南京博物院
739	七言絶句	清	米漢雯		河北省博物館
740	自作絶句	清	李嘉胤		江蘇省蘇州博物館
740	咏夾竹桃之一	清	冒襄		江蘇省揚州博物館
741	和俞懷梅花詩	清	冒襄		南京博物院
741	自書詩	清	周亮工		故宫博物院
742	自書五律四首	清	周亮工		故宫博物院
742	游東田詩	清	法若真		故宫博物院
743	七言絶句	清	顧炎武		江蘇省揚州博物館
743	杜甫詩	清	歸莊		上海博物館
744	七言絶句	清	今釋		江蘇省蘇州博物館
744	湖上酬友詩	清	查士標		南京博物院
745	臨米芾詩	清	查士標		遼寧省博物館
745	七言絶句	清	查士標		湖北省博物館
746	題畫詩	清	龔賢		首都博物館
747	大雲山歌	清	王夫之		故宫博物院
747	寓松屋漫題	清	施閏章		上海博物館
748	臨古法帖	清	宋曹		南京博物院
748	臨古法帖	清	宋曹		北京藝術博物館
749	臨古法帖	清	宋曹		遼寧省博物館
749	自作絶句	清	吕潜		上海博物館
750	靈寶謡	清	鄭簠		上海博物館
750	浣溪紗詞	清	鄭簠		上海博物館
751	七言律詩	清	鄭簠		故宫博物院
751	五言詩	清	徐枋		上海博物館
752	臨講堂帖	清	王弘撰		上海博物館
752	擬白居易放歌行	清	笪重光		故宫博物院
753	自作絶句	清	笪重光		遼寧省博物館
753	春草閣詩三章	清	梅清		浙江省寧波市天一閣博物館
754	秦淮舟泛詩	清	梅清		上海朵雲軒
754	即事詩	清	毛奇齡		遼寧省博物館

頁碼	名稱	時代	作者	出處	收藏地
755	浪淘沙詞	清	沈荃		故宮博物院
755	題北蘭寺記	清	朱耷		故宮博物院
756	河上花歌	清	朱耷		天津博物館
757	西園雅集	清	朱耷		故宮博物院
758	元遺山論詩絶句	清	姜宸英		上海博物館
759	洛神賦	清	姜宸英		故宮博物院
759	五言律詩	清	姜宸英		四川博物院
760	舊作二首	清	王士禎		遼寧省博物館
760	七言絶句	清	孫岳頒		重慶市博物館
761	記雨歌	清	石濤		上海博物館
762	杜甫詩	清	王鴻緒		重慶市博物館
762	七言絶句	清	陳奕禧		重慶市博物館
763	七言絶句	清	陳奕禧		浙江省嘉興博物館
763	壽詩一章	清	查昇		四川博物院
764	五言律詩	清	查昇		上海朵雲軒
764	文賦	清	汪士鋐		故宮博物院
765	白居易吴郡詩石記	清	汪士鋐		重慶市博物館
765	自作絶句	清	喬崇烈		江蘇省揚州博物館
766	桃花源詩	清	何焯		故宮博物院
767	七言律詩	清	何焯		上海博物館
767	臨古法帖	清	王澍		吉林省博物院
768	七言絶句	清	陳邦彦		故宮博物院
768	七言聯	清	沈銓		上海博物館
769	自作七言絶句	清	高鳳翰		天津博物館
769	菊花詩	清	高鳳翰		首都博物館
770	五言詩	清	汪士慎		安徽省博物館
770	觀繩伎詩	清	汪士慎		故宮博物院
771	絶句四章	清	李鱓		江蘇省揚州博物館
772	題畫詩	清	李鱓		浙江省杭州市西泠印社
772	廣陵旅舍之作	清	金農		上海朵雲軒
773	臨乙瑛碑	清	金農		故宮博物院
773	題畫詩	清	金農		上海博物館
774	語摘	清	金農		故宮博物院
774	自書詩	清	黄慎		故宮博物院

頁碼	名稱	時代	作者	出處	收藏地
775	五律五首	清	黄慎		故宫博物院
775	送汪瞻侯歸姑蘇詩	清	黄慎		天津博物館
776	五言詩	清	高翔		上海博物館
776	趙孟頫臨蘭亭跋	清	張照		江蘇省蘇州博物館
777	七言絶句	清	張照		上海博物館
777	七言律詩	清	張照		故宫博物院
778	蘇軾春帖子詞	清	汪由敦		故宫博物院
778	李白長干行	清	鄭燮		四川博物院
779	自書詩	清	鄭燮		上海博物館
779	七言律詩	清	鄭燮		故宫博物院
780	七言絶句	清	丁敬		故宫博物院
780	五言詩	清	楊法		江蘇省揚州博物館
781	七言絶句	清	梁巘		故宫博物院
781	蘇東坡句	清	梁巘		浙江省杭州市西泠印社
782	米芾詩	清	劉墉		上海博物館
782	七言詩	清	劉墉		故宫博物院
783	論書語一則	清	劉墉		故宫博物院
783	元人絶句	清	劉墉		四川博物院
784	論谷神章	清	梁同書		上海博物館
784	苕溪漁隱叢話	清	梁同書		故宫博物院
785	跋記	清	錢大昕		故宫博物院
785	七言絶句	清	王文治		浙江省杭州市西泠印社
786	待月之作	清	王文治		故宫博物院
786	五言詩	清	王文治		故宫博物院
787	七言絶句	清	姚鼐		湖北省博物館
787	七言絶句	清	翁方綱		上海博物館
788	論書一則	清	段玉裁		江蘇省常州博物館
788	語摘	清	桂馥		天津博物館
789	語摘	清	桂馥		故宫博物院
789	七絶詩	清	錢灃		上海博物館
790	書課文	清	錢灃		山西博物院
790	警語	清	鄧石如		故宫博物院
791	警語	清	鄧石如		故宫博物院
791	節文心雕龍正緯	清	鄧石如		廣東省博物館

頁碼	名稱	時代	作者	出處	收藏地
792	山居早起詩	清	鄧石如		日本
792	七言聯	清	蔣仁		私人處
793	警語	清	黄易		上海博物館
793	摹婁壽碑九十二字	清	黄易		故宫博物院
794	語摘	清	錢坫		四川博物院
794	菩薩蠻詞	清	錢坫		浙江省杭州市西泠印社
795	五言詩	清	巴慰祖		故宫博物院
795	隸書屏	清	巴慰祖		安徽省博物館
796	七言聯	清	洪亮吉		四川博物院
796	書札	清	洪亮吉		上海博物館
797	檀園論書一則	清	奚岡		上海博物館
797	五言聯	清	黎簡		上海朵雲軒
798	語摘	清	永瑆		瀋陽故宫博物院
798	詞林典故序	清	永瑆		故宫博物院
799	語摘	清	鐵保		故宫博物院
799	語摘	清	鐵保		首都博物館
800	五言古詩	清	孫星衍		故宫博物院
800	五言聯	清	伊秉綬		故宫博物院
801	臨古法帖	清	伊秉綬		故宫博物院
801	語摘	清	伊秉綬		故宫博物院
802	七言聯	清	錢泳		上海朵雲軒
802	五言詩二首	清	張問陶		廣東省深圳博物館
803	七言絶句	清	張問陶		故宫博物院
803	五言聯	清	阮元		故宫博物院
804	京邸看花詩	清	阮元		四川博物院
804	七言聯	清	陳鴻壽		首都博物館
805	七言聯	清	陳鴻壽		湖北省博物館
805	七言詩	清	張廷濟		上海博物館
806	臨史頌鼎銘	清	張廷濟		故宫博物院
806	七絶	清	李兆洛		江蘇省常州博物館
807	十一字聯	清	吴榮光		吉林省博物院
807	華亭題魯公書絶句	清	包世臣		中國國家博物館
808	語摘	清	包世臣		上海博物館
808	上皇山采石	清	林則徐		浙江省杭州市西泠印社

頁碼	名稱	時代	作者	出處	收藏地
809	陶潜詩	清	梅植之		江蘇省揚州博物館
809	六言聯	清	吴熙載		故宫博物院
810	尚書語摘	清	吴熙載		故宫博物院
810	語摘	清	何紹基		臺北故宫博物院
811	鄧君墓志銘	清	何紹基		故宫博物院
811	古律詩	清	何紹基		故宫博物院
812	論書畫	清	何紹基		湖南省博物館
812	語摘	清	戴熙		遼寧省博物館
813	六言聯	清	馮桂芬		江蘇省常州博物館
813	七言聯	清	曾國藩		中國國家博物館
814	七言聯	清	莫友芝		上海朵雲軒
814	七言聯	清	左宗棠		首都圖書館
815	七言聯	清	楊沂孫		故宫博物院
815	蔡邕熹平書經四屏	清	楊沂孫		故宫博物院
816	七言聯	清	楊峴		故宫博物院
816	四言古詩	清	俞樾		故宫博物院
817	五言詩	清	張裕釗		中國國家博物館
817	六言聯	清	徐三庚		浙江省杭州市西泠印社
818	五言聯	清	趙之謙		故宫博物院
818	語摘	清	趙之謙		浙江省杭州市西泠印社
819	抱朴子内篇佚文	清	趙之謙		天津博物館
819	語摘	清	趙之謙		上海博物館
820	節録史游急就篇	清	趙之謙		故宫博物院
820	論畫語	清	翁同龢		吉林省博物院
821	語摘	清	翁同龢		故宫博物院
821	節書長史率令帖	清	蒲華		重慶市博物館
822	語摘	清	蒲華		上海朵雲軒
822	李白詩四屏	清	包弼臣		私人處
823	語摘	清	李文田		廣東省廣州美術館
823	書札	清	吴大澂		私人處
824	知過論	清	吴大澂		故宫博物院
824	七言聯	清	楊伯潤		上海朵雲軒
825	七言聯	清	楊守敬		故宫博物院
825	孟浩然詩	清	楊守敬		故宫博物院

仇　遠（公元1247－1326年）

錢塘（今浙江杭州）人。字仁近，號山村民。著有《金淵集》等。

自書詩

元
仇遠
高34.5、寬455.4厘米。
紙本。此選爲局部。
現藏故宮博物院。

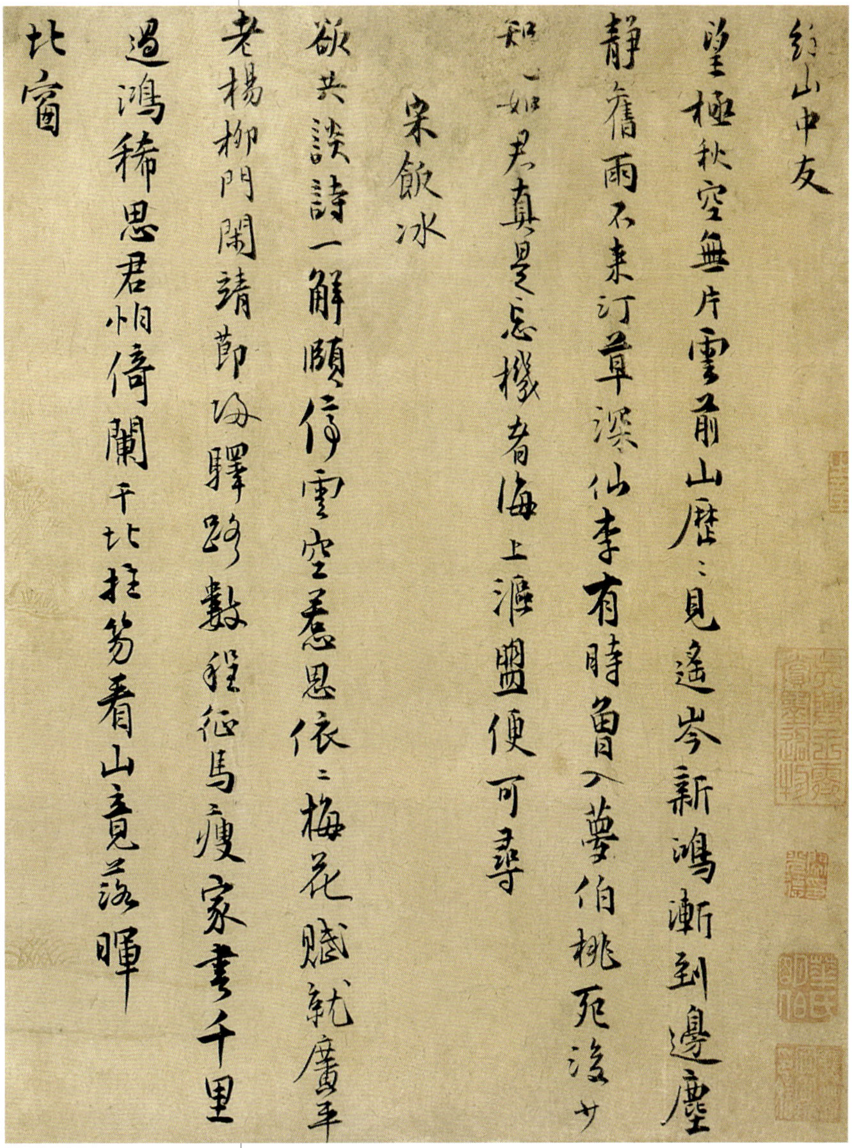

白　珽（公元1248－1328年）

錢塘（今浙江杭州）人。字廷玉，號湛淵。書法學米芾。

陳君詩帖

元
白珽
高31.2、寬68.2厘米。
紙本。
現藏故宮博物院。

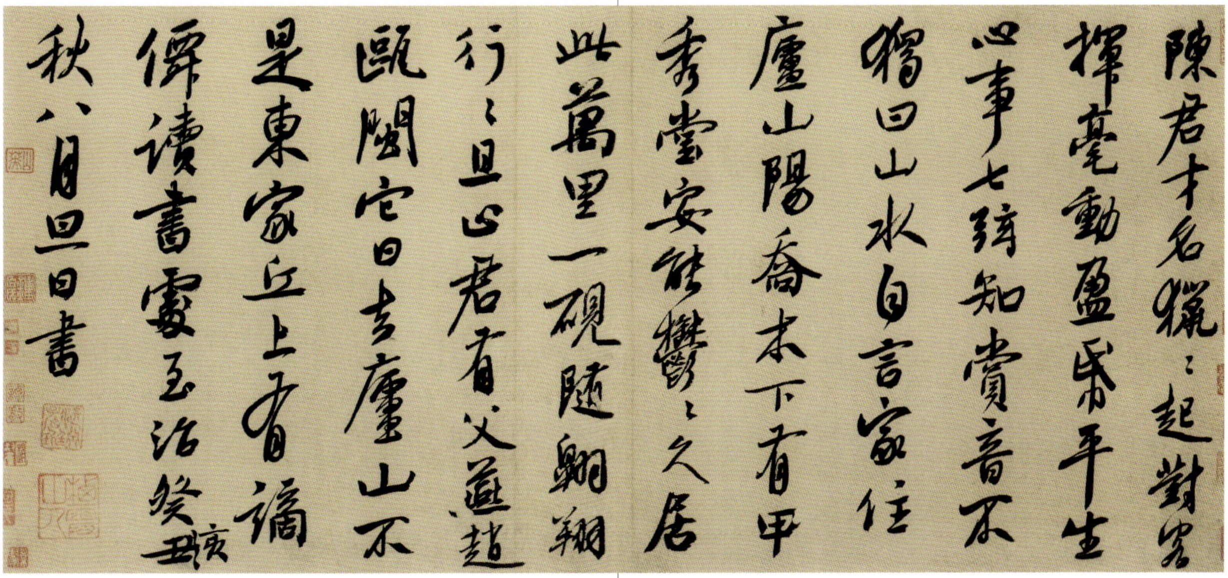

趙孟頫（公元1254－1322年）

湖州（今屬浙江）人。字子昂，號松雪道人，別號鷗波、水精宮道人。宋太祖十一世孫，秦王趙德芳之後。纍官至翰林學士承旨、榮禄大夫。卒封魏國公，謚文敏。一生博學多才，詩文、書畫和音樂均有盛名。

洛神賦

元
趙孟頫
高29.5、寬192.6厘米。
紙本。此選爲局部。
現藏天津博物館。

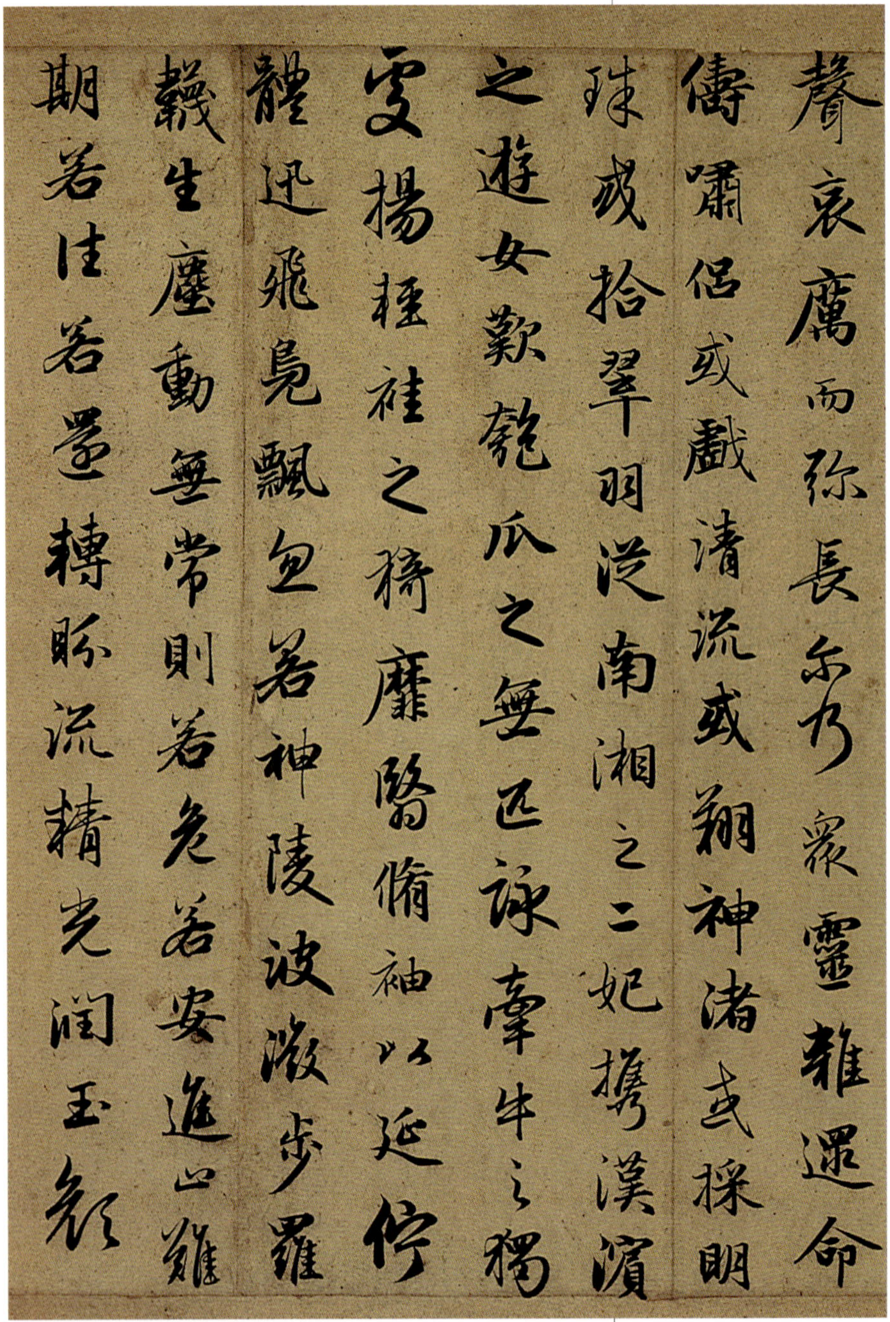

雜書三帖（右圖）

元
趙孟頫
高31.3、寬304.7厘米。
紙本。
現藏故宮博物院。

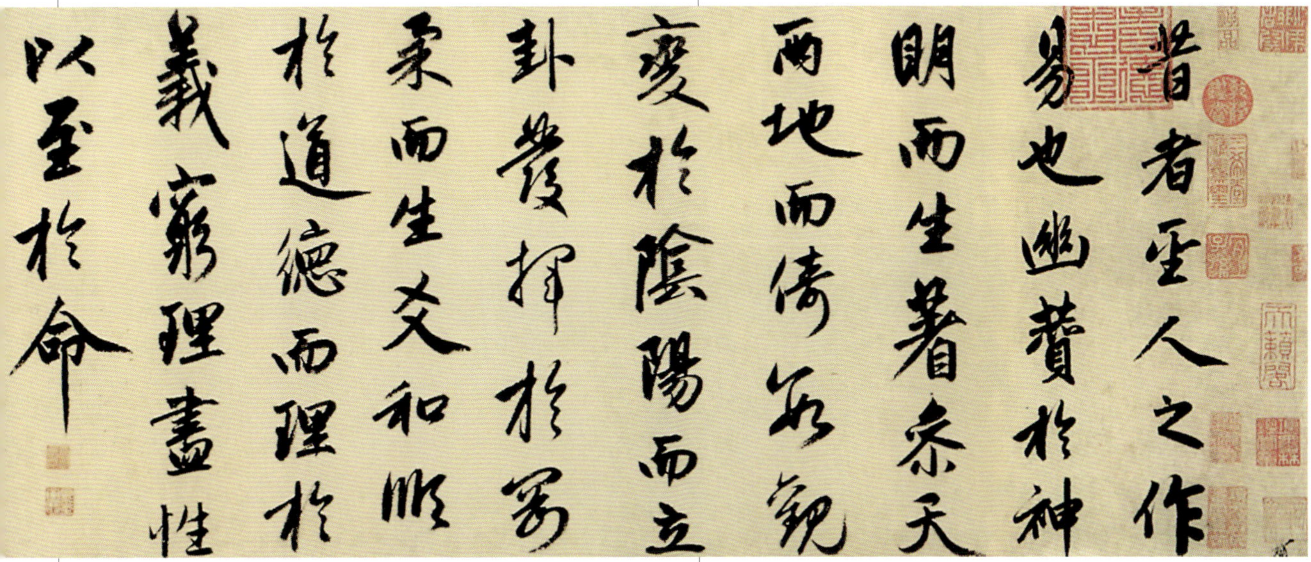
昔者聖人之作易也幽贊於神明而生蓍參天兩地而倚數觀變於陰陽而立卦發揮於剛柔而生爻和順於道德而理於義窮理盡性以至於命

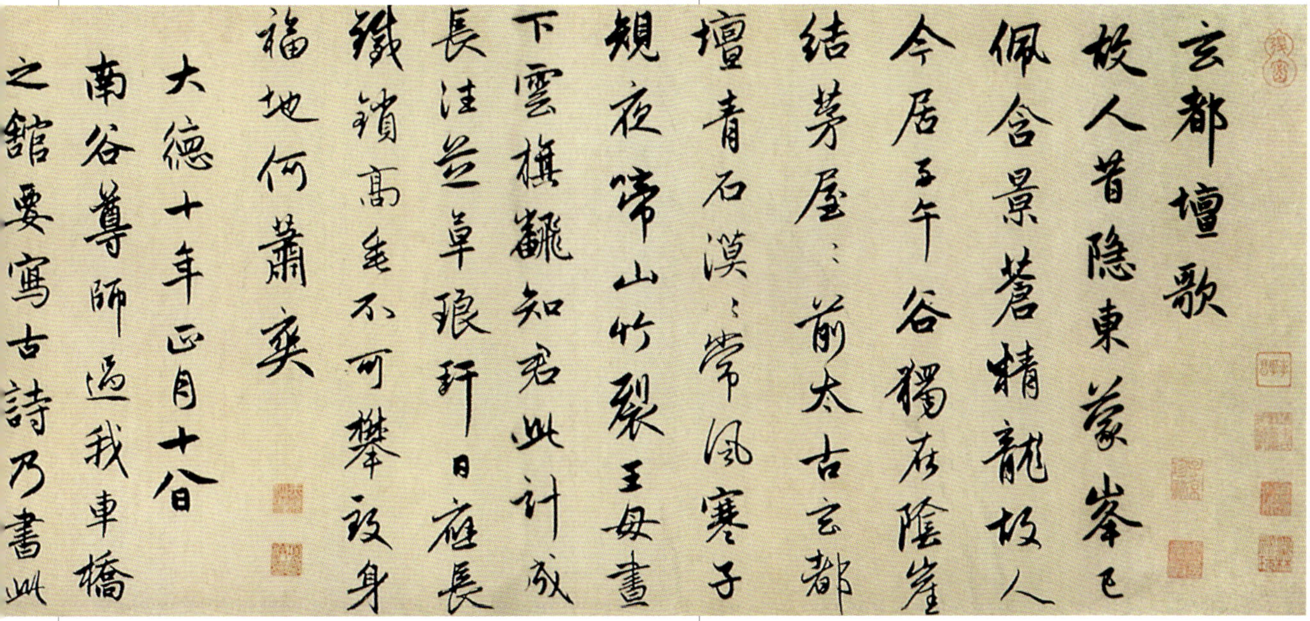
玄都壇歌
故人昔隱東蒙峰已佩含景蒼精龍故人今居子午谷獨在陰崖結茅屋屋前太古玄都壇青石漠漠常風寒子規夜啼山竹裂王母晝下雲旗翻知君此計成長往芝草琅玕日應長鐵鎖高垂不可攀致身福地何蕭爽
大德十年正月十日
南谷尊師過我東橋之館要寫古詩乃書此

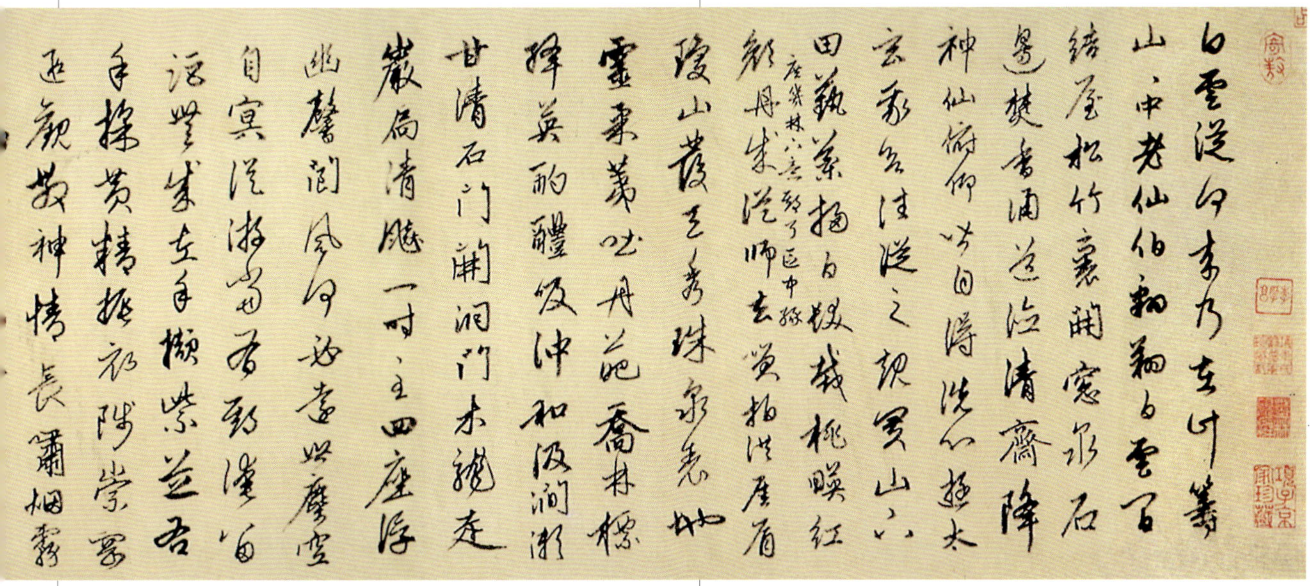

風起水涌。予亦悄然而悲，肅然而

恐，凜乎其不可留也。反而登舟，

放乎中流，聽其所止而休焉。時

夜將半，四顧寂寥。適有孤鶴，

橫江東來，翅如車輪，玄裳縞

衣，戛然長鳴，掠予舟而西也。須

臾客去，予亦就睡。夢一道士，羽衣

翩躚，過臨皋之下，揖予而言曰：

赤壁之遊樂乎？問其姓名，俛而

不答。嗚呼噫嘻！我知之矣。疇

昔之夜，飛鳴而過我者，非子

耶？道士顧笑，予亦驚寤。開

戶視之，不見其處。

大德辛丑正月，吳門邱遠弟以此

紙求書二賦，爲書于松雪齋。

仍作東坡像于卷首。子昂

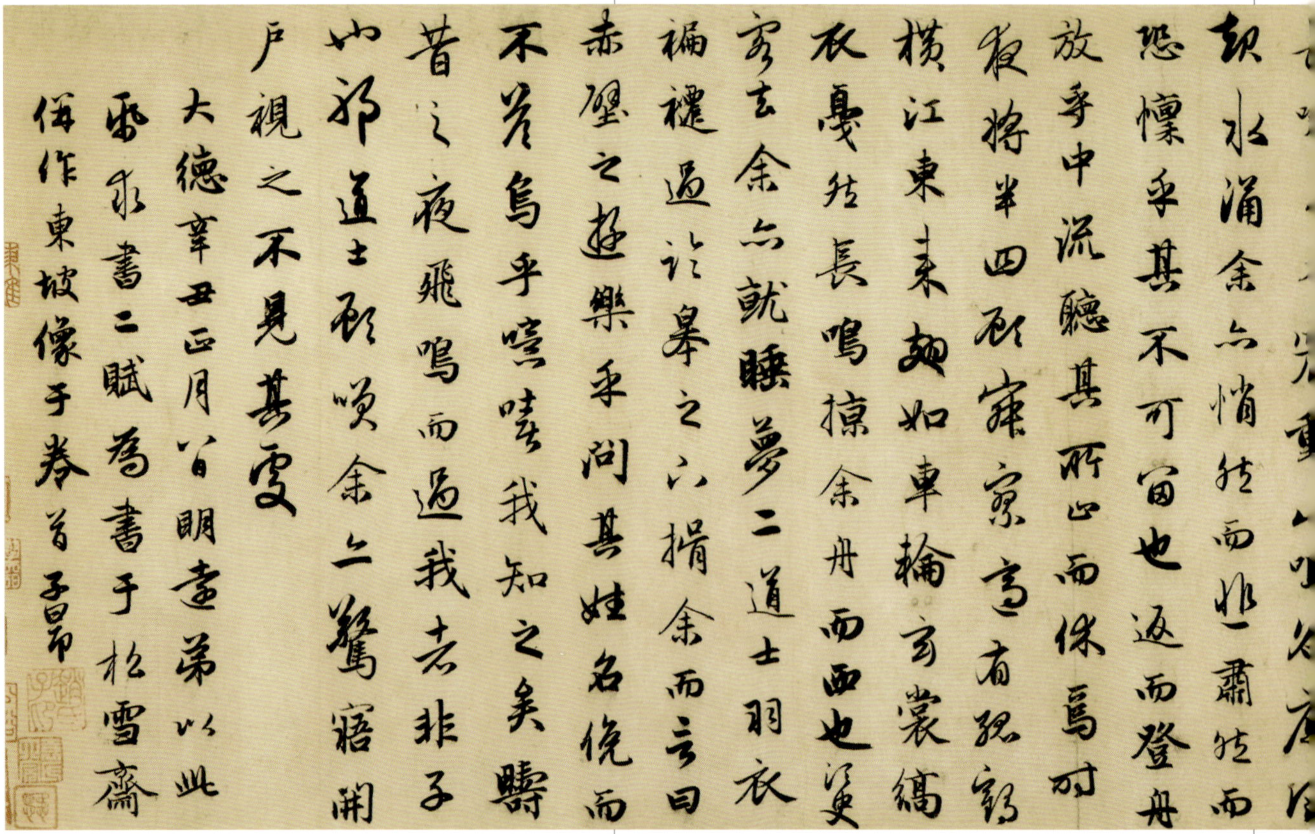

後赤壁賦

元

趙孟頫

高27.2厘米。

紙本。

現藏臺北故宮博物院。

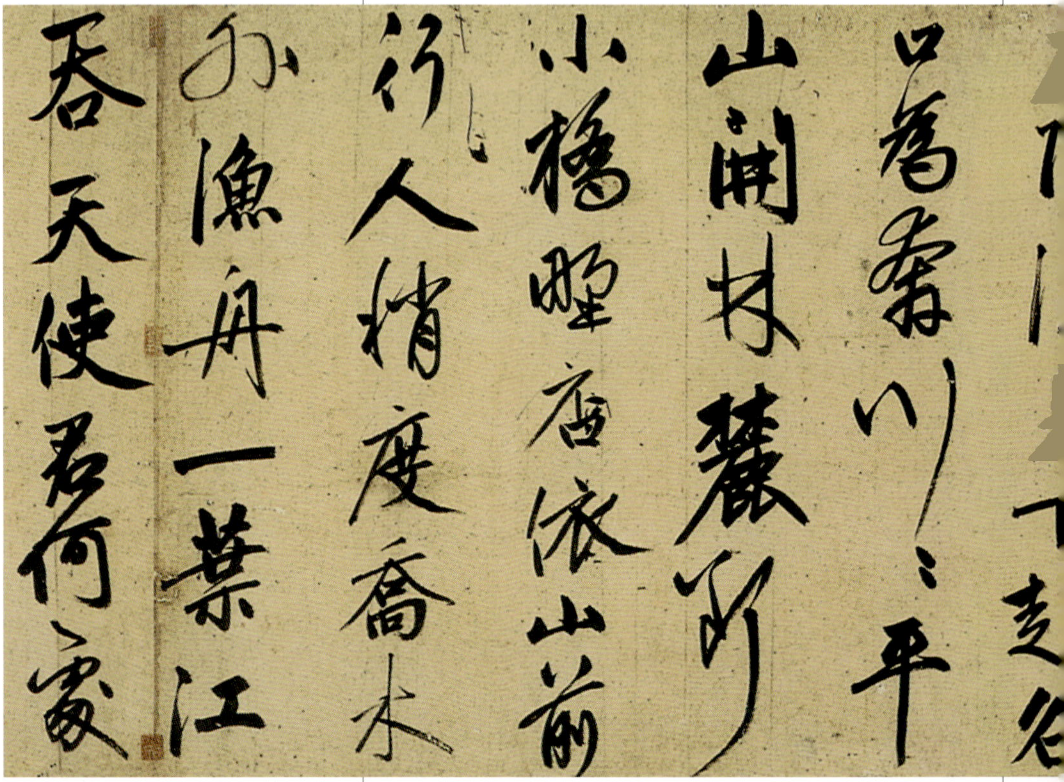

烟江叠嶂圖詩

元

趙孟頫

高47、寬413厘米。

紙本。此選爲局部。

現藏遼寧省博物館。

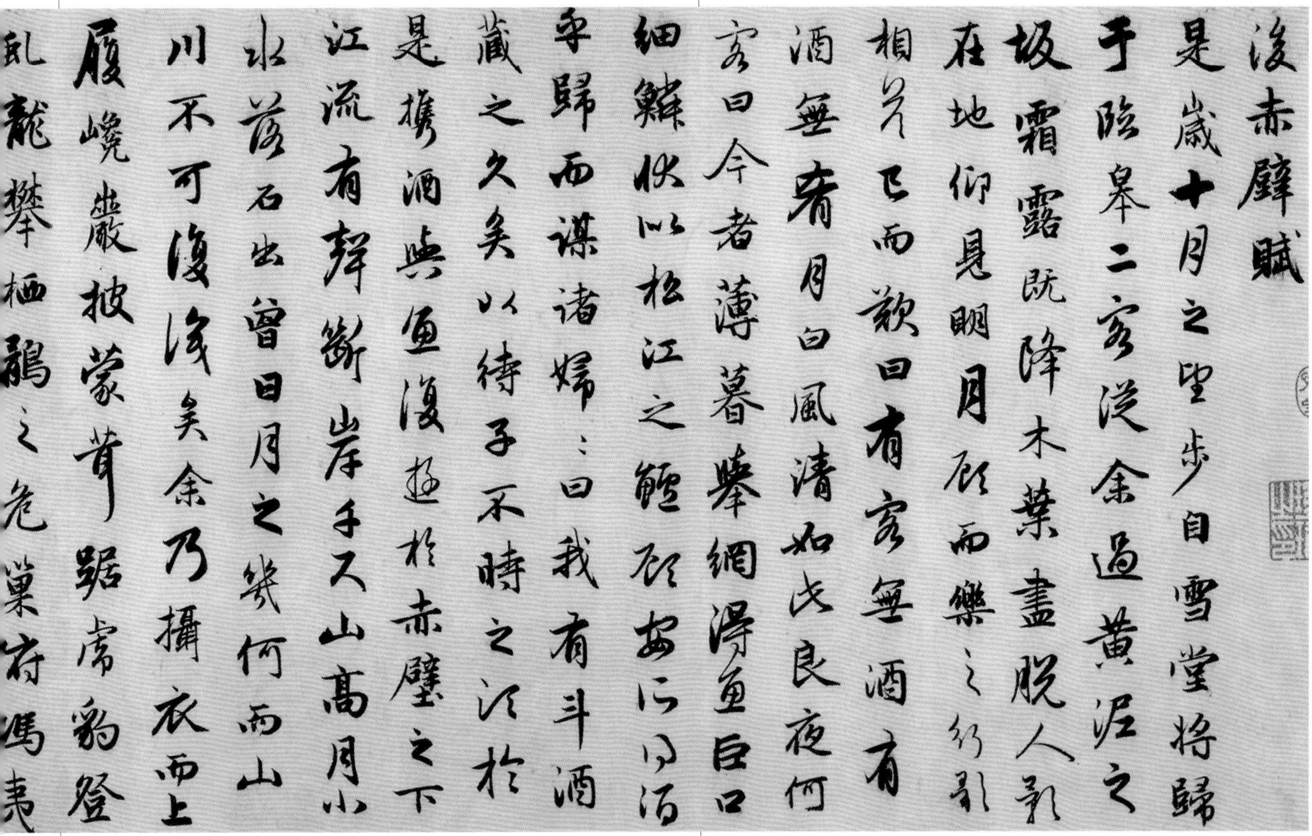
後赤壁賦
是歲十月之望步自雪堂將歸
于臨皋二客從余過黃泥之
坂霜露既降木葉盡脫人影
在地仰見明月顧而樂之行歌
相答已而歎曰有客無酒有
酒無肴月白風清如此良夜何
客曰今者薄暮舉網得魚巨口
細鱗狀似松江之鱸顧安所得
酒乎歸而謀諸婦婦曰我有斗酒
藏之久矣以待子不時之須於
是攜酒與魚復遊於赤壁之下
江流有聲斷岸千尺山高月小
水落石出曾日月之幾何而山
川不可復識矣余乃攝衣而上
履巉巖披蒙茸踞虎豹登
虯龍攀栖鶻之危巢俯馮夷

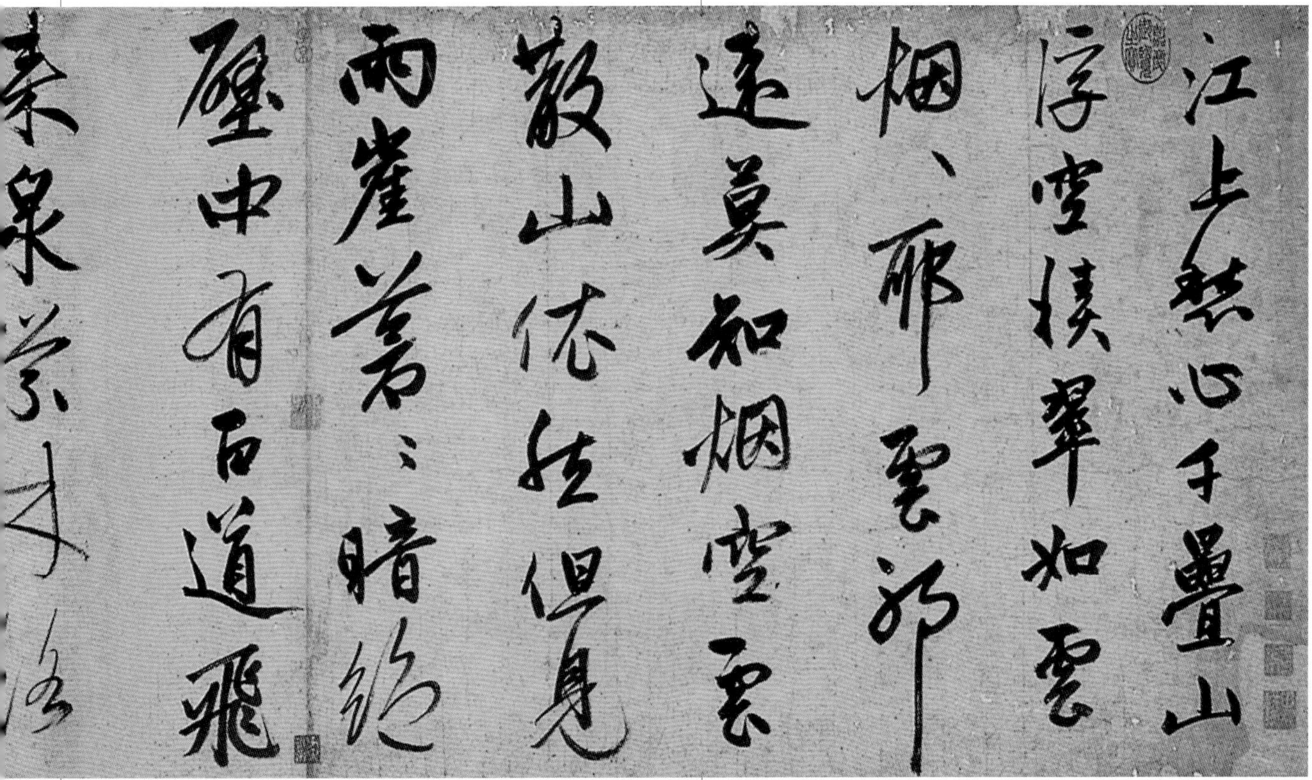
江上愁心千疊山
浮空積翠如雲
烟山耶雲耶
遠莫知烟空雲
散山依但見
兩崖蒼蒼暗絕
壑中有百道飛
來泉

蘭亭十三跋

元
趙孟頫
高31厘米。
紙本。
清代乾隆年間曾毀于火，現僅存殘片十四片。此選爲局部。
現藏日本東京國立博物館。

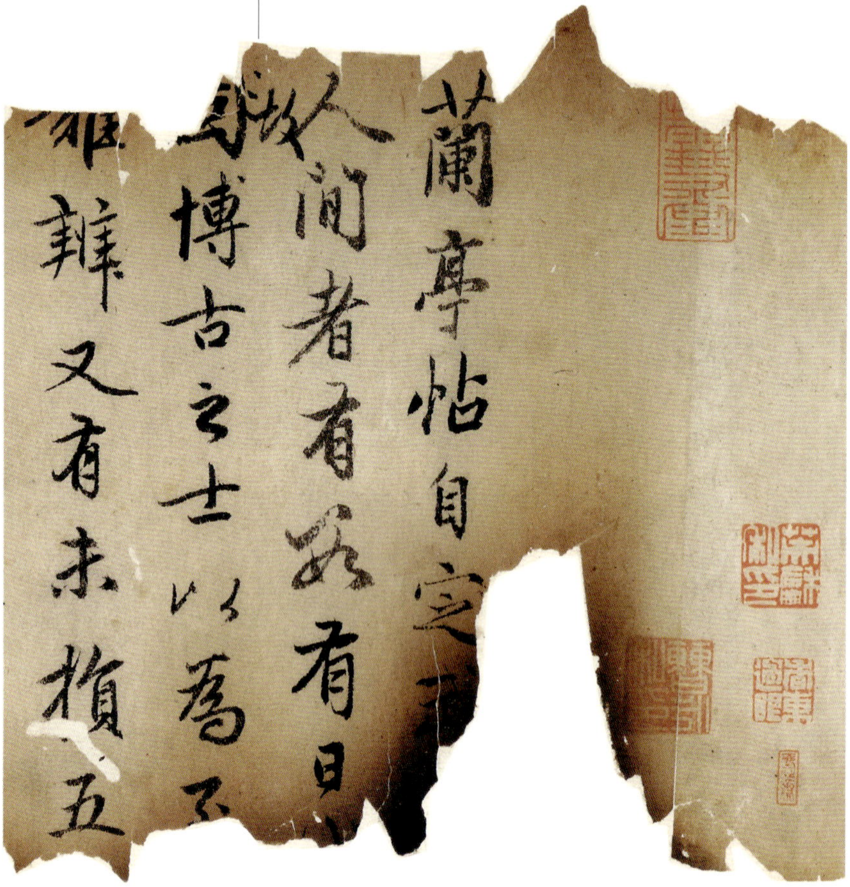

蘭亭十三跋局部之一

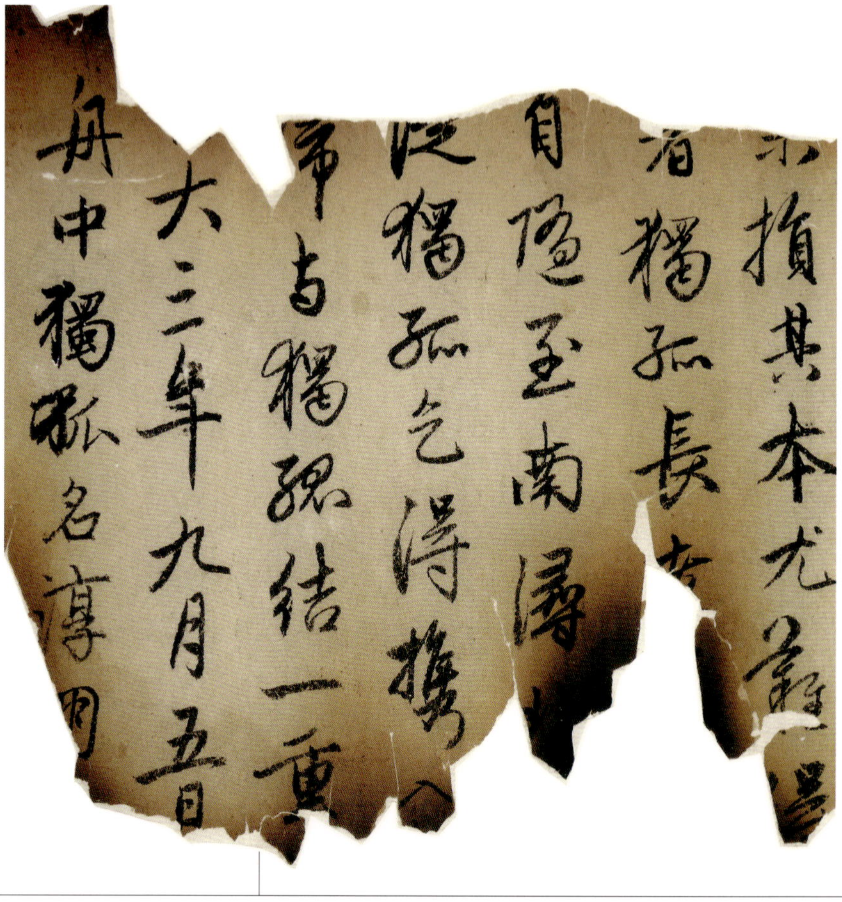

蘭亭十三跋局部之二

漢汲黯傳

元

趙孟頫

高17.6、寬17.4厘米。

紙本，共十開。此選爲局部。

現藏日本東京永青文庫。

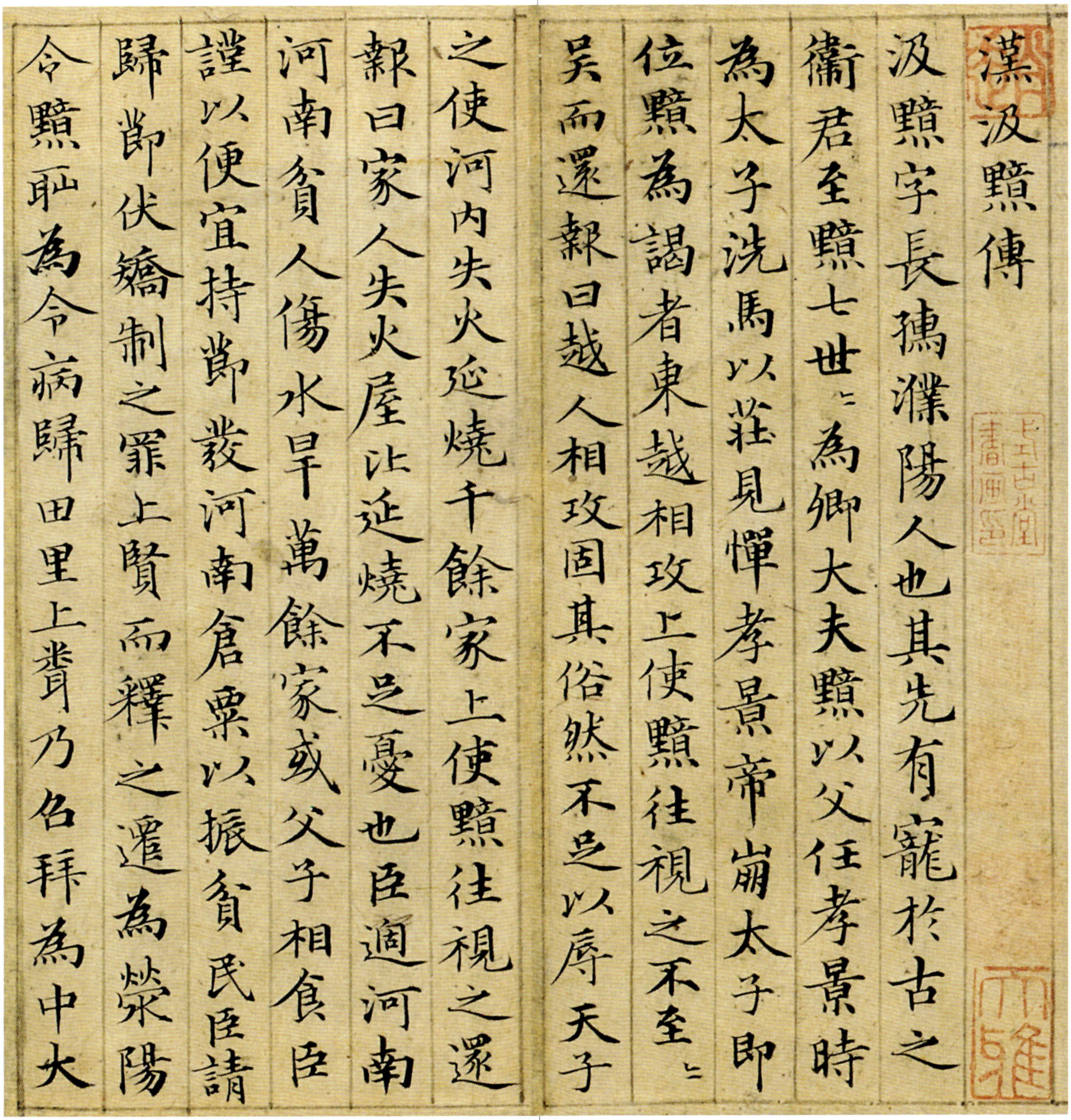
漢汲黯傳
汲黯字長孺濮陽人也其先有寵於古之
衛君至黯七世〻為卿大夫黯以父任孝景時
為太子洗馬以莊見憚孝景帝崩太子即
位黯為謁者東越相攻上使黯往視之不至〻
吳而還報曰越人相攻固其俗然不足以辱天子
之使河內失火延燒千餘家上使黯往視之還
報曰家人失火屋比延燒不足憂也臣過河南
河南貧人傷水旱萬餘家或父子相食臣
謹以便宜持節發河南倉粟以振貧民臣請
歸節伏矯制之罪上賢而釋之遷為滎陽
令黯恥為令病歸田里上聞乃召拜為中大

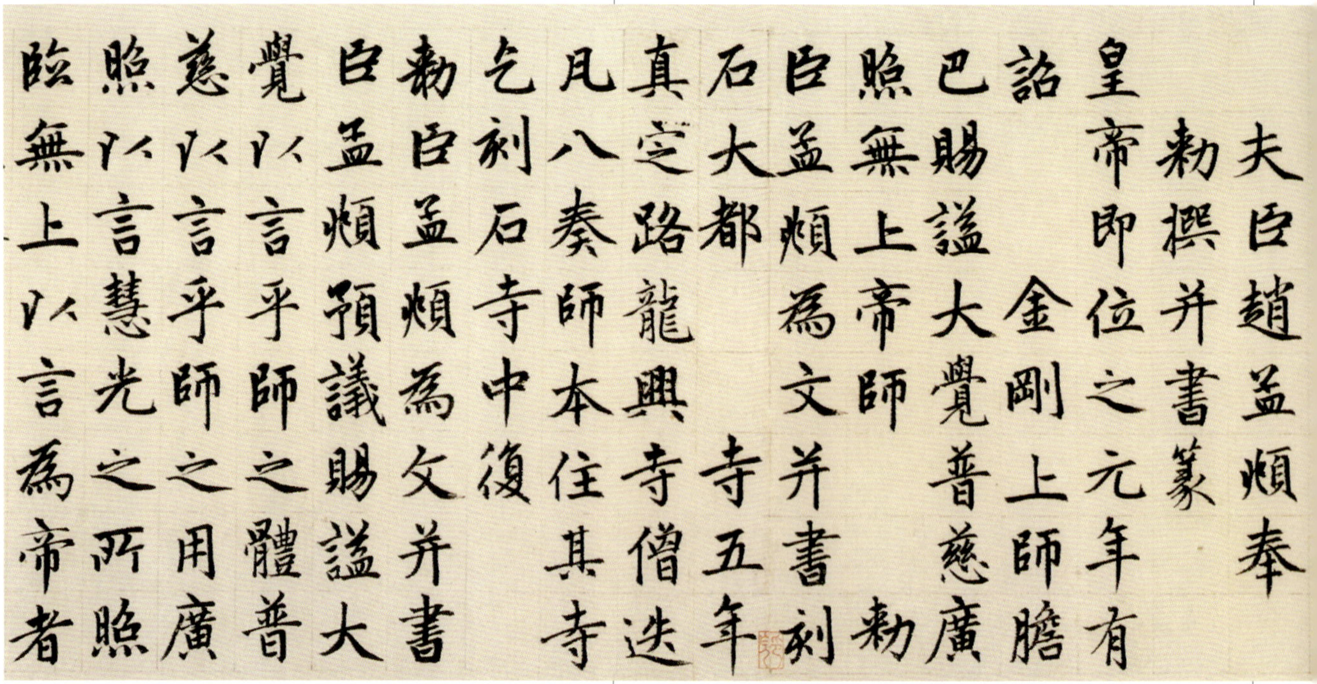
夫臣趙孟頫奉
勑撰并書篆
皇帝即位之元年有
詔金剛上師膽
巴賜謚大覺普慈廣
照無上帝師勑
臣孟頫爲文并書刻
石大都寺五年
真定路龍興寺僧迭
凡八奏師本住其寺
乞刻石寺中復
勑臣孟頫爲文并書
臣孟頫預議賜謚大
覺以言乎師之體普
慈以言乎師之用廣
照以言慧光之所照
臨無上以言爲帝者

膽巴帝師碑

元
趙孟頫
高33.6、寬566厘米。
紙本。此選爲局部。
現藏故宫博物院。

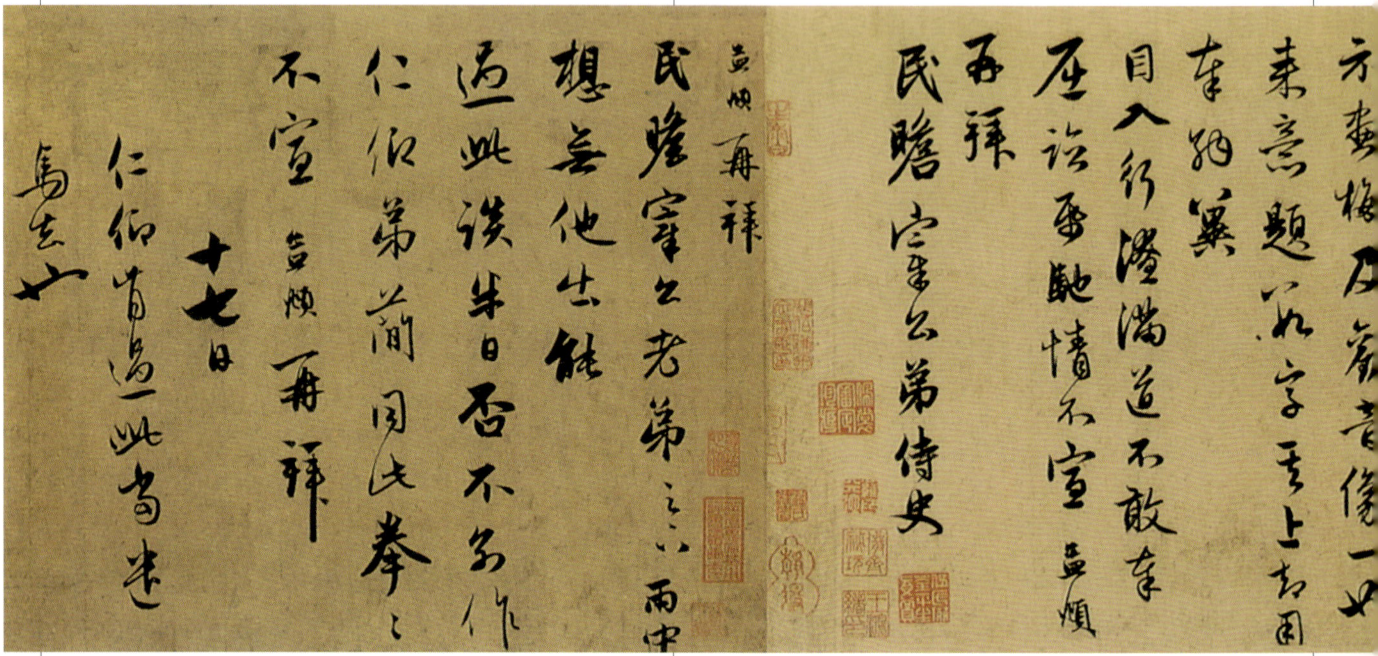

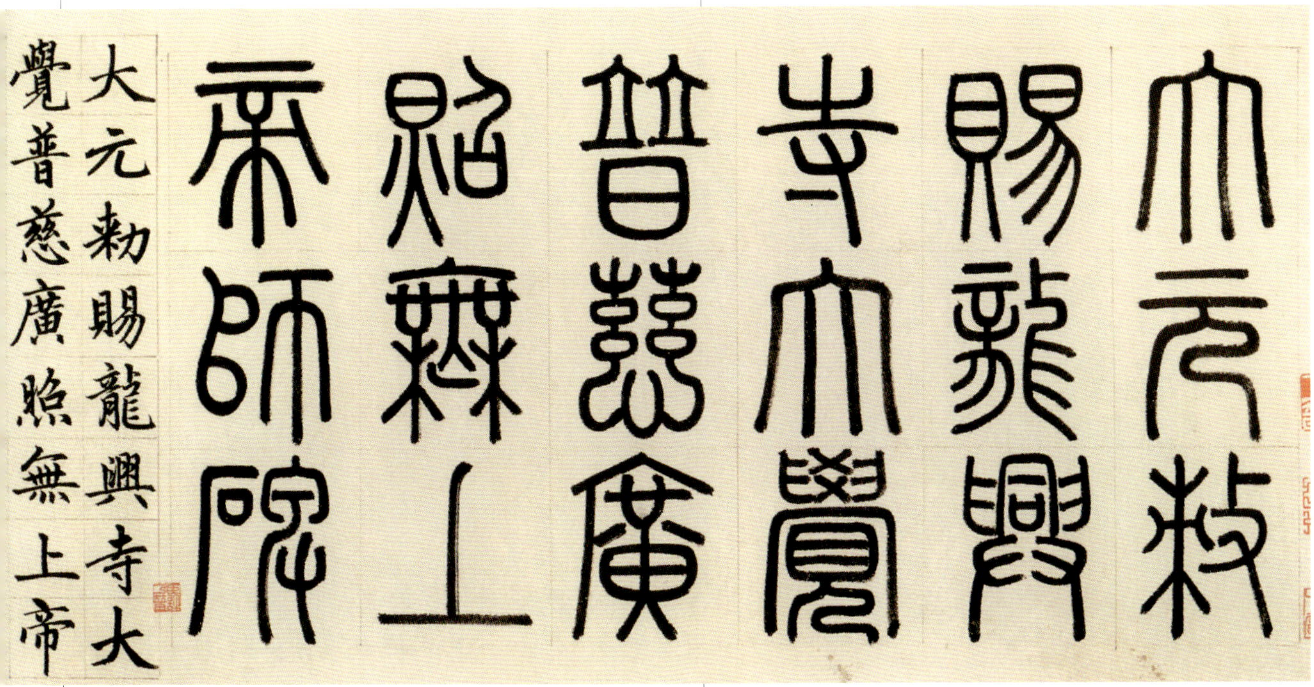
大元勅賜龍興寺大
覺普慈廣照無上帝

行書十札

元

趙孟頫

高25.8厘米。

紙本。

現藏上海博物館。

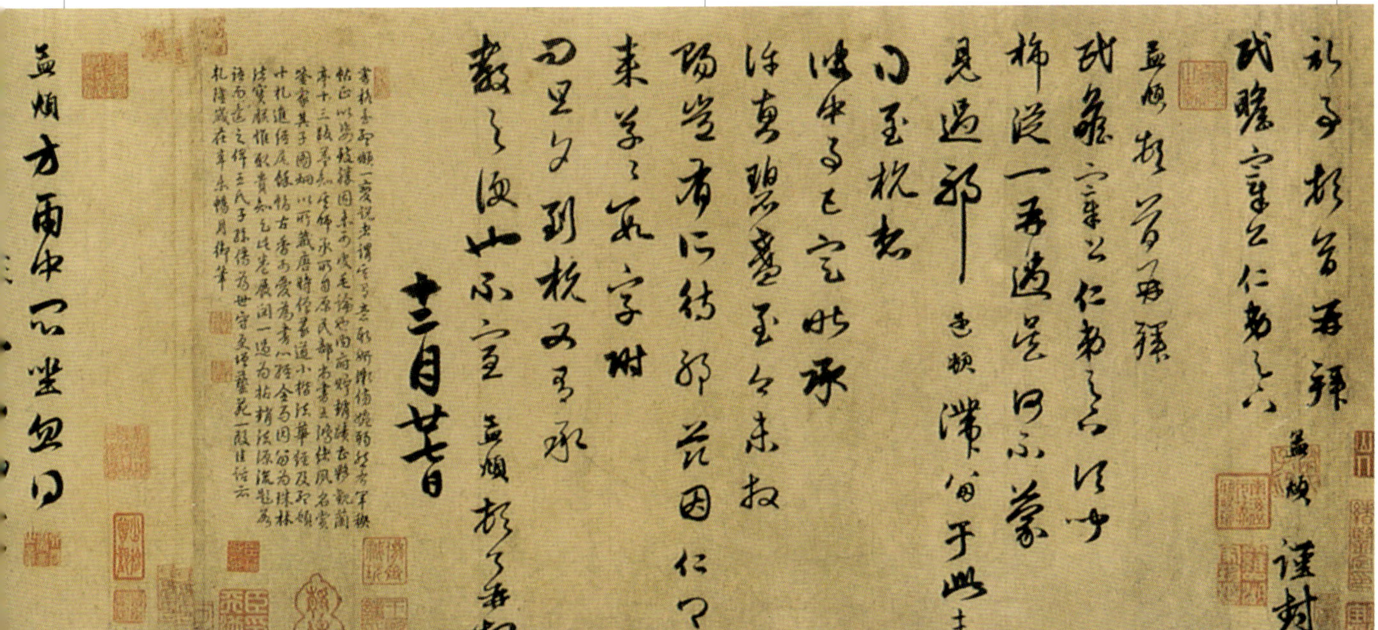

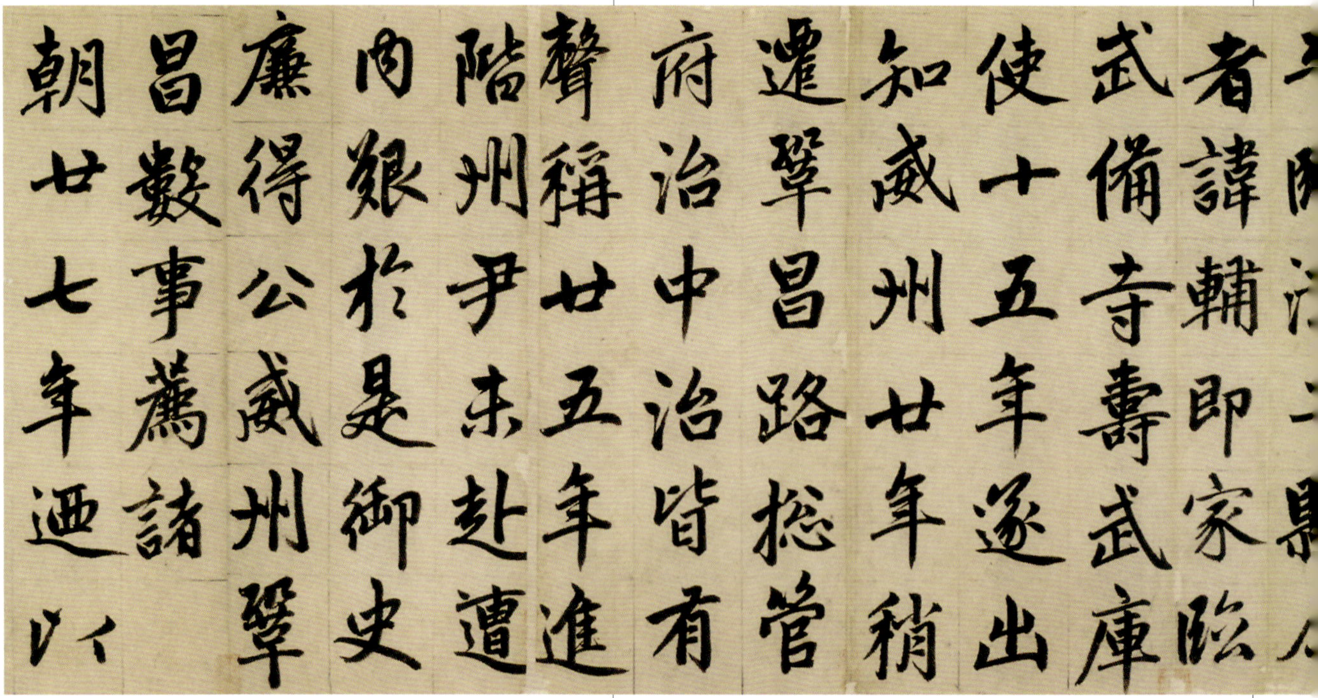

仇鍔墓碑銘

元

趙孟頫

高34.8、寬1071.1厘米。

紙本。此選爲局部。

現藏日本京都陽明文庫。

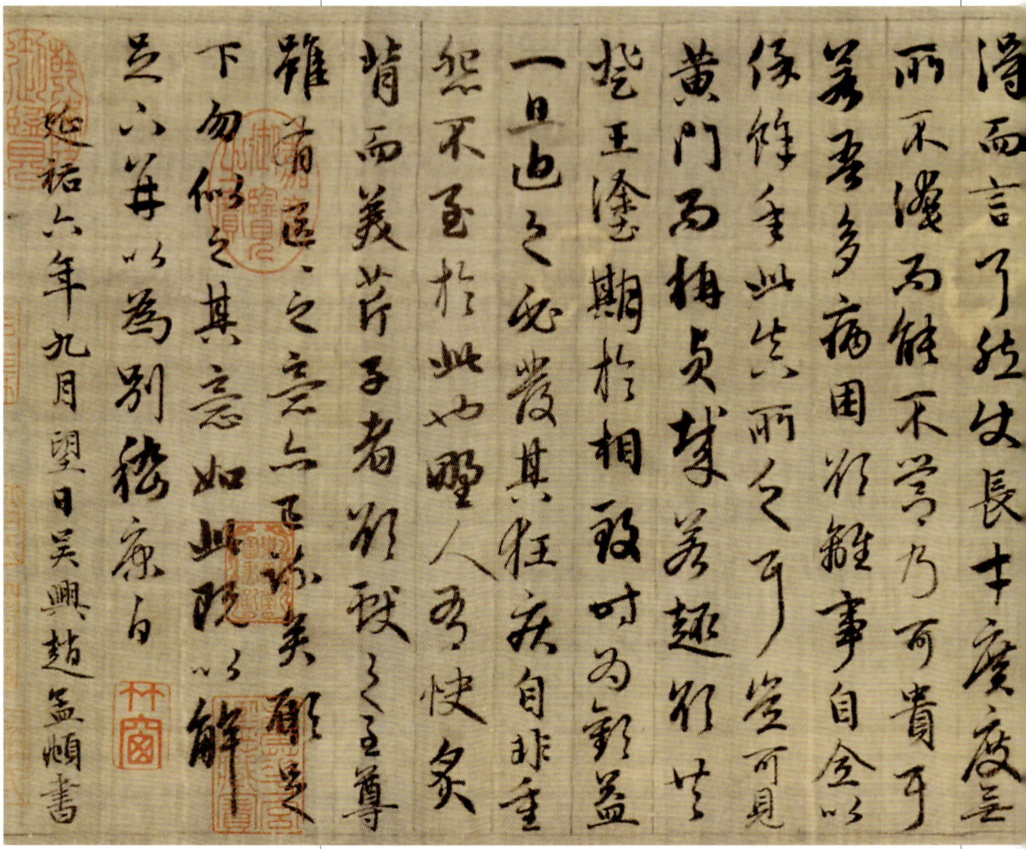

與山巨源絶交書

元

趙孟頫

高21.8、寬254.7厘米。

絹本。此選爲局部。

現藏故宫博物院。

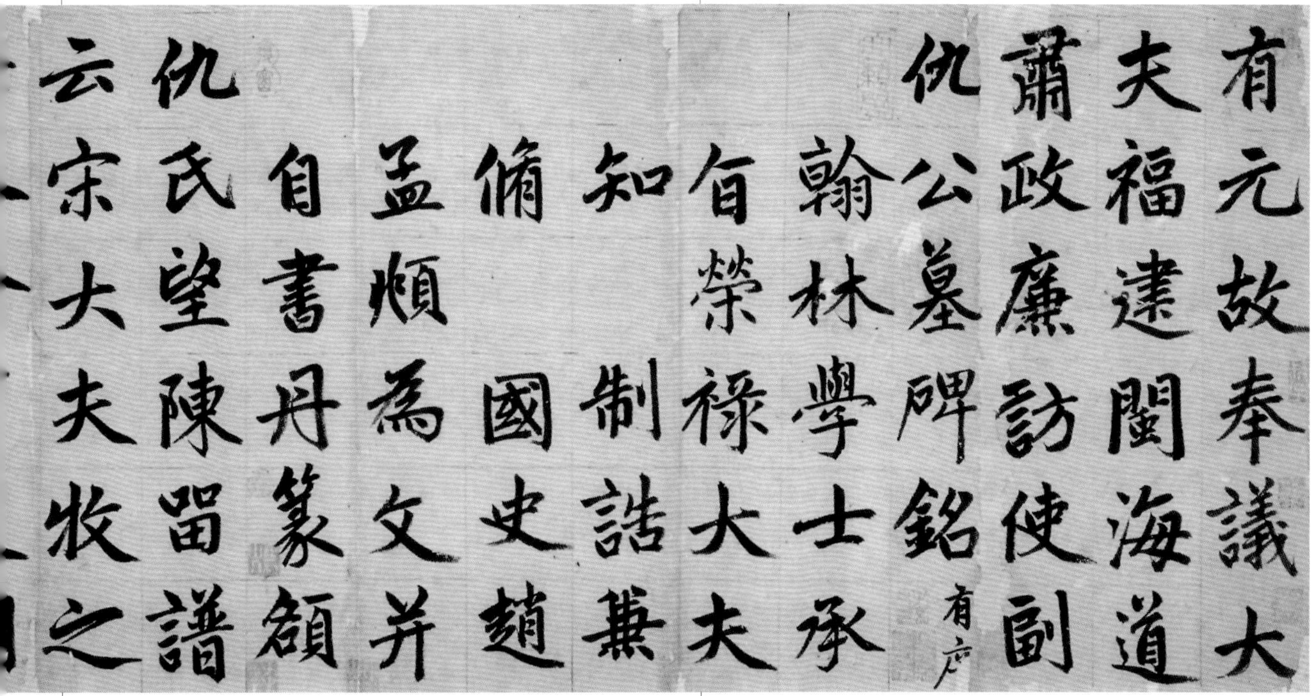
有元故奉議大
夫福建閩海道
肅政廉訪使副
仇公墓碑銘 有序
翰林學士承
旨榮祿大夫
知制誥兼
脩國史趙
孟頫為文并
自書丹篆額
仇氏望陳留譜
云宋大夫牧之

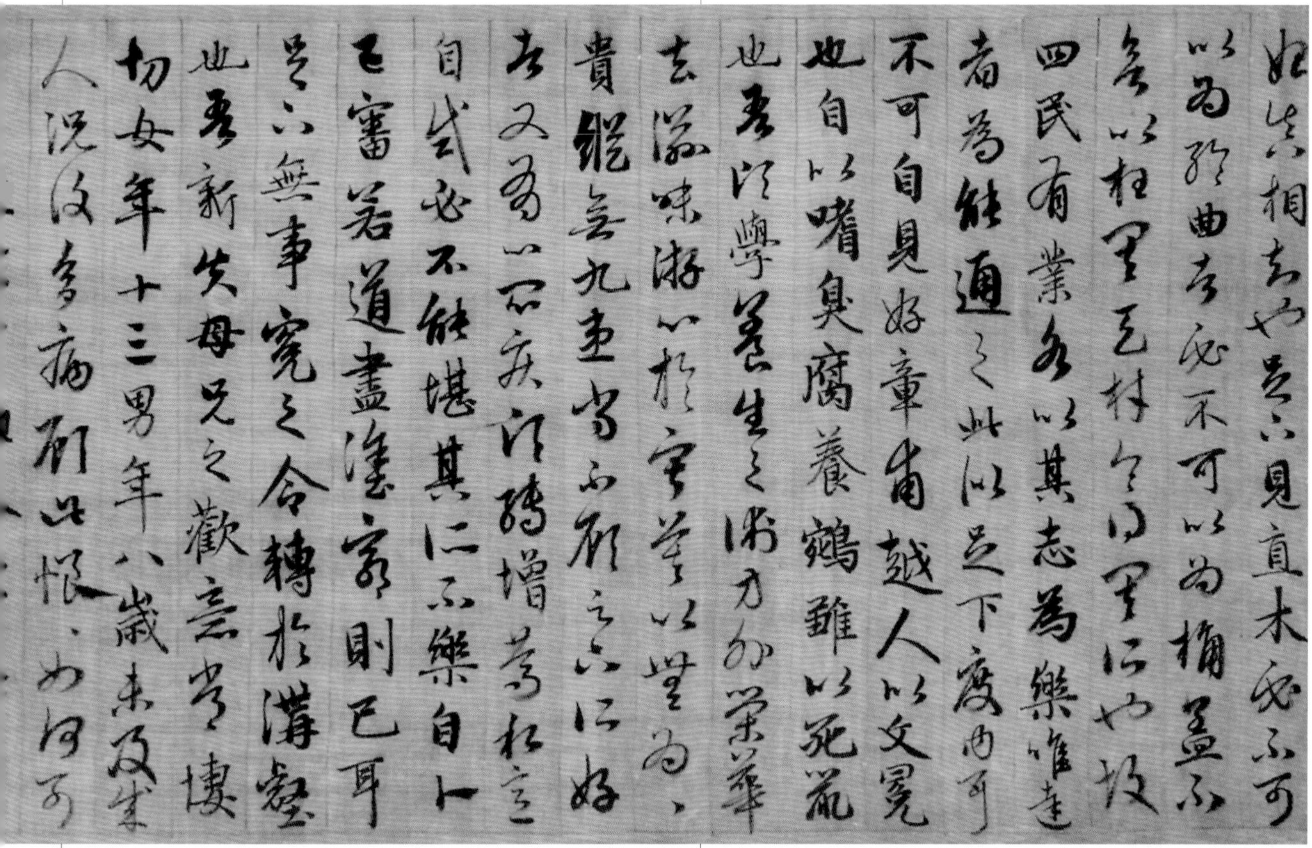

玄妙觀重修三門記

元

趙孟頫

高35.8、寬283.8厘米。

紙本。

現藏日本東京國立博物館。

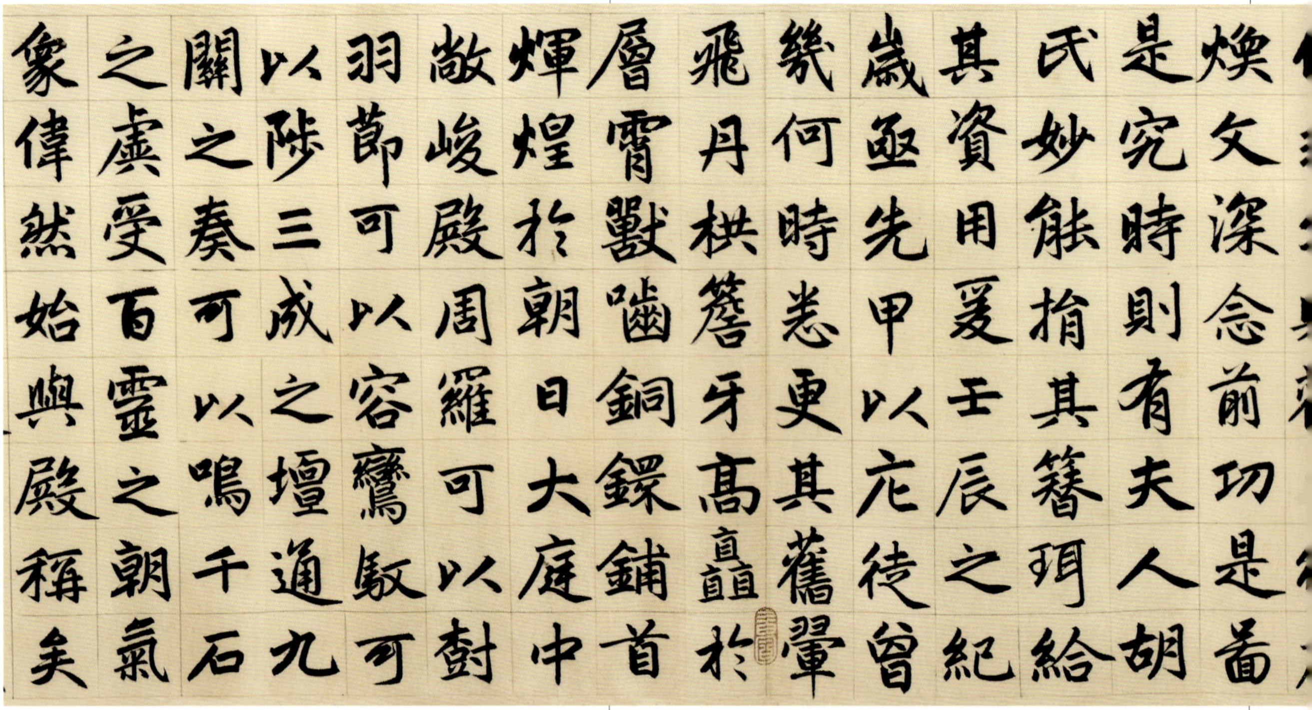
煥文深念前功是畜
是究時則有夫人胡
氏妙能捐其簪珥給
其資用爰壬辰之紀
歲亟先甲以庀徒曾
幾何時卷更其舊翬
飛丹栱簷牙高直於
層霄獸嚙銅鐶鋪首
煇煌於朝日大庭中
敞峻殿周羅可以對
羽節可以容鸞馭可
以陟三成之壇通九
關之奏可以鳴千石
之虡受百靈之朝氣
象偉然始與殿稱矣

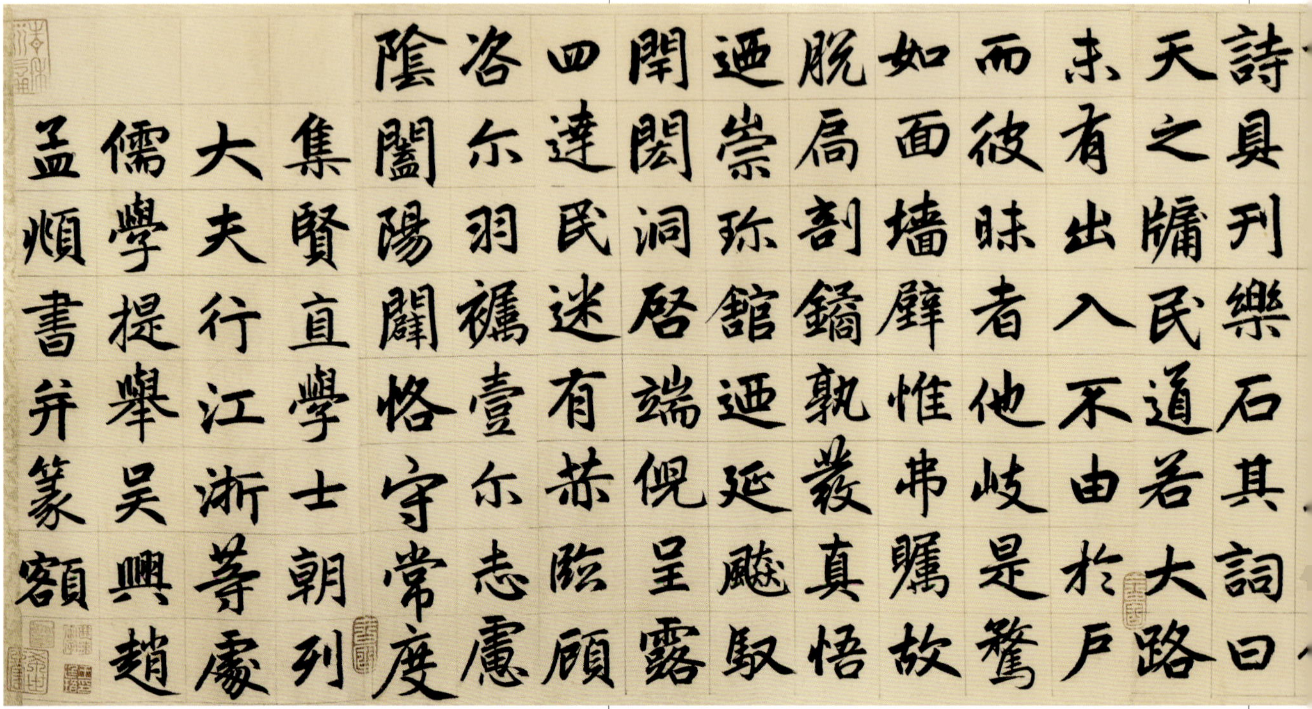
詩具刊樂石其詞曰
天之牖民道若大路
未有出入不由於戶
而彼昧者他岐是騖
如面墻壁惟弗屬故
脫扃剖鑰孰叢真悟
迺崇琳館迺延飈馭
閈閎洞啓端倪呈露
四達民迷有恭臨顧
咨尒羽禡壹尒志慮
陰闔陽闢恪守常度
集賢直學士朝列
大夫行江浙等處
儒學提舉吳興趙
孟頫書并篆額

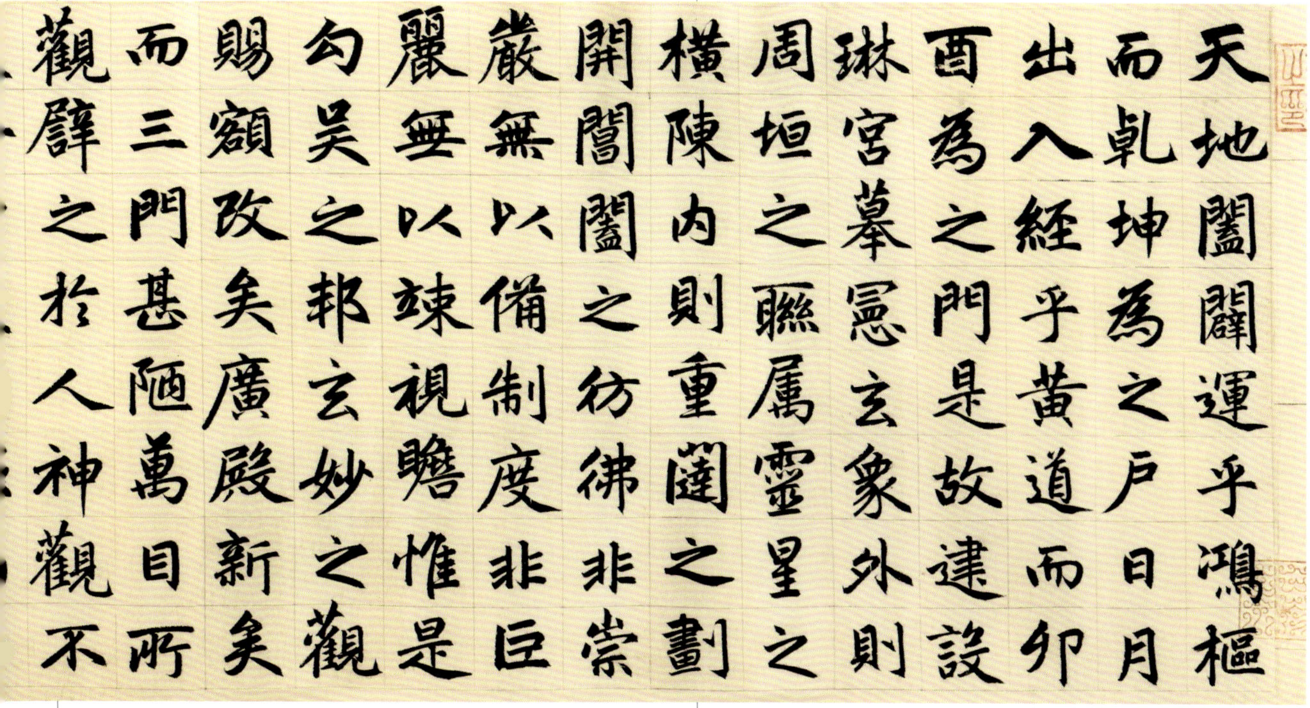
天地闔闢運乎鴻樞
而乾坤為之戶日月
出入經乎黃道而卯
酉為之門是故建設
琳宮摹寫玄象外則
周垣之聯屬靈星之
橫陳內則重闈之劃
開閶闔之彷彿非崇
嚴無以備制度非巨
麗無以竦視瞻惟是
勾吳之邦玄妙之觀
賜額改矣廣殿新矣
而三門甚陋萬目所
觀辟之於人神觀不

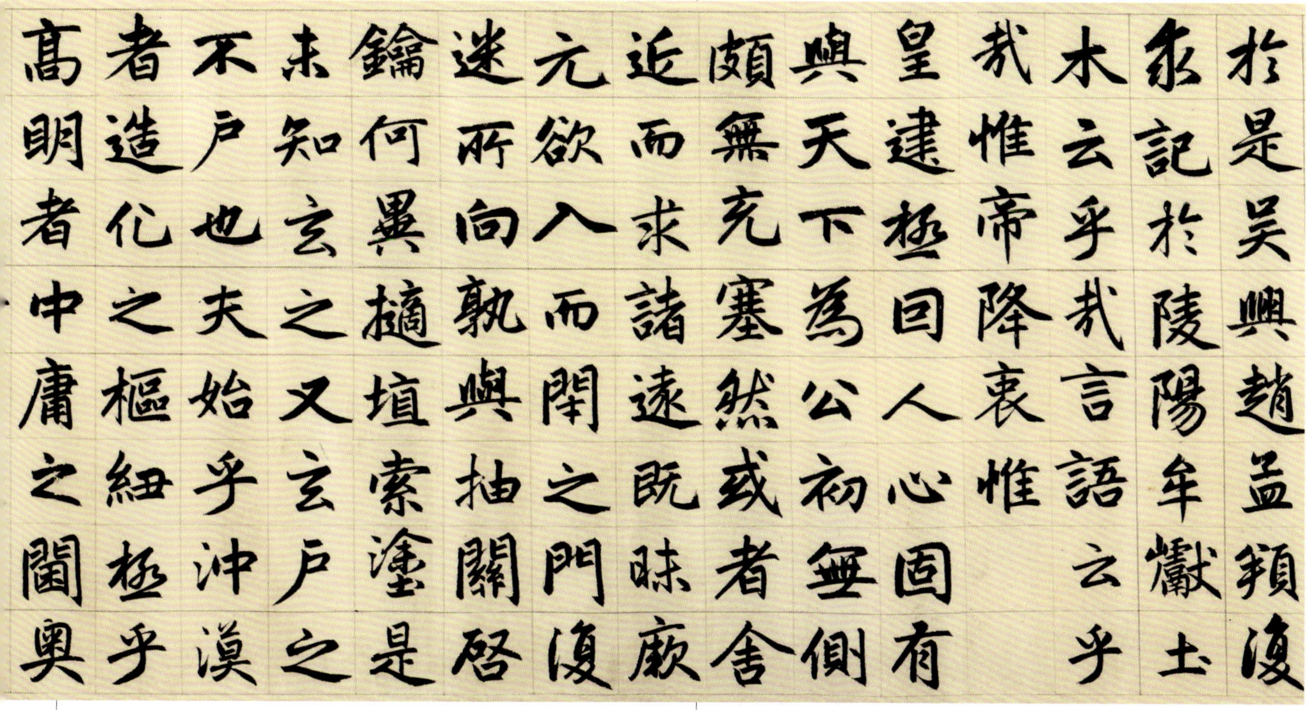
於是吳興趙孟頫復
求記於陵陽牟巘士
木云乎哉言語云乎
哉惟帝降衷惟
皇建極曰人心固有
與天下為公初無側
頗無充塞然或者舍
近而求諸遠既昧厥
元欲入而閉之門復
迷所向孰與抽關啓
鑰何異擿埴索塗是
未知玄之又玄戶之
不戶也夫始乎沖漠
者造化之樞紐極乎
高明者中庸之閫奧

鮮于樞（公元1256－1301年）

大都（今北京）人，一説漁陽（今天津薊縣）人。字伯機，號困學山民、寄直老人等。官至太常寺典簿。能詩文，善書法。工楷、行、草書，尤以草書著稱。著有《困學齋集》和《困學齋雜録》。

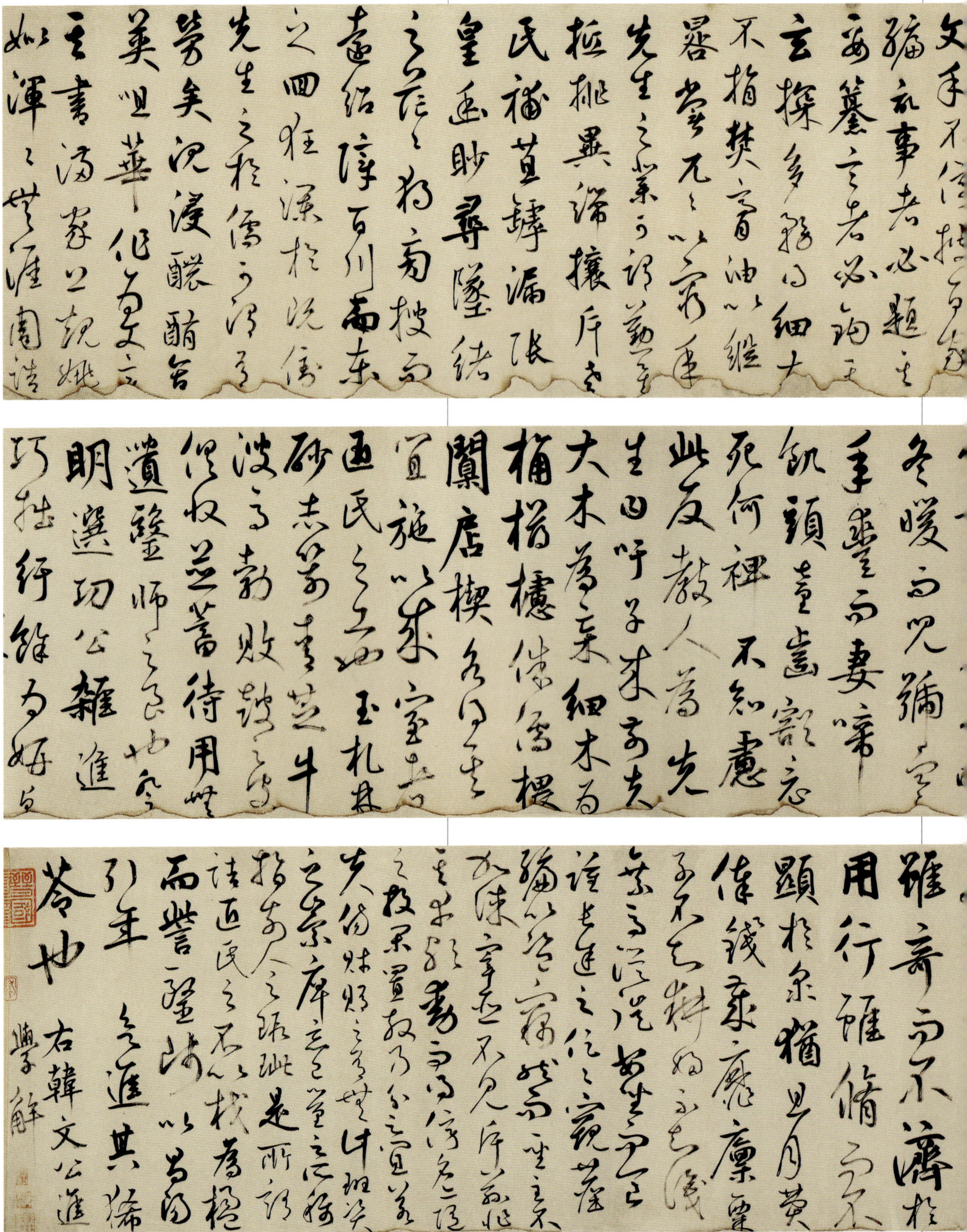

韓愈進學解

元
鮮于樞

高49.1、寬795.5厘米。
紙本。
現藏首都博物館。

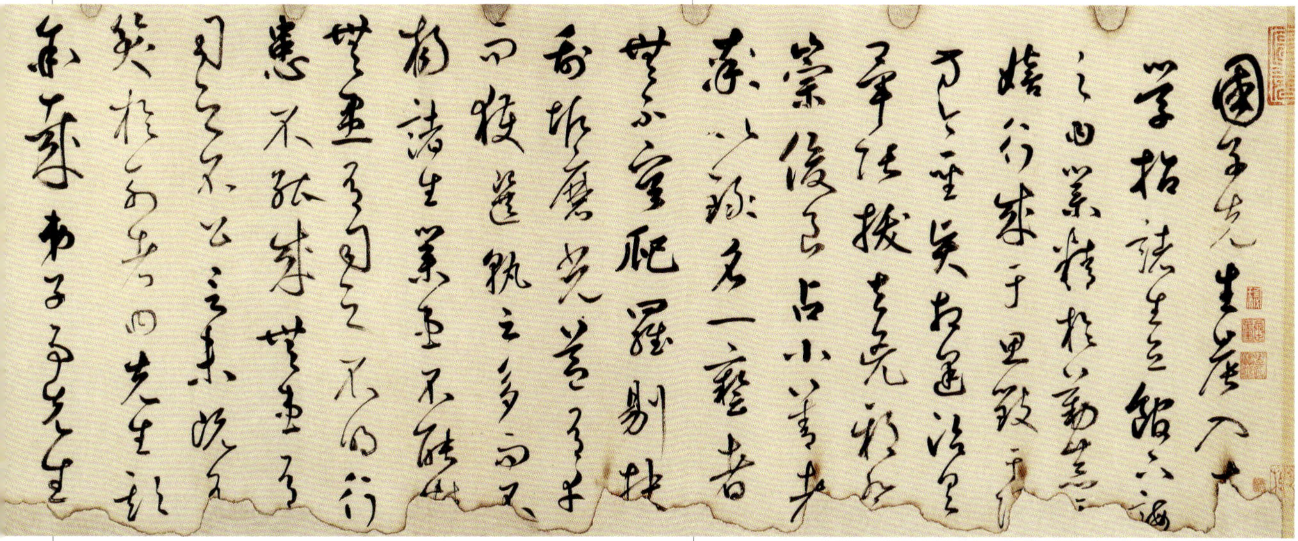

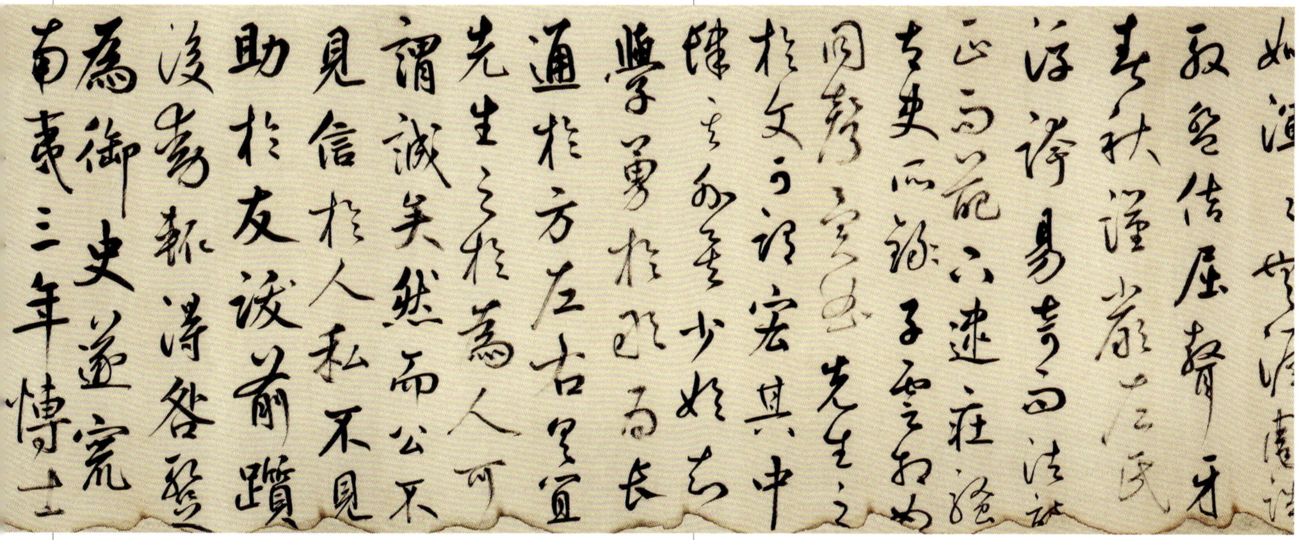

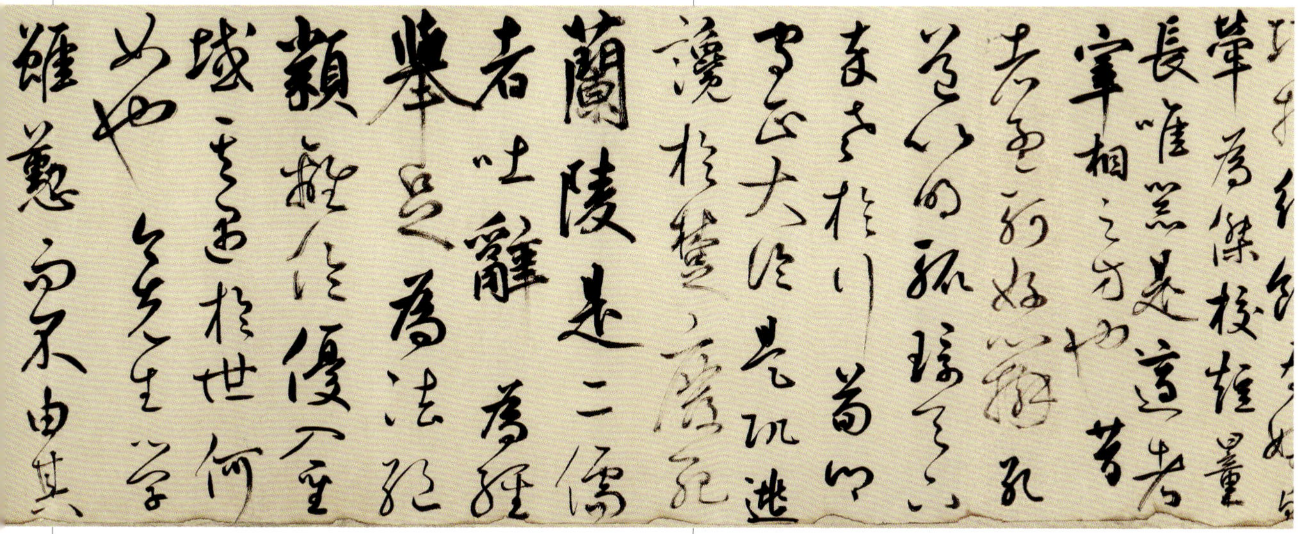

詩贊

元
鮮于樞
高43.4、寬876.4厘米。
紙本。
現藏上海博物館。

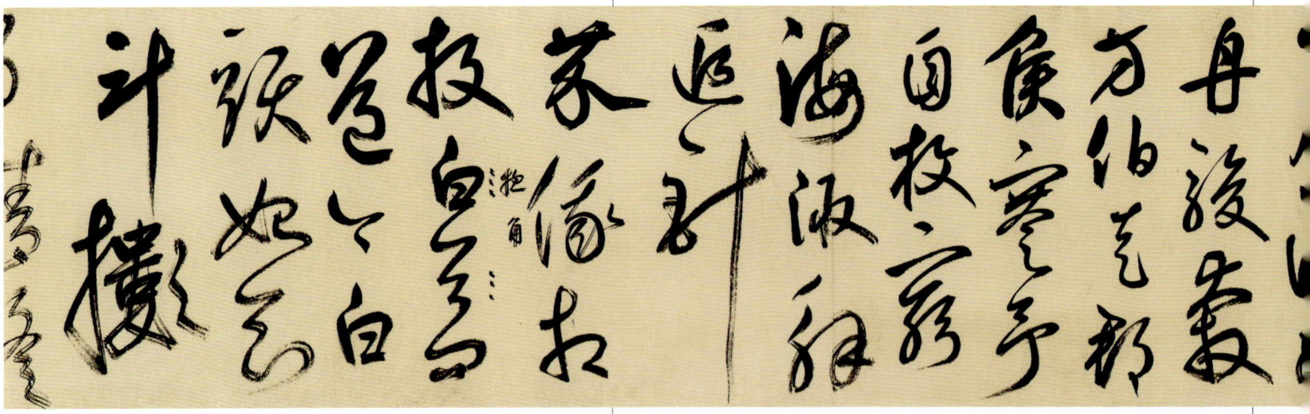

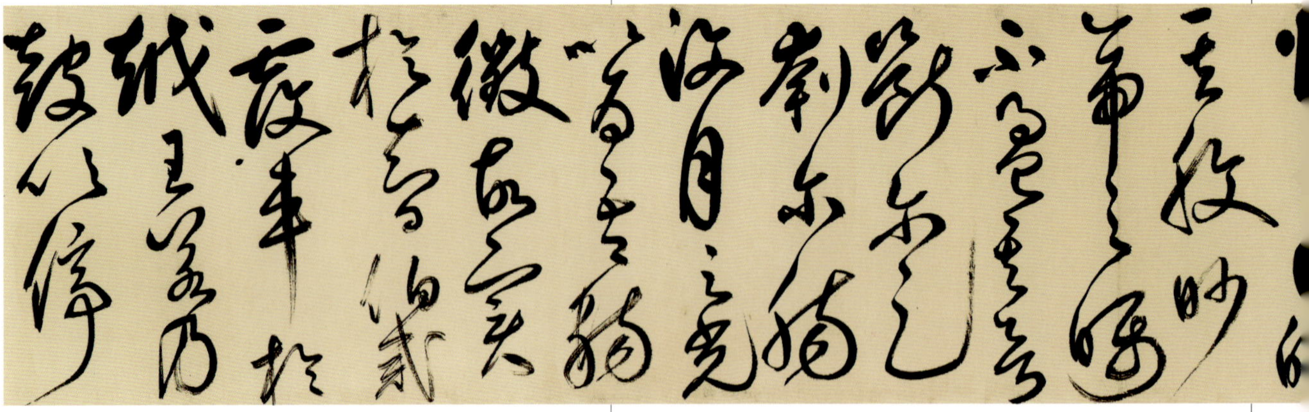

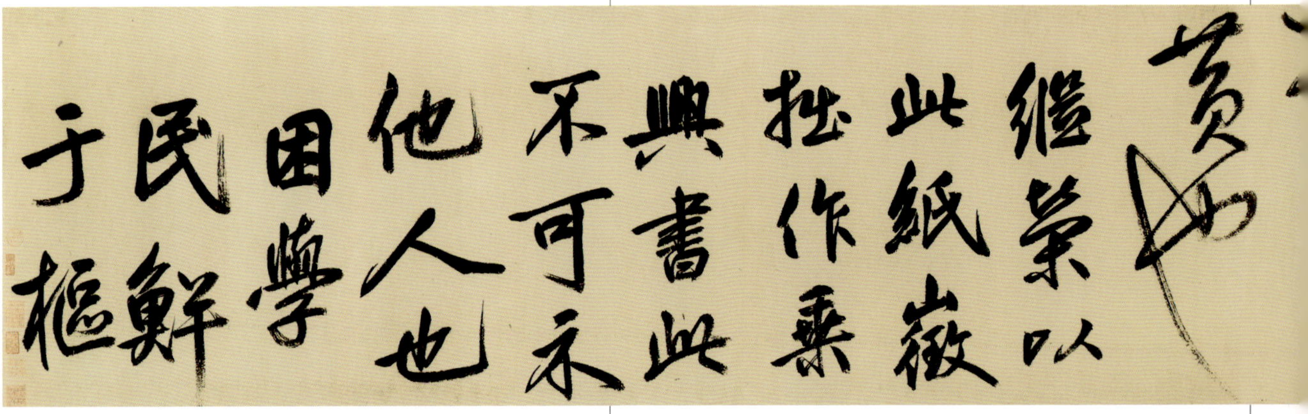

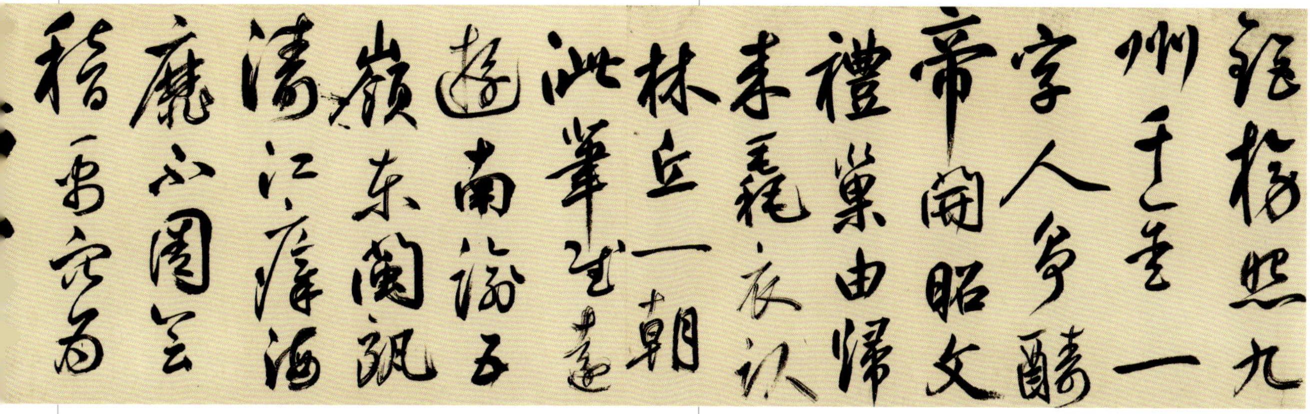

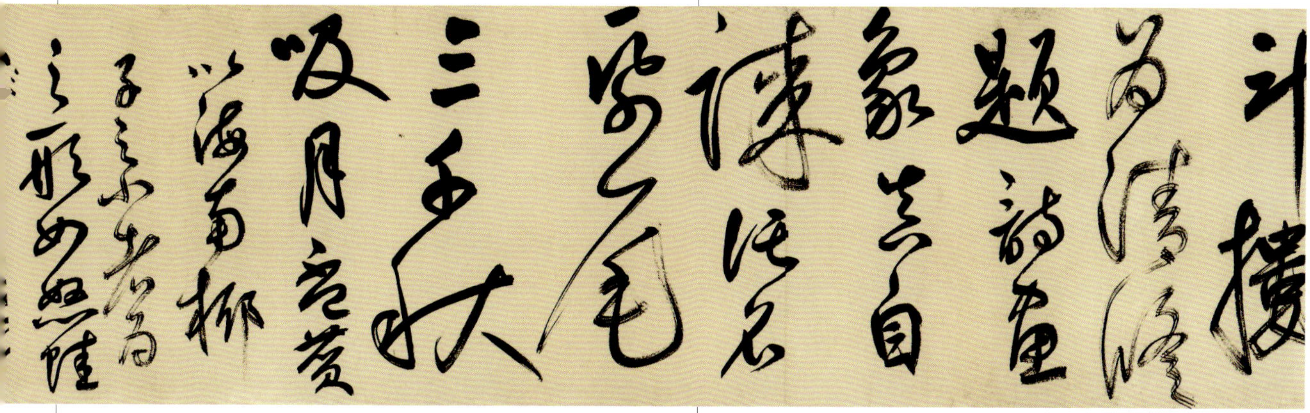

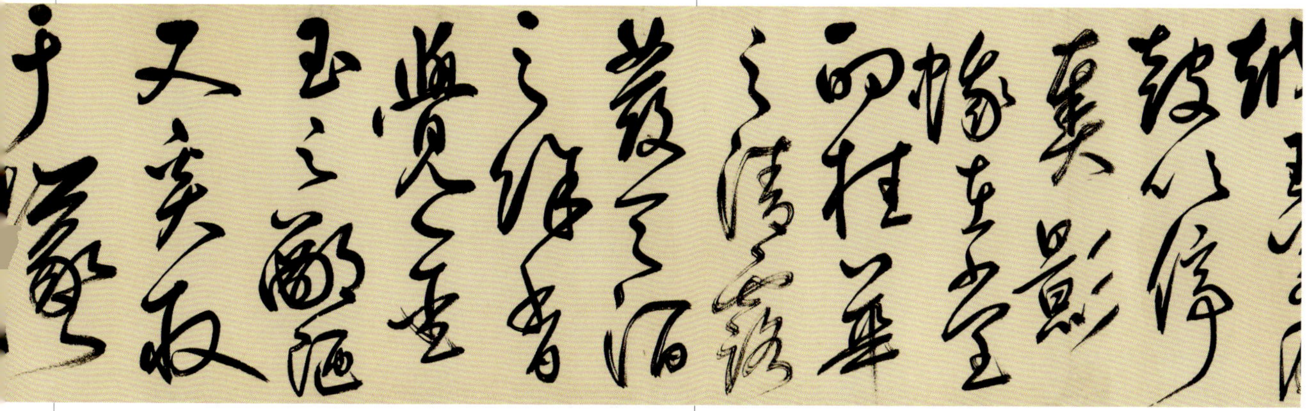

秋興詩

元

鮮于樞

兩幅均高33.6厘米，寬分别爲40.6和41.8厘米。

紙本。册頁兩開。

現藏故宫博物院。

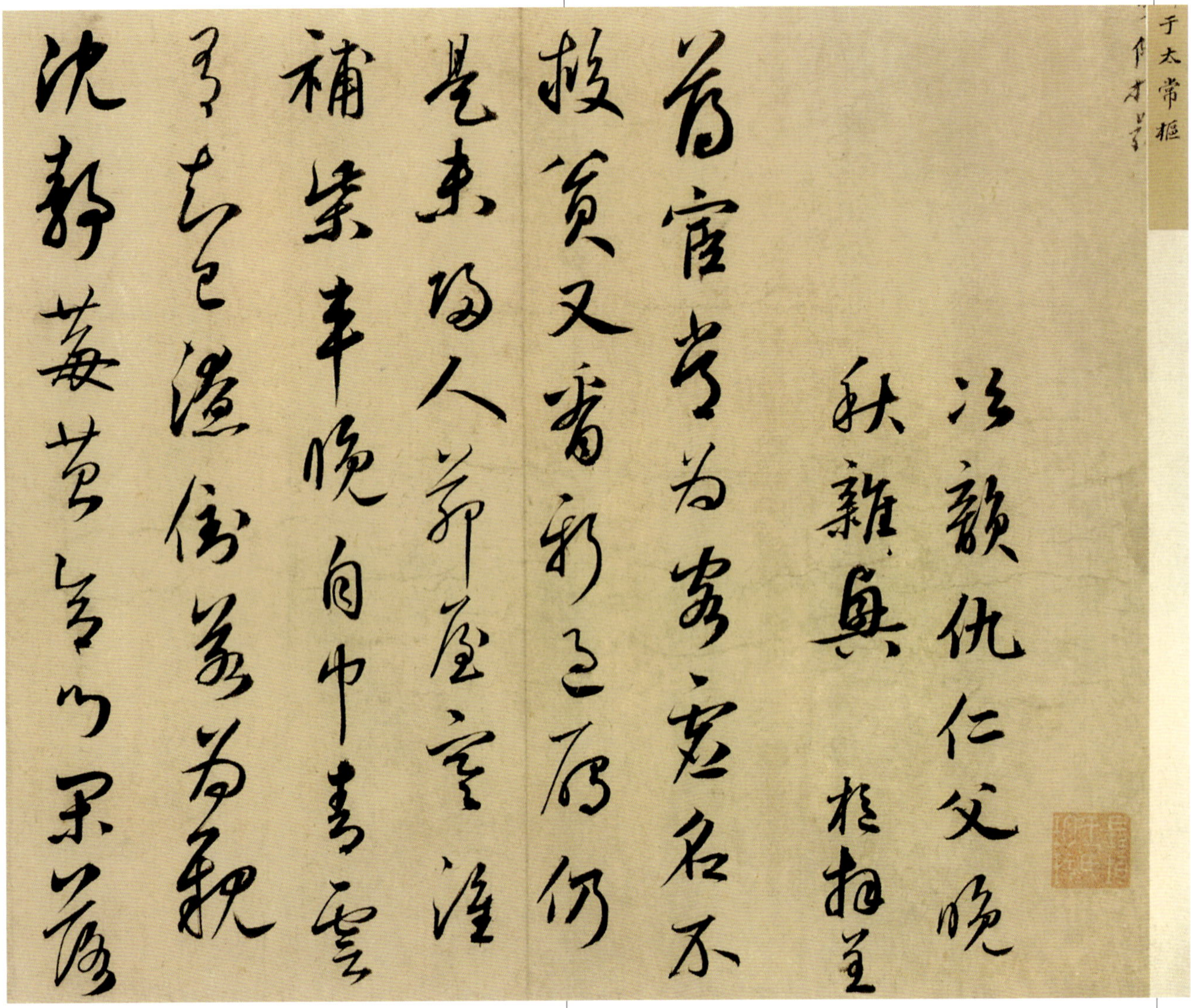

秋興詩之一

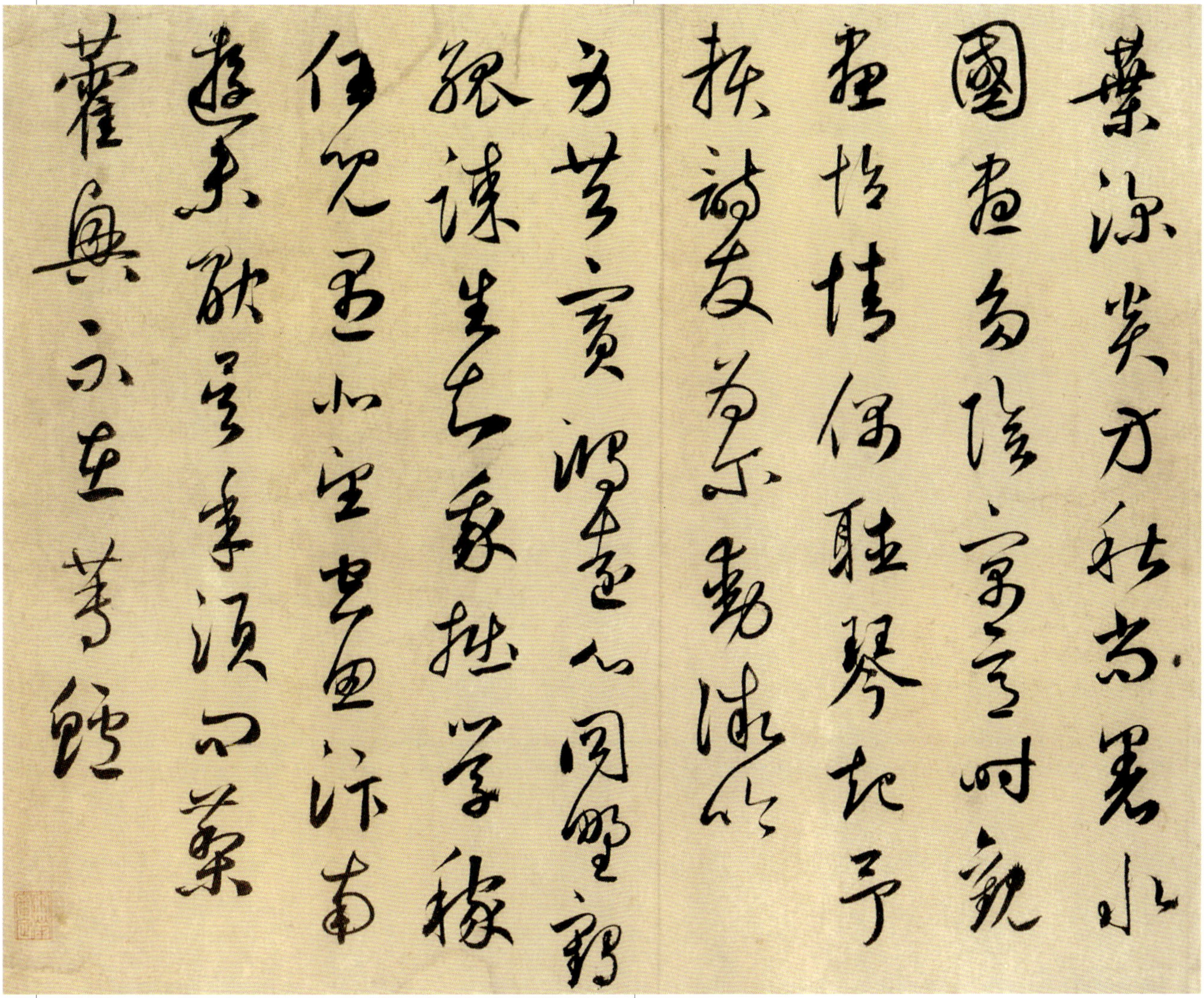

秋興詩之二

杜甫茅屋爲秋風所破歌

元

鮮于樞

高32.5厘米。

紙本。

現藏日本京都藤井有鄰館。

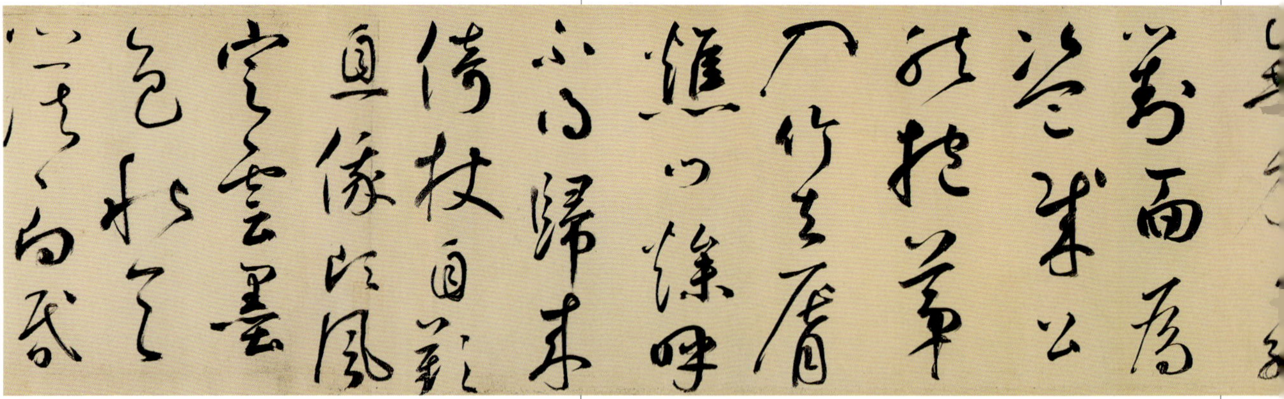

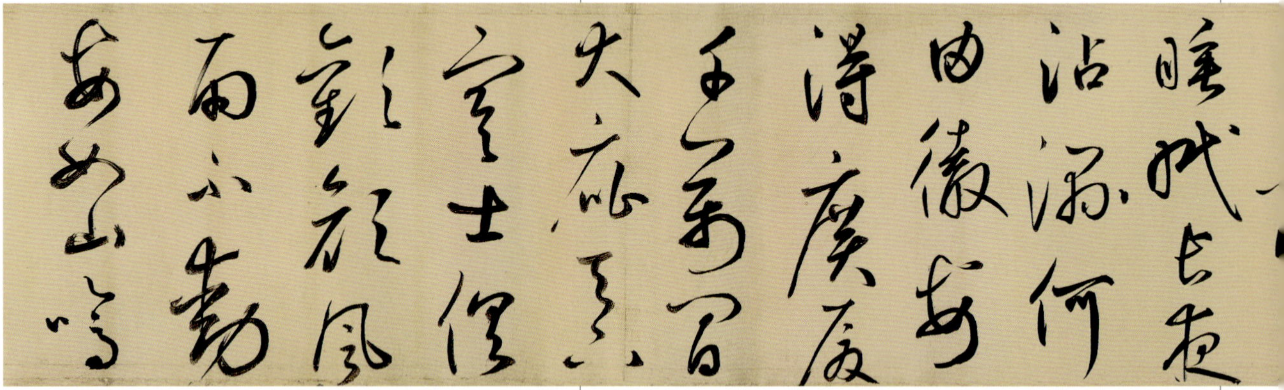

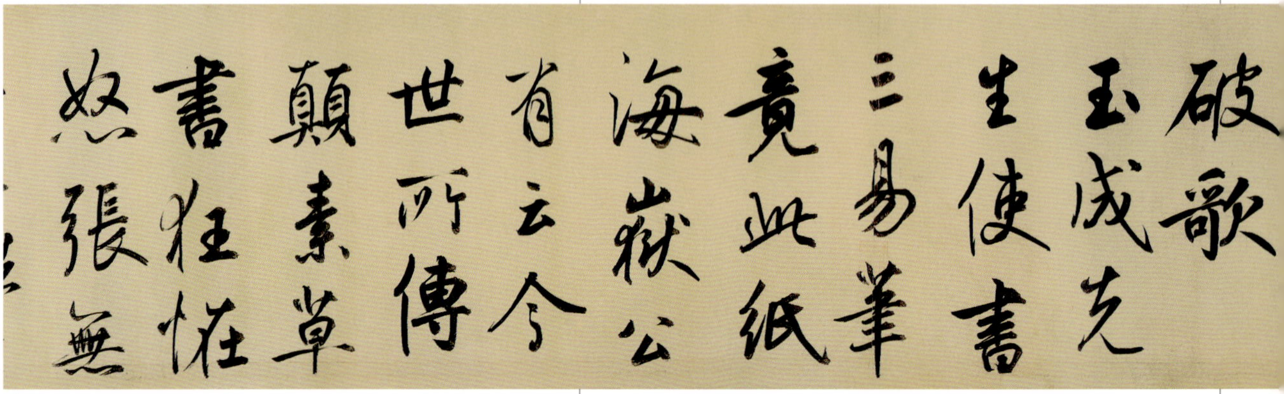

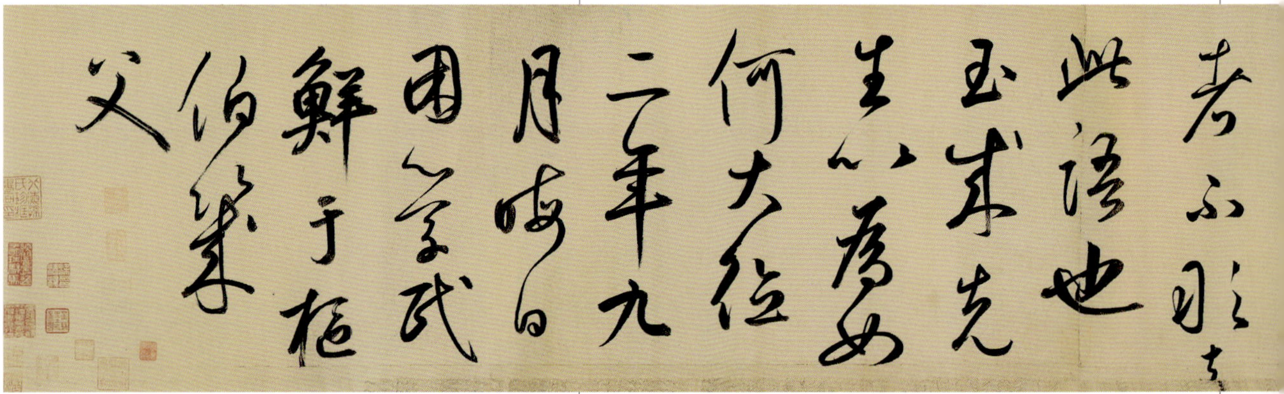

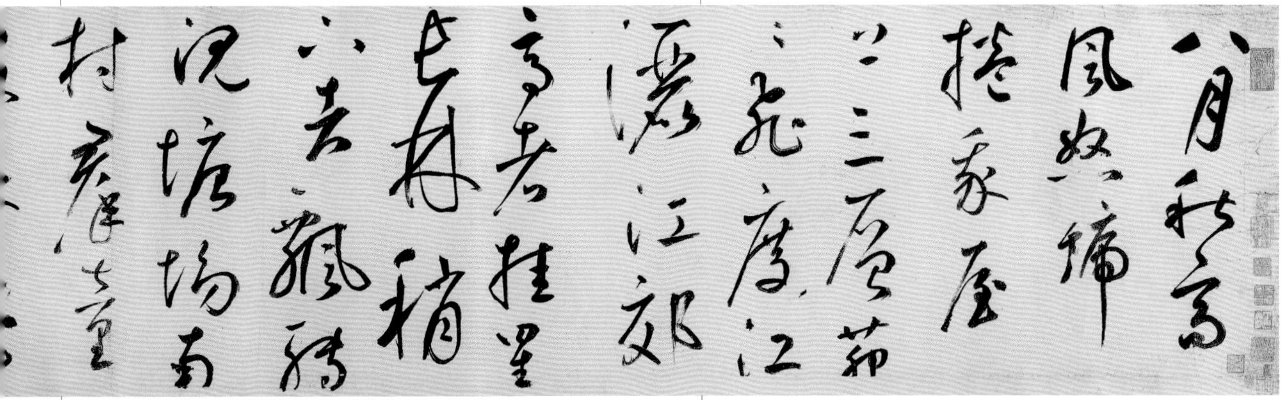

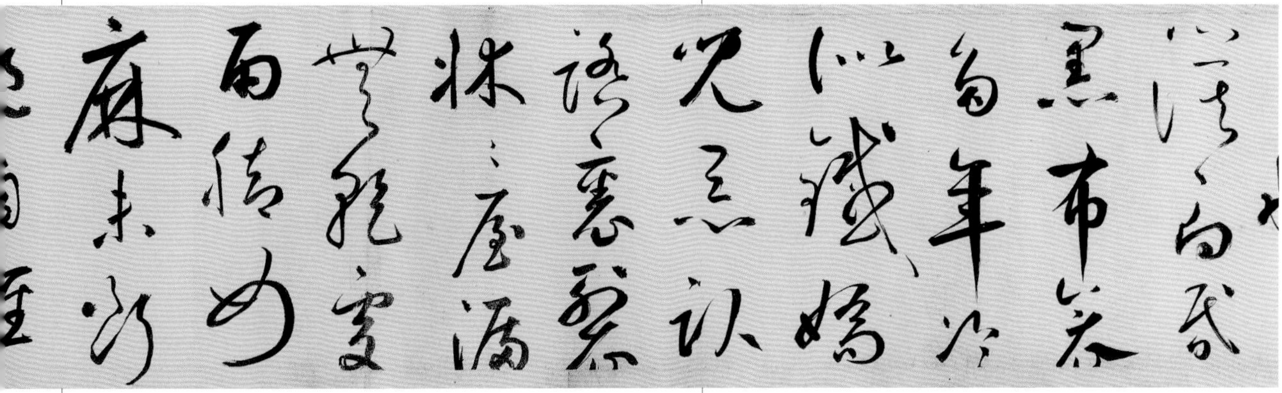

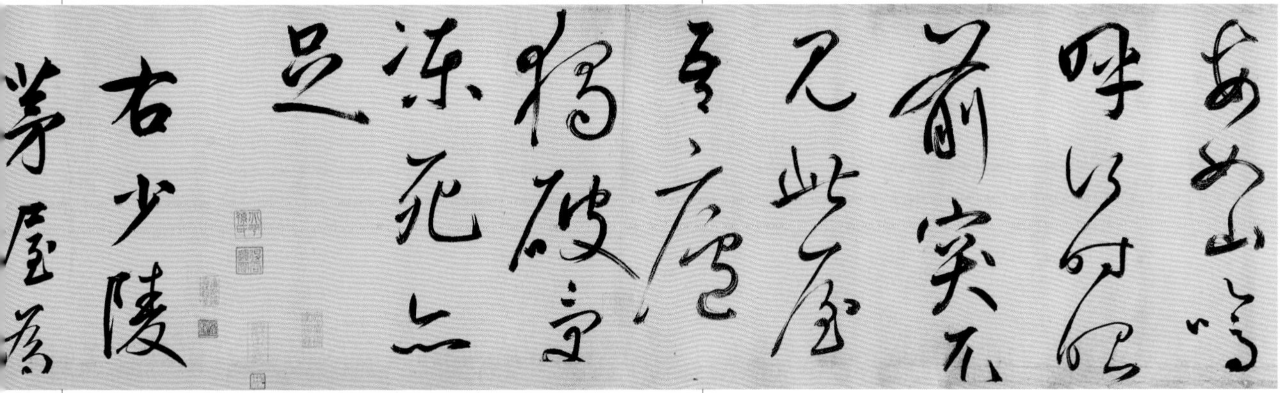

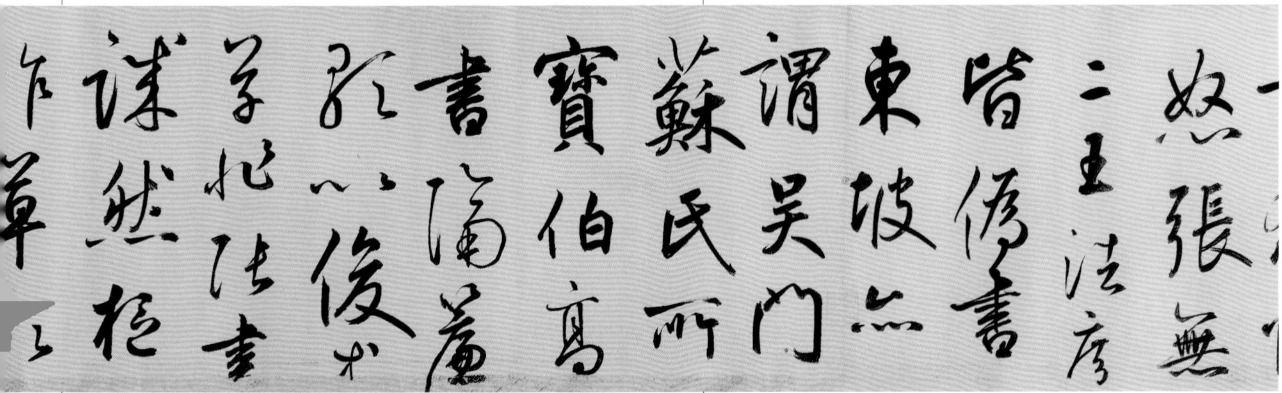

趙秉文御史箴

元
鮮于樞
高50.1、寬409.6厘米。
紙本。
字徑10–13厘米。
現藏美國普林斯頓大學美術館。

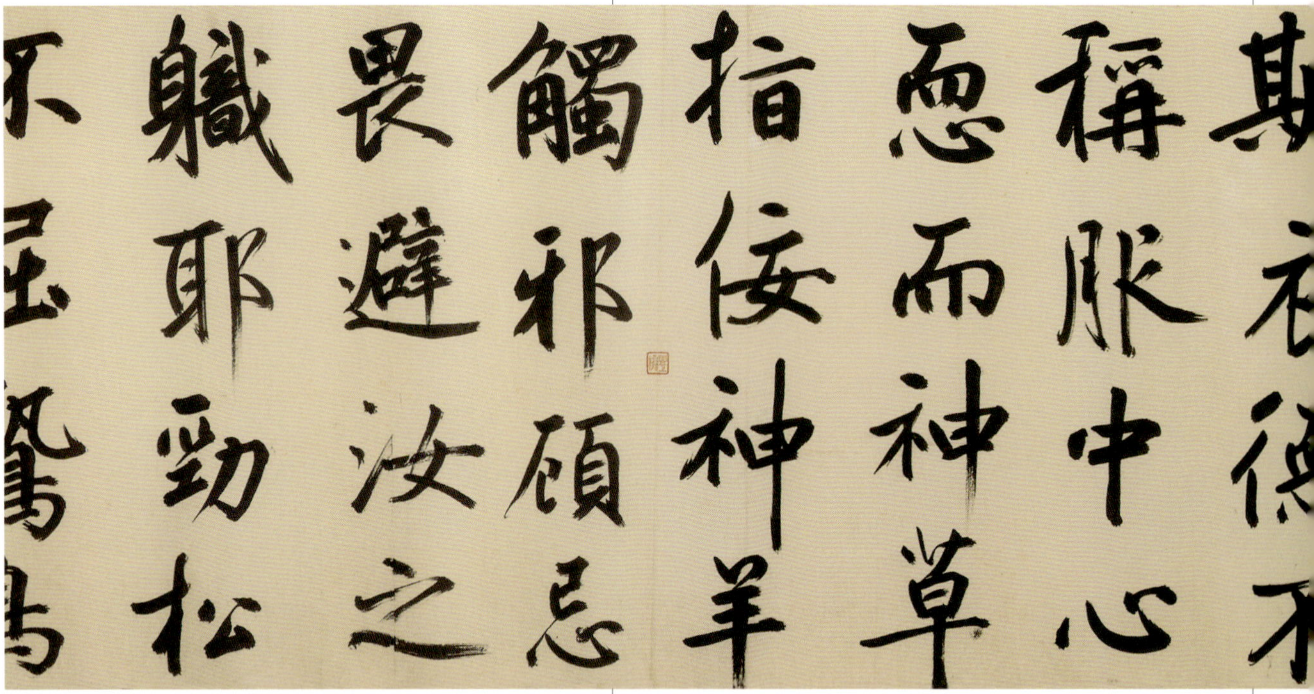

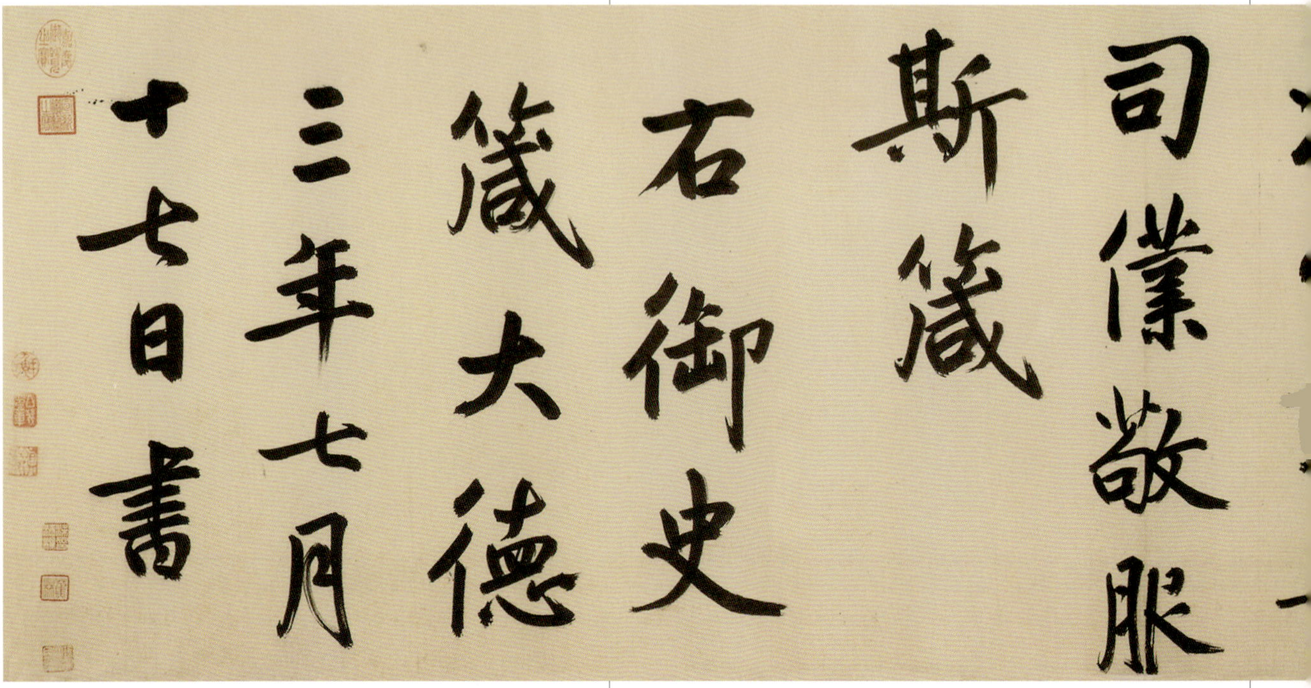

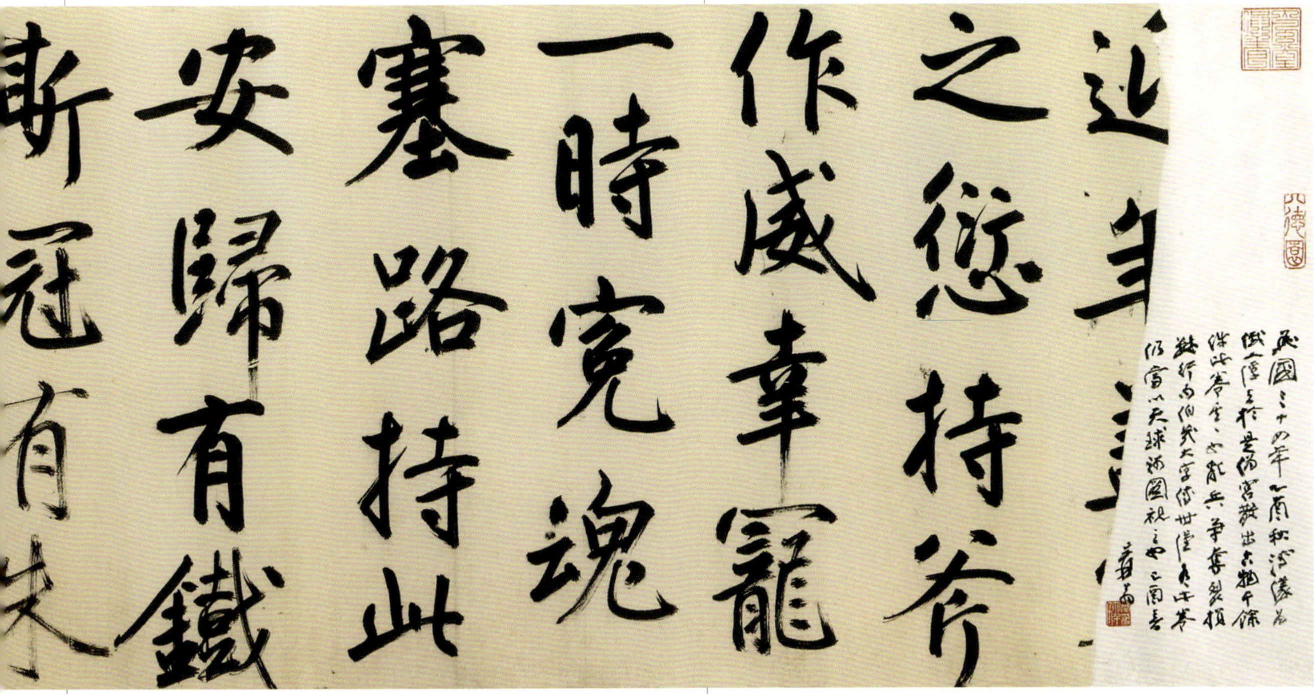

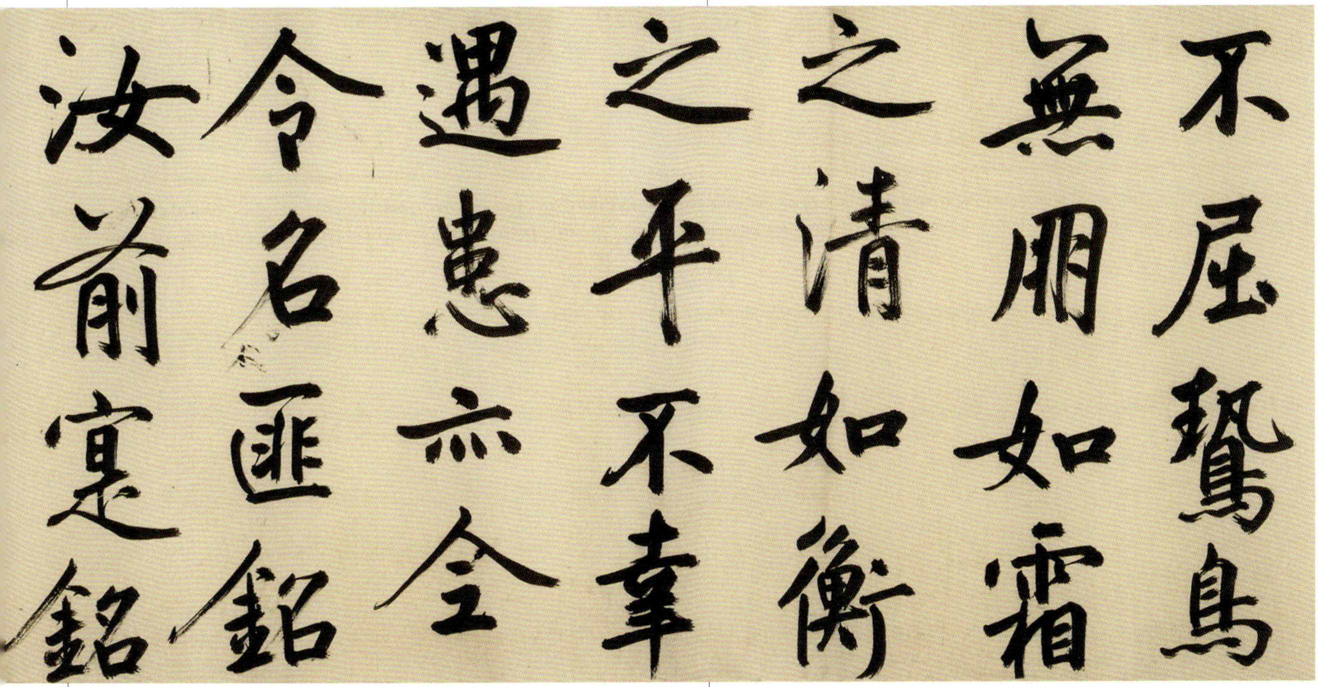

溥　光（公元？–14世紀初）

大同（今屬山西）人。俗姓李，字玄暉，號雪庵。元初僧人。至元年間被封爲昭文館大學士，賜號玄悟大師。善書畫。著有《雪庵字要》。

石頭和尚草庵歌

元
溥光
高46.7、寬605.4厘米。
紙本。
現藏上海博物館。

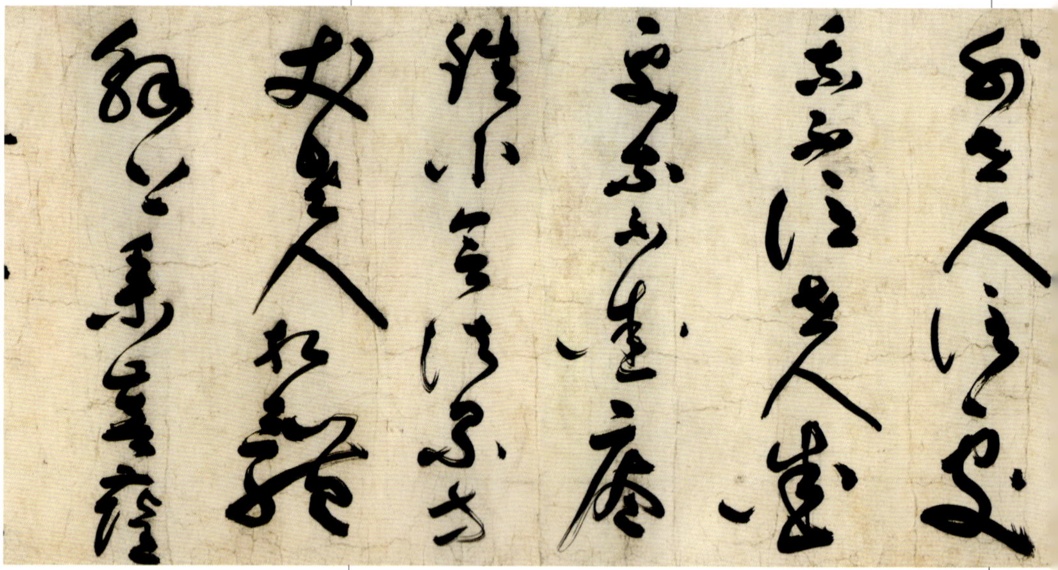

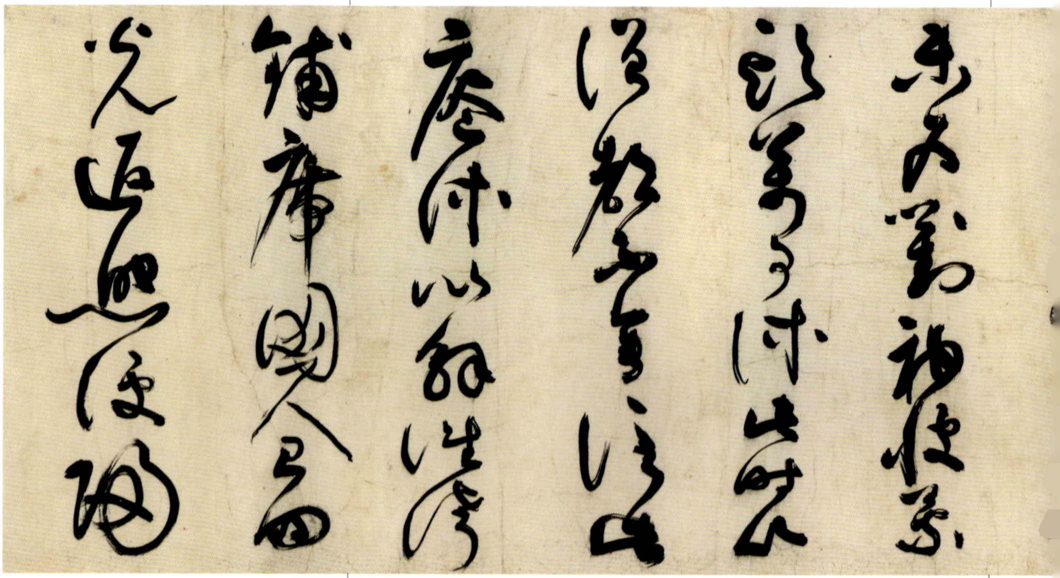

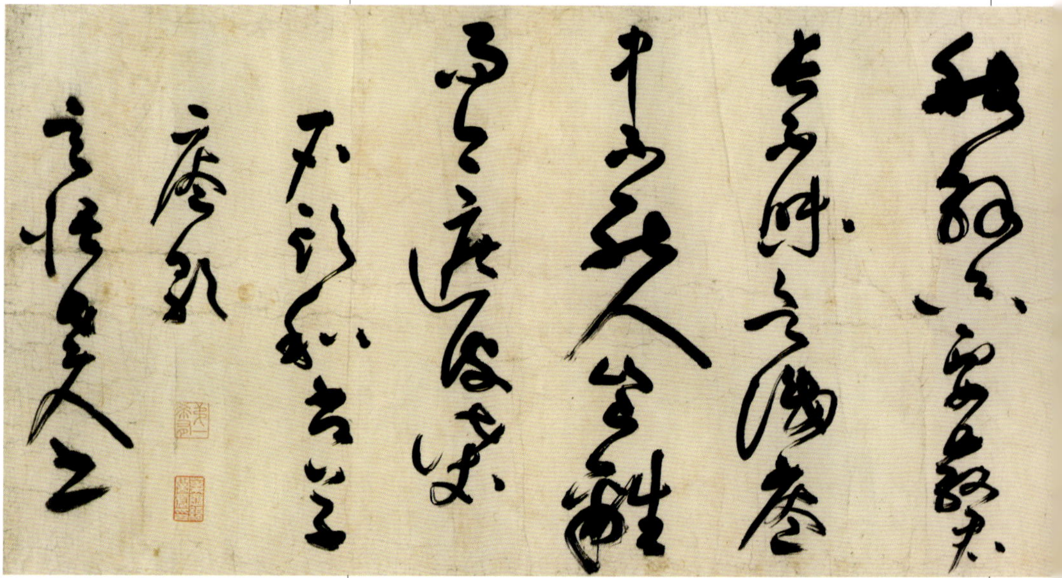

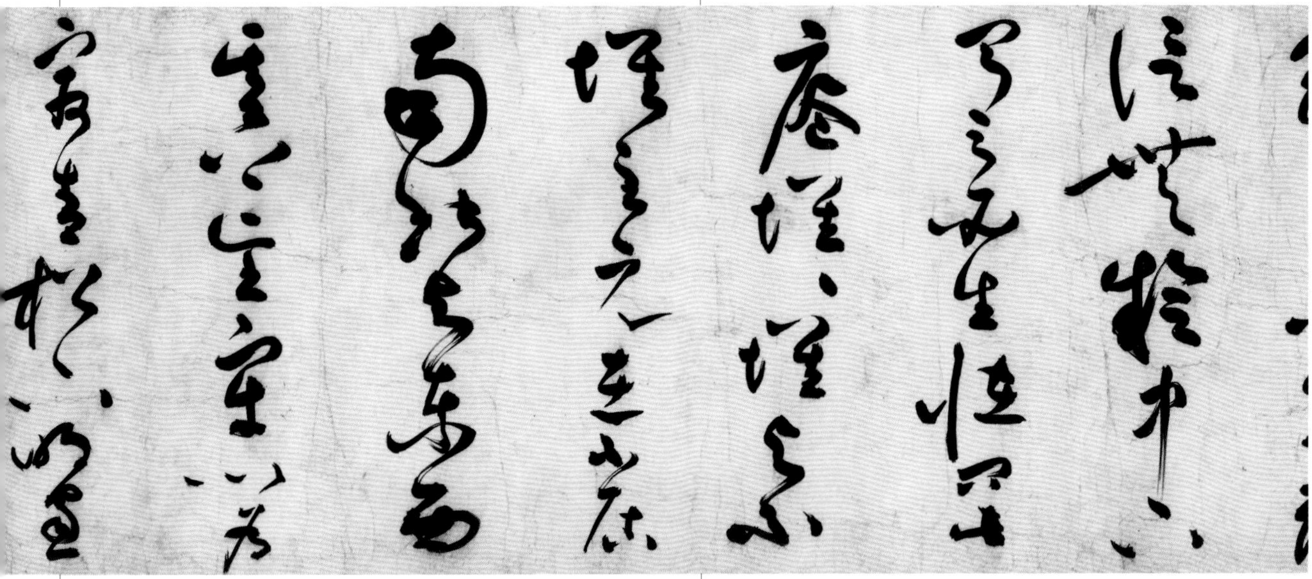

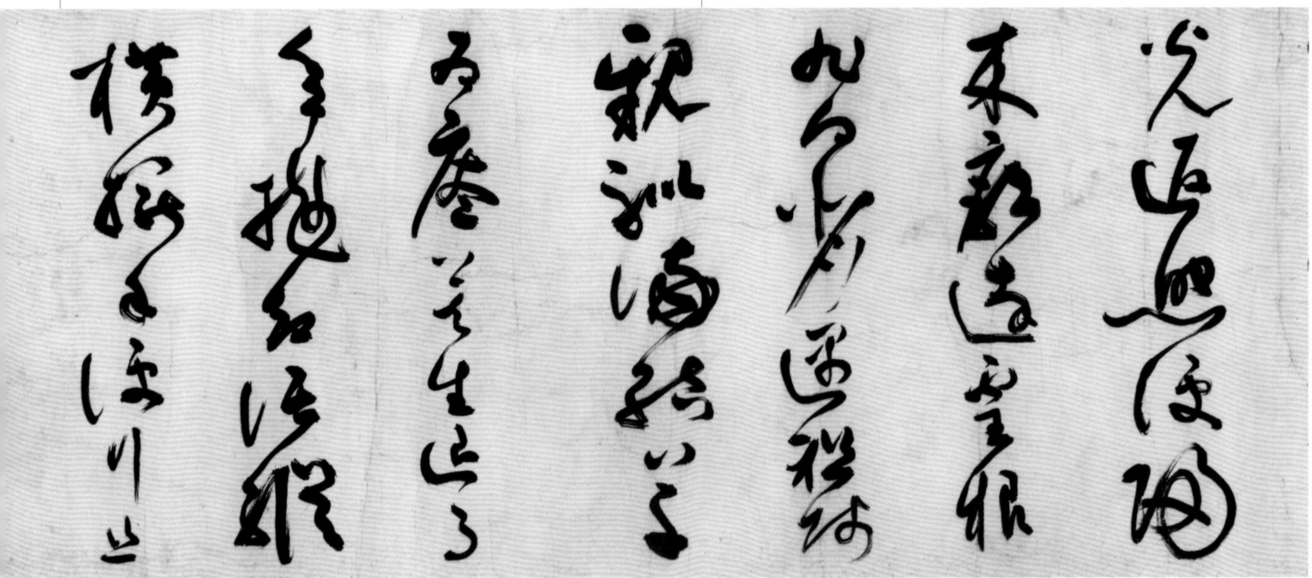

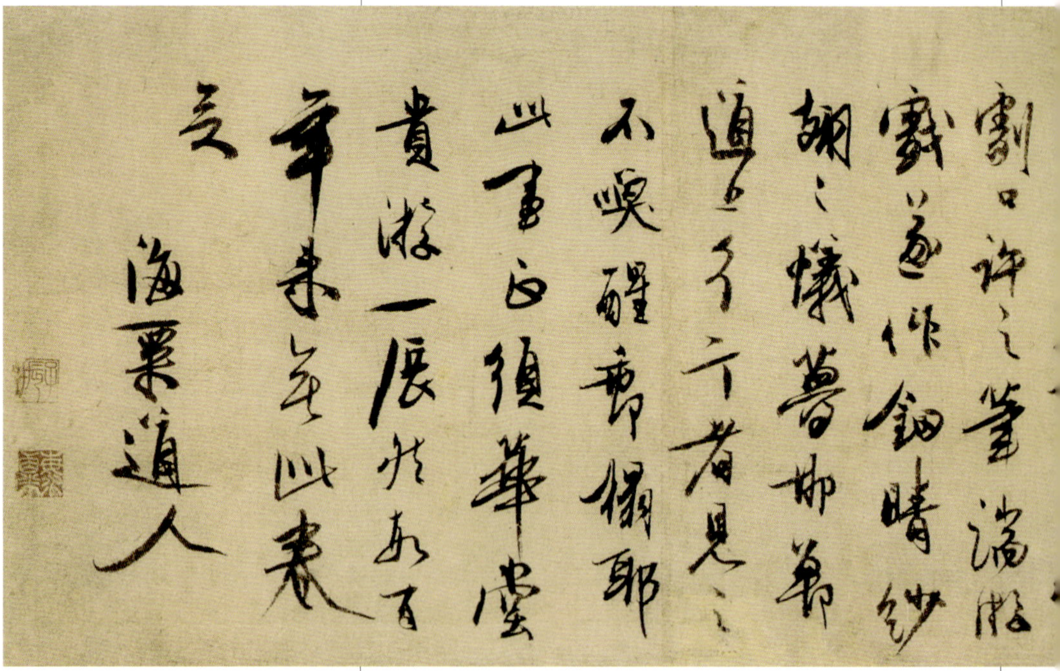

馮子振（公元1257－1314年後）

攸州（今湖南攸縣）人，字海粟，號瀛州客。博通文史，文章著稱于世。官至翰林學士。工書法，繼承宋人寫意筆風。

畫跋（上圖）

元
馮子振
高29.4、寬118厘米。
紙本。
現藏日本東京常盤山文庫。

居庸賦

元
馮子振
高48.1、寬887.4厘米。
紙本。此選爲局部。
現藏日本東京國立博物館。

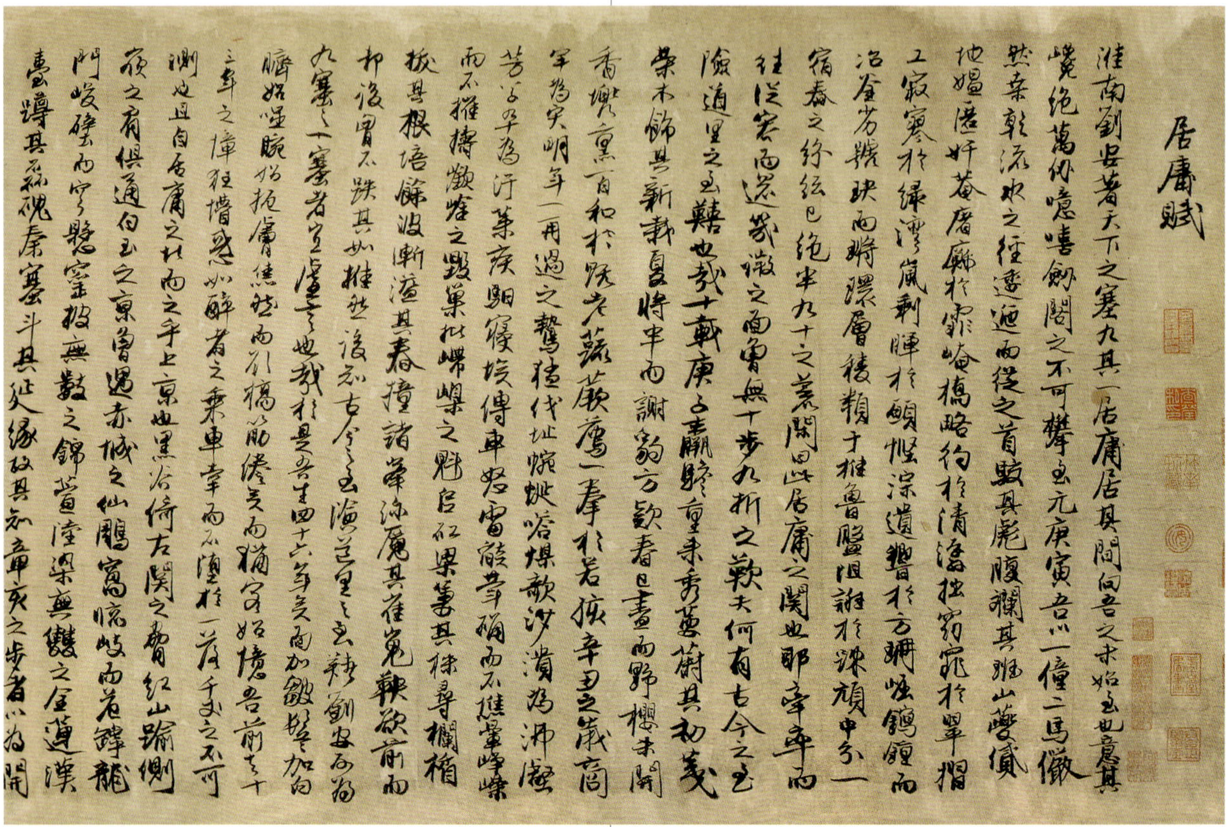

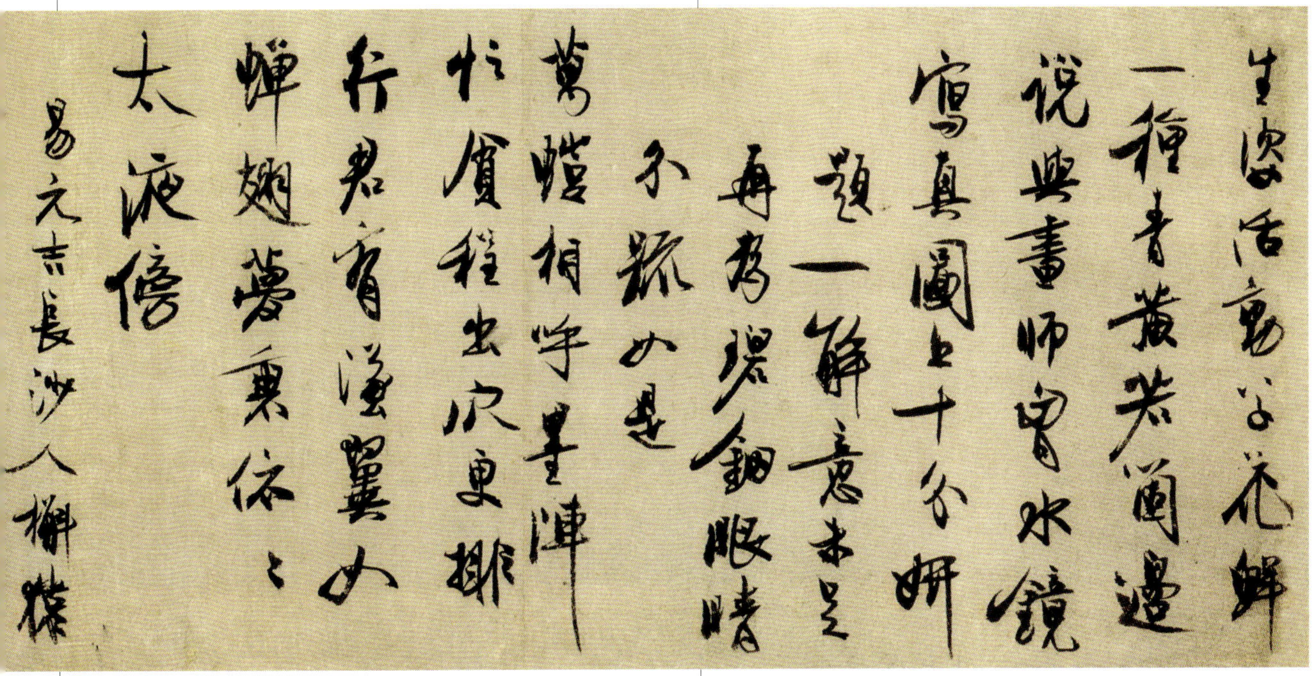

鄧文原（公元1258－1328年）

潼川綿州（今四川綿陽）人，字善之，一字匪石，號素履先生。歷官國子司業、集賢直學士兼國子祭酒、翰林侍講學士，卒贈江浙行省參知政事，謚文肅。善書法，與趙孟頫、鮮于樞并稱元代“三大家”。

題伯夷頌詩

元
鄧文原
高32.7、寬40.9厘米。
紙本。行書十一行。
現藏故宮博物院。

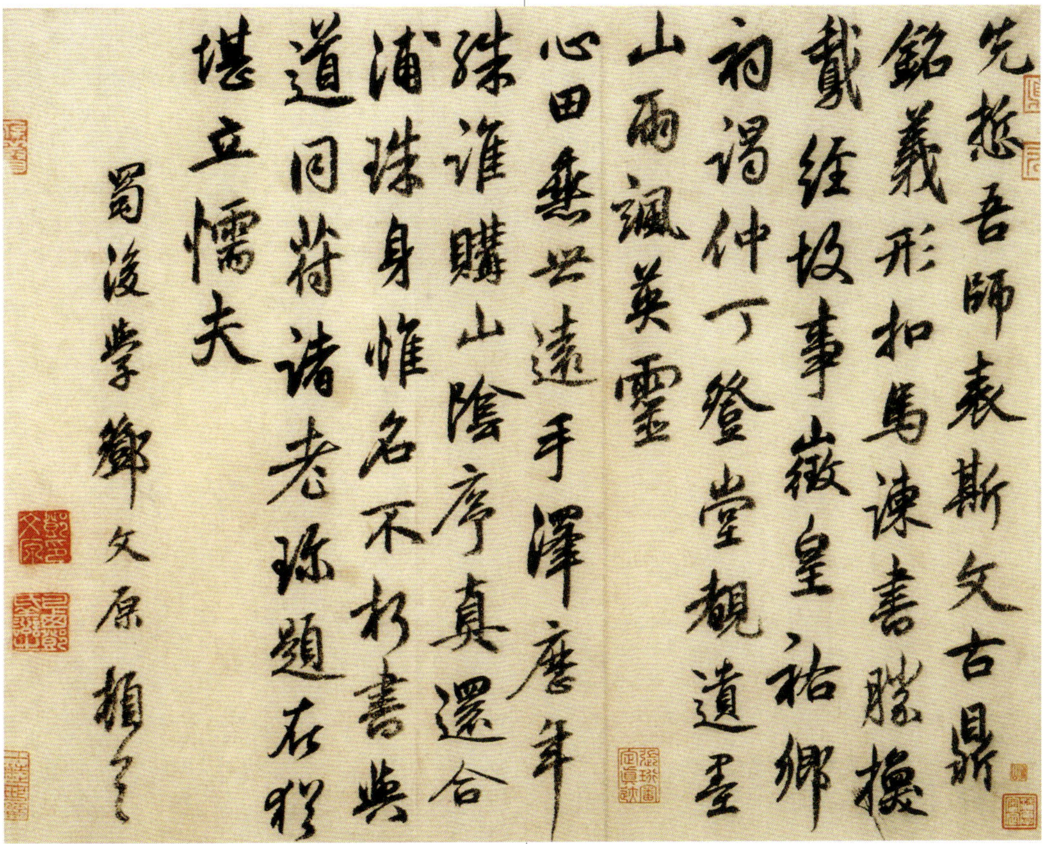

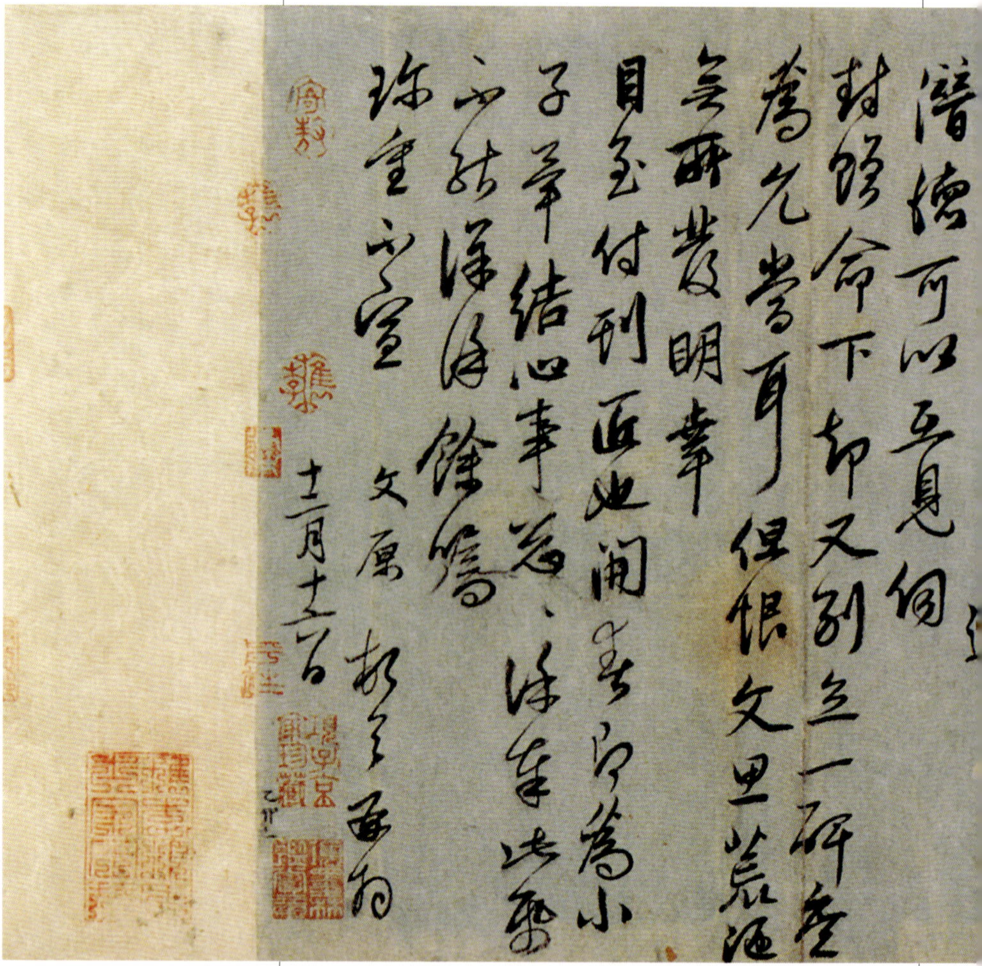

近者帖

元
鄧文原
高31.6、寬52.5厘米。
紙本。
現藏故宮博物院。

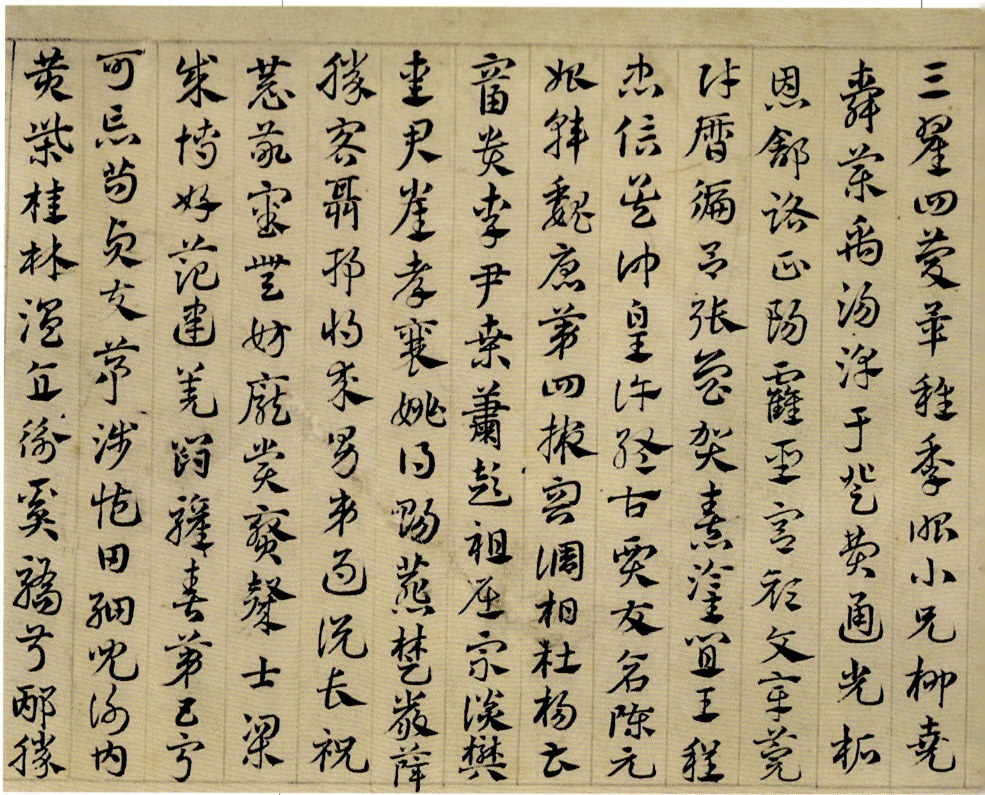

急就章

元
鄧文原
高23.3、寬348.7厘米。
紙本。章草一百六十二行。
此選爲局部。
現藏故宮博物院。

題黃庭堅松風閣詩後

元
鄧文原
高33.6、寬16厘米。
紙本。
現藏臺北故宮博物院。

山雨溪雲散墨痕松風清坐
息菴根筆端情詩真三昧便
是如來不二門
集賢直學士鄧文原敬題

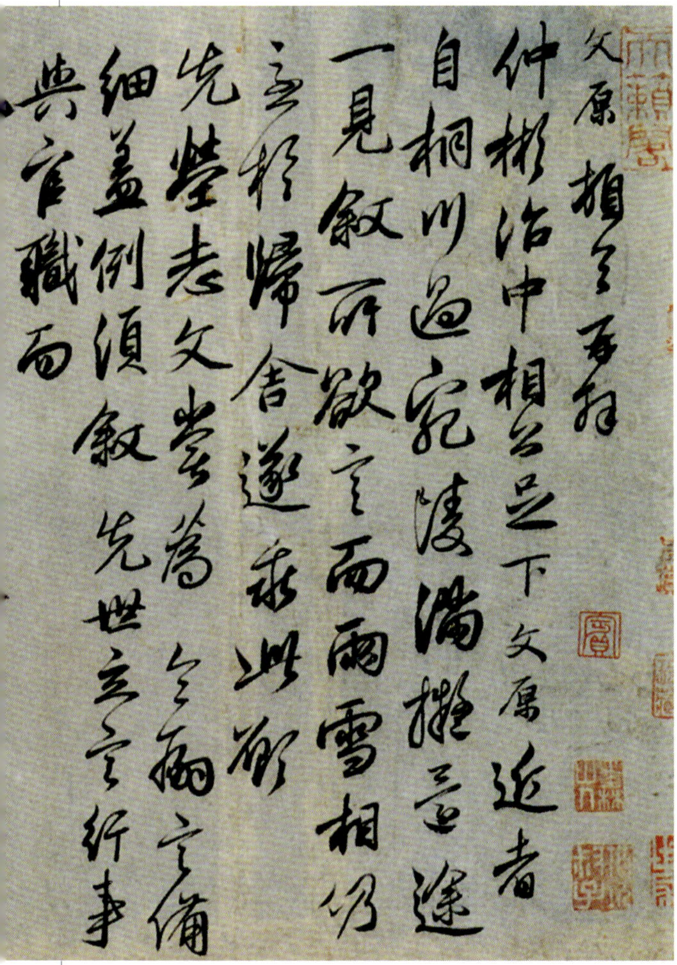

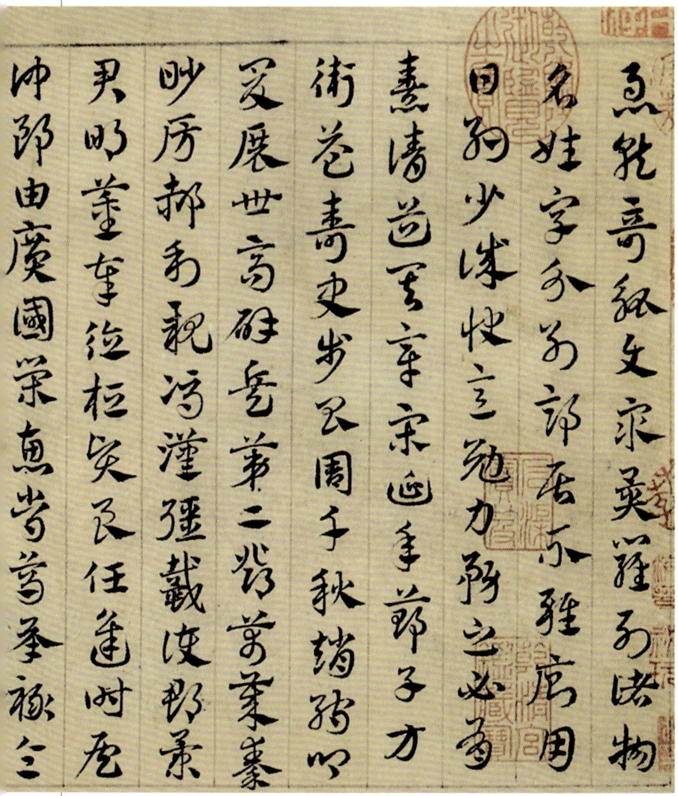

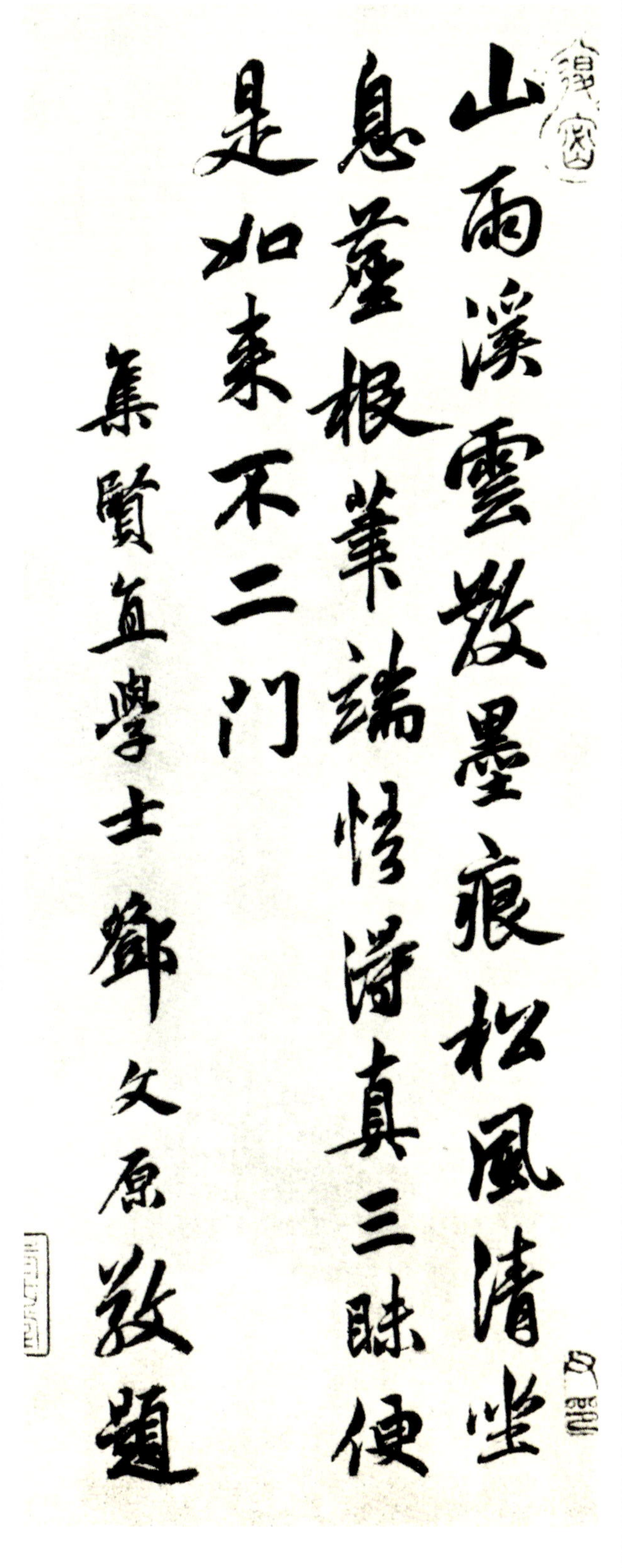

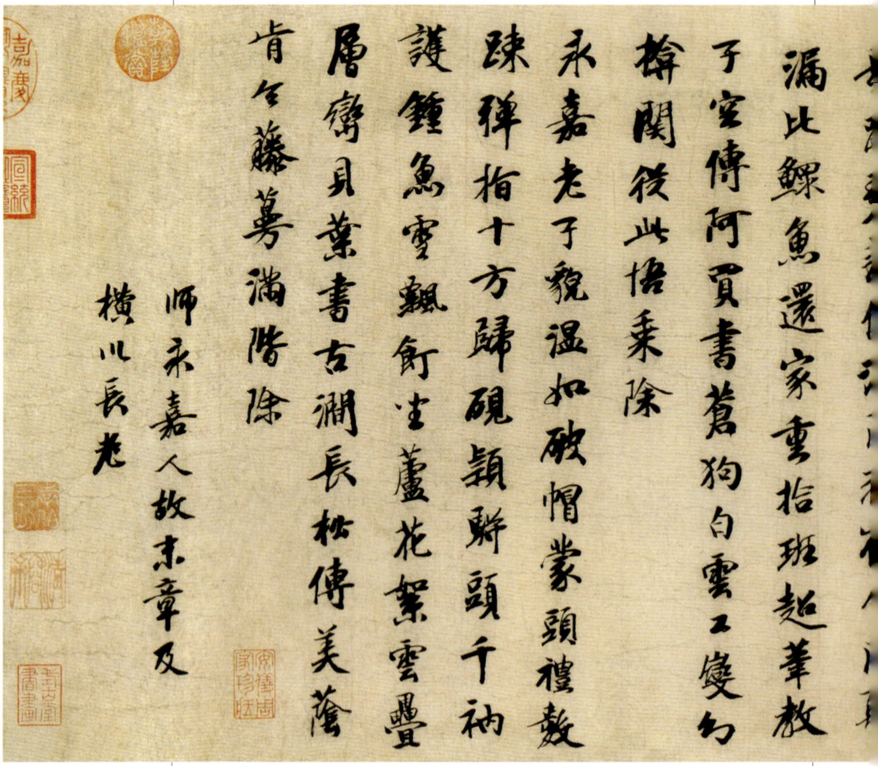

袁　桷（公元1266－1327年）

慶元（今浙江寧波）人。字伯長，號清容居士。

一菴首坐詩

元
袁桷
高31.5、寬89.7厘米。
紙本。
現藏故宮博物院。

雅譚帖

元
袁桷
高28.3、寬38.9厘米。
紙本。
現藏故宮博物院。

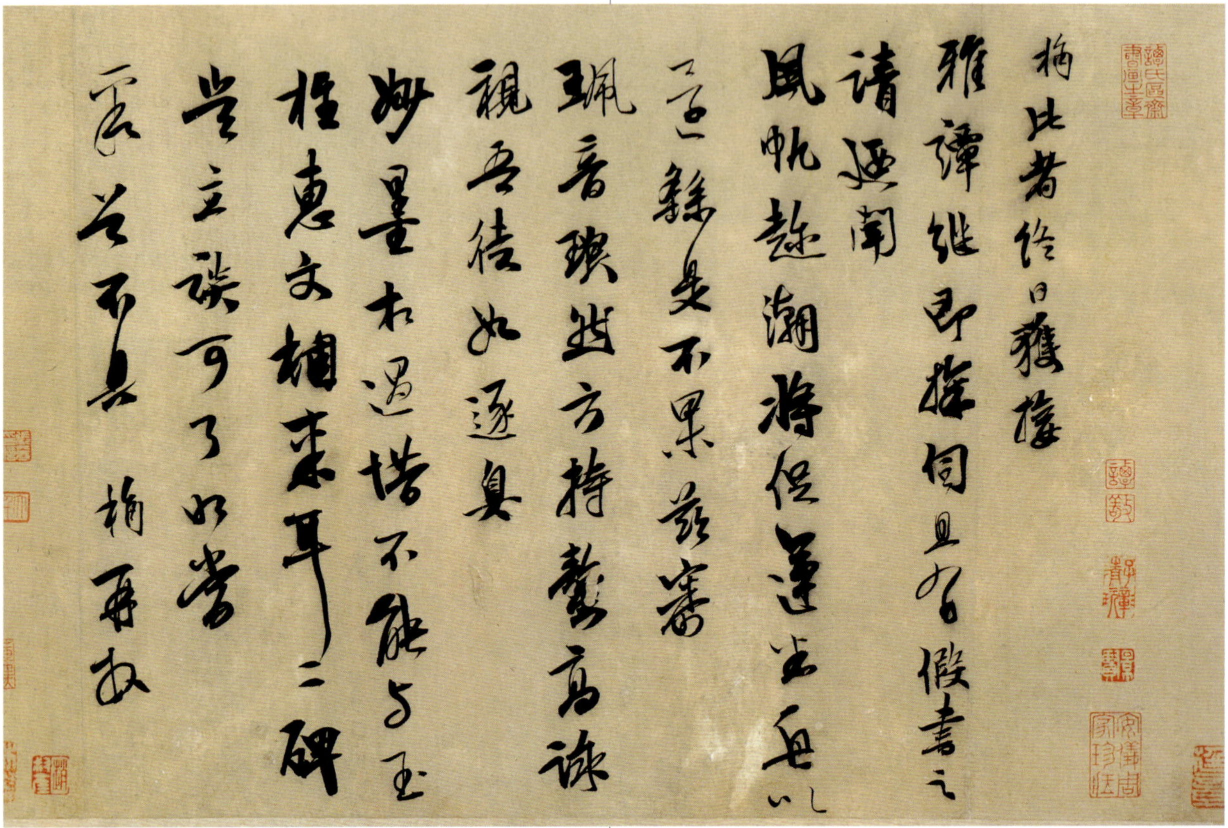

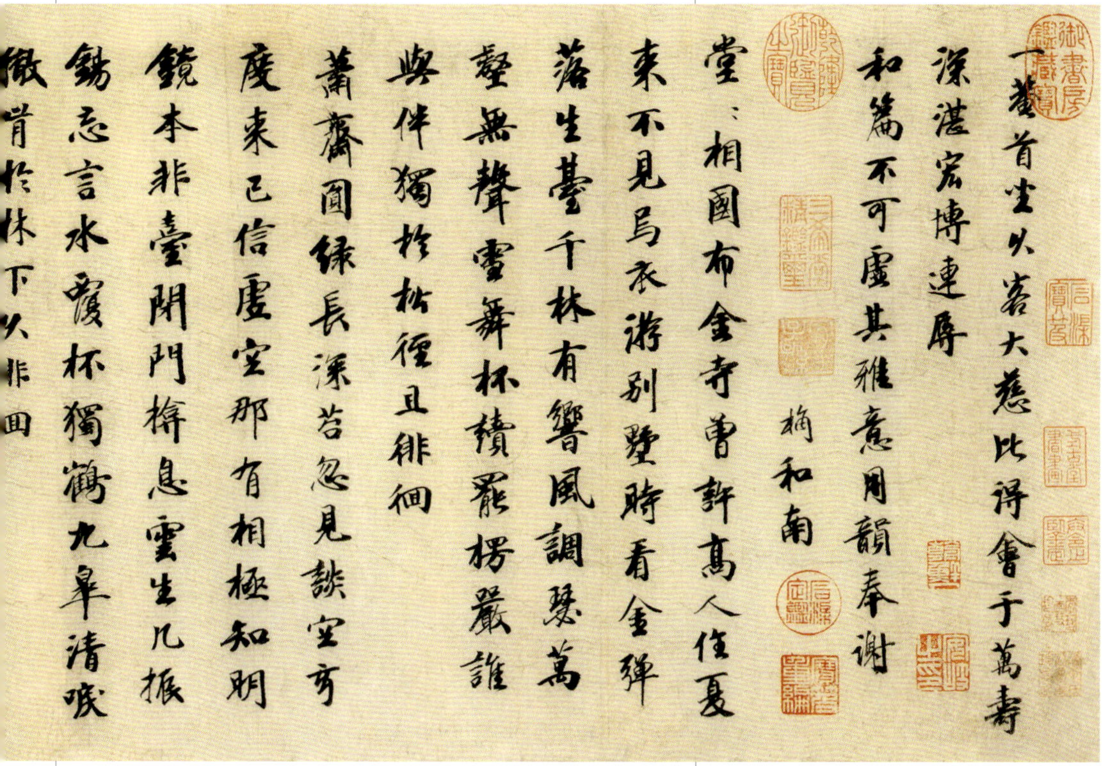
一菴首坐以答大慈比得會于萬壽
深湛宏博連辱
和篇不可虛其雅意用韻奉謝
椅和南
堂堂相國布金寺曾許高人住夏
來不見烏衣游別墅時看金彈
落生臺千林有響風調瑟萬
壑無聲雪舞杯積羅楞嚴誰
與伴獨於松徑且徘徊
蕭齋圓綠長深苔忽見談空方
度來已信虛空那有相極知明
鏡本非臺閑門掩息雲生几振
錫忘言水霞杯獨鶴九皋清唳
徹背於林下以非回

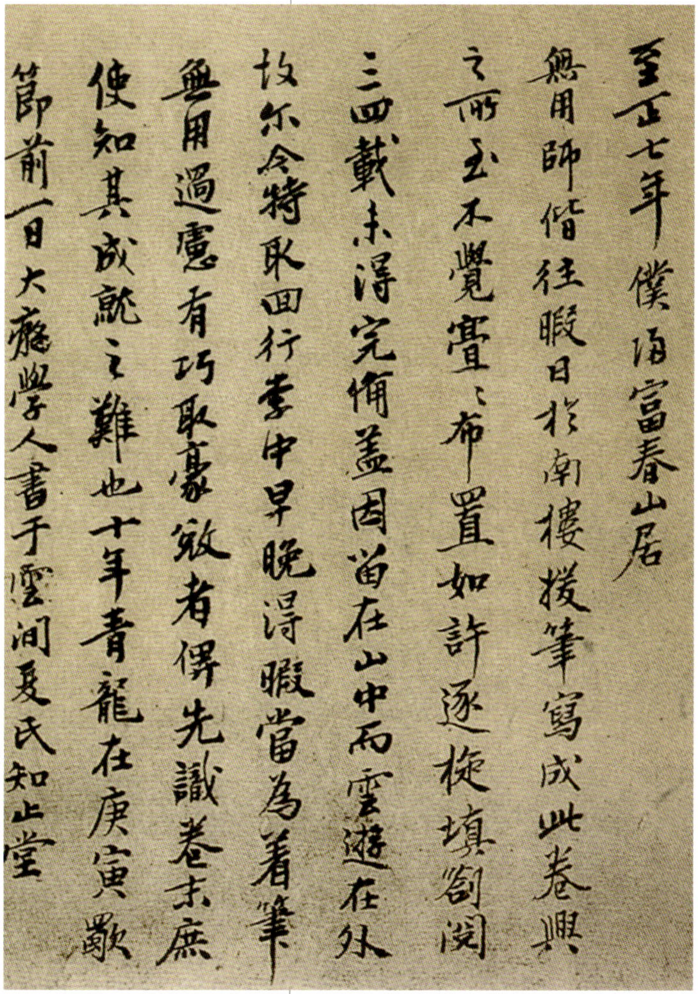
至正七年僕歸富春山居
無用師偕往暇日於南樓援筆寫成此卷興
之所至不覺亹亹布置如許逐旋填劄閱
三四載未得完備蓋因留在山中而雲遊在外
故爾今特取回行李中早晚得暇當為着筆
無用過慮有巧取豪敚者俾先識卷末庶
使知其成就之難也十年青龍在庚寅歜
節前一日大癡學人書于雲間夏氏知止堂

黃公望（公元1269－1354年）

常熟（今屬江蘇）人。本名陸堅，後嗣于永嘉黃氏，因改姓名。字子久，號一峰，又號大痴道人。善畫山水，亦能書法。

題富春山居圖

元
黃公望
高34.1厘米。
紙本。
現藏臺北故宮博物院。

虞集（公元1272－1348年）

仁壽（今屬四川）人。寓居撫州崇仁（今屬江西）。字伯生，號道園，人稱“邵庵先生”。官翰林直學士兼國子監祭酒。工楷、行、草、篆，皆圓婉而有法度。

訓忠碑

元
虞集
高34、寬391.5厘米。
紙本。此選爲局部。
現藏日本京都藤井有鄰館。

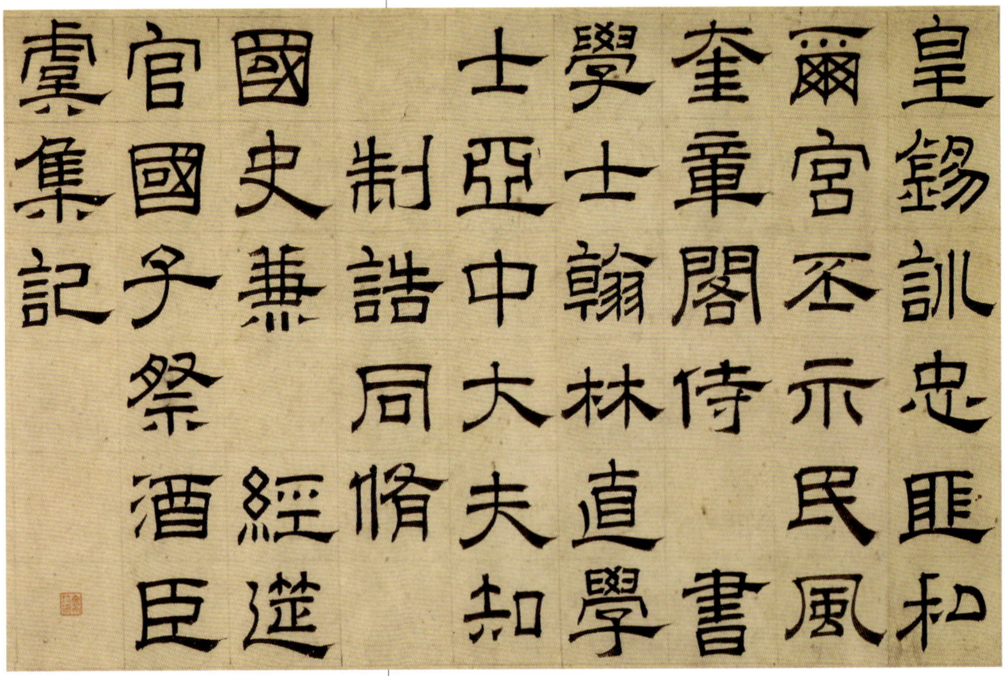

白雲法師帖

元
虞集
高30.7、寬51.8厘米。
紙本。
現藏故宮博物院。

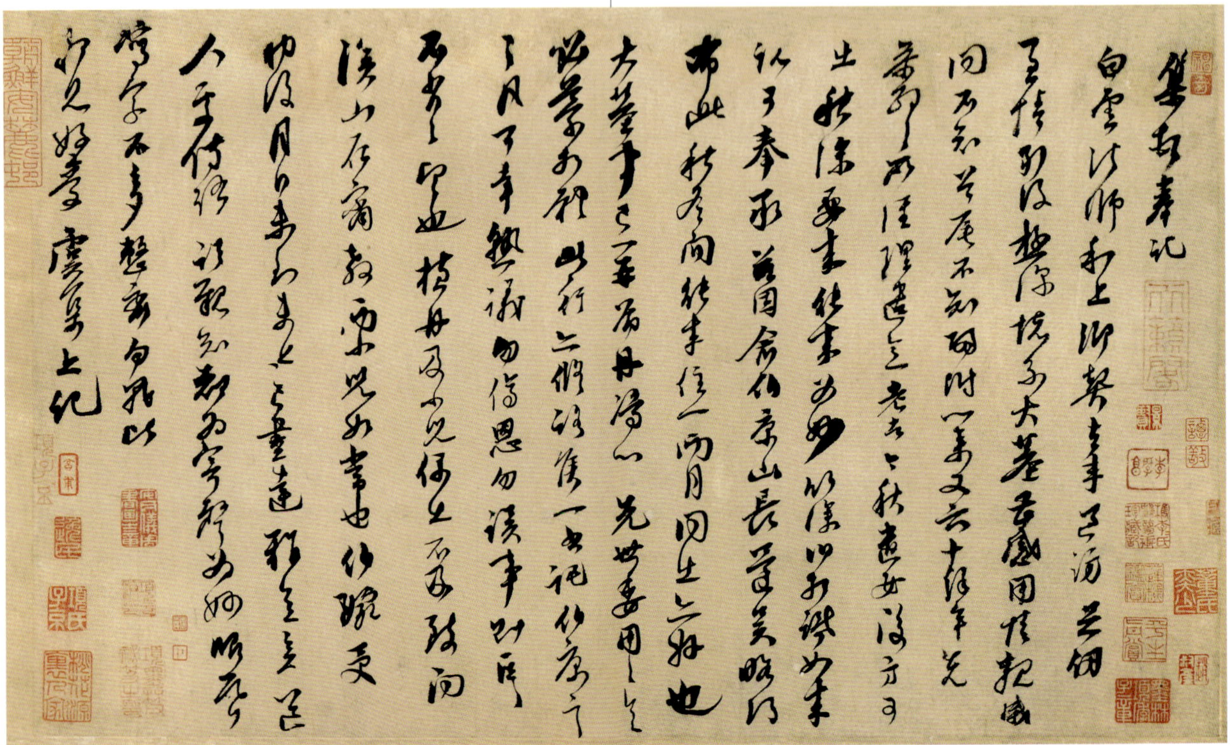

揭傒斯(公元1274－1344年)

龍興富州（今江西豐城）人。字曼碩。延祐初年授翰林、國史院編修，元統初年，升爲侍講學士、集賢學士，贈護軍，追封豫章郡公，謚文安，故世稱“揭文安”。工詩文，善書法，師法晉人。

陸柬之文賦跋

元

揭傒斯

高26.6厘米。

紙本。

現藏臺北故宫博物院。

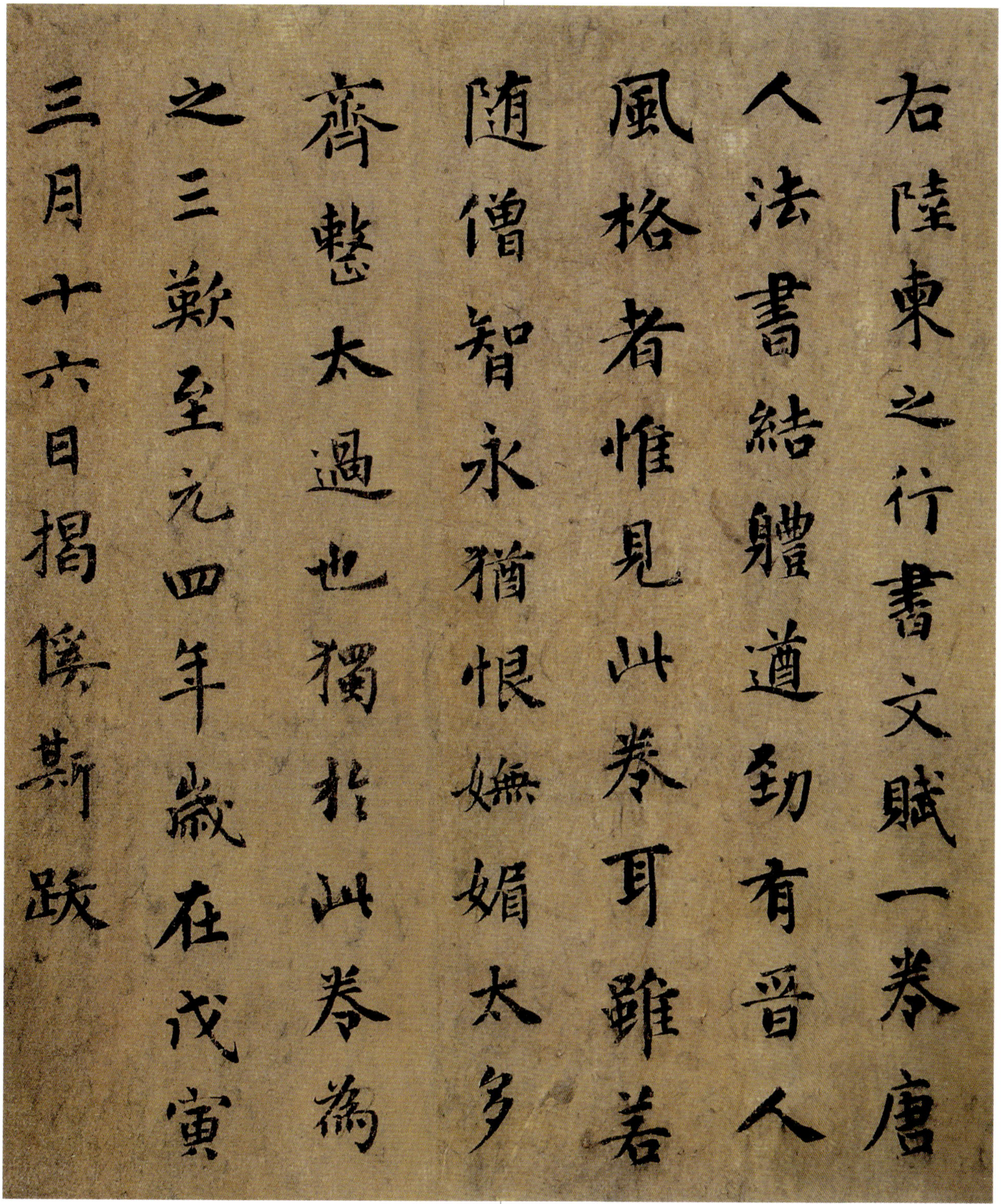
右陸柬之行書文賦一卷唐
人法書結體遒勁有晉人
風格者惟見此卷耳雖若
隋僧智永猶恨嫵媚太多
齊整太過也獨於此卷爲
之三歎至元四年歲在戊寅
三月十六日揭傒斯跋

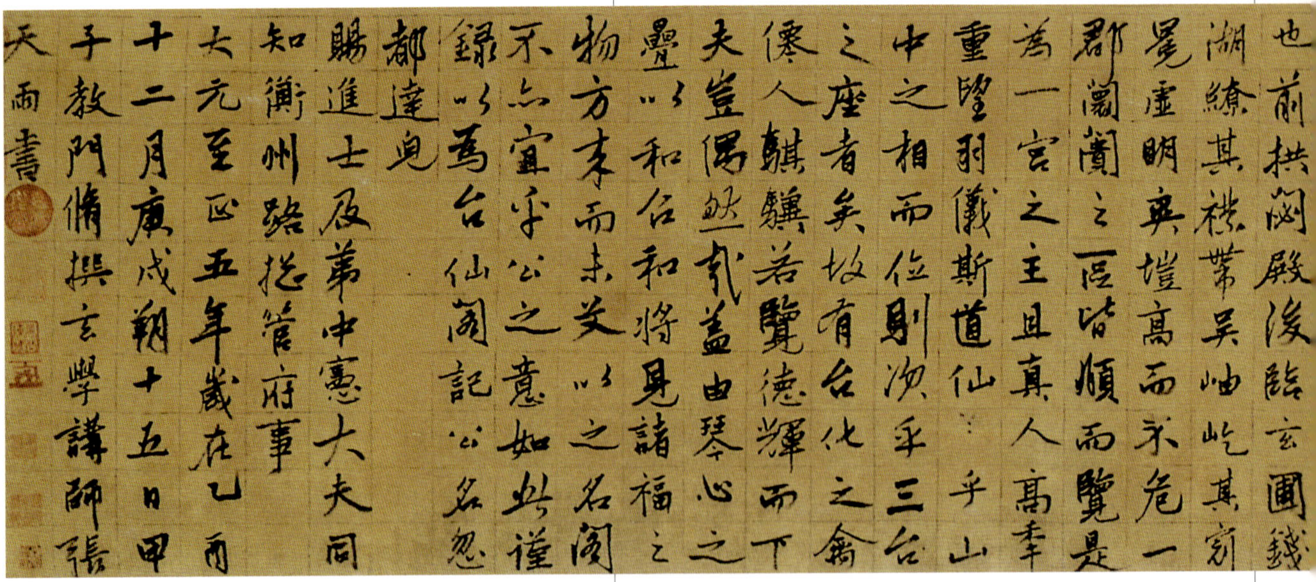

張 雨（公元1277－1348年）

錢塘（今浙江杭州）人。字伯雨，號句曲外史，道號貞居子。隱爲道士，從當時名士虞集受學。其書師趙孟頫，法李邕。著有《句曲外史集》。

台仙閣記

元
張雨
高35.6、寬172.2厘米。
紙本。
現藏上海博物館。

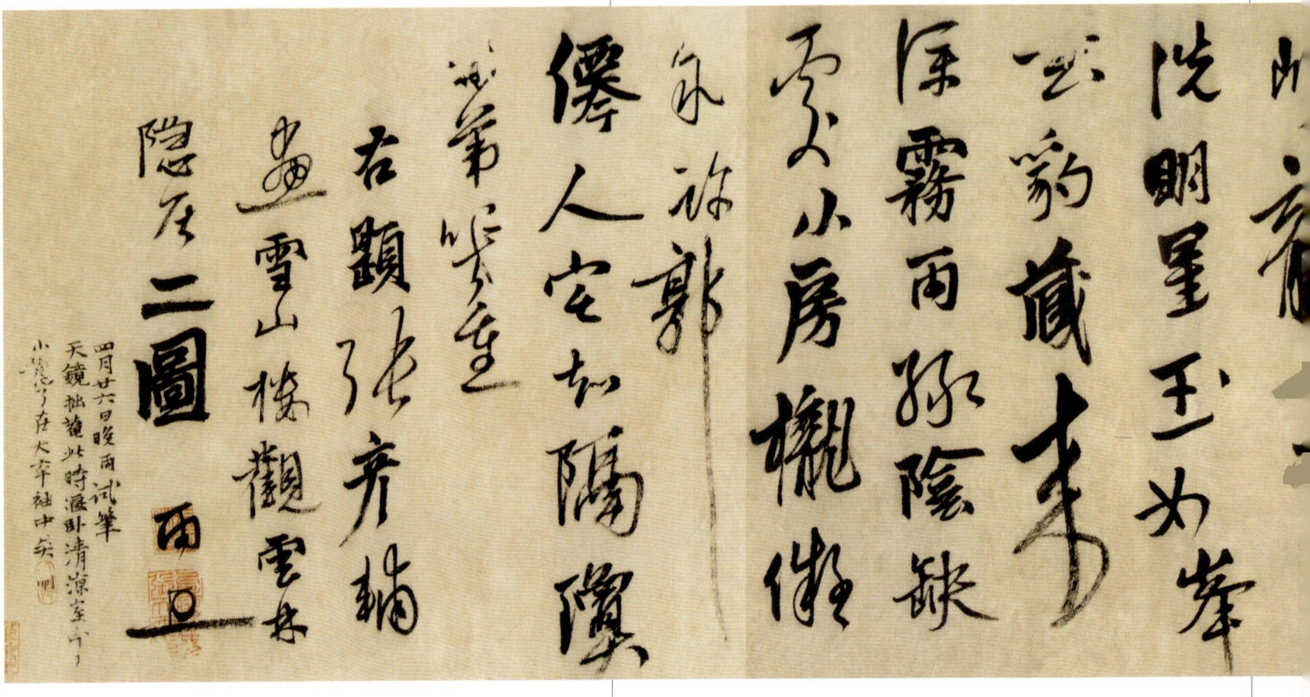

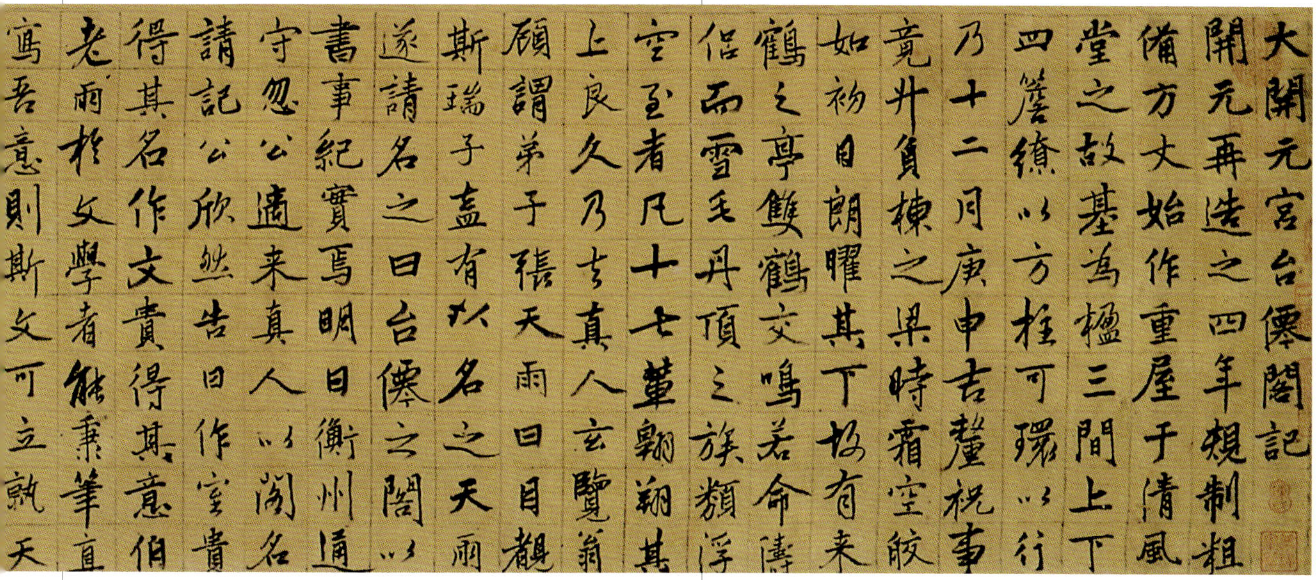
大開元宮台傒閣記
開元再造之四年規制粗
備方丈始作重屋于清風
堂之故基為楹三間上下
四簷繚以方柱可環以行
乃十二月庚申吉鳌祝事
竟升負棟之梁時霜空皎
如初日朗曜其下忽有來
鶴之亭雙鶴交鳴若命儔
侶而雪毛丹頂之族類浮
空至者凡十七輩翱翔其
上良久乃去真人玄覽翁
顧謂弟子張天雨曰目覩
斯瑞子盍有以名之天雨
遂請名之曰台傒之閣以
書事紀實焉明日衡州通
守忽公適来真人以閣名
請記公欣然告曰作室貴
得其名作文貴得其意伯
老雨於文學者能秉筆直
寫吾意則斯文可立就天

題畫詩

元

張雨

高29、寬123.9厘米。

紙本。

現藏故宮博物院。

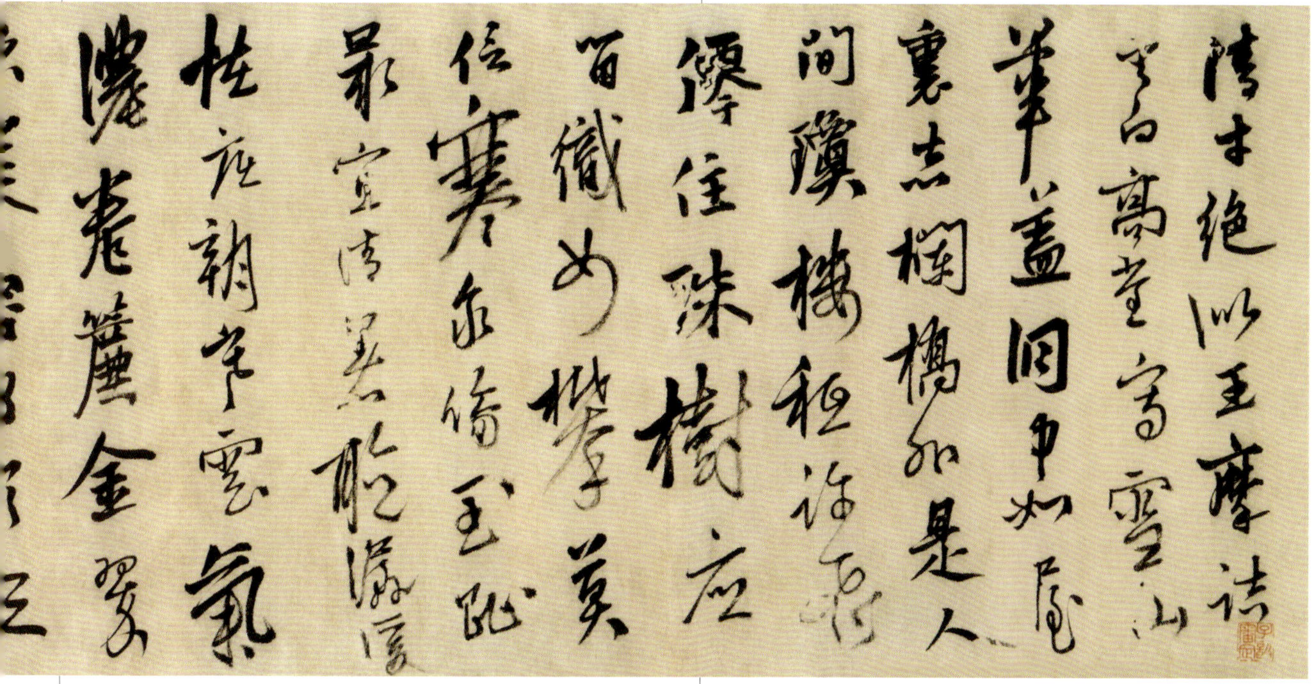

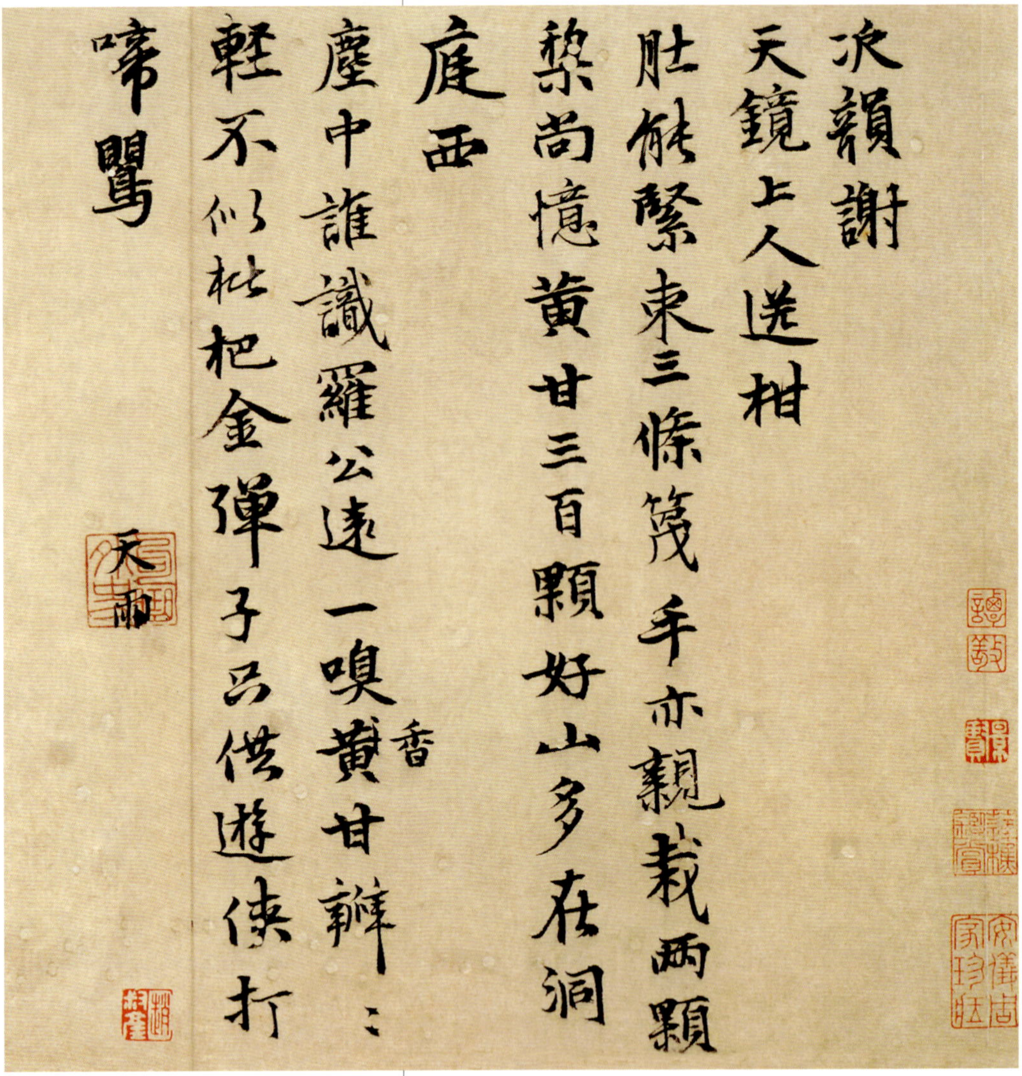

詩帖

元

張雨

高26.5厘米。

紙本。

現藏故宮博物院。

次韻謝
天鏡上人送柑
肚能緊束三條篾 手亦親栽兩顆
藜尚憶黃甘三百顆 好山多在洞
庭西
塵中誰識羅公遠 一嗅黃甘辦
輕不似枇杷金彈子 已供遊俠打
啼鶯

吳　鎮（公元1280－1354年）

嘉興（今屬浙江）人。字仲圭，號梅花道人。詩書畫俱精到，畫爲元代"四大家"之一。書法善行草，雍容閑雅，形成自己獨特的蕭疏恬淡的書風。

心經（下圖）

元

吳鎮

高29.3、寬203厘米。

紙本。

現藏故宮博物院。

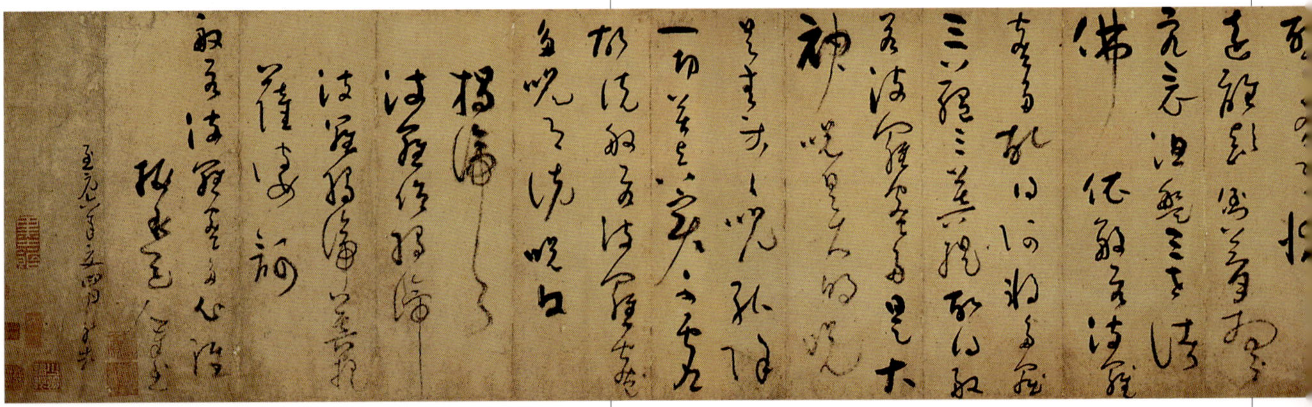

題墨竹譜

元

吳鎮

高53、寬68.5厘米。

紙本。

現藏臺北故宮博物院。

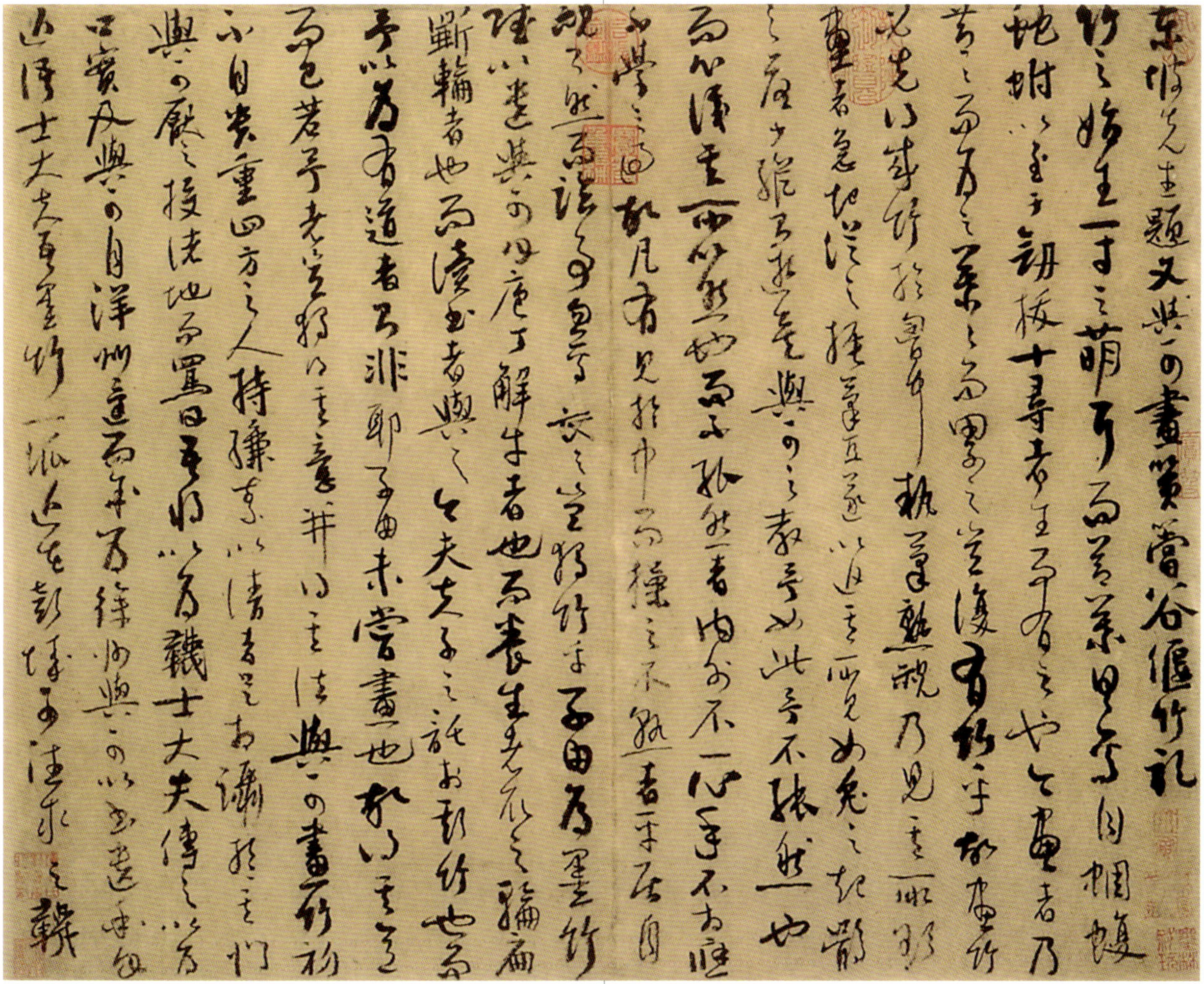

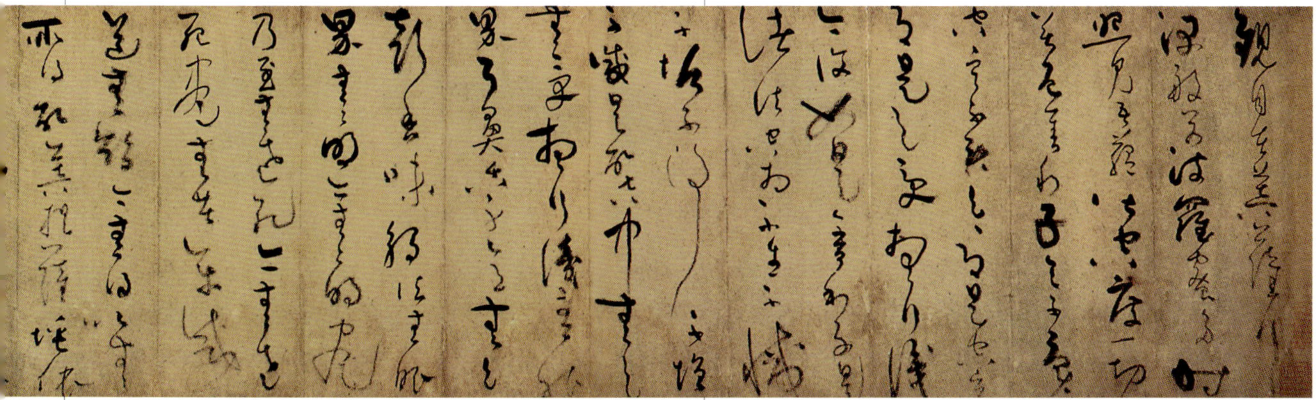

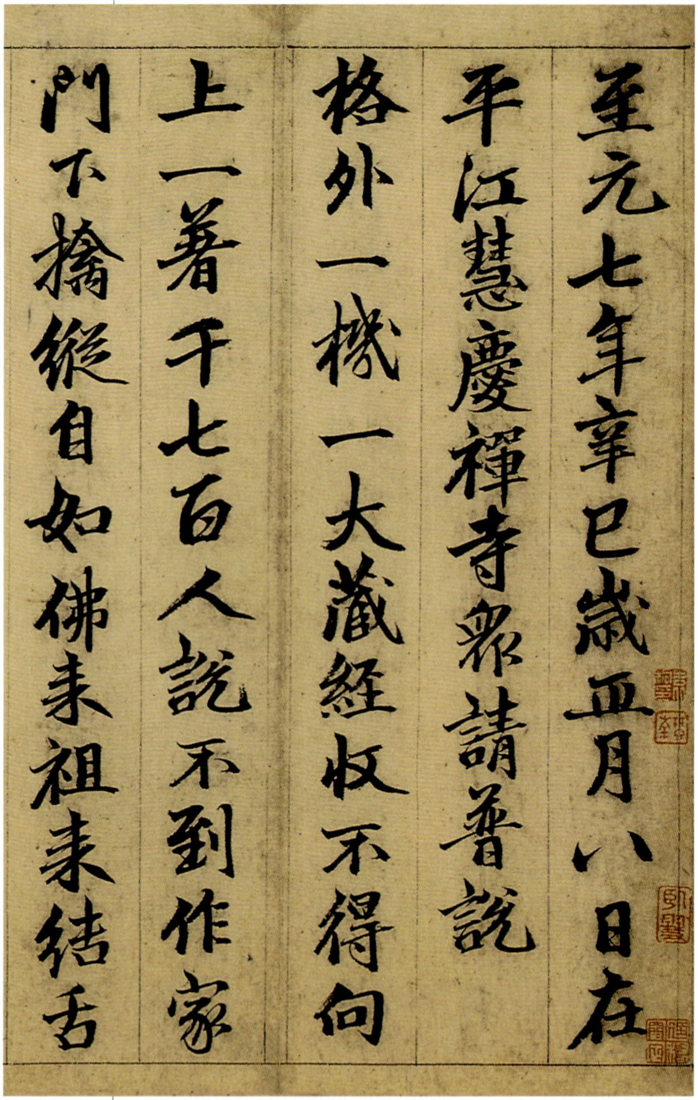

維則

生卒年不詳。亦作“惟則”。俗姓譚，吉州永新（今屬江西）人。活動于元至元年間，爲平江（今江蘇蘇州）慧慶寺和尚。

慧慶寺普說

元
維則
紙本。此選爲局部。
現藏香港中文大學文物館。

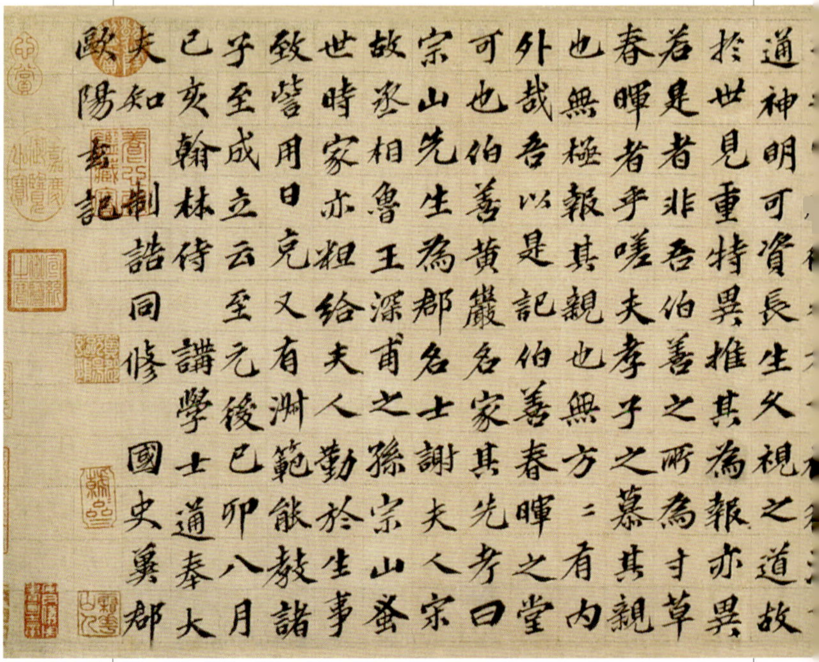

歐陽玄（公元1283–1357年）

原籍廬陵（今江西吉安），後遷居瀏陽（今湖南瀏陽東）。字原功，號圭齋。善詩文，工書法。

春暉堂記

元
歐陽玄
高29、寬102.9厘米。
紙本。
現藏故宮博物院。

王冕（公元1287－1359年）

諸暨（今屬浙江）人。字元章，號煮石山農、飯牛翁、會稽外史、梅花屋主等。善畫墨梅。著有《竹齋集》。

題畫詩

元

王冕

紙本。

現藏臺北故宮博物院。

朔風撼破壚士廬凍雲陰
月天模糊無名卉木俱色昊
廣平心事今何如梅華羞
涼侶無主好春不到江南土羅
棘而相逢可惜季少多好色
競賞桃李華誇真豪奢老夫
欲語不忠辭對梅獨坐長咨嘆
昨爽天寒孤月黑蘆葉卷風
呻不得間臒夢老皮蒙茸
黃荇萬里無穎色老夫漢
歸與嚴阿自鉏白雪栽梅華興
甜拍手長嘯歌不問世上官如麻

春暉堂記
黃巖王君伯善寄蹟老氏法中
定丙寅奉進吳上卿
侍祠京師泰
命代江南諸名山事竣告歸養
母俱至得屋之西固而母婆
治之暄承門之復未乃迎
母未幾上卿力挽之
居垂五十年行年七十有二矣
京師珍臟輻湊順承懋遷鱗次
伯善賣藥闤闠之中以有餘
萓左右耴甘旨如攜母益安其裕
奉親之堂曰春暉謁余為之記
順適無病待制吳君浩
心報得三春暉之句余則以謂
夫春暉之義姑郊誰云以草
化工之於百物生之而已爾
望報者哉以無負生物者
受自見於當世以為報令
之初心斯足以為
萓也著也以蒐菁也以療
之以養人百藥也以神百穀也
也以名不見於詩爾雅人
可為蒭菱槁之可代陶雕騷之
也藥稚之微者也
其為

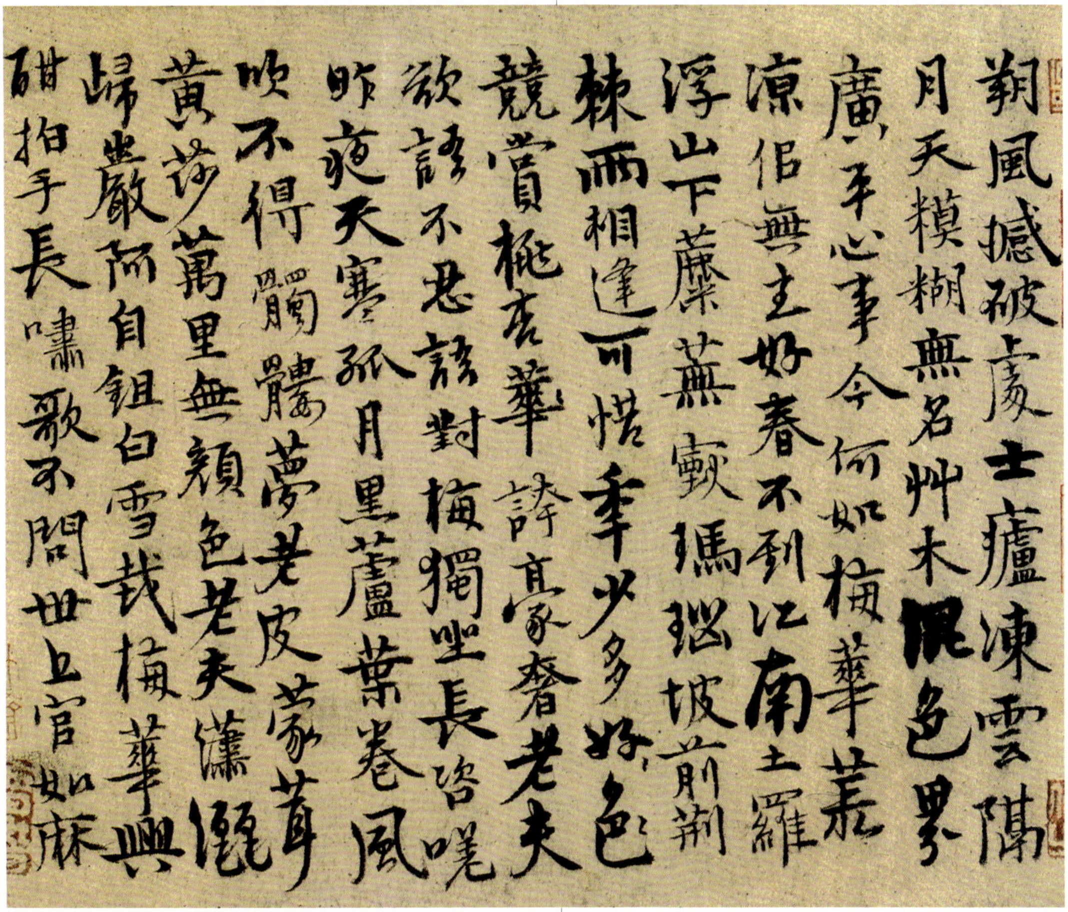

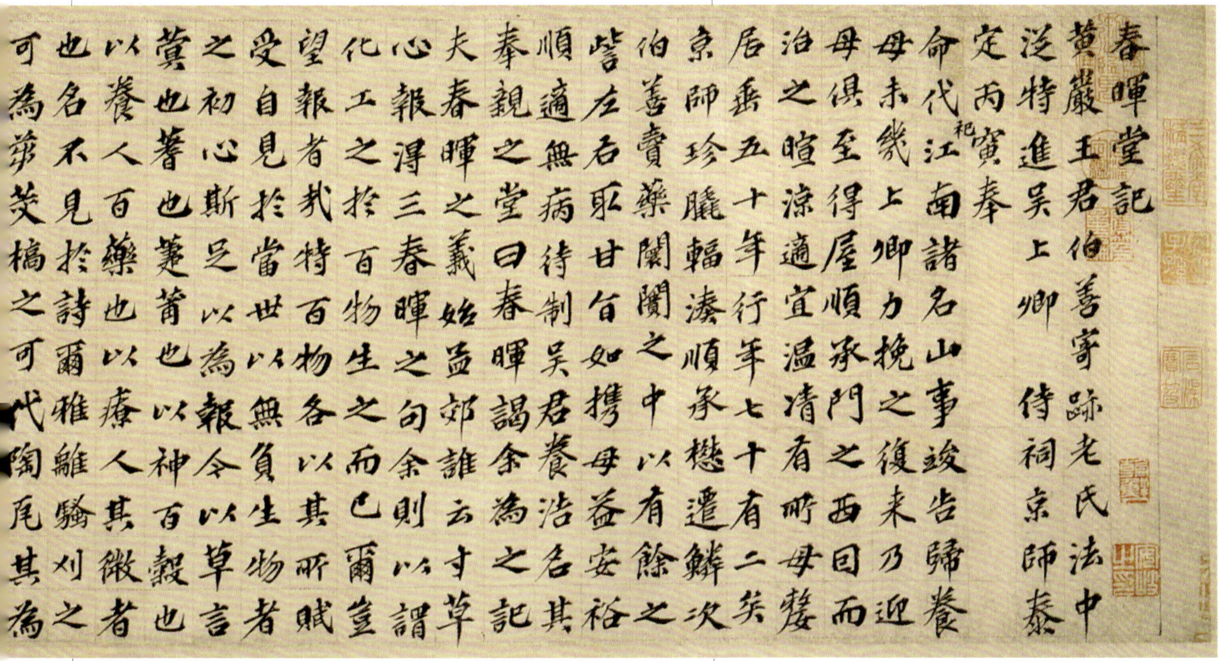

柯九思（公元1290－1343年）

台州仙居（今屬浙江）人。字敬仲，號丹丘生、别號五雲閣吏。元文宗時置奎章閣，特授其爲學士院鑒書博士。擅書法，宗歐陽詢。

宮詞

元

柯九思

高30.5、寬53厘米。

紙本。

現藏美國普林斯頓大學美術館。

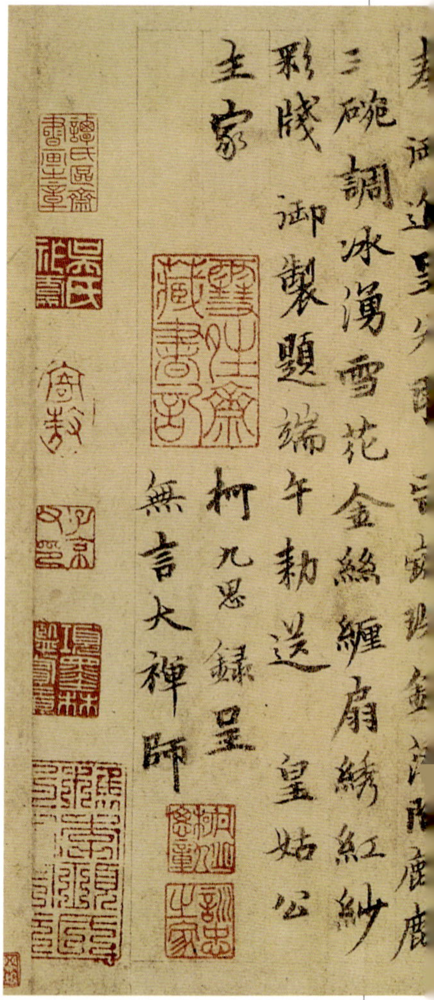

趙雍（公元1289－約1360年）

湖州（今屬浙江）人。字仲穆，趙孟頫次子。

與彦清相公書

元

趙雍

高30、寬51.9厘米。

紙本。

現藏美國普林斯頓大學美術館。

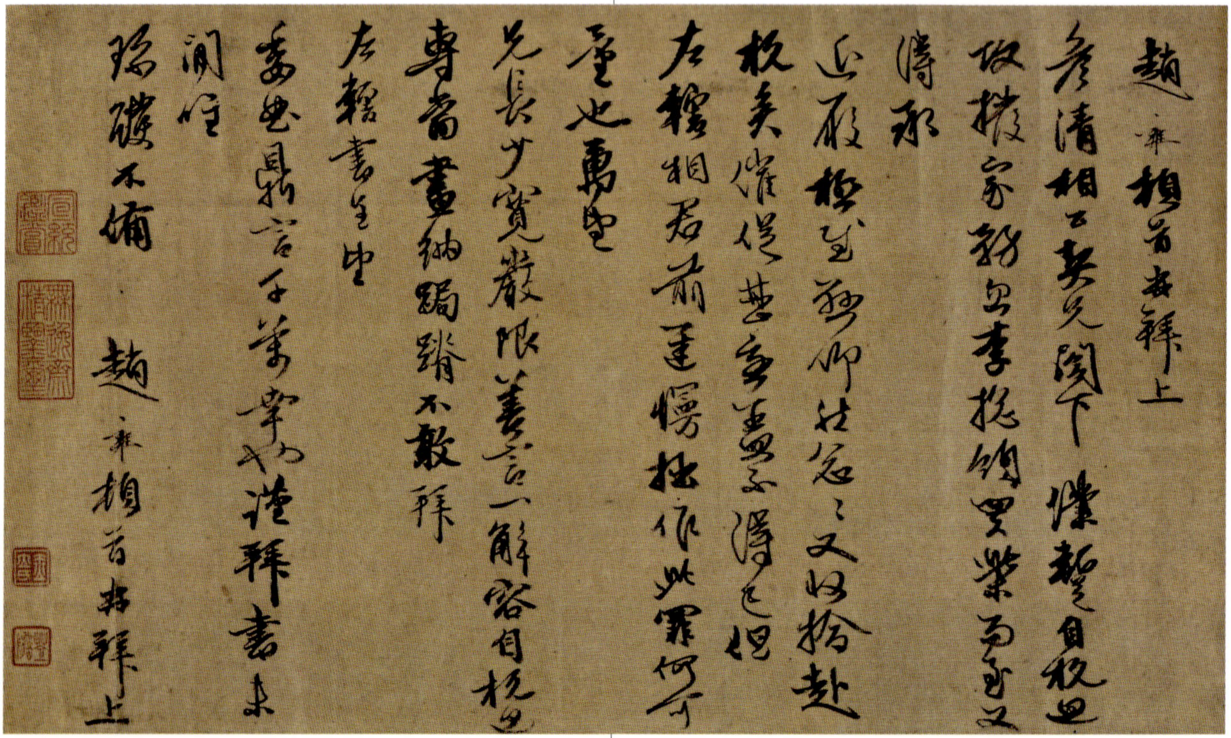

上京宮詞
濼京三伏暑無多仙樂飄颻落
禁坡翡翠樓高卧晚日水精殿泠
看天河千官錫宴齊宮錦萬馬
爭標盡寶珂獨有小臣如鵠立
九重閶闔問秋禾
應制賦郊祀大禮慶成二首
輦路千門喜氣浮太平
天子祀圜丘奉常奏備離溫室
尚服陳雕進大裘雲載朱旒飄
彩鳳天臨玉輅駕翠虯腐儔繆喬
金闕籍目醉紫光出御樓蒼
白茅初薦備韶饌月色當壇檀蕭太
清親祀甘泉除祕祝受釐宣室問
蒼生星乘仙仗神光近日遠
天額瑞彩明多少從官齋呼嶽
豐年有蒙樂昇平

曲破未終招大樂舞童舞女一時
迴普天率土祈洪福同上
君王萬歲杯
右兩進樂府蓋曲破四奏也曲破舞旋時
丞相進酒致祝頌之詞曰普天率土祈天地之
洪福同上
皇帝
皇后萬歲之壽
教坊初奏月中仙曾侍
前星拜
御進四海至今思
聖主承平休養濾如天
臣九思嘗被
音伴以說書侍
英皇潘卹
玉堂學士制新詞觀見當年應
詔時政是落花江外兩重調遺調
不勝心
至元四年後戊官歲百九思恭題

萬壽曲跋
元
柯九思
高27.5厘米。
紙本。
此書跋于趙孟頫
《萬壽曲》後。
現藏故宮博物院。

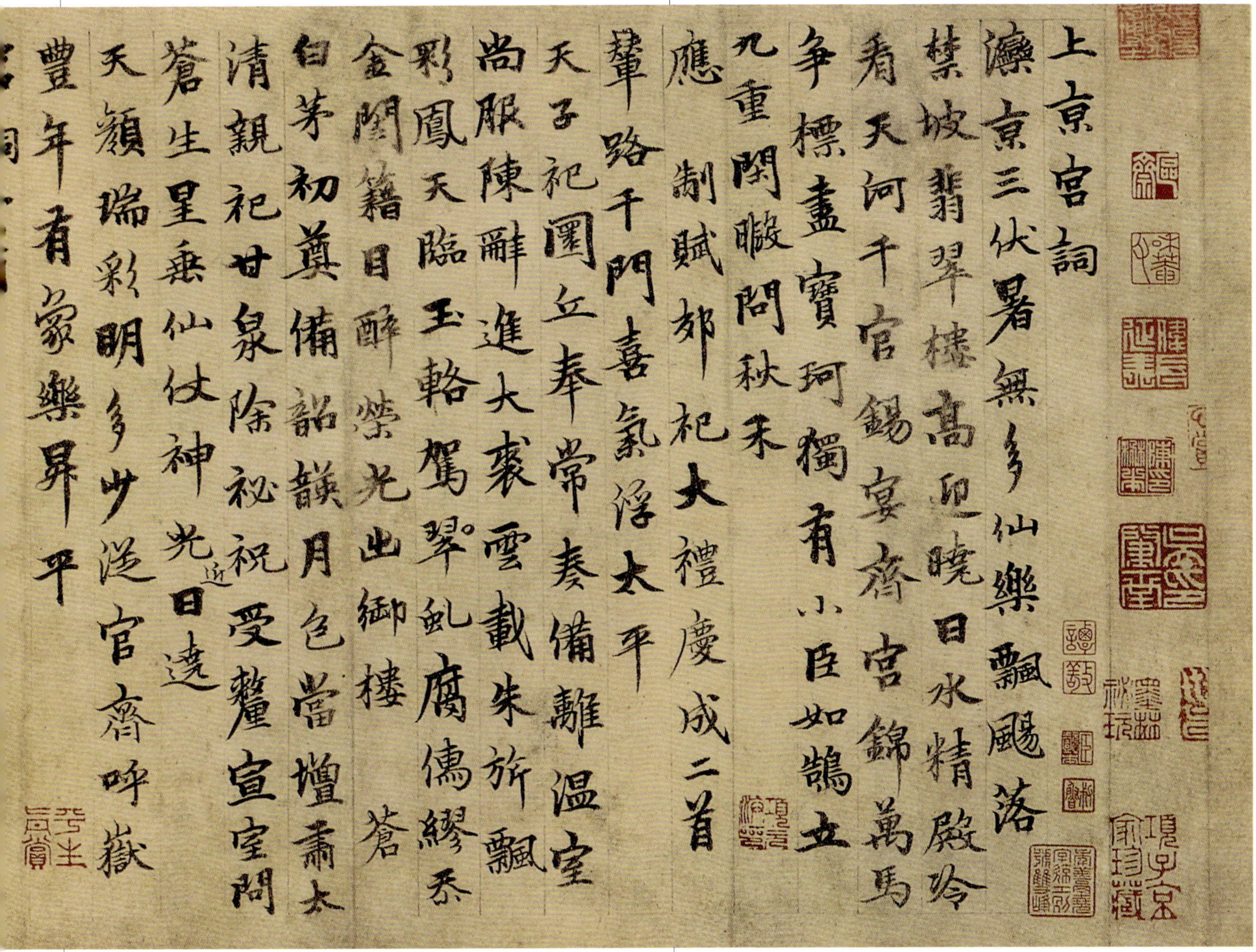

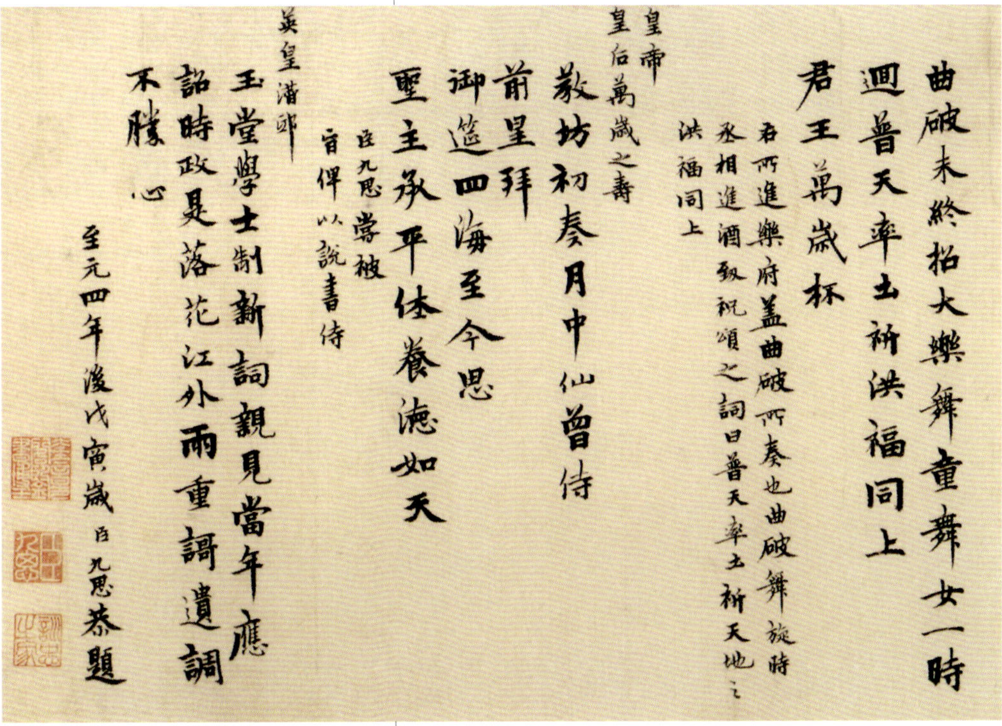

朱德潤（公元1294－1365年）

原籍睢陽（今屬河南商丘），居昆山（治今江蘇太倉）。字澤民，號睢陽山人。書法學赵孟頫、王羲之，筆畫遒麗。著有《存復齋集》。

渾淪圖贊

元
朱德潤
高29.7厘米。
紙本。
現藏上海博物館。

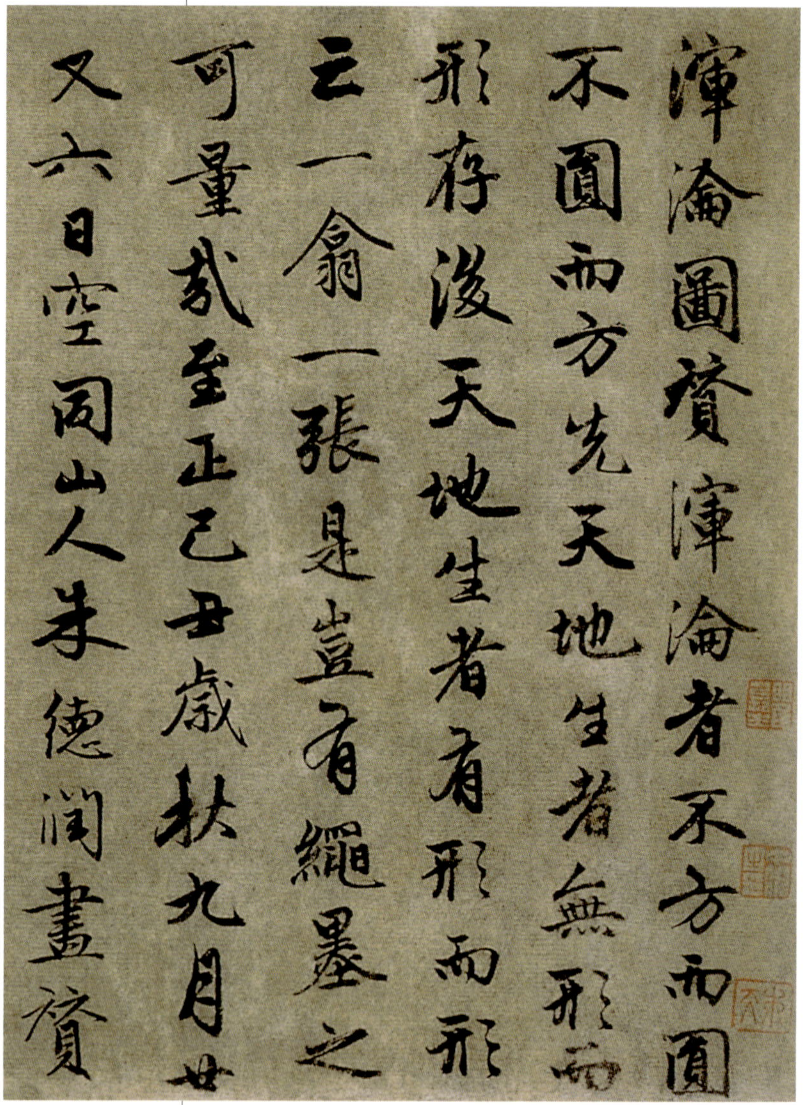

康里巙巙（公元1295－1345年）

康里部人，回紇族。字子山，號正齋、恕叟。曾授集學待制，歷官監察御史、禮部尚書和奎章閣大學士，順帝時官至翰林學士承旨，卒謚文忠。善書法，楷書學虞世南，行、草師鍾繇和王羲之。

述張旭筆法記

元
康里巙巙
高35.8、寬329.6厘米。
紙本。此選爲局部。
現藏故宮博物院。

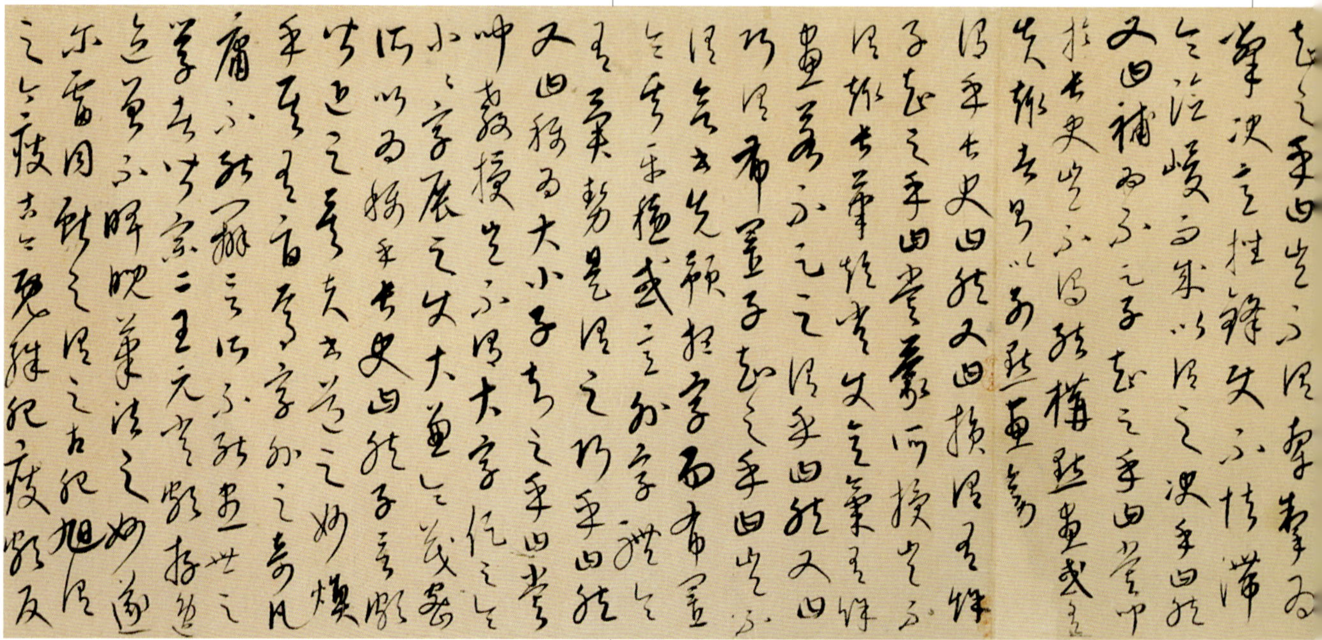

李白詩

元
康里巎巎
高35.3厘米、寬63.8厘米。
紙本。
現藏日本東京國立博物館。

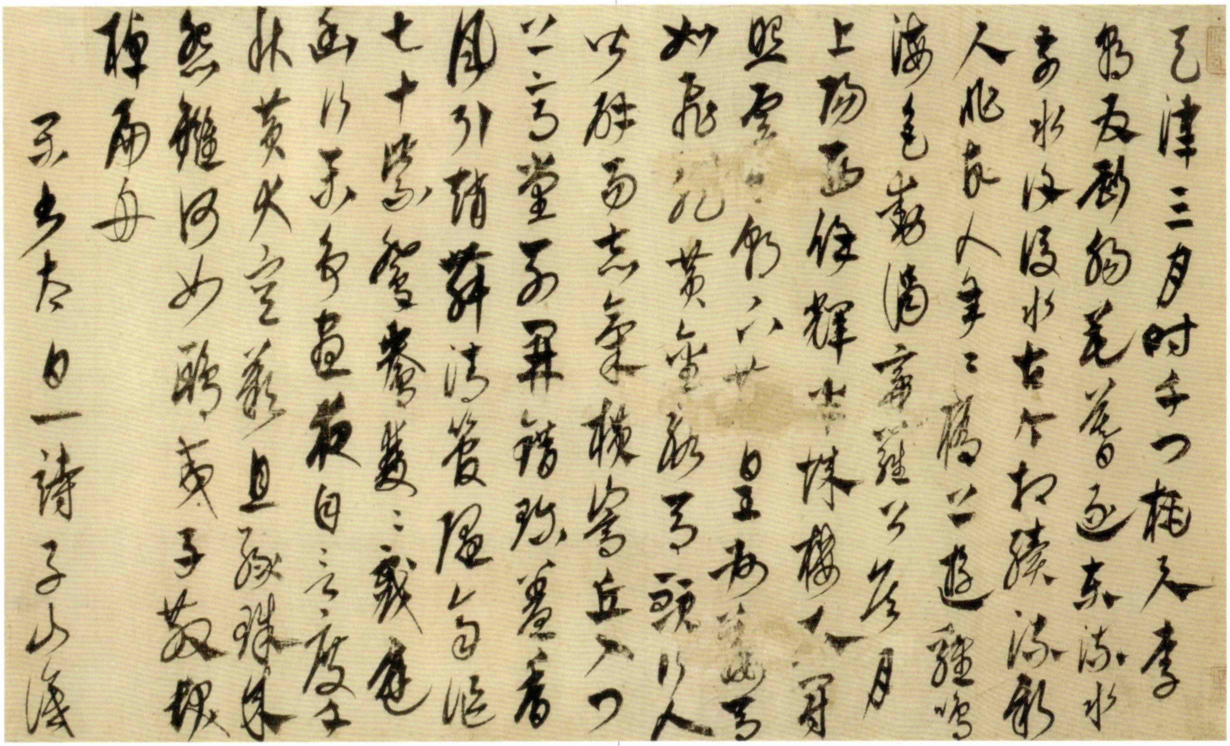

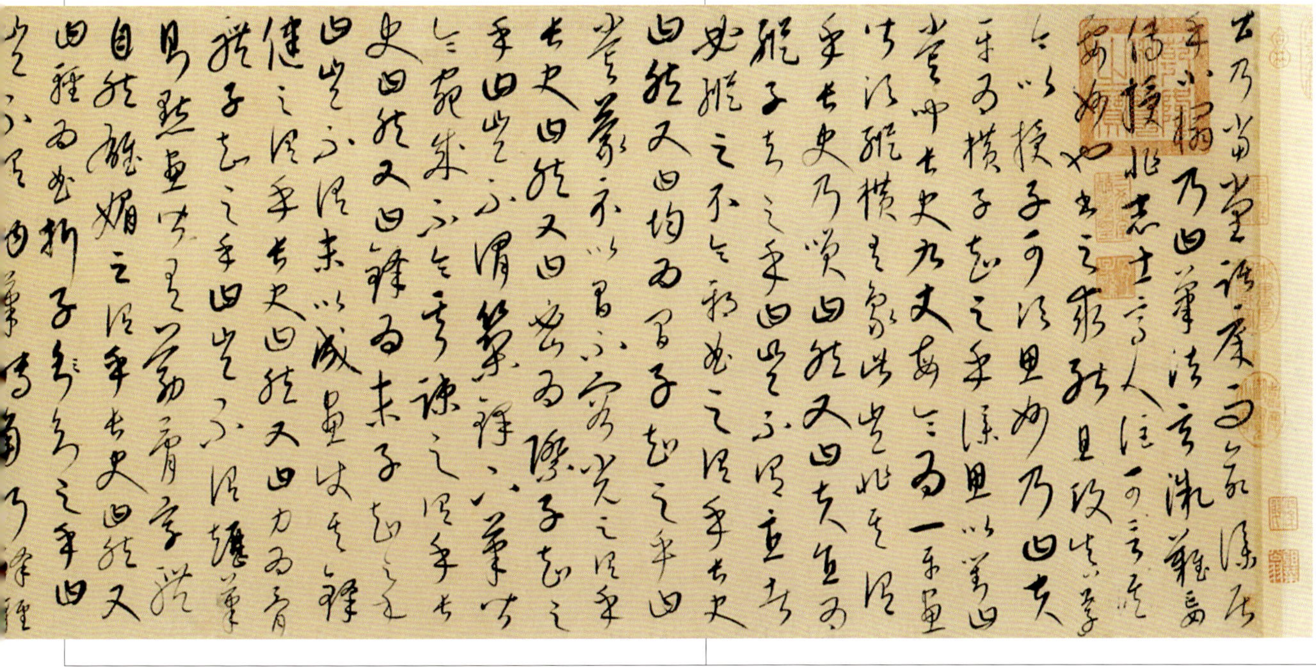

梓人傳

元
康里巙巙
高27.8、寬281厘米。
紙本。
内容爲柳宗元《梓人傳》。
現藏美國普林斯頓大學美術館。

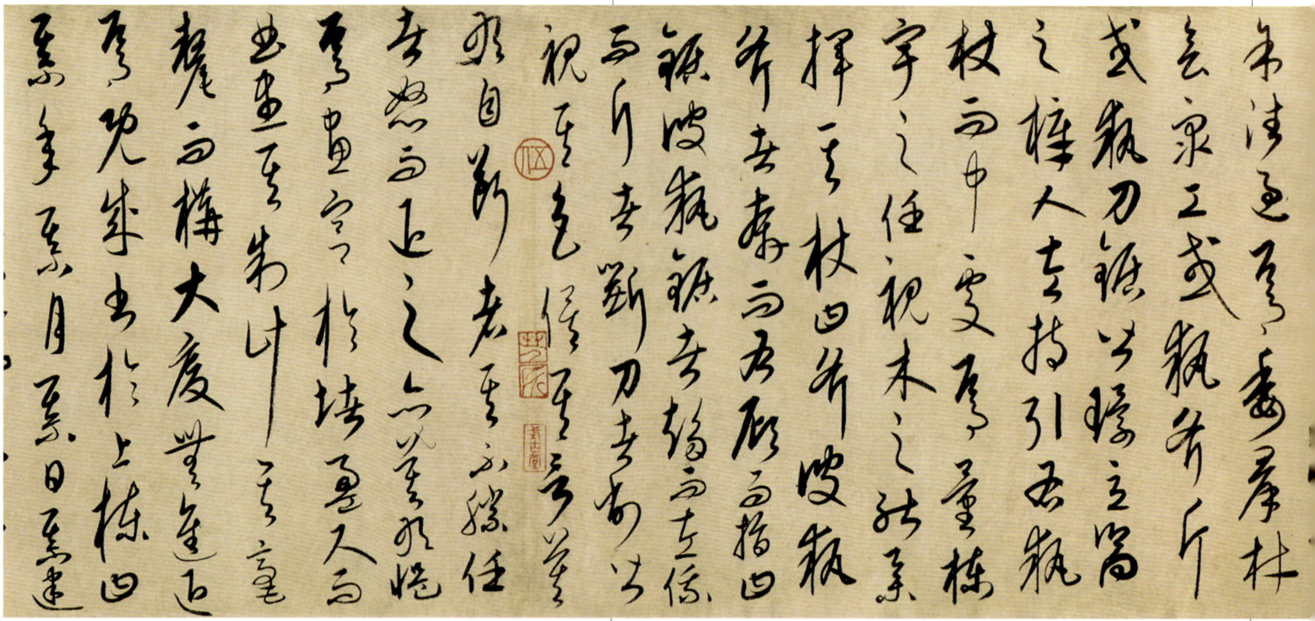

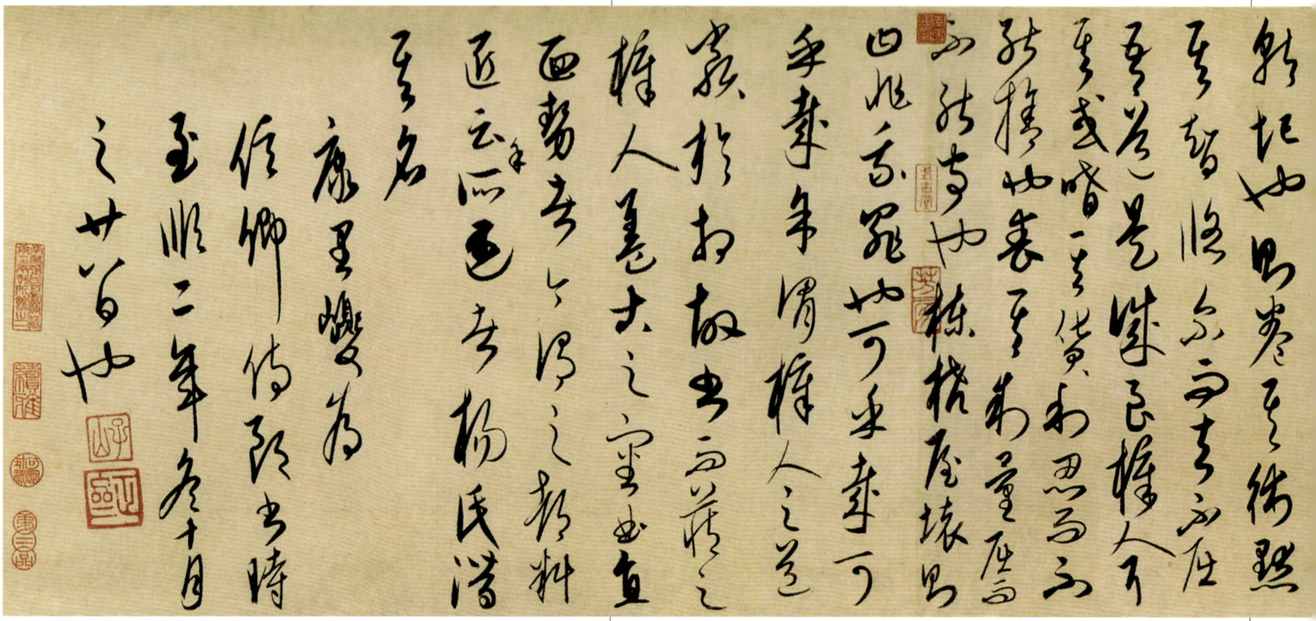

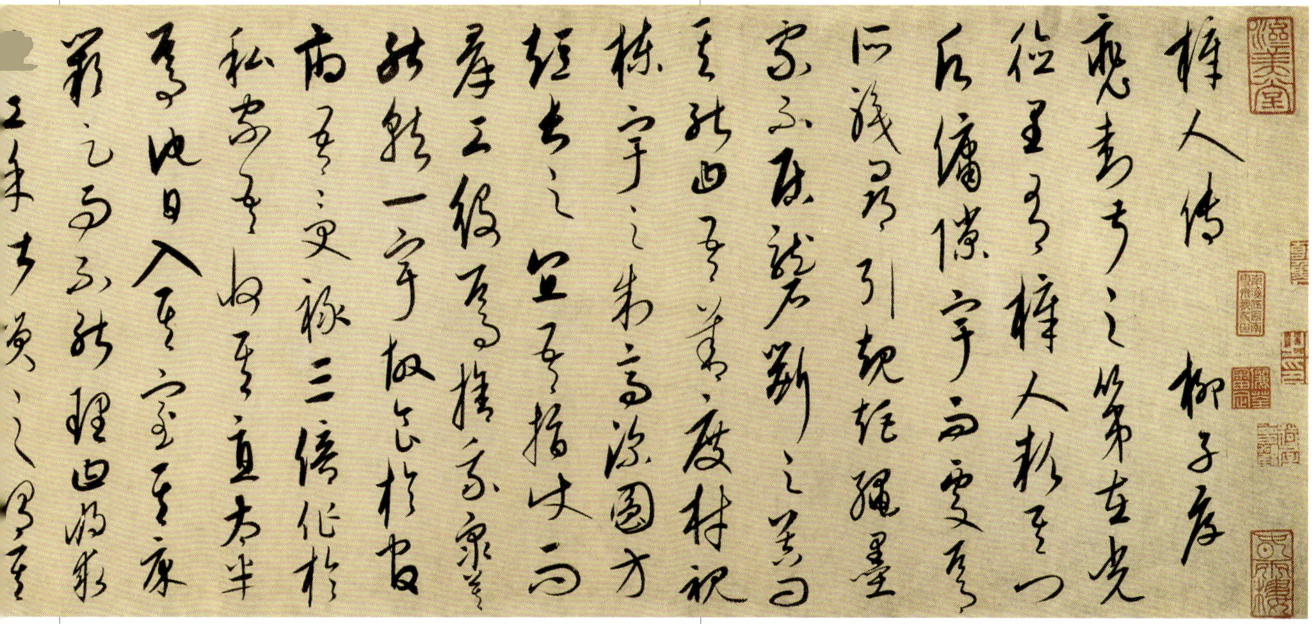

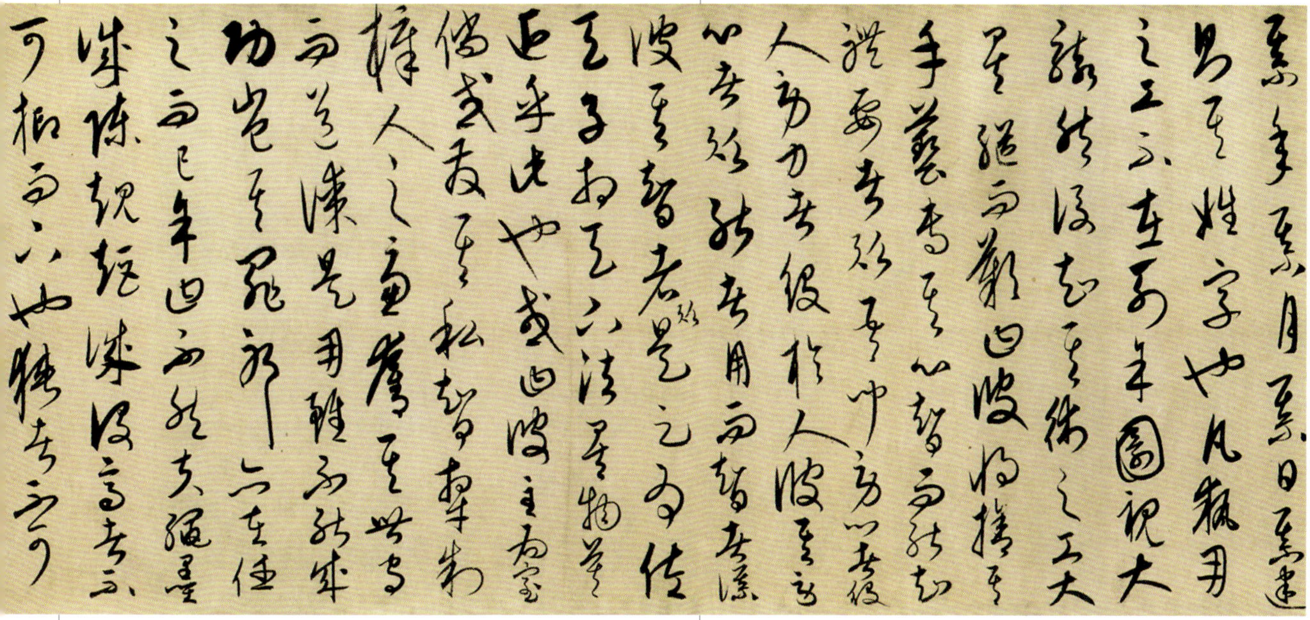

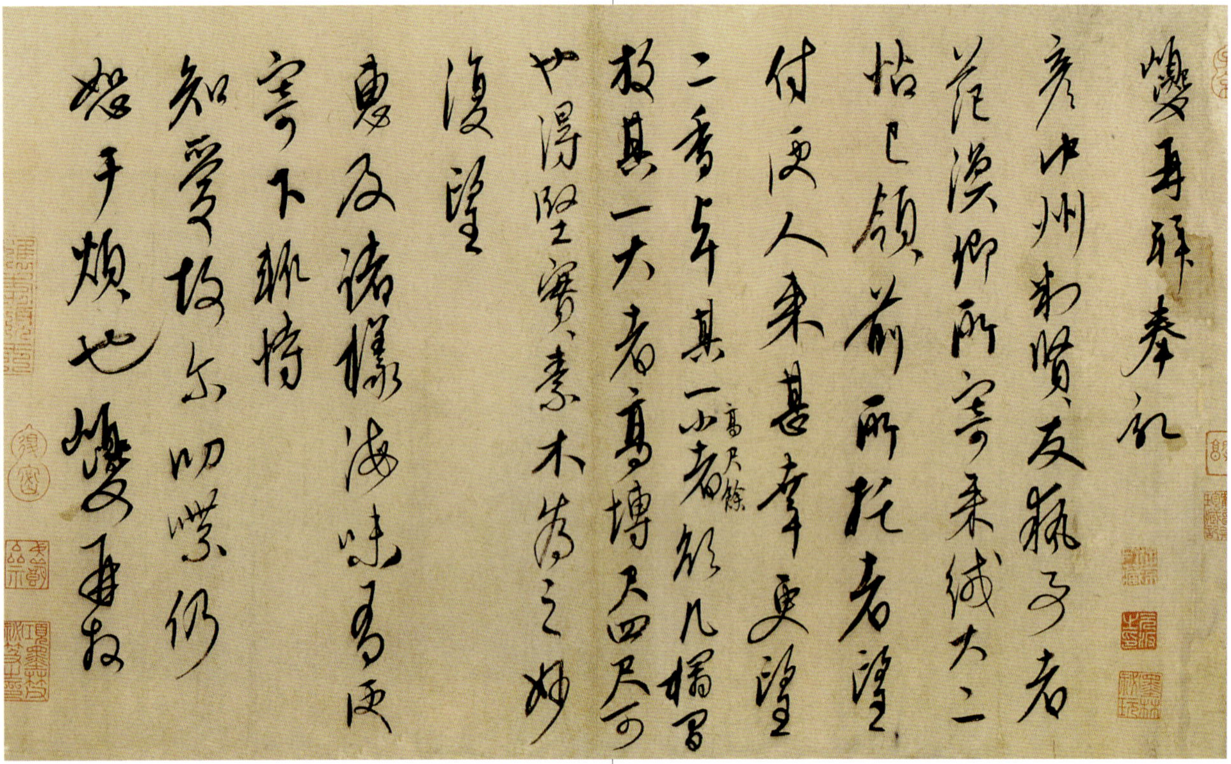

奉記帖

元

康里巎巎

高29.8、寬55.7厘米。

紙本。

現藏故宮博物院。

謫龍説

元

康里巎巎

高28.8、寬157.9厘米。

紙本。

現藏故宮博物院。

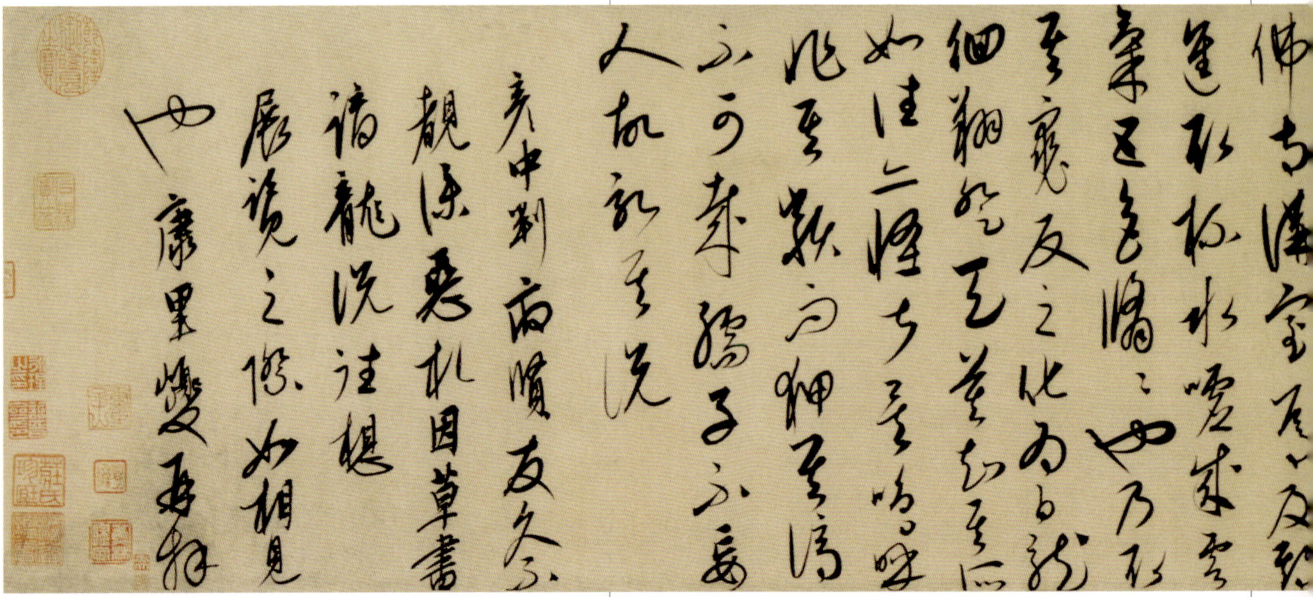

楊維楨（公元1296－1370年）

　　諸暨（今屬浙江）人。字廉夫，號鐵崖、東維子。泰定初進士，署天台尹，後罷歸富春山，徙居錢塘（今浙江杭州）。博通文史，擅詩詞古文。精書法，蒼勁奔放，以"狂怪"聞名。

周上卿墓志銘

元

楊維楨

高25.9、寬86.2厘米。紙本。此選為局部。現藏遼寧省博物館。

周上卿墓志銘　　會稽楊維楨誤弁書

上卿姓周諱文英字上卿別諱梅隱又諱
漢將軍亞夫之後魏晉之間著為望族後有官
于吳中者因家焉國史家牒載之詳矣其祖父
皆以醫鳴有盯著醫要刪行世母史氏懷娠時
有異僧入夢及生上卿果聰慧過人九歲通經
史能文一時詞人皆稱為聖童會父惠癇疾三
年不愈吳中醫人莫能療上卿日夜涕泣慨然
歎曰為人子者不可不起醫誠哉是言也乃盡

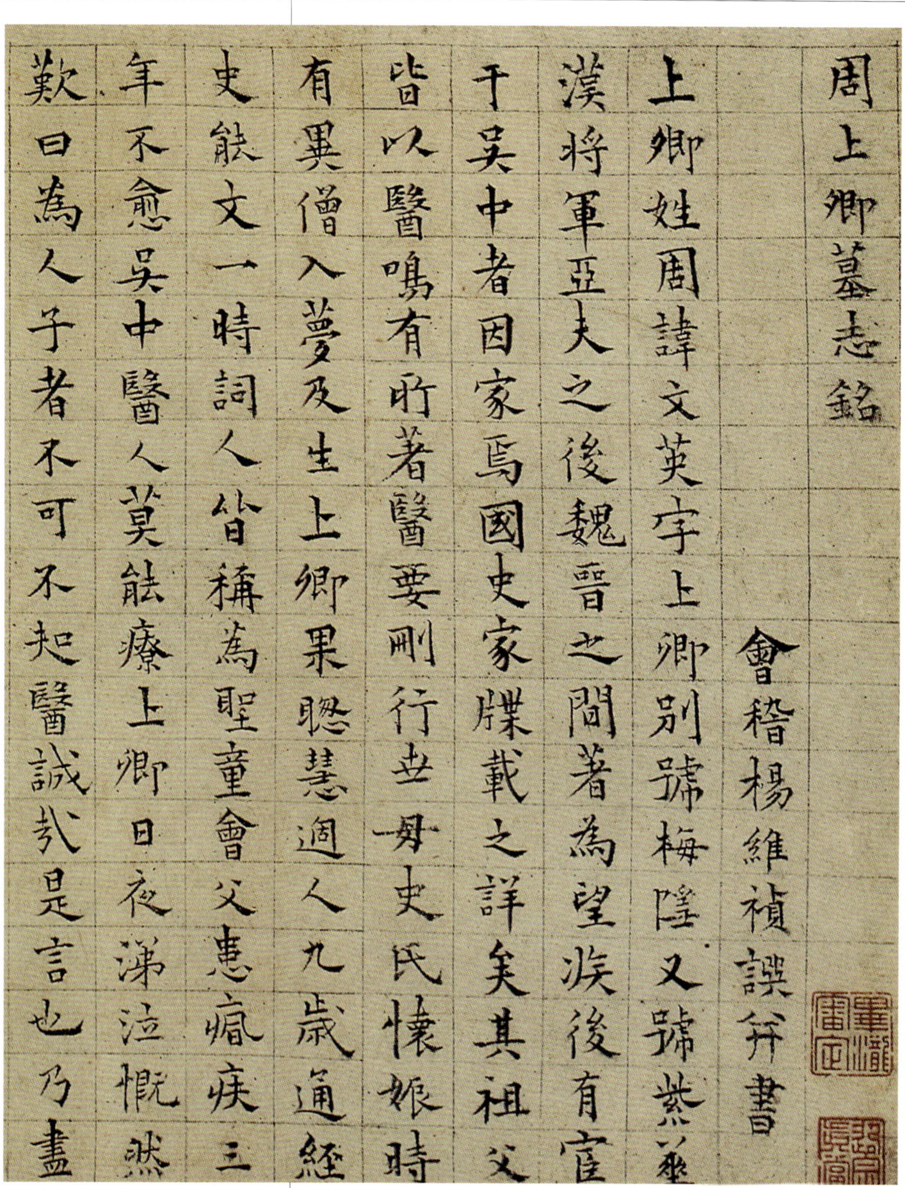

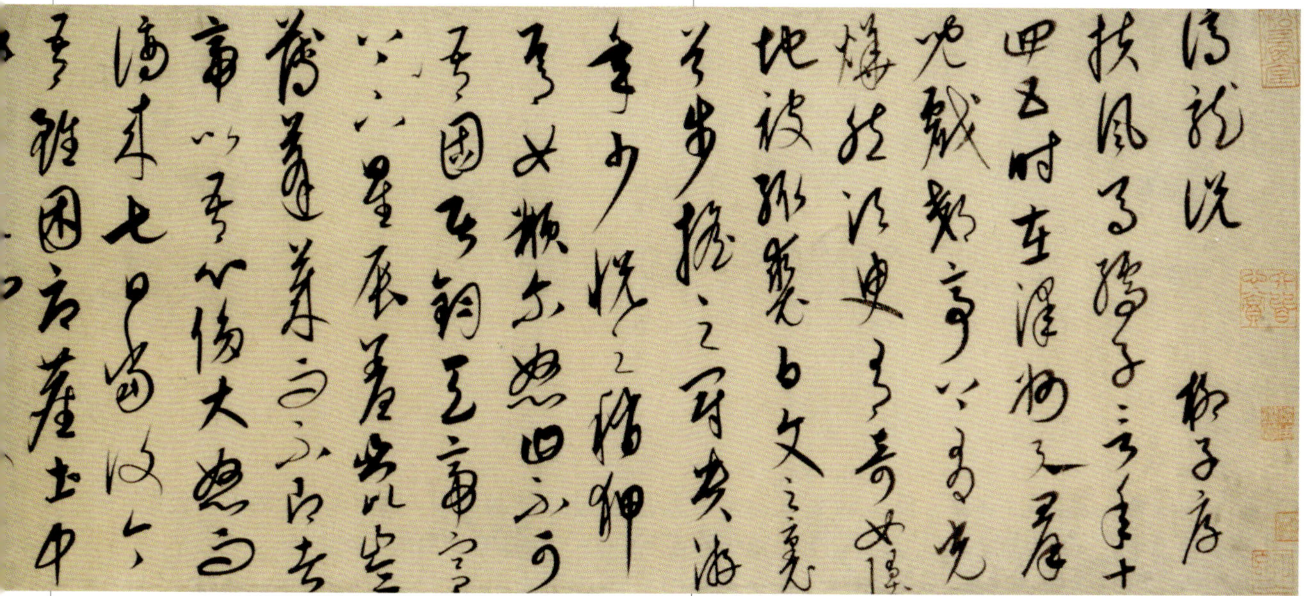

張氏通波阡表

元
楊維楨
高28.9、寬145.8厘米。
紙本。
現藏日本東京國立博物館。

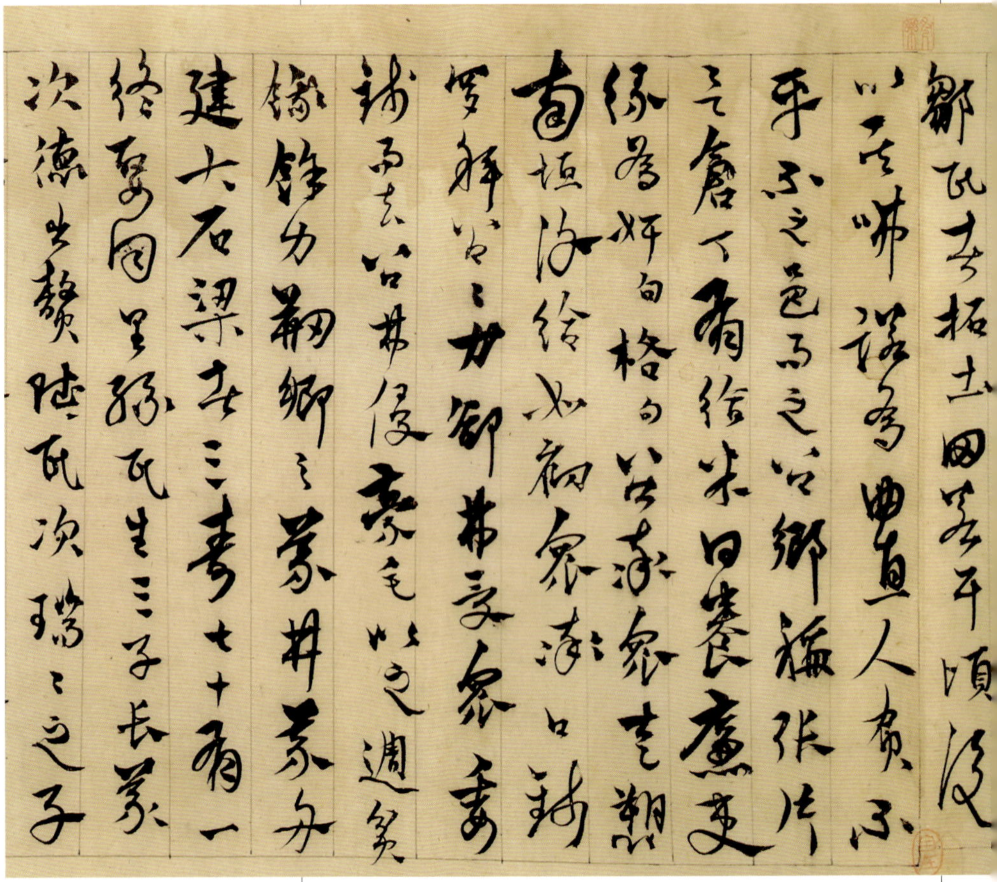

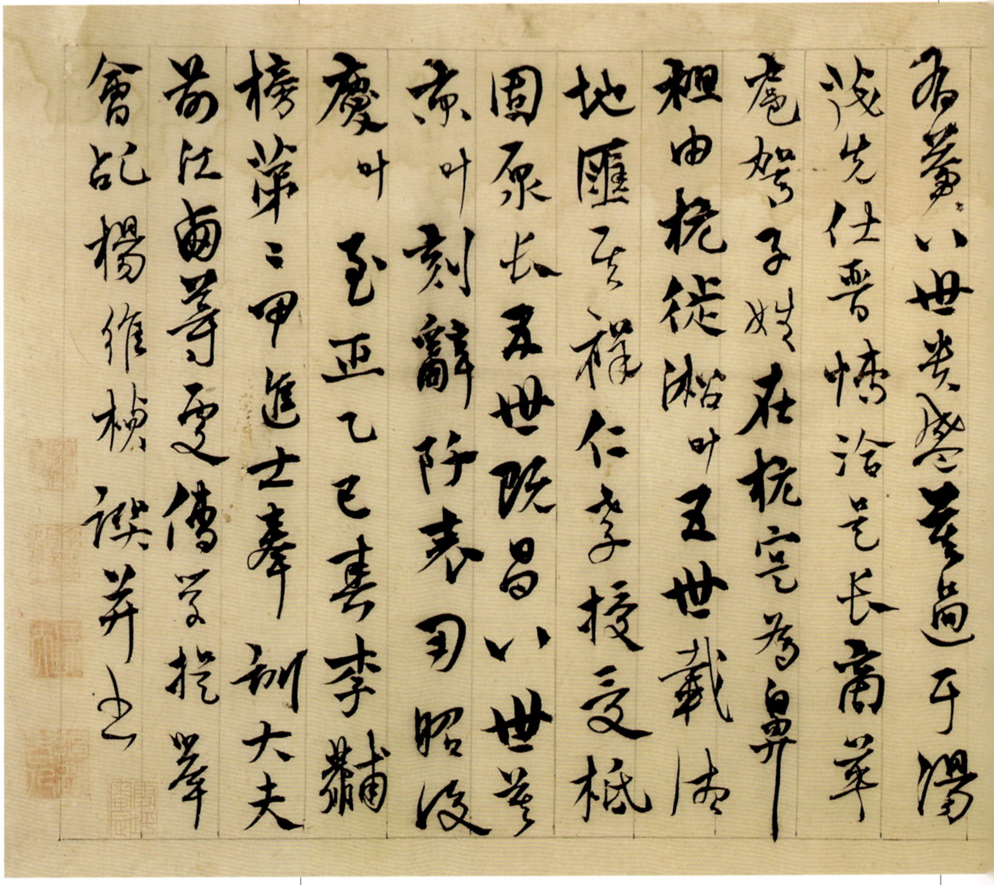

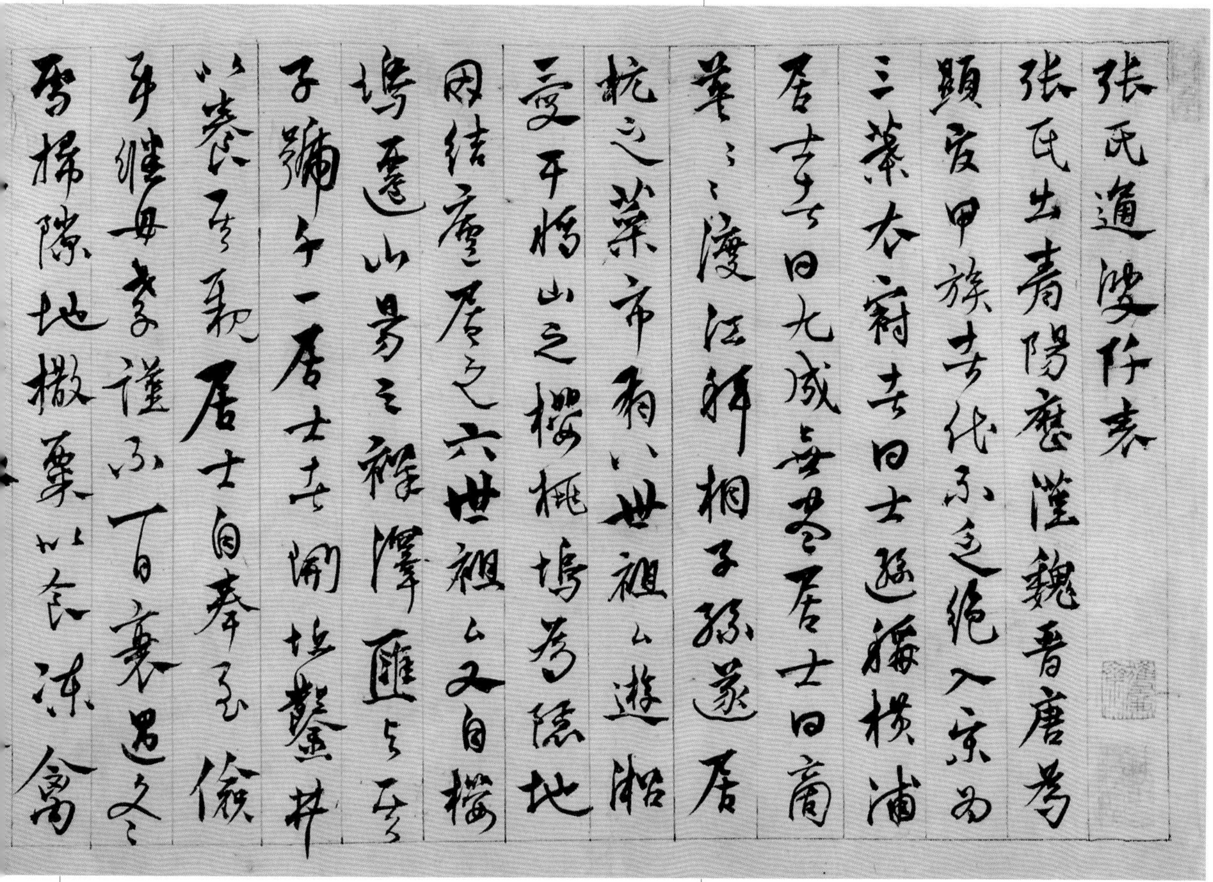

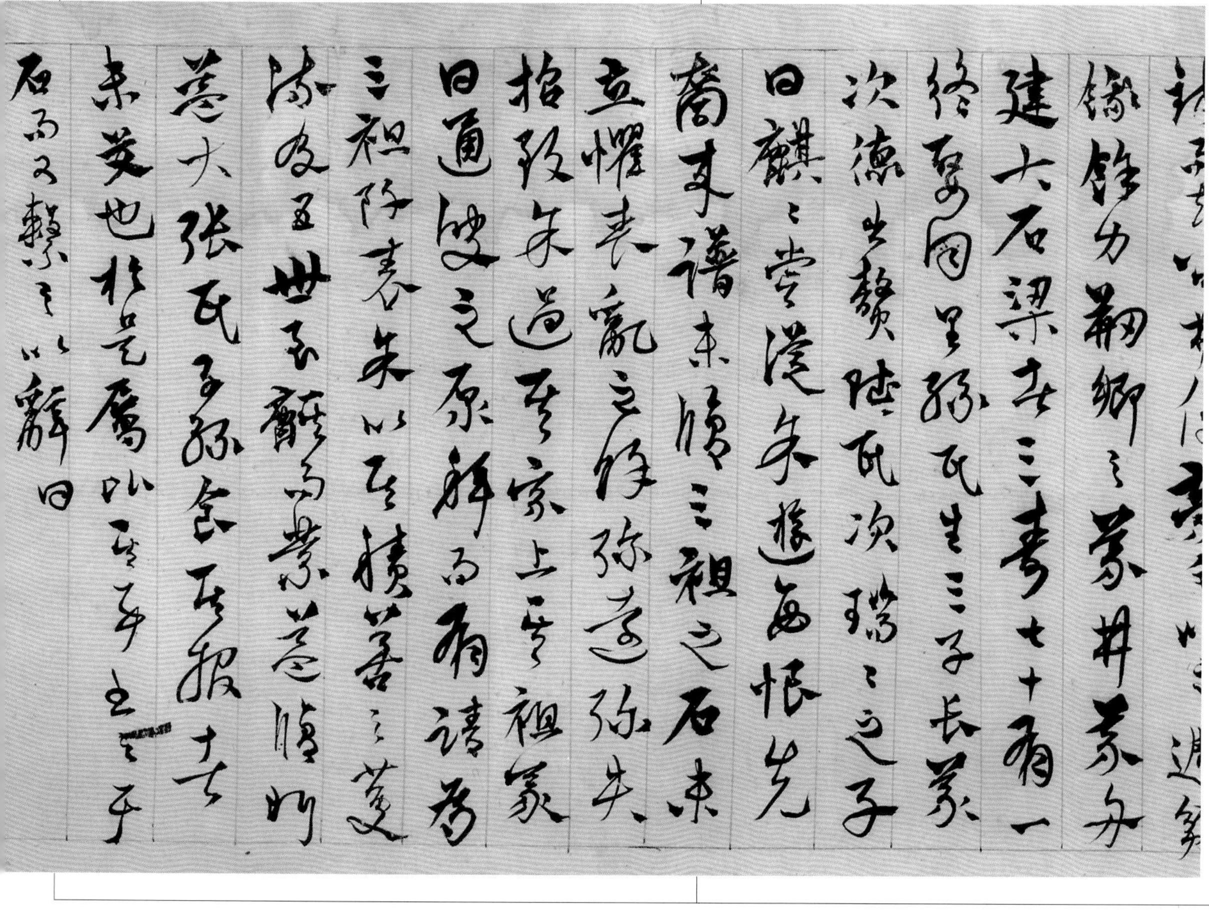

城南唱和詩

元
楊維楨

高31.6、寬216.6厘米。
紙本。
現藏故宮博物院。

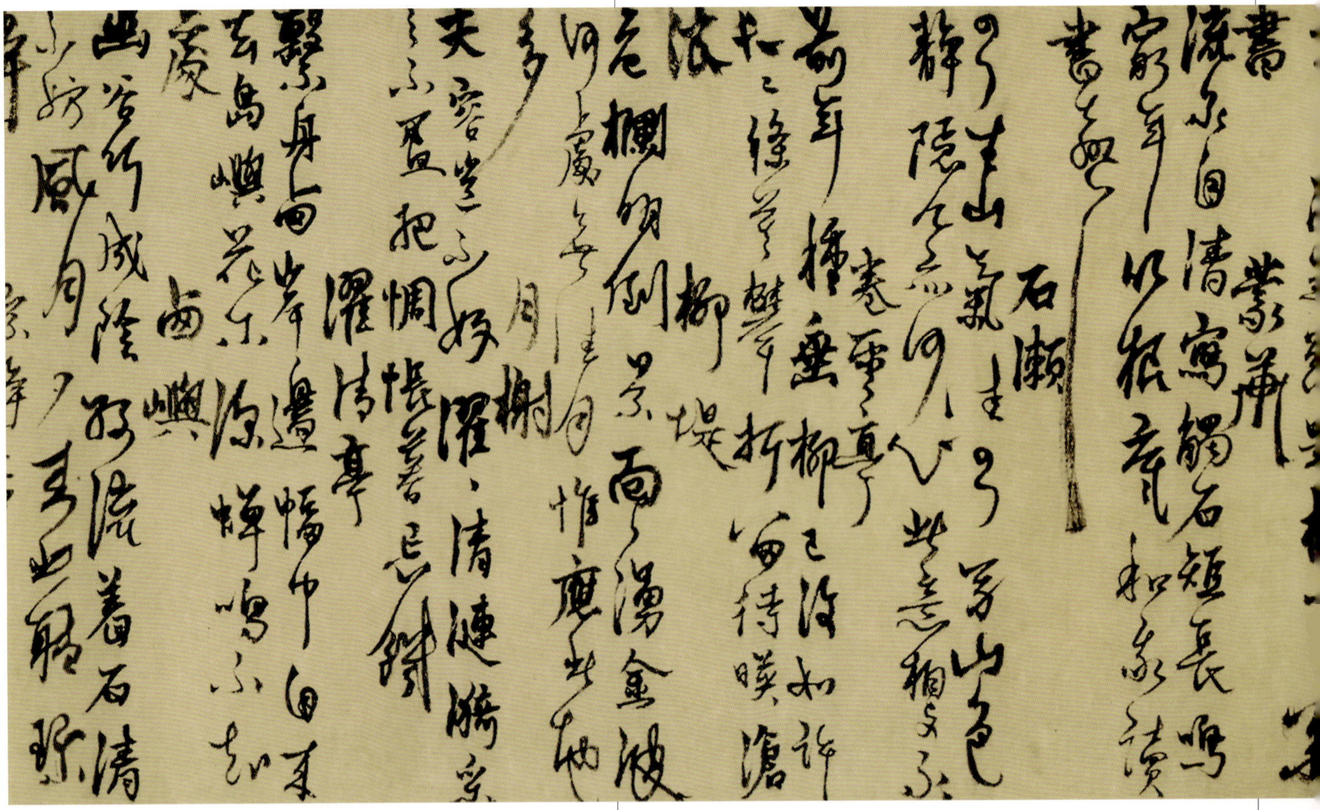

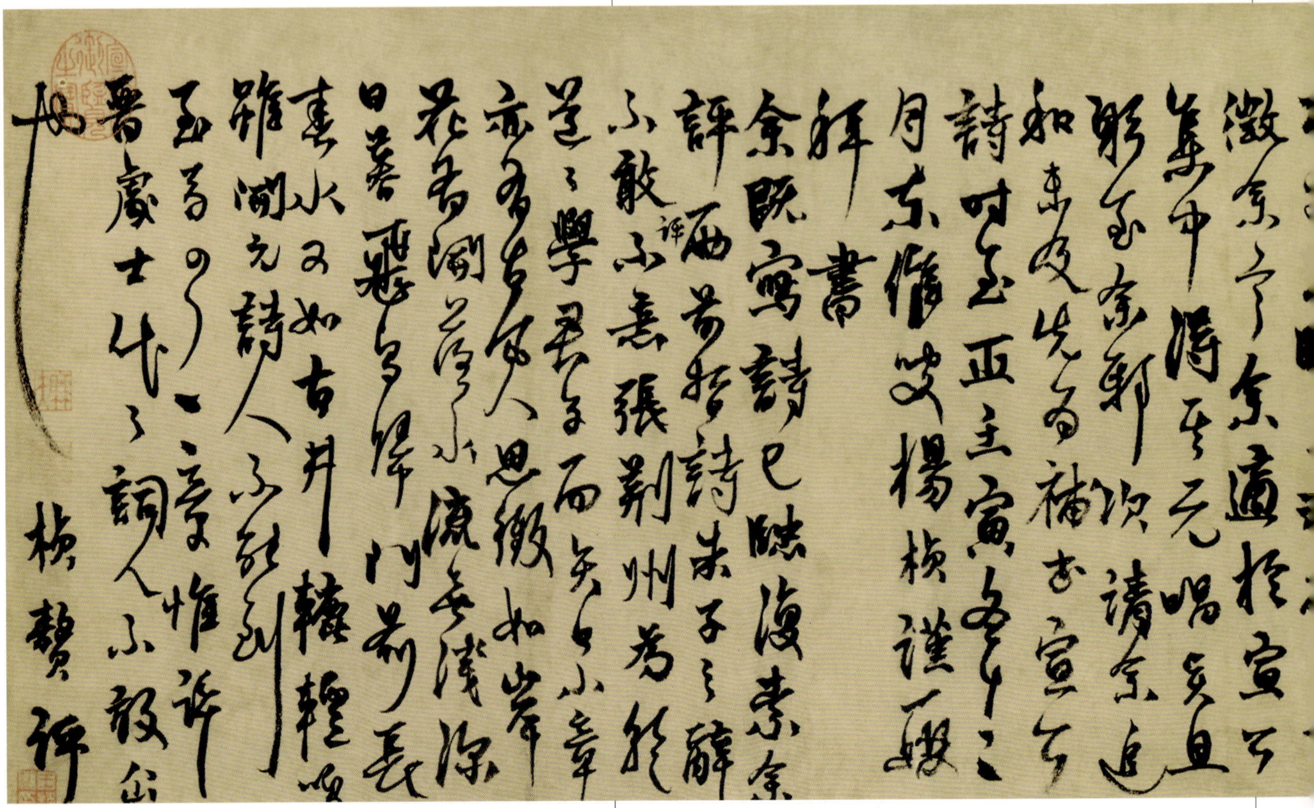

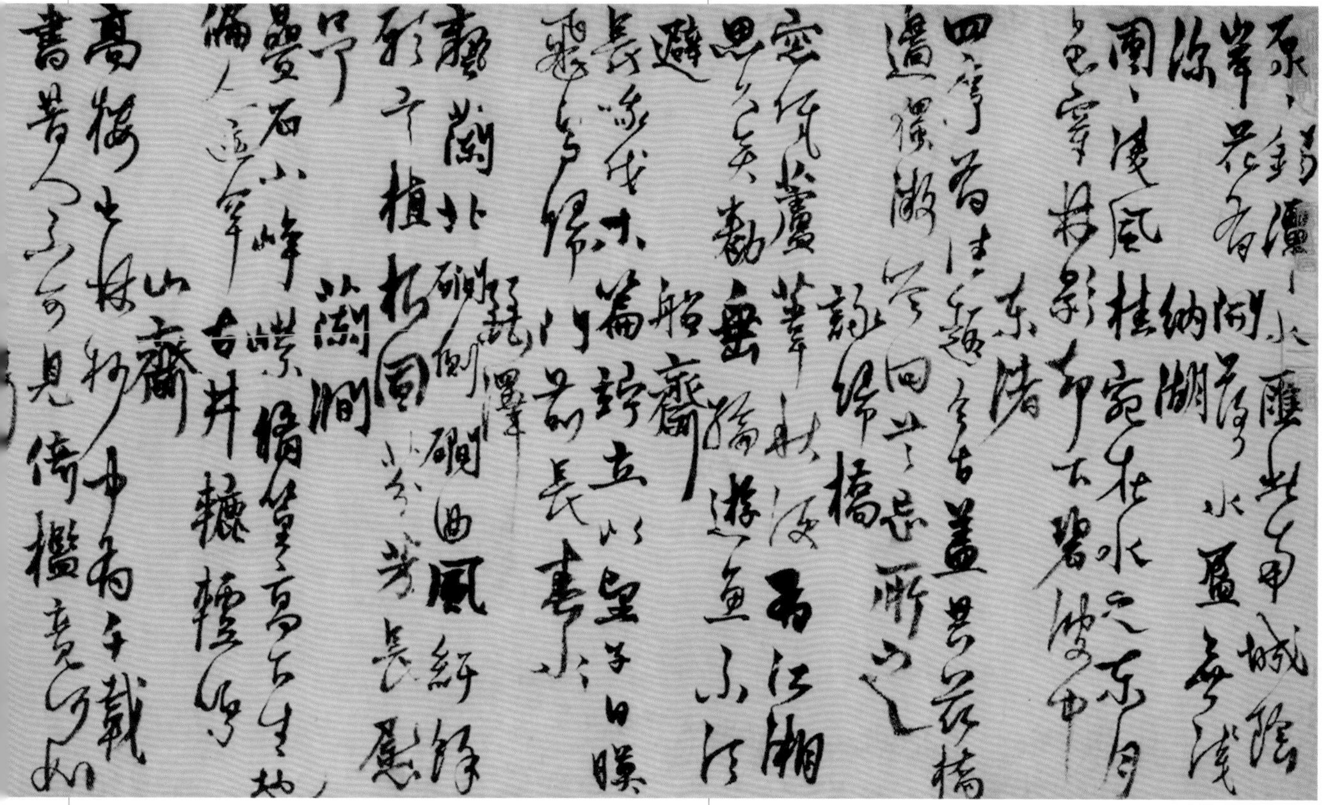

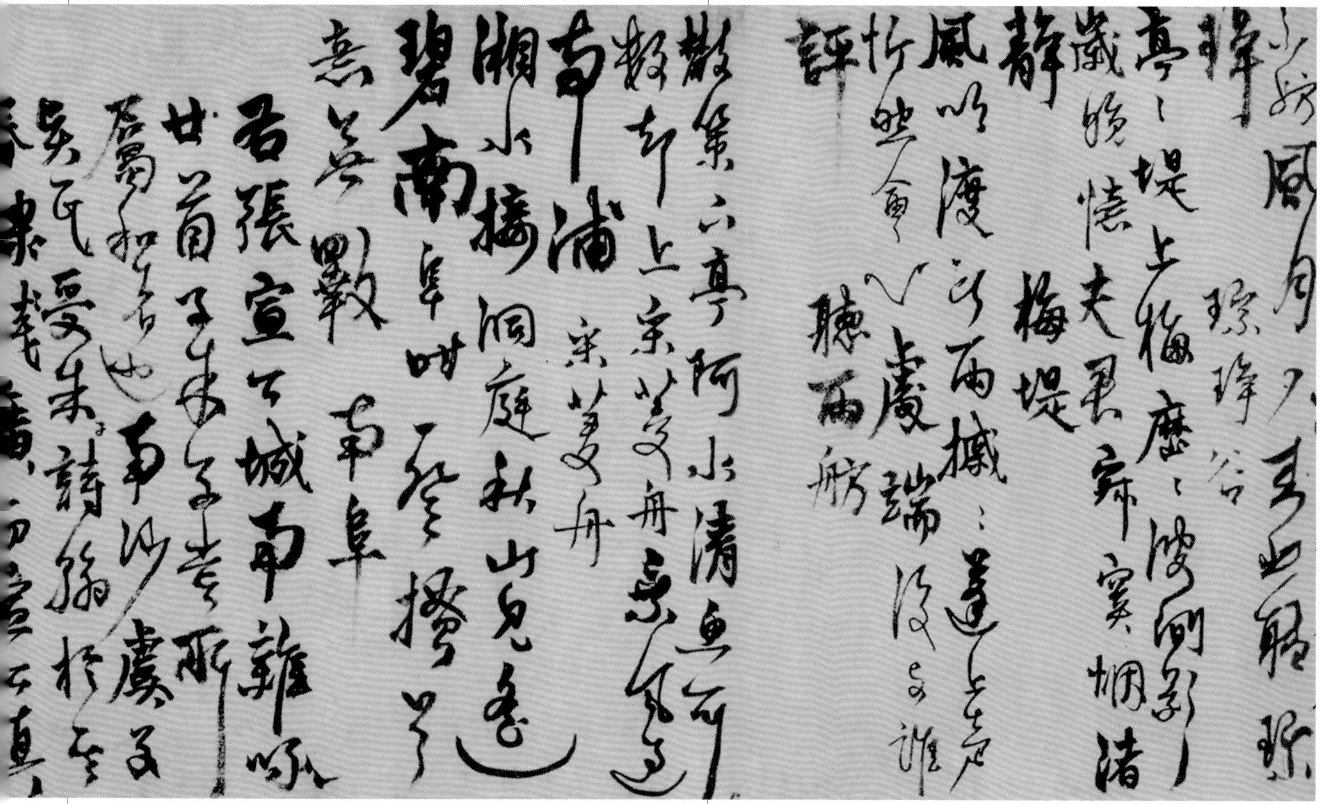

真鏡庵募緣疏

元

楊維楨

高33.3、寬278.4厘米。

紙本。

現藏上海博物館。

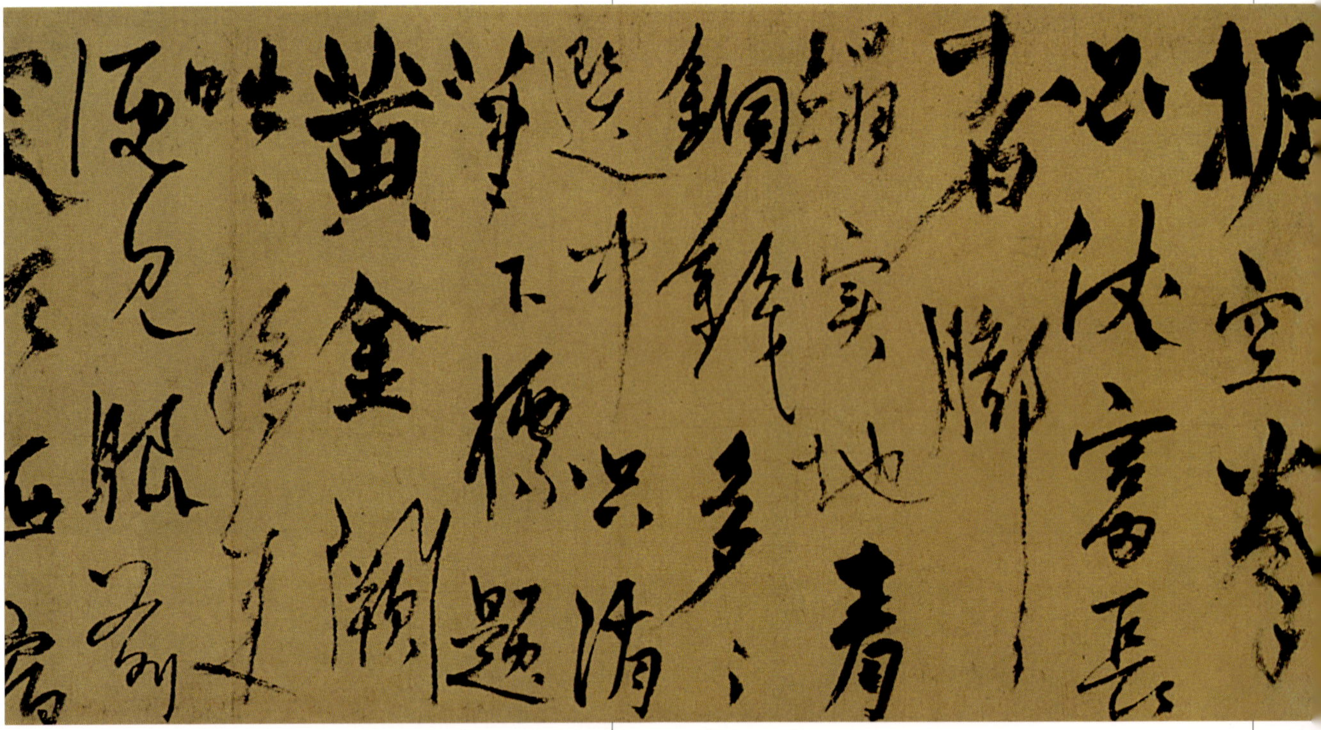

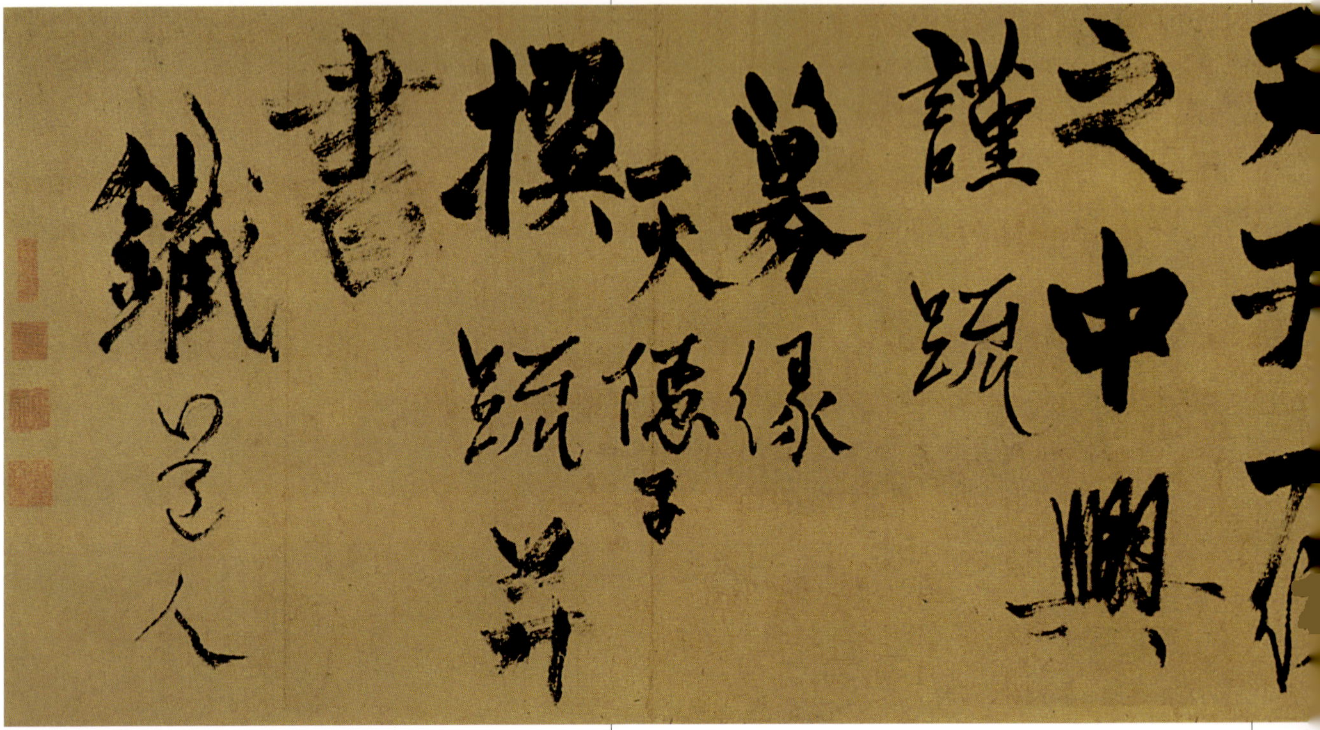

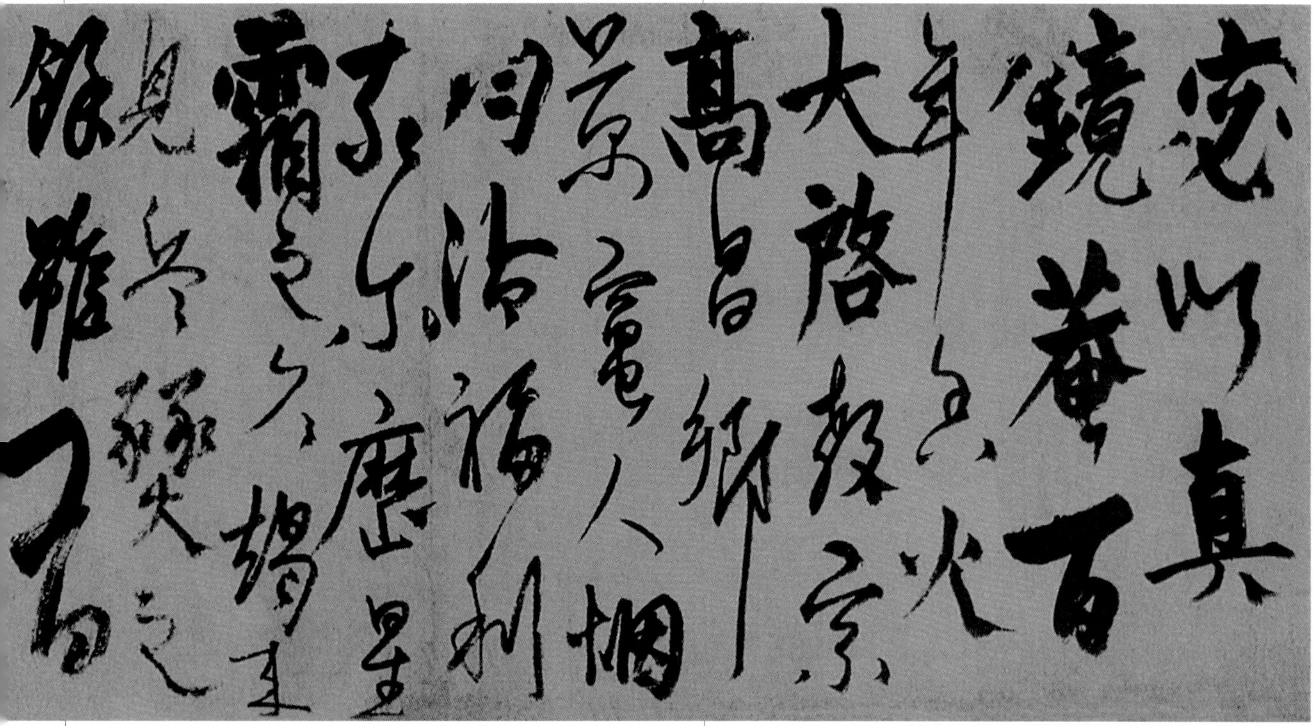

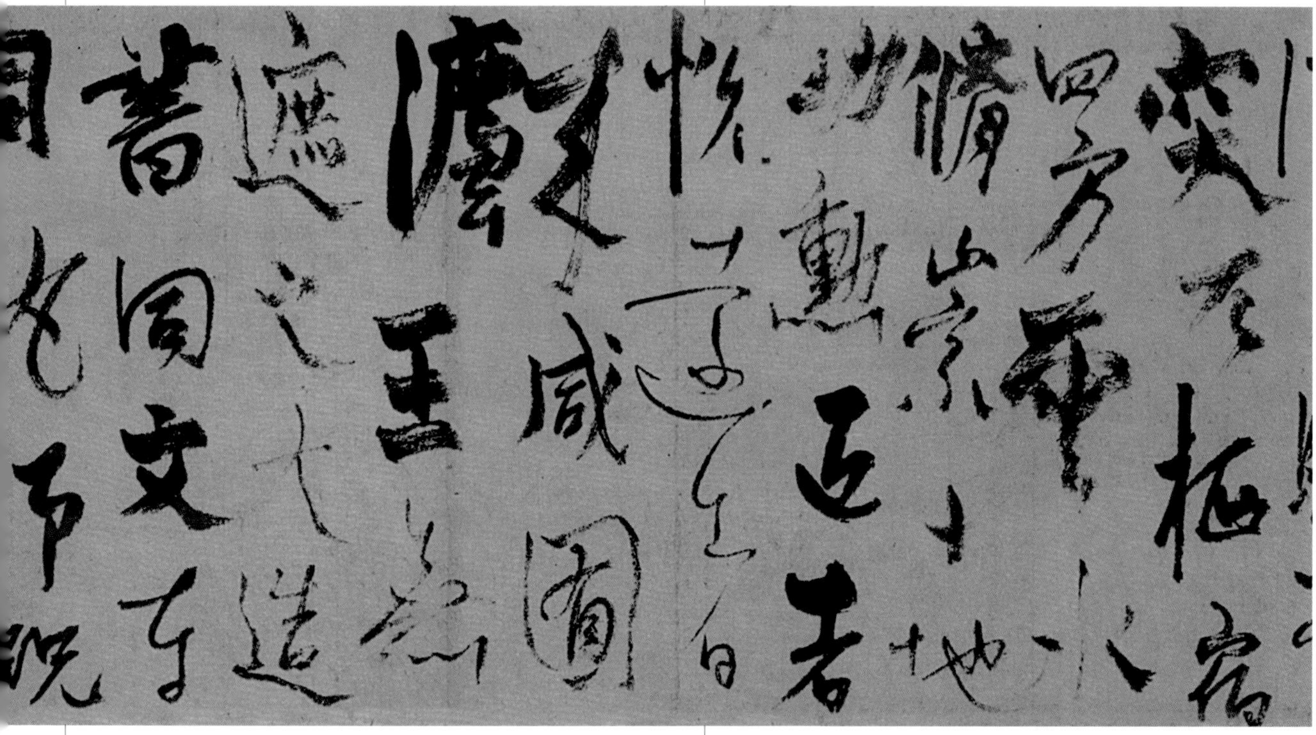

游仙唱和詩

元
楊維楨

高31.2、寬22.2厘米。
紙本册裝，共七開。此選爲局部。
現藏上海博物館。

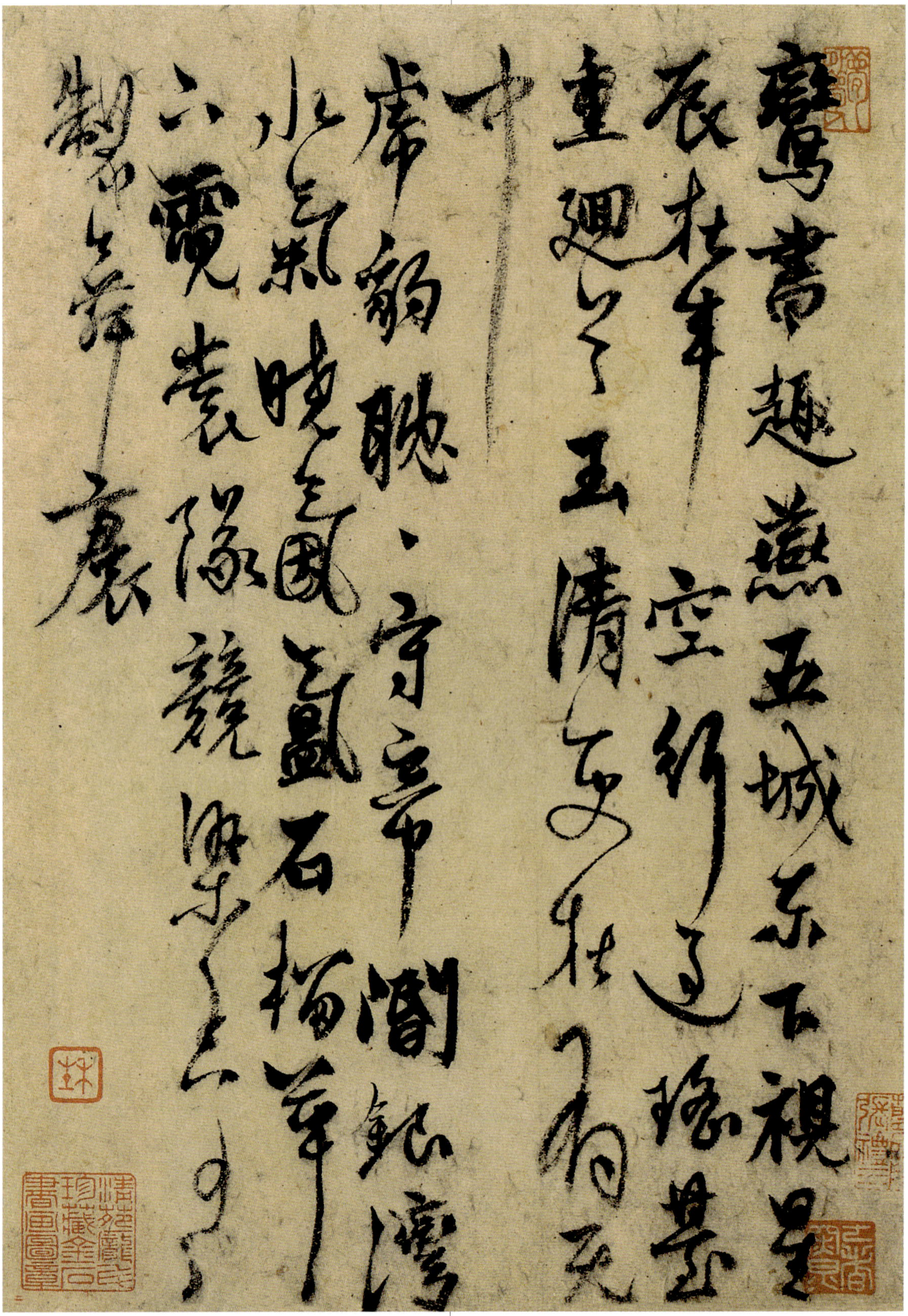

吴 叡（公元1298－1355年）

錢塘（今浙江杭州）人。叡，一作睿，字孟思，號雪濤散人。吾丘衍弟子，工篆隸書。

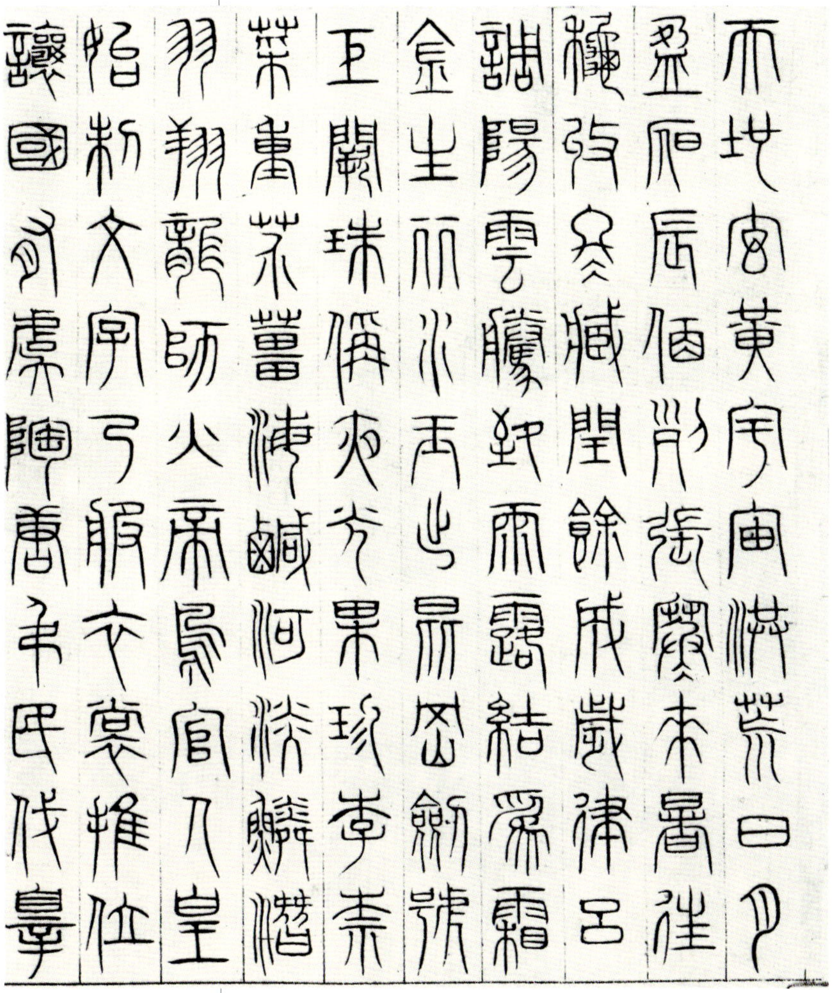

千字文

元
吴叡
高27.7、寬240.6厘米。
紙本。此選爲局部。
現藏上海博物館。

老子道德經

元
吴叡
高24.8厘米、寬400.7厘米。
紙本。此選爲局部。
現藏故宫博物院。

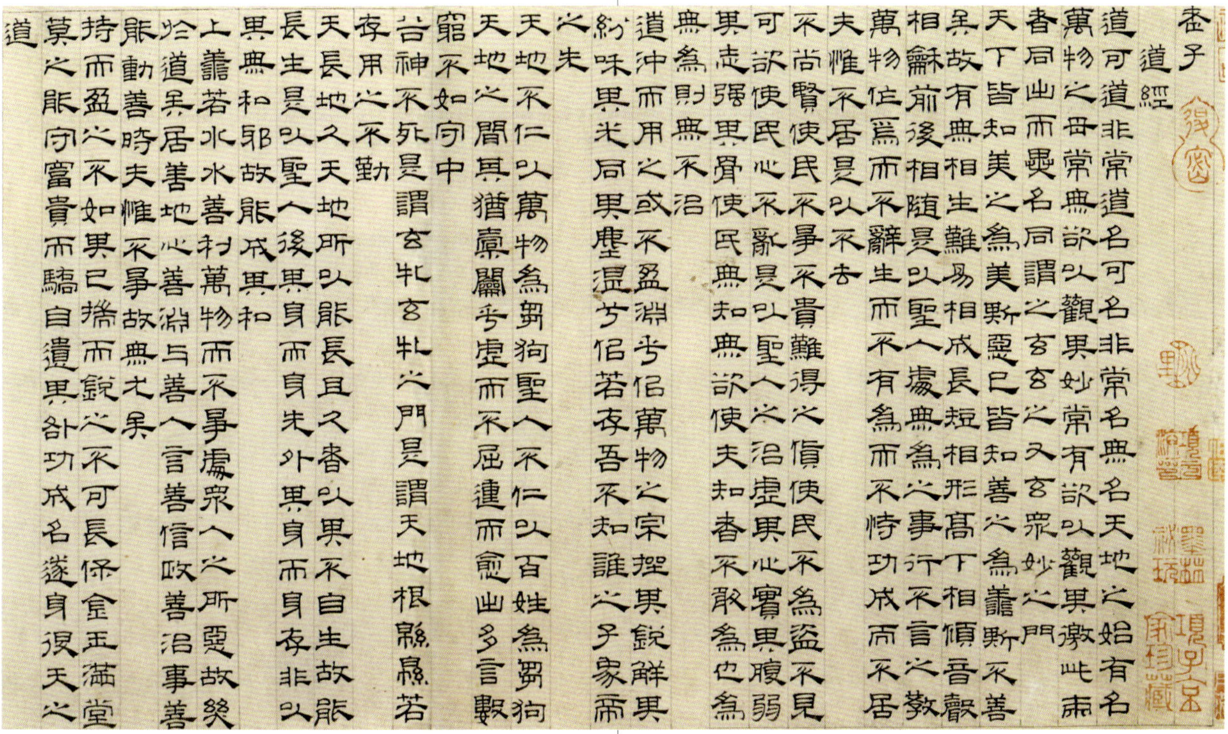

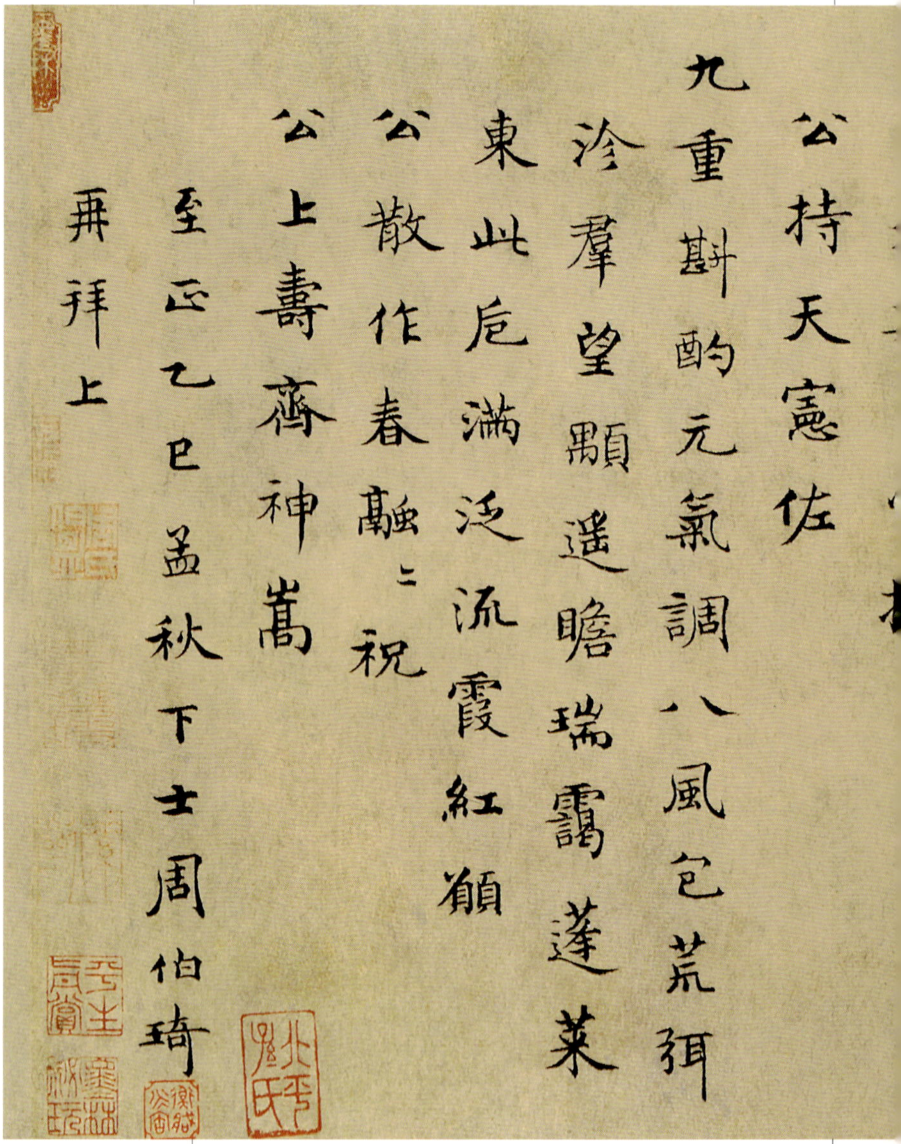

周伯琦（公元1298－1369年）

饒州（今江西鄱陽）人。字伯温。著有《六書正譌》等。

通犀飲卮詩

元
周伯琦
高27.1、寬57.3厘米。
紙本。
現藏故宫博物院。

宫學箴 國史箴

元
周伯琦
全卷高26、寬284.5厘米。
紙本。此選爲局部。
現藏故宫博物院。

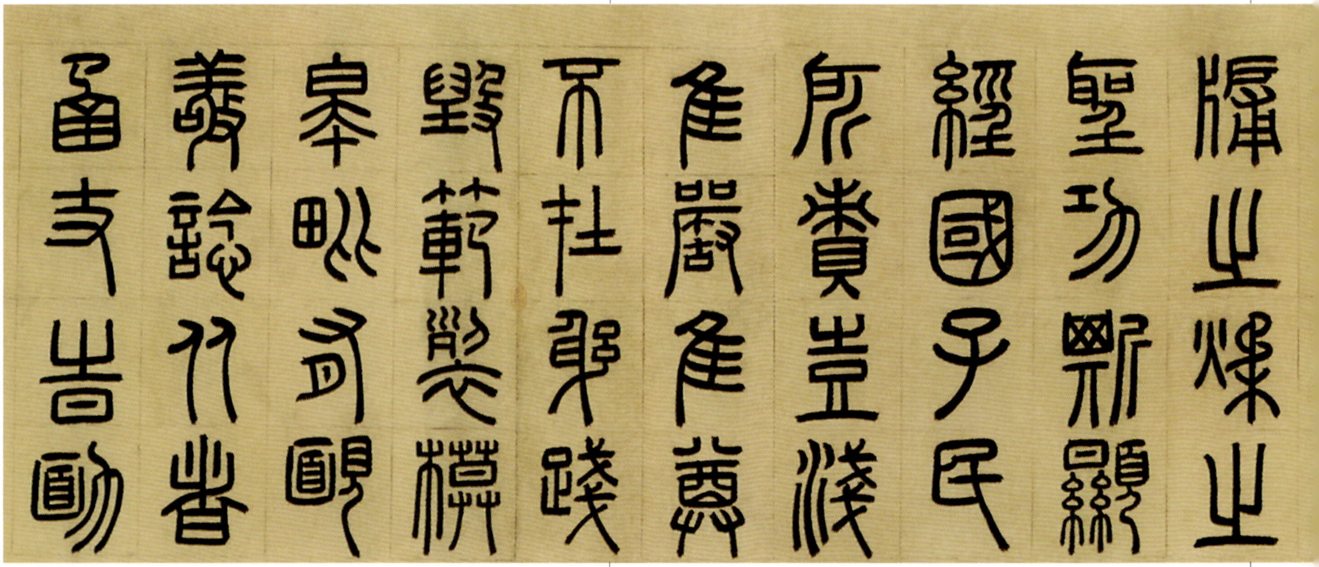

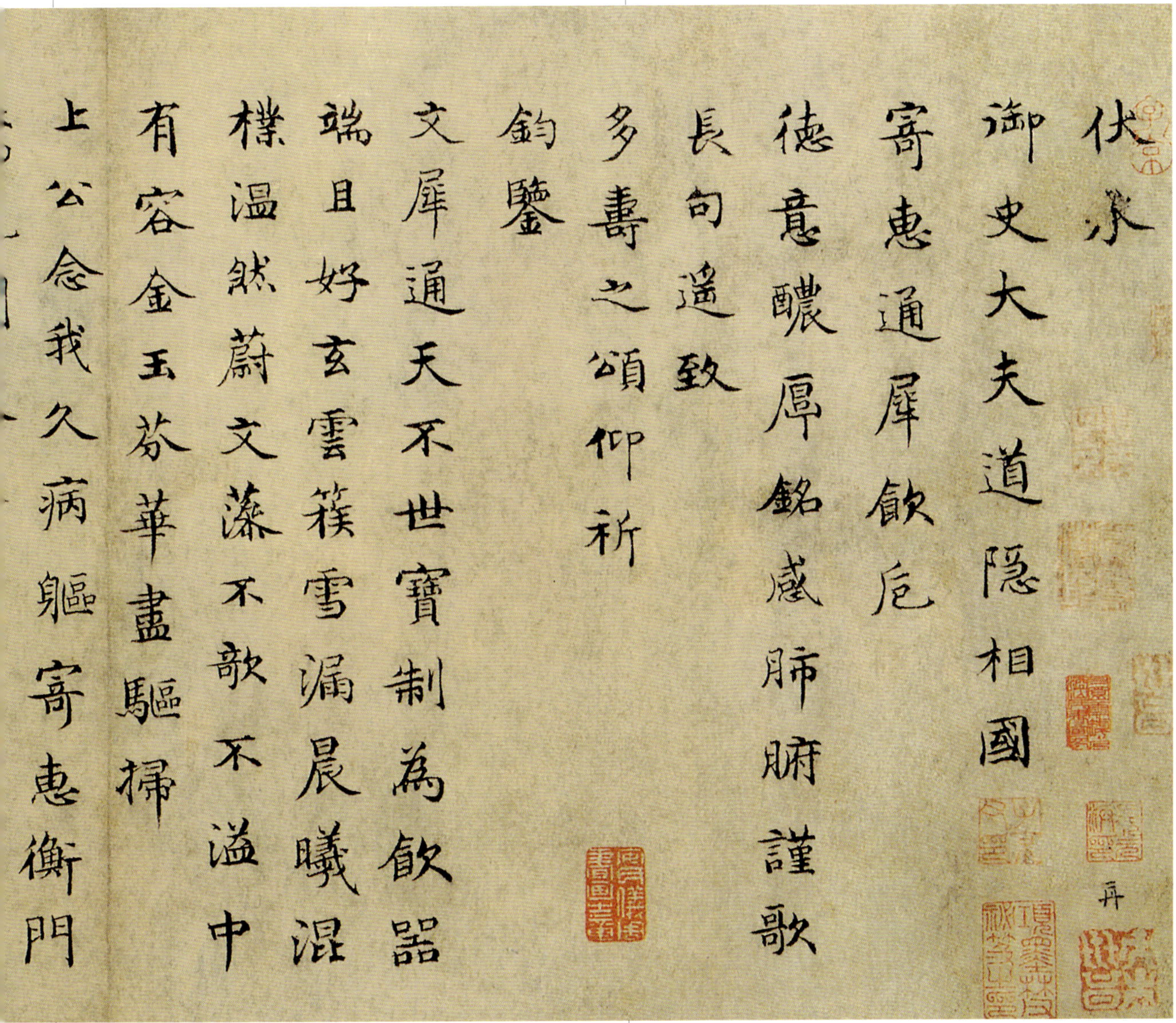
伏承
御史大夫道隱相國
寄惠通犀飲卮
德意醲厚銘感肺腑謹歌
長句遥致
多壽之頌仰祈
鈞鑒
文犀通天不世寶制爲飲器
端且好玄雲簇雪漏晨曦混
樸温然蔚文藻不歆不溢中
有容金玉芬華盡驅掃
上公念我久病軀寄惠銜門

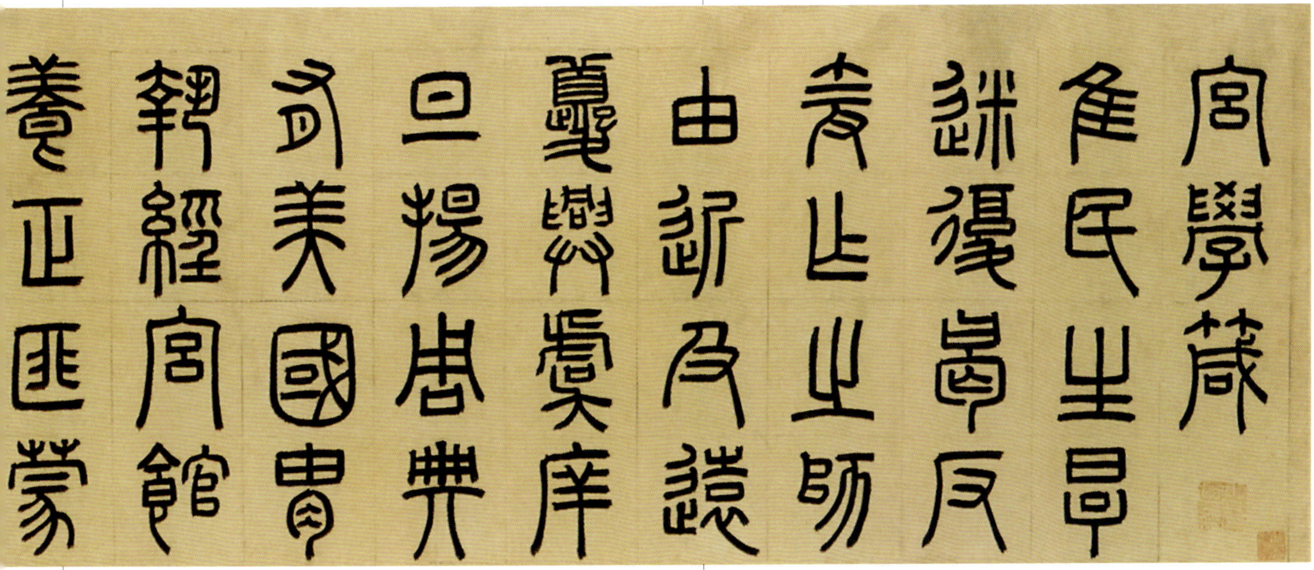

倪瓚（公元1301－1374年）

無錫（今屬江蘇）人。字元鎮，號雲林居士、荆蠻民和雲林弟子。一生不仕。工畫山水竹石，書法以楷、行見長，小楷從分隸入筆，有晉人挺健温厚風度。

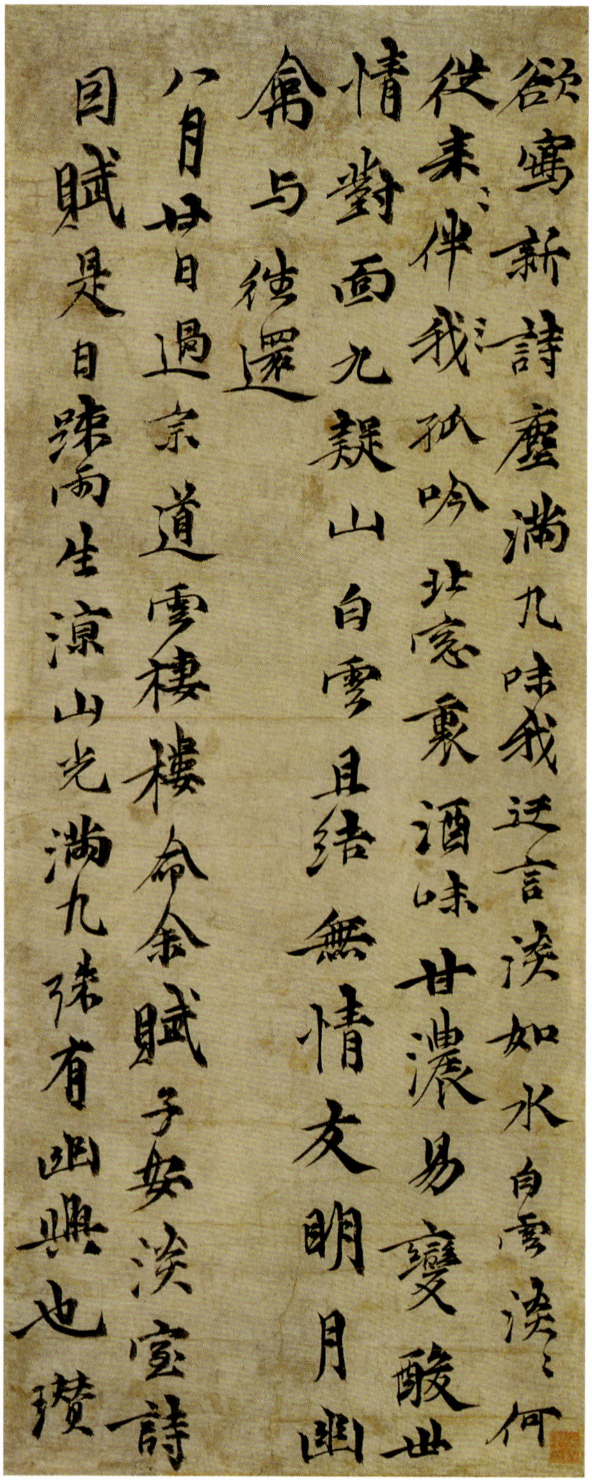

淡室詩（左圖）

元
倪瓚
高64、寬26.8厘米。
紙本。
現藏故宫博物院。

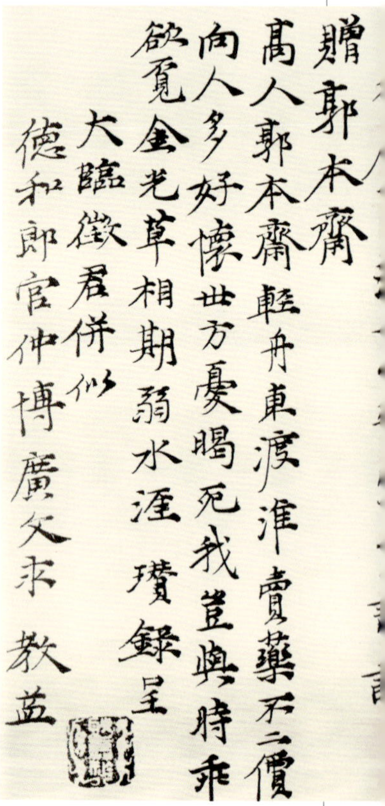

詩五則

元
倪瓚
高23、寬55.5厘米。
紙本。
現藏臺北故宫博物院。

段天祐

生卒年不詳。汴梁（今河南開封）人。字吉甫。

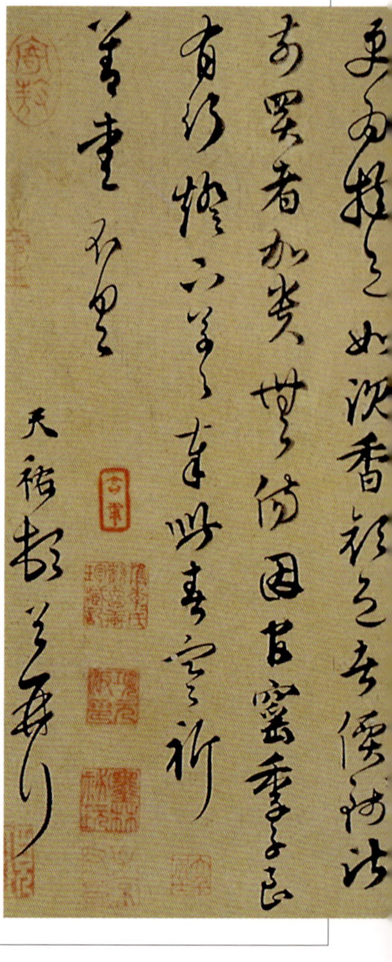

安和帖

元
段天祐
高27.3、寬54.5厘米。
紙本。
現藏故宫博物院。

為張禾儀命賦臣山讀書慶
廬山巑岏上有香鑪峯影落瑤席尺
外翠玉琢芙蓉牽蘿讀書慶菩礐
無行跡猶遺石上菖花開紫半茸毬
心亂春雪氣沉雙龍應化蘇眈
鶴歸樓千歲松仙巖採藥曳久別倘
相逢

賦潘公鳴皋軒
白鶴槀靈賀翻二有奇姿海月比高
潔巖雲共遠進池上菖蒲花春焆紫
皋軒遂賦鳴皋詩安得赤玉舄鶴
上吹參差
縩二飛鳴耶飲啄君鳳來下之我登鳴

馬國瑞東皐軒
末羨勳名馬伏波少游鄉里樂婆娑輕
舟陌上山堪數細兩蘺邊菊未莎潜蕩
五湖鷗夢冷蕭寮萬里鶴情多寒
廳時有幽人宿月燭高張悵綠蘿
次韻通書記同過鄭先生舊宅
女蘿丟綠醫門野水通池沒舊痕

天祐

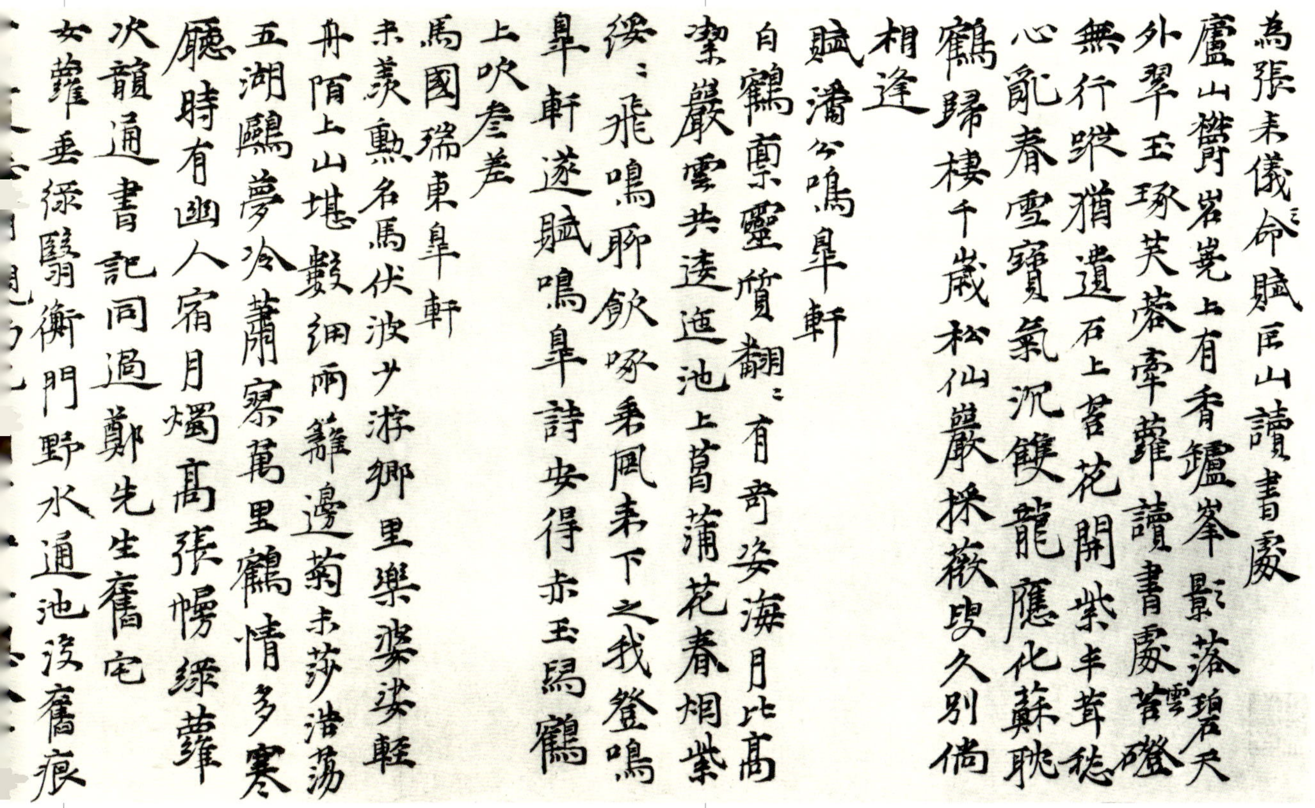

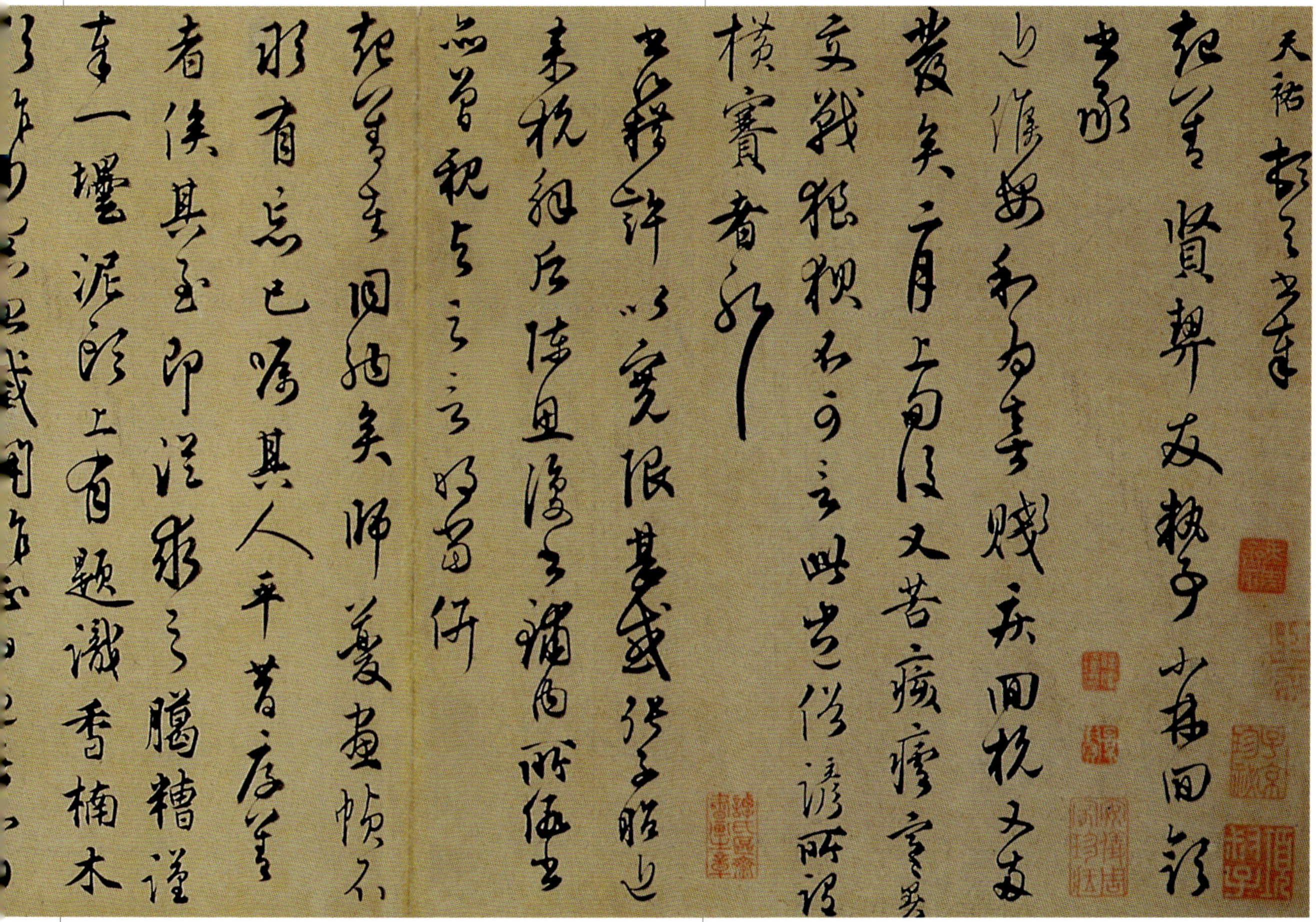

李倜

生卒年不詳。太原（今屬山西）人。字士弘。官至集賢侍讀學士。書學王羲之。

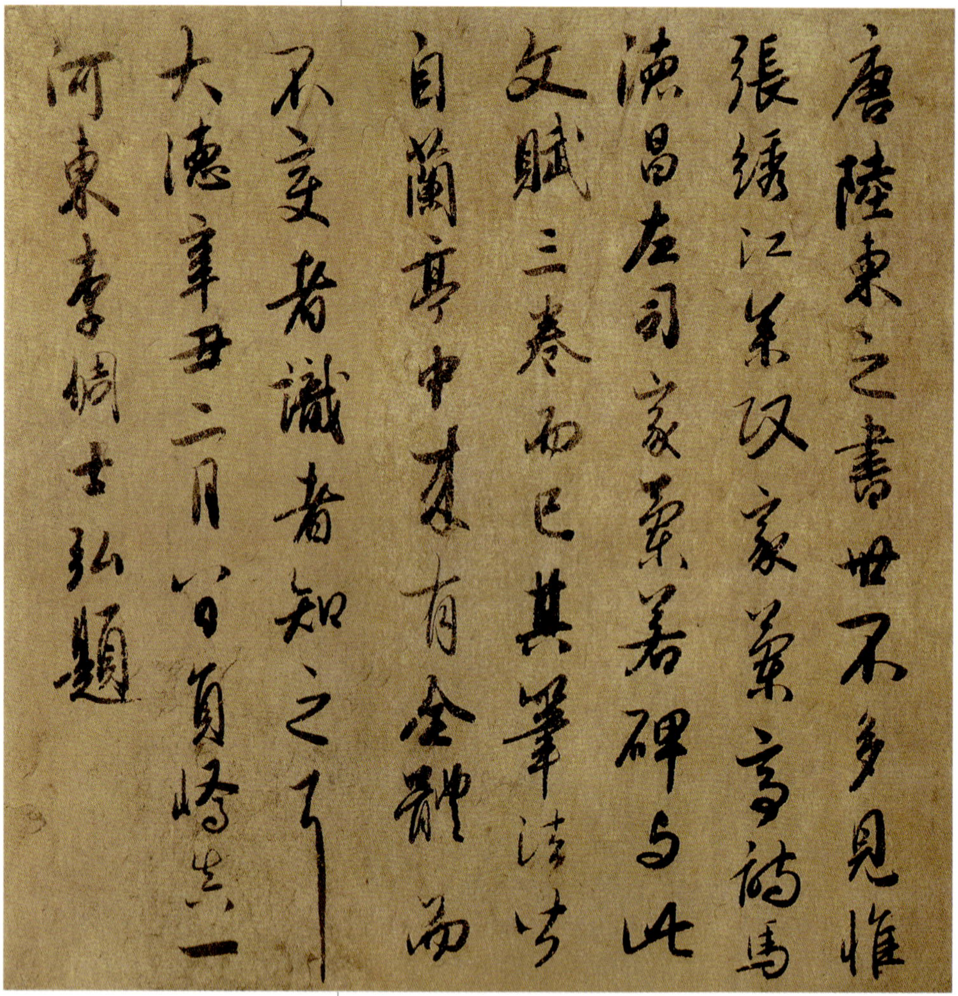

陸柬之文賦跋

元
李倜
高26.6厘米。
紙本。
現藏臺北故宮博物院。

郭畀（公元1301－1335年）

丹徒（今江蘇鎮江）人。字天錫，一字佑之。江浙行省辟充掾史。工書畫。

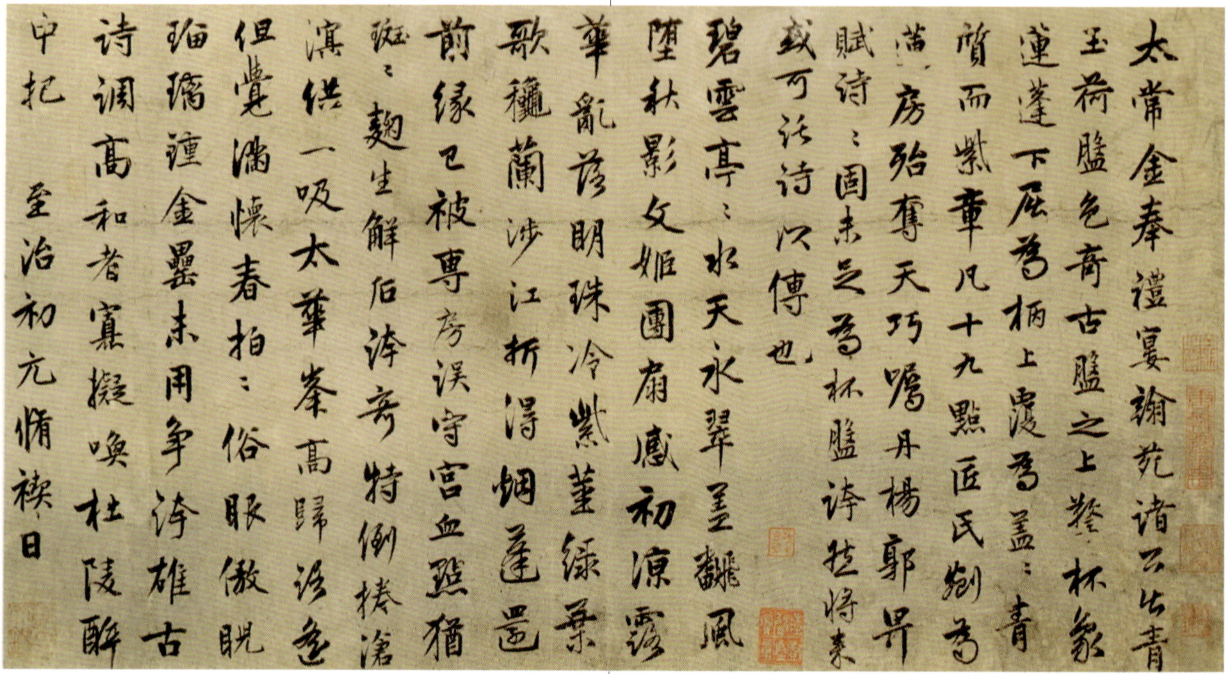

青玉荷盤詩

元
郭畀
高29.3、寬56.2厘米。
紙本。
現藏故宮博物院。

陸游自書詩跋

元
郭畀
高30、寬23.8厘米。
紙本。
現藏遼寧省博物館。

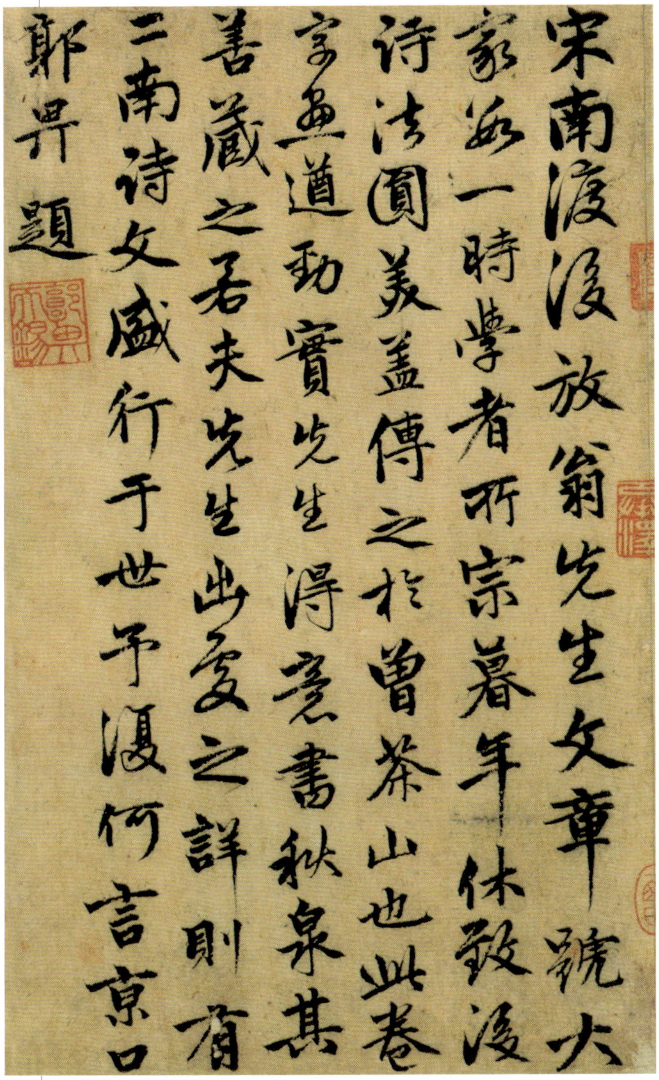

吴勉

生卒年不詳。其家世代爲商賈。書法學趙孟頫。

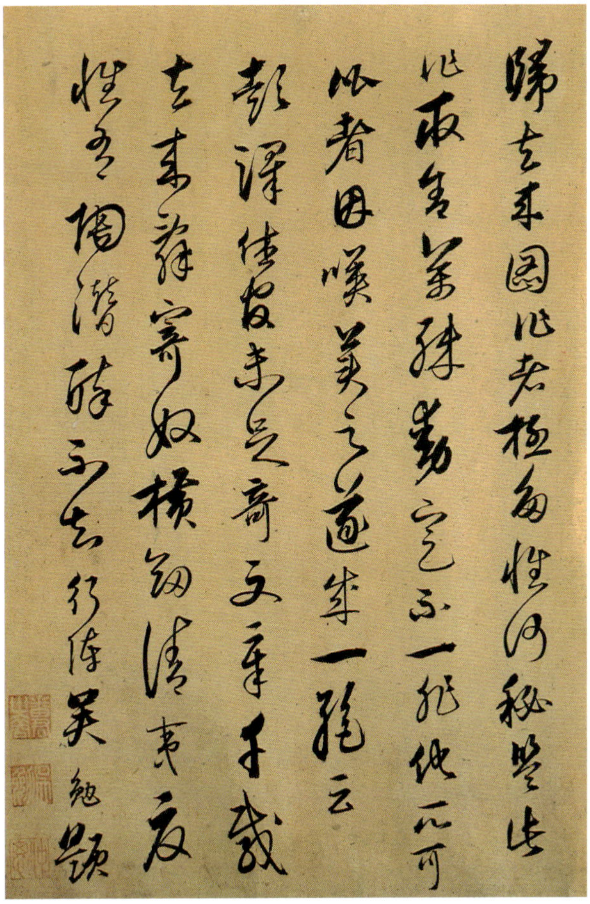

何澄歸莊圖跋

元
吴勉
高41、寬30厘米。
紙本。
現藏吉林省博物院。

危　素（公元1303－1372年）

金溪（今屬江西）人。字太樸，一字雲林。至正五年（公元1345年）被薦爲經筵檢討，修宋、遼、金三史，注《爾雅》，纍遷翰林學士承旨。明初爲翰林侍講學士，修《元史》，兼弘文館學士。博學善文辭，精于書法。

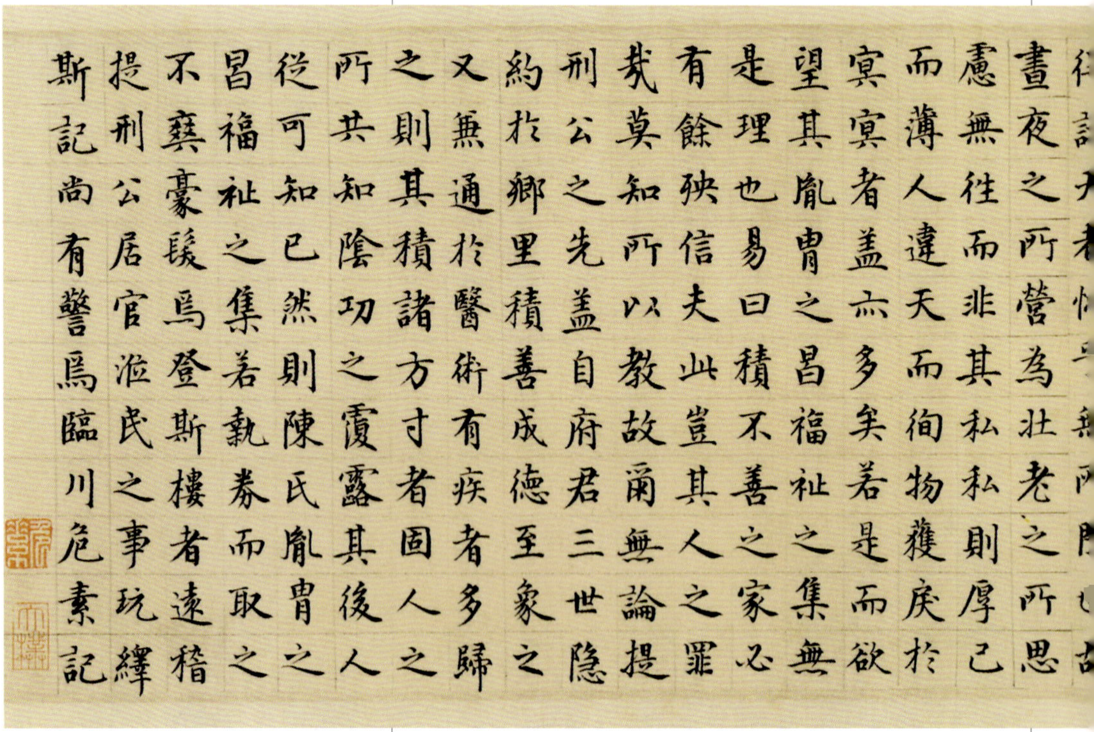

陳氏方寸樓記

元

危素

高23.4、寬102厘米。

紙本。

現藏故宫博物院。

泰不華（公元1304－1352年）

台州（治今浙江臨海）人。字兼善，號白野。篆書師徐鉉。

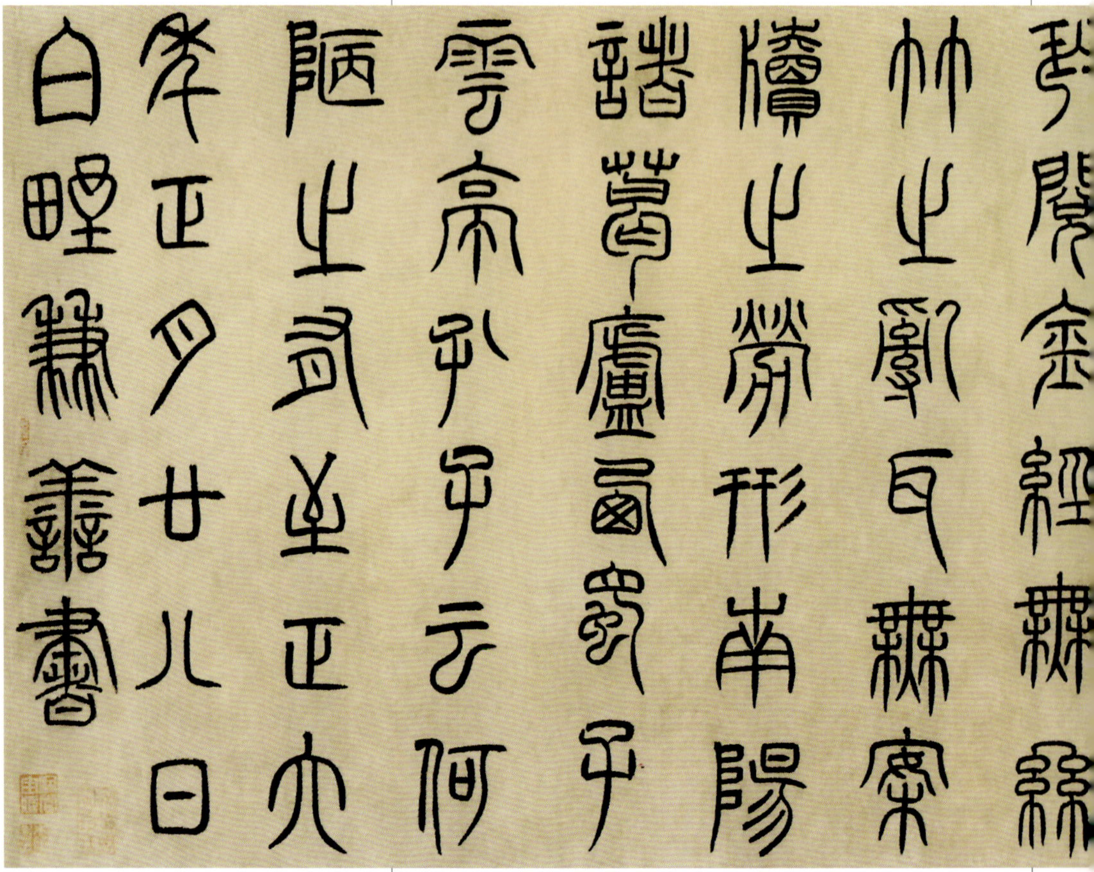

陋室銘

元

泰不華

高36.9、寬113.5厘米。

紙本。

現藏故宫博物院。

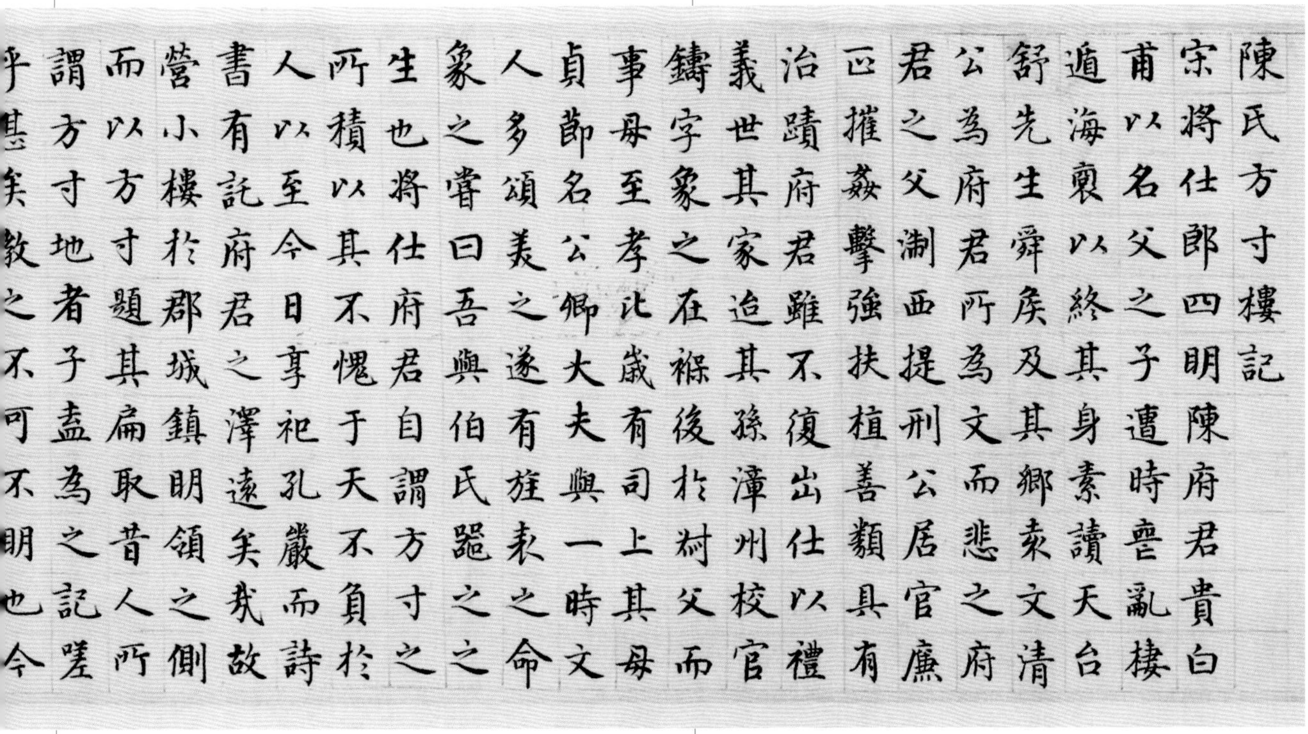
陳氏方寸樓記
宗将仕郎四明陳府君貴白
甫以名父之子遭時喪亂棲
遁海東以終其身素讀天台
舒先生舜矦及其鄉袁文清
公為府君所為文而悲之府
君之父淛西提刑公居官廉
正摧姦擊強扶植善類具有
治蹟府君雖不復出仕以禮
義世其家迨其孫澤州校官
鑄字象之在祿後於祔父而
事母至孝比歲有司上其母
貞節名公卿大夫與一時文
人多頌美之遂有旌表之命
象之嘗曰吾與伯氏器之之
生也將仕府君自謂方寸之
所積以其不愧于天不負於
人以至今日享祀孔嚴而詩
書有託府君之澤遠矣哉故
營小樓於郡城鎮明嶺之側
而以方寸題其扁取昔人所
謂方寸地者子盍為之記嗟
乎甚矣教之不可不明也今

陋室銘
山不在高有僊
則名水不在深
有龍則靈斯是
陋室惟吾德馨
苔痕上階綠艸
色入簾青談笑
有鴻儒往來無

饒介

生卒年不詳。臨川（今屬江西撫州）人。字介之，自號華蓋山樵，又號紫玄洞樵、醉翁等。其書法圓勁暢朗，明初著名書家宋克、宋廣皆出其門下。著有《右丞集》。

贈僧幻住詩

元

饒介

高26.3、寬109.1厘米。

紙本。此選爲局部。

現藏臺北故宫博物院。

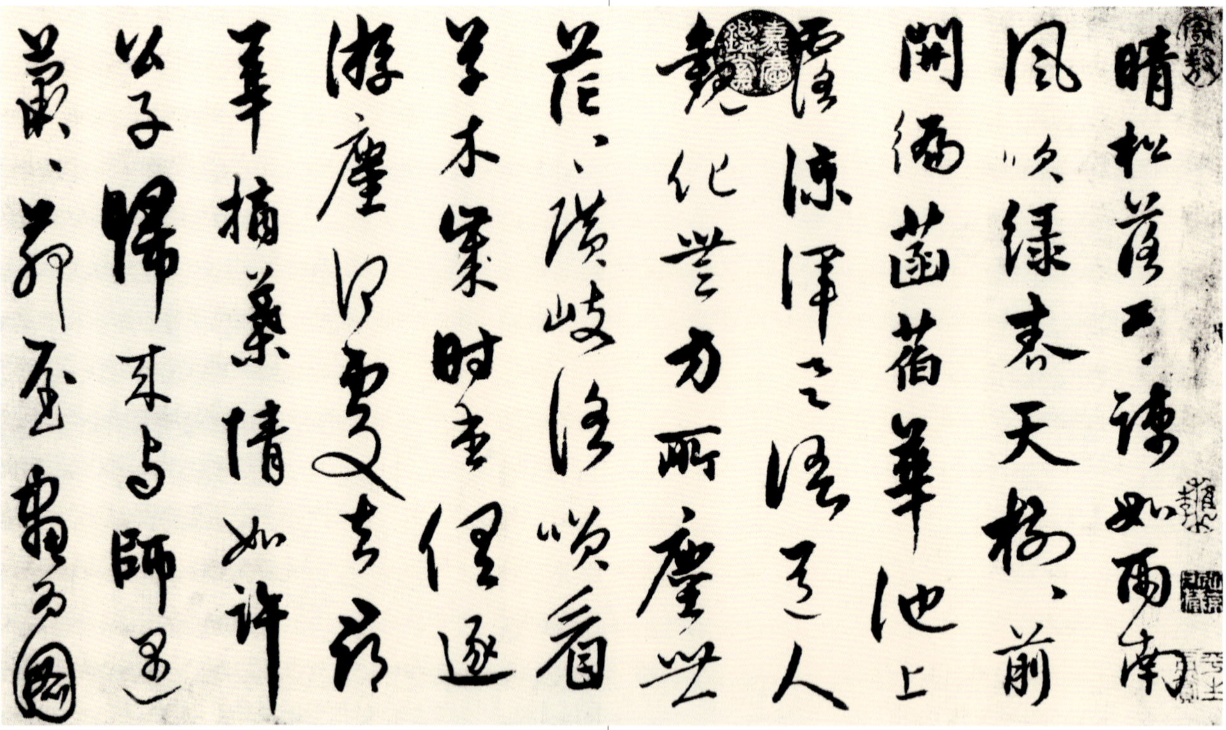

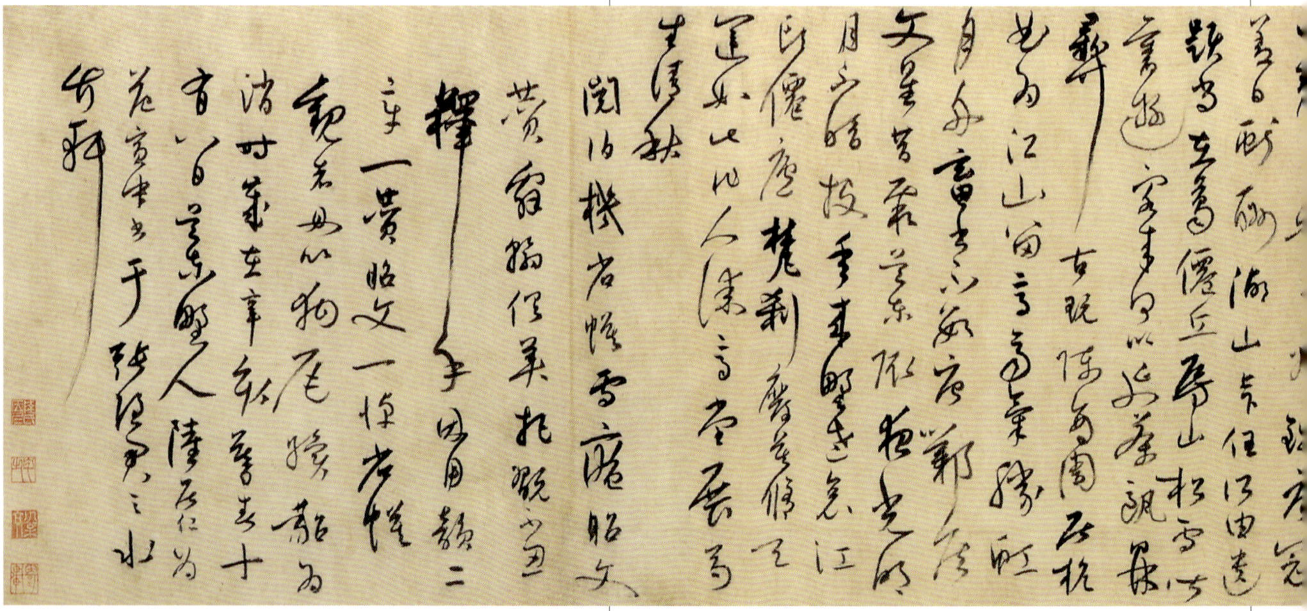

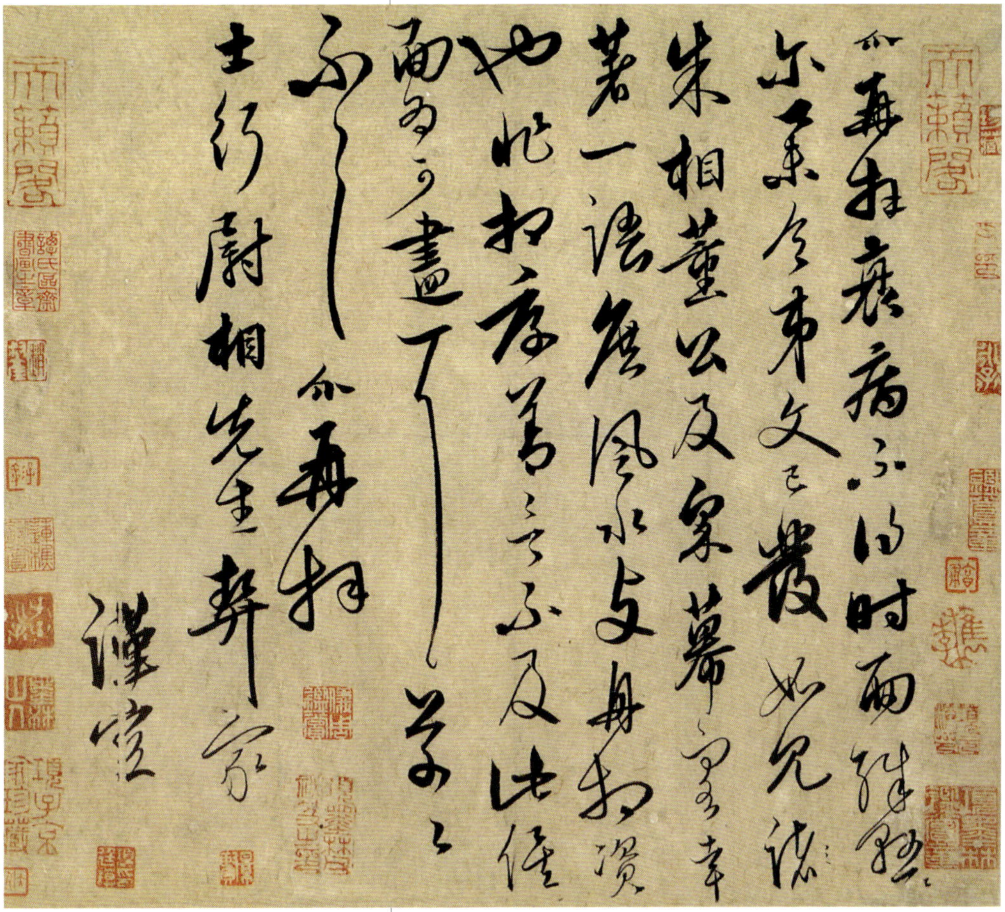

士行帖

元
饒介
高28.4、寬32.9厘米。
紙本。
現藏故宮博物院。

陸居仁

生卒年不詳。華亭（今上海松江）人。字宅之，號巢松翁，又號雲松野褐等。工詩文，善書法，書學"二王"。

鮮于樞詩跋

元
陸居仁
高42.7、寬205.8厘米。
紙本。
現藏上海博物館。

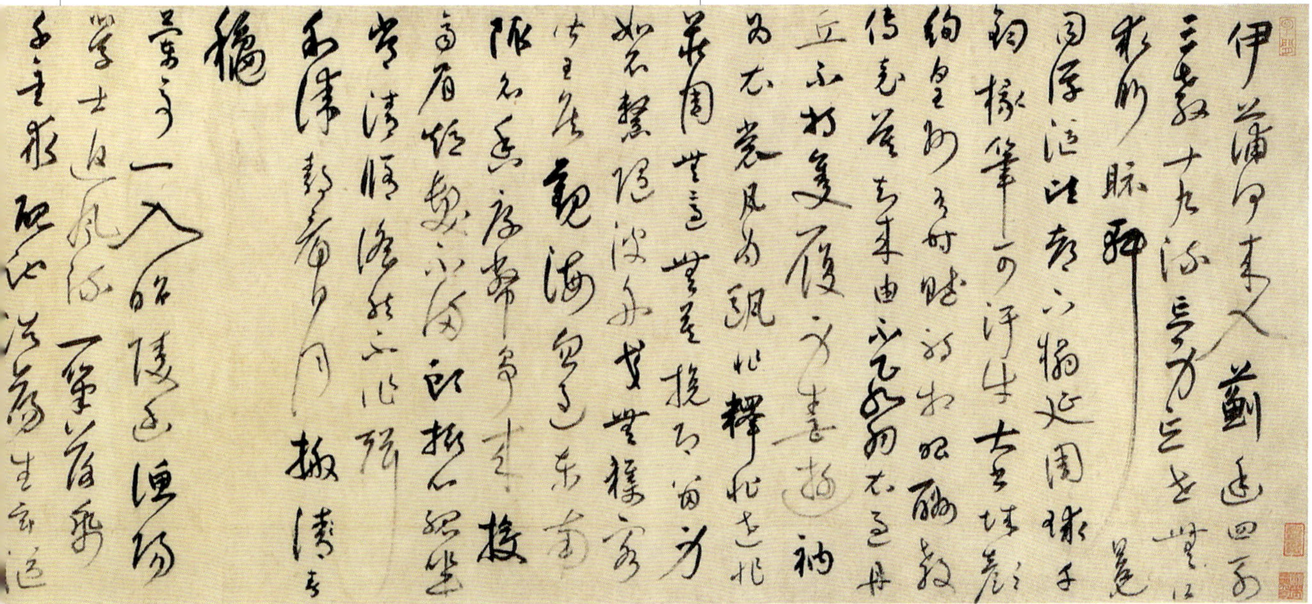

俞和（公元1307－1384年）

桐廬（今屬浙江）人。寓居錢塘（今浙江杭州）。字子中，號紫芝生和清隱散人等。書學趙孟頫。

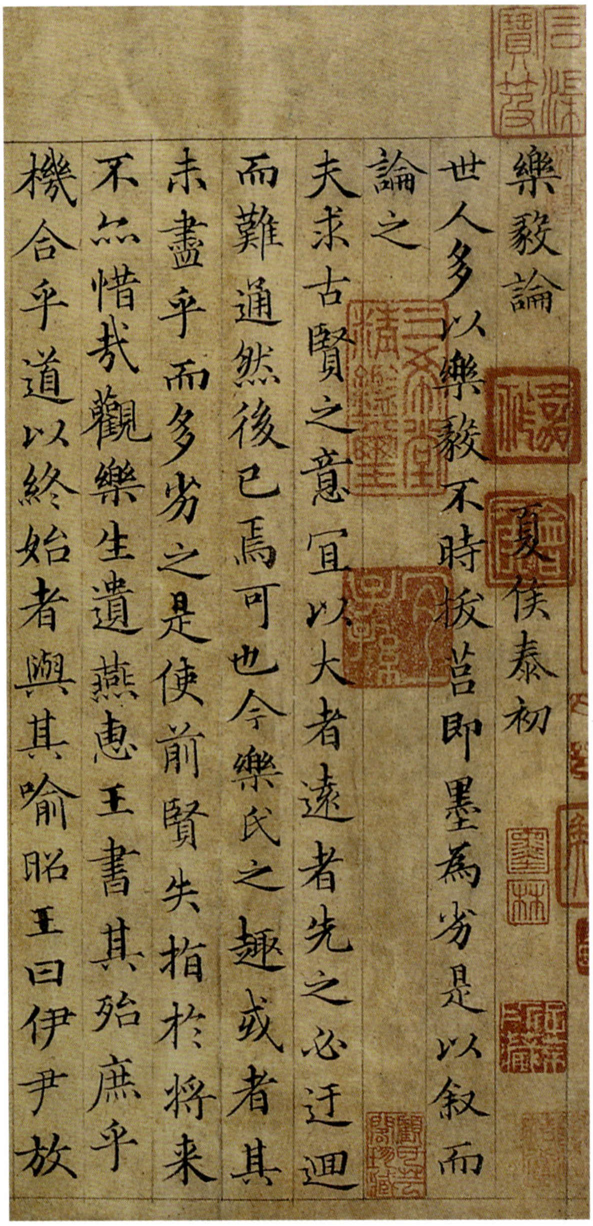

臨樂毅論

元

俞和

全卷高24.7、寬68.5厘米。

紙本。此選爲局部。

現藏美國普林斯頓大學美術館。

篆隸千字文

元

俞和

每幅高21、寬24.7厘米。

紙本摺裝册頁。共三十七開。

現藏臺北故宫博物院。

王　蒙（公元1308－1385年）

湖州（今屬浙江）人。字叔明，號黃鶴山樵，自稱“香光居士”。山水畫成就極高，書法受其舅趙孟頫影響。

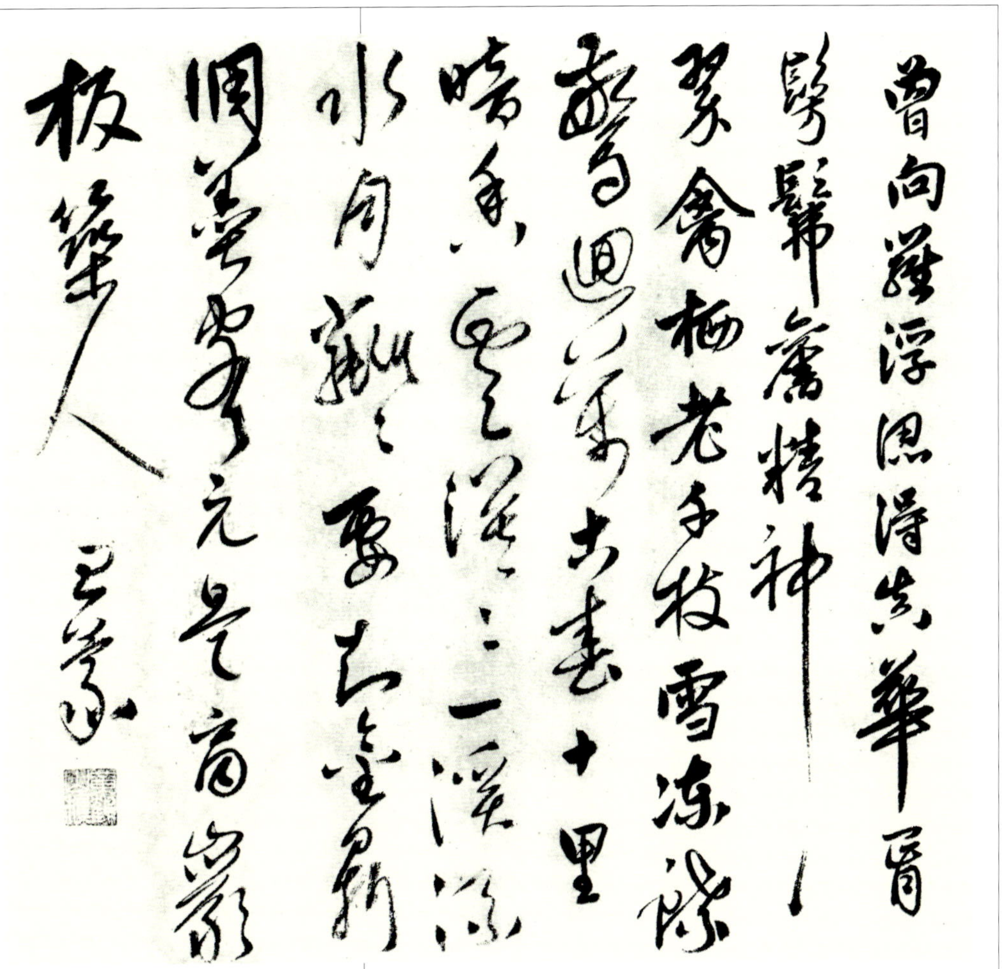

夢梅花詩

元
王蒙
紙本。
現藏故宮博物院。

愛厚帖

元
王蒙
高33.3、寬58.7厘米。
紙本。
現藏故宮博物院。

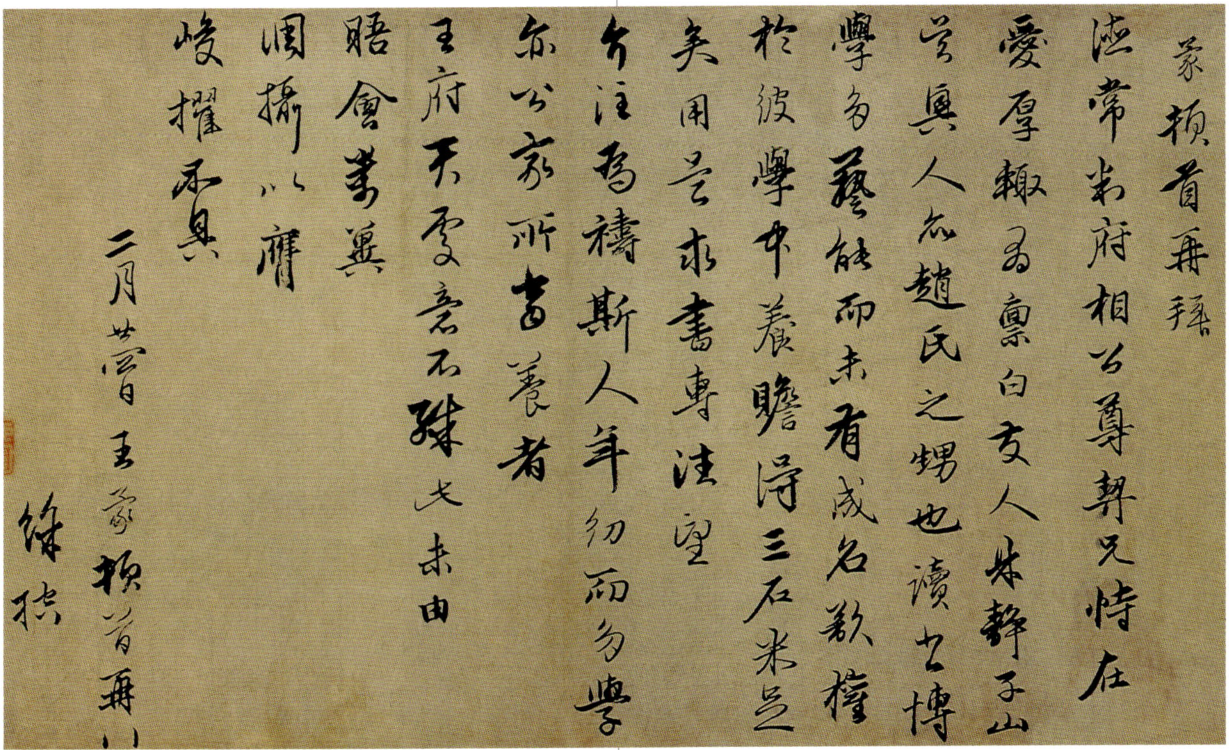

王立中

生卒年不詳。遂寧（今屬四川）人。字彦强，號仲齋。

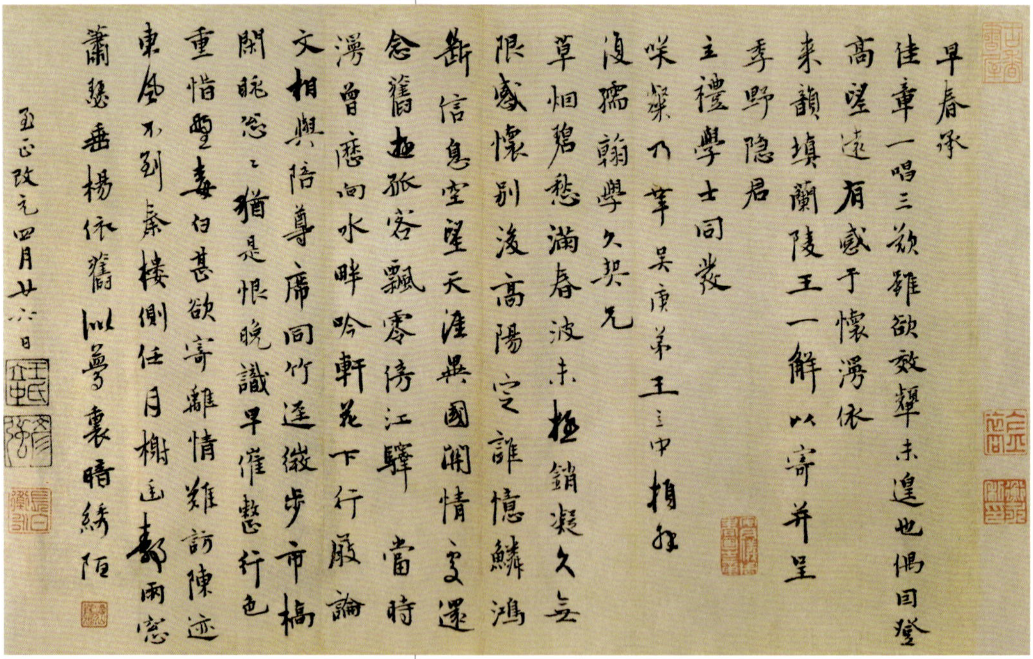

蘭陵王詞帖
元
王立中
高27.2、寬43.4厘米。
紙本。
現藏故宫博物院。

沈　右

生卒年不詳。平江（今江蘇蘇州）人。字仲説，號寓齋。善詩文，工書法。

中酒雜詩并簡帖
元
沈右
高27、寬40.5厘米。
紙本。
現藏故宫博物院。

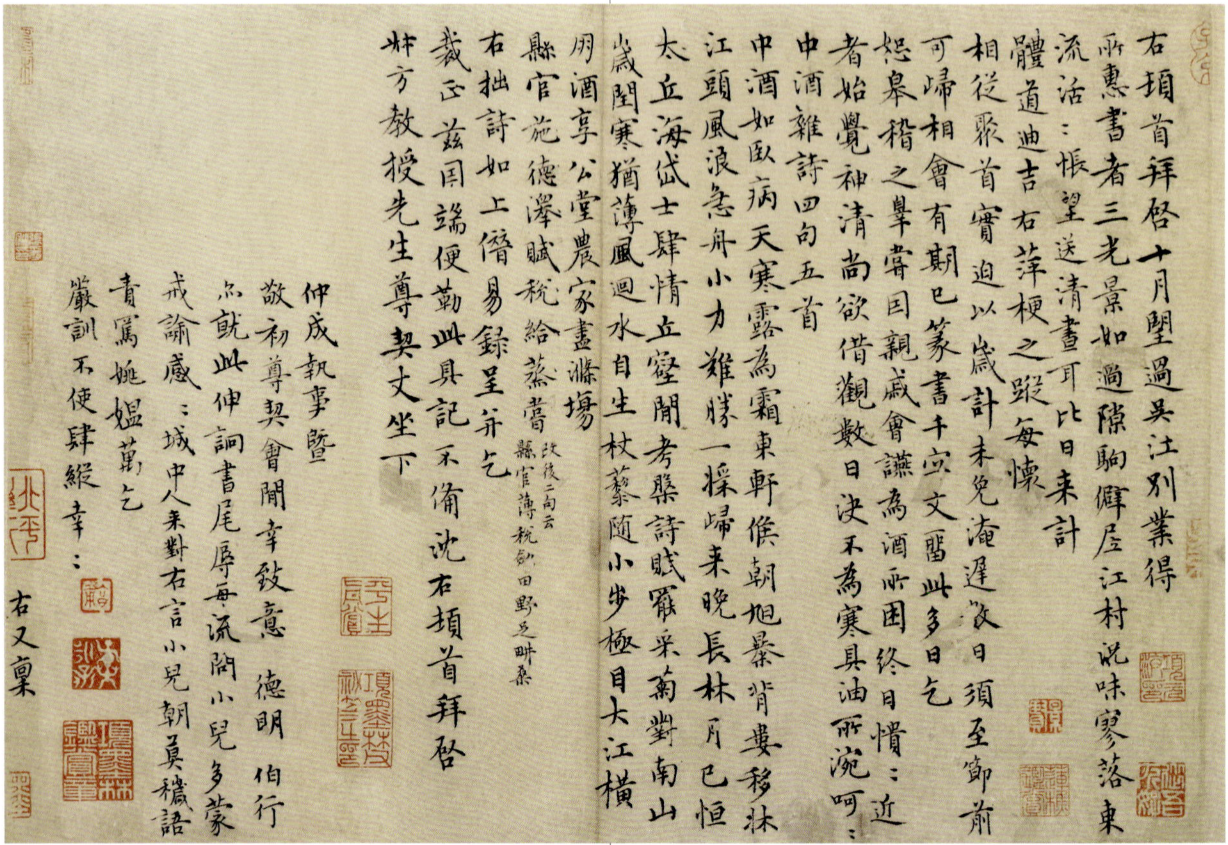

宋　濂　(公元1310 – 1381年)

金華（今屬浙江）人。字景濂，號潛溪，又號玄真子。洪武三年（公元1370年），詔修文史，充總裁官，纍官至翰林學士承旨知制誥。工書法，尤長楷書。

王詵烟江疊嶂圖跋

明

宋濂

高45.6、寬69.8厘米。

紙本。

現藏上海博物館。

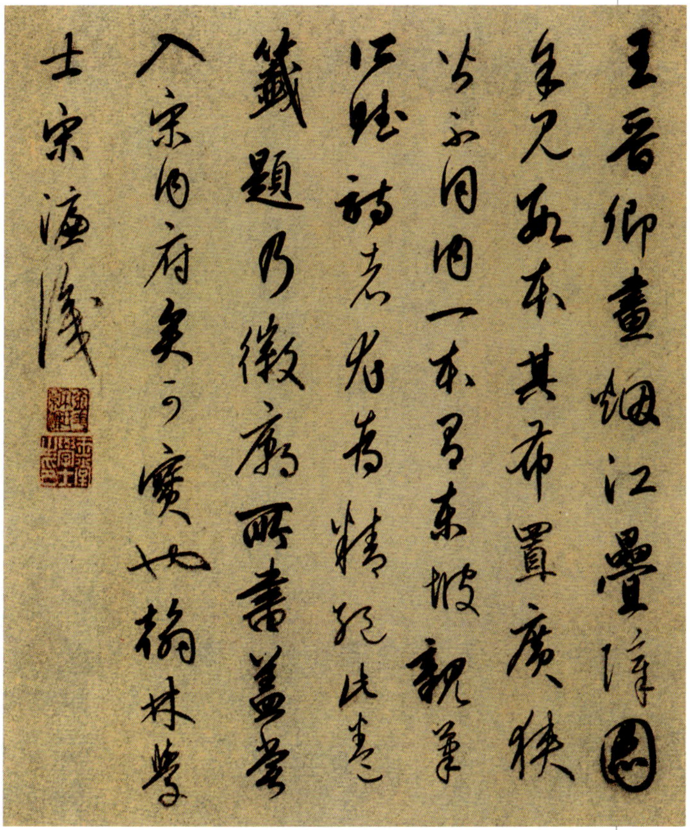

虞世南摹蘭亭序帖跋（右圖）

明

宋濂

紙本。

現藏故宮博物院。

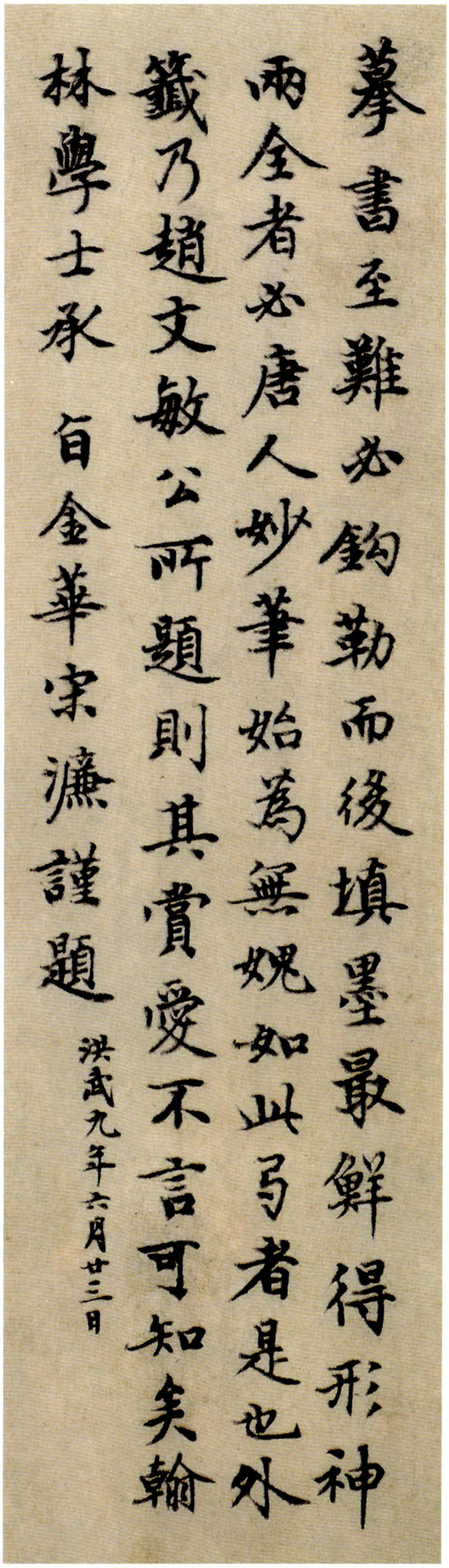

■ 楊　基

　　生卒年不詳。蘇州（今屬江蘇）人。字孟載。入明曾爲榮陽知縣，數起數落，窮困而死。楊氏以工詩著稱，明初時與高啓、張羽和徐賁并稱"四杰"。

少年爲爪牙肆虐縱暴設計陷民財民無辜被
搒掠死者不可彈記府縣曲逆風指莫敢誰何
王蕙善以毋老被詣辱死不顧死言於官官吏
悲驚避獨知府楊侯侯伸痛憤之意未決君進曰
朝廷命公尹是邦寧忍坐眎赤子殞命於餓殍
之顧侯大喜即與君謀盡逮繫窮竟砕差官詭
文移省遣使至府考立府官皆震恐思君獨抱案

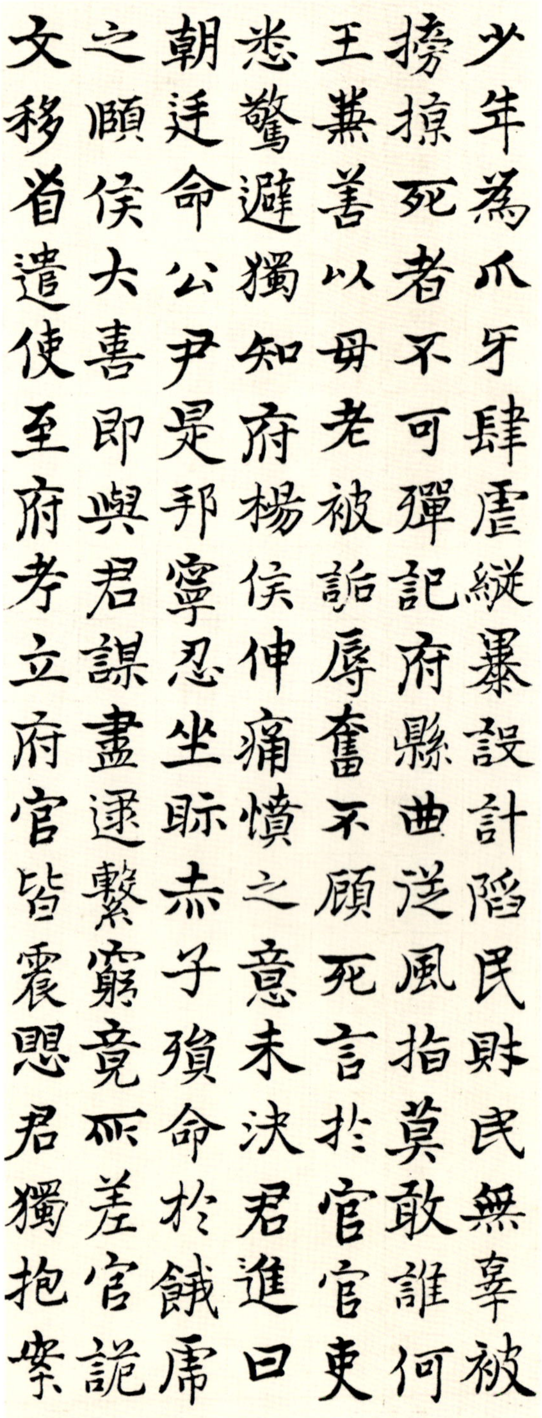

■ 陶煜行狀
明
楊基
高116.8、寬28.7厘米。
紙本。
現藏吉林省博物院。

■ 陳　璧

　　生卒年不詳。華亭（今上海松江）人。字文東，號谷陽生。洪武年間（公元1368－1398年）秀才，曾任解州判官。工詩文，學楊維楨。善書法，工篆隸真草諸體。

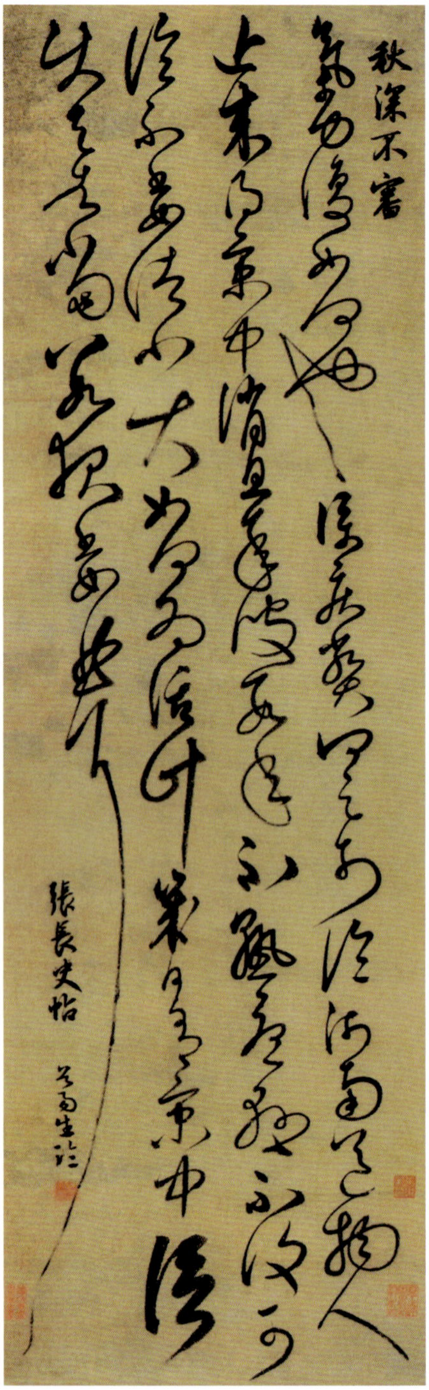

■ 臨張旭秋深帖
明
陳璧
高107.7、寬33.9厘米。
紙本。
現藏上海博物館。

劉　基（公元1311－1375年）

青田（今屬浙江）人。字伯温。元至順元年（公元1330年）進士，官高安丞。朱元璋起兵後聘至金陵，纍遷御史中丞。著有《郁離子》和《覆瓿集》。

春興詩八首

明

劉基

高34.2、寬76厘米。

紙本。此選爲局部。

現藏上海博物館。

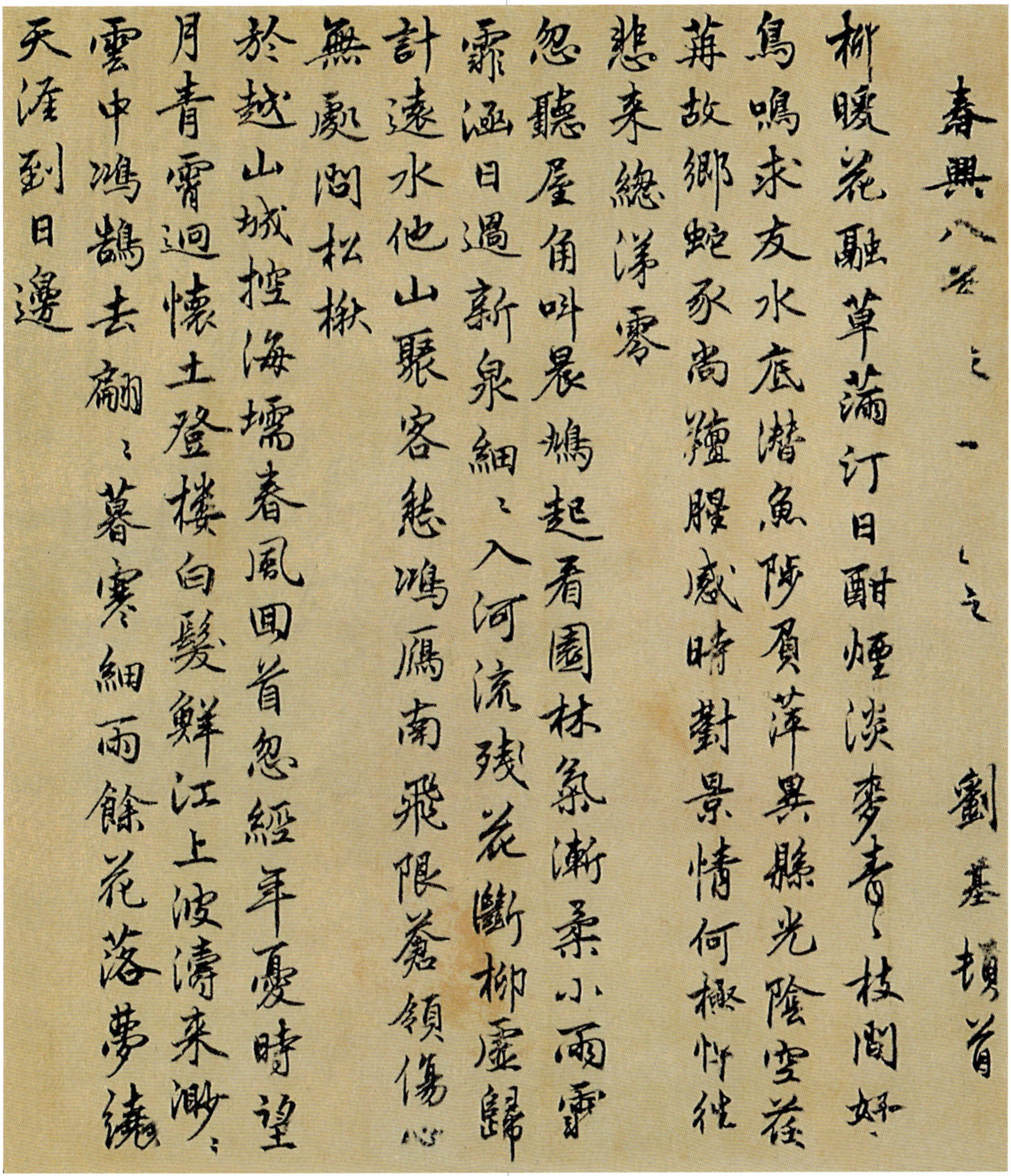

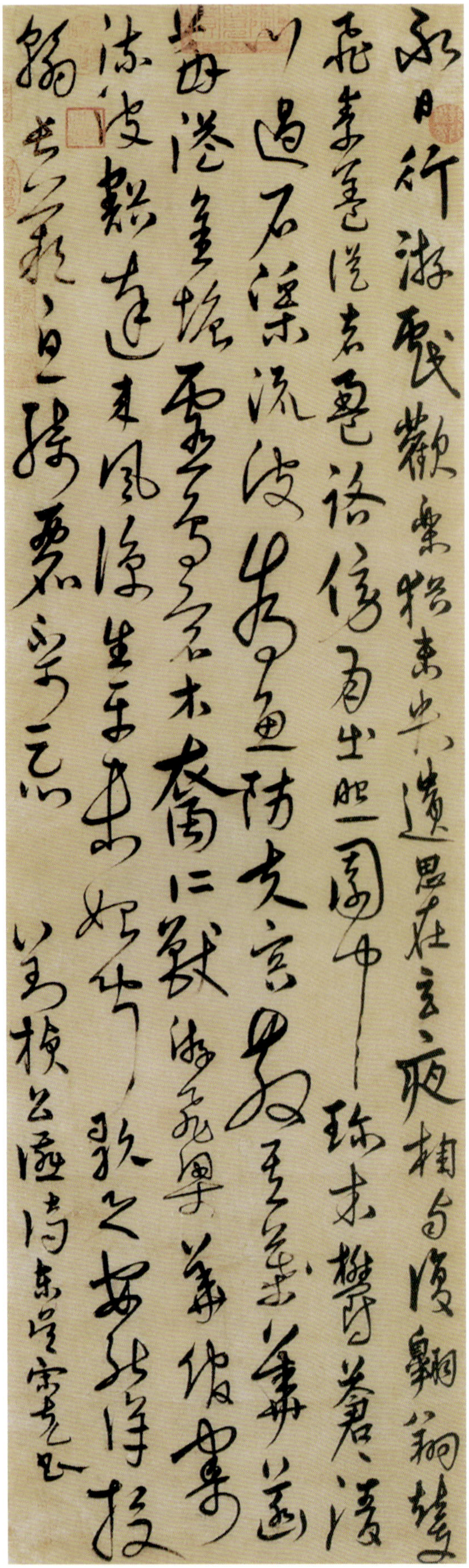

宋　克（公元1327－1387年）

長洲（今江蘇蘇州）人。字仲温，號南宫生。官至鳳翔同知。其書以章草和小楷著稱。

公讌詩（左圖）

明
宋克
高111.7、寬32.4厘米。
紙本。
現藏臺北故宫博物院。

唐宋人詩（右上圖）

明
宋克
高27.5、寬498.7厘米。
紙本。此選爲局部。
現藏上海博物館。

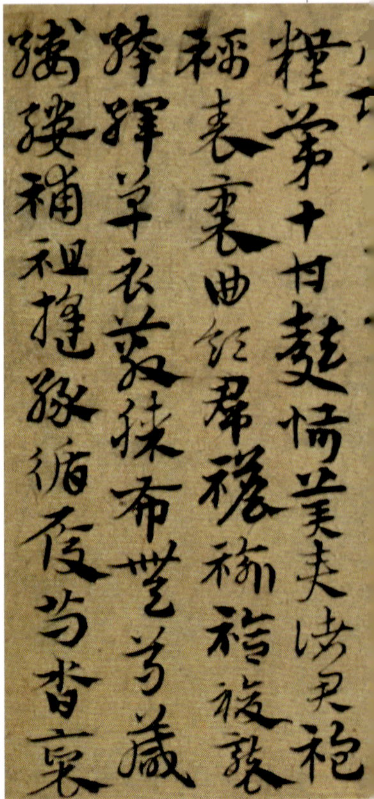

急就章

明
宋克
高13.8、寬232.7厘米。
紙本。此選爲局部。
現藏天津博物館。

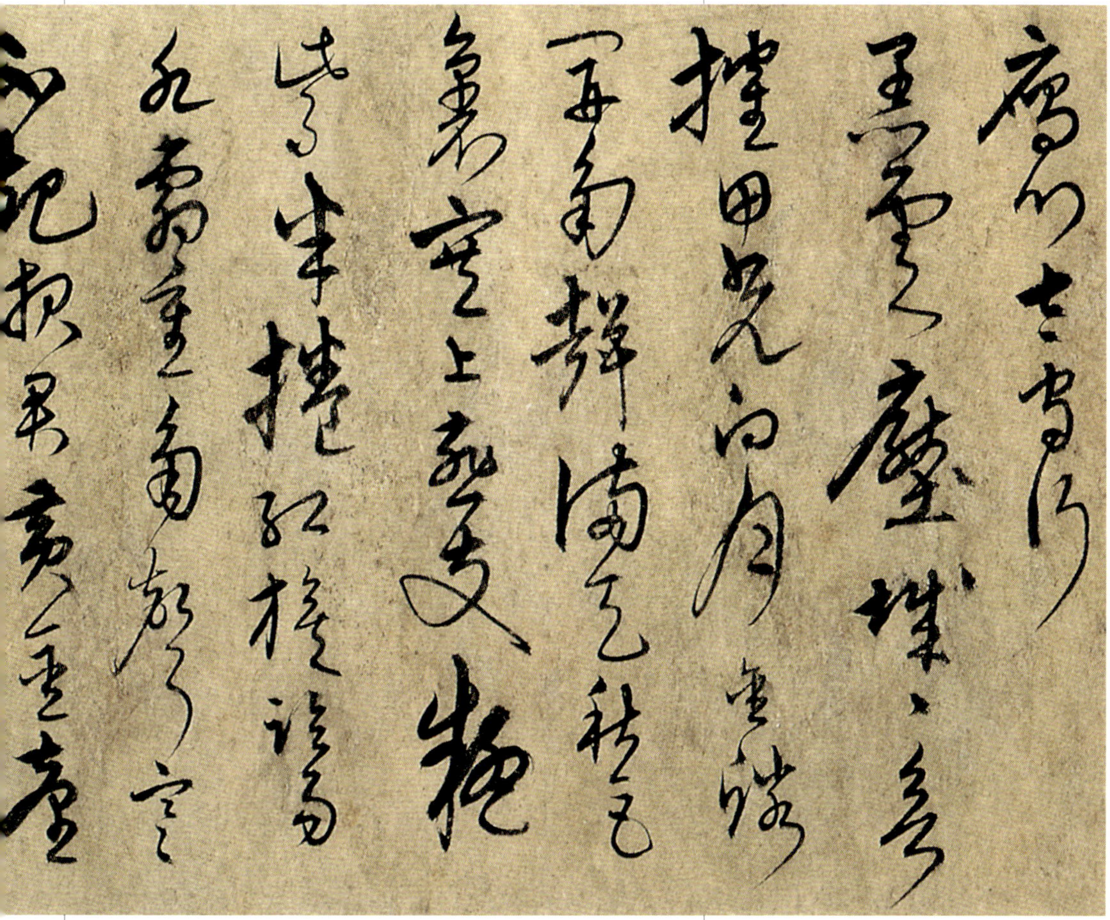

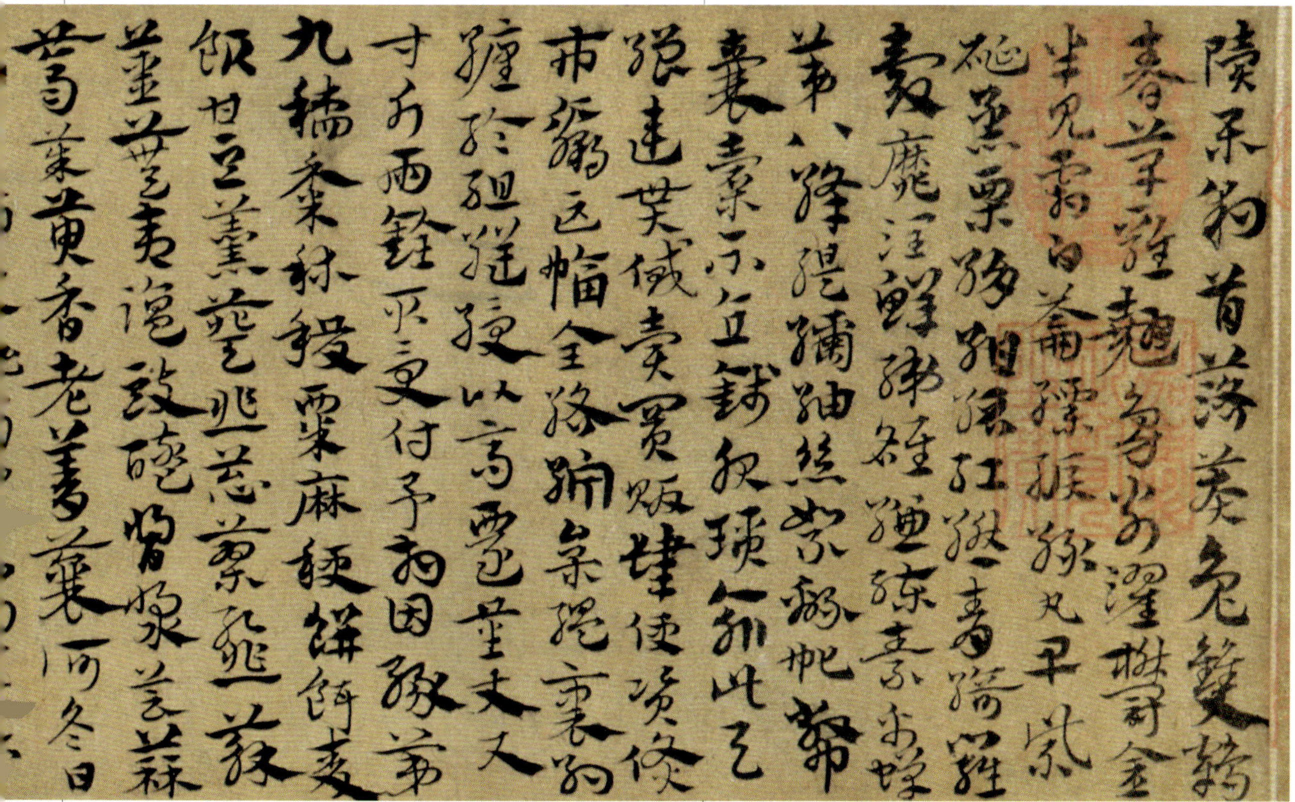

俞貞木（公元1331－1401年）

吴縣（今江蘇蘇州）人。初名楨，字有立，號立庵。元季不仕，洪武初薦爲樂昌令，後因反對朱棣被誅。工書法，結體寬博，端莊嚴謹。有《立庵集》傳世。

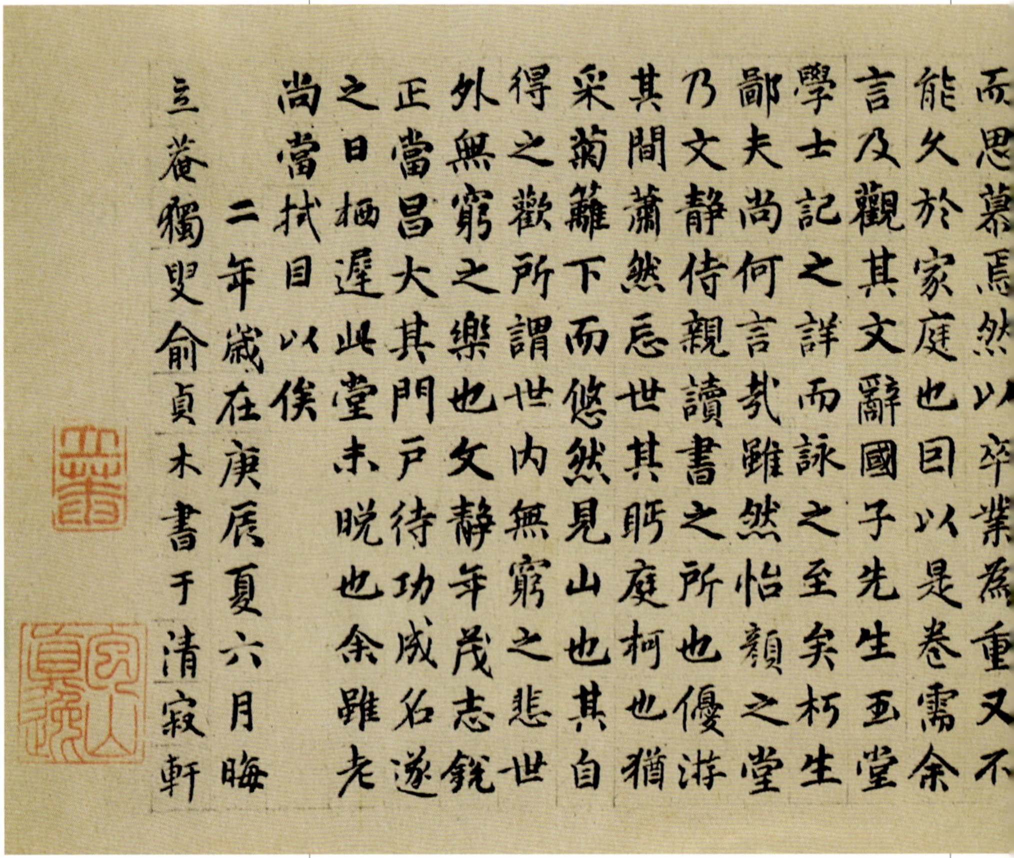

書怡顏堂詩卷後

明
俞貞木
高63.6、寬200厘米。
紙本。
現藏江蘇省蘇州博物館。

宋　璲（公元1344－1380年）

浦江（今屬浙江）人。字仲珩。宋濂第二子。洪武九年（公元1376年）承父蔭召爲中書舍人。祖孫三代同朝爲官，時人稱羡。後因連坐胡惟庸案被誅，年僅三十七歲。其書師法虞世南和趙孟頫。

敬覆帖

明
宋璲
高26.7、寬52.8厘米。
紙本。
現藏故宫博物院。

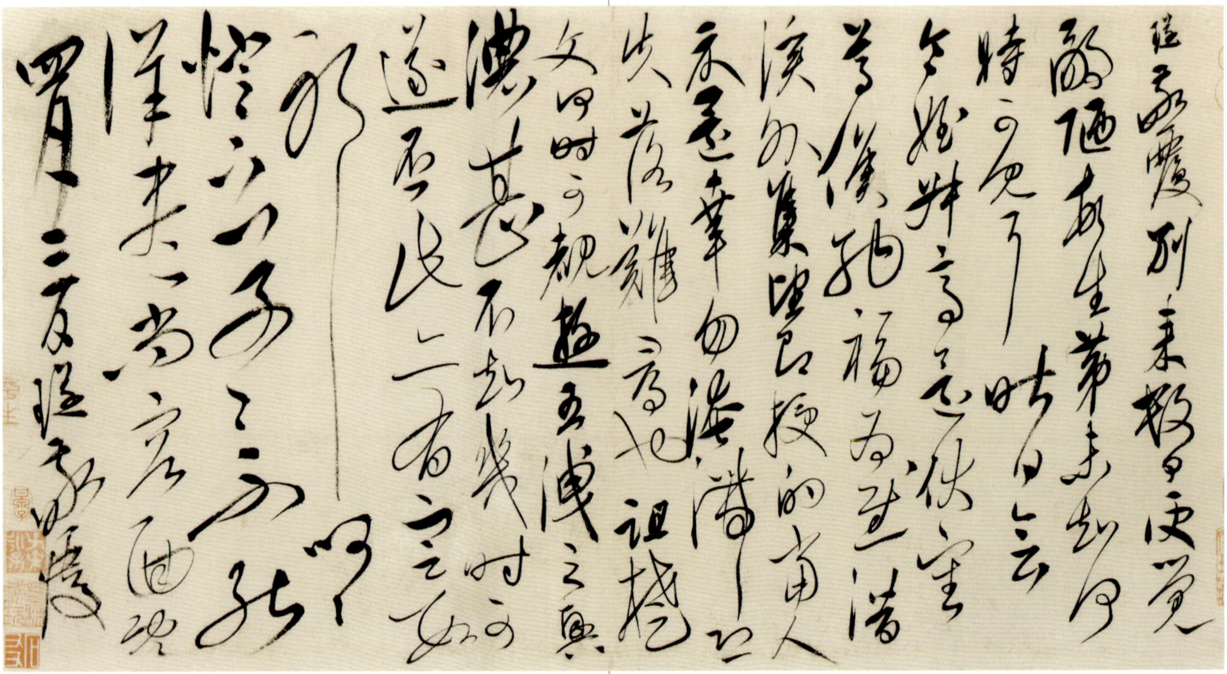

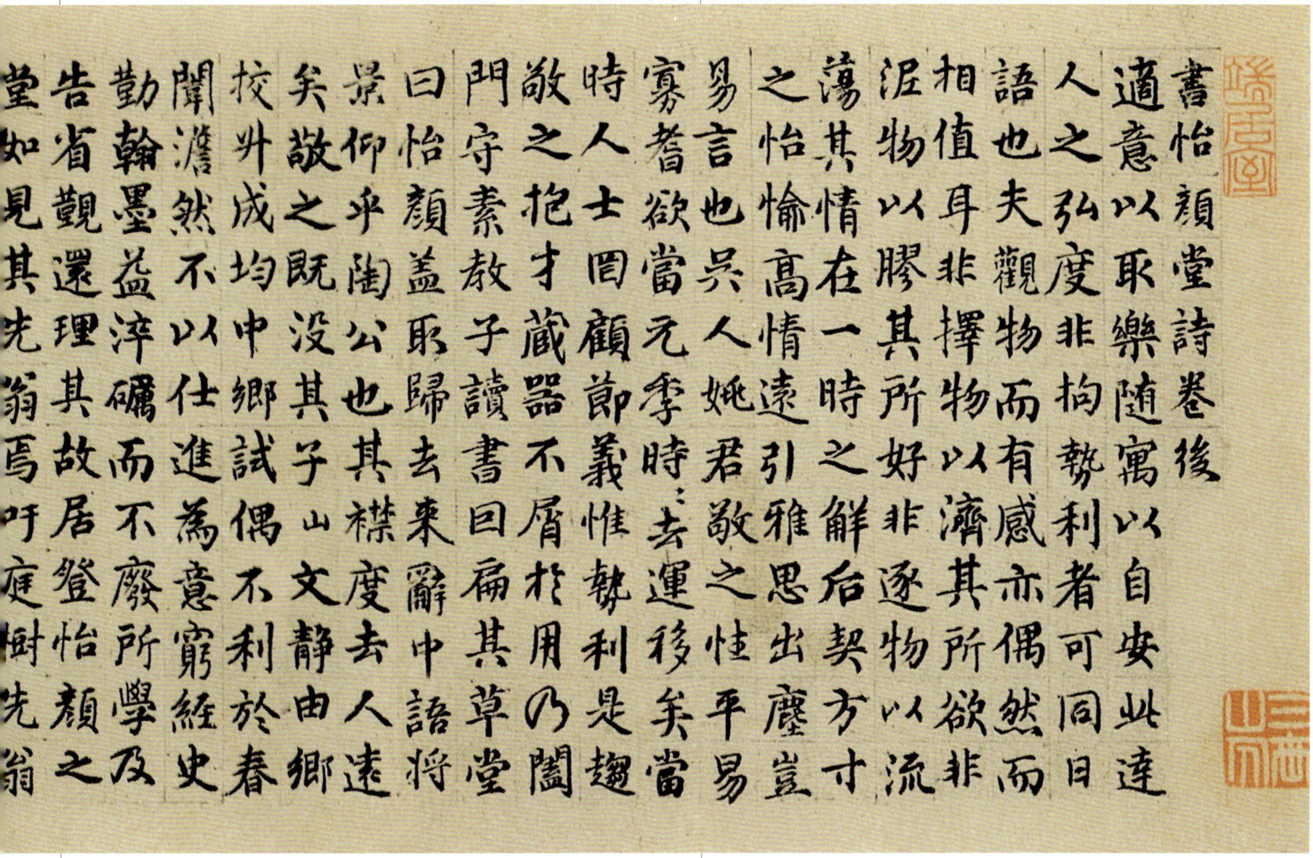
書怡顏堂詩卷後
適意以取樂隨寓以自安此達
人之弘度非拘勢利者可同日
語也夫觀物而有感亦偶然而
相值耳非擇物以濟其所欲非
泥物以膠其所好非逐物以流
蕩其情在一時之解后契方寸
之怡愉高情遠引雅思出塵豈
易言也哉吳人姚君敬之性平易
寡耆欲當元季時去運移矣當
時人士罔顧節義惟勢利是趨
敬之抱才藏器不屑於用乃闔
門守素教子讀書曰扁其草堂
曰怡顏蓋取歸去來辭中語將
景仰乎陶公也其襟度去人遠
矣敬之既沒其子山文靜由鄉
校升成均中鄉試偶不利於春
闈瀟然不以仕進為意窮經史
勤翰墨益淬礪而不廢所學及
告省覲還理其故居登怡顏之
堂如見其先翁焉吁庭樹先翁

沈　度（公元1357－1434年）

華亭（今上海松江）人。字民則，號自樂。洪武中舉文學，不就。成祖初即位，詔簡能書者入翰林，沈度入選。官至侍講學士。

敬齋箴

明
沈度
高23.8、寬49.4厘米。
紙本。
現藏故宮博物院。

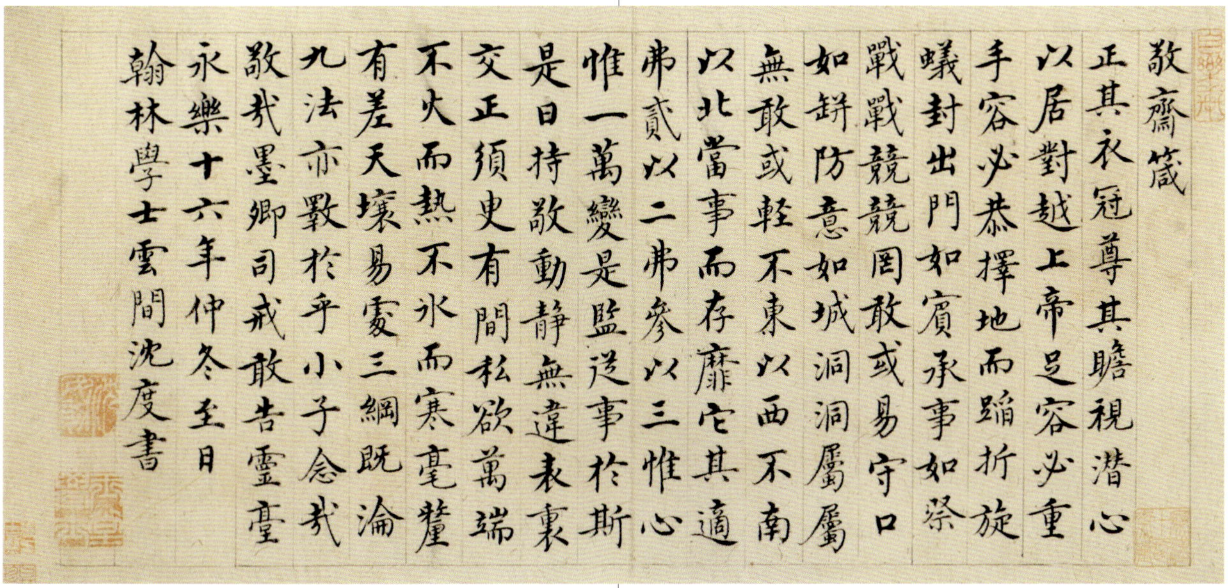
敬齋箴
正其衣冠尊其瞻視潛心
以居對越上帝足容必重
手容必恭擇地而蹈折旋
蟻封出門如賓承事如祭
戰戰兢兢罔敢或易守口
如瓶防意如城洞洞屬屬
無敢或輕不東以西不南
以北當事而存靡它其適
弗貳以二弗參以三惟心
惟一萬變是監從事於斯
是曰持敬動靜無違表裏
交正須臾有間私欲萬端
不火而熱不冰而寒毫釐
有差天壤易處三綱既淪
九法亦斁於乎小子念哉
敬哉墨卿司戒敢告靈臺
永樂十六年仲冬至日
翰林學士雲間沈度書

胡儼（公元1361－1448年）

南昌（今屬江西）人。字若思，號頤庵。洪武中以舉人授華亭教諭，後歷任桐城知縣等職，以太子賓客致仕。工書法。曾參與重修《太祖實録》、《永樂大典》和《天下圖志》，并任總裁官。著有《頤庵集》。

題洪崖山房圖

明
胡儼
高27.2、寬45.7厘米。
紙本。
現藏故宫博物院。

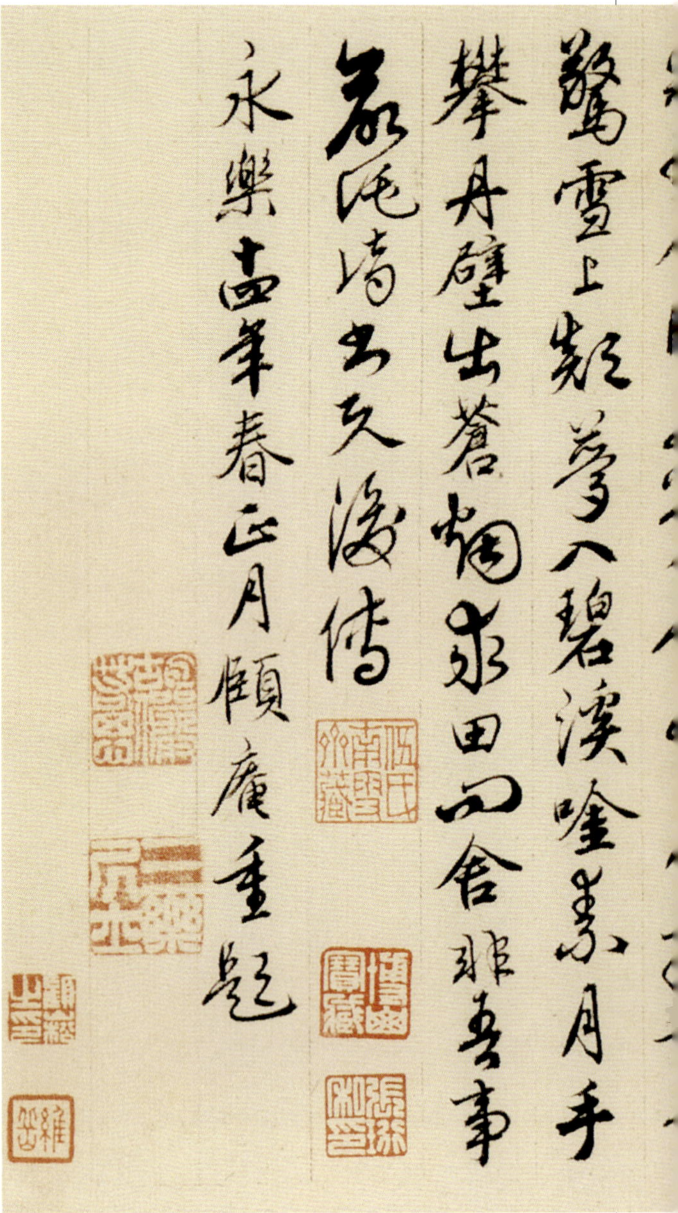

沈粲

生卒年不詳，大約活動于十四世紀末至十五世紀初。華亭（今上海松江）人。沈度之弟。字民望，號簡庵。曾官翰林待詔。與其兄沈度皆以善書著名，有“雲間二沈”之稱。

千字文

明
沈粲
高25、寬575厘米。
紙本。此選爲局部。
現藏故宫博物院。

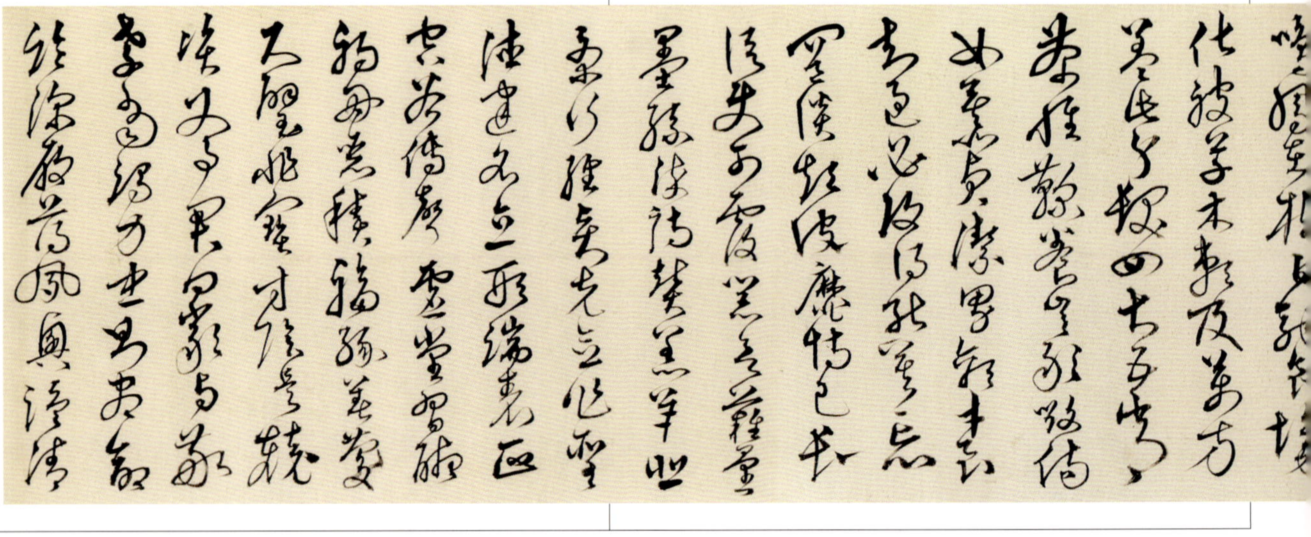

憶著澄崖三十年青青山色依抱

當時洞口逢張氈四雲入間看傳顛

陰瀑像風寒作雨晴嵐飛翠

暖生烟陳明留次如摩詰丘壑

能畫裏傳

憶著澄崖三十年夢中林壑思

俛挹天邊拔屣神超遠樹杪驕驖

嘆此頹風寿鶴鼓蒼竹霞月明

猿嘯綠蘿烟笑来枕上情如渴

此意難將與俗傳

（下段）

千字文□頁如箋鮮傳

日月盈昃辰宿列張

寒来暑往秋收冬藏

云騰致雨露結為霜

金生麗水玉出崑崗

臺生驗珠玉出崑崗

景縣李柰菜重芥薑

海鹹河淡鱗潛羽翔

龍師火帝鳥官人皇

始制文字乃服衣裳

推位讓國吕虞陶唐

弔民伐罪周發殷湯

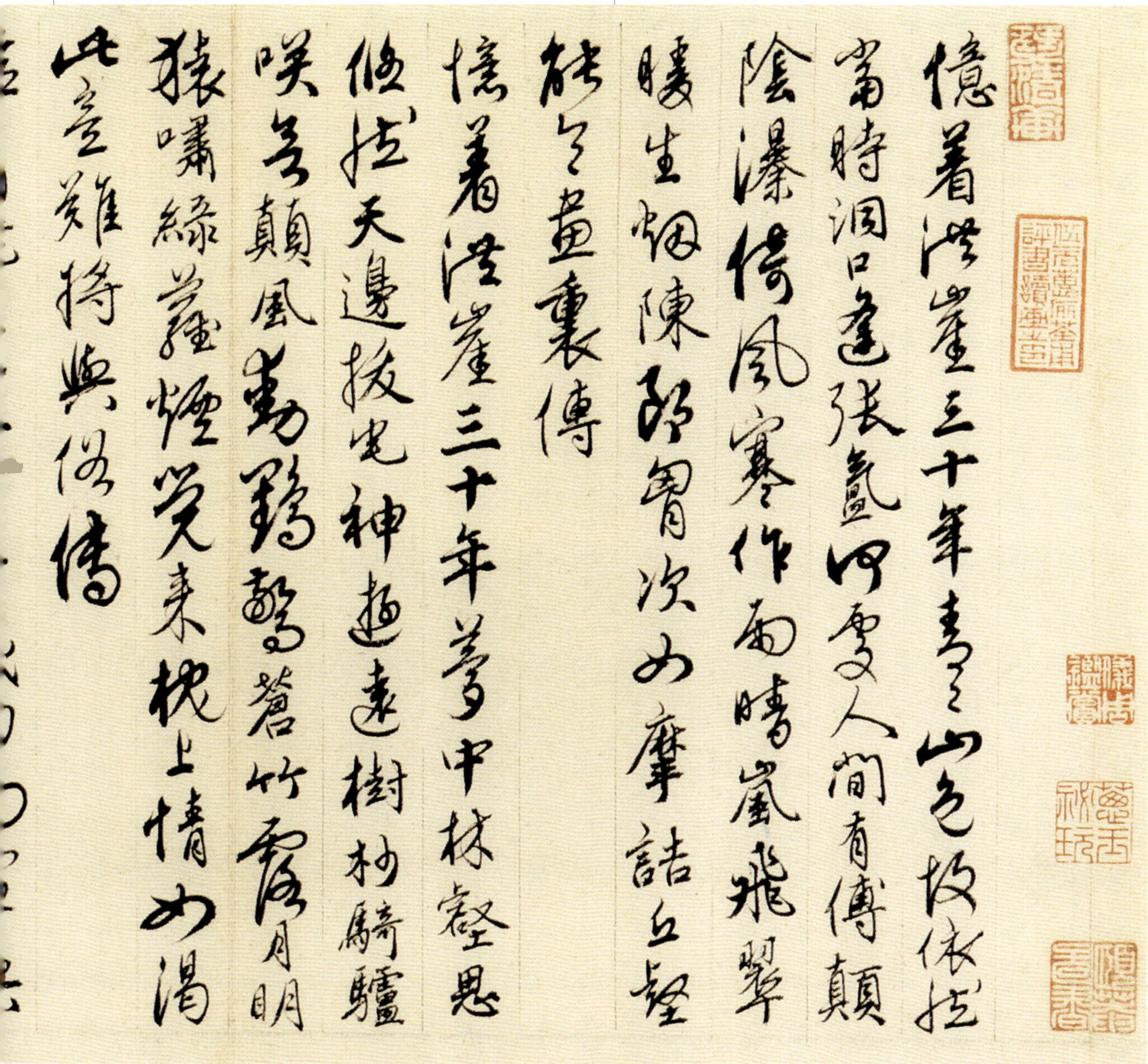

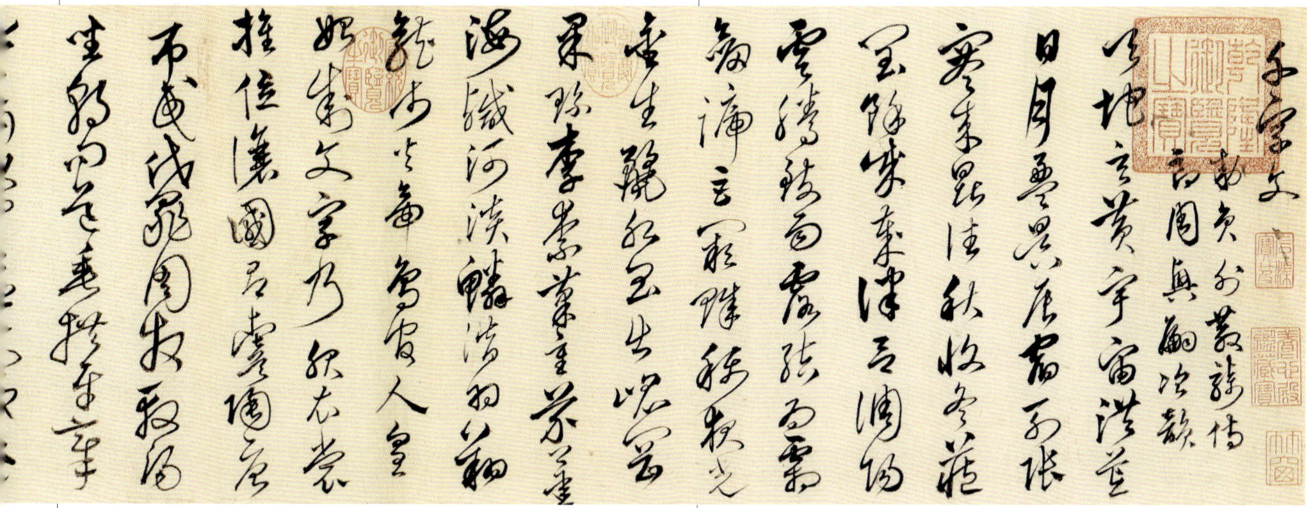

宋　廣

生卒年不詳。南陽（今屬河南）人。字昌裔。曾官沔陽同知。工書法，善行草及章草書。與宋克、宋璲皆善書，人稱“三宋”。

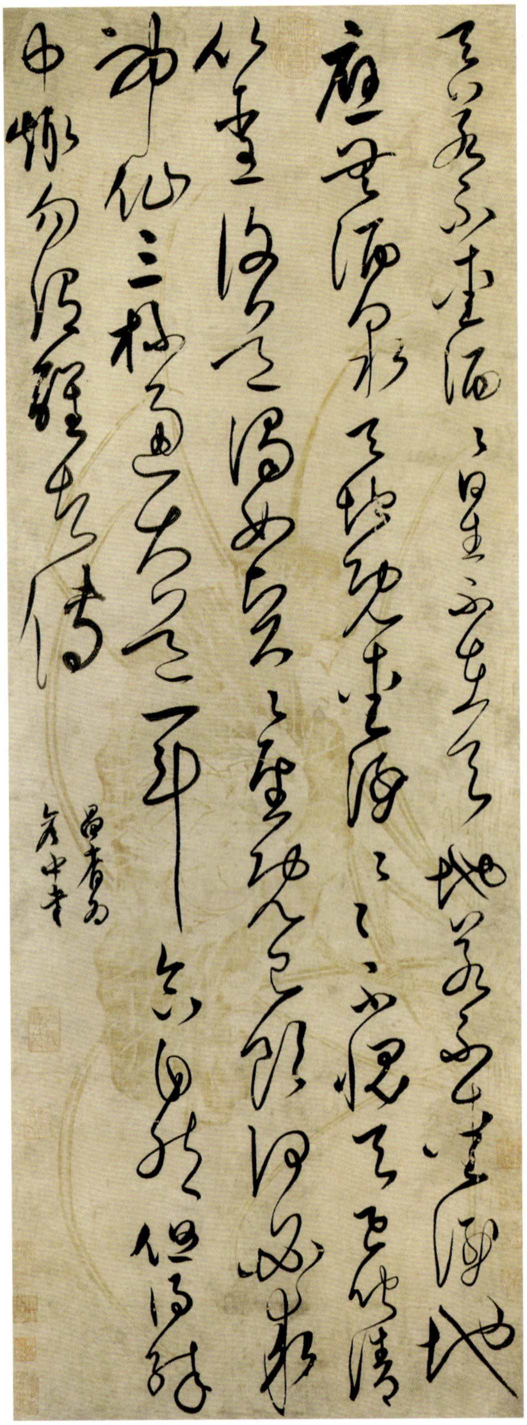

太白酒歌

明

宋廣

高86.8、寬33.5厘米。

紙本。

現藏故宮博物院。

風入松詞

明

宋廣

高101.7、寬33.7厘米。

紙本。

現藏故宮博物院。

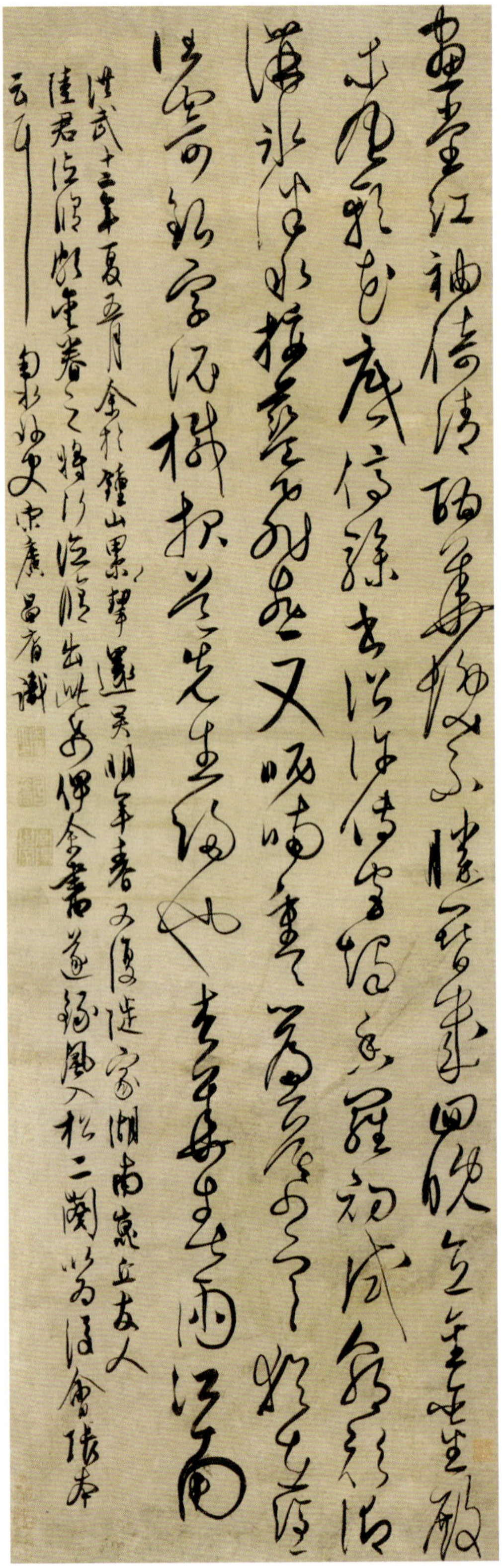

王 紱 （公元1362 – 1416年）

　　無錫（今屬江蘇）人。字孟端，號友石、鰲叟、九龍山人。永樂初以善書薦于文淵閣，官中書舍人，後隱居九龍山。工楷、行書，兼善繪畫。

重過慶壽寺

此日偶囘休沐暇上方臺殿喜重登自知性拙難諧俗豎

得身閒且訪僧華雨散時香風澹、香雲凝慶樹層、李

來頗解無生樂欲謙塵緣愧未能

遊海印寺

紅蕖香殘海子灣梵宮飛影海波間殿藏兜率諸天

界門對蓬萊萬歲山西域異僧翻貝葉前朝遺翰

鎮禪關此行自信多奇畒兆不獨能偷半日閒

經癈萬壽宮

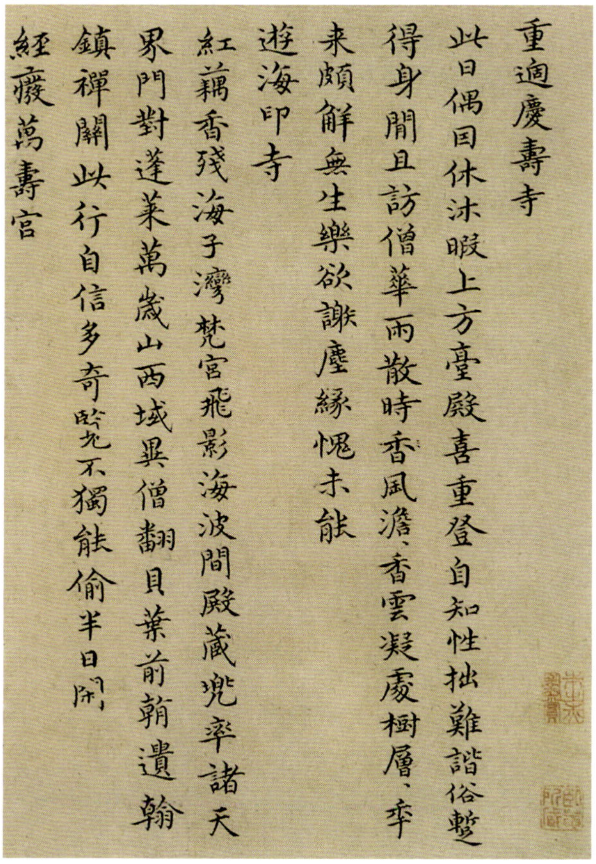

雜詩

明

王紱

高26.8、寬41.2厘米。

紙本。此選爲局部。

現藏故宮博物院。

解 縉 （公元1369 – 1415年）

　　吉水（今屬江西）人。字大紳，號春雨。洪武二十一年（公元1388年）進士，授中書庶吉士。成祖即位，進侍讀學士。文章有盛名。工書法，小楷精絶，行、草皆佳，尤以狂草擅名。

唐人月儀帖跋

明

解縉

高25.3厘米。

紙本。

現藏臺北故宮博物院。

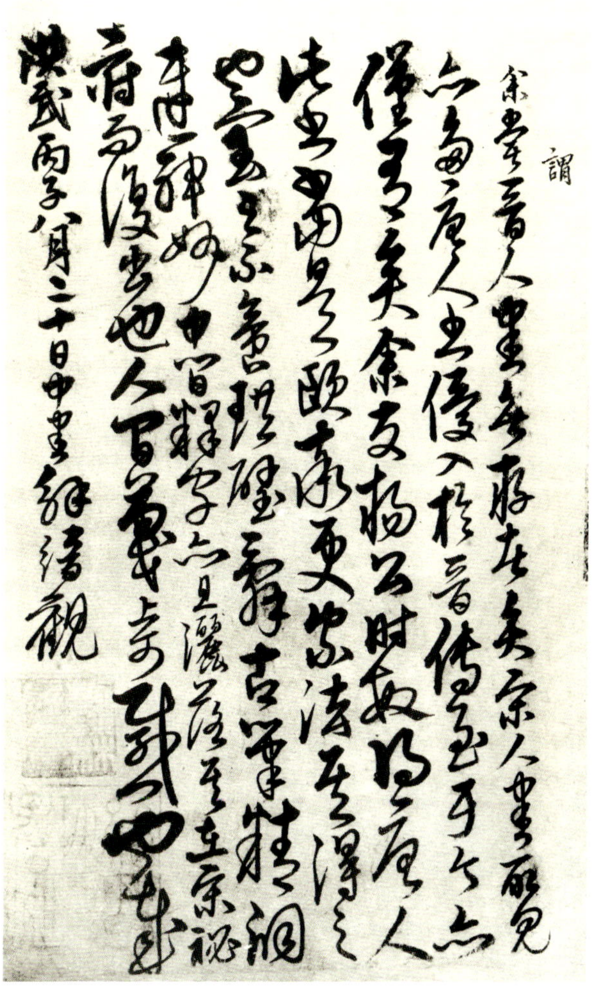

自書詩

明
解縉
高34.3、寬472
厘米。
紙本。
現藏故宮博物院。

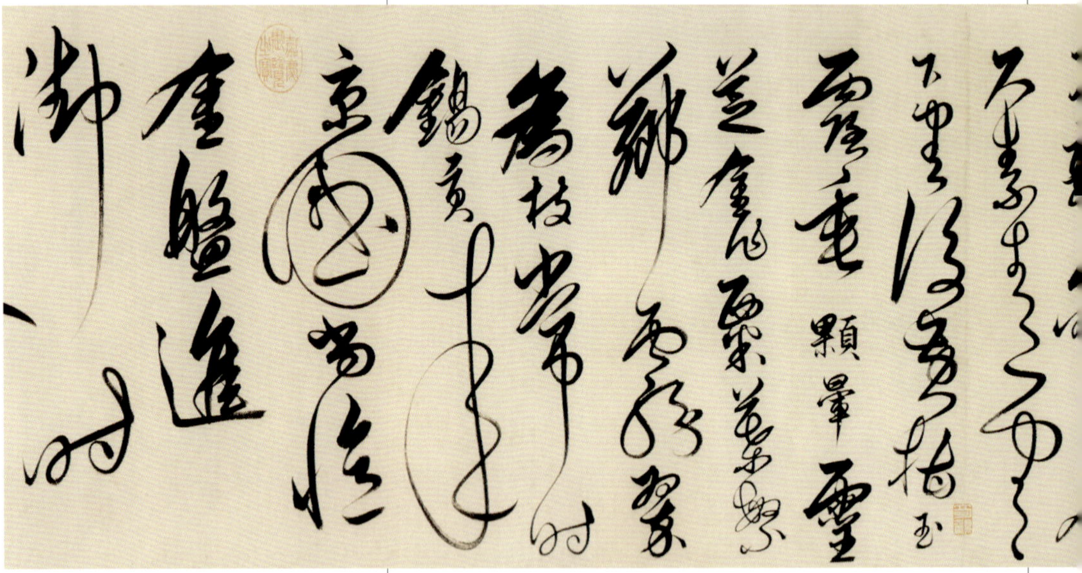

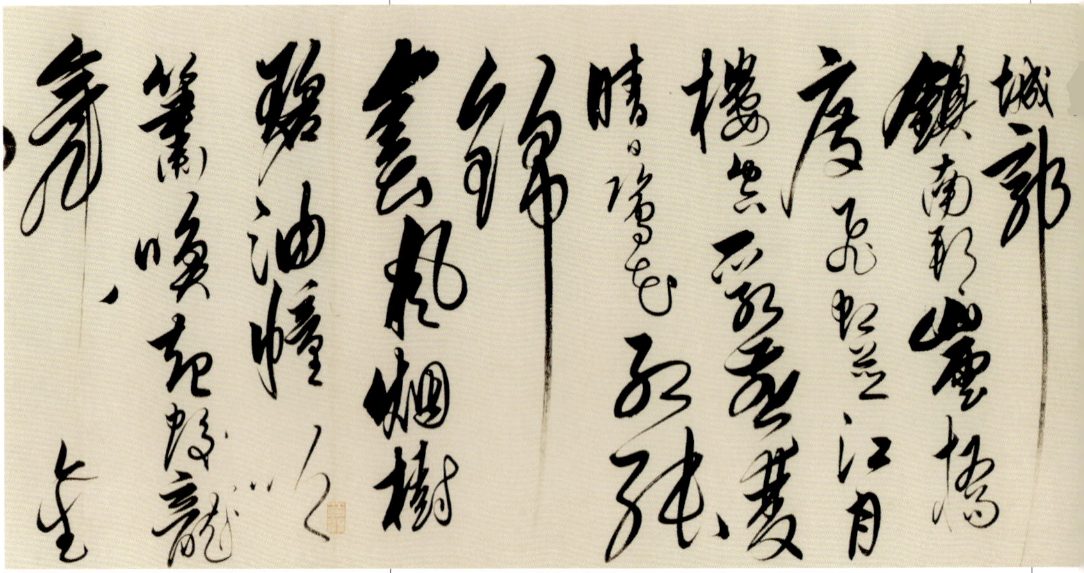

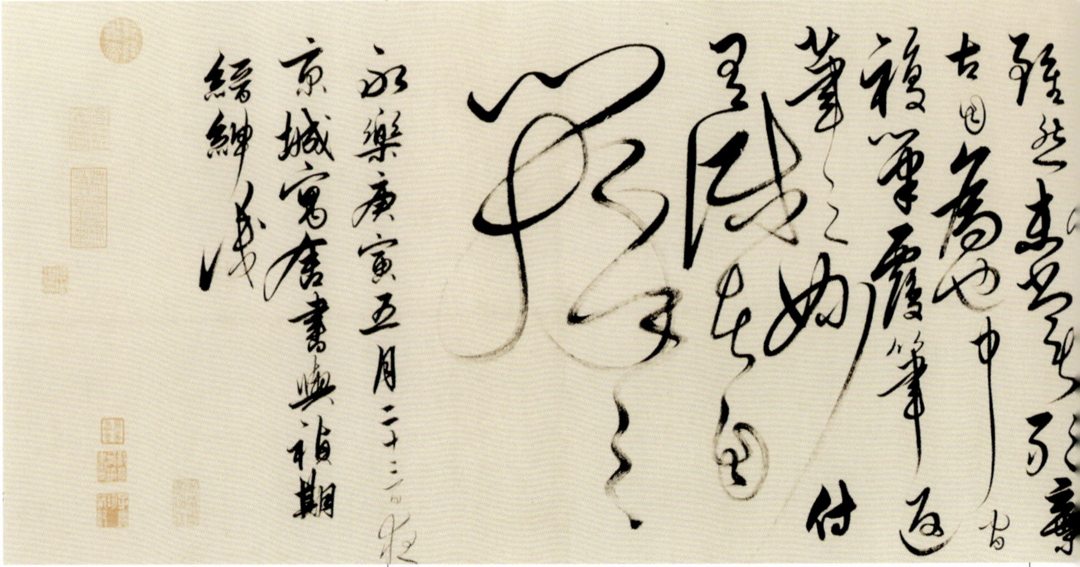

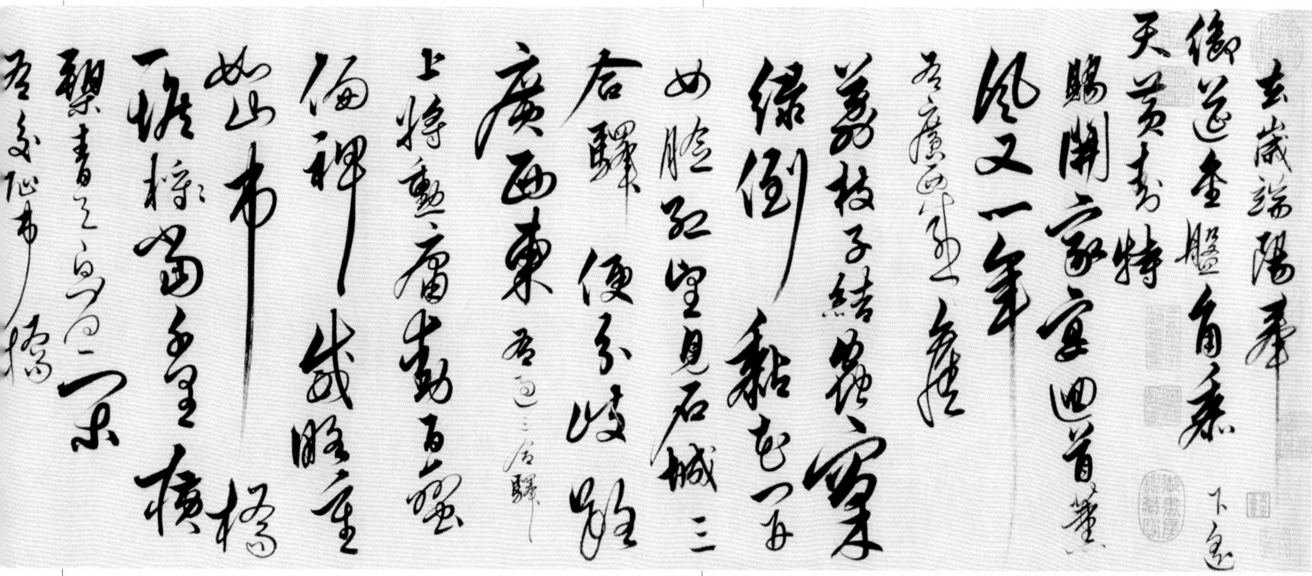

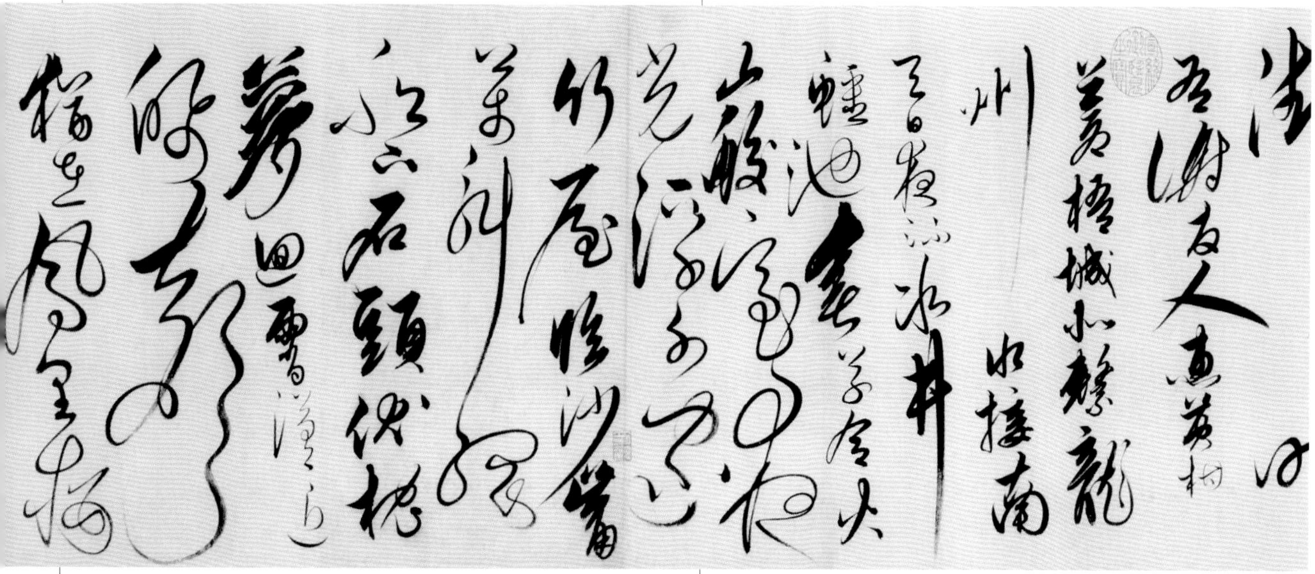

于　謙（公元1398－1457年）

錢塘（今浙江杭州）人。字廷益。永樂十九年（公元1421年）進士。任官兵部右侍郎。書法受趙子昂影響。

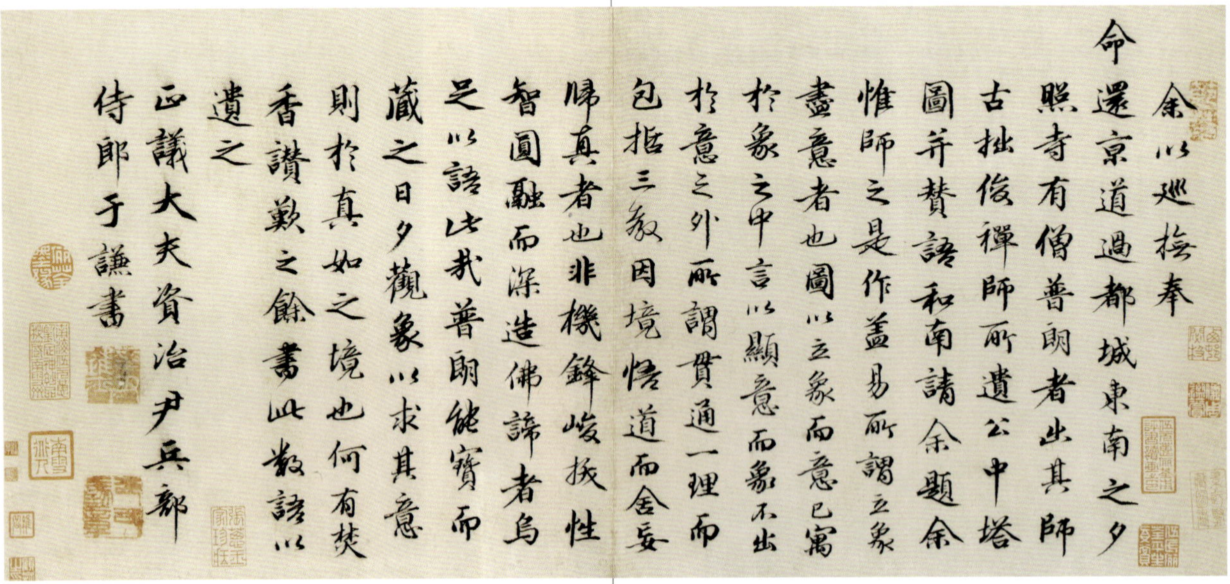

題公中塔圖贊（上圖）

明
于謙
高28.9、寬61厘米。
紙本。
現藏故宮博物院。

沈　藻

生卒年不詳。沈度之子。字仲藻，一字凝清。以父蔭爲中書舍人，遷禮部員外郎。亦頗有書名，擅長楷、行、草諸體。

橘頌

明
沈藻
高27.5、寬47.6厘米。
紙本。
現藏故宮博物院。

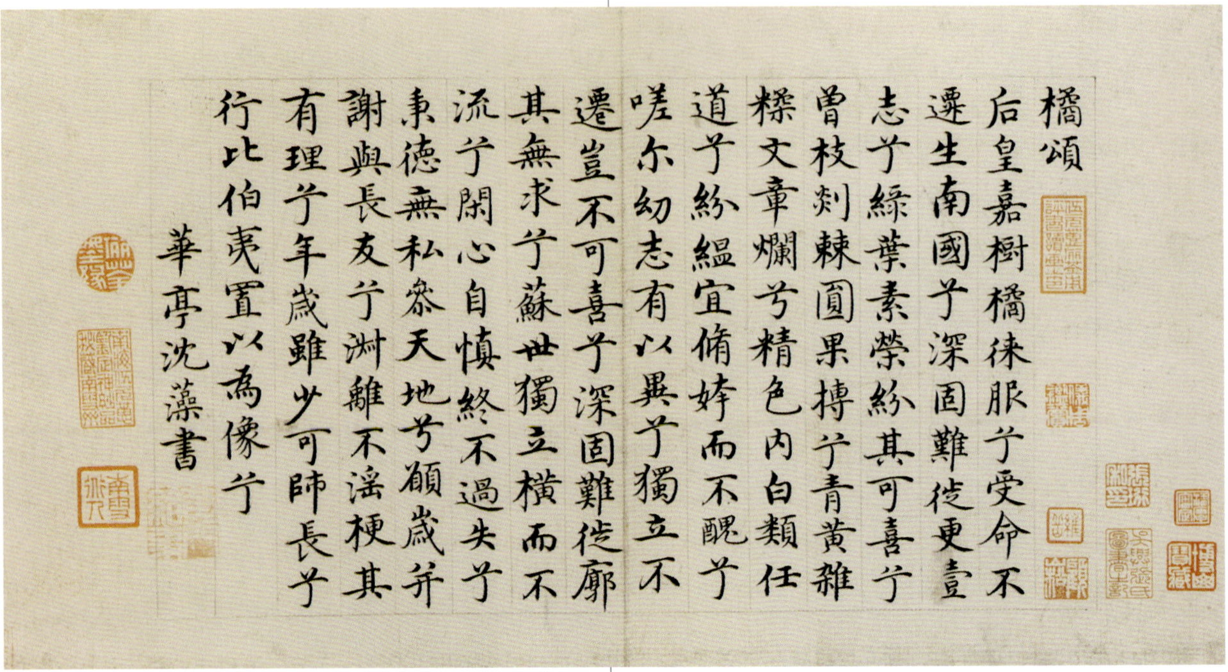

黃州竹樓記

明

沈藻

高81.5、寬26厘米。

紙本。

現藏故宮博物院。

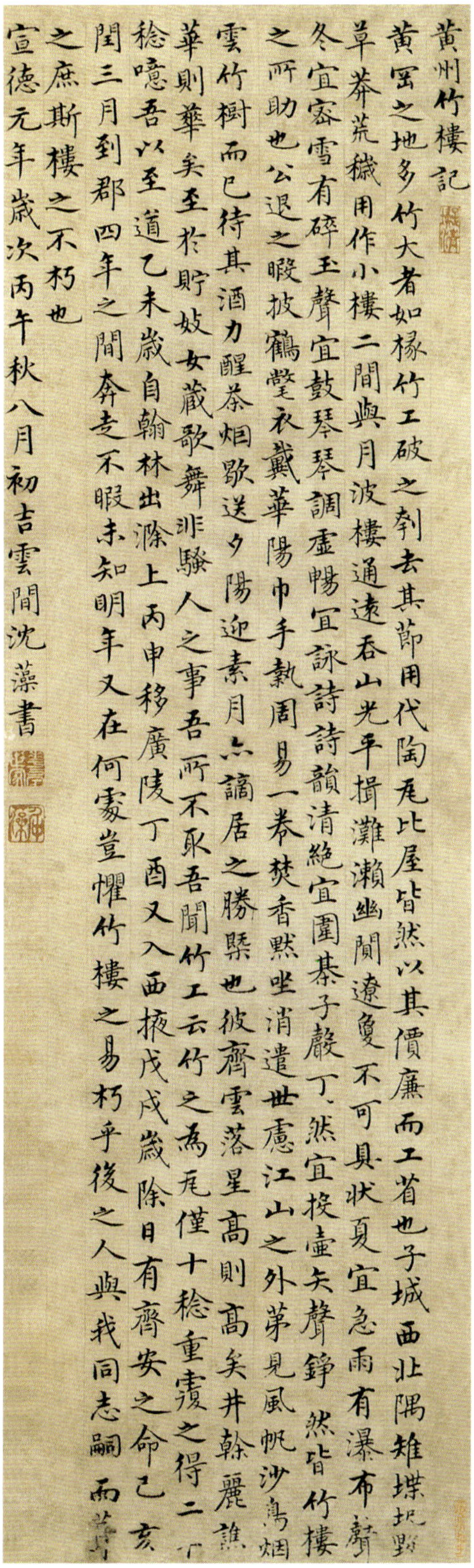

朱瞻基（公元1399－1435年）

即明宣宗，建元宣德。宣宗是古代封建帝王中才華橫溢者，工詩文，善書法，能繪畫。其書法學趙孟頫。

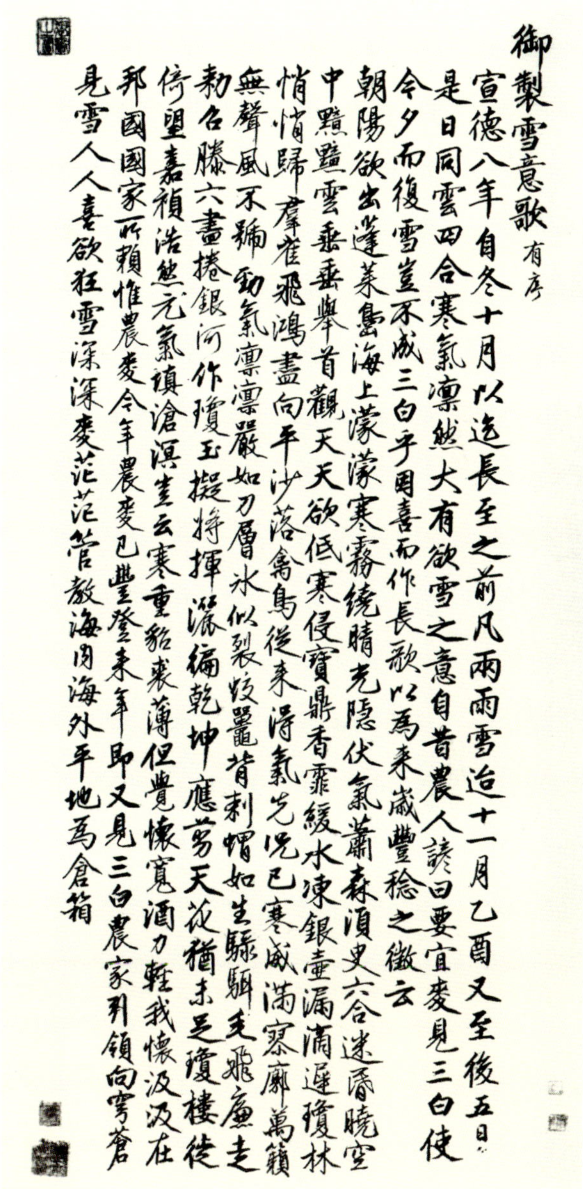

雪意歌

明

朱瞻基

高113、寬53厘米。

紙本。

現藏故宮博物院。

徐有貞（公元1407－1472年）

吴縣（今江蘇蘇州）人。初名珵，字元玉，號天全。能詩歌。工書法，書法古雅勁健，于當時“二沈”書法之外，別具一格，名重當時。曾對祝允明和文徵明等人有較大影響。

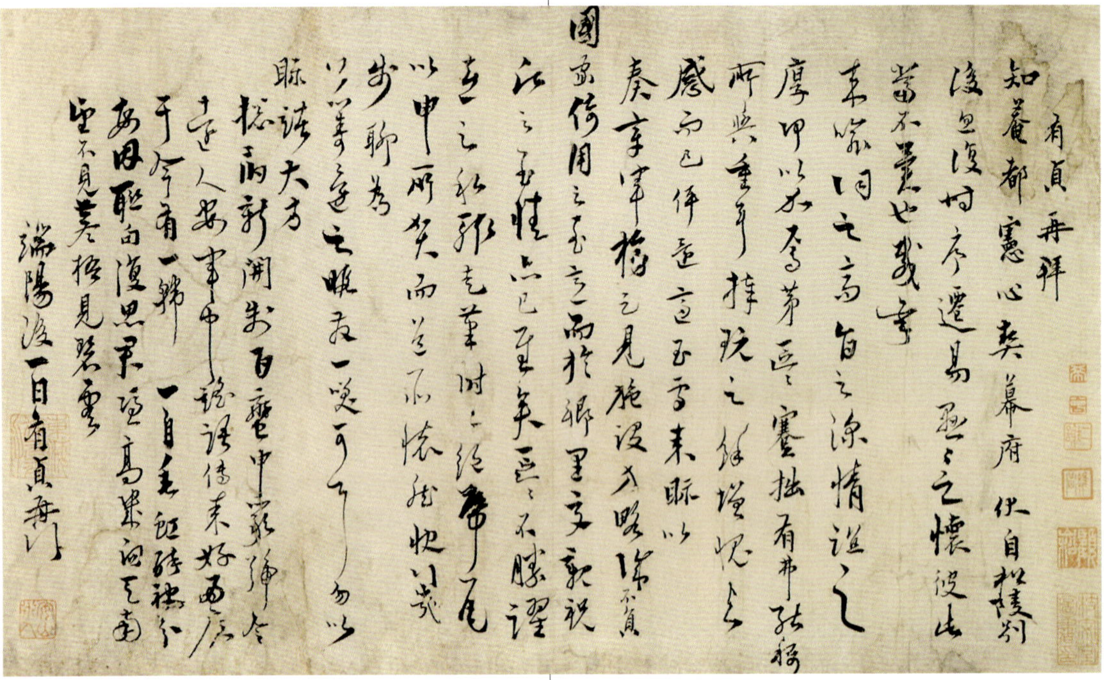

别後帖

明

徐有貞

高26.6、寬45.5厘米。

紙本。

現藏故宮博物院。

陳　謙

生卒年不詳，蘇州（今屬江蘇）人。居京師（今北京）。字士謙，號訥庵逸人。工書善畫。書擅楷、行、草體。

雜詩

明

陳謙

高30、寬232厘米。

紙本。此選爲局部。

現藏上海博物館。

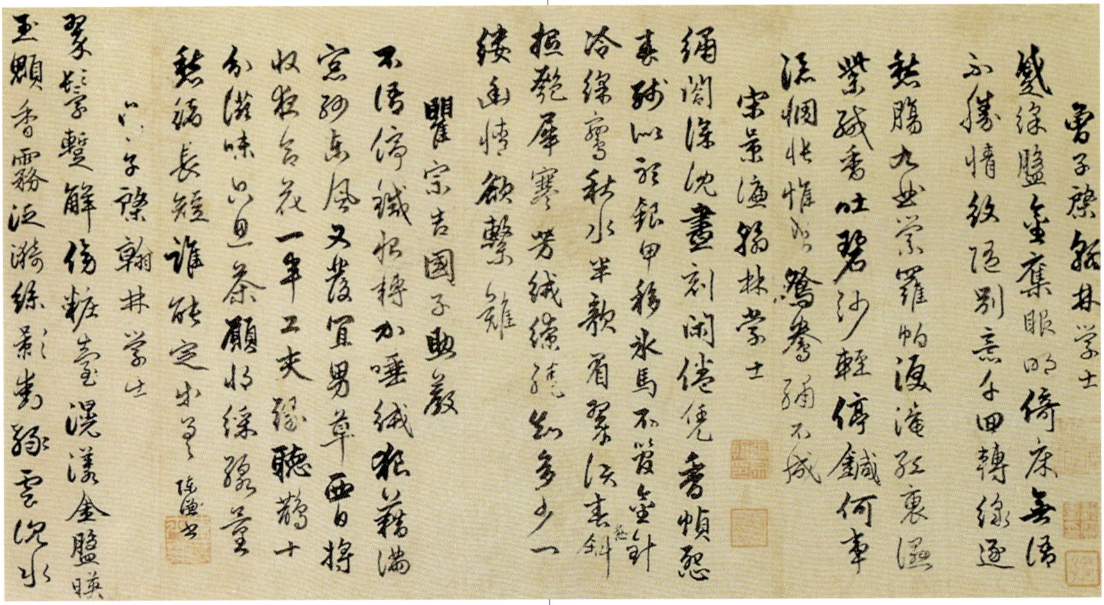

劉　珏（公元1410－1472年）

長洲（今江蘇蘇州）人。字廷美，號完庵。工書，善畫，精鑒賞、訪求甚富、行書學趙孟頫。

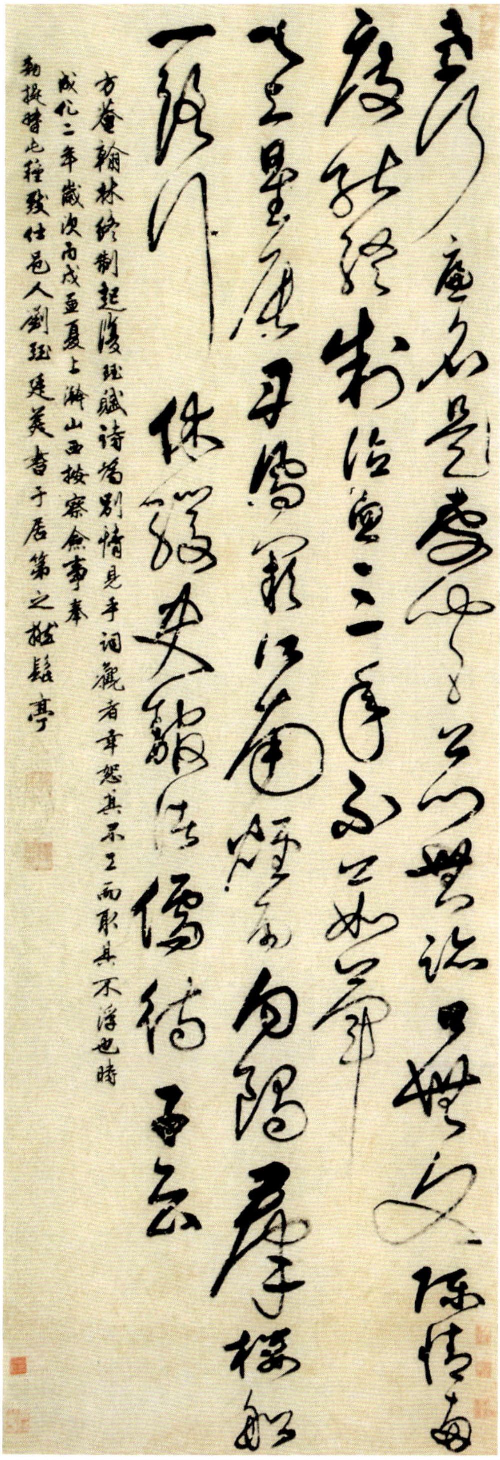

自書詩

明
劉珏
高121.1、寬42.4厘米。
紙本。
現藏故宮博物院。

姚　綬（公元1423－1495年）

嘉興（今屬浙江）人。字公綬，號穀庵，又號仙痴，晚號雲東逸史，人稱丹丘先生。天順甲申年進士，曾官監察御史。工詩。書法師鍾繇和王羲之。著有《雲東集》。

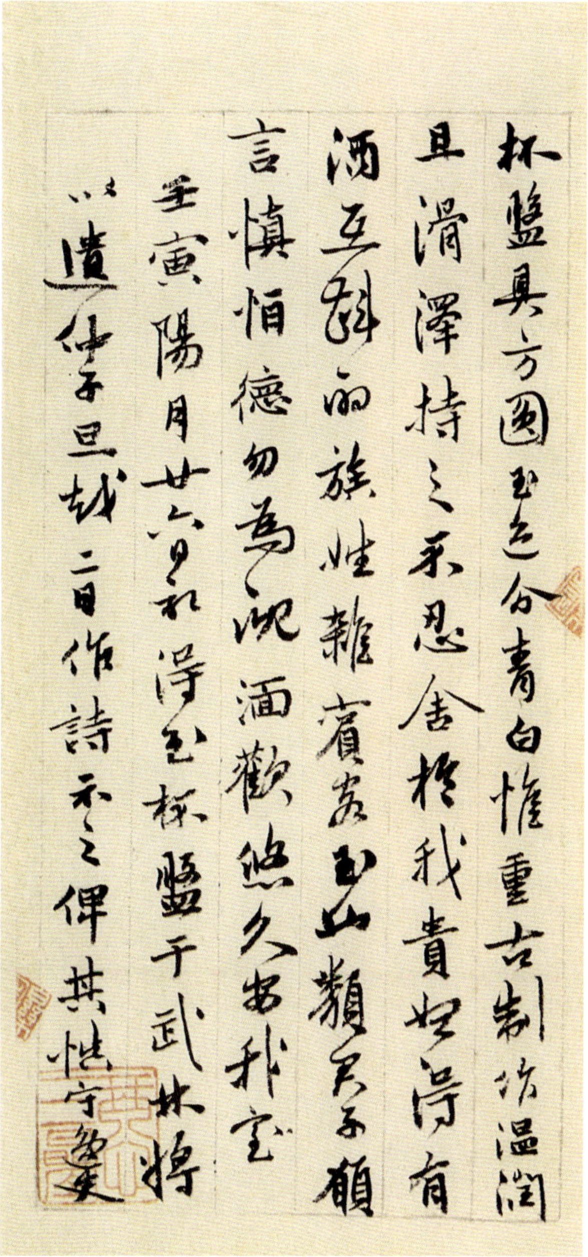

夜行詩

明
姚綬
高24.1、寬10.3厘米。
紙本。冊裝。此選爲其中一開。
現藏故宮博物院。

張　弼（公元1425－1487年）

華亭（今上海松江）人。字汝弼，自號東海。成化二年（公元1466年）進士。精草書。

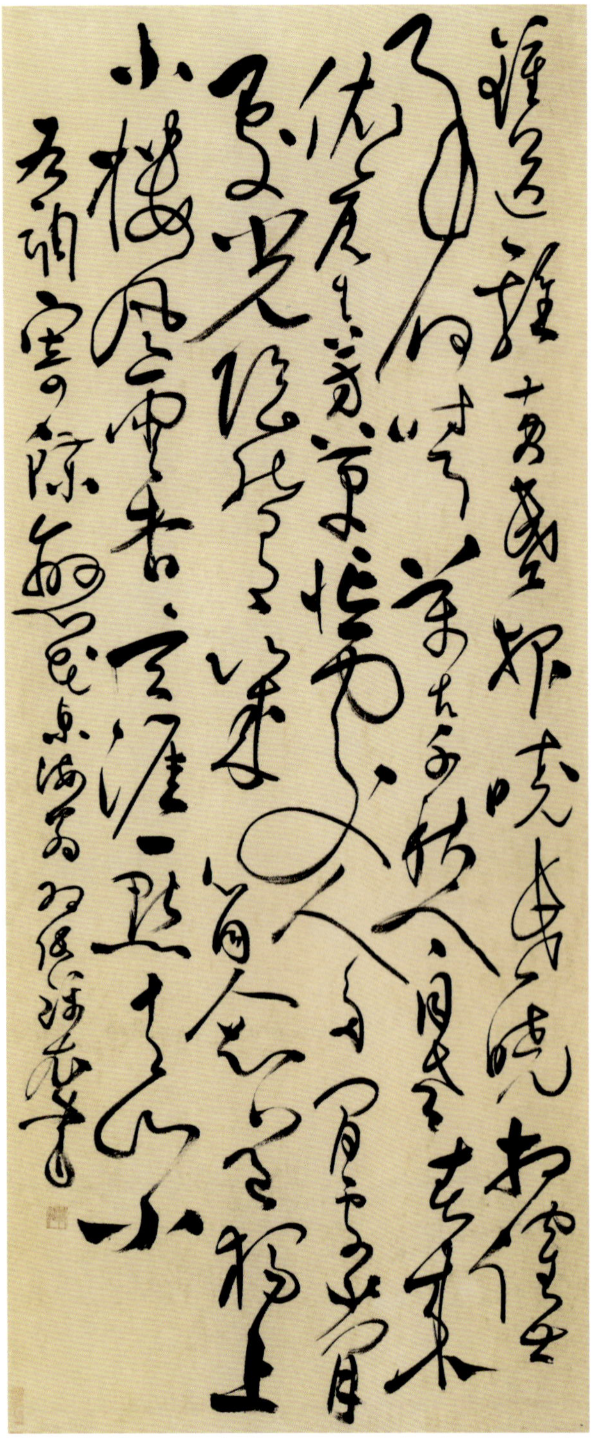

贈友詞
明
張弼
高151、寬61厘米。
紙本。
現藏首都博物館。

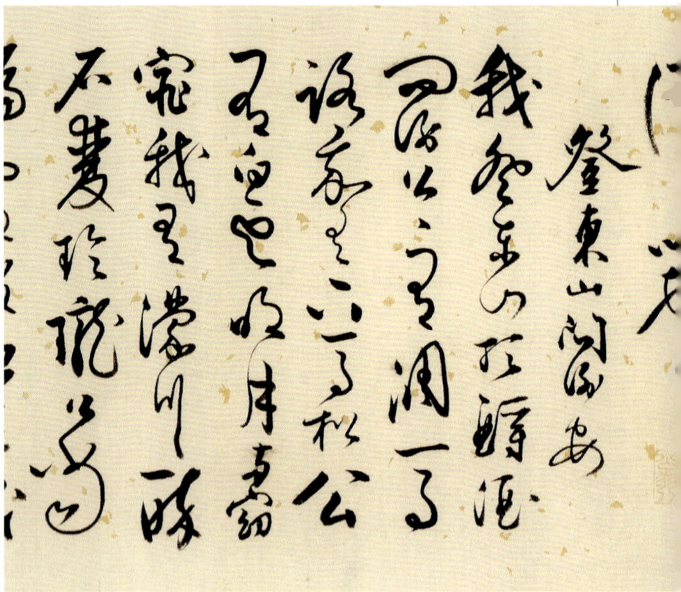

自書詩文
明
張弼
高29.5、寬589厘米。
紙本。此選爲局部。
現藏故宫博物院。

沈　周（公元1427－1509年）

長洲（今江蘇蘇州）人。字啓南，號玉田翁、石田、白石翁。繪畫造詣高深，爲"明四家"之一。其書法仿黄庭堅，有道勁奇倔之氣。著有《石田集》、《客座新聞》和《石田詩鈔》等。

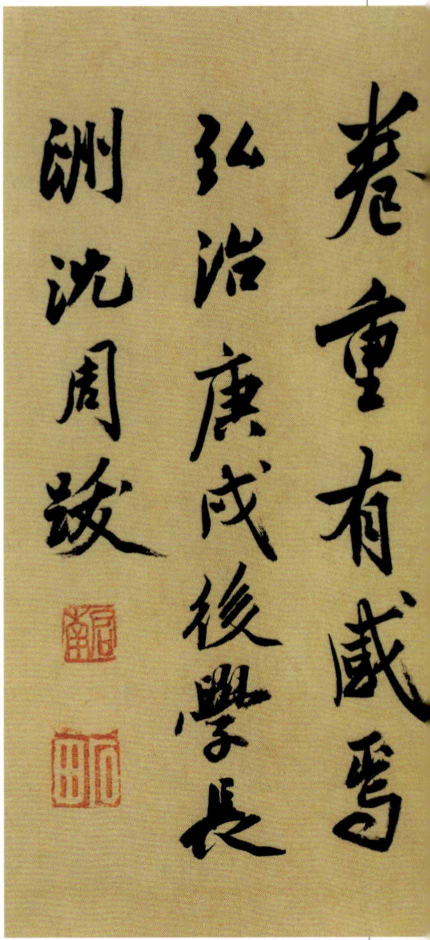

陸游自書詩卷跋
明
沈周
紙本。
現藏遼寧省博物館。

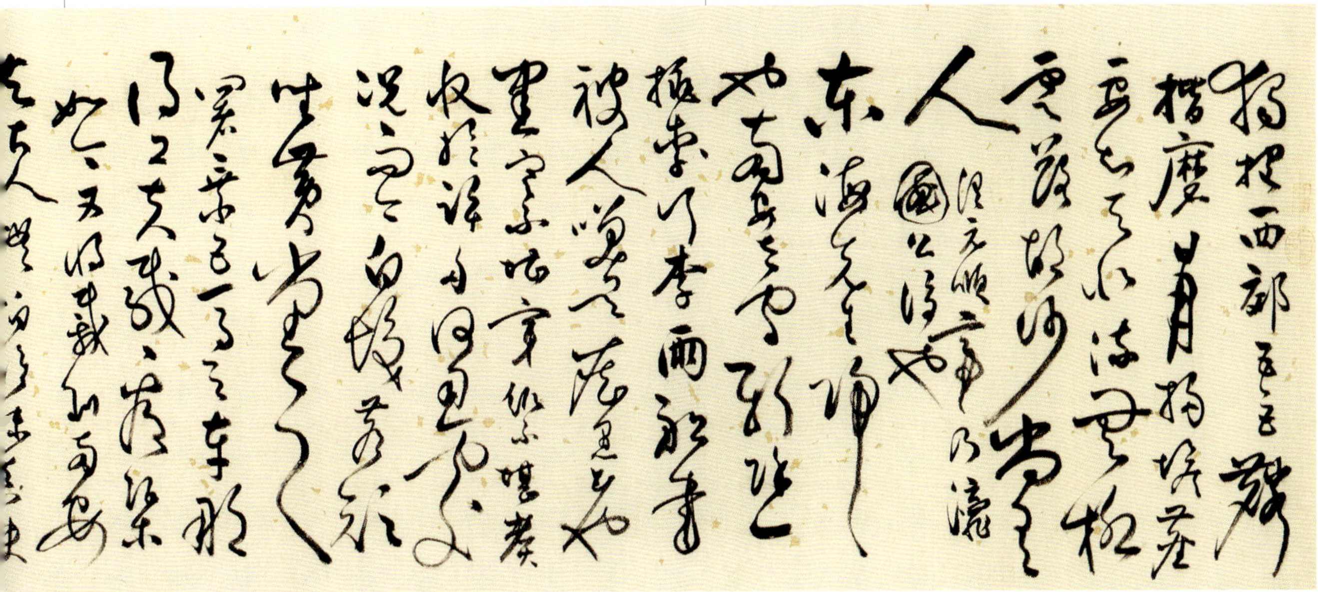

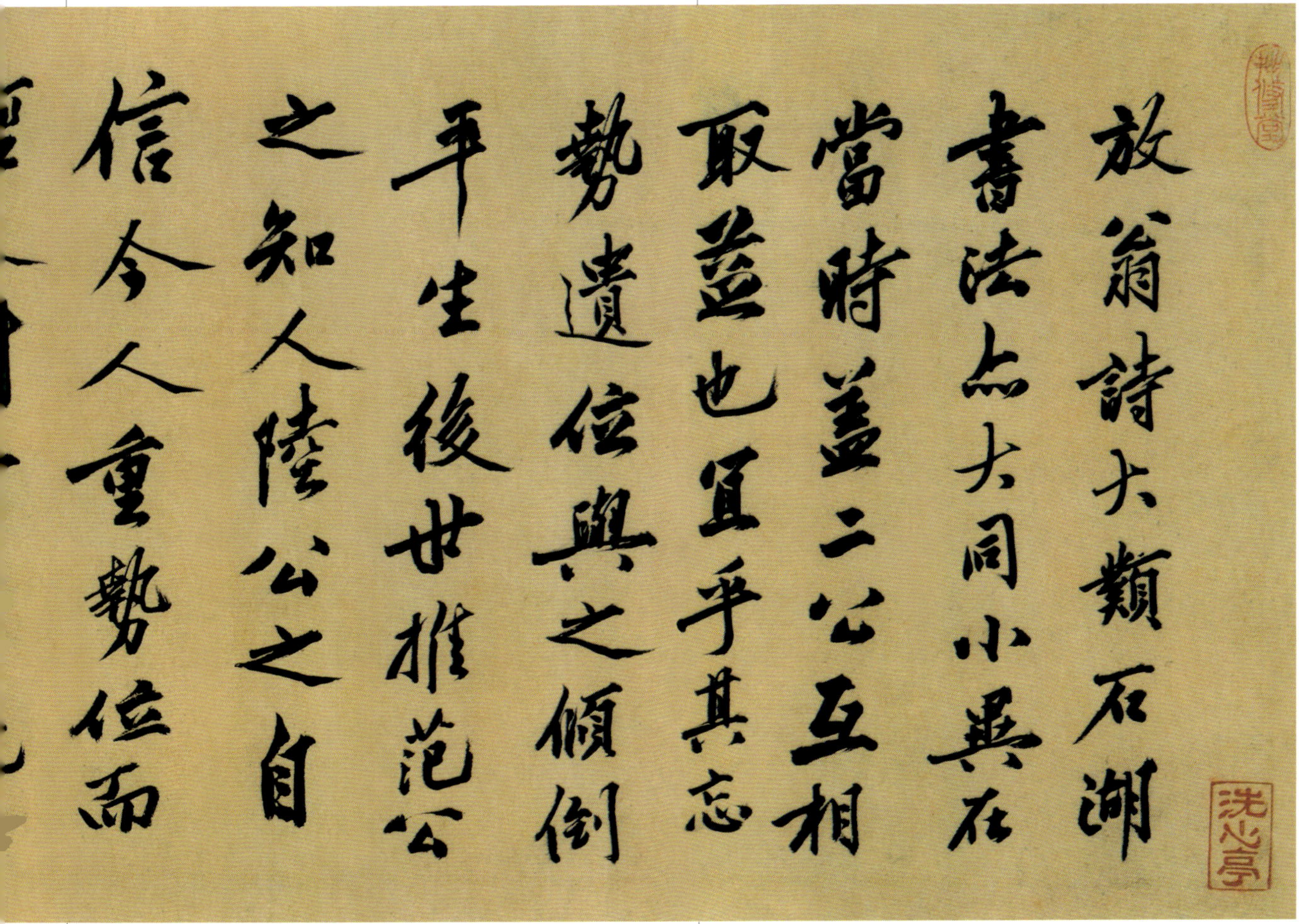
放翁詩大類石湖
書法亦大同小異在
當時蓋二公互相
取益也宜乎其忘
勢遺位與之傾倒
平生後世推范公
之知人陸公之自
信今人重勢位而
洗心亭

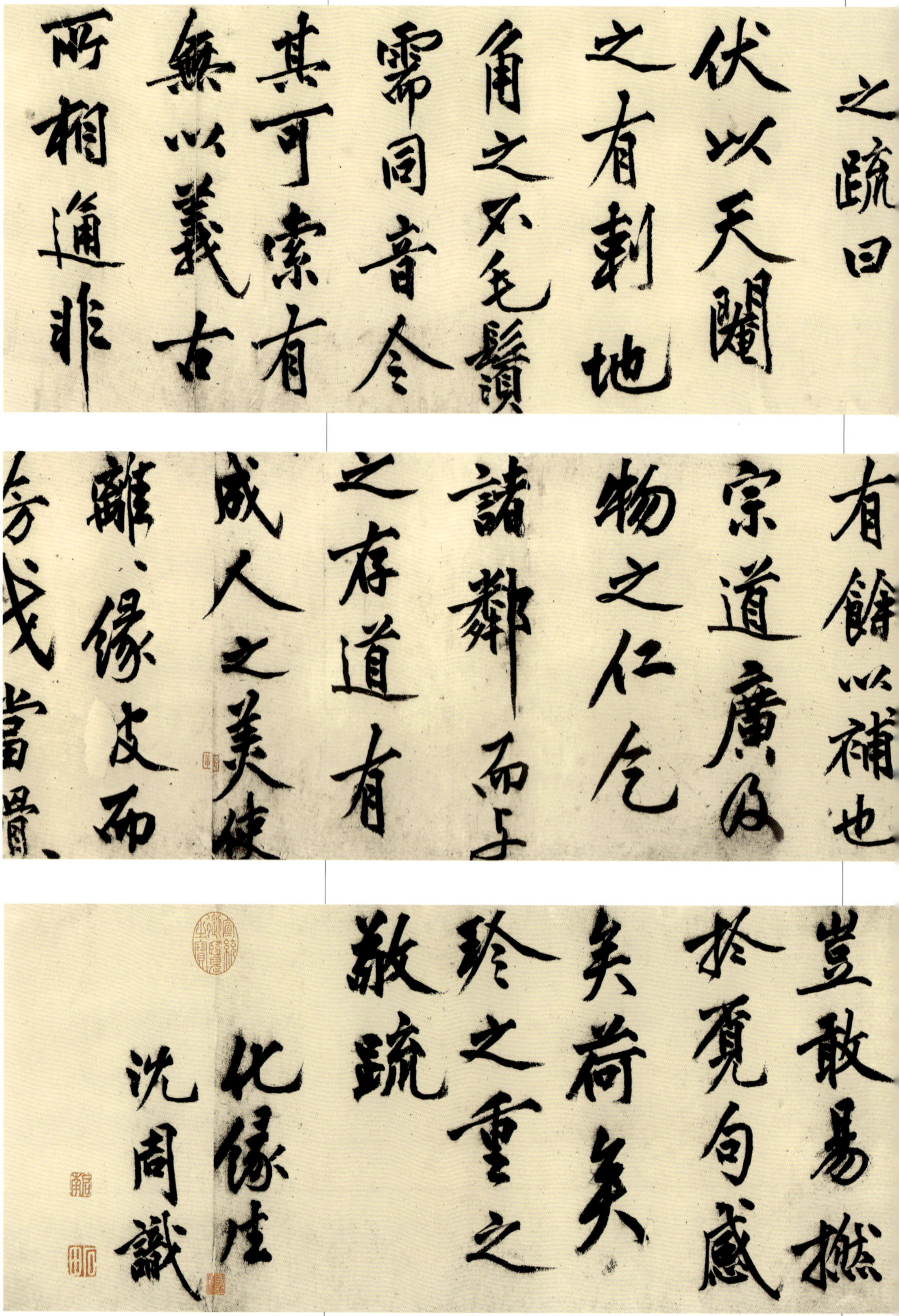

化鬚疏

明

沈周

高28.4、寬427.2厘米。

紙本。

現藏臺北故宫博物院。

化鬚疏 有序

粧因趙鳴

玉髡然無

鬚姚存道

為之告助

者扵其于

思之閒尔

取十髮

補諸不足

請沈陵南

兩椎道非

安意以千

廻因人而舉

康樂着舍

施之迹崔

諶傳插種

之方惟小子

十莖之敢尔

豈先生一毫

離緣皮而

餉我當攬

擊地以拜

君把鏡佳

歡顧頓覺風

標之異臨

河照影便

看相貌之

全未容輕

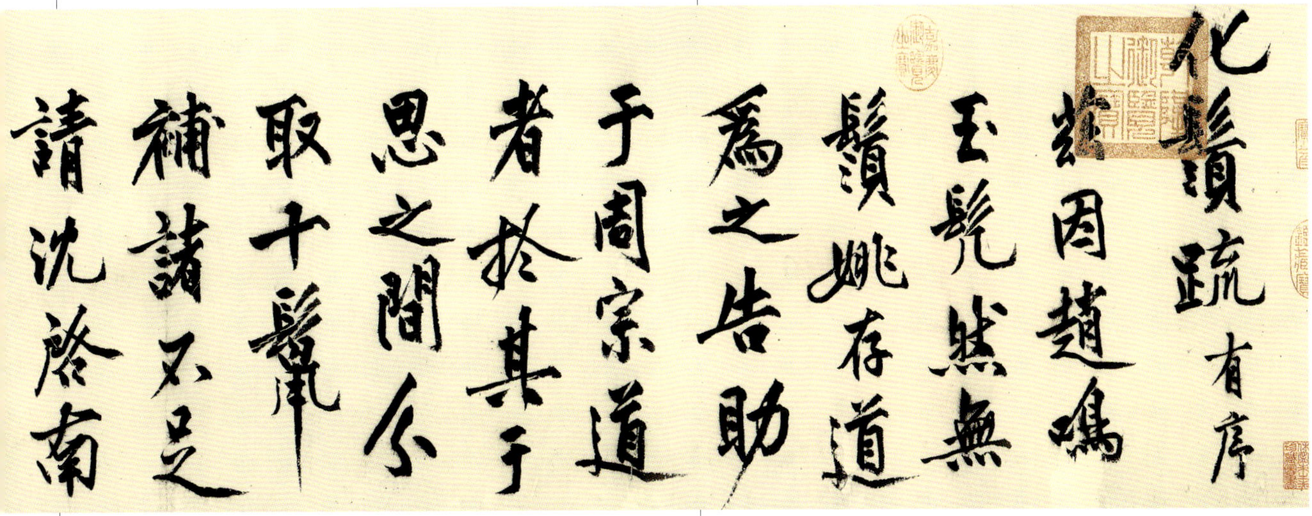

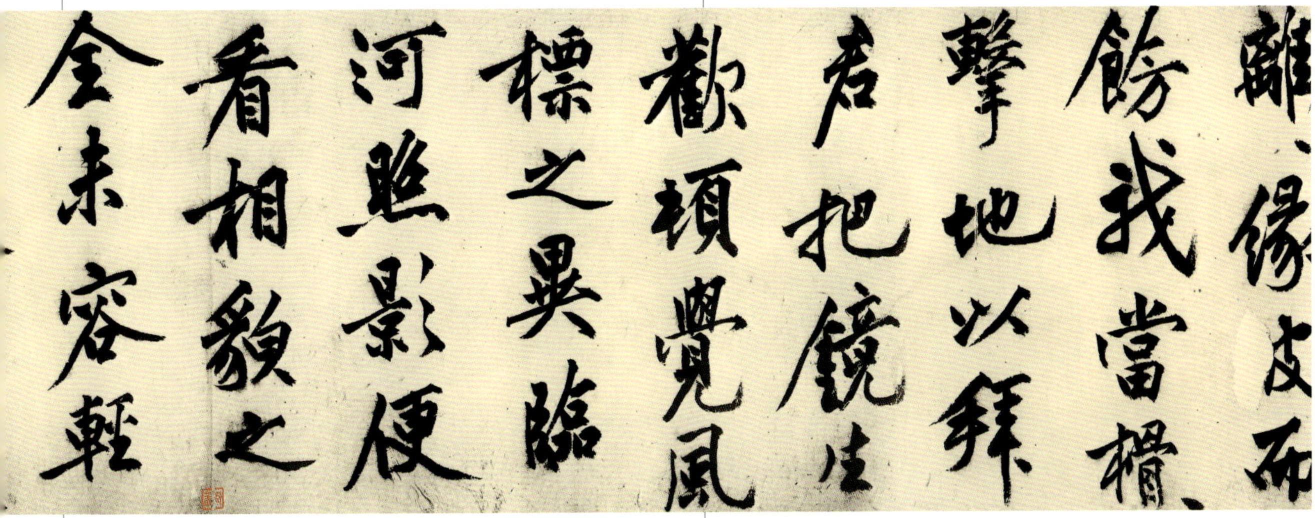

張駿

生卒年不詳。華亭（今上海松江）人。字天駿，號南山。景泰辛未進士，以禮部尚書致仕。工書法，楷、行、隸、篆諸體皆精，尤以狂草著稱。

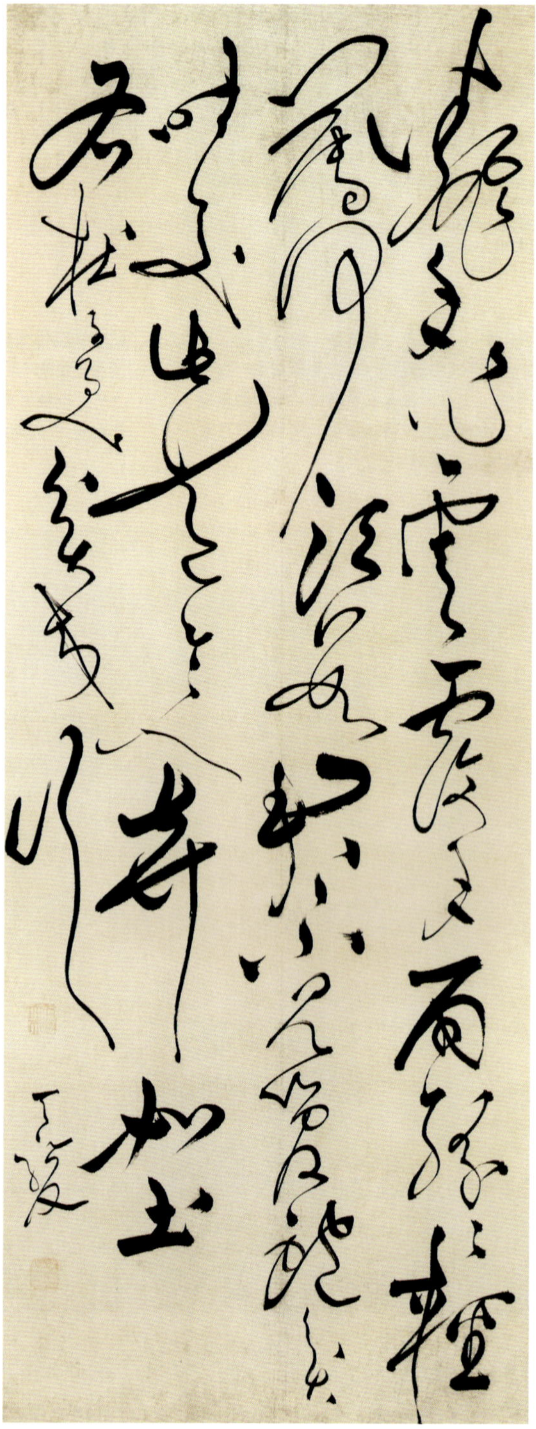

貧交行

明

張駿

高153.4、寬62.7厘米。

紙本。

現藏故宮博物院。

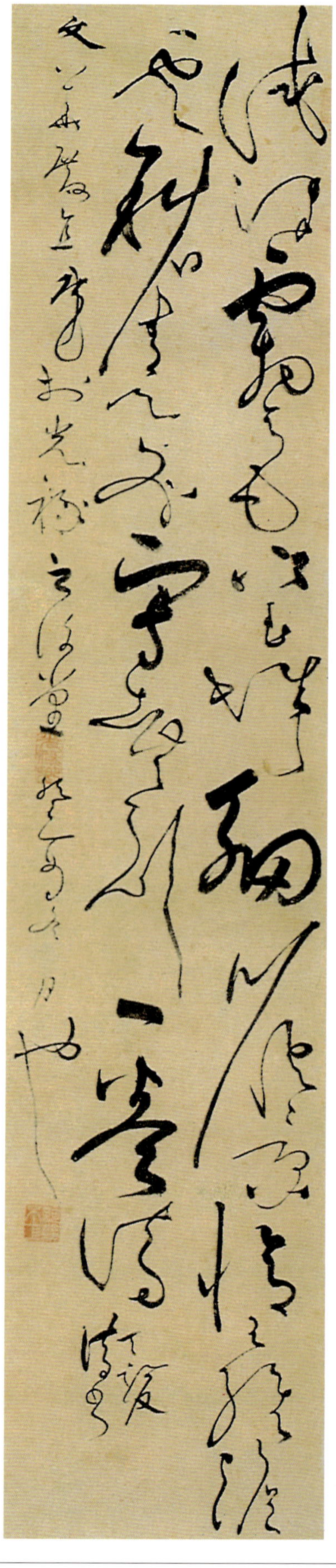

七言絶句

明

張駿

高154.3、寬33.5厘米。

紙本。

現藏故宮博物院。

陳獻章（公元1428－1500年）

新會（今屬廣東江門）白沙里人。字公甫，號石齋，世稱“白沙先生”。工詩善畫，畫梅尤佳。以擅書法名天下，能作古人數家字，得法于顏真卿和蘇軾。曾束茅代筆，晚年專用，人稱“茅龍”。

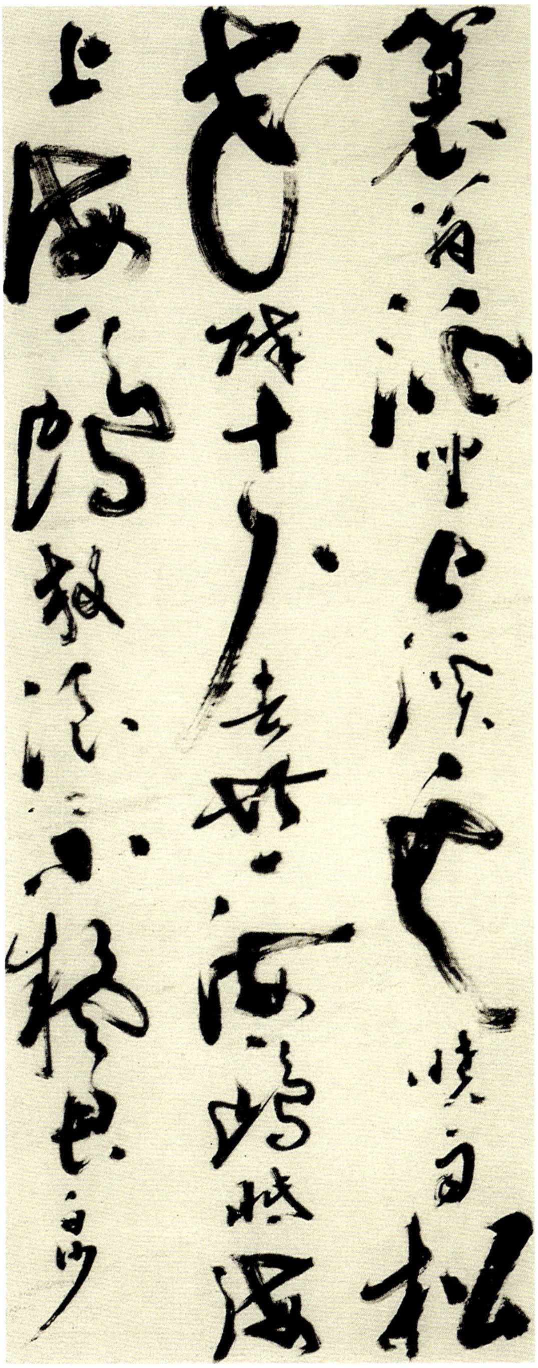

七言絶句

明
陳獻章
高129、寬51.4厘米。
紙本。
現藏上海博物館。

大頭蝦説

明
陳獻章
高158.5、寬69.9厘米。
紙本。此選爲局部。
現藏故宫博物院。

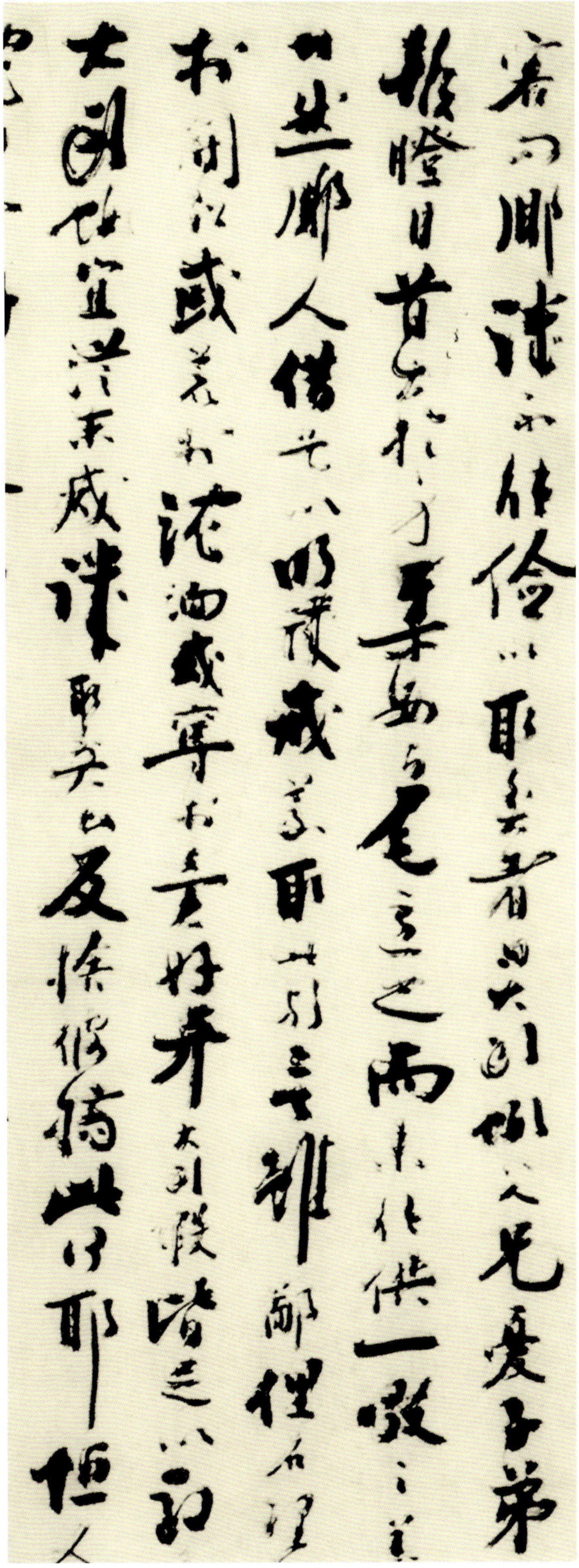

自書詩

明

陳獻章

高27.3、寬514厘米。

紙本。

現藏上海博物館。

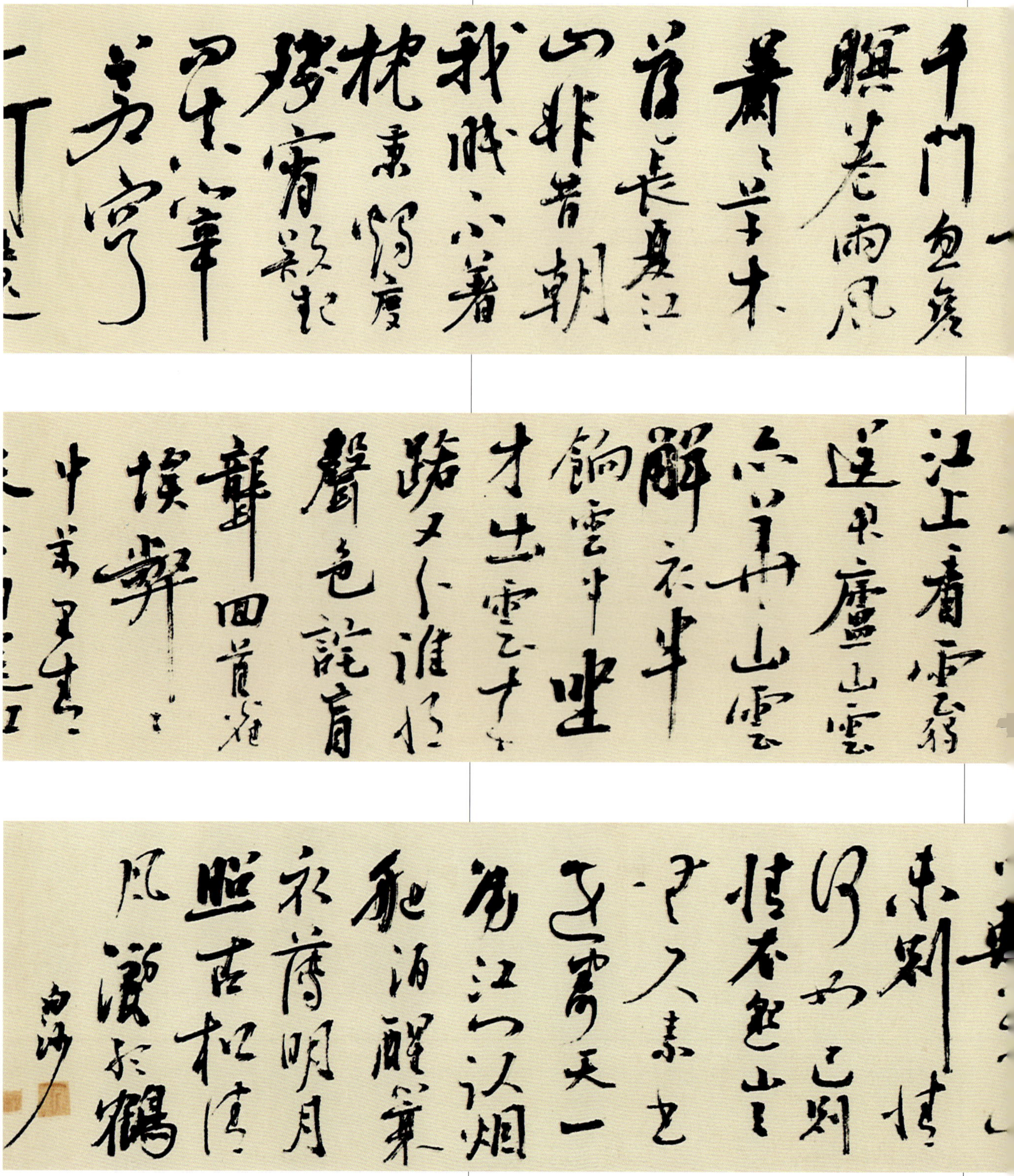

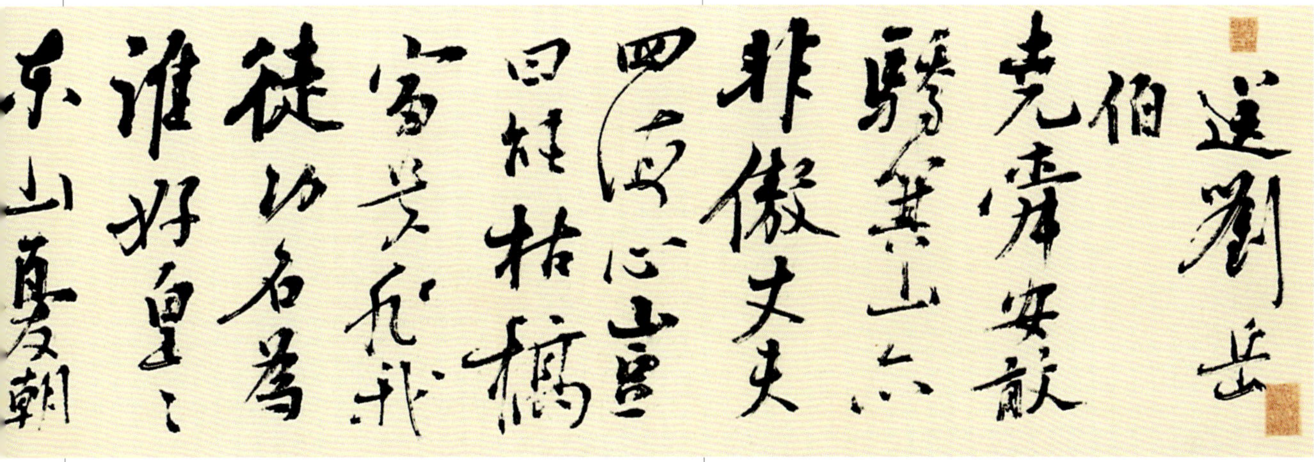

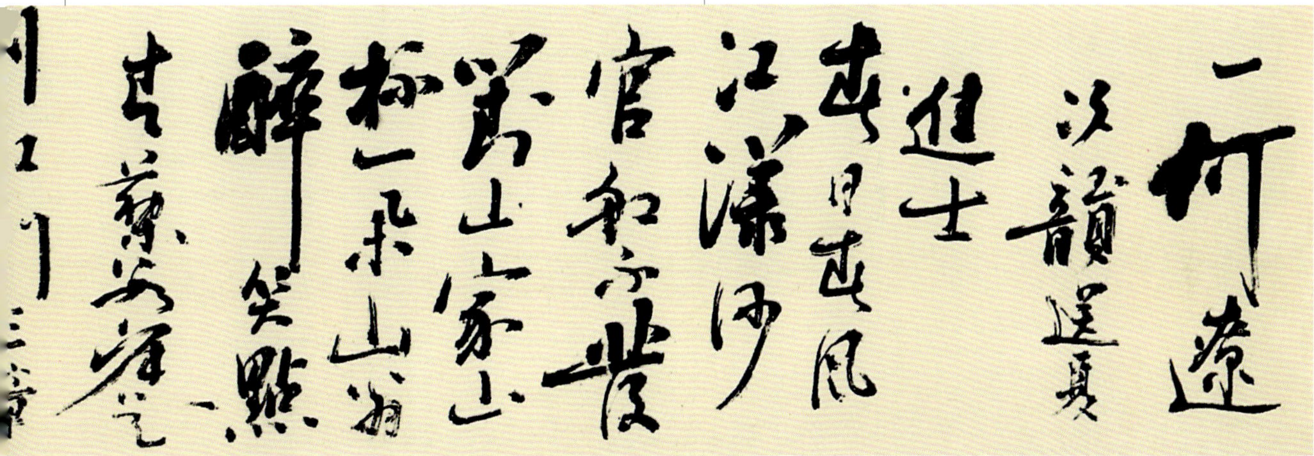

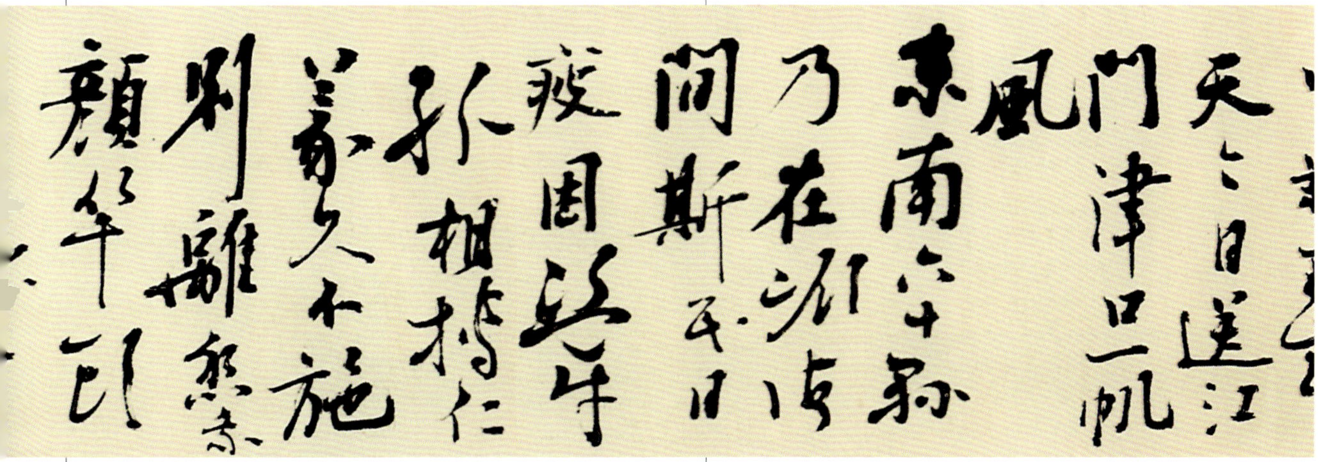

李應楨（公元1431－1493年）

長洲（今江蘇蘇州）人。名甡，以字行，更字貞柏。景泰癸酉舉鄉試，入太學，授中書舍人，弘治中任太僕少卿。工書法，廣閱名帖。

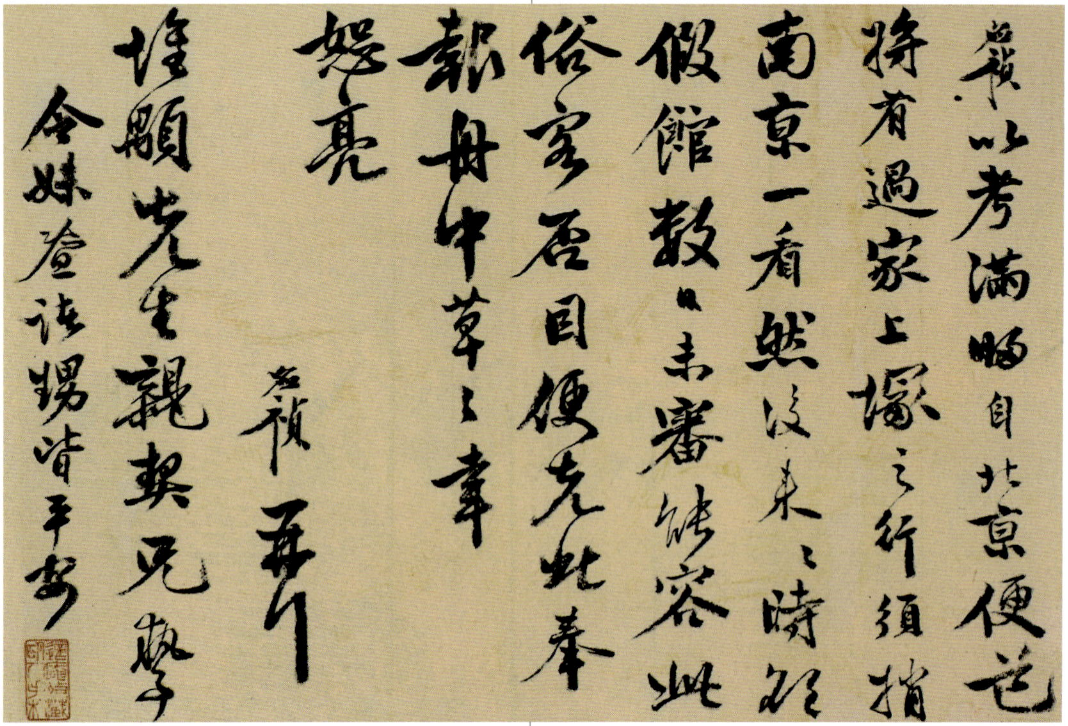

致惟顒札

明

李應楨

高23.3、寬34.3厘米。

紙本。

現藏故宮博物院。

姜立綱

生卒年不詳。瑞安（今屬浙江）人。字廷憲，號東溪。天順中命爲翰林院秀才，官中書舍人、太常少卿。善楷書，宮殿碑額多出其手，日本遣使求匾，亦由其書之，法書遍天下，被稱爲“姜字”。

咏易詩

明

姜立綱

高18.7、寬48.5厘米。

紙本。

現藏南京博物院。

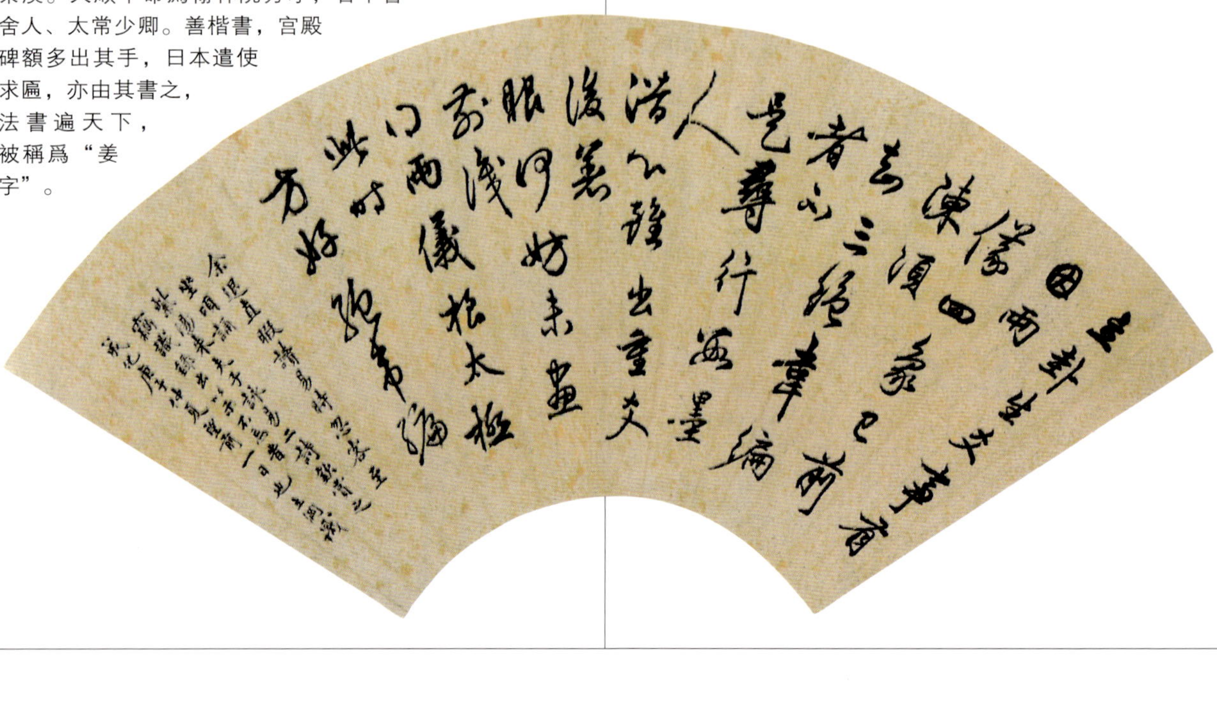

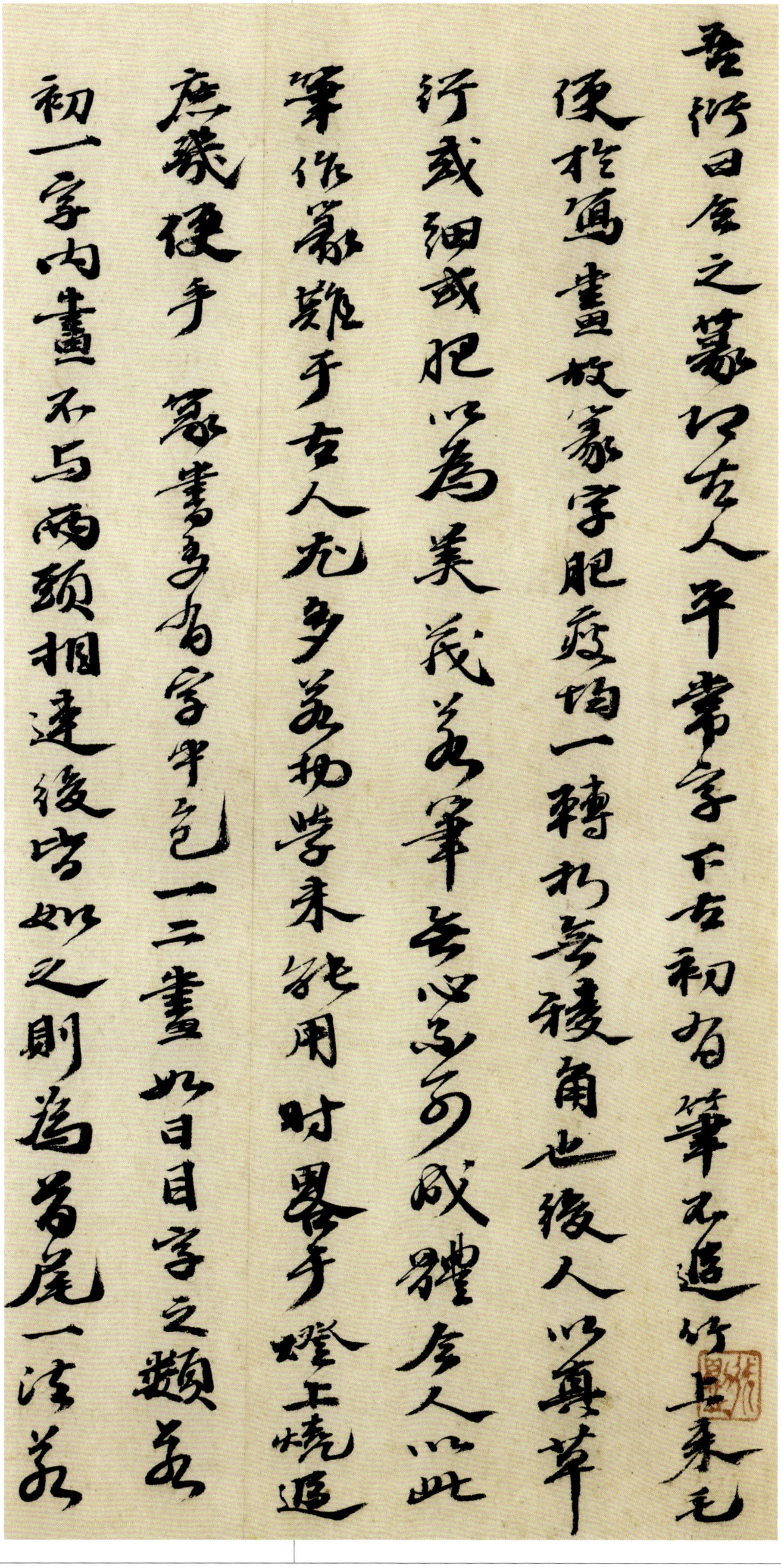

吴　寬（公元1435－1504年）

長洲（今江蘇蘇州）人。字原博，號匏庵。官至禮部尚書。工詩文，善書法。書法師承蘇東坡。著有《匏翁家藏集》。

書論

明
吴寬
高28.7、寬14.4厘米。
紙本。册裝十二開。此選爲其中一開。
現藏美國普林斯頓大學美術館。

飲洞庭山悟道泉詩

明
吴寬
高140.4、寬57厘米。
紙本。
現藏故宮博物院。

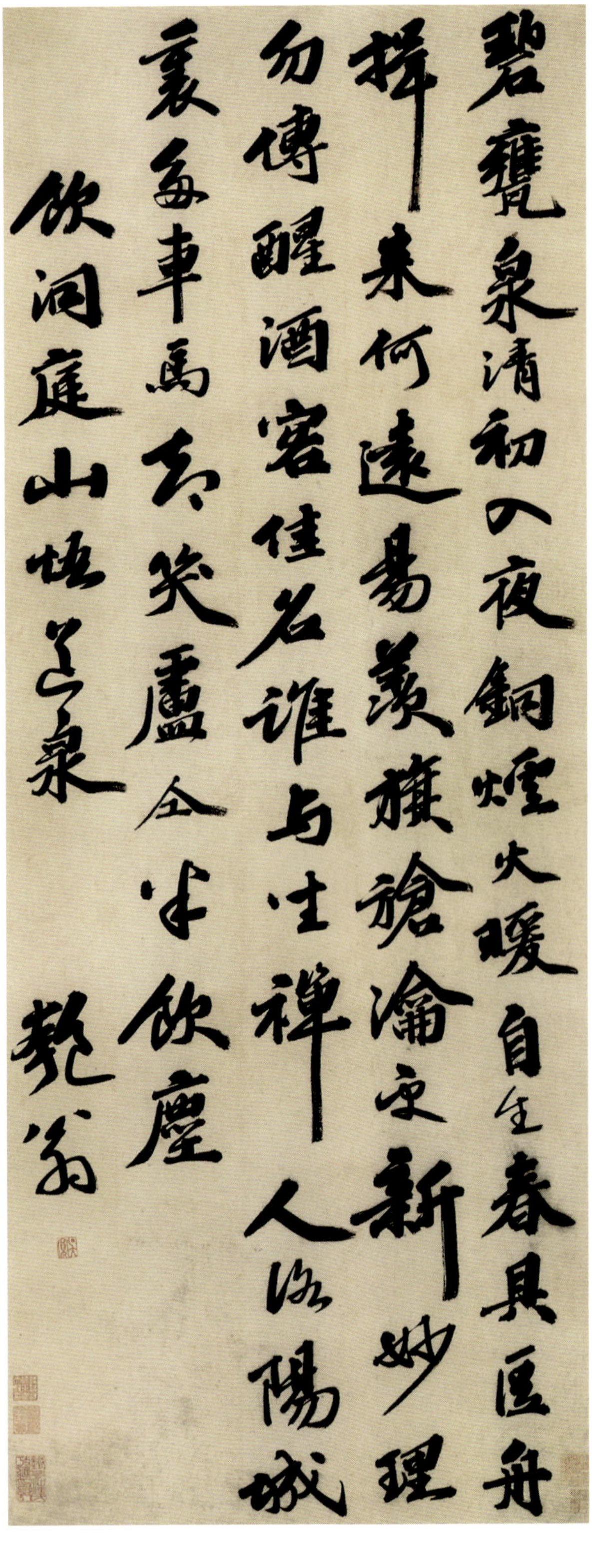

李東陽（公元1447－1516年）

茶陵（今屬湖南）人。字賓之，號西涯。天順八年（公元1464年）進士，孝宗時官文淵閣大學士、少師，卒謚文正。善詩文，工書法，用筆主中鋒，名重一時。

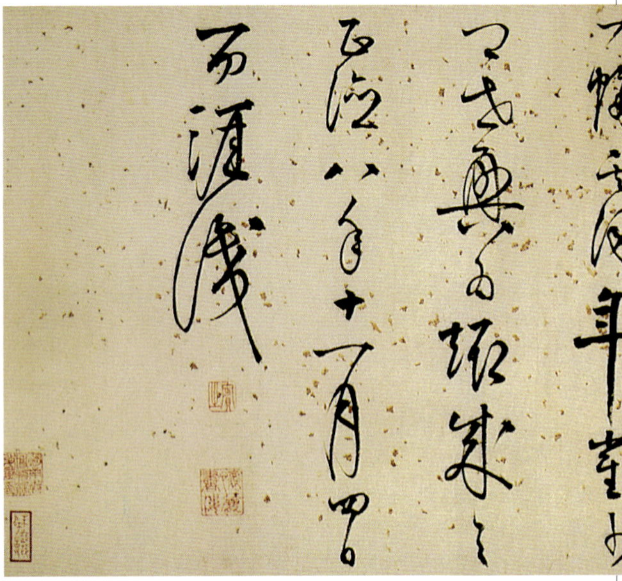

自書詩（上圖）

明
李東陽
高36.4、寬743.5厘米。
紙本。此選爲局部。
現藏湖南省博物館。

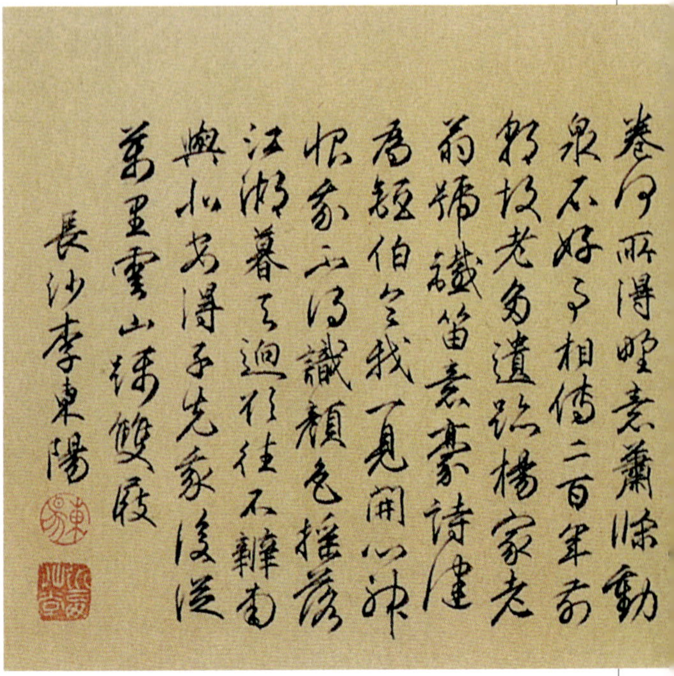

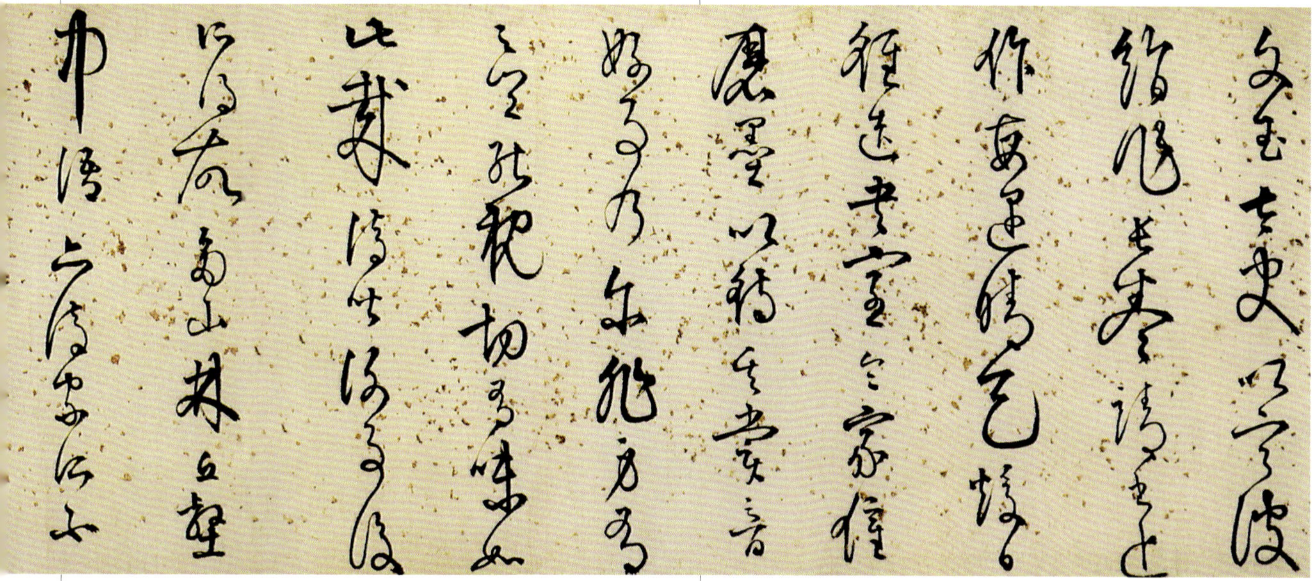

杜甫詩意圖跋

明
李東陽
高24.7厘米。
紙本。
此書跋于南宋趙葵《杜甫詩意圖》後。
現藏上海博物館。

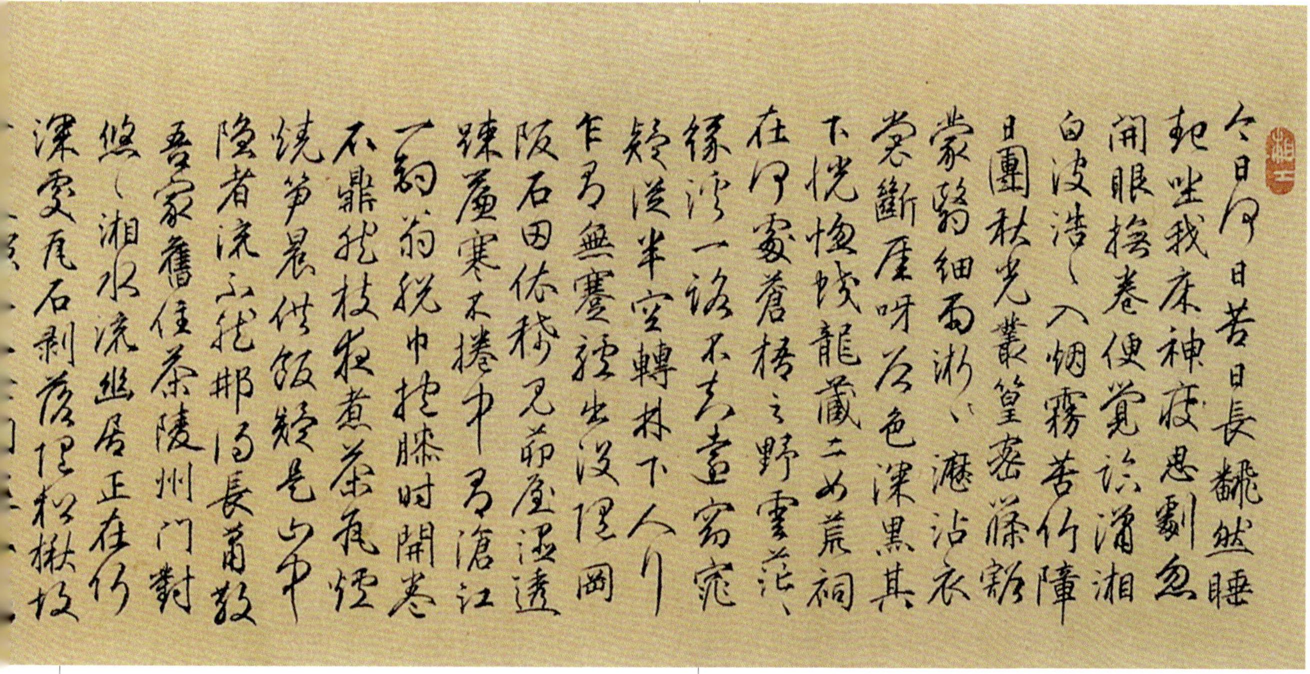

金　琮（公元1449－1501年）

金陵（今江蘇南京）人。字元玉，嘗游赤松山，自號赤松山農。工詩，爲金陵才子之一。屢試不第。工書善畫，師法趙孟頫。

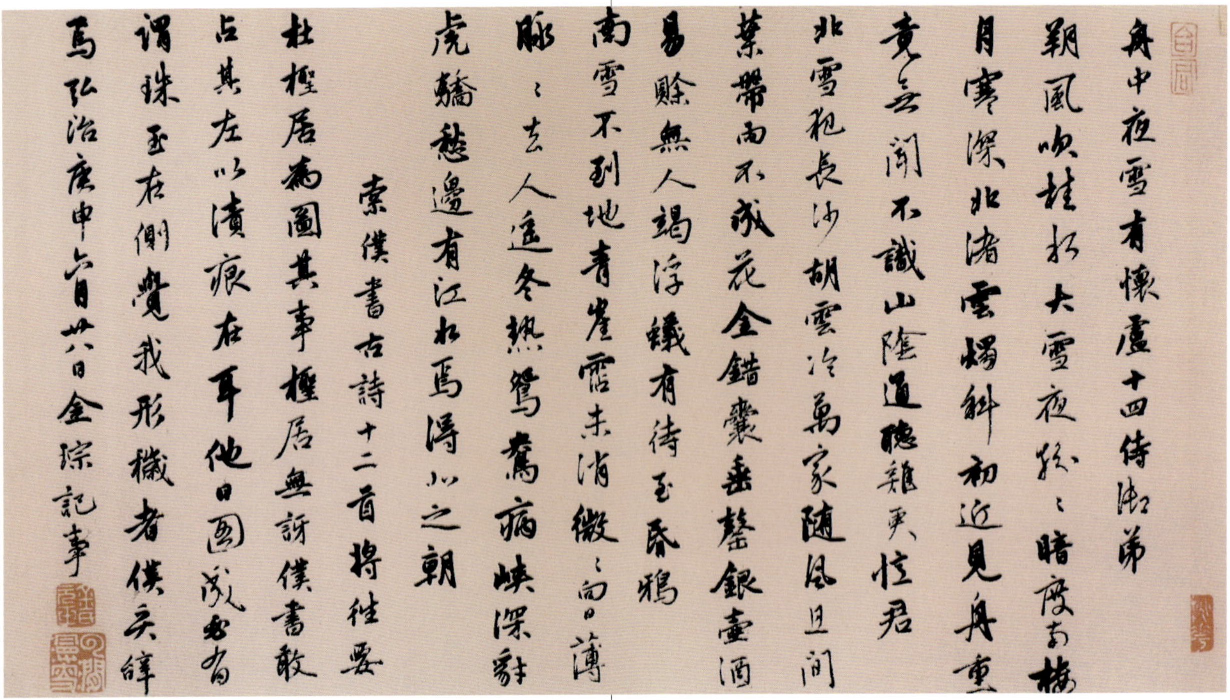

題杜堇古賢詩意圖

明
金琮
高28、寬51厘米。
紙本。
現藏故宫博物院。

山中寫懷詩

明
金琮
高25、寬52厘米。
紙本。
現藏廣東省博物館。

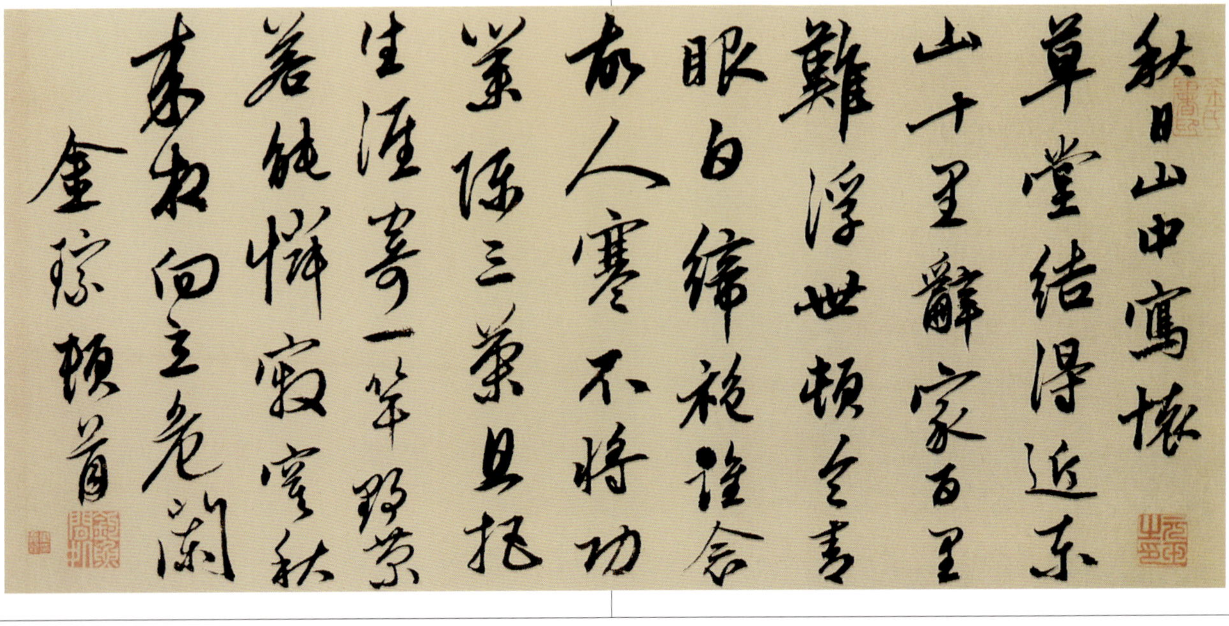

王　鏊（公元1450－1524年）

吴縣（今江蘇蘇州）人。字濟之。官户部尚書、文淵閣大學士，贈太傅，卒謚文恪。工書法，其書秀麗嫵媚。著有《震澤集》。

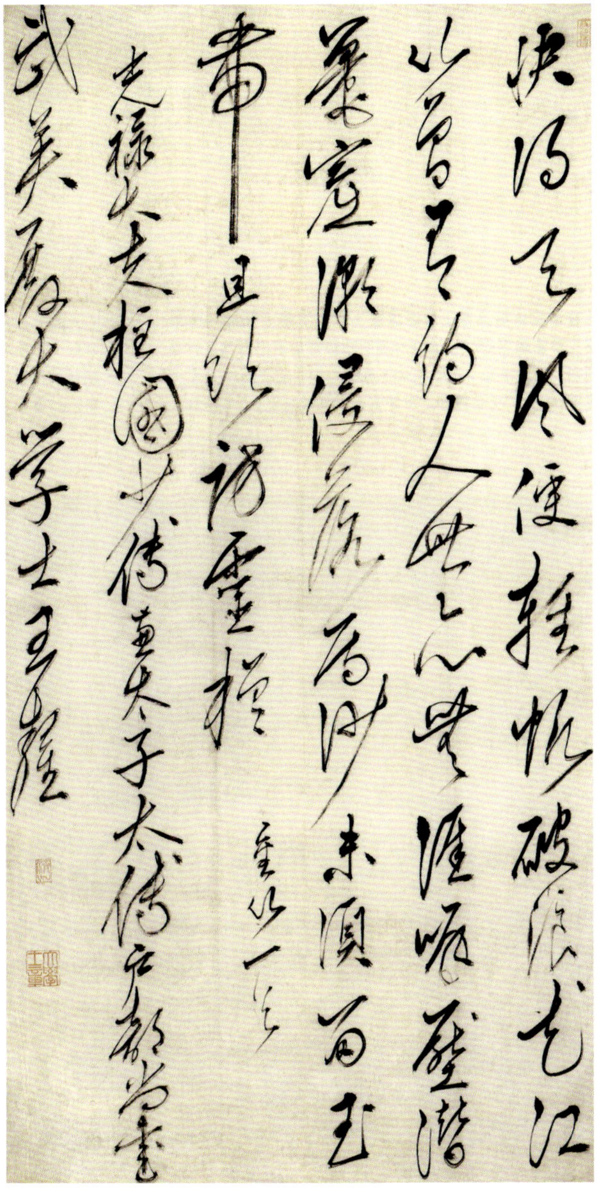

金山詞
明
王鏊
高132.8、寬69.5厘米。
紙本。
現藏故宫博物院。

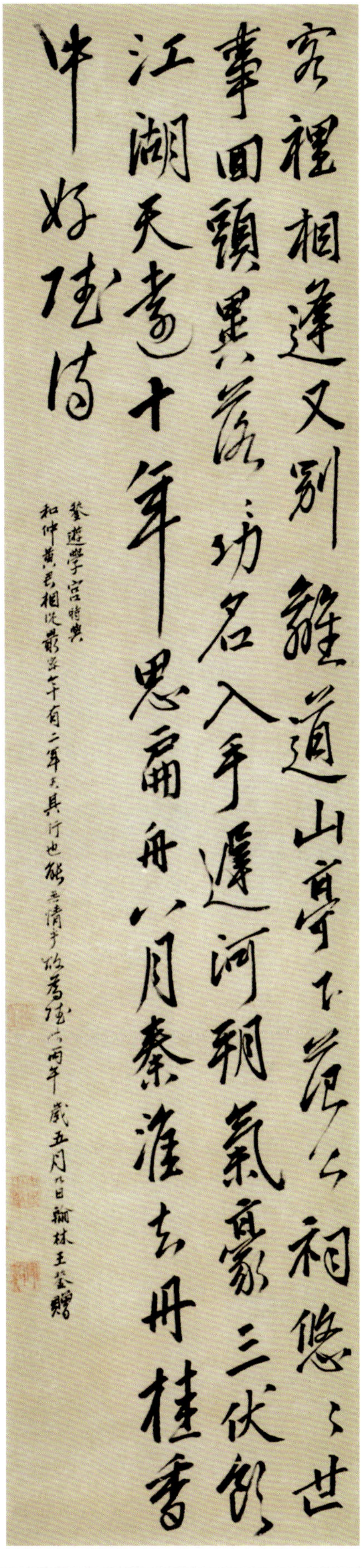

自書詩
明
王鏊
高139、寬33.3厘米。
紙本。
現藏故宫博物院。

徐蘭

生卒年不詳。餘姚（今屬浙江）人。字芳遠，又字秀夫，號南塘。工書法，諸體兼善，尤精隸書。

謝安像贊

明
徐蘭
高30、寬80.8厘米。
紙本。
現藏故宫博物院。

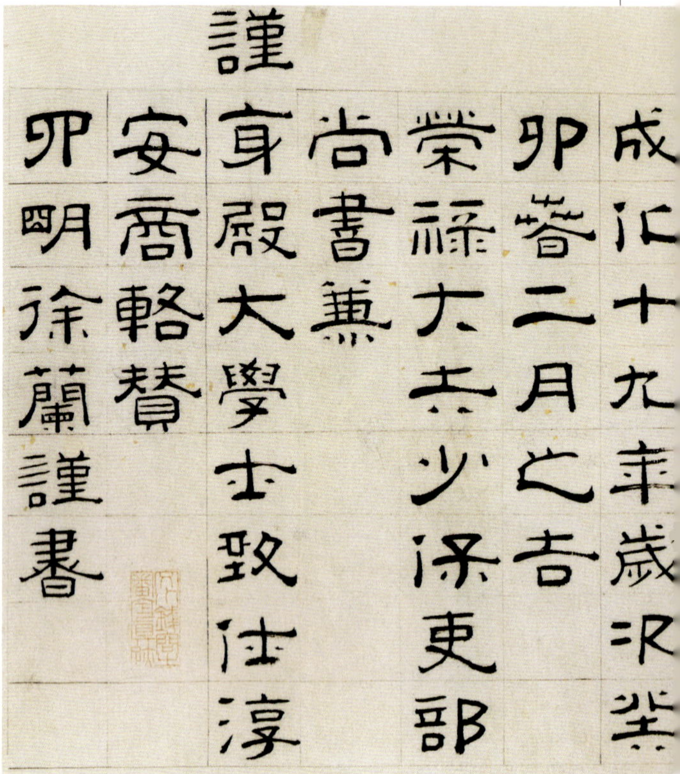

馬愈

生卒年不詳。嘉定（今屬上海）人。字抑之，號華髮仙人，人稱“馬清痴”。天順八年（公元1464年）進士，官至刑部主事。工詩文，善書法，亦工畫山水。

暑氣帖

明
馬愈
高23.7、寬38厘米。
紙本。
現藏故宫博物院。

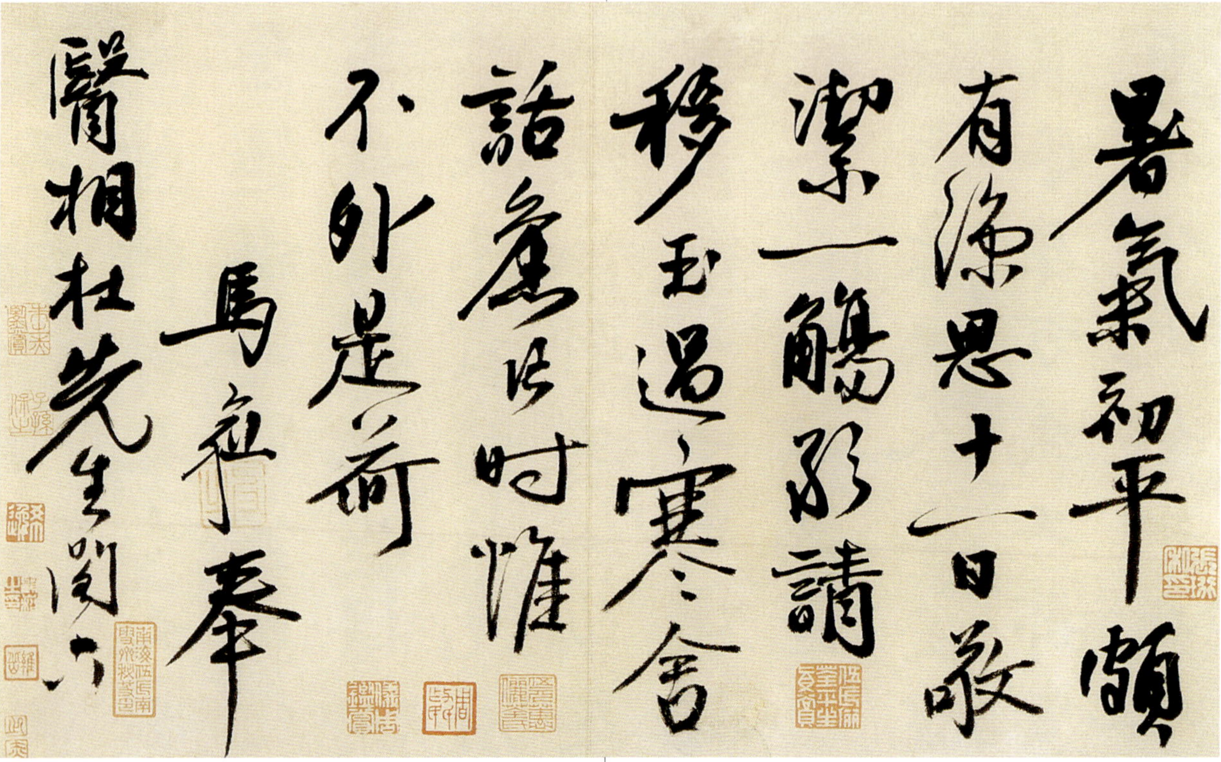

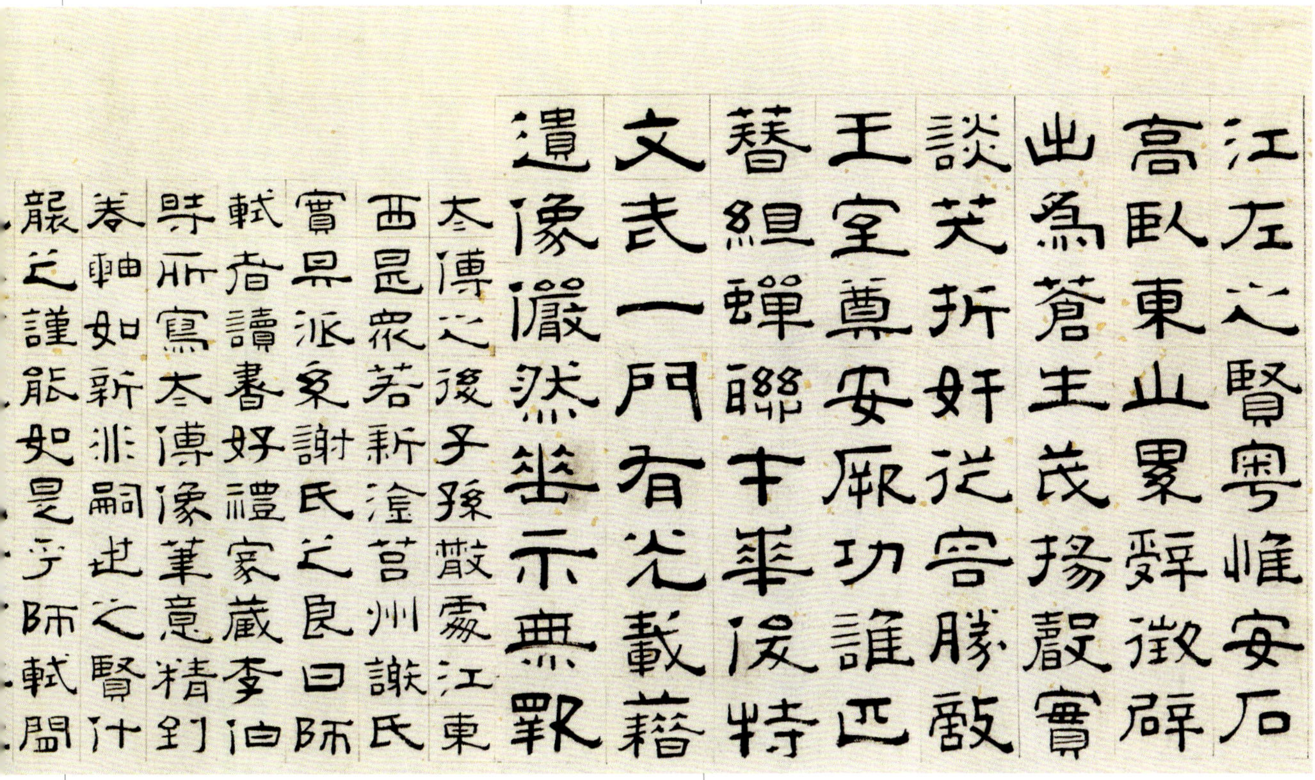

喬　宇（公元1457–1524年）

太原樂平（今山西昔陽）人。字希大，號白岩。成化二十年（公元1484年）進士，授禮部主事，歷官户部左、右侍郎，南京禮部尚書及吏部尚書等職。工詩文，善鑒賞，精書法，尤精篆、隸書。

乞休帖

明
喬宇
高23.4、寬65.9厘米。
紙本。
現藏故宫博物院。

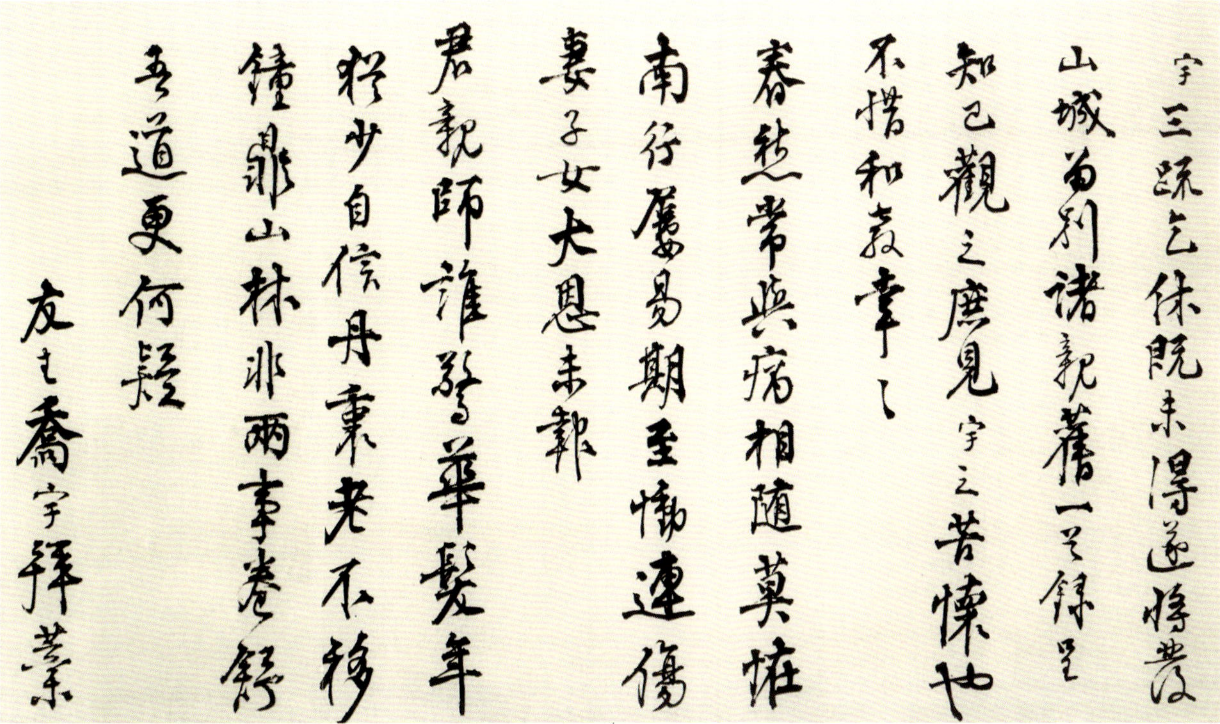

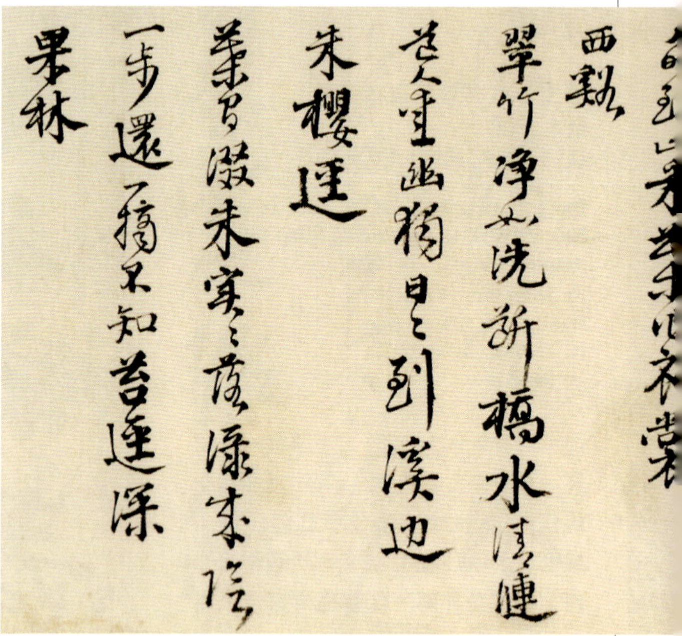

邵　寶（公元1460－1527年）

無錫（今屬江蘇）人。字國賢。二十五歲登進士。歷英宗、憲宗和世宗三朝。工書法，善行書。

東莊雜咏

明

邵寶

高25.8、寬231.5厘米。

紙本。此選爲局部。

現藏故宫博物院。

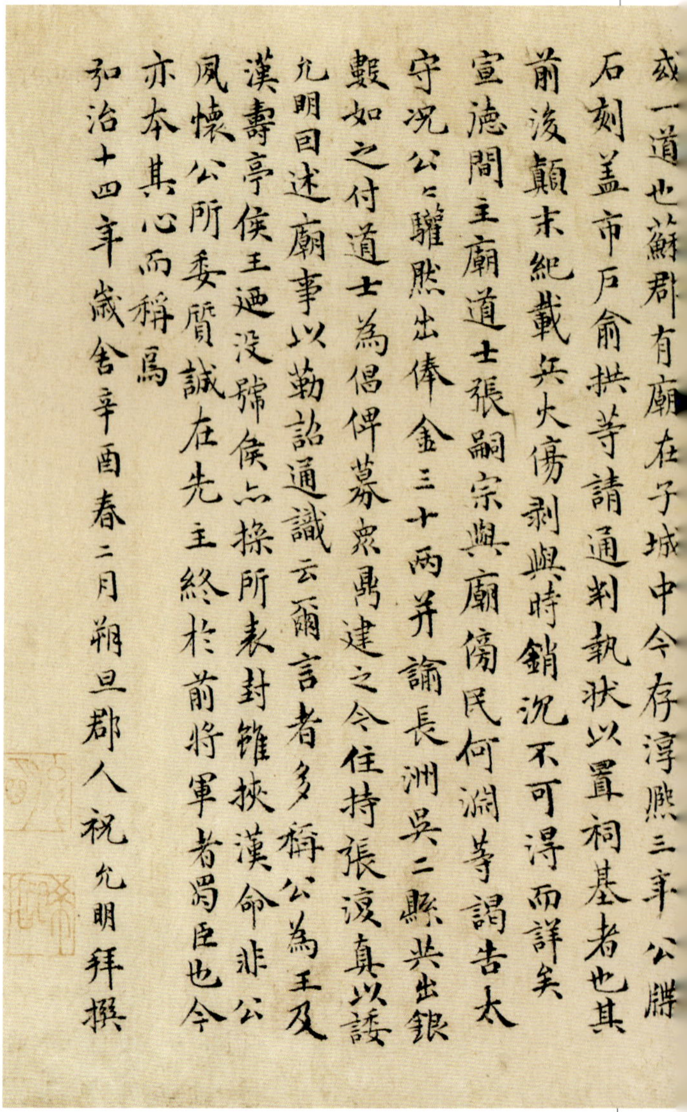

祝允明（公元1460－1526年）

長洲（今江蘇蘇州）人。字希哲，生而右手枝指，故自號枝山，又稱枝指生。嘉靖年間任應天府通判，世稱“祝京兆”。工詩文書畫，尤精書法，有“明代草書第一人”之稱。著有《九朝野記》和《懷星堂集》等。

關公廟碑

明

祝允明

高26.7、寬49.6厘米。

紙本。

現藏故宫博物院。

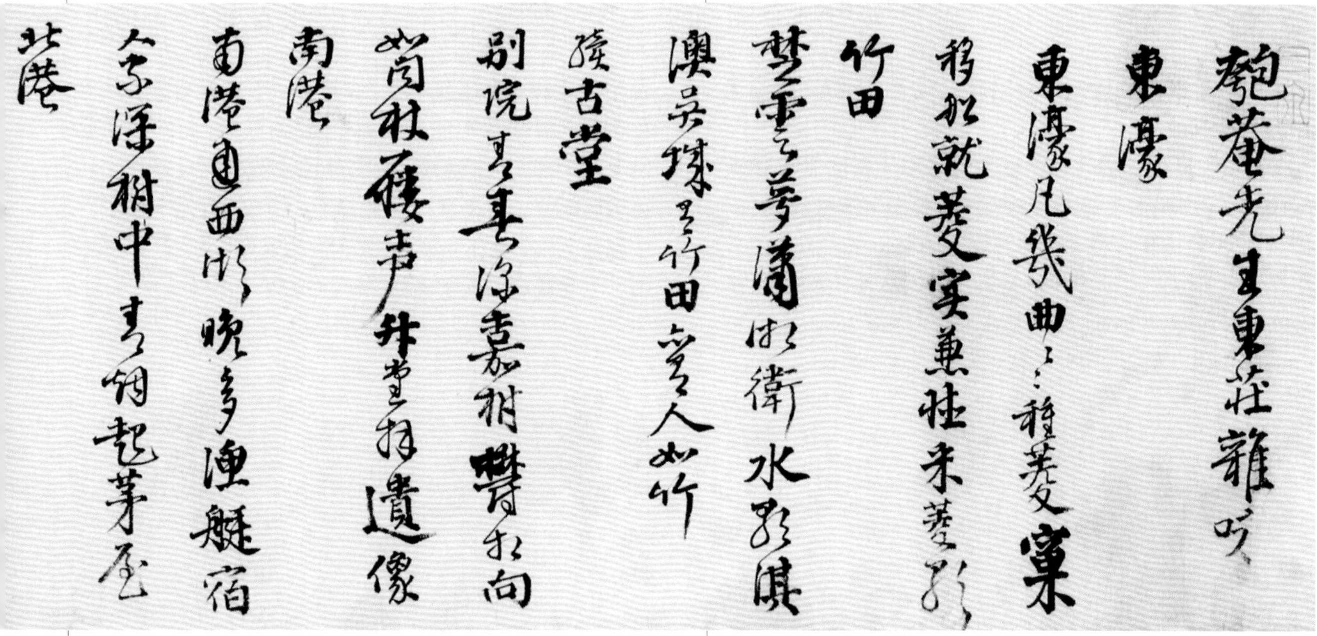
匏菴先生東莊雜咏
東城
竹田
陵古堂
南港

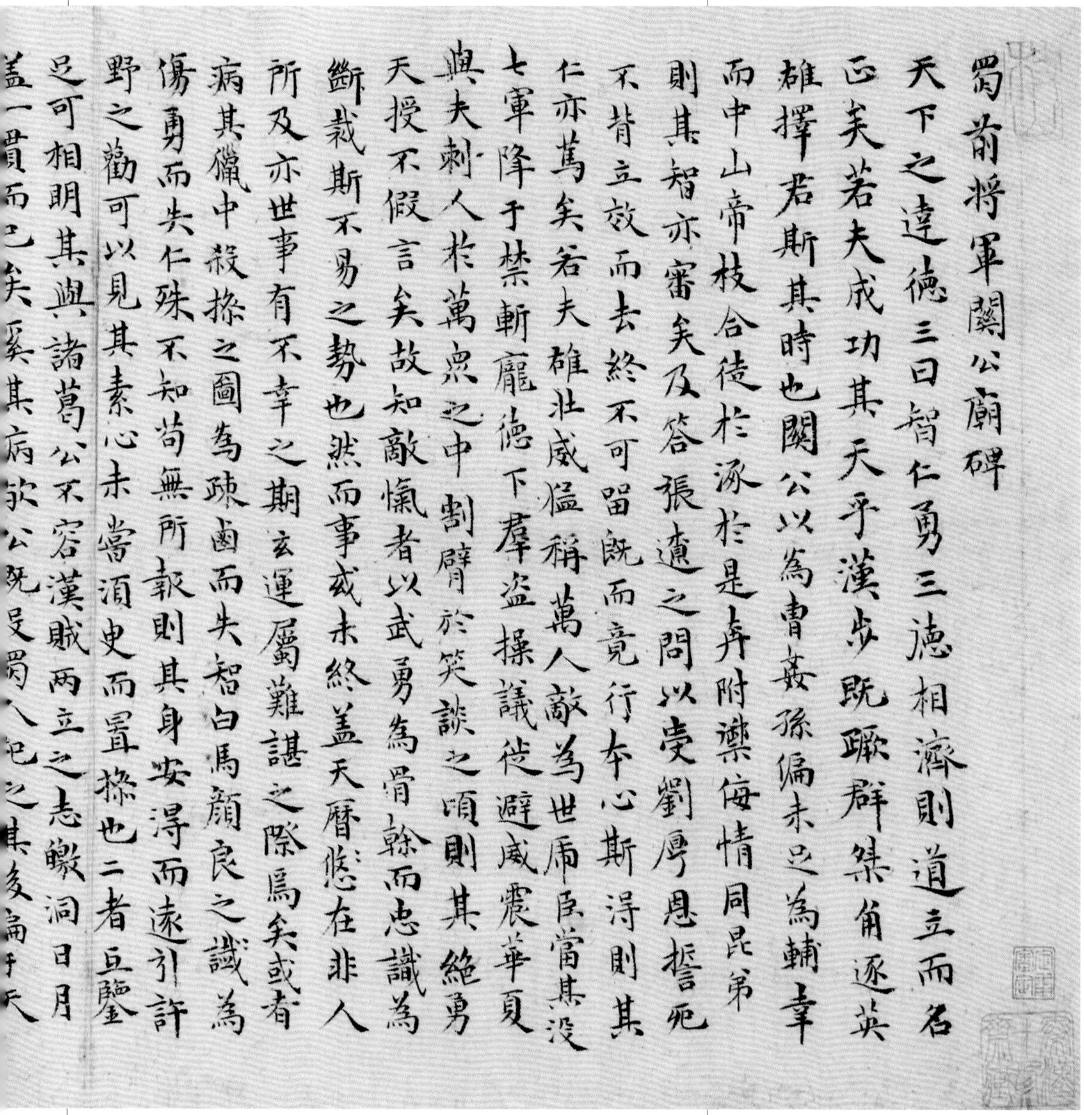
蜀前將軍關公廟碑
天下之達德三曰智仁勇三德相濟則道立而名
正矣若夫成功其天乎漢步既蹶羣桀角逐英
雄擇君斯其時也關公以為曹姦孫孺未足為輔幸
而中山帝枝合徒於涿於是奔附欒悔情同昆弟
則其智亦審矣及答張遼之問以受劉厚恩誓死
不背立效而去終不可留既而竟行本心斯得則其
仁亦篤矣若夫雄壯威猛稱萬人敵為世虎臣當其沒
七軍降于禁斬龐德下羣盜操議徙避威震華夏
與夫刺人於萬眾之中割臂於笑談之頃則其絕勇
天授不假言矣故知敵愾者以武勇為骨幹而忠識為
斷裁斯不易之勢也然而事或未終蓋天曆愆在非人
所及亦世事有不幸之期玄運屬難諶之際焉矣或者
病其備中殺掾之圖為踈鹵而失智白馬顏良之識為
傷勇而失仁殊不知苟無所報則其身安得而遠引許
野之勸可以見其素心未嘗須臾而置掾也二者正鑒
足可相明其與諸葛公不容漢賊兩立之志皦洞日月
蓋一貫而已矣

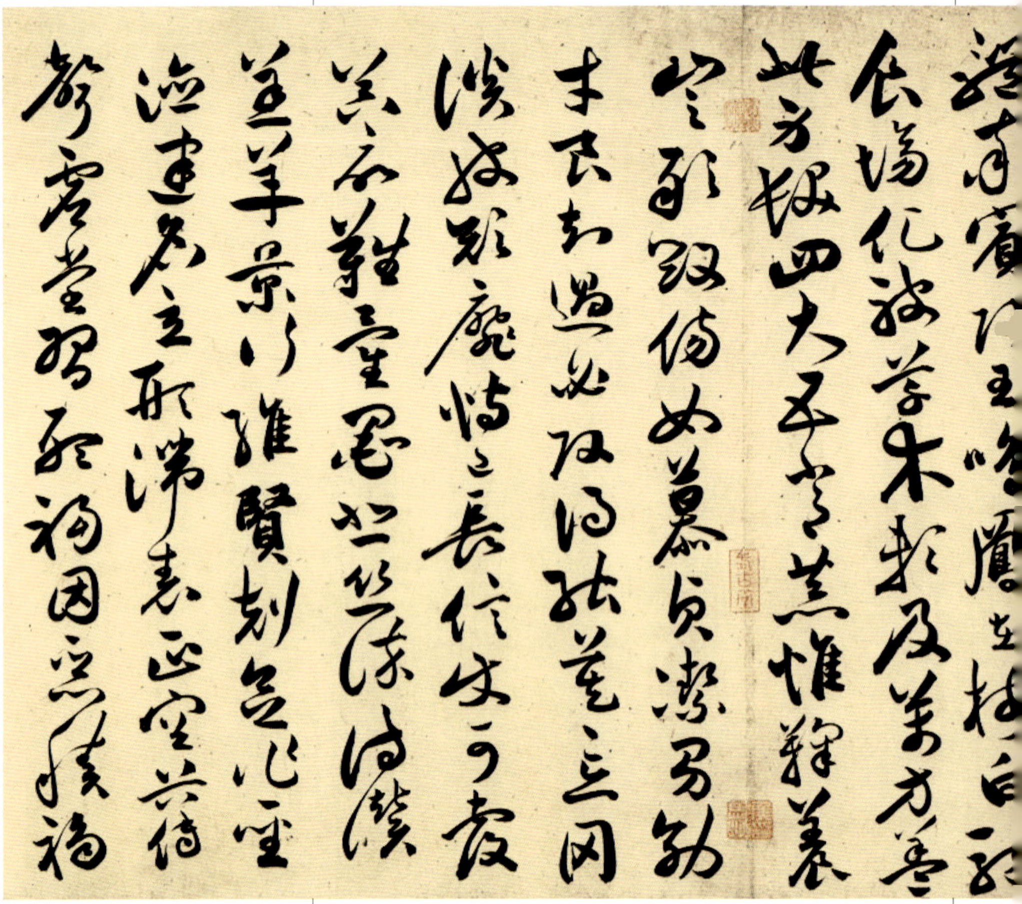

千字文

明

祝允明

高31.1、寬372.9厘米。

紙本。此選爲局部。

現藏臺北故宮博物院。

琴賦

明

祝允明

高25.7、寬738.4厘米。

紙本。此選爲局部。

現藏故宮博物院。

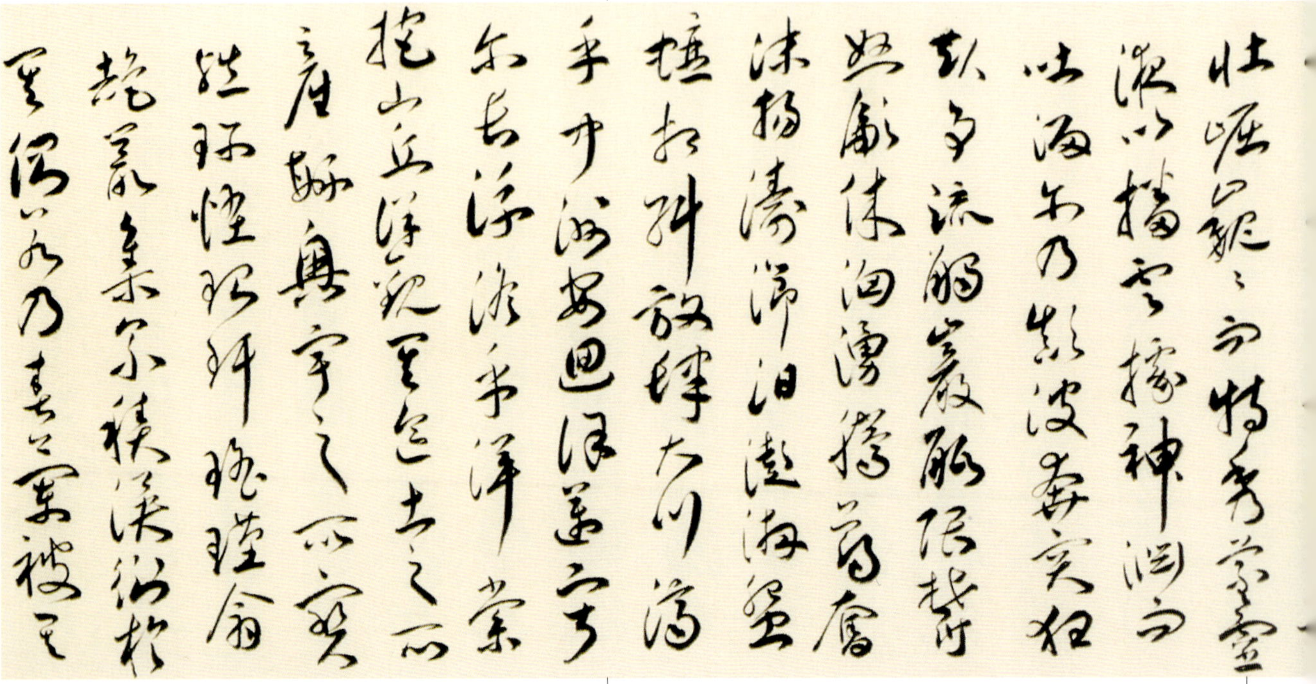

千字文

天地玄黄宇宙洪荒　日月盈昃辰宿列張
寒來暑往秋收冬藏　閏餘成歲律呂調陽
雲騰致雨露結為霜　金生麗水玉出崑岡
劍號巨闕珠稱夜光　果珍李柰菜重芥薑
海鹹河淡鱗潛羽翔　龍師火帝鳥官人皇
始制文字乃服衣裳　推位讓國有虞陶唐
弔民伐罪周發殷湯　坐朝問道垂拱平章

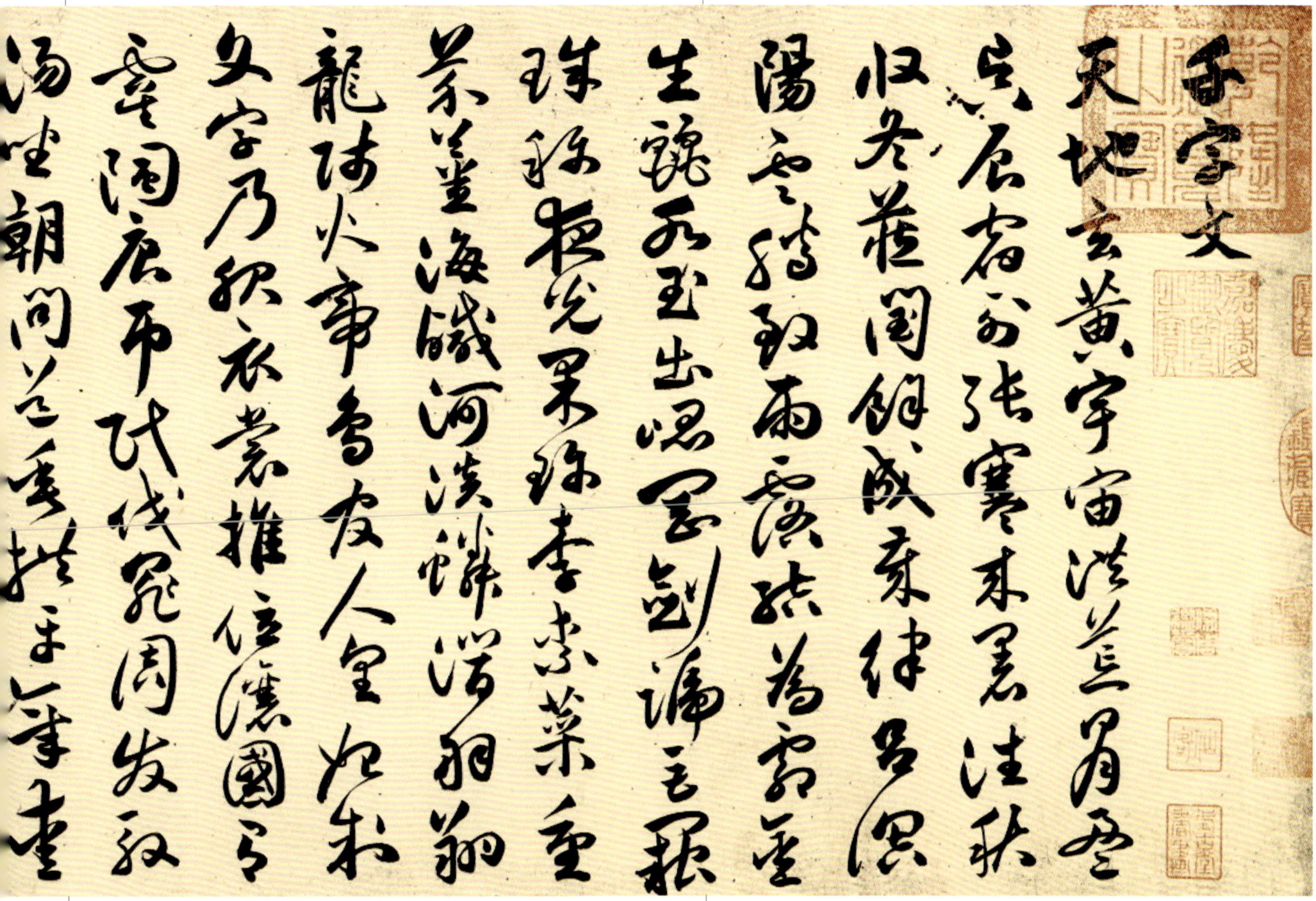

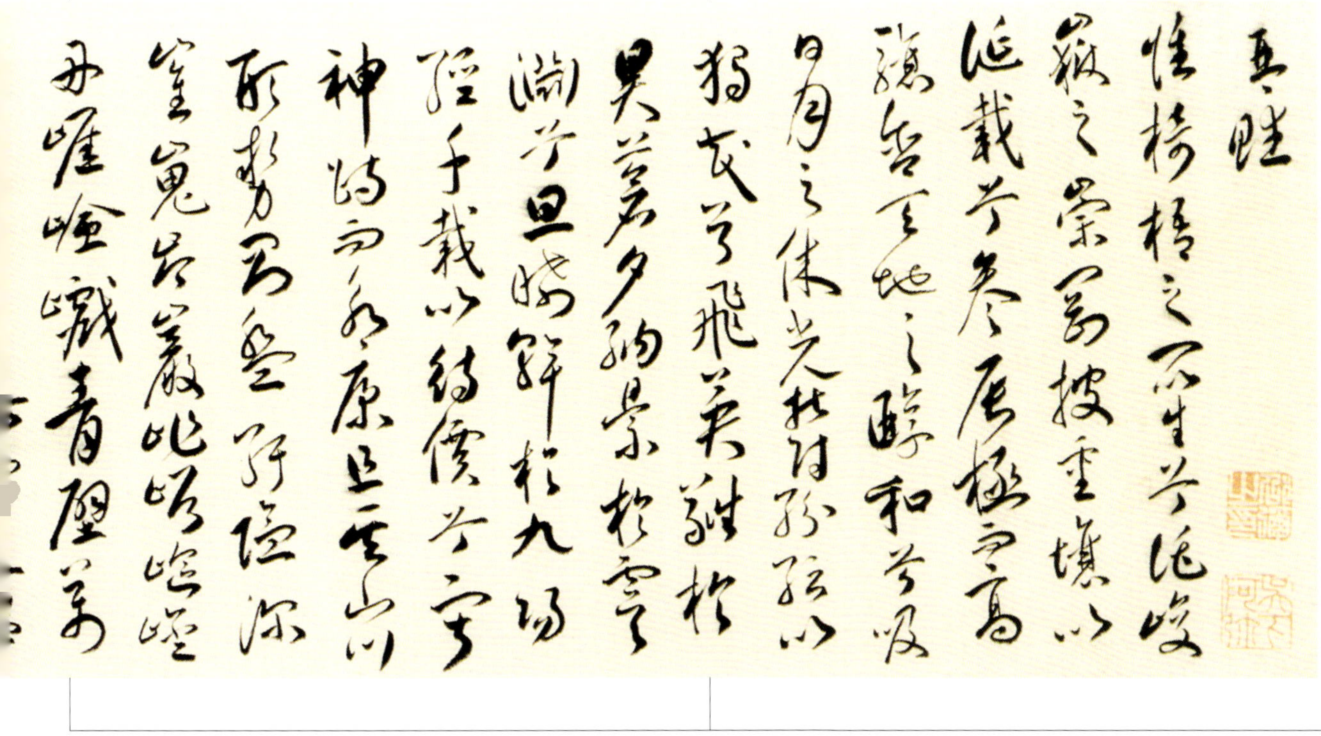

前後赤壁賦

明

祝允明

高31.1、寬1001.7厘米。

紙本。此選爲局部。

現藏上海博物館。

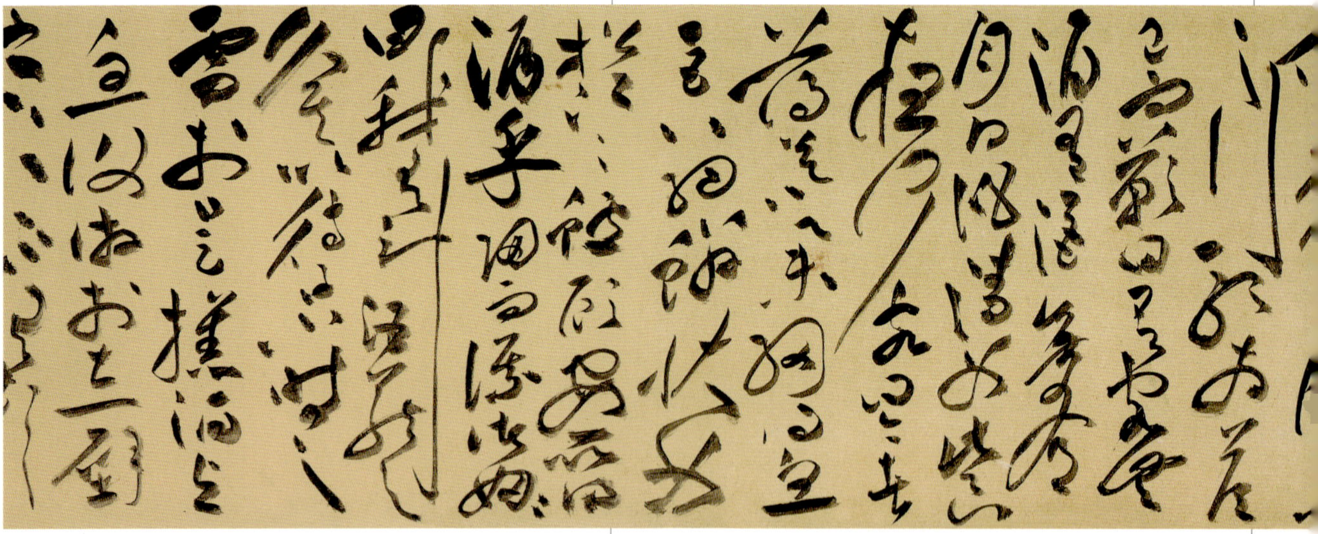

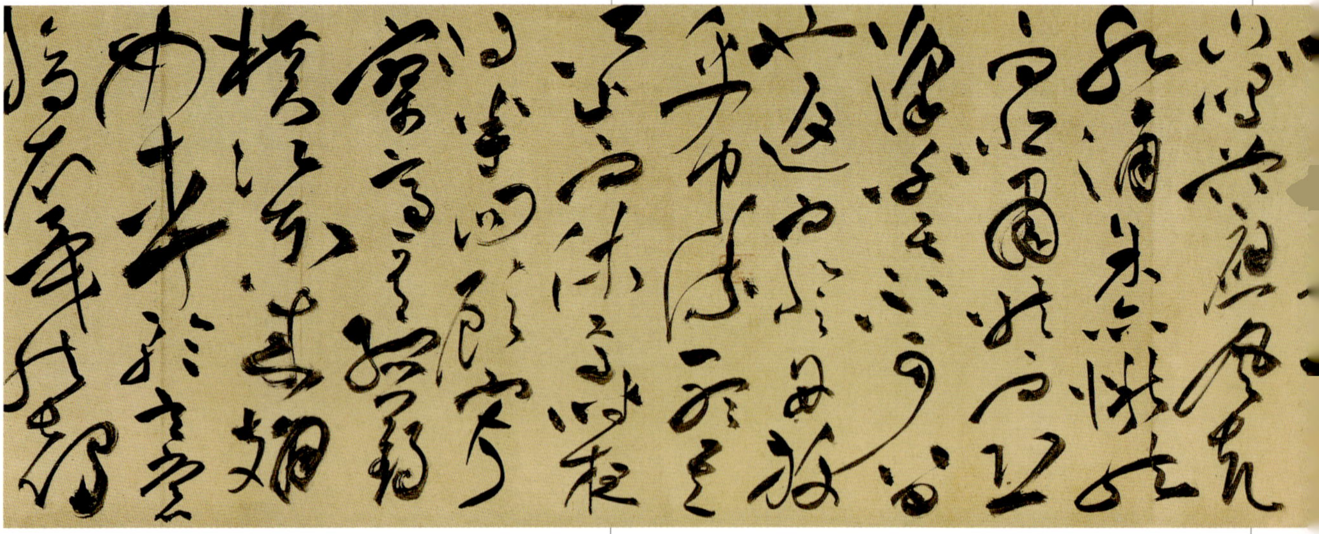

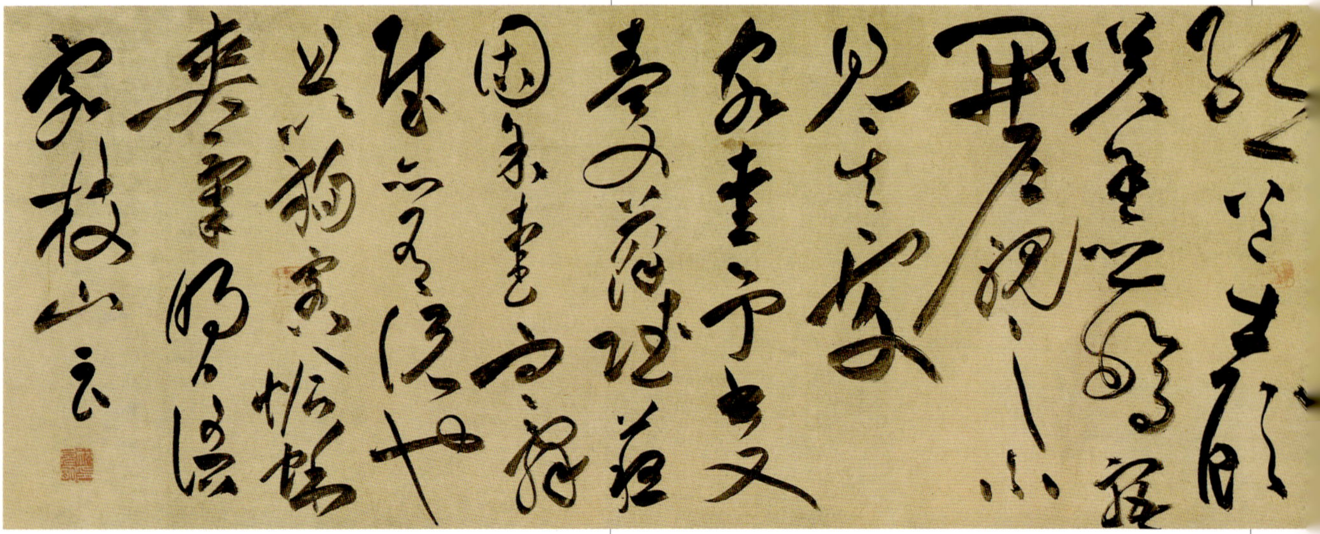

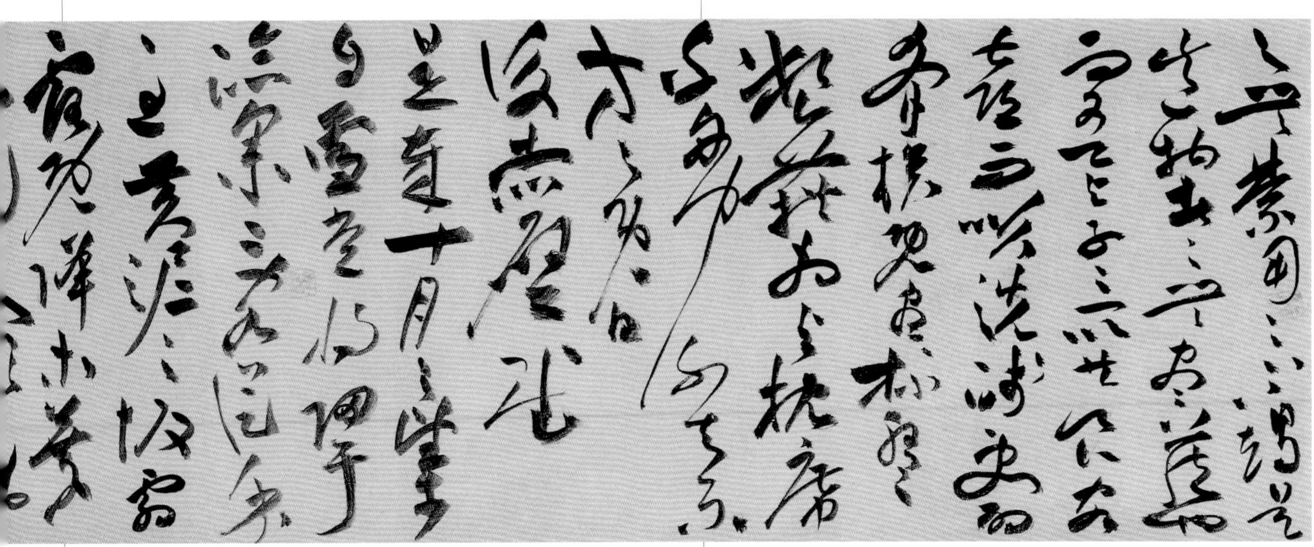

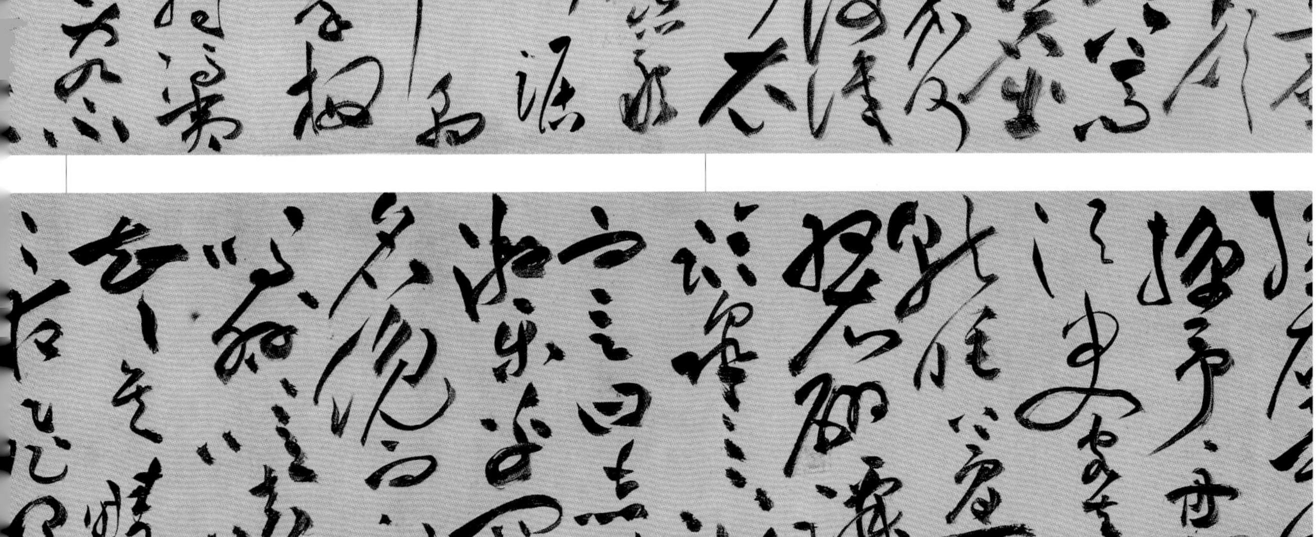

唐　寅（公元1470－1523年）

吴縣（今江蘇蘇州）人。字伯虎，一字子畏，號六如居士等。善繪畫，與沈周、文徵明和仇英并稱“明四家”。亦工書法，其書典雅秀麗。弘治十一年（公元1498年）應天府鄉試第一，後爲科場案連累，失意仕途。著有《六如居士全集》和《畫譜》等。

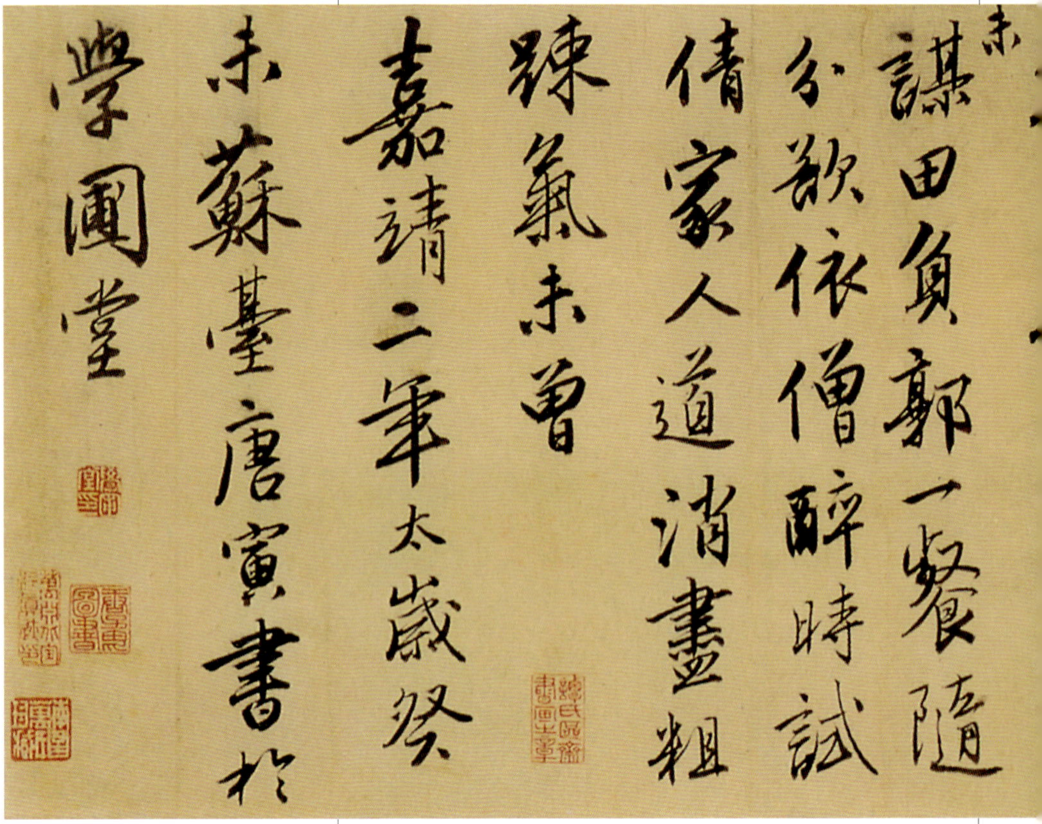

自書詩

明
唐寅
高24.9、寬699厘米。
紙本。此選爲局部。
現藏上海博物館。

自書詞

明
唐寅
高23.3、寬551.3厘米。
紙本。此選爲局部。
現藏故宫博物院。

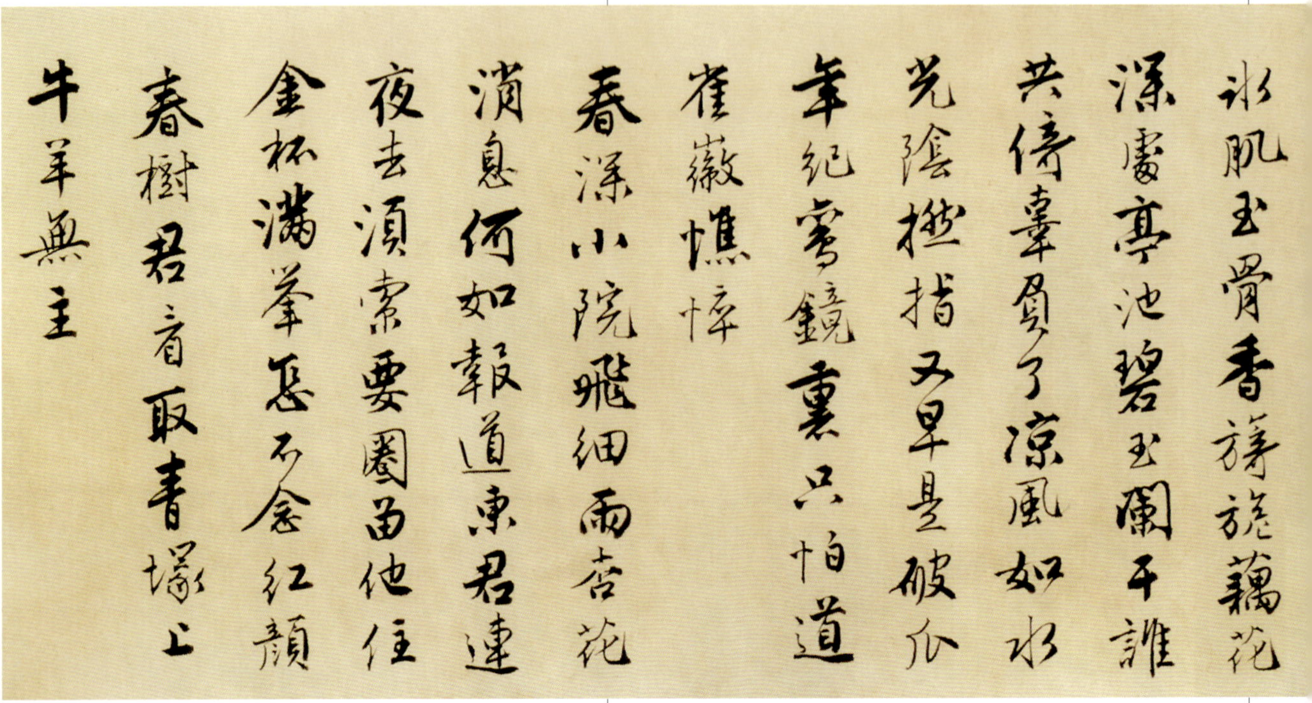

畫惟趨貌總不能自
知才命兩無憑難訴
當草酬知己且摘蓮
花供聖僧兩字功名
成蝶夢百年蔬水曲
吾肱畫裏嘗世味猶存
舌茶蘼隨緣敢愛憎
造物元來最忌名古
平又合老無能交遊零
落縑袍冷風雪飄

集賢賓
紅樓畫閣天然繡玉人
秦月吹簫一曲涼州聲
裊裊到山際離愁多少
青鸞信杳魂夢斷十
洲三島春色老盲滿地
關庭細草天色暝簫
桐花風揉
風雨清明萬斛春愁
蕪酒病偏不負客人醒
醒殘花壽影明日春滿

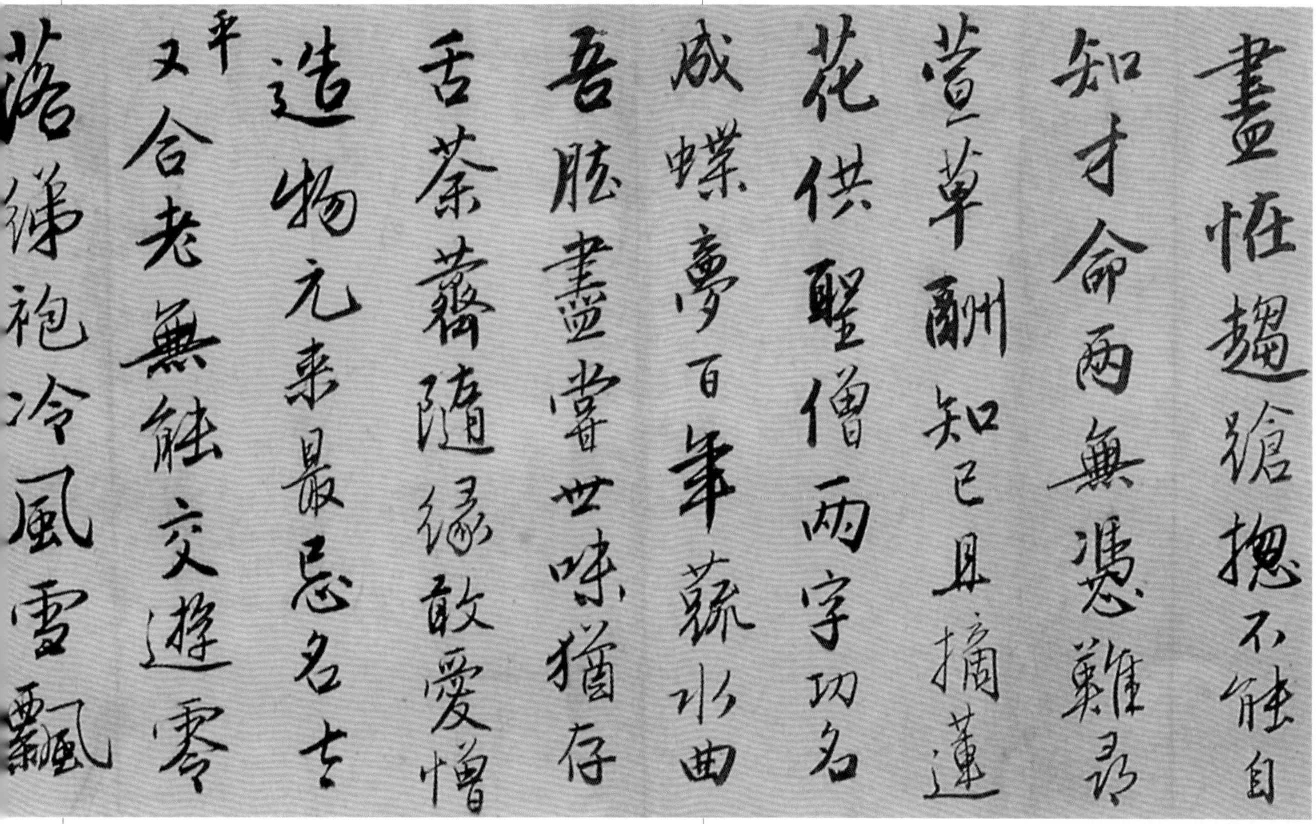

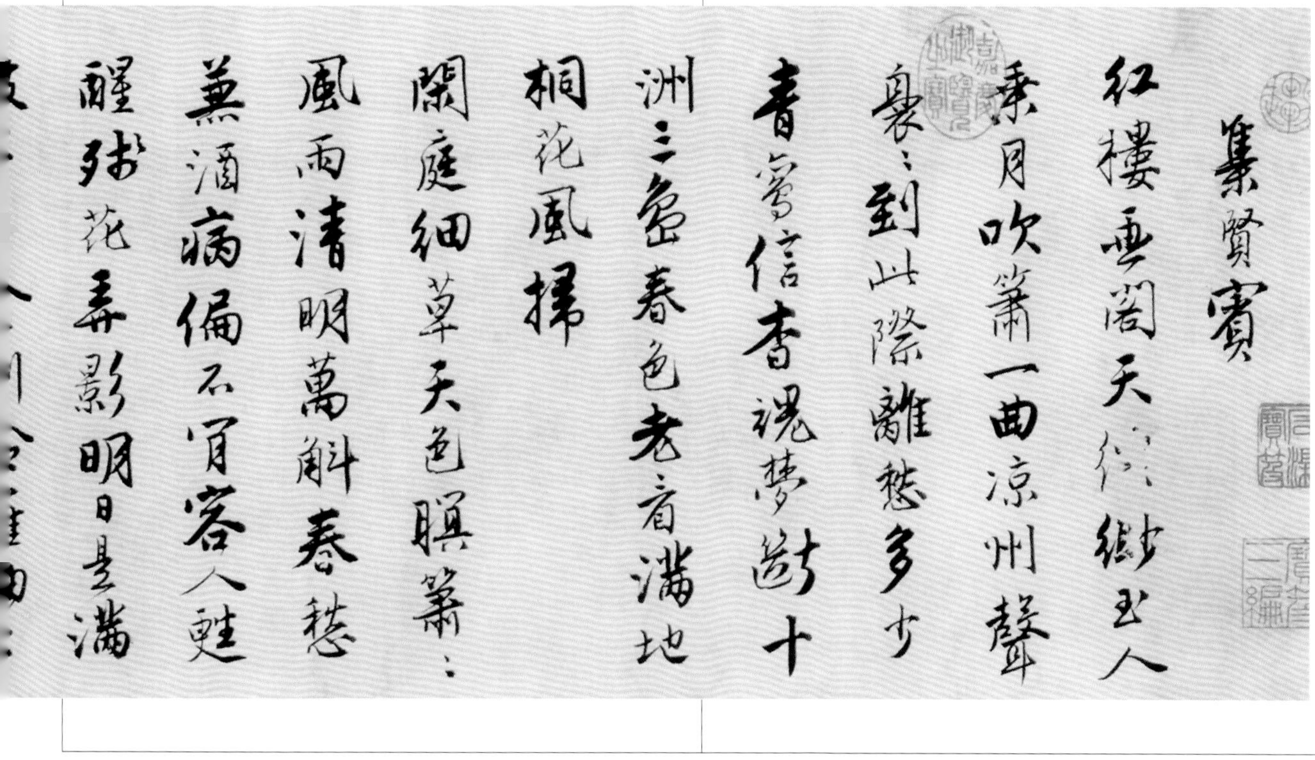

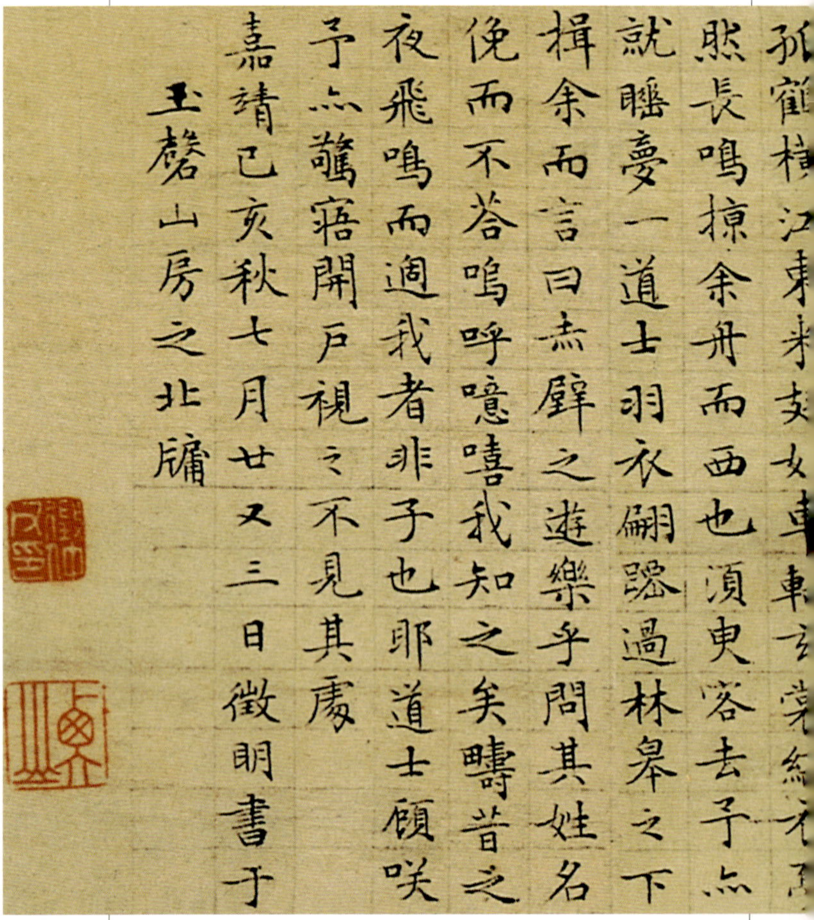
然長鳴掠余舟而西也須臾客去予亦
就睡夢一道士羽衣翩躚過臨皋之下
揖余而言曰赤壁之遊樂乎問其姓名
俛而不答嗚呼噫嘻我知之矣疇昔之
夜飛鳴而過我者非子也耶道士顧笑
予亦驚寤開戶視之不見其處
嘉靖己亥秋七月廿又三日徵明書于
玉磬山房之北牖

文徵明（公元1470－1559年）

長洲（今江蘇蘇州）人。原名壁（又作璧），字徵明，號衡山居士。在繪畫上與沈周、唐寅和仇英并稱“吴門四家”。書法廣師前代諸家，重古法，對當時和後世影響極大。

後赤壁賦

明
文徵明
高21.1、寬82厘米。
紙本。
現藏上海博物館。

七言律詩

明
文徵明
高31.5、寬222.7厘米。
紙本。此選爲局部。
現藏上海朵雲軒。

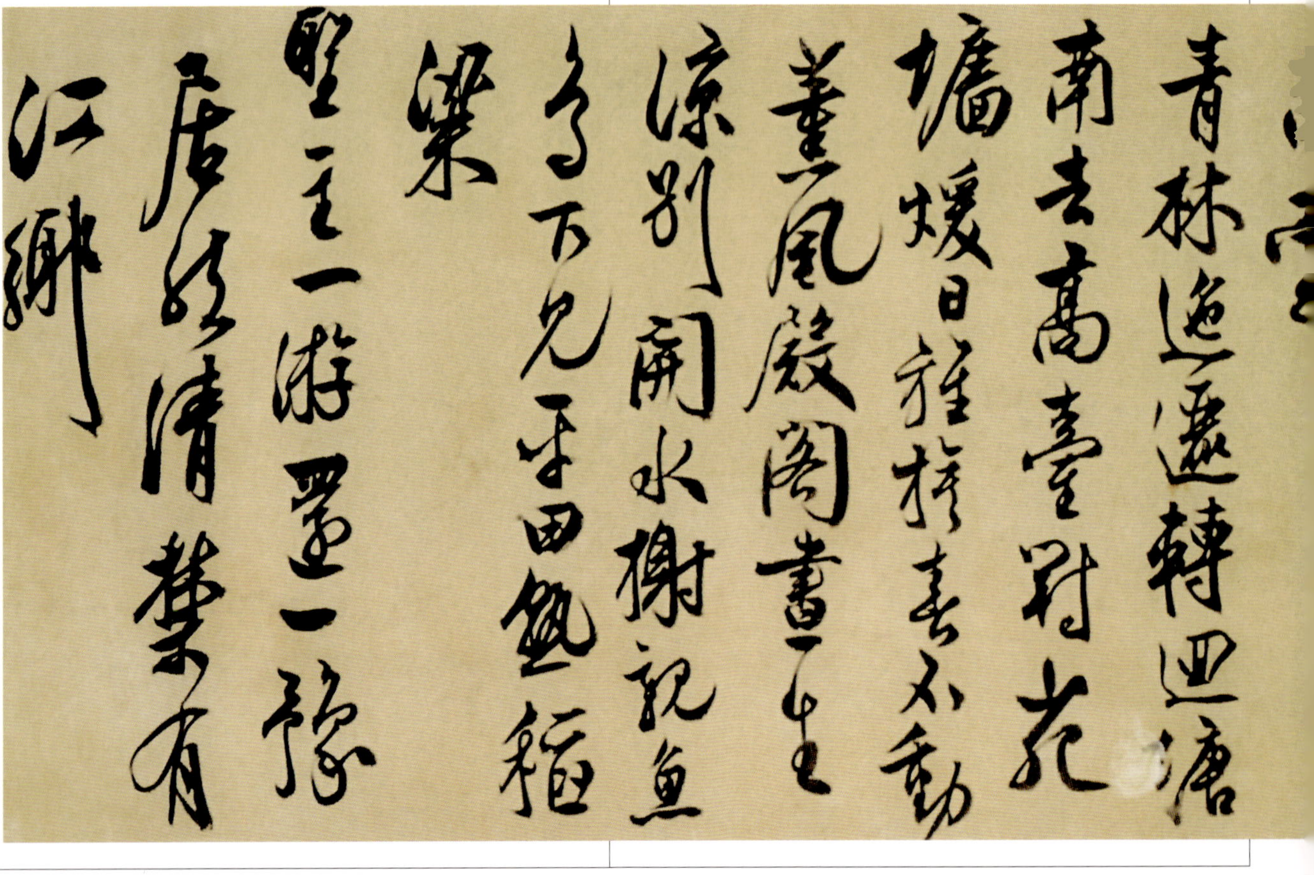

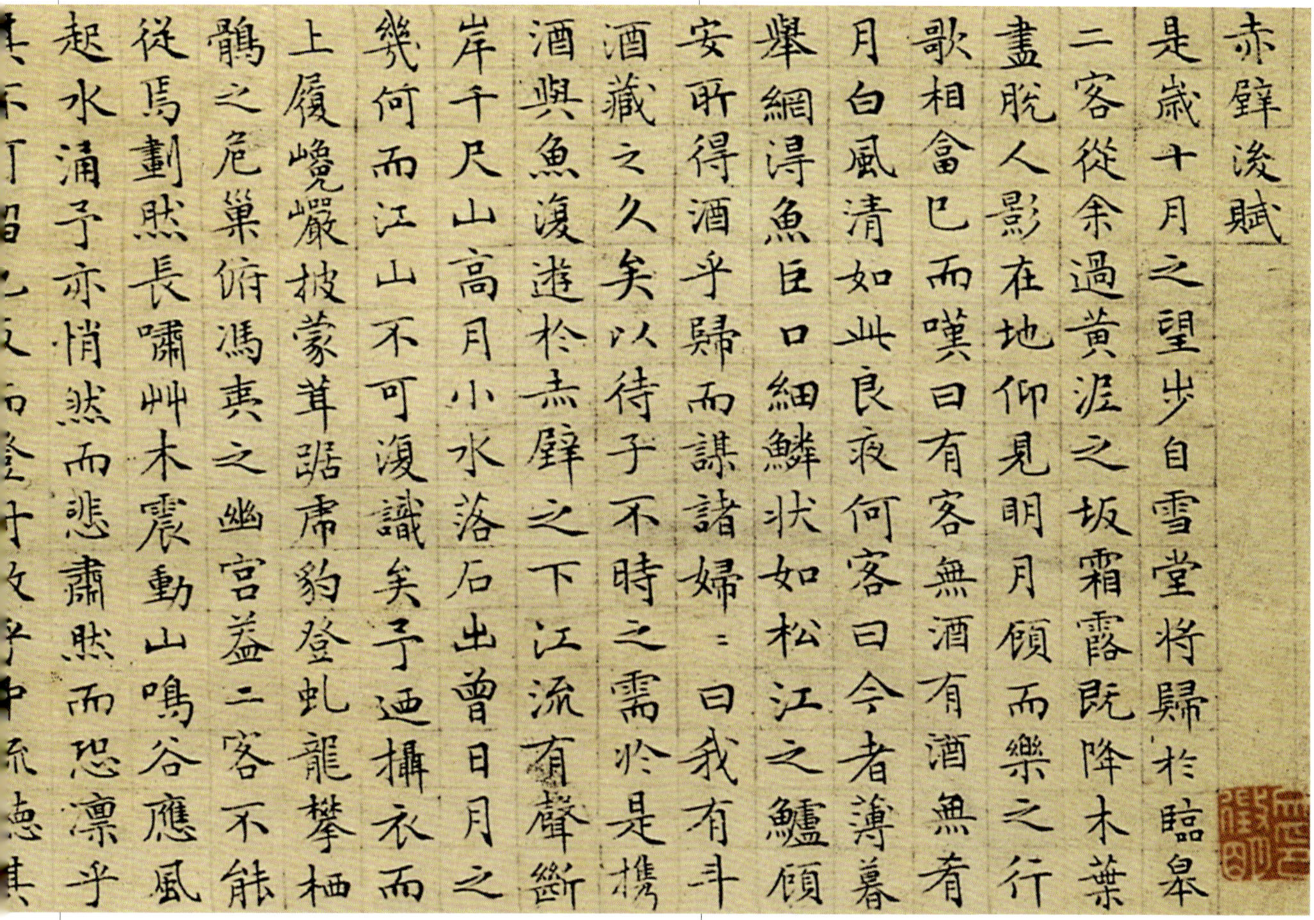
赤壁後賦
是歲十月之望步自雪堂将歸於臨臯
二客從余過黄泥之坂霜露既降木葉
盡脱人影在地仰見明月顧而樂之行
歌相答已而嘆曰有客無酒有酒無肴
月白風清如此良夜何客曰今者薄暮
舉網得魚巨口細鱗狀如松江之鱸顧
安所得酒乎歸而謀諸婦婦曰我有斗
酒藏之久矣以待子不時之需於是携
酒與魚復遊於赤壁之下江流有聲斷
岸千尺山高月小水落石出曾日月之
幾何而江山不可復識矣予迺攝衣而
上履巉巖披蒙茸踞虎豹登虬龍攀栖
鶻之危巢俯馮夷之幽宫蓋二客不能
從焉劃然長嘯艸木震動山鳴谷應風
起水涌予亦悄然而悲肅然而恐凜乎

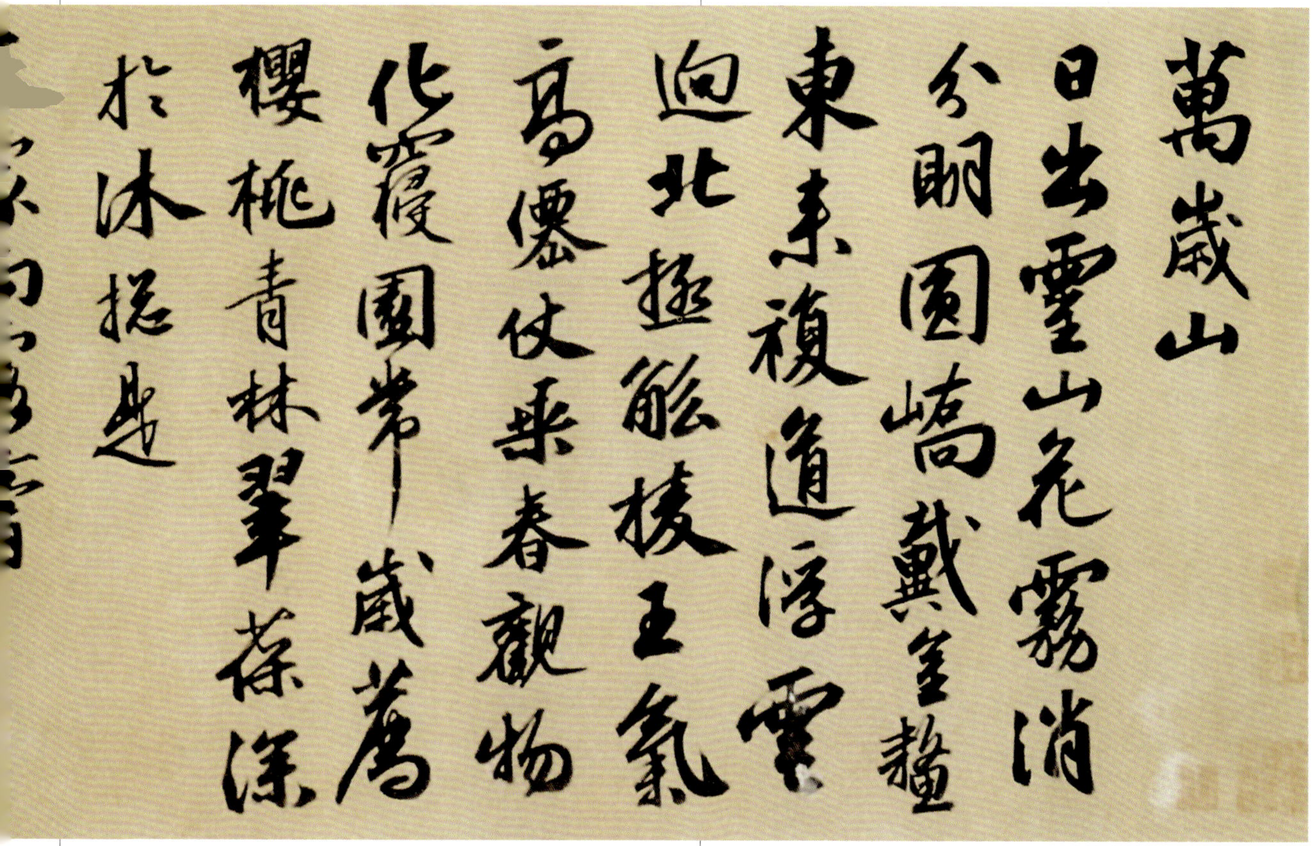
萬歲山
日出靈山花霧消
分明圓嶠戴金鰲
東來複道浮雲
迥北極觚稜王氣
高僊仗乘春觀物
化霞園常歲薦
櫻桃青林翠葆深

自作詩

明
文徵明
高20、寬249厘米。
紙本。
現藏上海博物館。

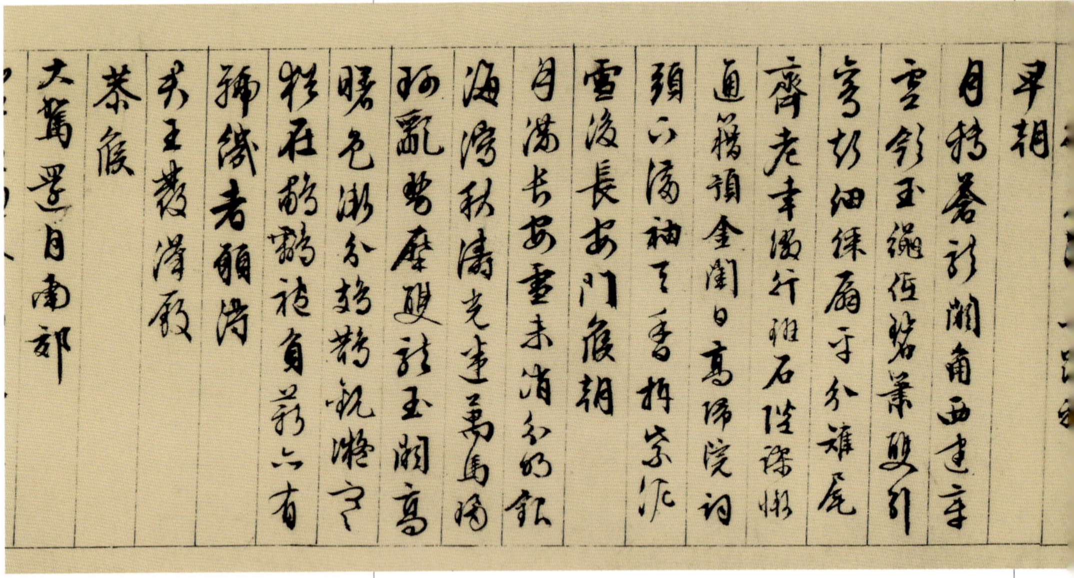

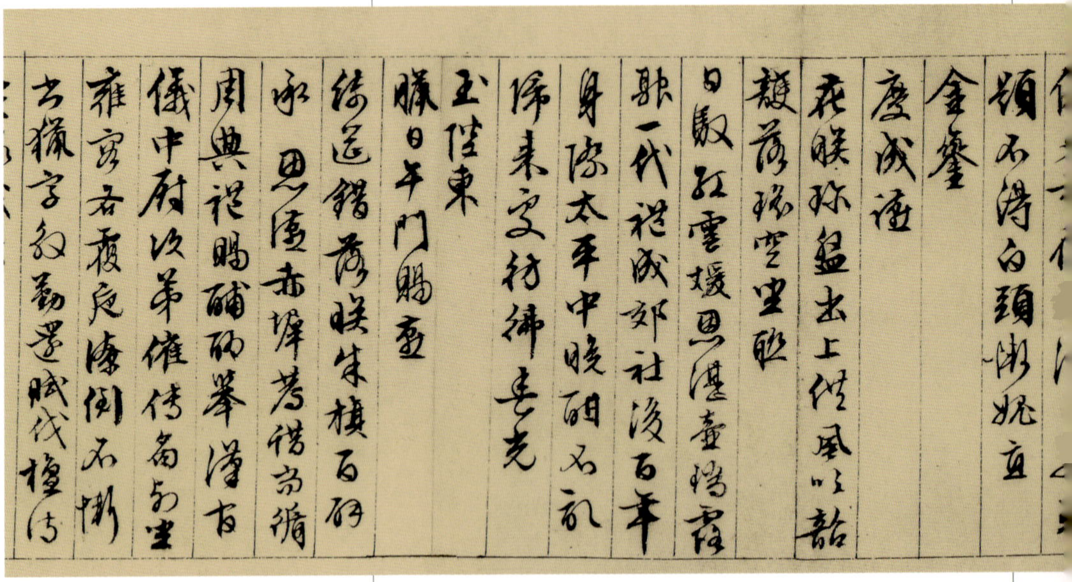

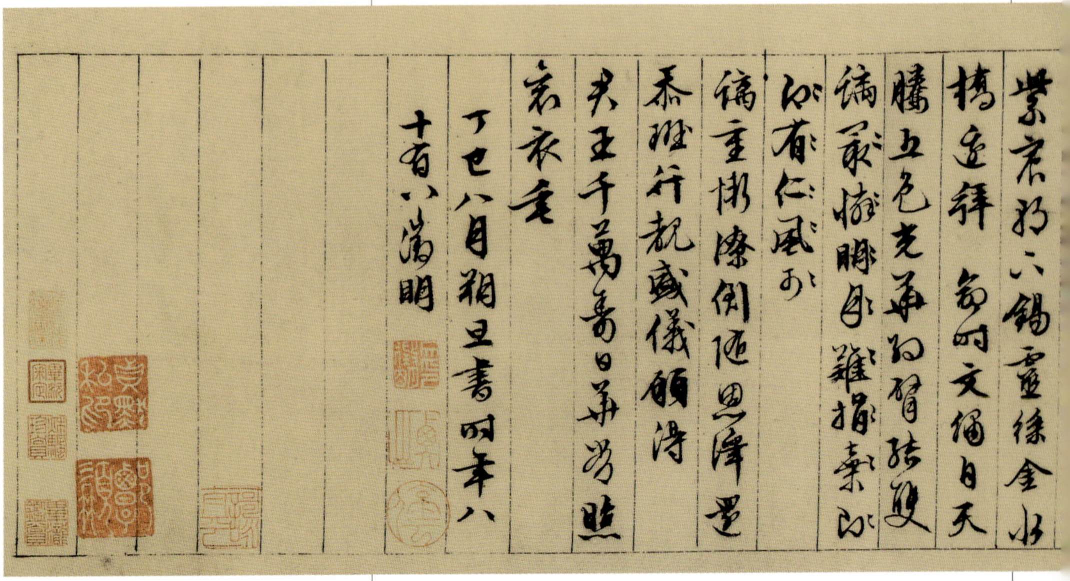

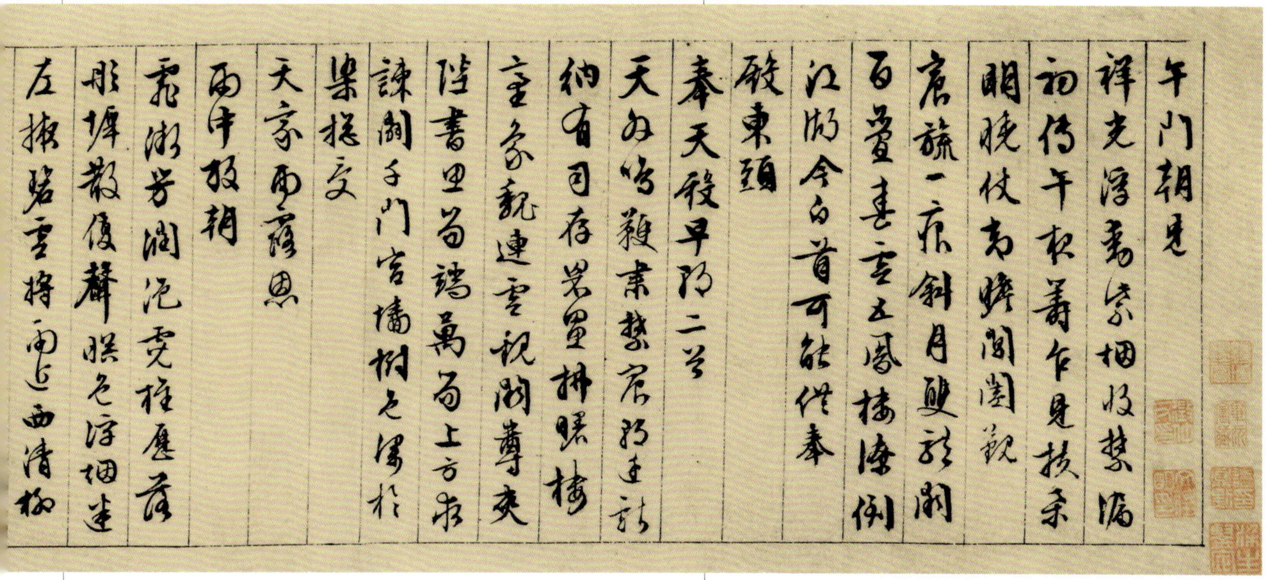

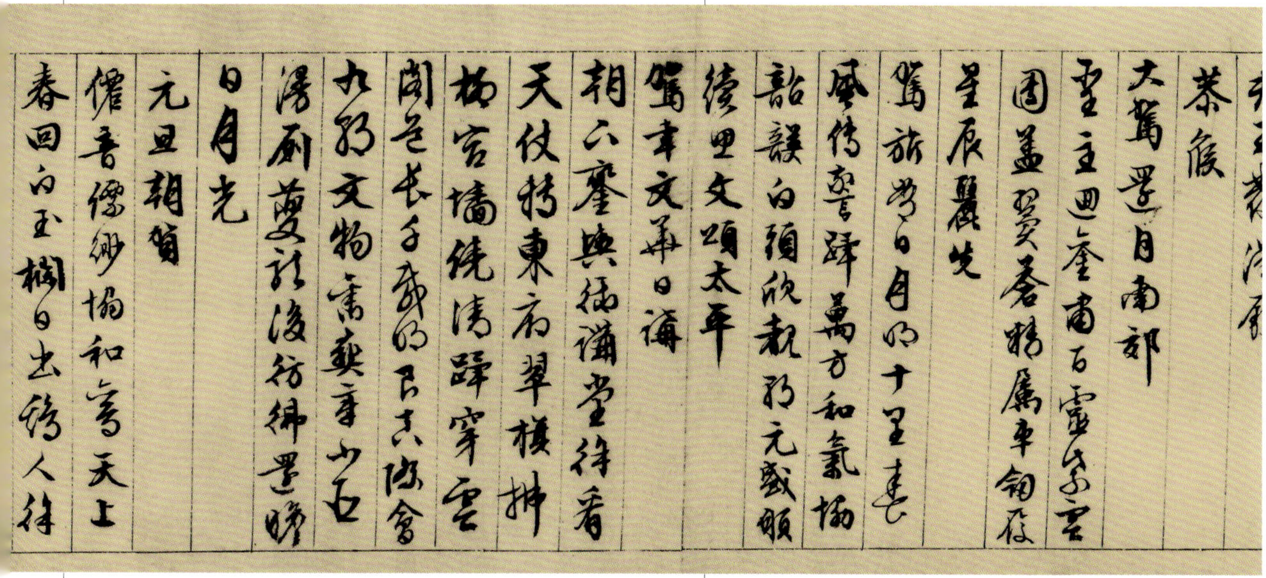

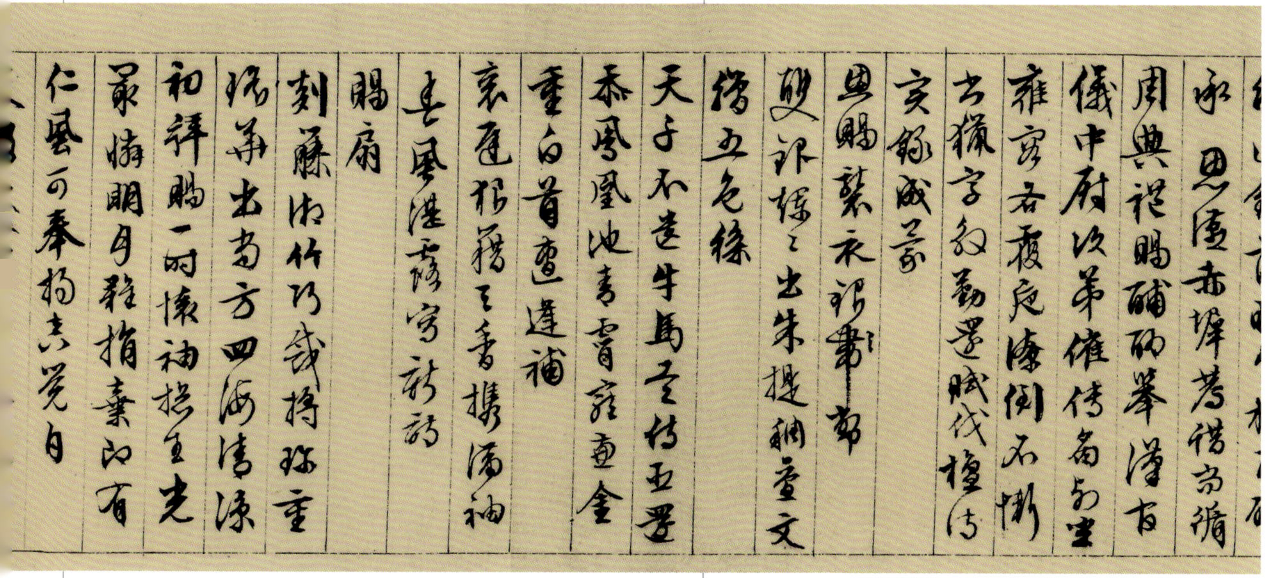

五言律詩

明

文徵明

高131.4、寬63.5厘米。

紙本。

現藏故宮博物院。

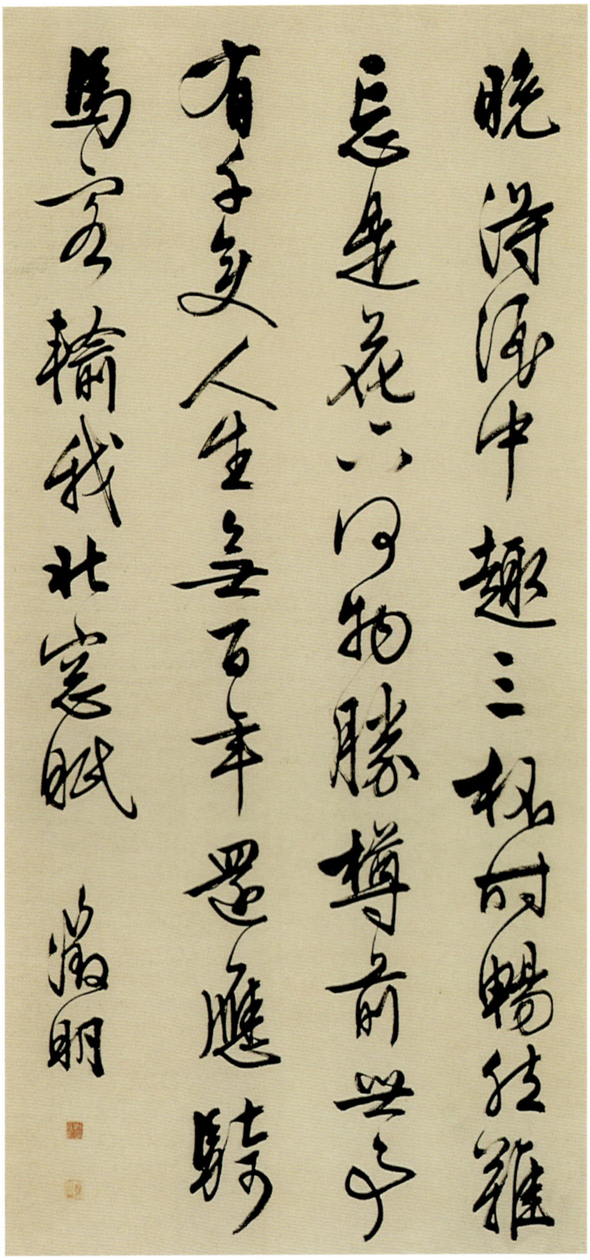

七言絶句（右圖）

明

文徵明

高132、寬33.5厘米。

紙本。

現藏首都博物館。

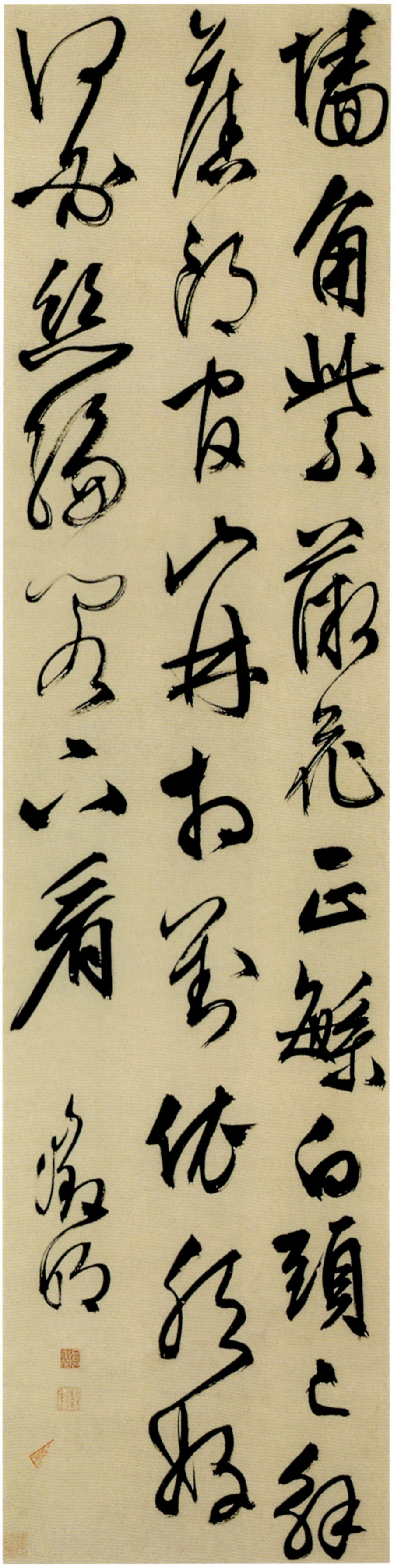

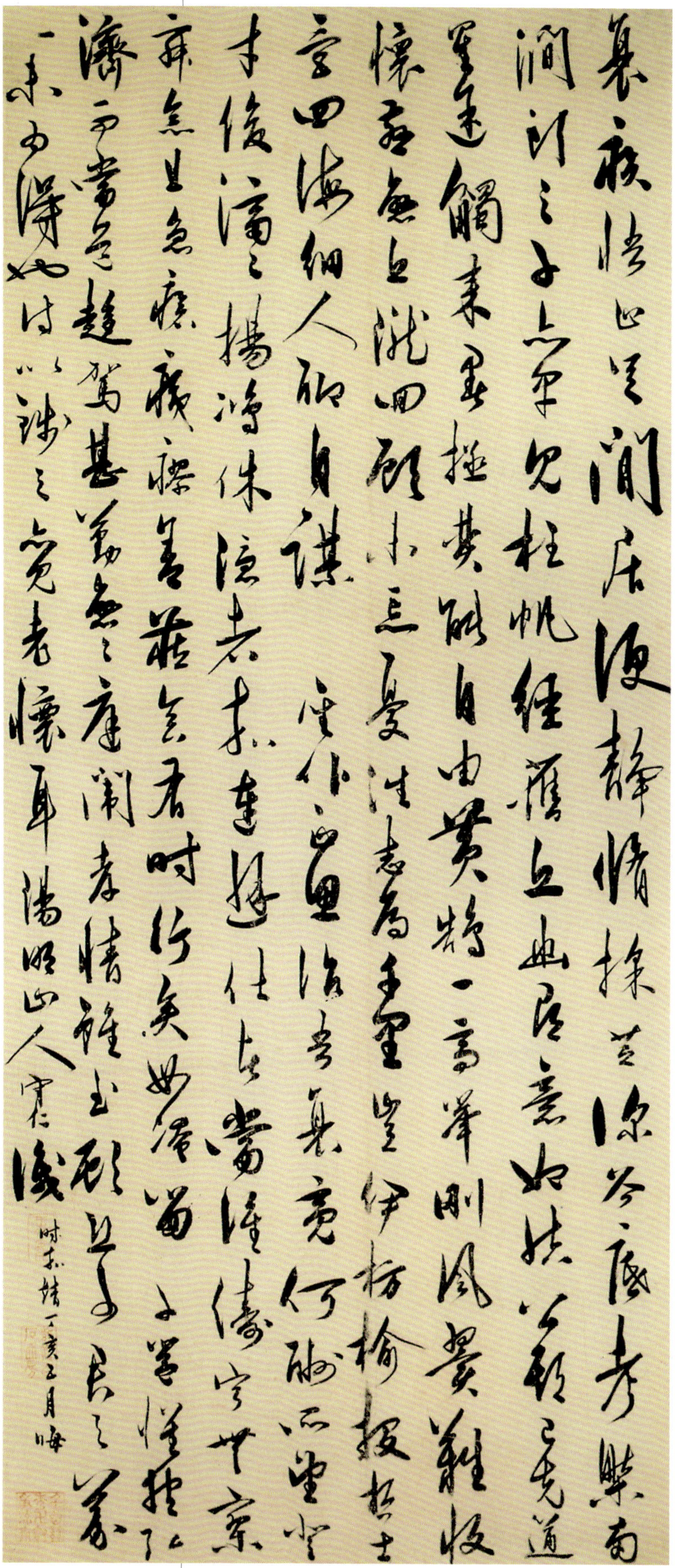

王守仁（公元1472－1528年）

餘姚（今屬浙江）人。字伯安，號陽明。世稱“陽明先生”。弘治十二年（公元1499年）進士，官至南京兵部尚書，封新建伯，世稱“新建先生”。明代杰出的哲學家，是心學的集大成者。工書法，善行書，師法王羲之。

五言詩

明
王守仁
高150、寬66.5厘米。
紙本。
現藏故宮博物院。

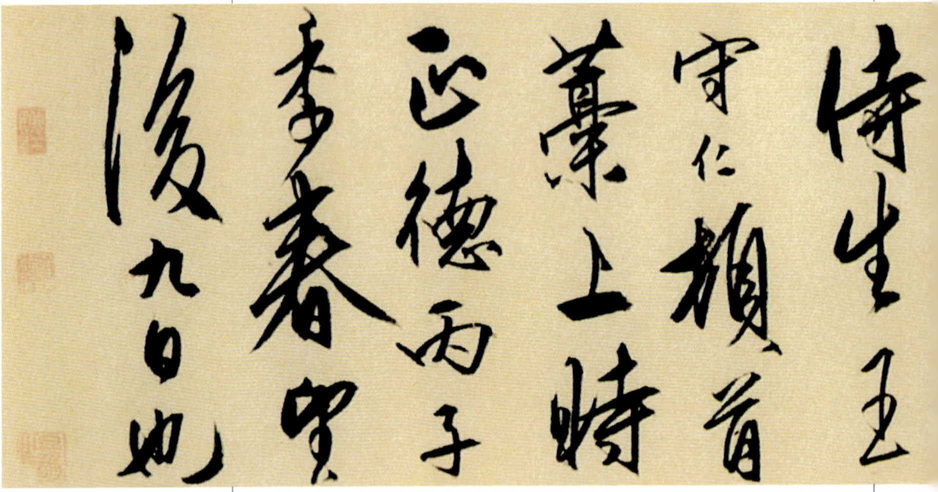

七言律詩（上二圖）
明
王守仁
高27.6、寬258.2厘米。
紙本。
現藏浙江省博物館。

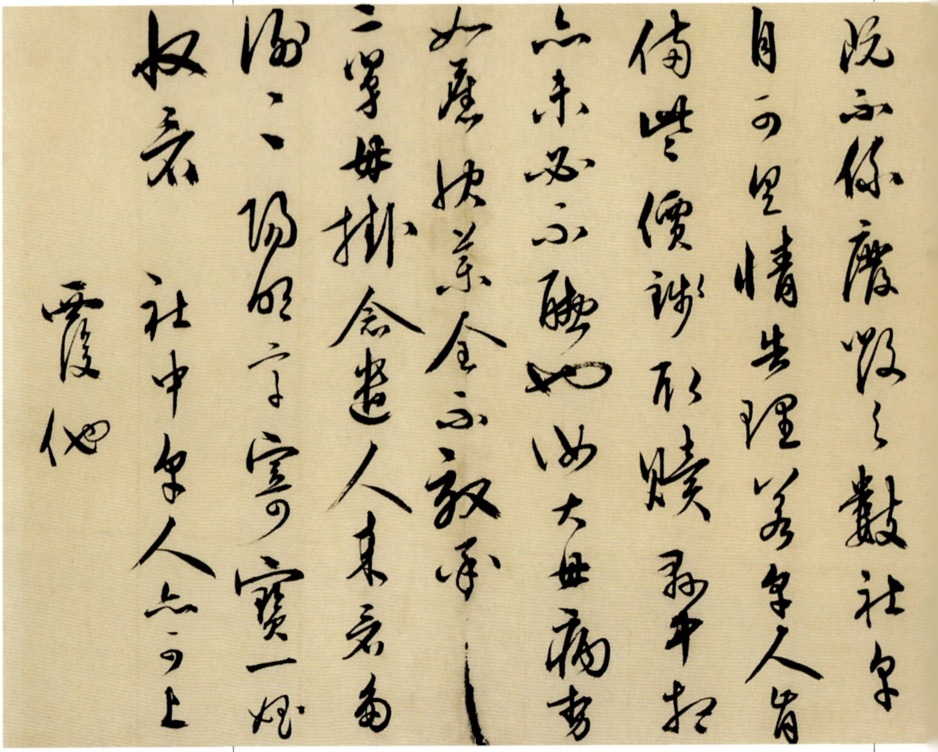

與鄭邦瑞書
明
王守仁
高24厘米。
紙本。三札同裱，此選爲其中一札。
現藏美國普林斯頓大學美術館。

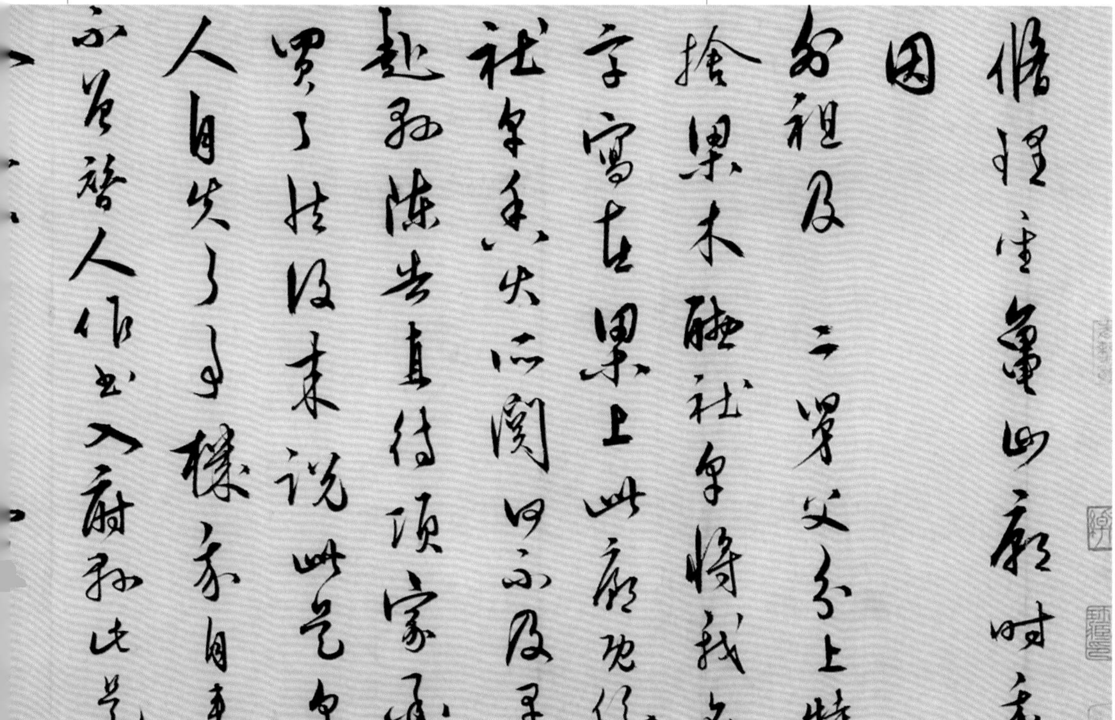

李夢陽（公元1473－1530年）

慶陽（今屬甘肅）人。字獻吉，號空同子。弘治六年（公元1493年）舉陝西鄉試第一，次年中進士，授户部主事。正德年間參與彈劾權宦劉瑾而下獄免歸。後起爲江西提學副使。工書法，師法顏真卿。著有《空同子集》。

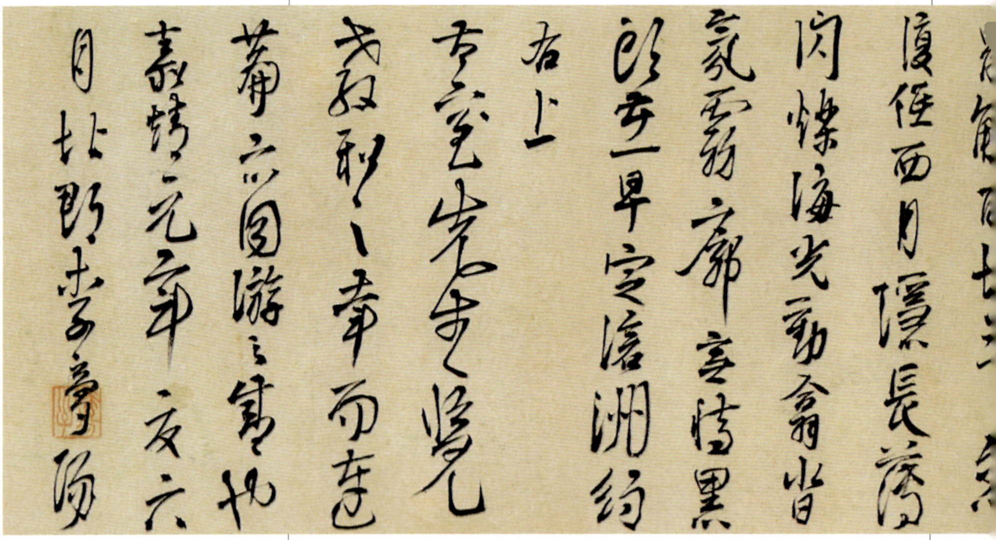

自書詩

明

李夢陽

高24.3、寬367.3厘米。

紙本。此選爲局部。

現藏故宫博物院。

徐霖（公元1473－1549年）

長洲（今江蘇蘇州）人。寓居南京，字子仁、子元，號九峰道人、髯翁、髯伯、髯仙，又號快園叟。工書法，尤擅篆書，篆刻亦精。著有《麗藻堂文集》和《快園詩文集》等。

篆書千字文

明

徐霖

高27.3、寬627.5厘米。

絹本。此選爲局部。

現藏故宫博物院。

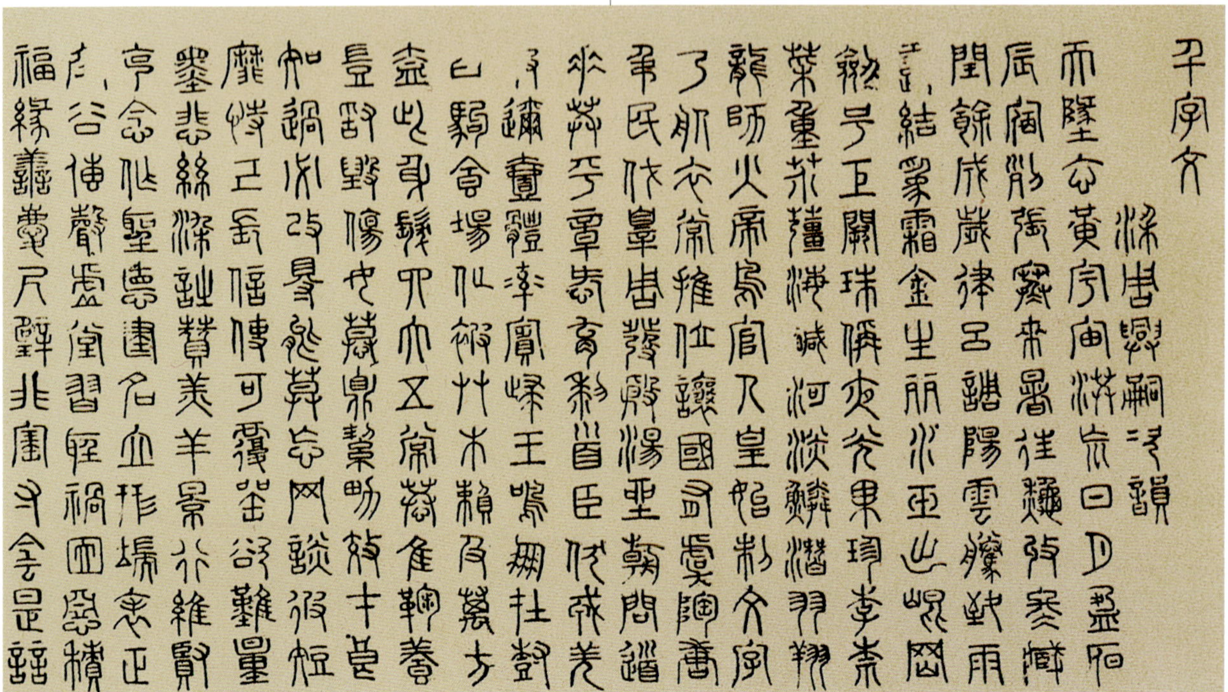

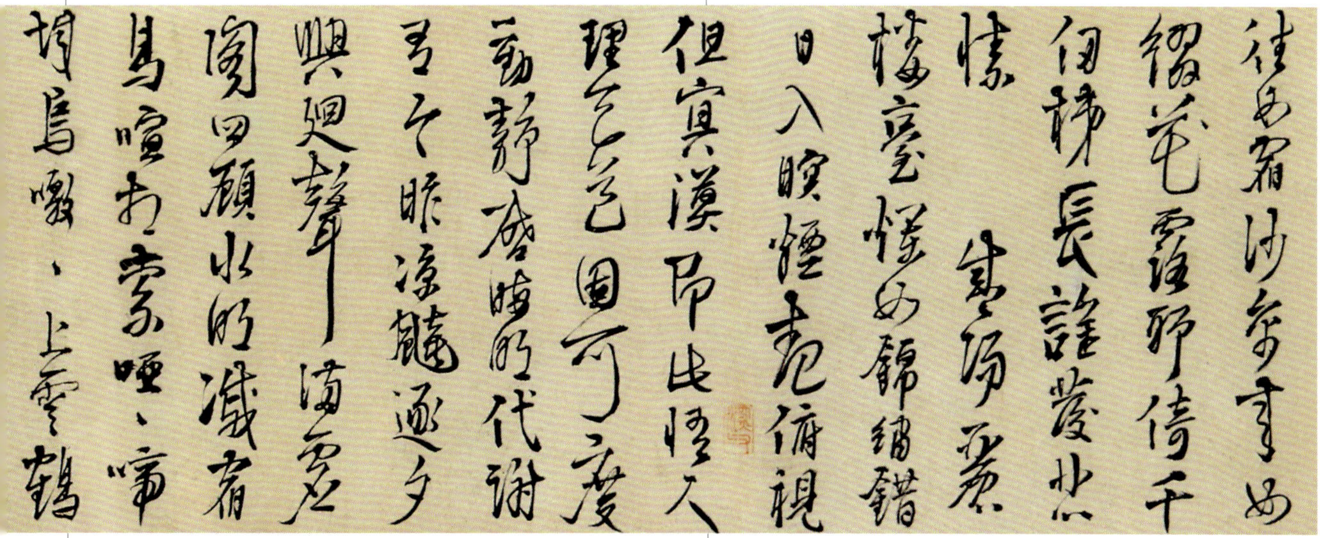

陸　深（公元1477 – 1544年）

華亭（今上海松江）人。初名榮，字子淵，號儼山。弘治十八年（公元1505年）進士。選庶吉士，授編修，纍官四川布政使，後召爲太常卿兼侍讀學士，卒謚文裕。工書法，擅楷、行、草書。著有《書輯》、《儼山集》和《行遠集》等。

茶荁詩

明
陸深
高22.5、寬25.8厘米。
紙本。册裝二開。
現藏故宫博物院。

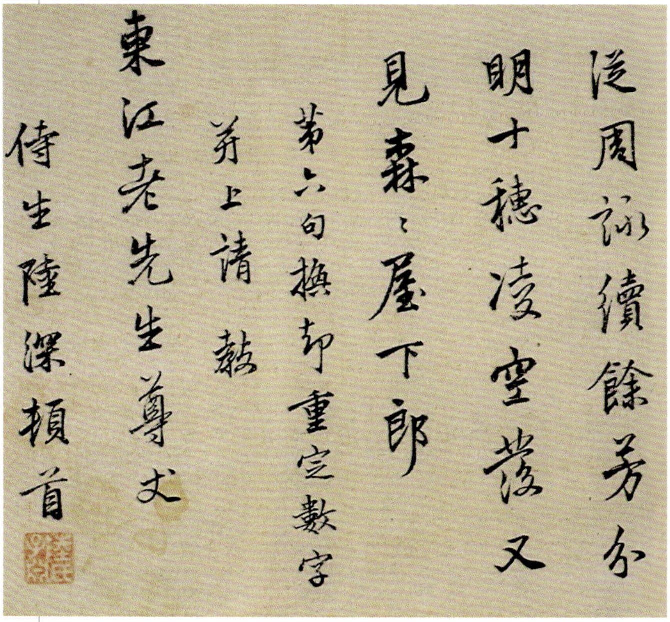

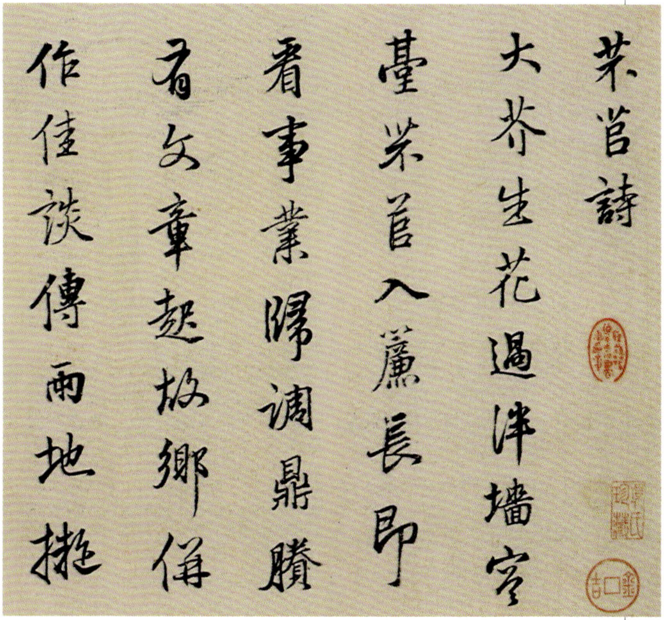

夏　言（公元1482－1548年）

貴溪（今屬江西）人。字公謹。正德十二年（公元1517年）進士，授行人，改兵科給事中，官至吏部尚書、華蓋殿大學士，遭嚴嵩妒害而死。善文章，工書法。擅長楷、行書。

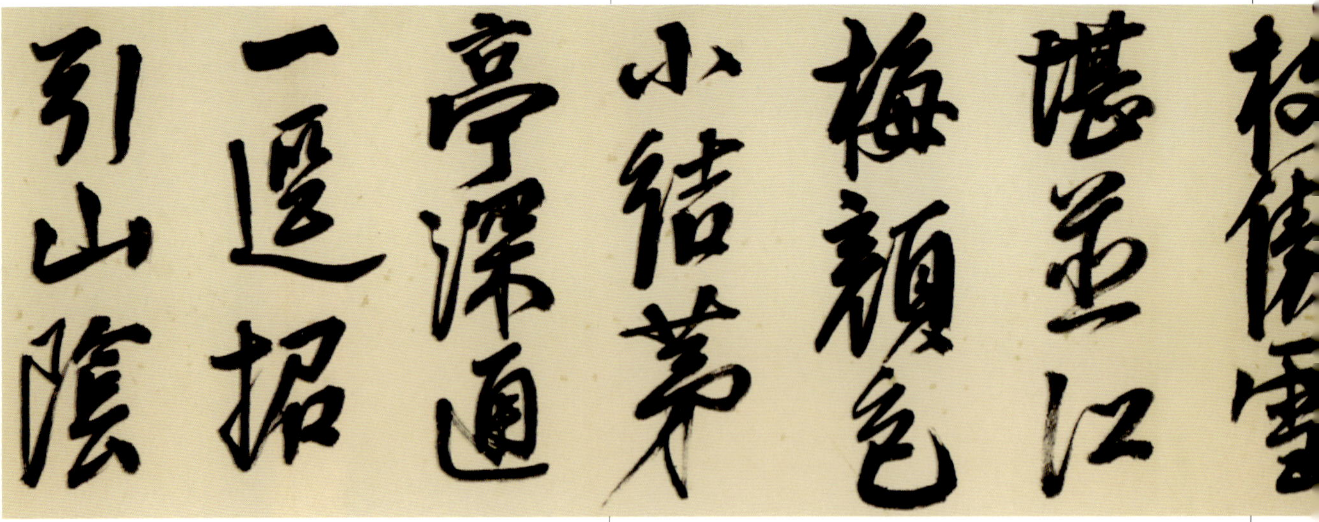

晚節亭詞

明
夏言
高21.5、寬548.4厘米。
紙本。此選爲局部。
現藏故宫博物院。

蔡　羽（公元?－1541年）

吴縣（今江蘇蘇州）人。字九逵，自號林屋山人。貢入太學，由國子生授南京翰林院孔目。

論書語

明
蔡羽
高24.8、寬273.6厘米。
紙本。此選爲局部。
現藏南京博物院。

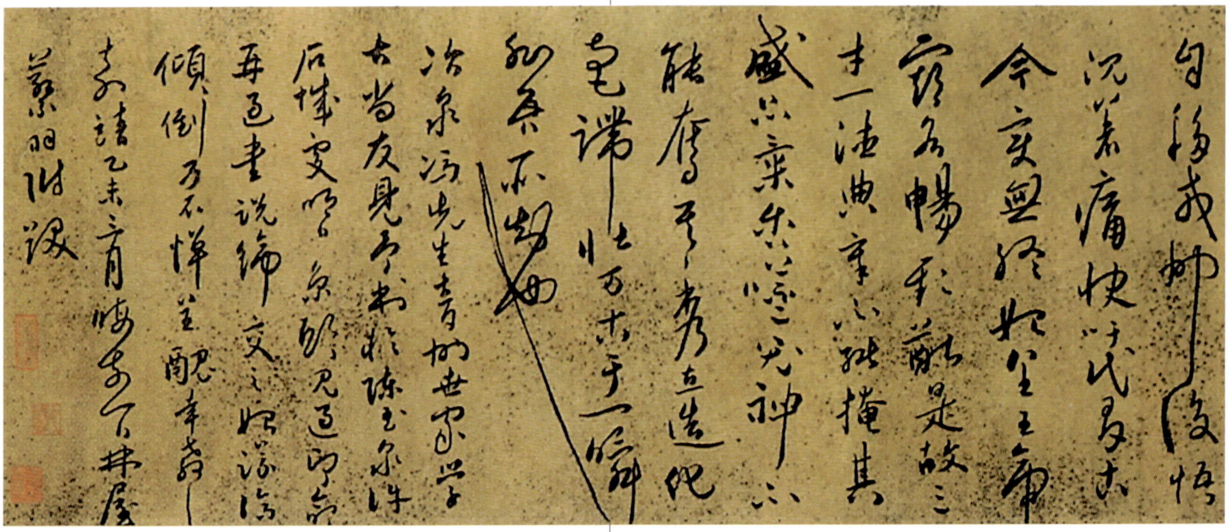

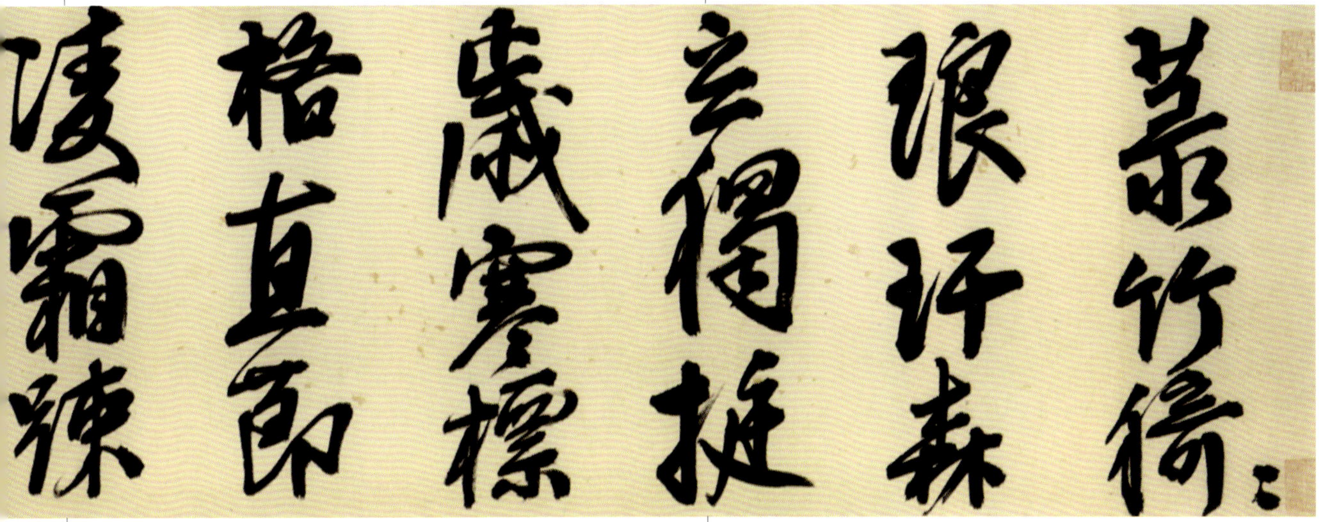

臨解縉書

明

蔡羽

高29、寬822.2厘米。

紙本。此選爲局部。

現藏故宫博物院。

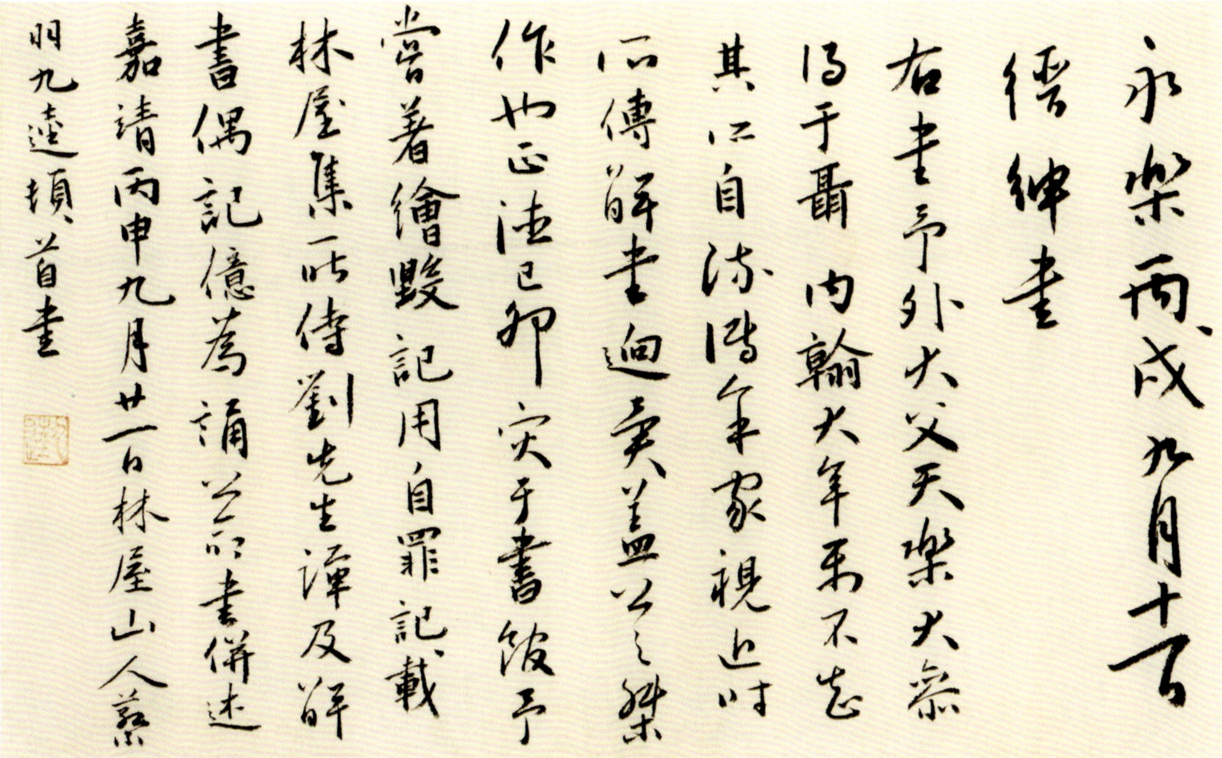

陳　淳（公元1483－1544年）

長洲（今江蘇蘇州）人。初名淳，字道復，後以字行，更字復甫，號白陽山人。其書法與文徵明、祝允明和王寵齊名，并稱“吴中四大家”，以行、草書見稱。擅繪畫，與徐渭并稱“青藤白陽”。

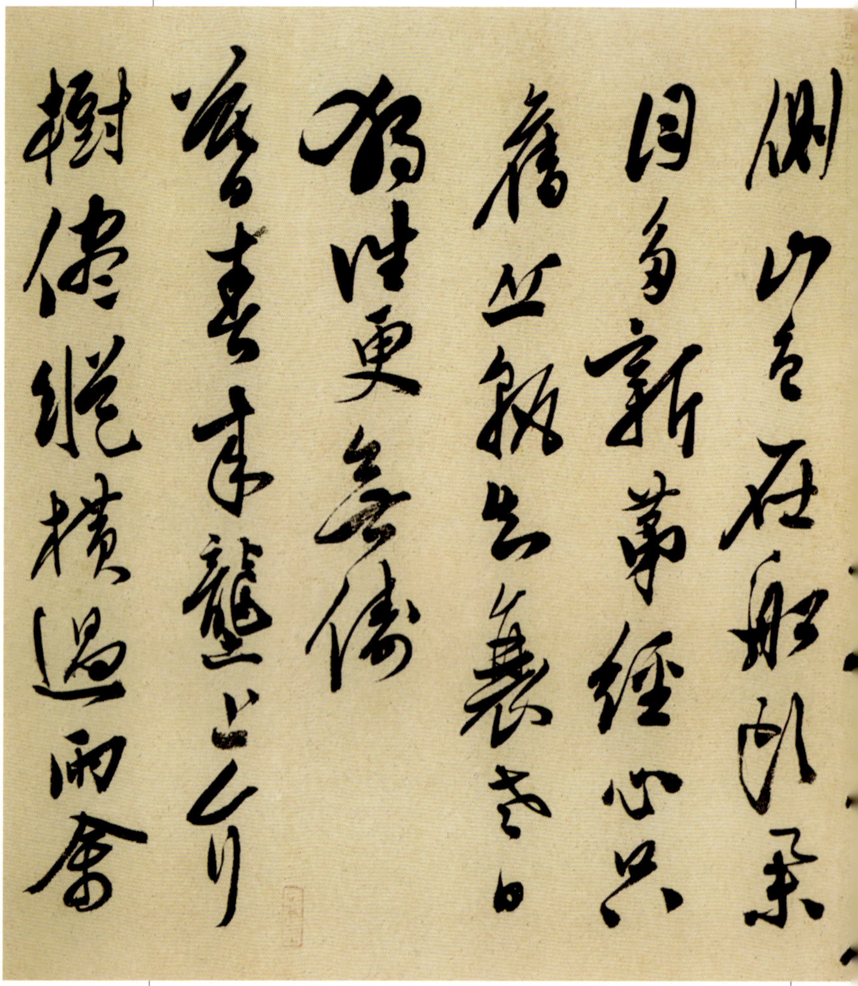

白陽山詩

明

陳淳

高29.6、寬393.5厘米。

紙本。此選爲局部。

現藏天津博物館。

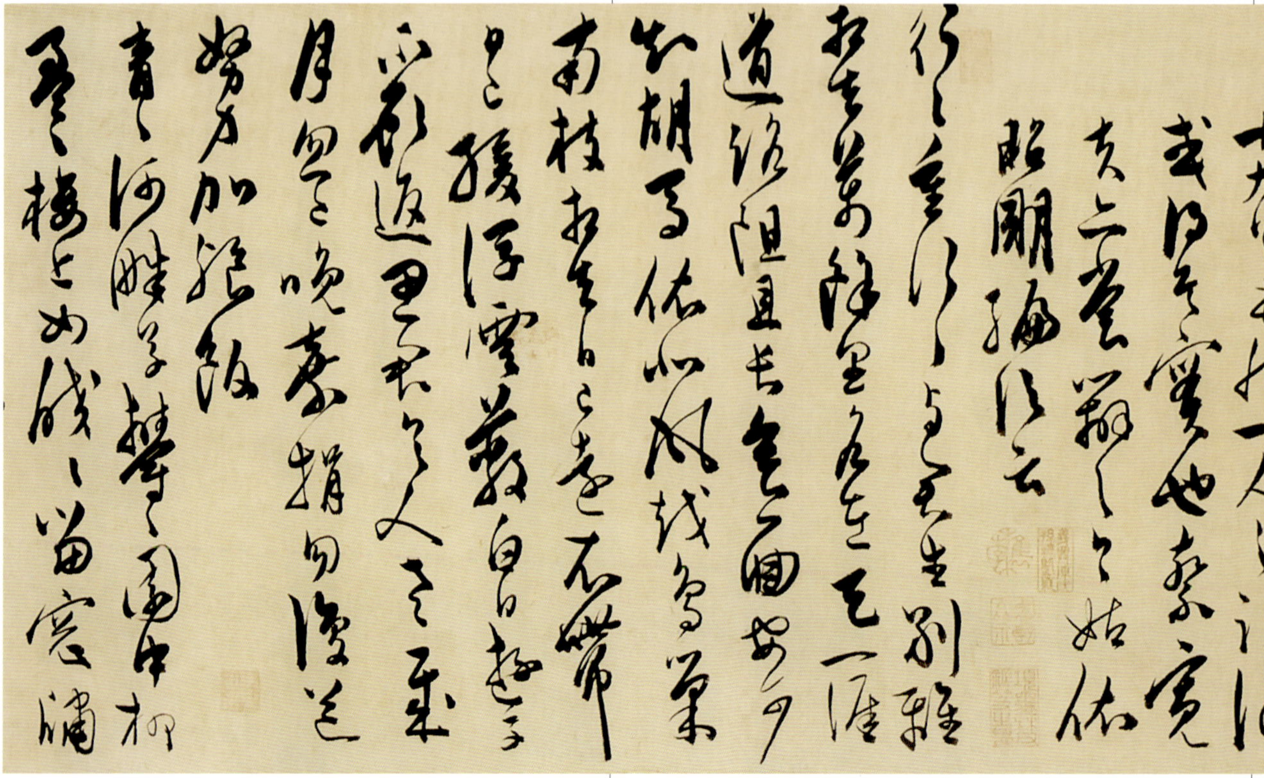

古詩十九首

明

陳淳

高30.5、寬711.7厘米。

紙本。此選爲局部。

現藏故宫博物院。

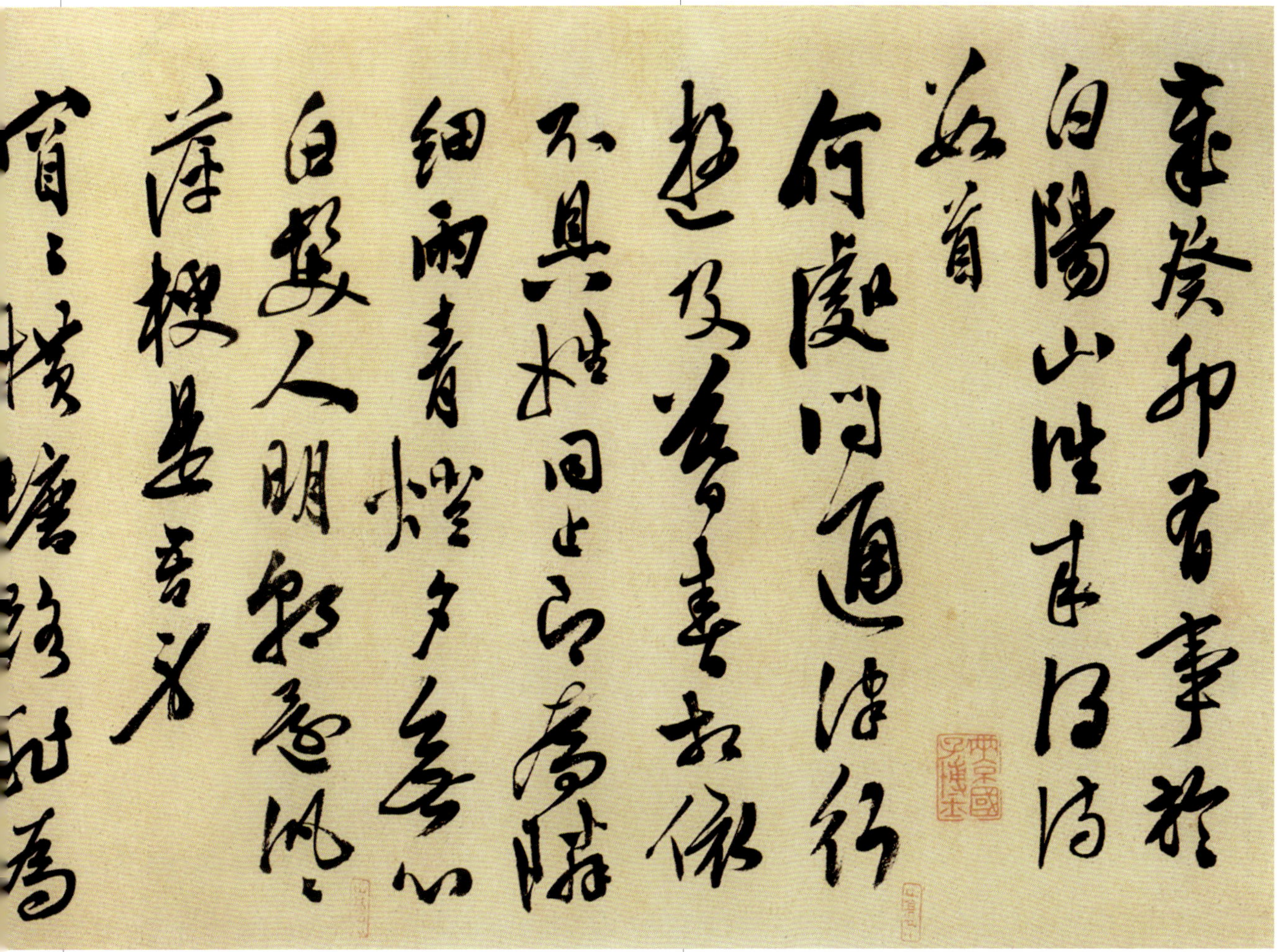

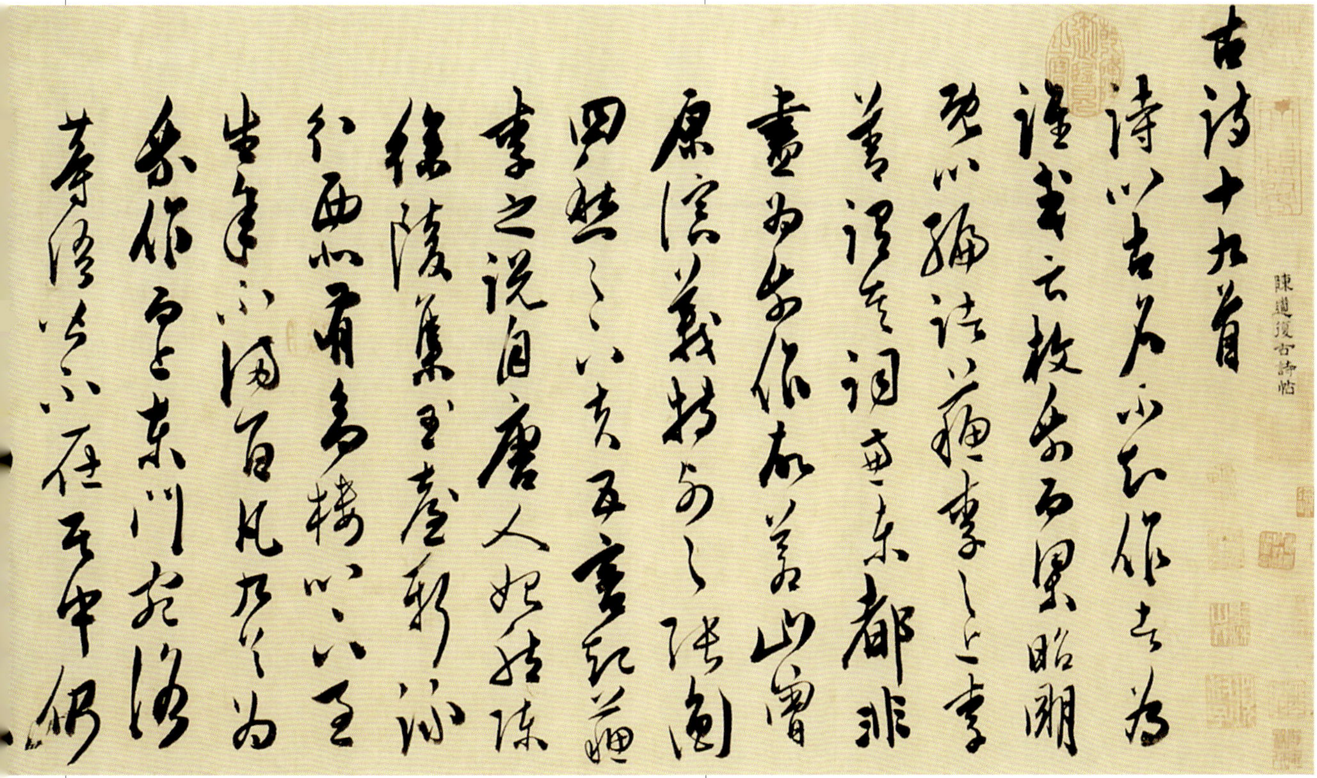
古詩十九首
陳道復古詩帖

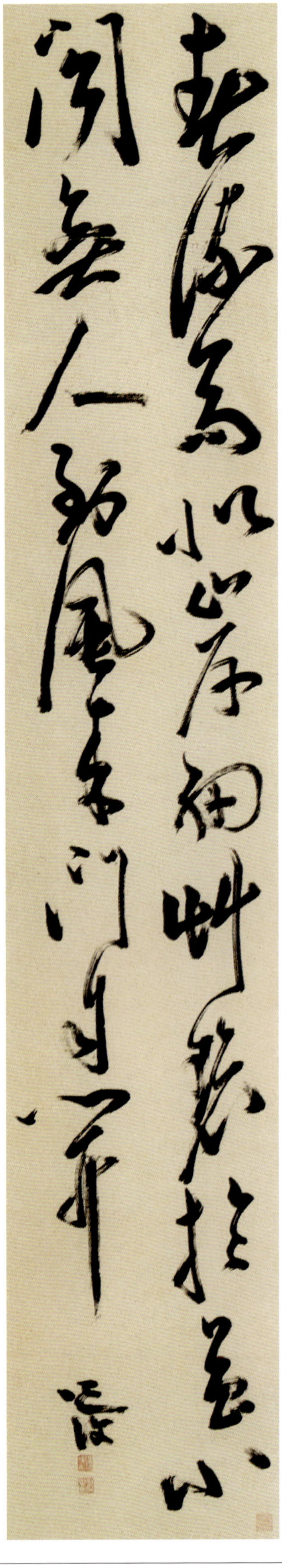

五言律詩

明

陳淳

高167、寬31.4厘米。

絹本。

現藏江蘇省蘇州博物館。

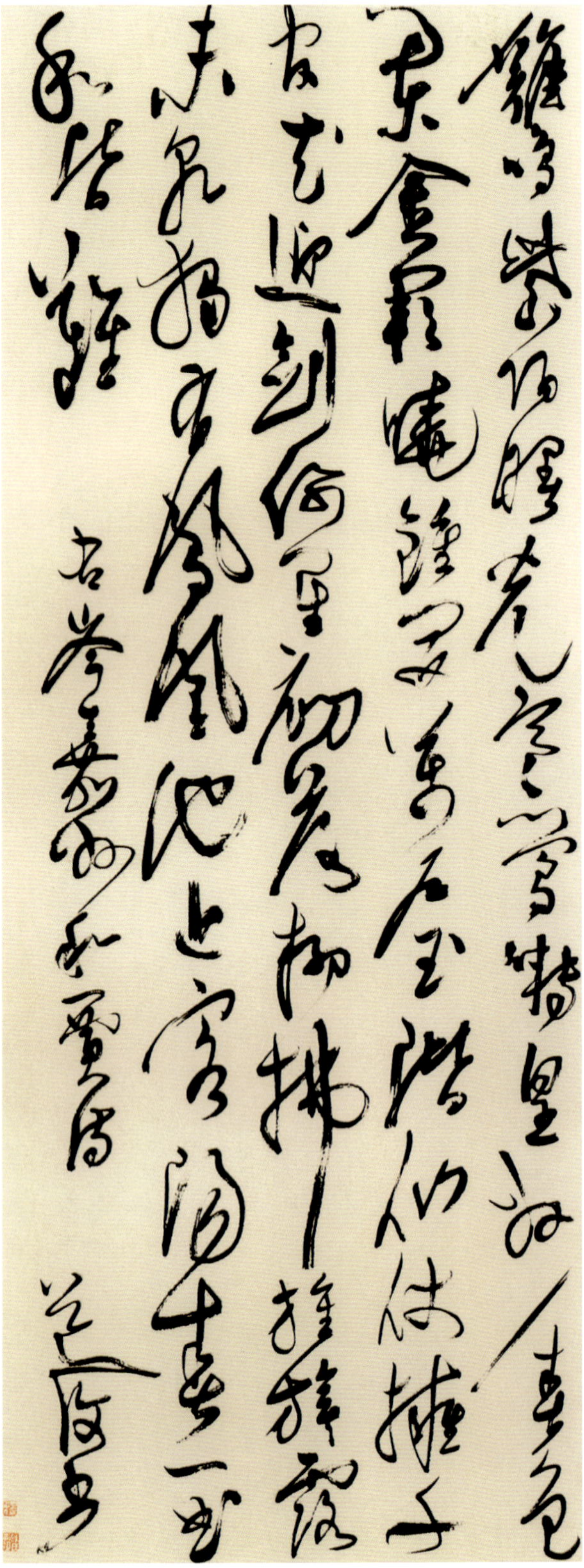

岑參詩

明

陳淳

高181.8、寬71.5厘米。

紙本。

現藏上海博物館。

詹僖

生卒年不詳。寧波（今屬浙江）人。字仲和，號鐵冠民。善行草，師法趙孟頫。

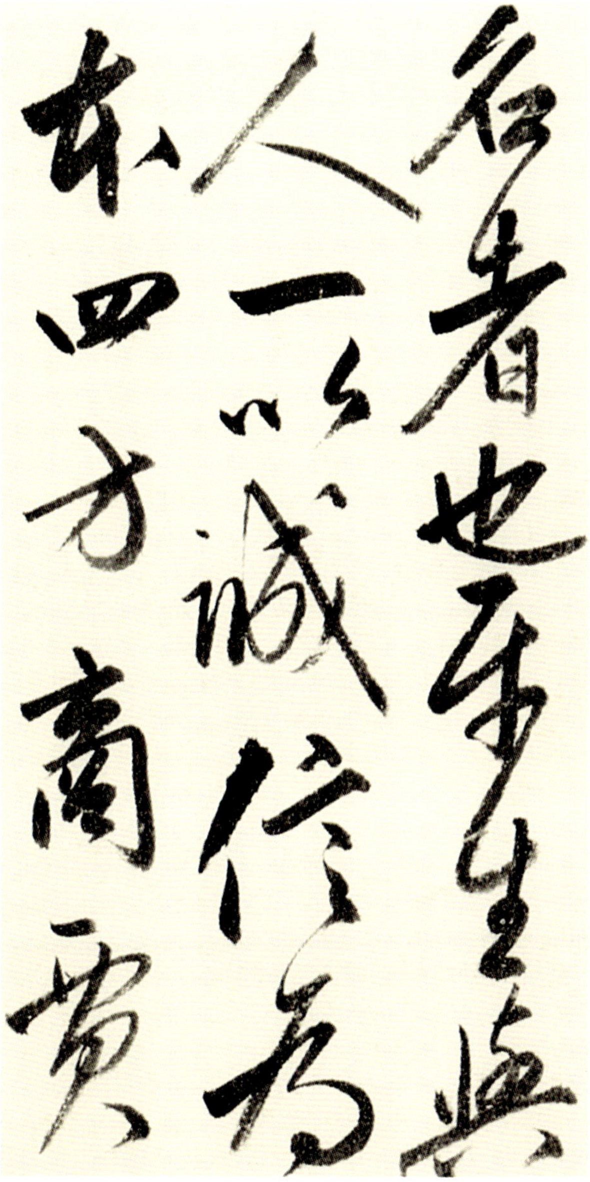

王彦明壽序

明

詹僖

高30.7、寬15.7厘米。

紙本。册裝。

現藏上海博物館。

張電

生卒年不詳。上海人。字文光，號賓山。工書法，并因之爲華蓋殿大學士夏言薦于朝，供奉館局，官至禮部侍郎。其書法學自陸深，受沈度兄弟影響。

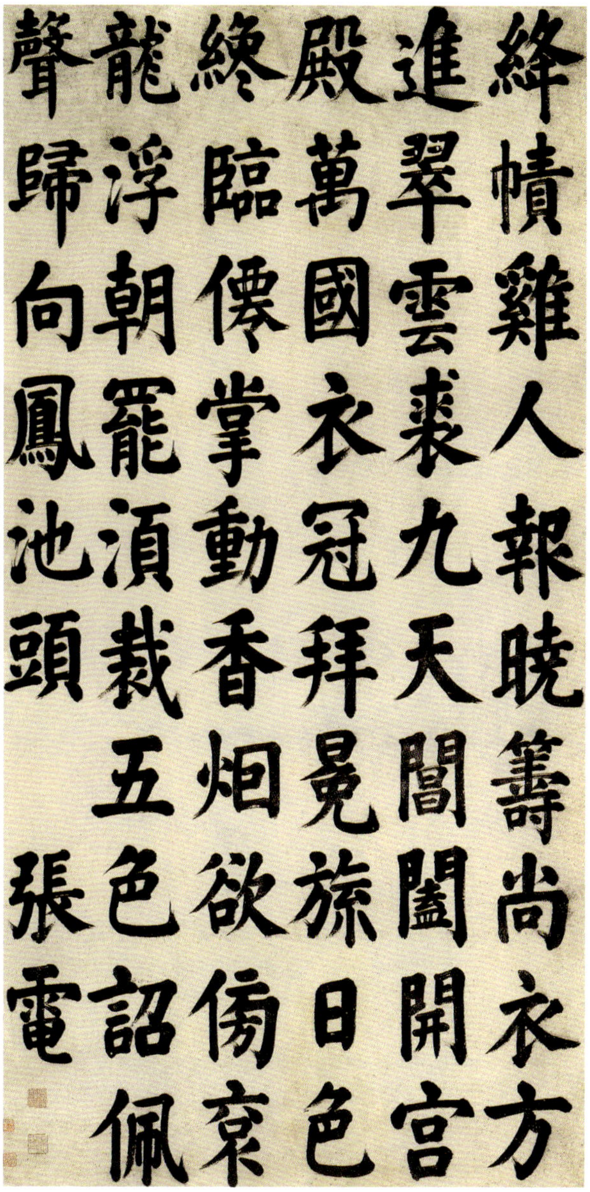

王維七言律詩

明

張電

高183.5、寬94厘米。

紙本。

現藏上海博物館。

楊　慎（公元1488－1559年）

新都（今屬四川成都）人。字用修，號升庵。世宗時充經筵講官，以執議大禮被貶斥，戍雲南永昌。工書法，師“二王”。著有《升庵集》。

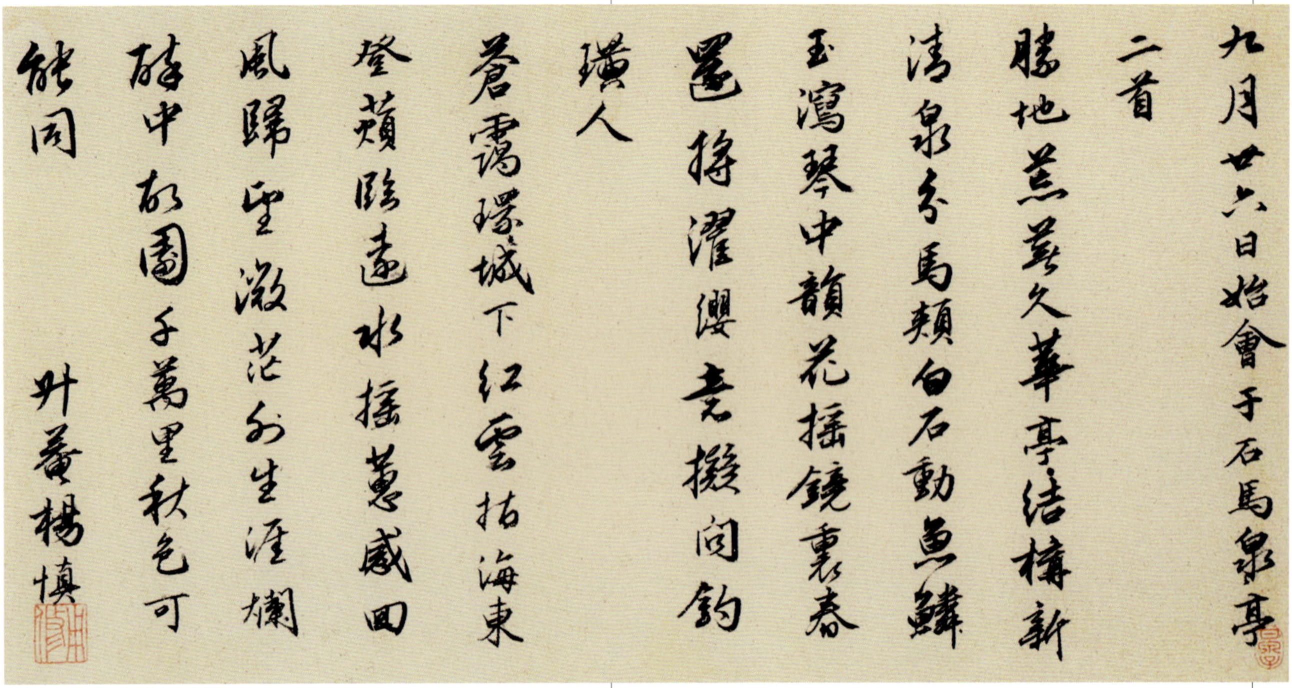

石馬泉亭詩（二首）

明

楊慎

高21.3、寬47.5厘米。

紙本。

現藏故宮博物院。

沈　仕（公元1488－1565年）

仁和（今浙江杭州）人。字懋學，一字子登，號青門山人。工詩善畫，書法善草書，筆意近陳淳，草體取法“二王”和懷素。

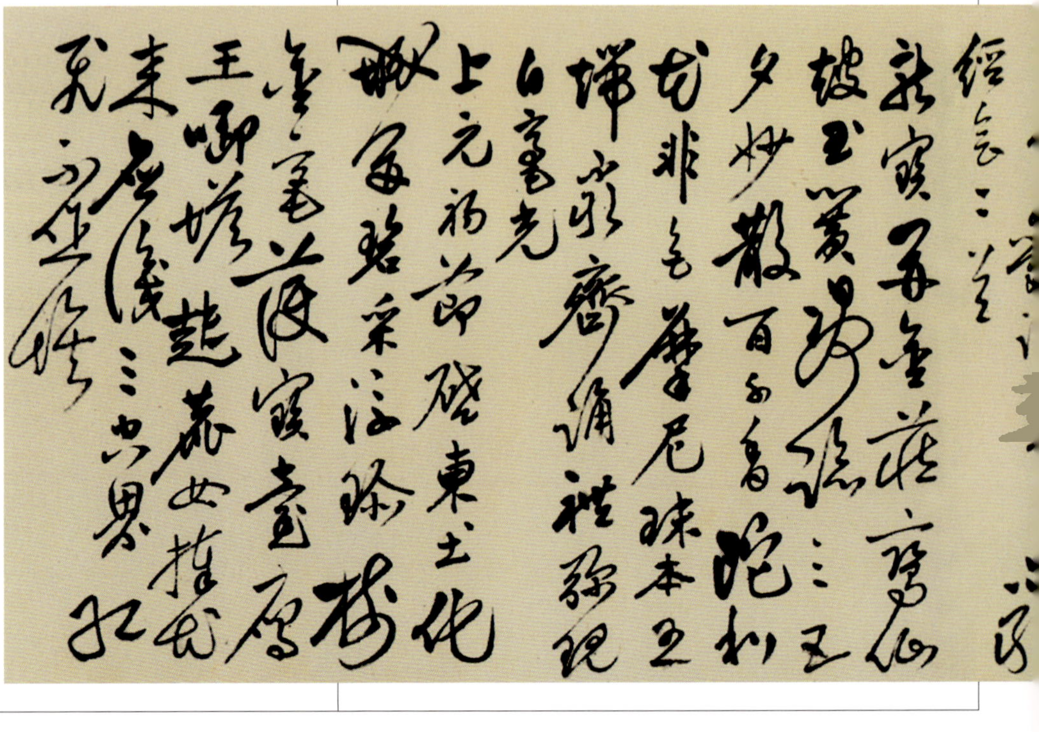

自書詩

明

沈仕

高29.8、寬416.5厘米。

紙本。此選爲局部。

現藏上海博物館。

豐　坊（公元1492－1563年後）

鄞縣（今浙江寧波）人。字人叔，一字存禮，號南禺外史。嘉靖二年（公元1523年）進士，官至吏部考功主事。後居吴中，貧病而死。精擅書法，書學廣博，五體并能。

逍遥游

明
豐坊
高27、寬477厘米。
紙本。此選爲局部。
現藏廣東省博物館。

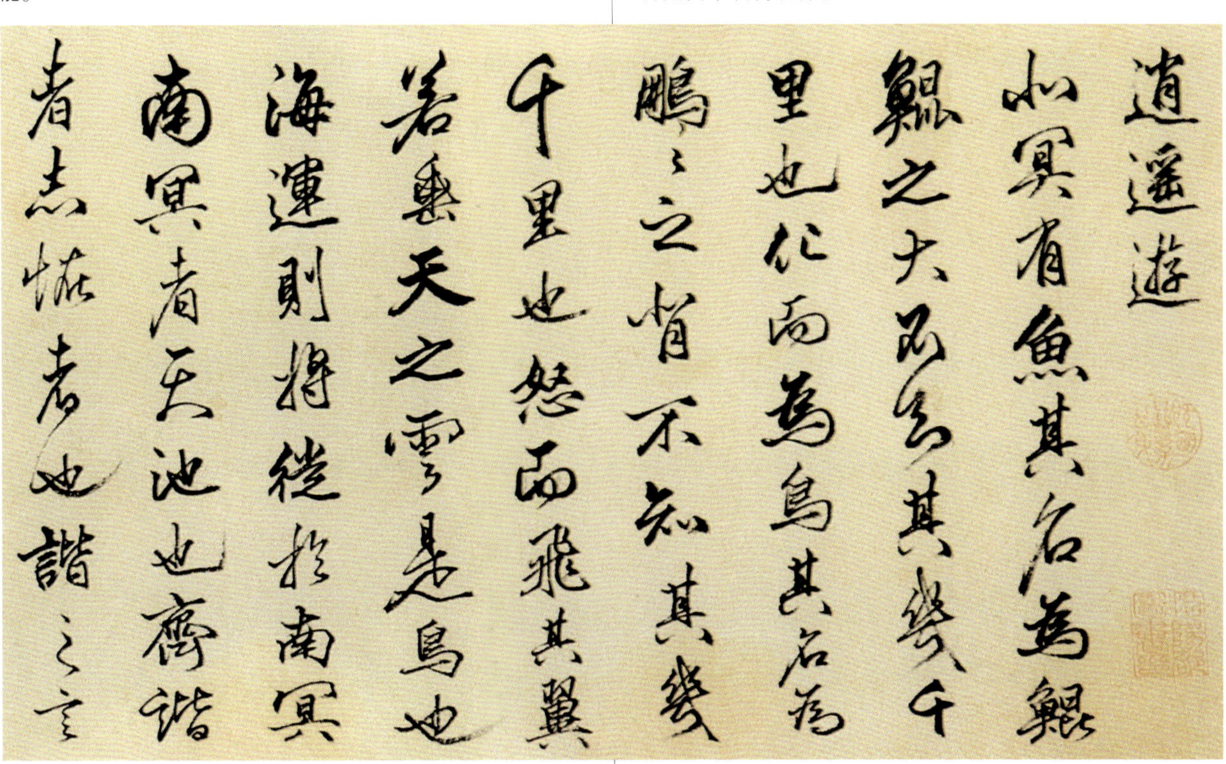

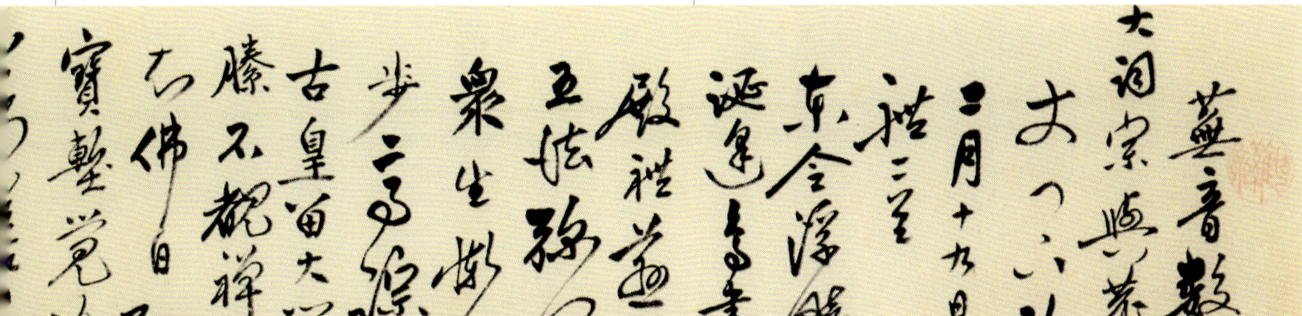

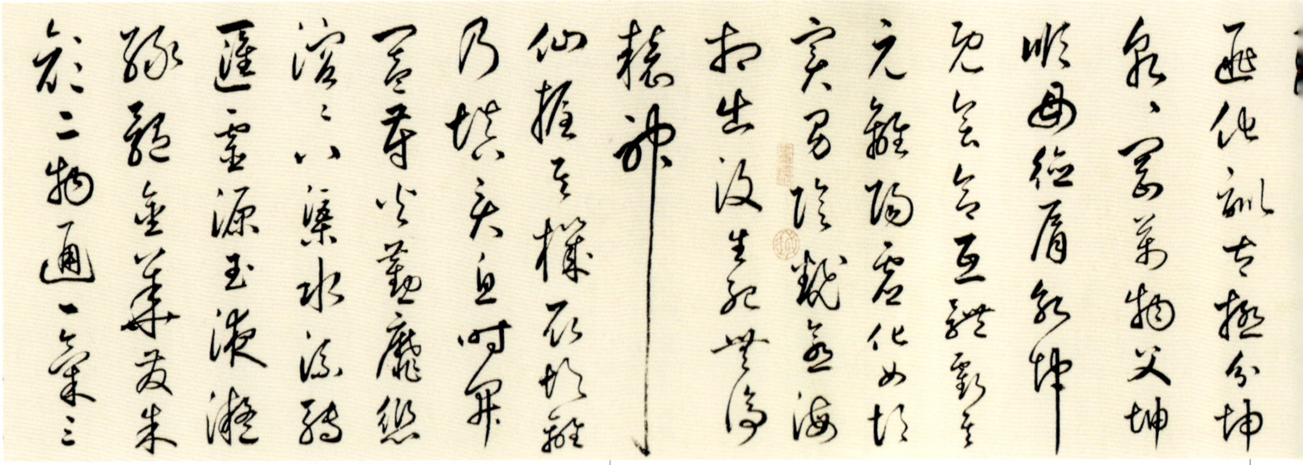

自書詩

明
豐坊
高33.4、寬772.5厘米。
紙本。此選爲局部。
現藏故宫博物院。

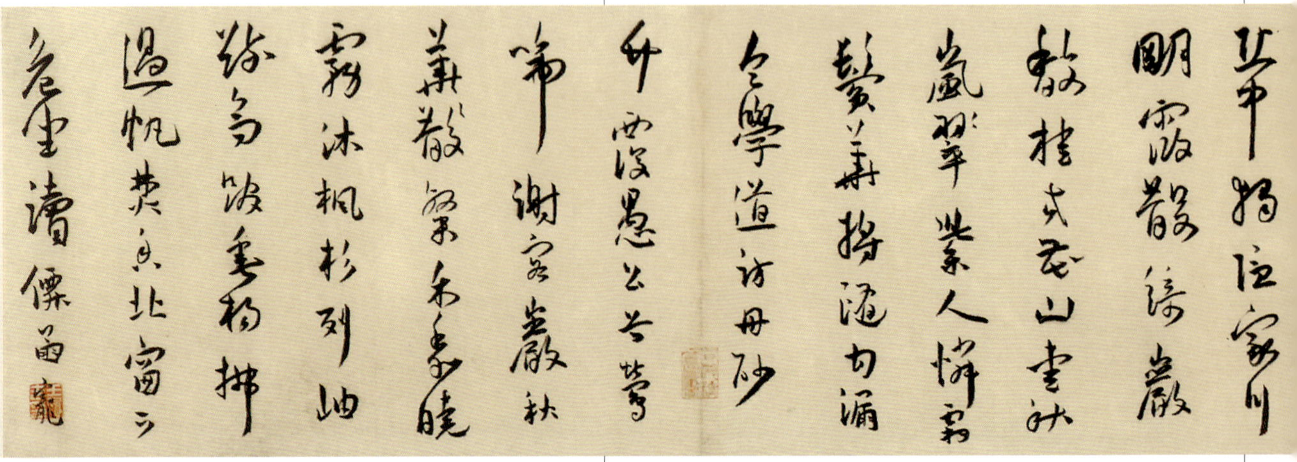

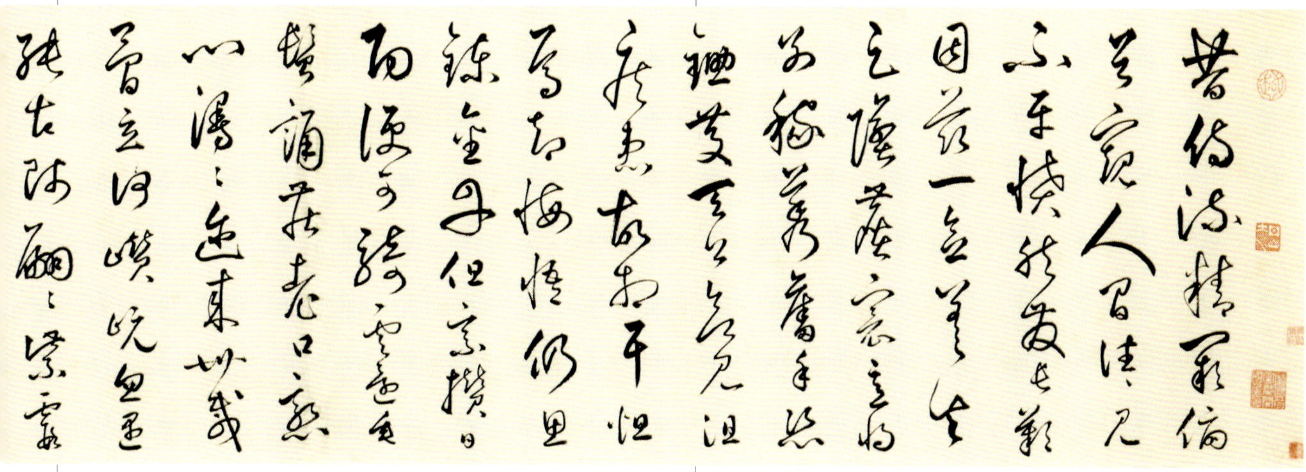

王　寵（公元1494－1533年）

長洲（今江蘇蘇州）人。字履仁，後字履吉，號雅宜山人。以諸生貢太學。工詩文。擅書法，精小楷，尤善行草，師法虞世南和王獻之，書名與祝允明和文徵明相伯仲。著有《雅宜山人集》。

五言律詩

明

王寵

高24.5、寬147厘米。

紙本。

現藏南京博物院。

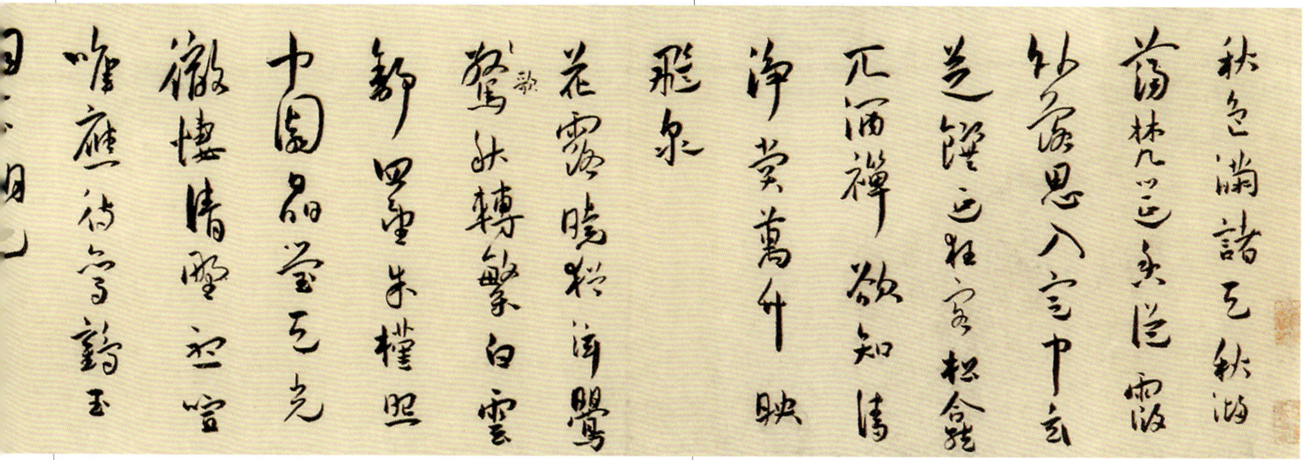

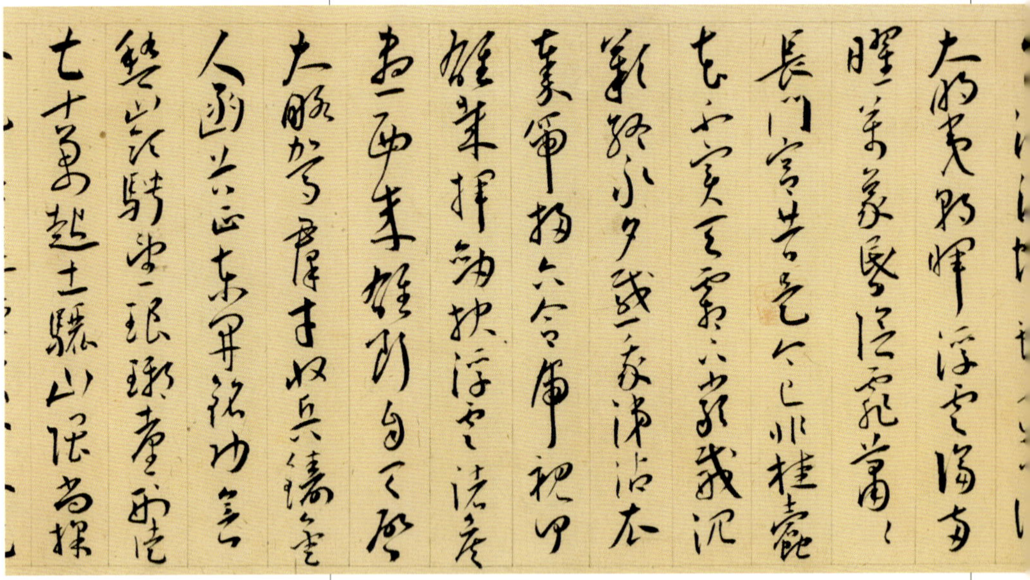

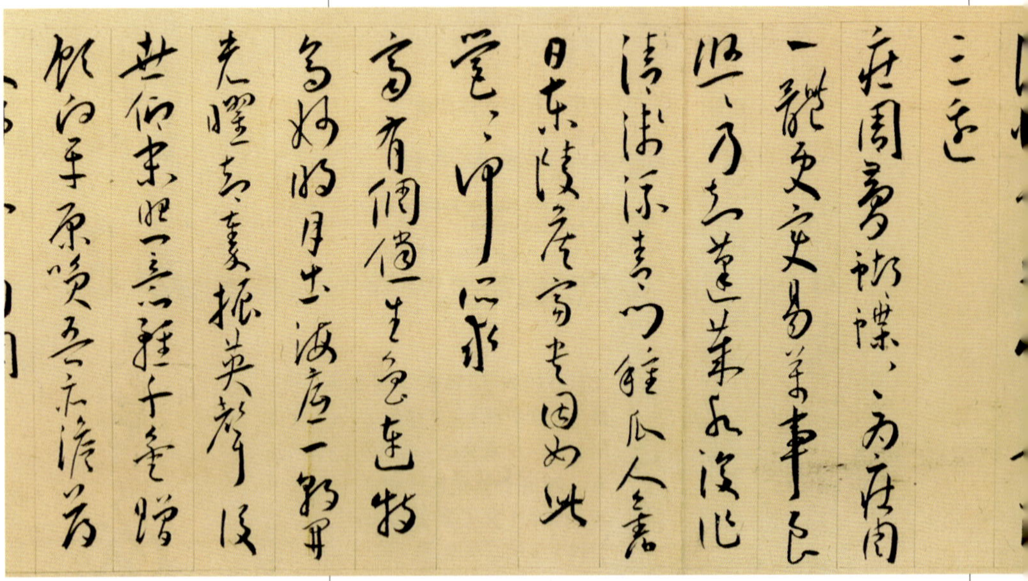

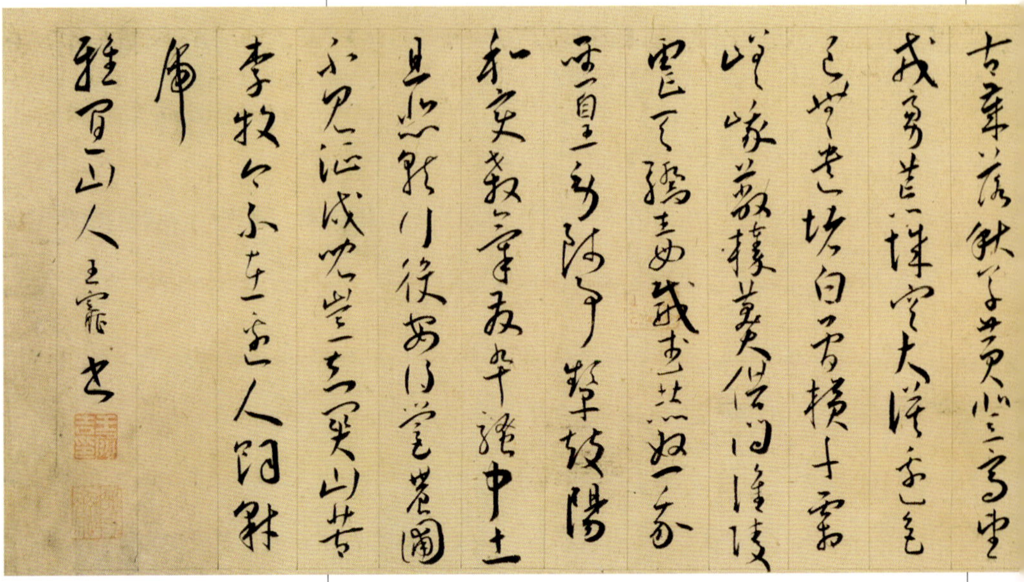

李白詩

明

王寵

高26.8、寬771厘米。

紙本。

現藏故宮博物院。

大雅久不作，吾衰竟誰陳。王風委蔓草，戰國多荊榛。龍虎相啖食，兵戈逮狂秦。正聲何微茫，哀怨起騷人。揚馬激頹波，開流蕩無垠。廢興雖萬變，憲章亦已淪。自從建安來，綺麗不足珍。聖代復元古，垂衣貴清真。群才屬休明，乘運共躍鱗。文質相炳煥，眾星羅秋旻。我志在刪述，垂輝映千春。希聖如有立，絕筆於獲麟。

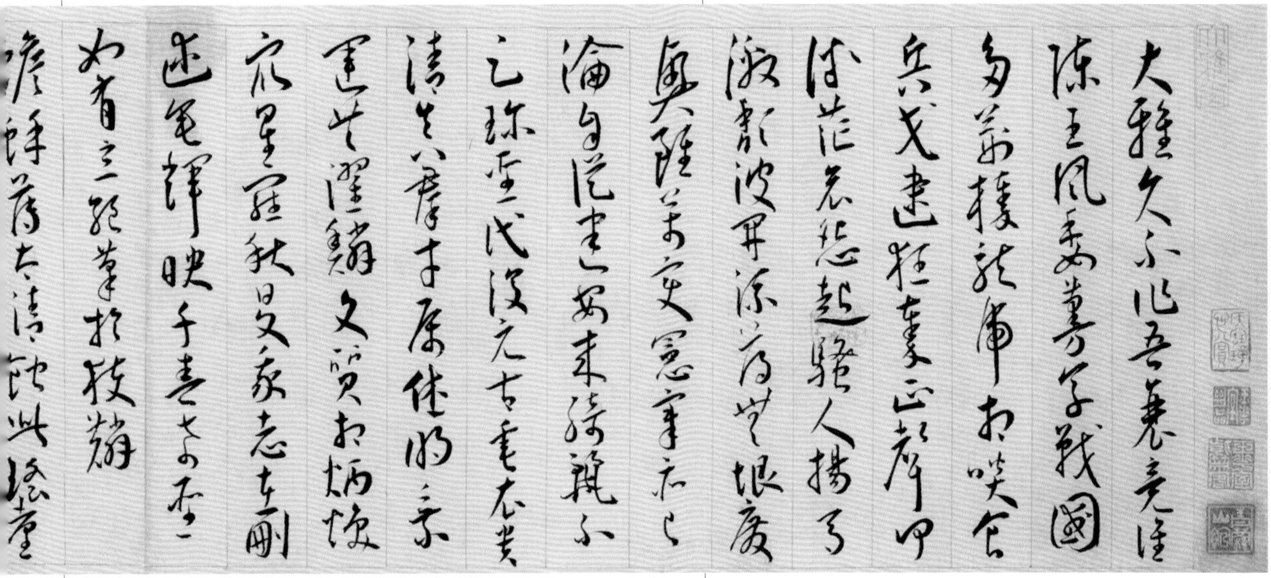

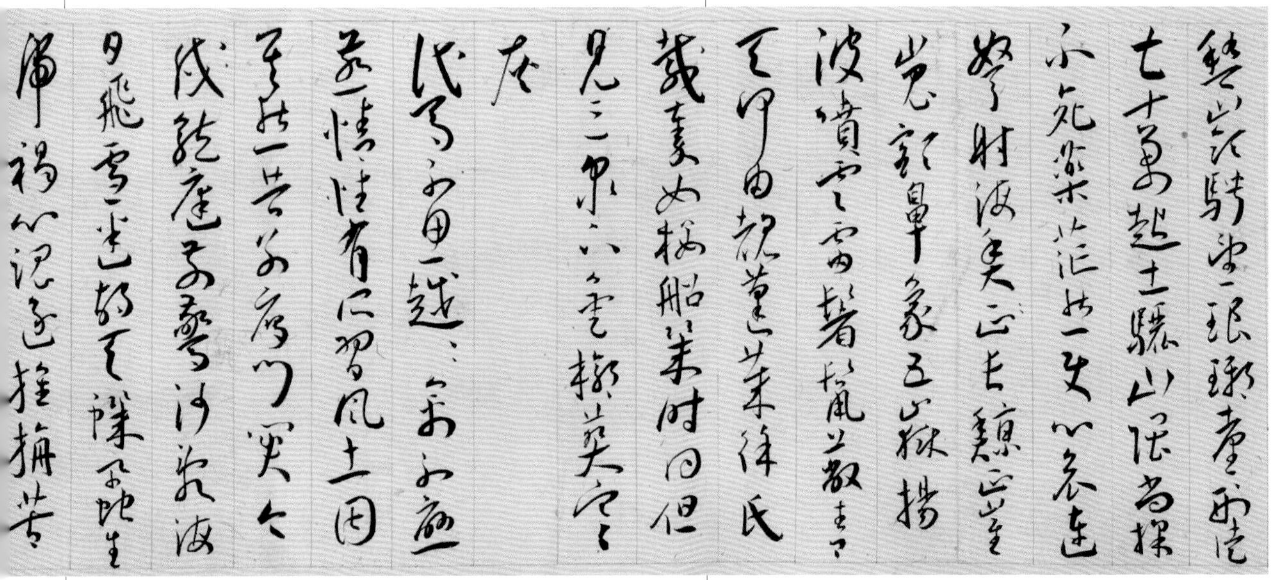

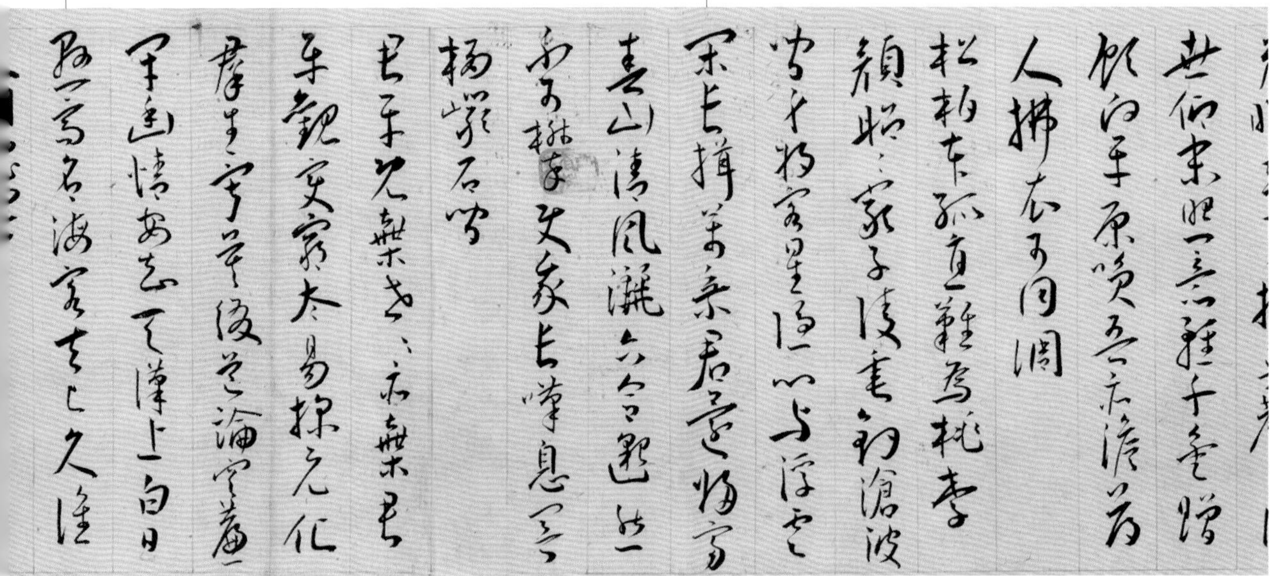

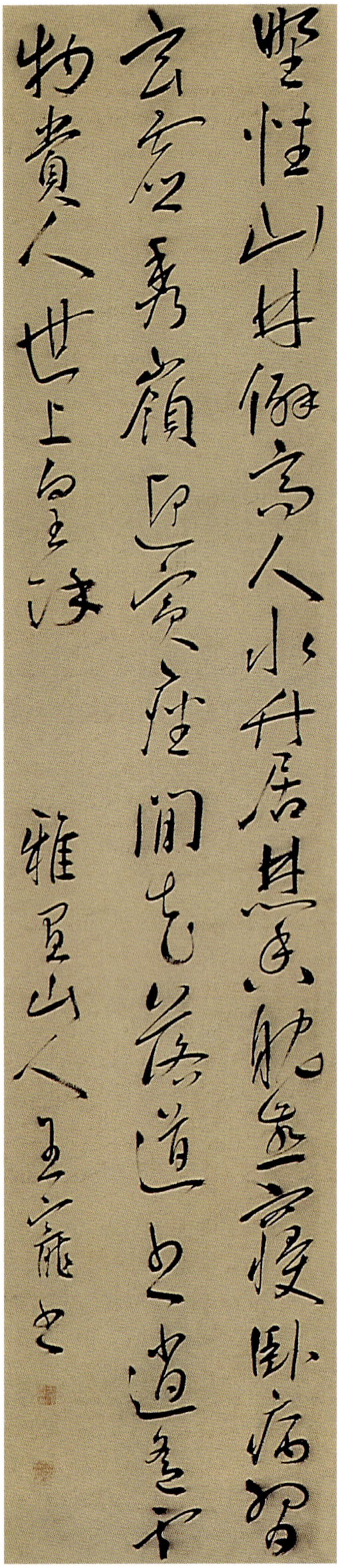

五言律詩

明
王寵
高144.4，寬33.5厘米。
紙本。
現藏故宮博物院。

送陳子齡會試詩

明
王寵
高23.2、寬72.6厘米。
紙本。
現藏故宮博物院。

王　問（公元1497－1576年）

無錫（今屬江蘇）人。字子裕。嘉靖十七年進士，由户曹歷官至廣東按察使僉事。後以年老請辭歸隱。善繪畫。其書法師法米芾和黄庭堅，放縱多姿。

自書詩

明
王問
高25.7、寬585.6厘米。
紙本。此選爲局部。
現藏天津博物館。

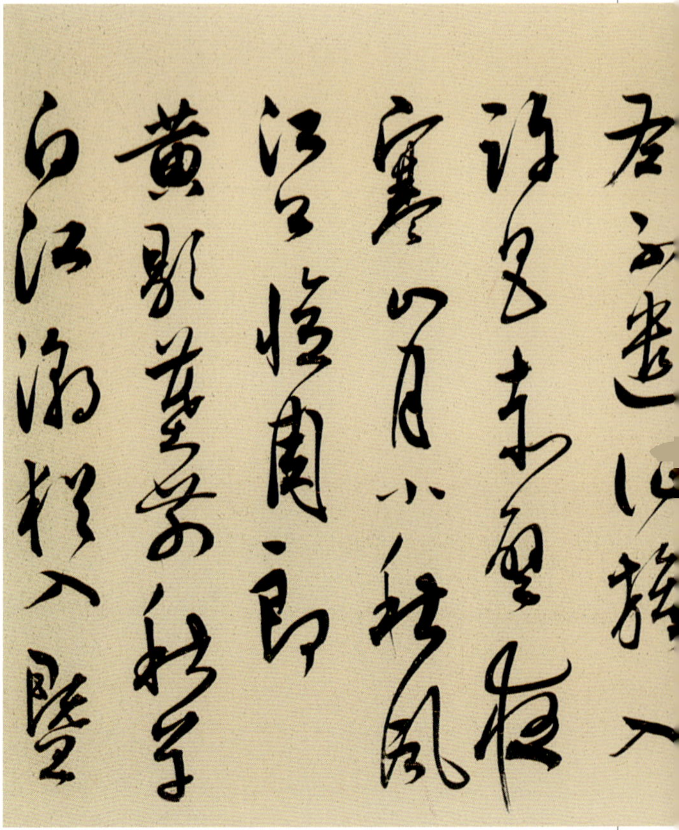

明（公元一三六八年至公元一六四四年）

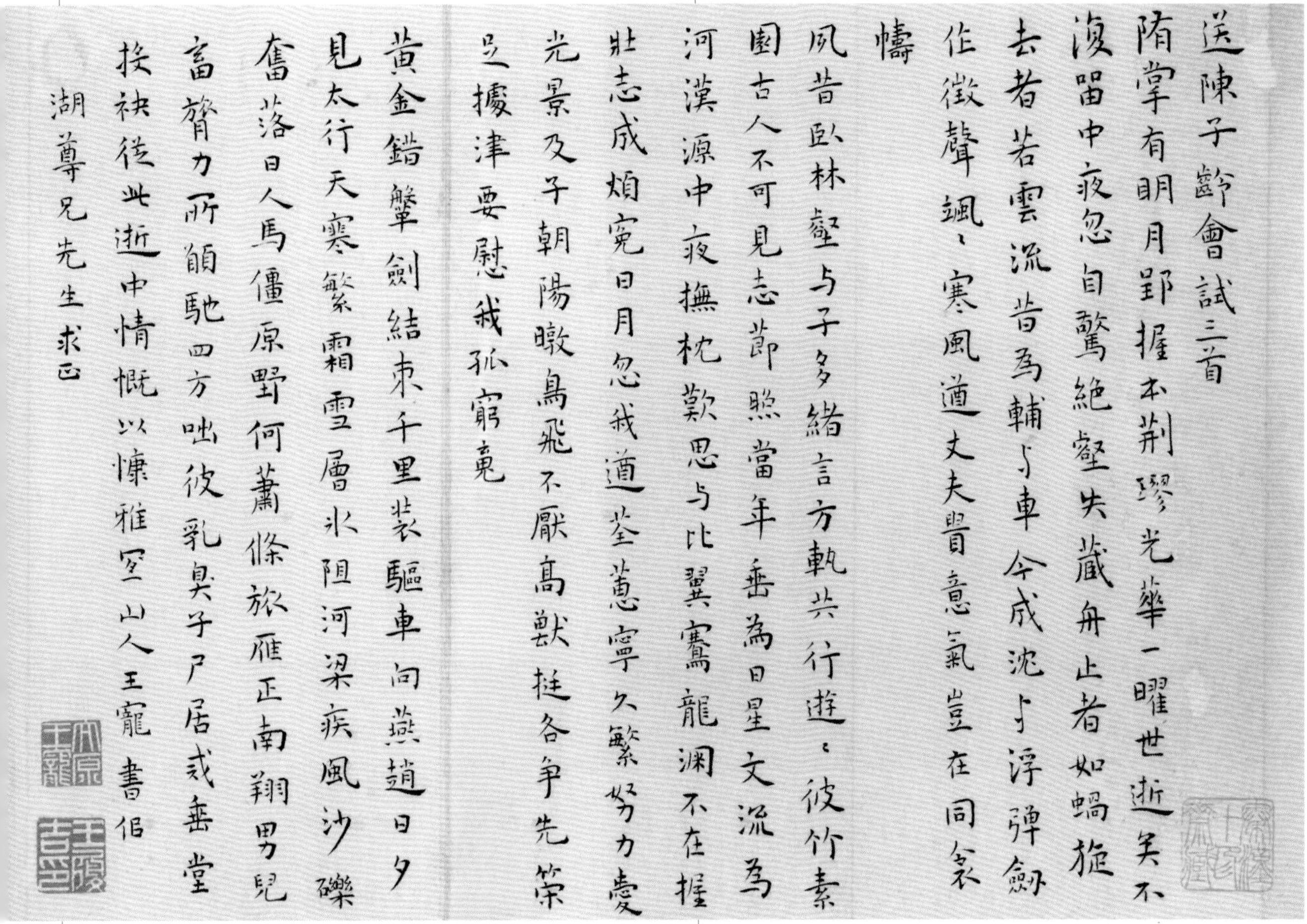

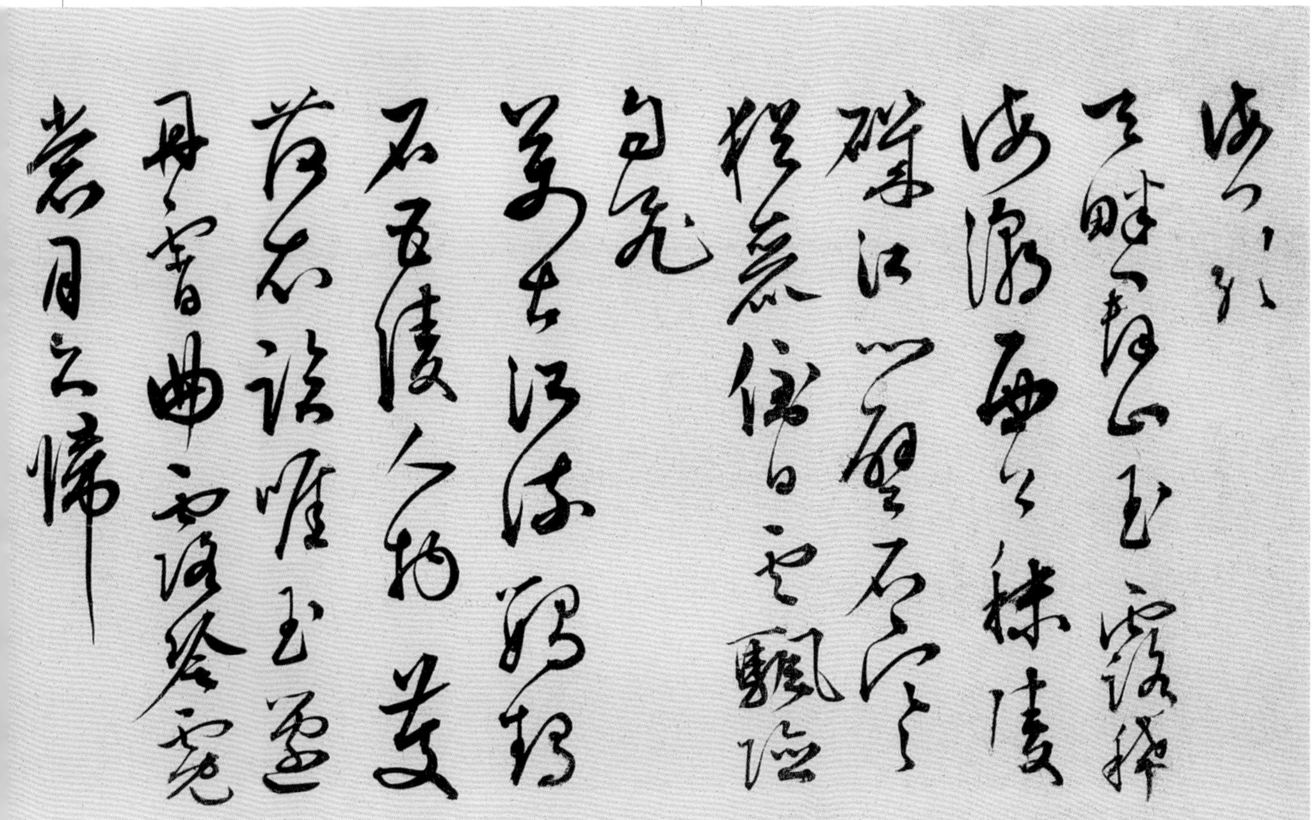

慧山寺示僧詩

明

王問

高31.4、寬764.5厘米。

紙本。

現藏故宮博物院。

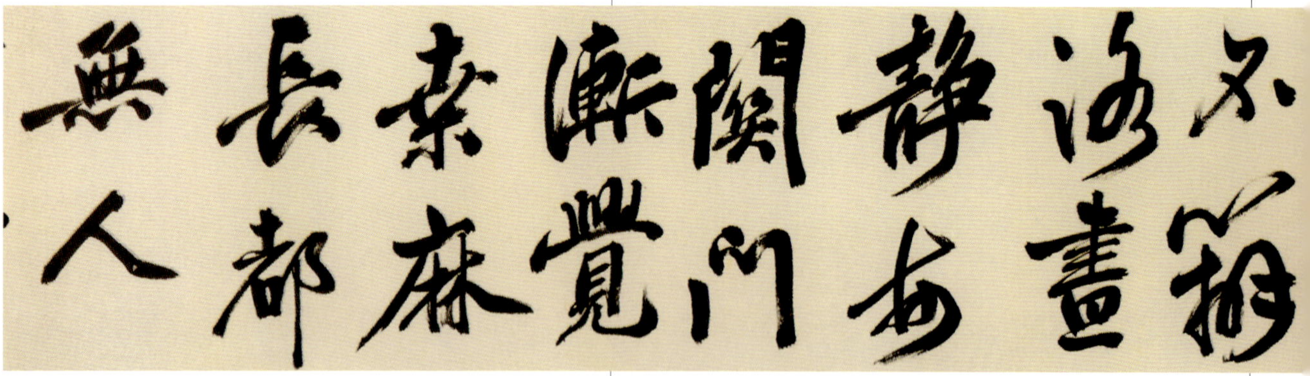

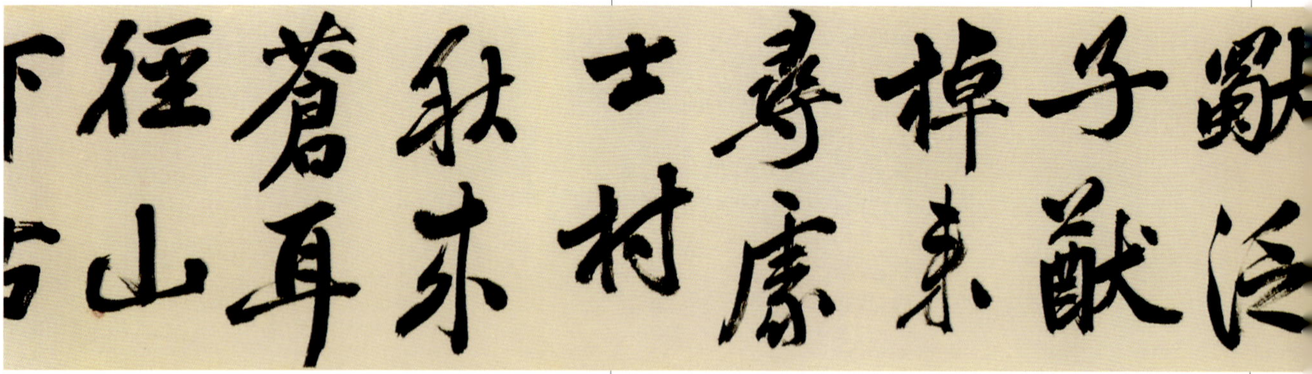

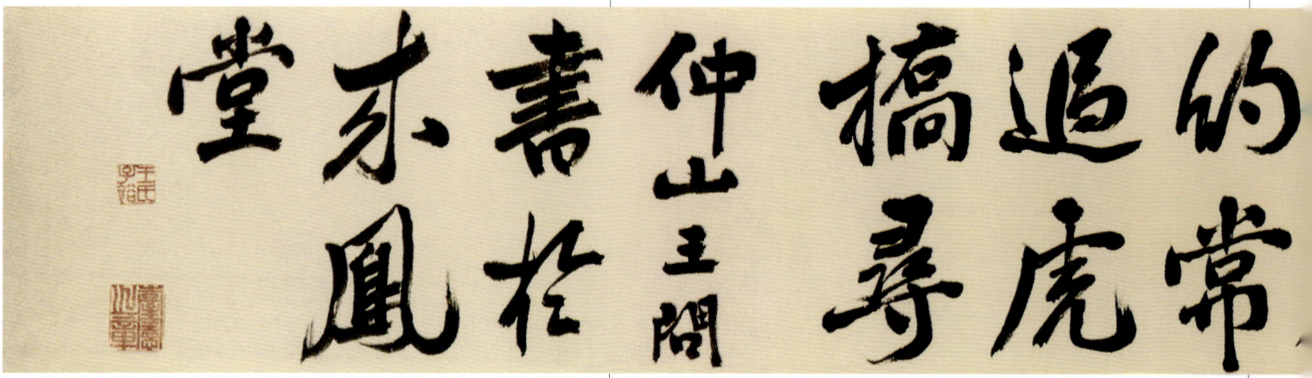

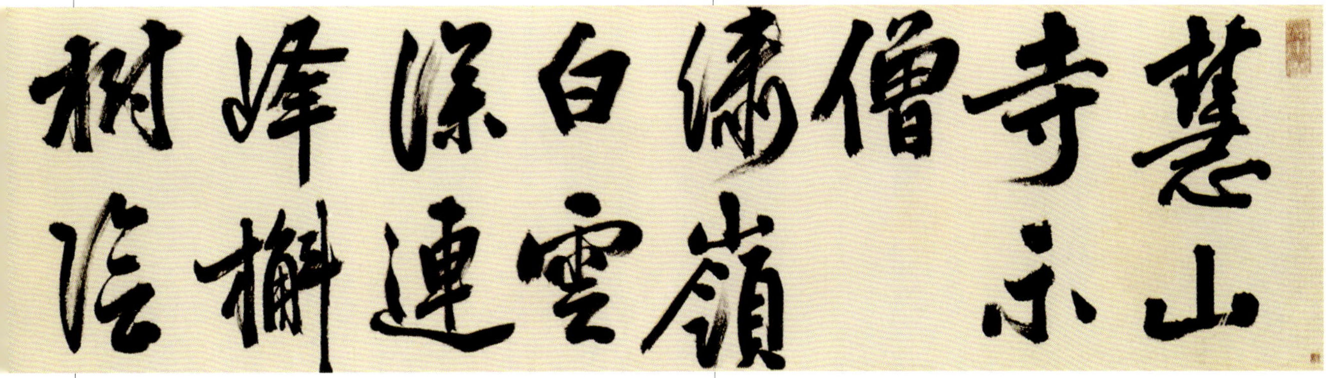

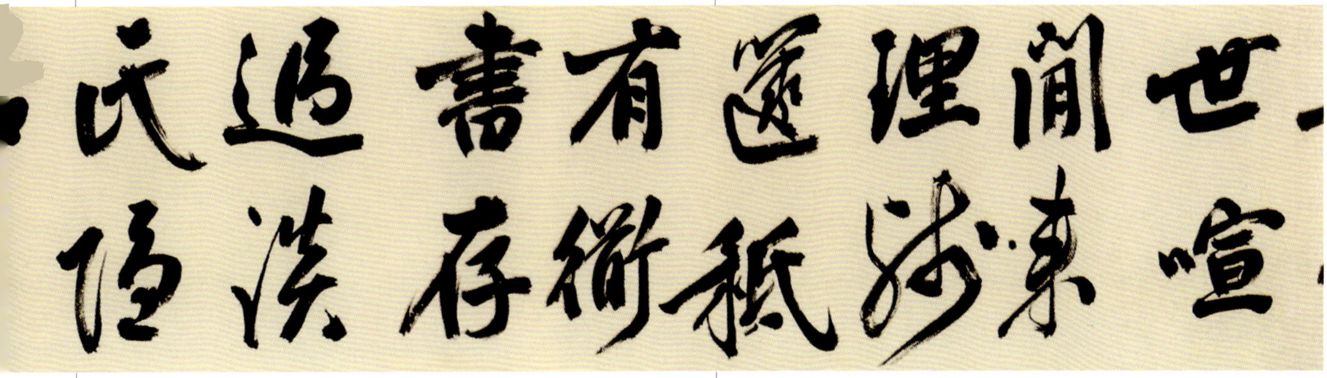

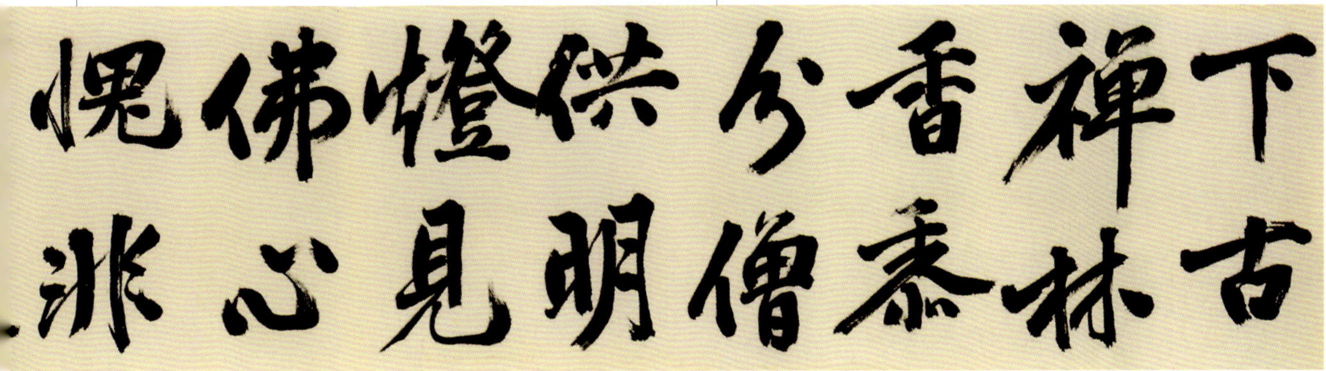

文　彭（公元1498－1573年）

長洲（今江蘇蘇州）人。字壽承，號三橋。文徵明長子，少承家學，諸體俱佳，尤精篆隸。工刻印，後人尊爲宗師。

閑居即事詩

明
文彭
高23.7、寬217.7厘米。
紙本。
現藏廣東省博物館。

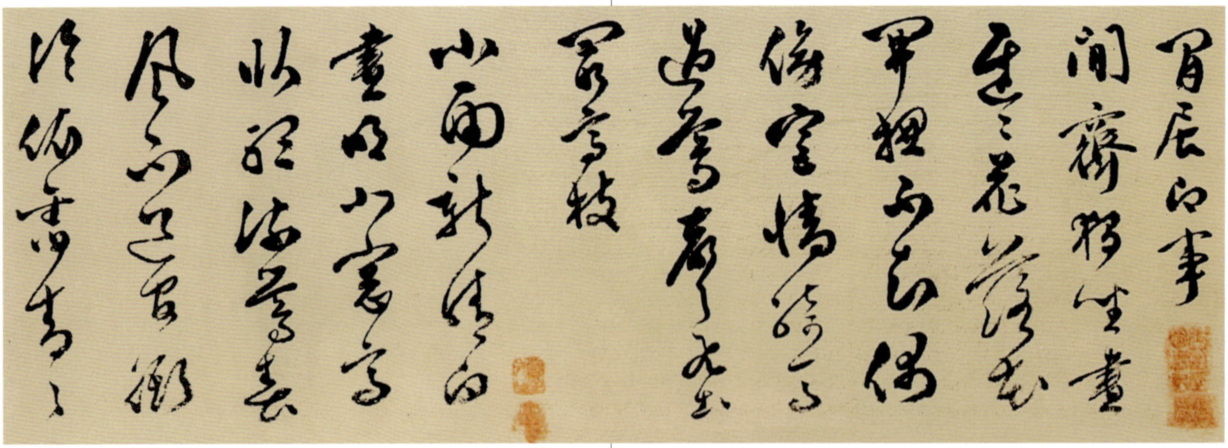

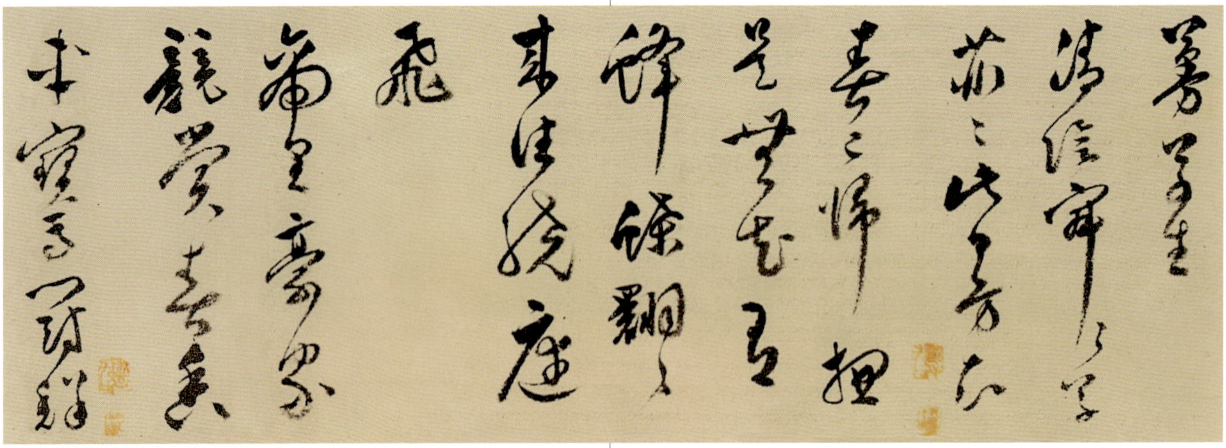

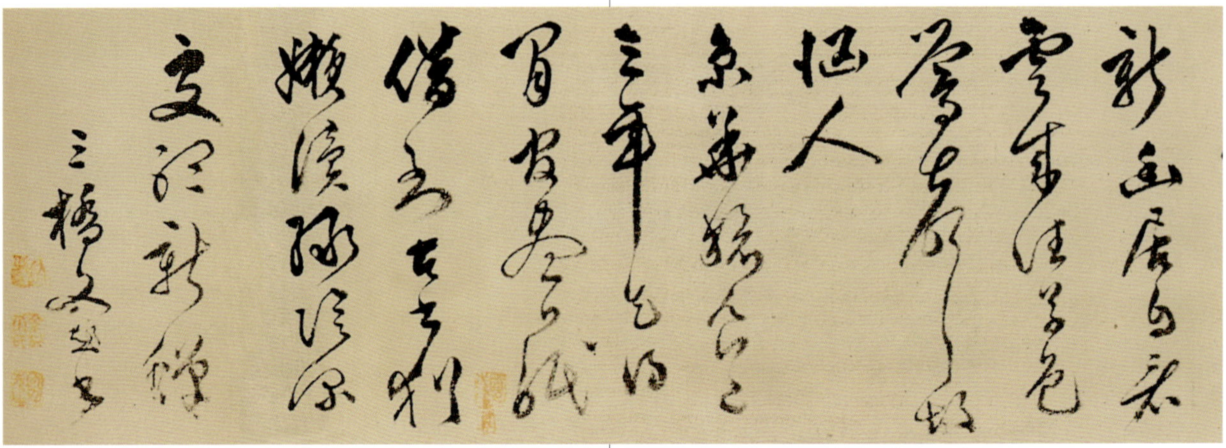

五言律詩

明
文彭
高148.3、寬61.1厘米。
紙本。
現藏上海博物館。

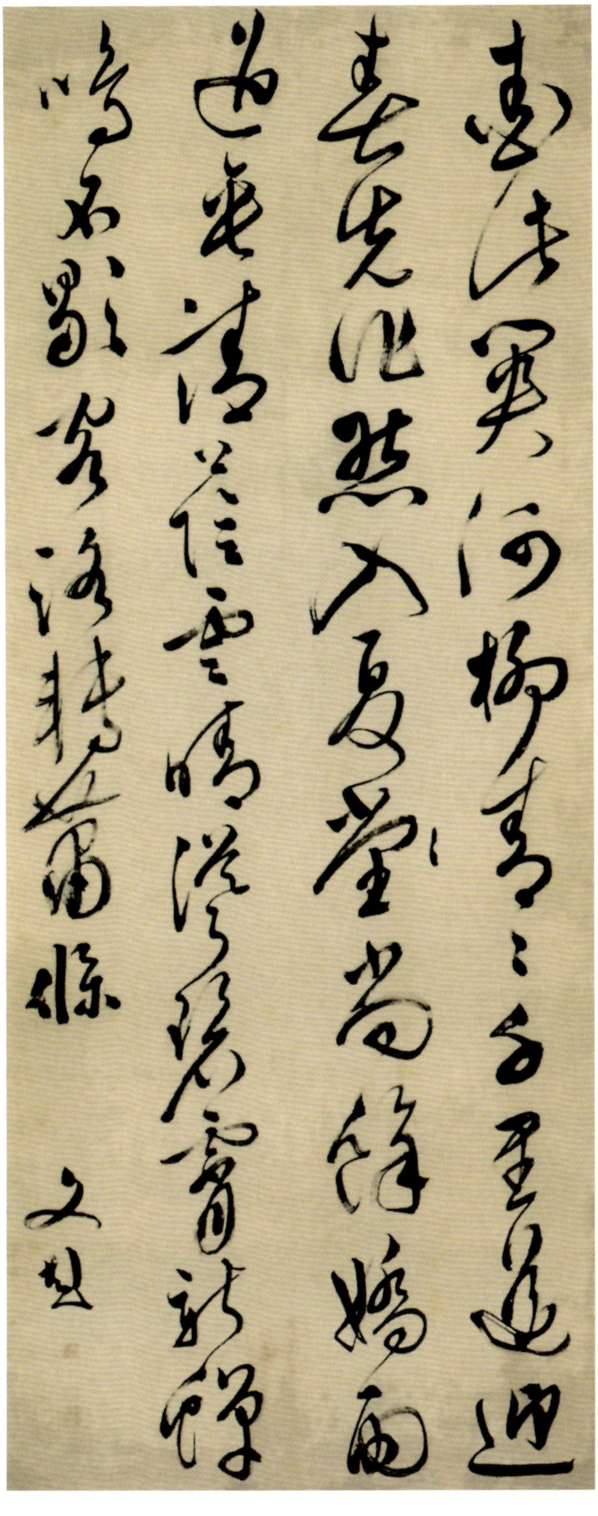

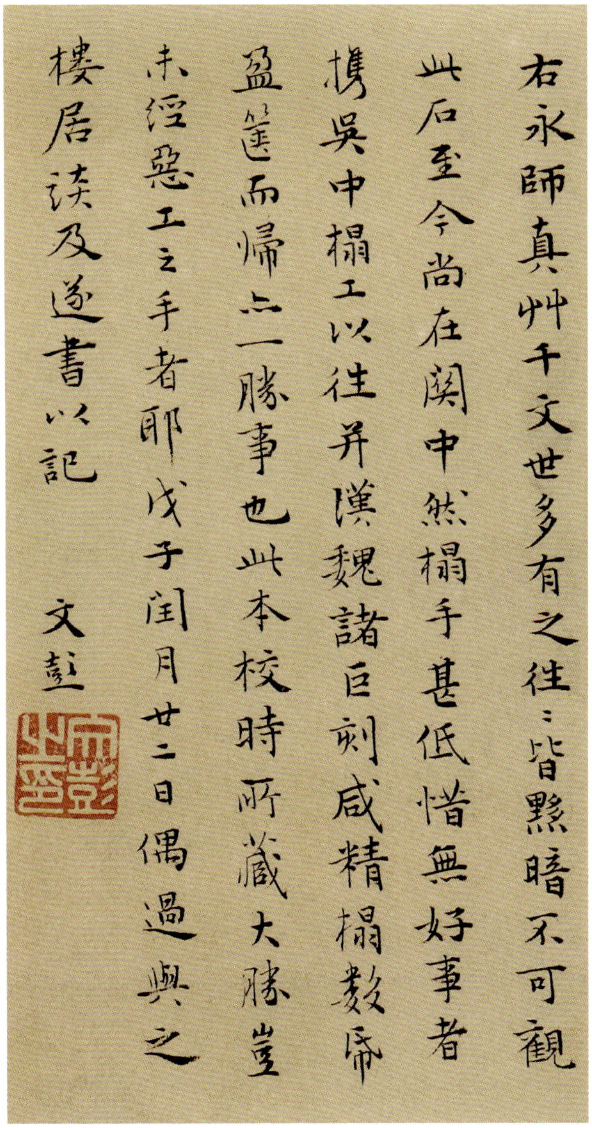

宋拓千字文册跋

明
文彭
高22、寬12厘米。
紙本。
現藏首都博物館。

吴承恩（公元1500－1582年）

山陽（今江蘇淮安）人。字汝忠，號射陽山人。嘉靖二十三年（公元1544年）補貢生，曾官長興丞。先後寓居金陵、杭州。晚年返鄉從事文學著作，七十一歲始寫《西游記》，數年而成此名著。工書法，在當時有較大的影響。流傳至今的墨迹很少。

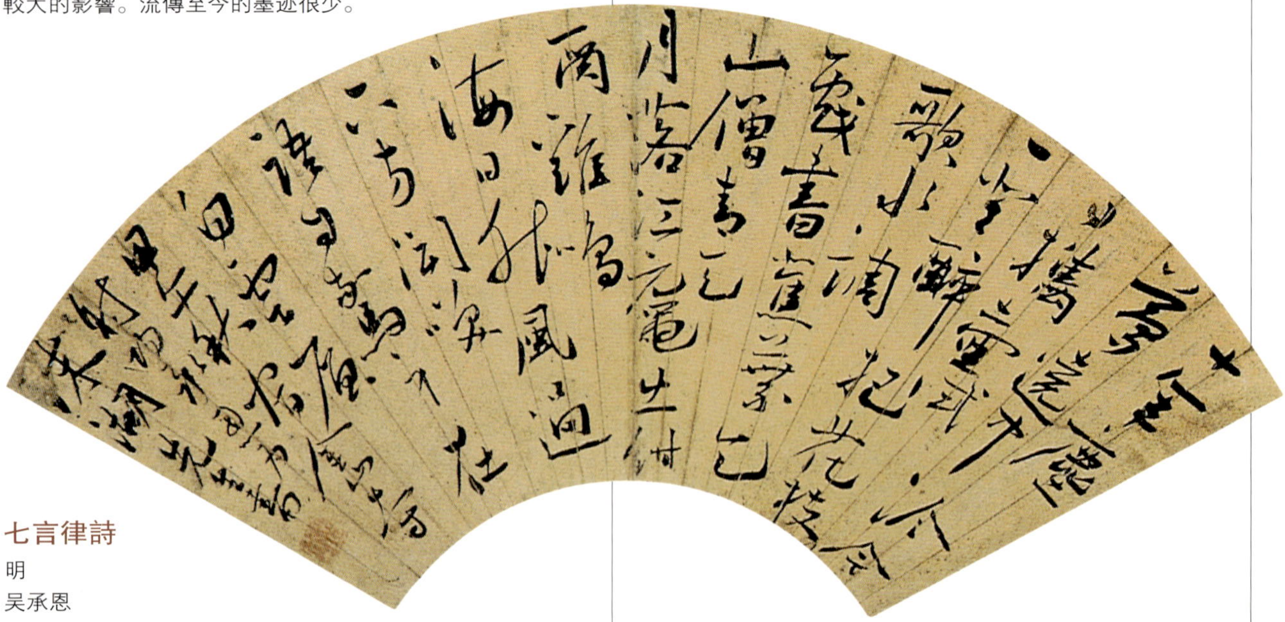

七言律詩

明

吴承恩

高20.5、寬55.6厘米。

紙本。

現藏江蘇省揚州博物館。

王穀祥（公元1501－1568年）

長洲（今江蘇蘇州）人。字祿之，號西室。嘉靖八年（公元1529年）進士，官至吏部員外郎。工詩文，擅書畫，書法諸體兼善。

千字文

明

王穀祥

高23.5、寬329厘米。

紙本。此選爲局部。

現藏美國普林斯頓大學美術館。

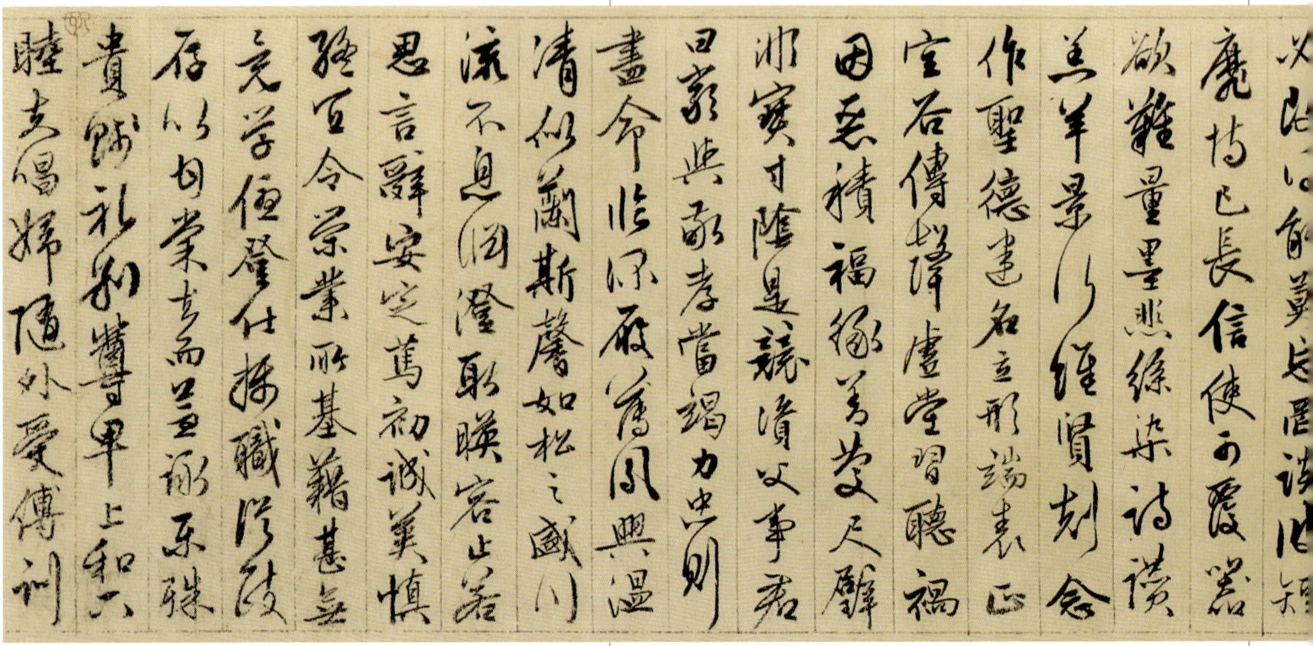

贈邵穀詩
明
王穀祥
高26.4、寬24.1厘米。
紙本。
現藏南京博物院。

釋子宝山裏飛修絶世
縁靜花來白燕呪鉢涌
高蓮雲空憇游戲蒲
圖取靜便濁芳者禪沙
心印得真傳
乙未四月澄後穀祥

千字文

天地玄黃宇宙洪荒日月
盈昃辰宿列張寒來暑
往秋收冬藏閏餘成歲律
呂調陽雲騰致雨露結為
霜金生麗水玉出崑岡劍
號巨闕珠稱夜光果珍
李柰菜重芥薑海鹹河
淡鱗潛羽翔龍師火帝
鳥官人皇始制文字乃服
衣裳推位讓國有虞陶
唐弔民伐罪周發殷湯
坐朝問道垂拱平章
愛育黎首臣伏戎羌遐邇
體率賓歸王鳴鳳在樹
白駒食場化被草木賴及
萬方蓋此身髮四大五常

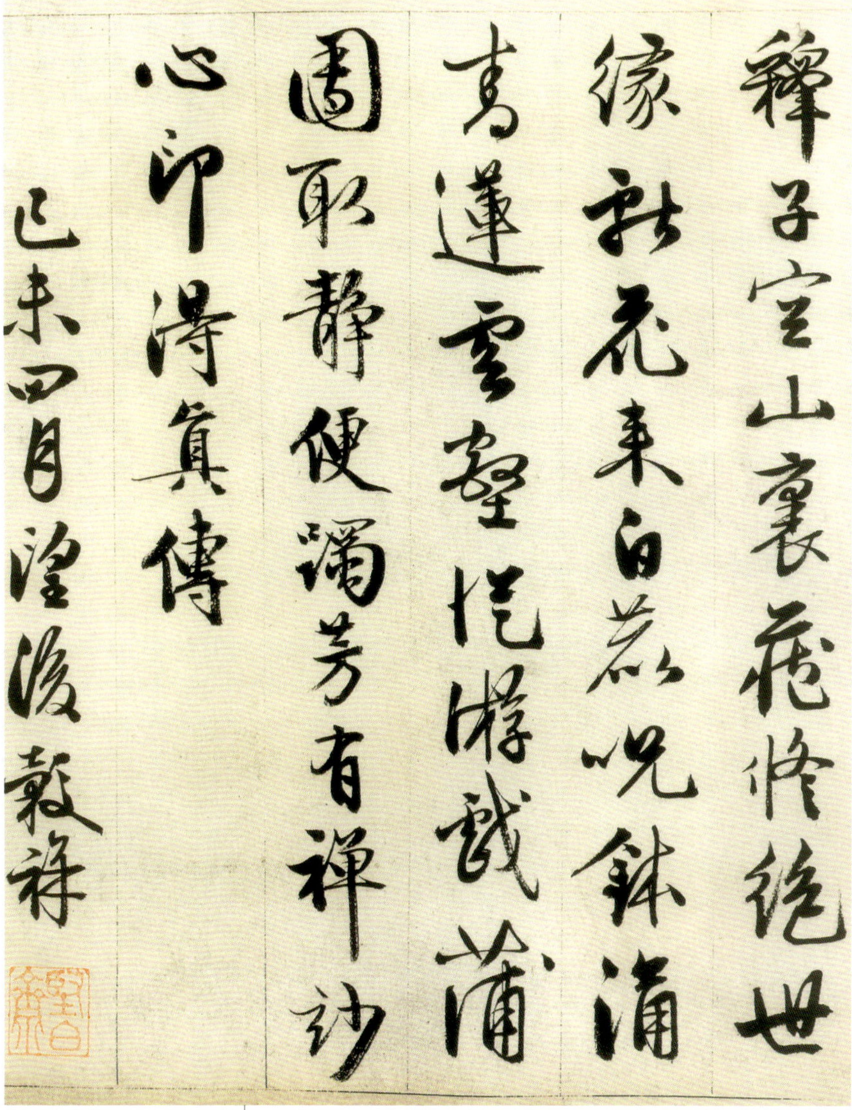

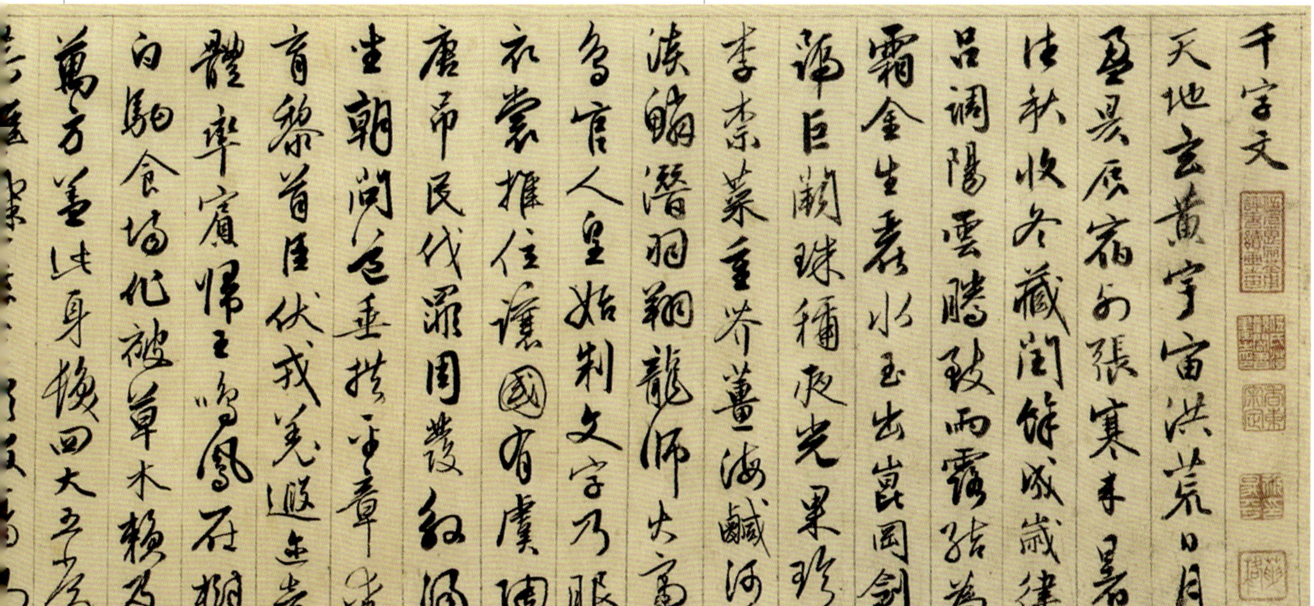

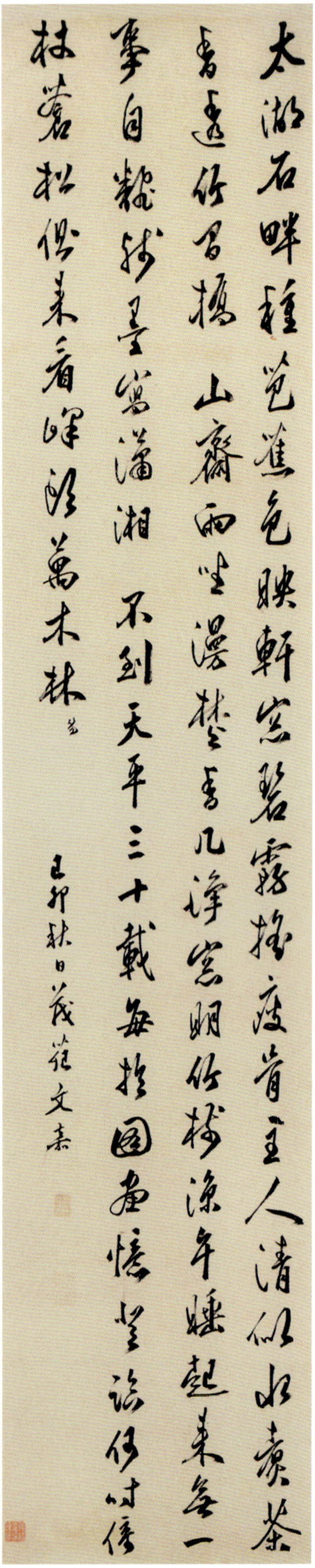

文　嘉（公元1501－1583年）

長洲（今江蘇蘇州）人。字休承，號文水，文徵明次子。以諸生久次貢，授烏程訓導，擢和州學正。工書畫篆刻。

七言絶句三首（左圖）

明

文嘉

高125、寬25.2厘米。

紙本。

現藏故宮博物院。

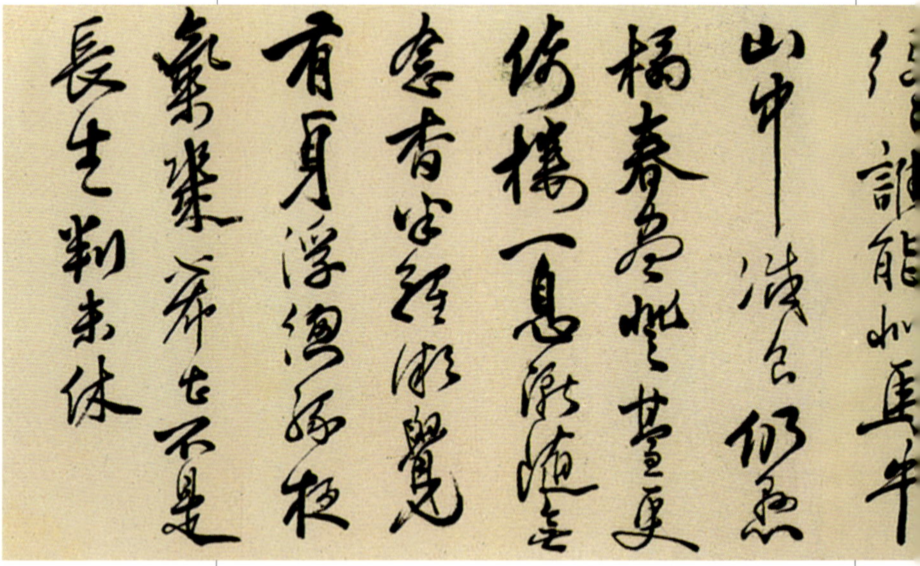

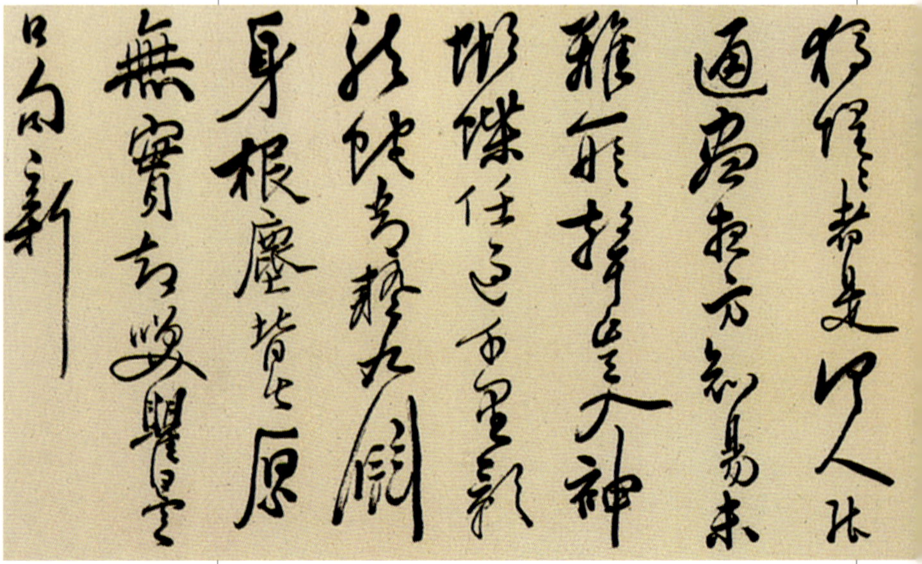

羅洪先（公元1504－1564年）

吉水（今屬江西）人。字達夫，號念庵。嘉靖八年（公元1529年）進士第一，授翰林院修撰，後召爲左春坊贊善，因忤旨而罷歸。卒謚文莊。工文章，善書法。其書法出自《聖母帖》，秀潤穠麗。著有《冬游記》和《念庵集》。

夜坐詩十首

明

羅洪先

高27.6、寬625厘米。

紙本。此選爲局部。

現藏故宫博物院。

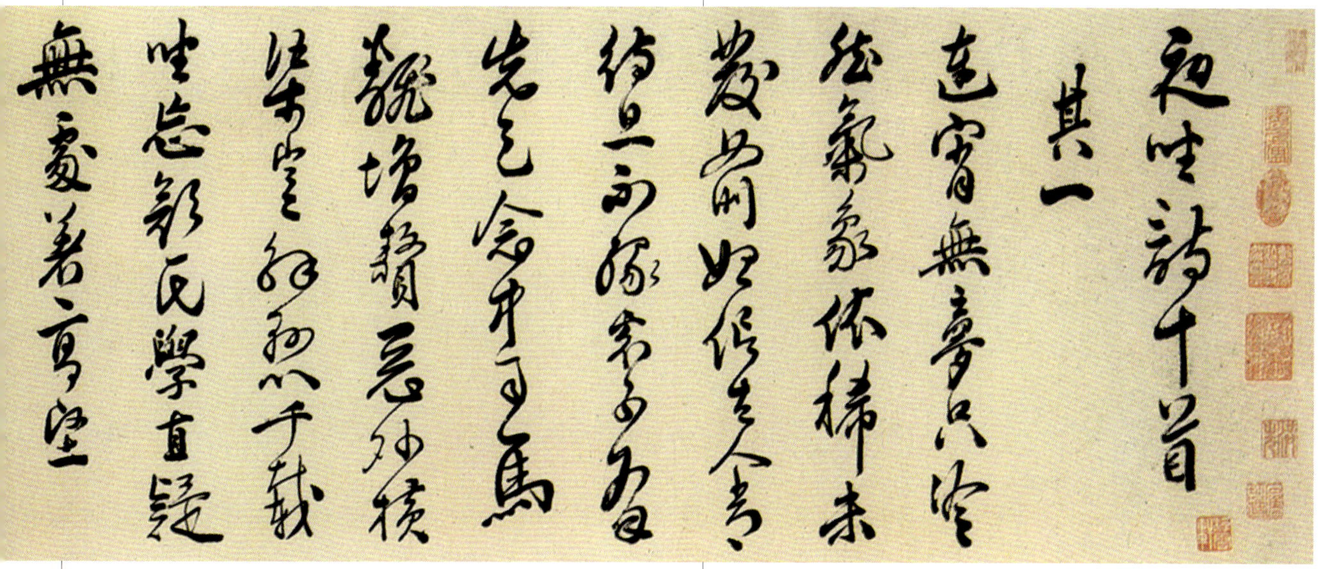

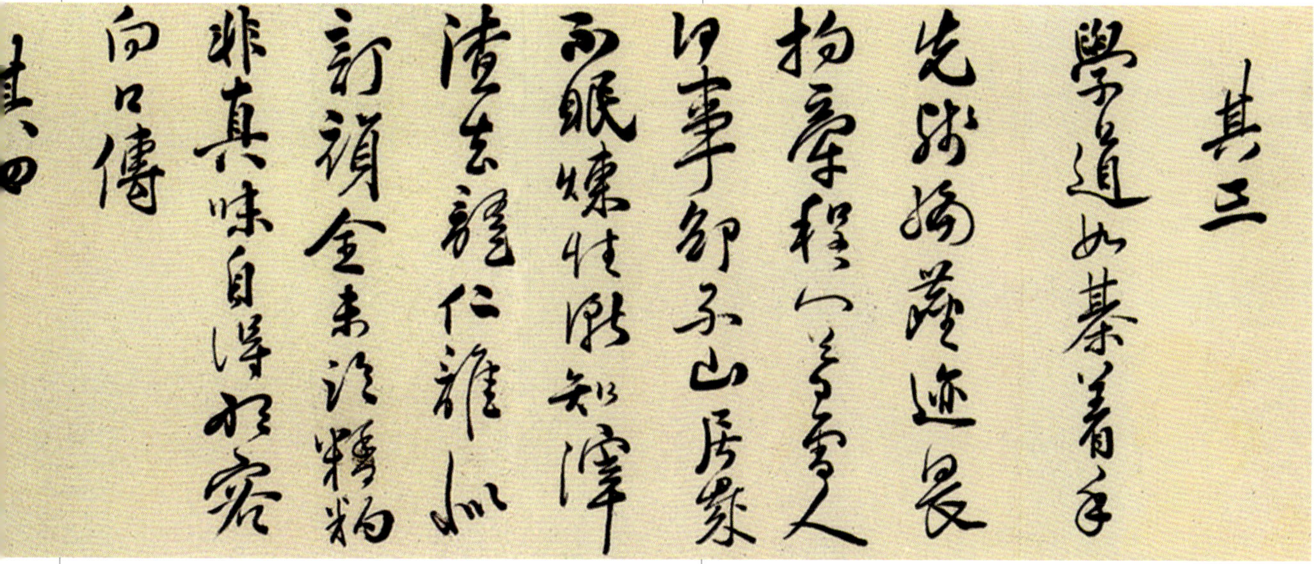

唐順之（公元1507－1560後）

武進（今江蘇常州）人。字應德，一字義修。嘉靖八年（公元1529年）會試第一，授武選主事，改授翰林院編修。文章精妙，與王慎中、歸有光等同爲文壇著名的“唐宋派”的中堅人物。工書法，爲文名所掩。著有《荆川文集》。

七言律詩

明
唐順之
高19、寬54厘米。
紙本。
現藏江蘇省常州博物館。

莫如忠（公元1508－1588年）

華亭（今上海松江）人。字子良，號中江。嘉靖十七年（公元1538年）進士，授南京禮部主事，官至浙江布政使。工書法，以“二王”爲宗。著有《莫中江集》。

尺牘

明
莫如忠
右頁高24.2、寬21.7厘米；左頁高24.2、寬20.6厘米。
紙本。
現藏臺北故宫博物院。

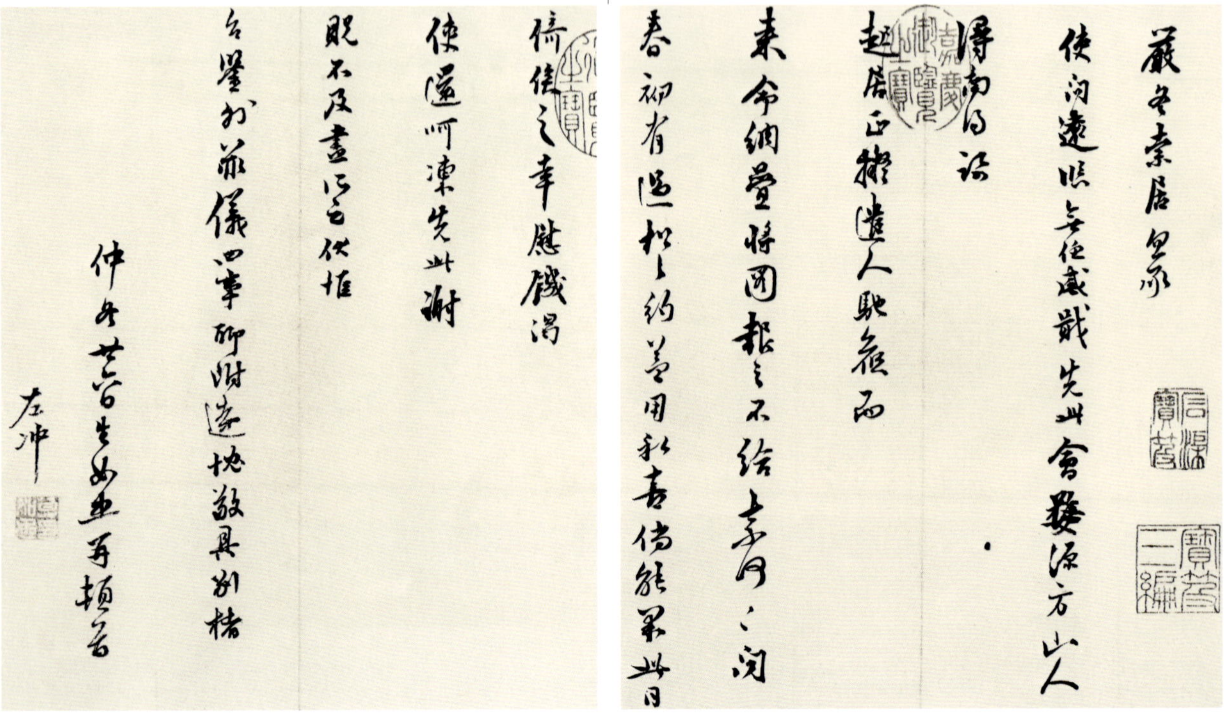

黄姬水（公元1509－1574年）

長洲（今江蘇蘇州）人。字淳父。書學于祝允明，善行草。

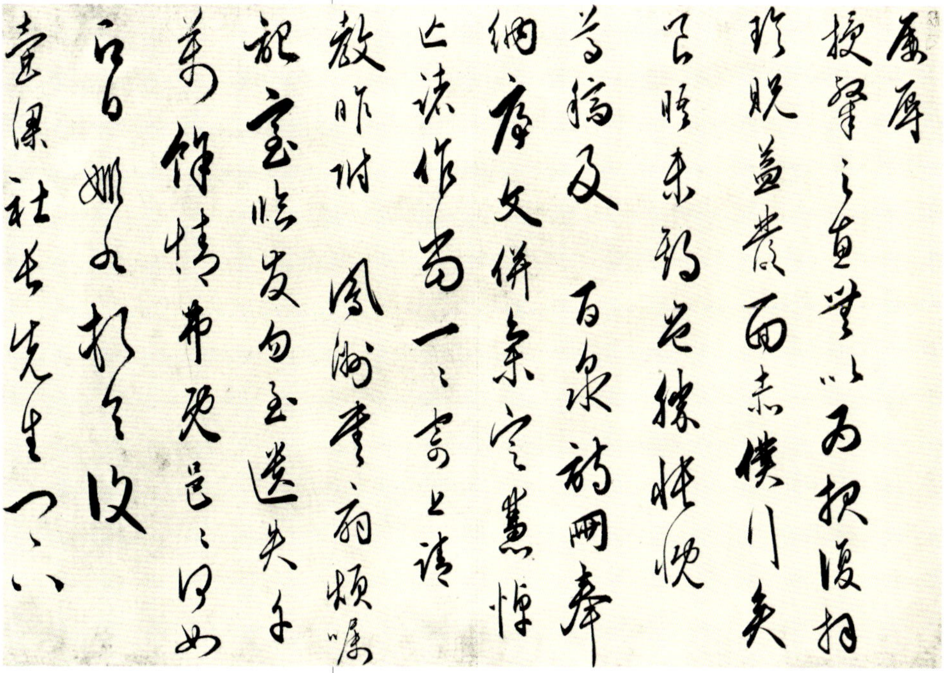

尺牘

明
黄姬水
高28.4、寬42.6厘米。
紙本。
現藏臺北故宫博物院。

俞允文（公元1512－1579年）

昆山（今屬江蘇）人。字仲蔚。工書法，融諸家而出新意。

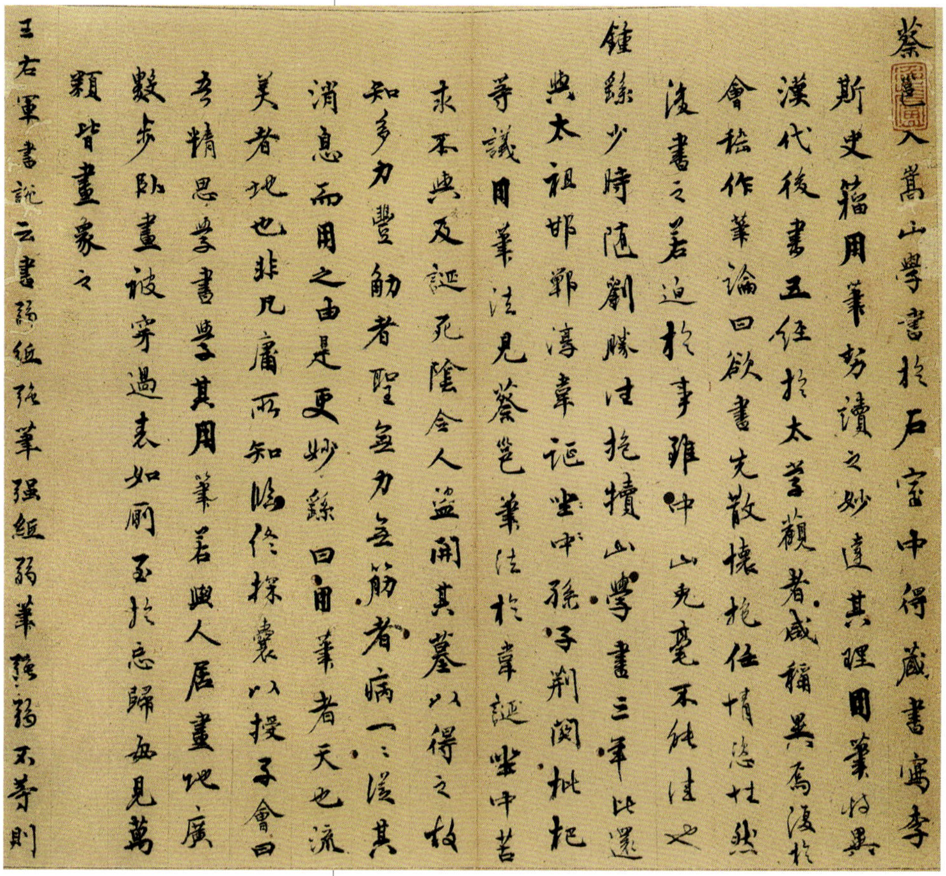

論書語

明
俞允文
高26、寬26.7厘米。
紙本。
現藏故宫博物院。

茅　坤（公元1512－1601年）

歸安（今浙江湖州）人。字順甫，號鹿門。嘉靖十七年進士。以文學擅名，亦善書法，著有《茅鹿門集》，編有《唐宋八大家文鈔》。

陸游劍南詩

明

茅坤

高29.1、寬265.7厘米。

紙本。

現藏上海博物館。

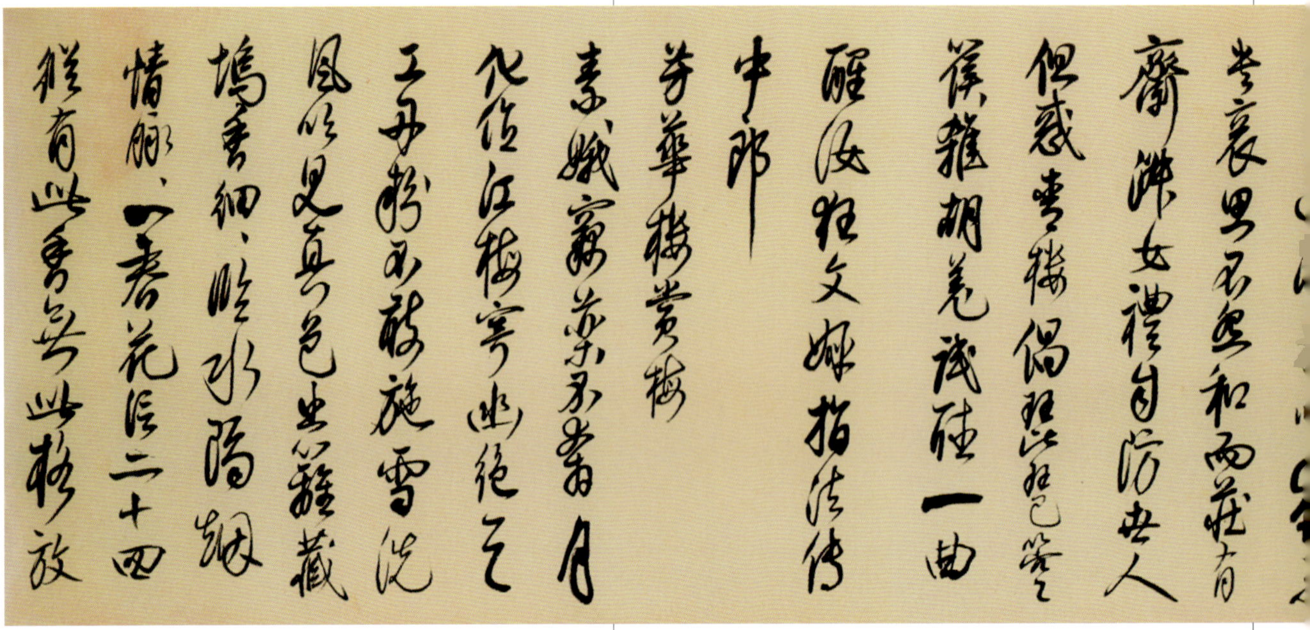

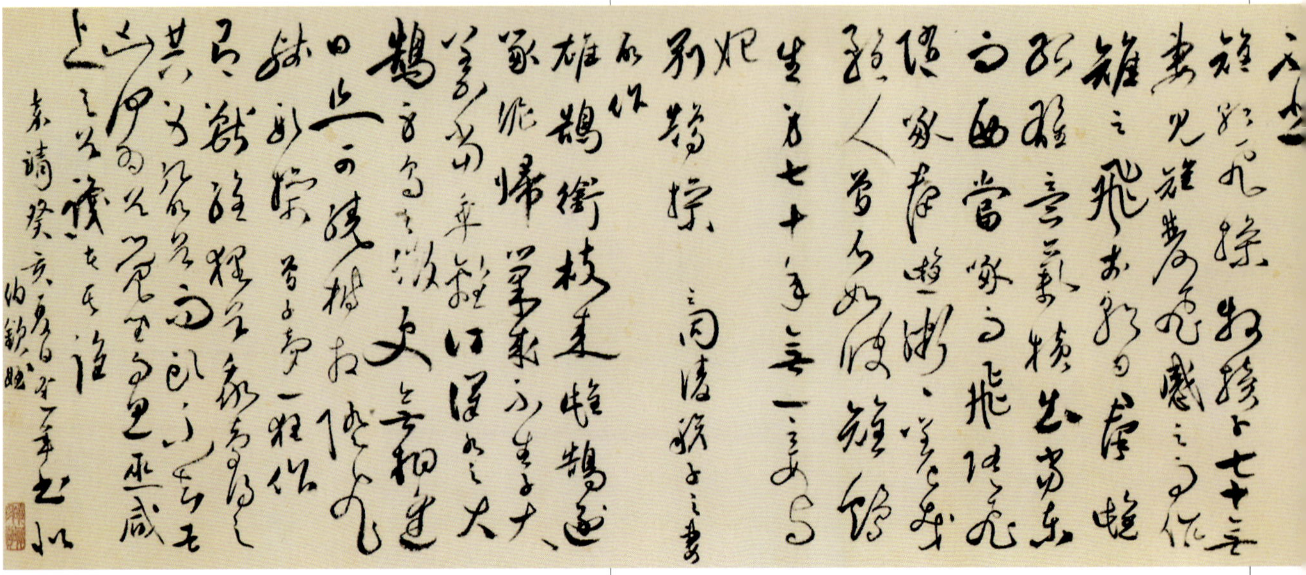

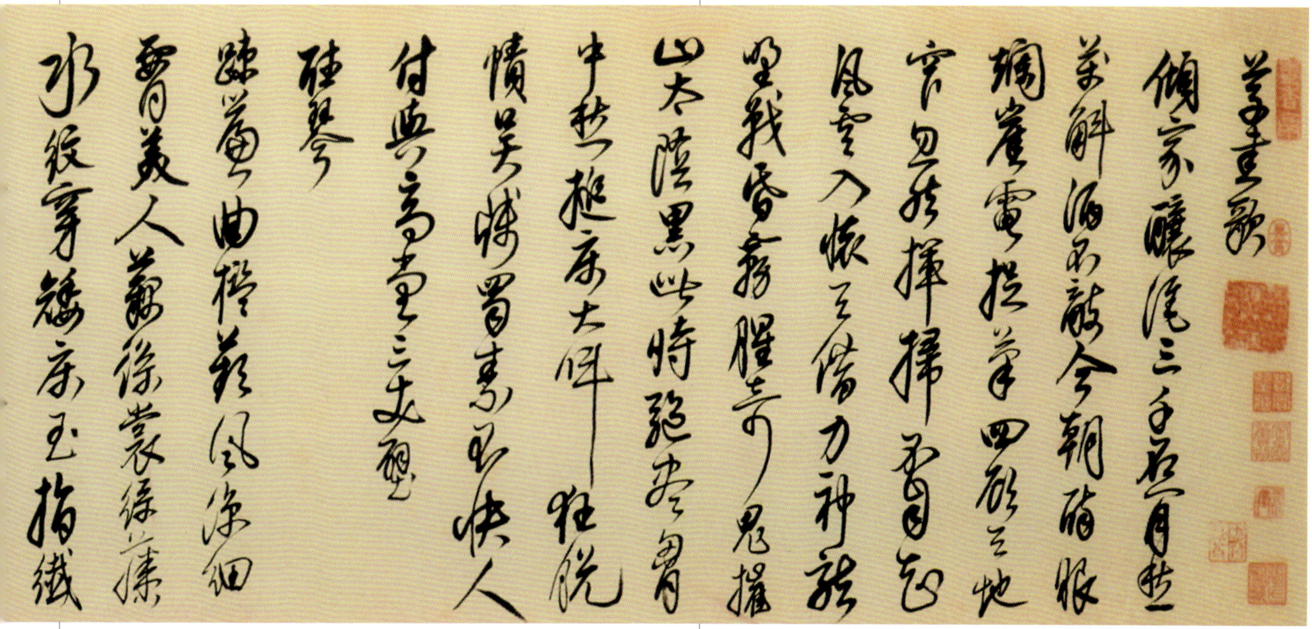

王逢年

生卒年不詳。昆山（今屬江蘇）人。初名治，字明佐，更名逢年，字舜華，號玄陽山人。諸生。工書法，楷、行、草俱能，其草書受祝允明影響。著有《海岱集》。

韓愈琴操

明

王逢年

高30.3、寬149.8厘米。

紙本。

現藏上海博物館。

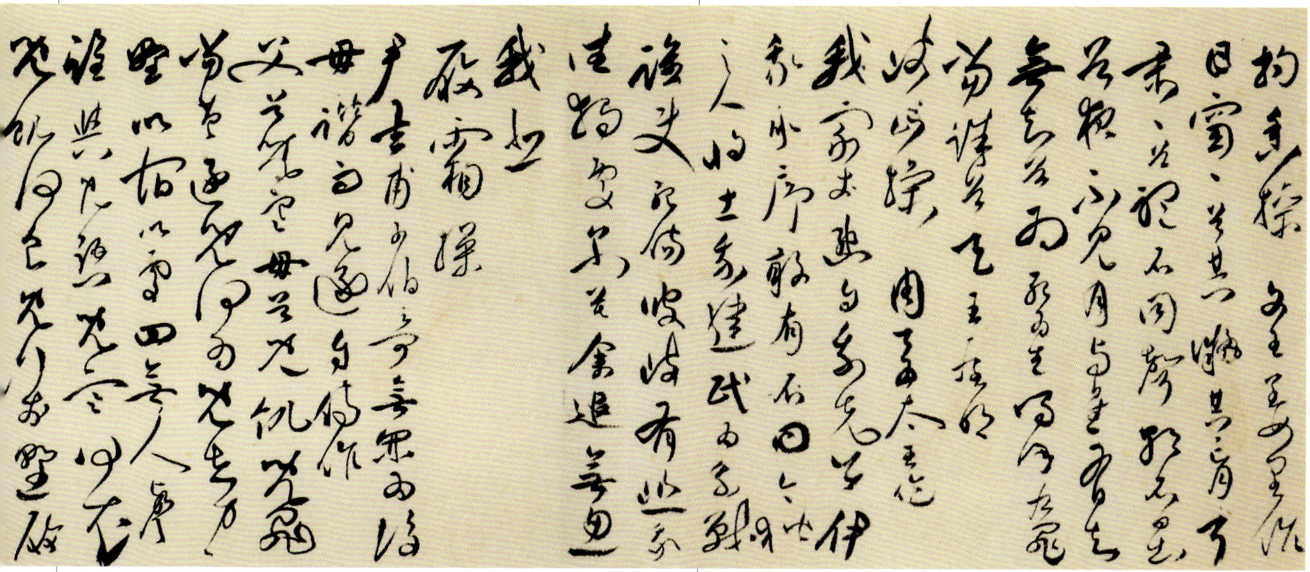

周天球（公元1514－1595年）

長洲（今江蘇蘇州）人。字公瑕，號幼海。擅大、小篆，兼擅古隸、行、楷，筆致圓渾，墨濃意暢，布局疏朗，殊多雅致。一時豐碑大碣，皆出其手。

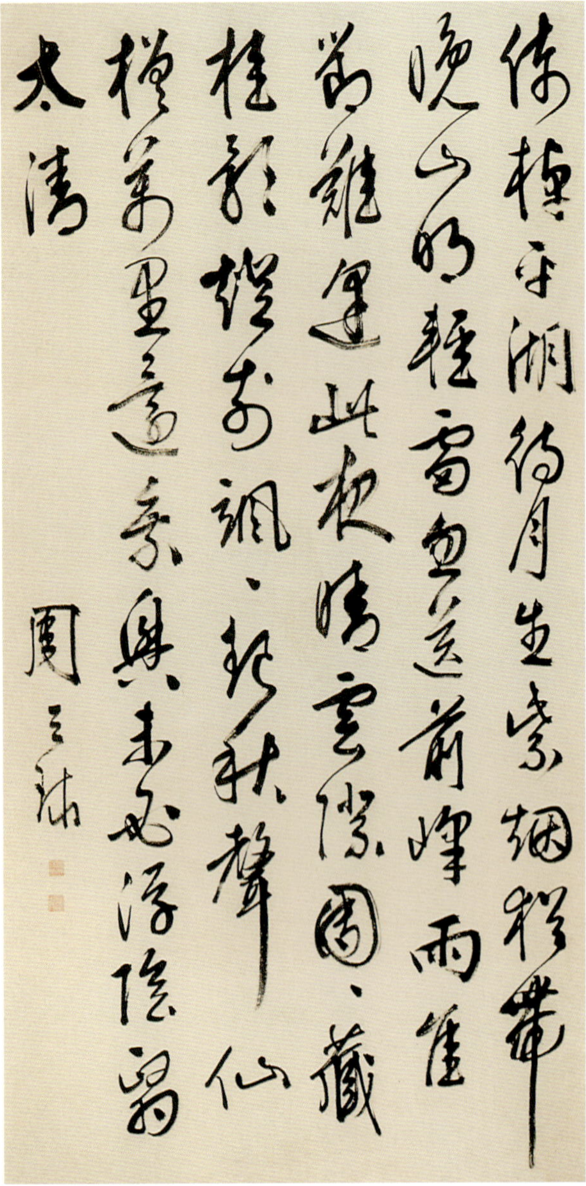

七言律詩

明
周天球
高127、寬65.7厘米。
紙本。
現藏故宮博物院。

五言律詩

明
周天球
高130.2、寬57.1厘米。
紙本。
現藏南京博物院。

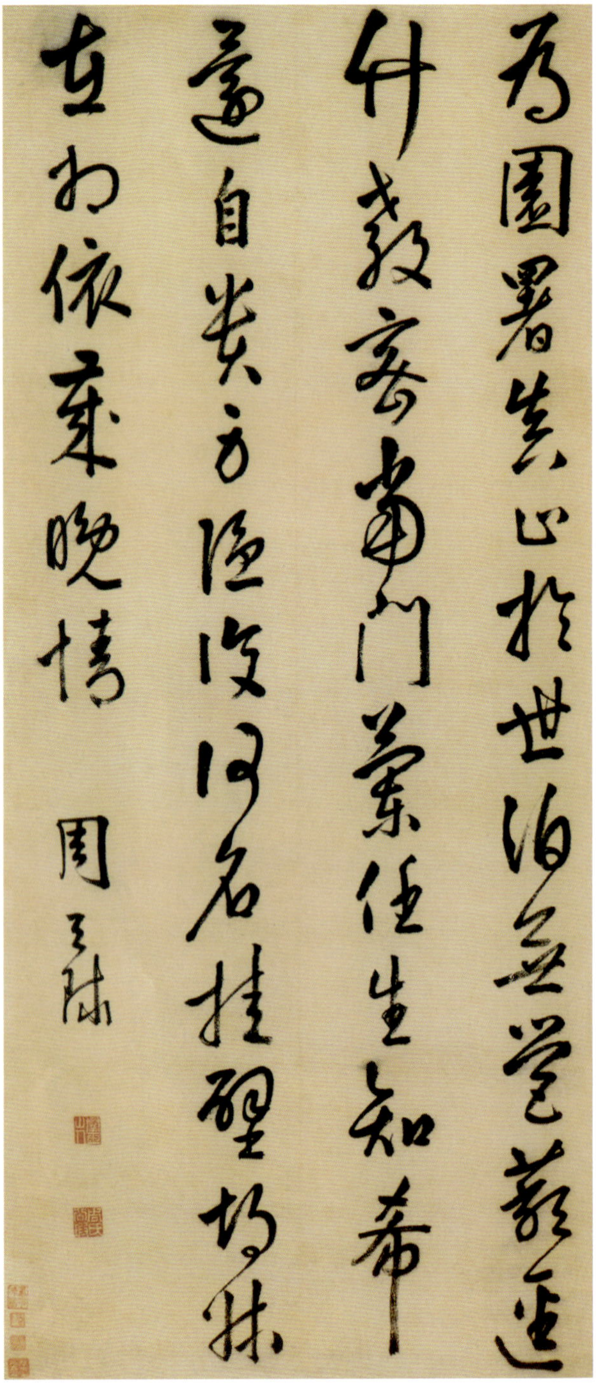

心經

明

周天球

高85.3、寬27.2厘米。

紙本。

現藏上海博物館。

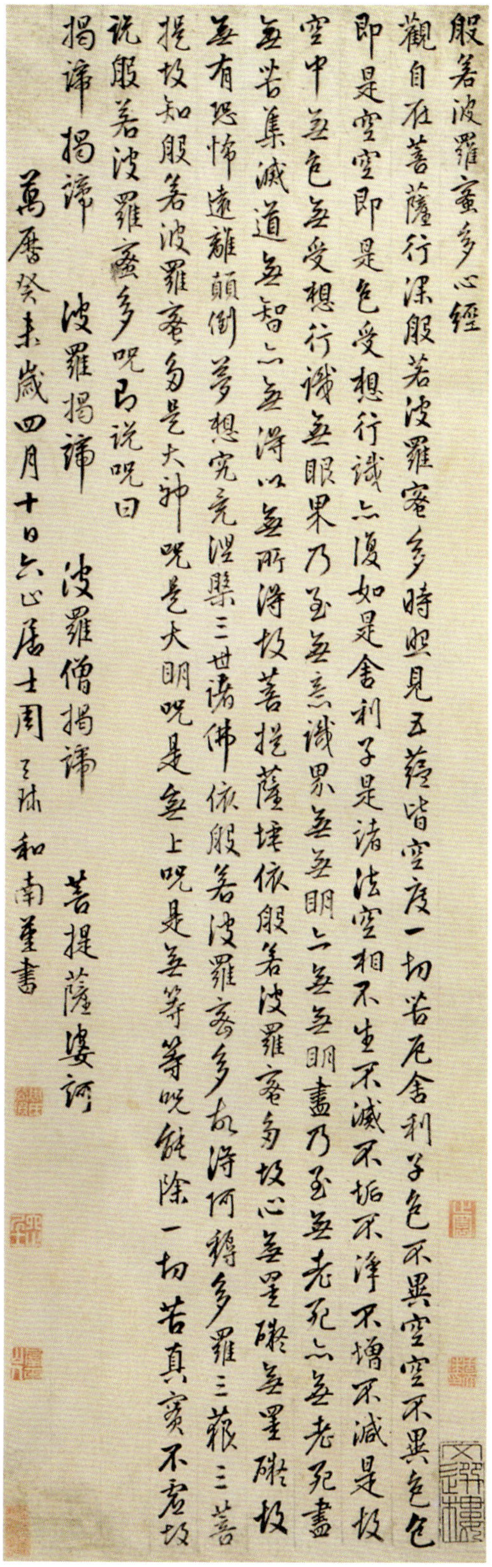

徐　渭（公元1521－1593年）

山陰（今浙江紹興）人。字文清，更字文長，號天池、天池道人、青藤居士等。精曉繪事，善寫花卉竹石。其書法自成風格，筆意奔放，與陳淳并稱“青藤白陽”。著述多種，有《徐文長全集》和《筆元要旨》等。

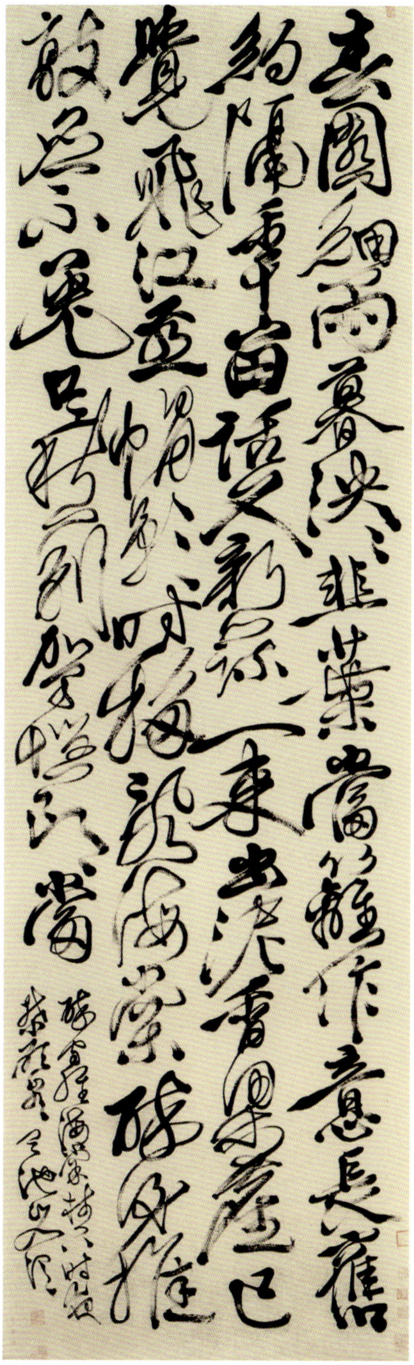

七言律詩

明

徐渭

高209.8、寬64.3厘米。

紙本。

現藏故宮博物院。

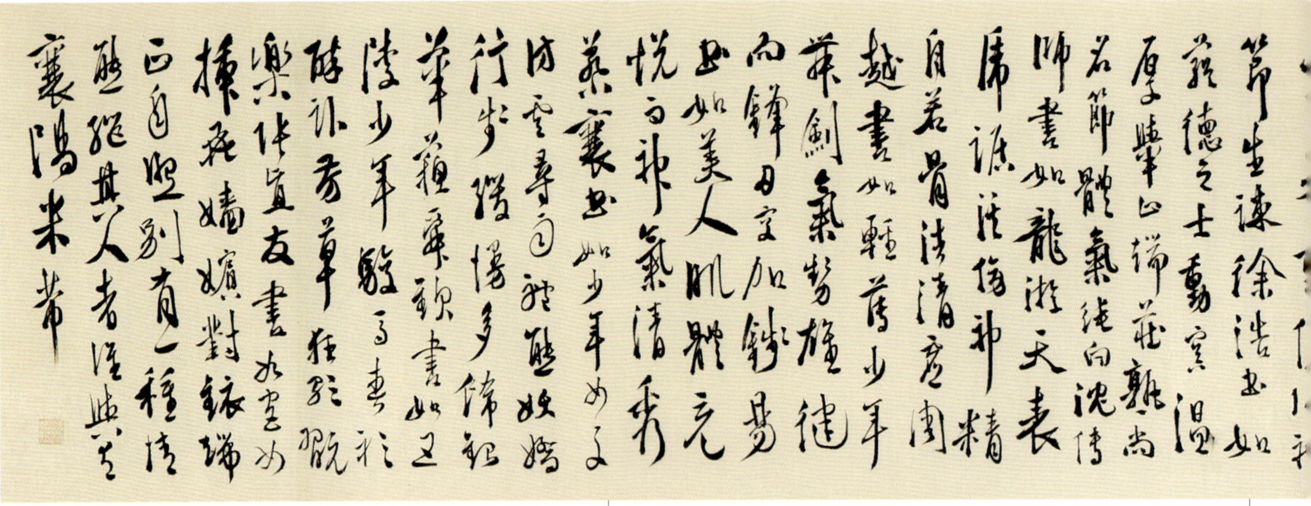

論書

明

徐渭

高32.1、寬736.5厘米。

紙本。此選爲局部。

現藏故宫博物院。

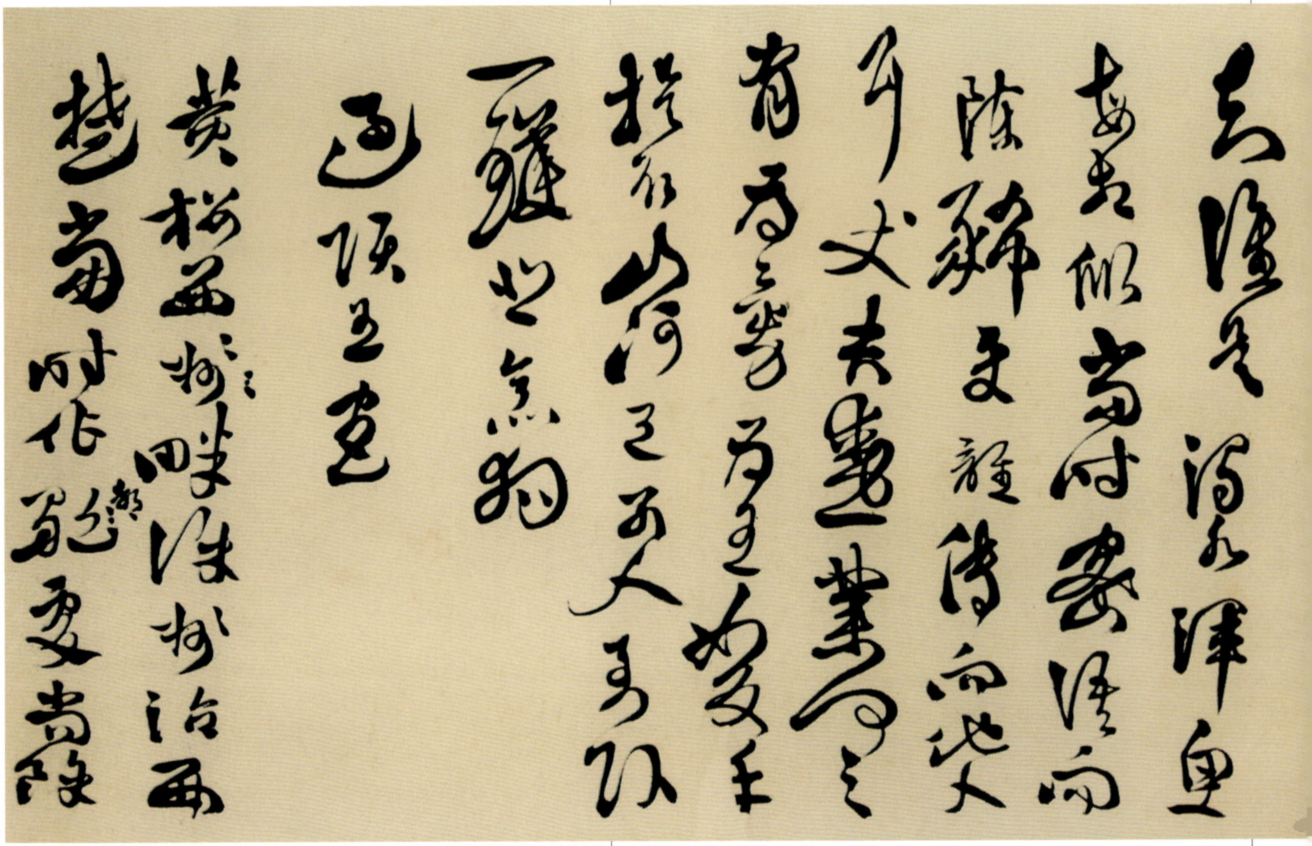

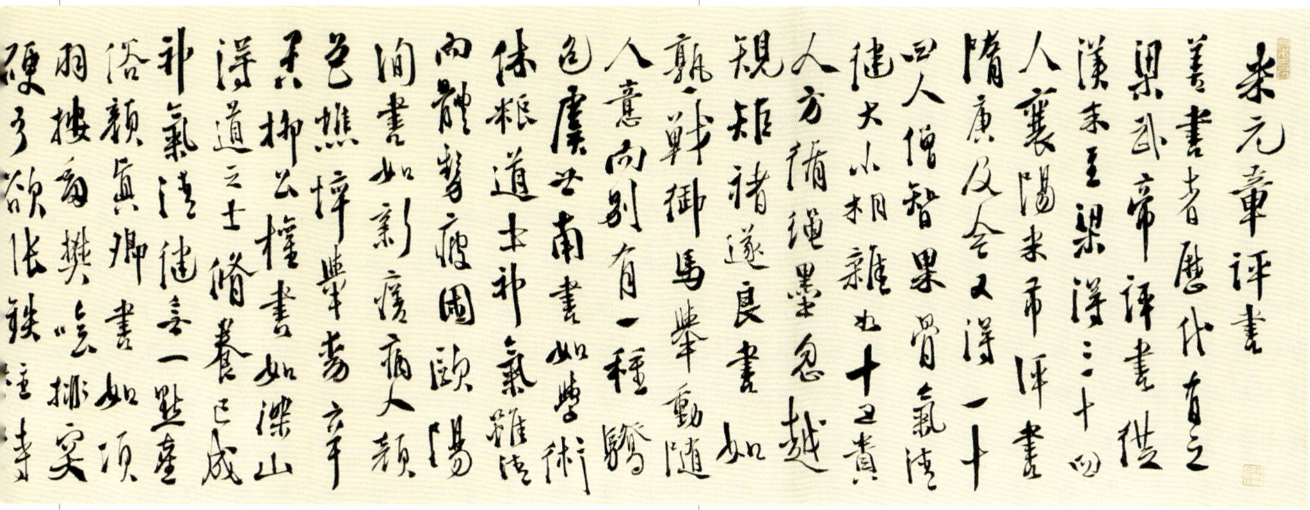

雜詩

明

徐渭

高31.5厘米。

紙本。此選爲局部。

現藏廣東省博物館。

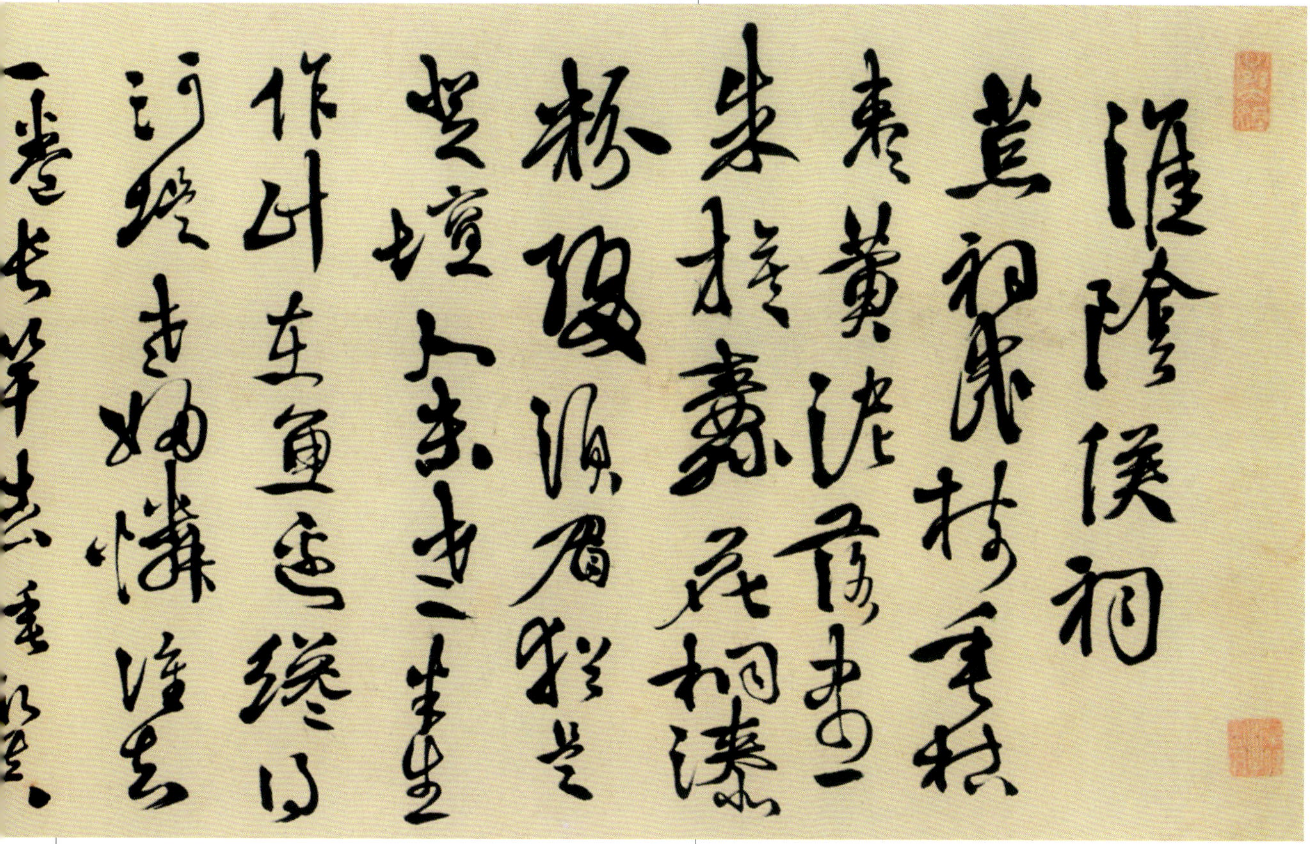

王穉登（公元1535－1612年）

江陰（今屬江蘇）人，移居吴門。字百谷，號半偈庵、青羊君。工書法，善篆隸，亦能行草。著有《吴郡丹青志》等。

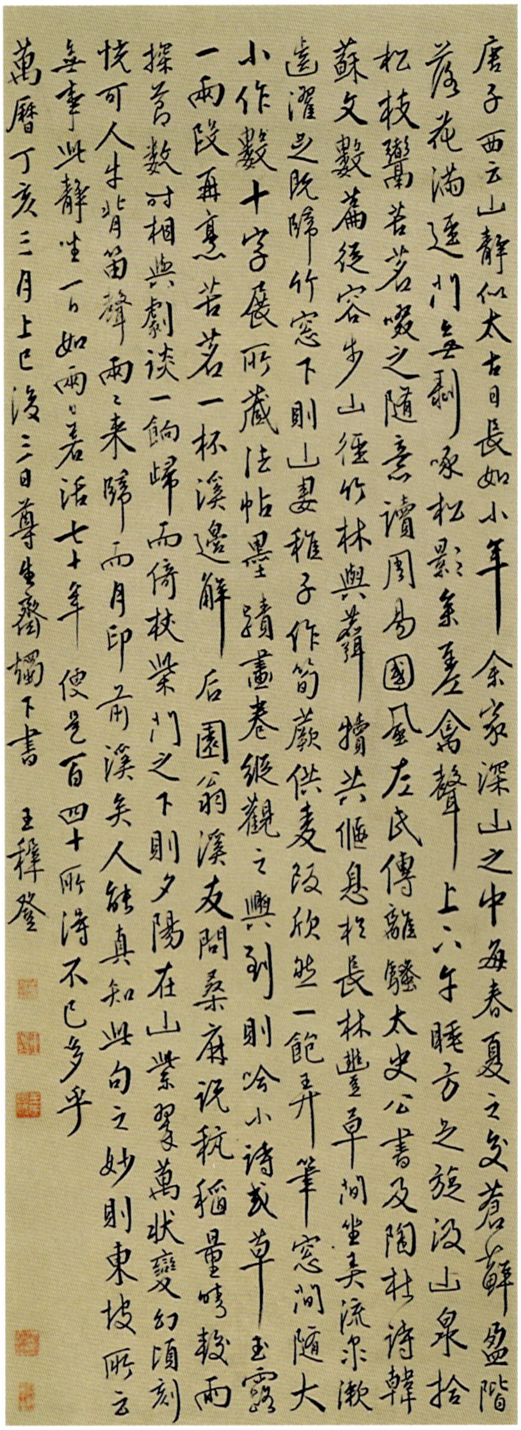

唐子西句

明

王穉登

高117.3、寬44.5厘米。

紙本。

現藏故宫博物院。

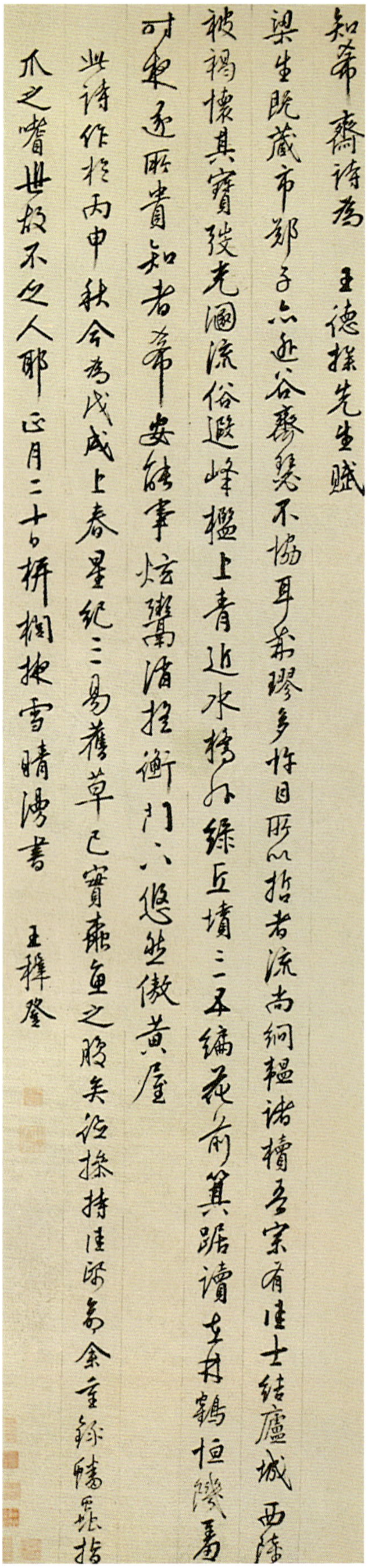

知希齋詩

明

王穉登

高174.2、寬41.7厘米。

紙本。

現藏故宫博物院。

申時行（公元1535－1614年）

長洲（今江蘇蘇州）人。字汝默，號瑶泉，晚號休休居士。纍官吏部尚書，進中極殿大學士，贈太師，謚文定。能書法，其書出于“二王”。刻有《賜閑堂帖》。

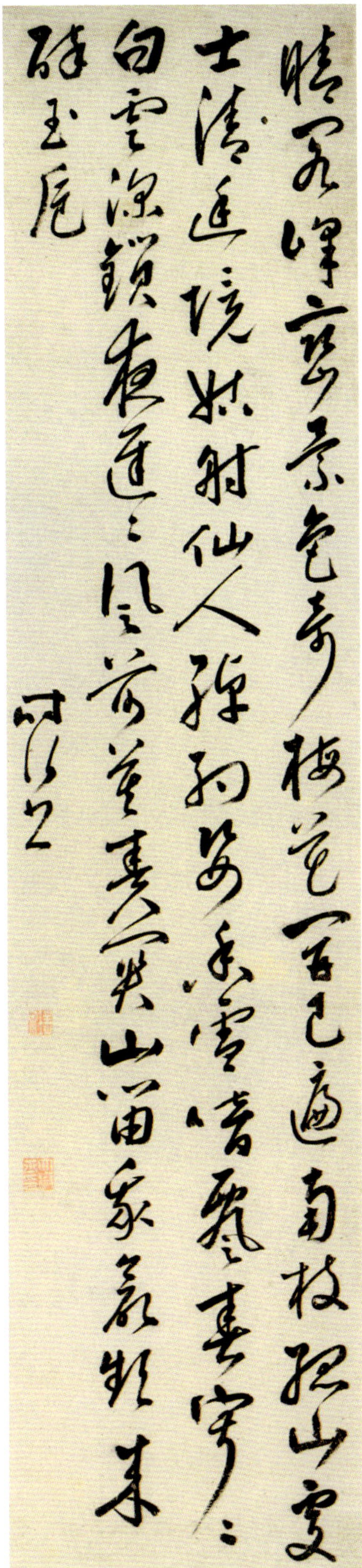

七言律詩
明
申時行
高186.2、寬39.6厘米。
紙本。
現藏上海博物館。

祝世禄（公元1539－1610年）

鄱陽（今屬江西）人，一説德興（今屬江西）人。字延之，號無功。萬曆十七年（公元1589年）進士，官休寧知縣、南科給事中、尚寶司卿等。工書法。著有《祝子小言》等。

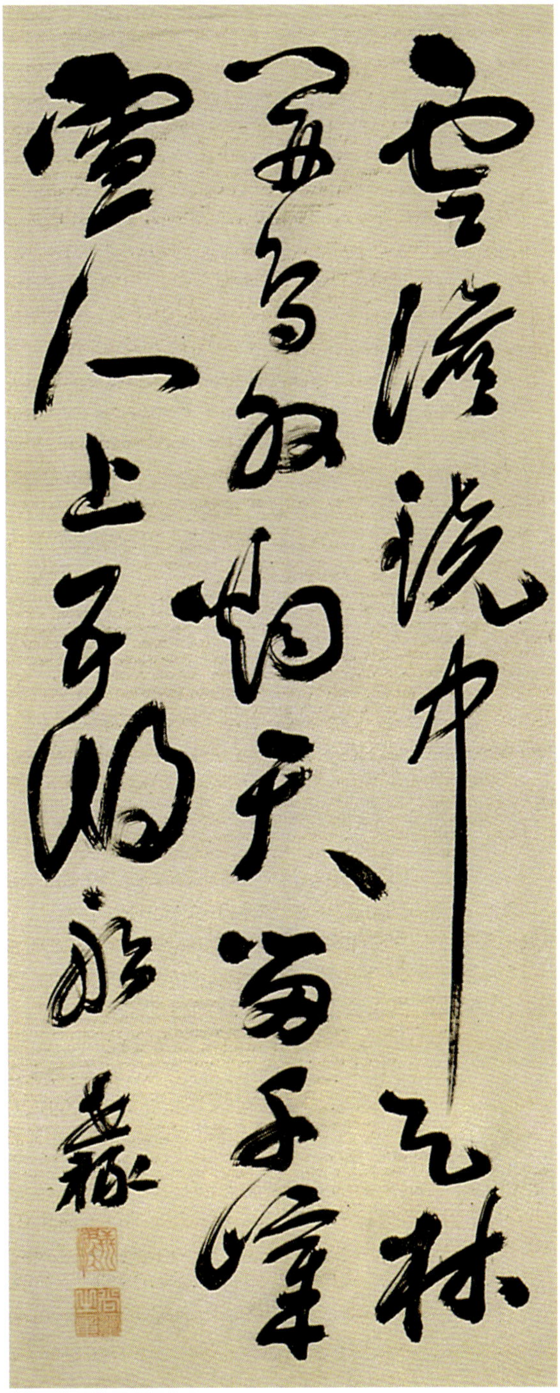

五言絶句
明
祝世禄
高140、寬57.5厘米。
紙本。
現藏上海博物館。

屠　隆（公元1542－1605年）

鄞縣（今浙江寧波）人。字緯真。明萬曆五年（公元1577年）進士。

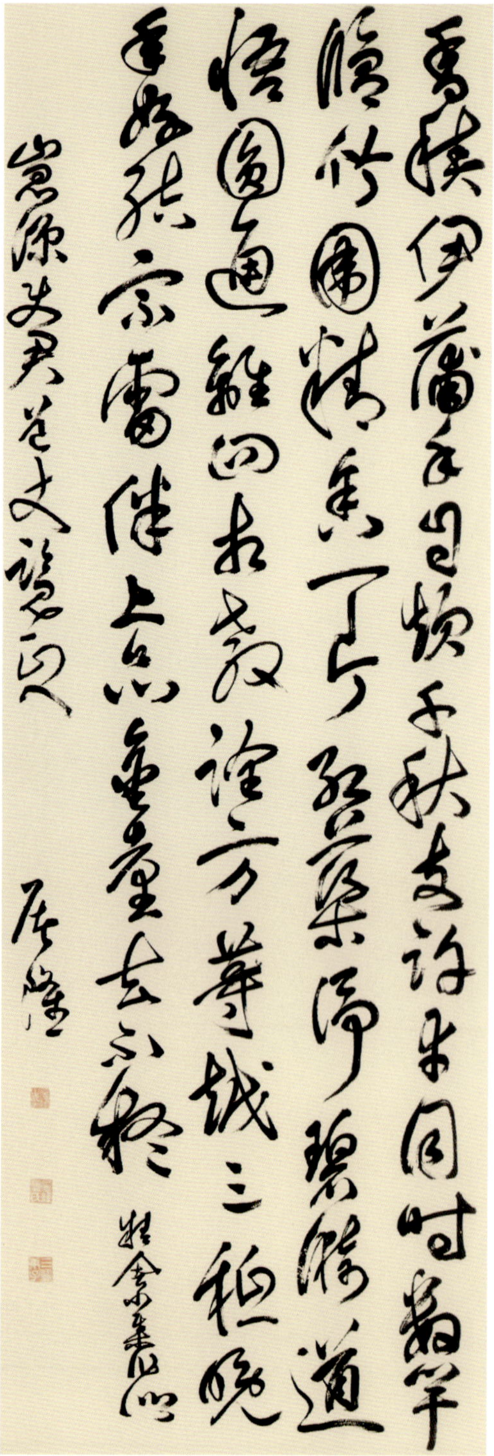

七言律詩

明

屠隆

高289.2、寬105.9厘米。

紙本。

現藏上海博物館。

張鳳翼（公元1550－1636年）

長洲（今江蘇蘇州）人。字伯起，號靈虛。善書法，用筆遒勁，多用側鋒取妍。

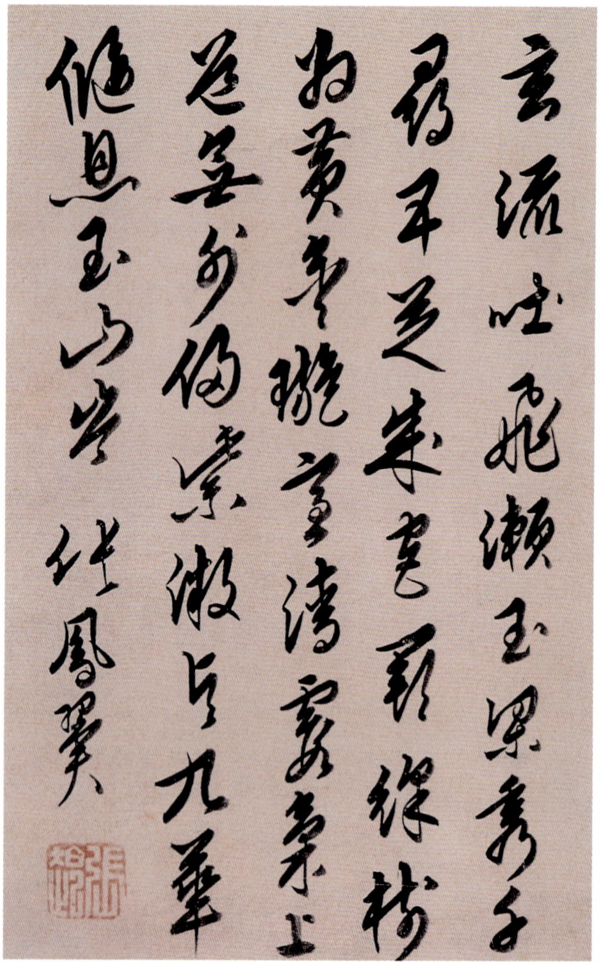

五言律詩

明

張鳳翼

高48.5、寬32厘米。

紙本。

現藏江蘇省蘇州博物館。

邢　侗（公元1551－1612年）

臨邑（今屬山東）人。字子願。萬曆二年（公元1574年）進士。官至陜西行太僕卿。諸體皆精，最擅草書，師法王羲之。與張瑞圖、米萬鍾和董其昌并稱“晚明四大家”，又與董其昌號“北邢南董”。刻有《來禽館帖》，著有《來禽館集》。

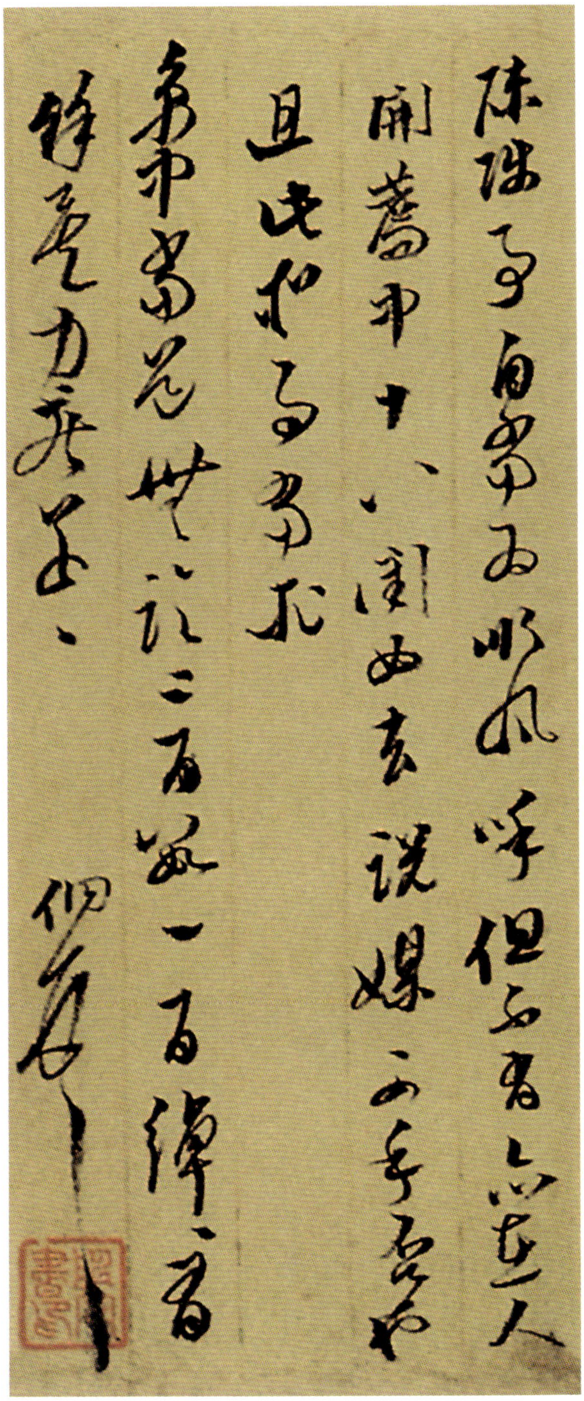

尺牘

明

邢侗

紙本。

現藏南京博物院。

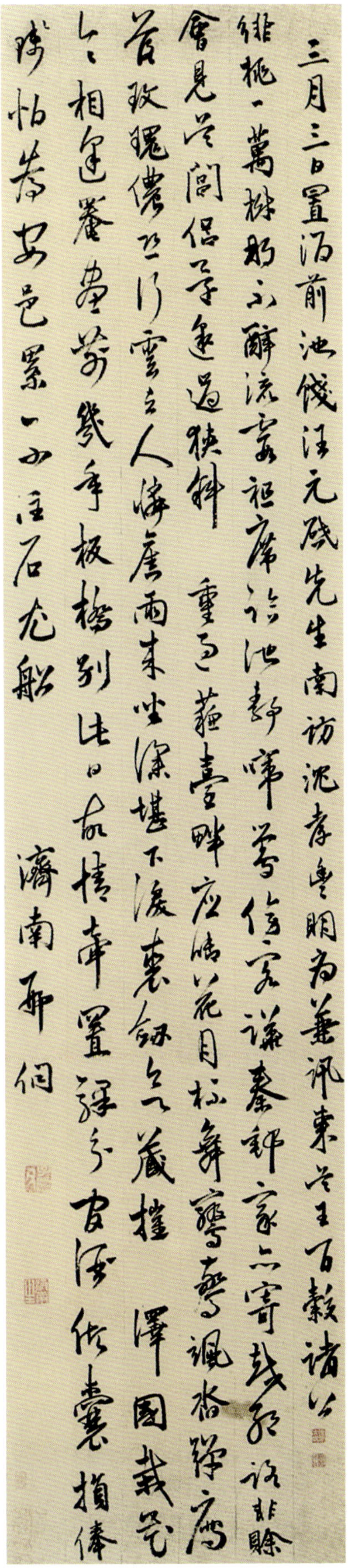

五言詩

明

邢侗

高142、寬33.2厘米。

紙本。

現藏故宮博物院。

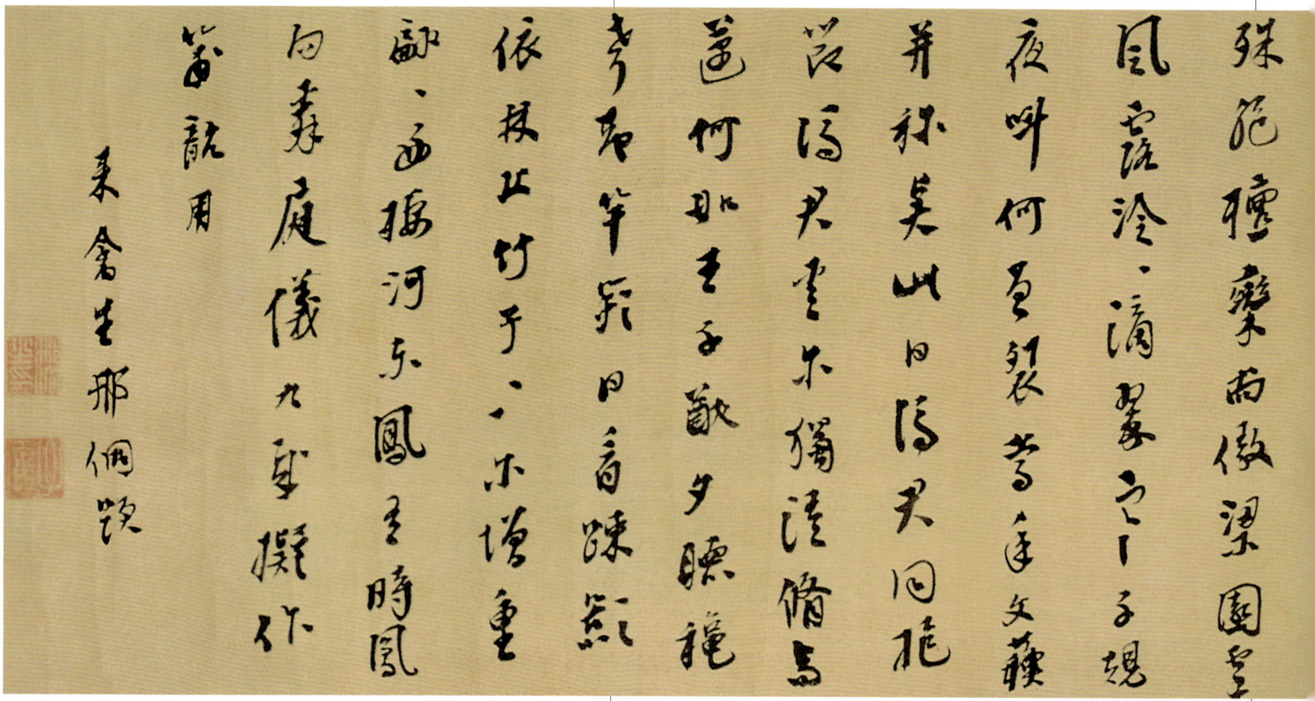

題畫竹詩

明

邢侗

高30.5、寬128.5厘米。

紙本。

現藏遼寧省博物館。

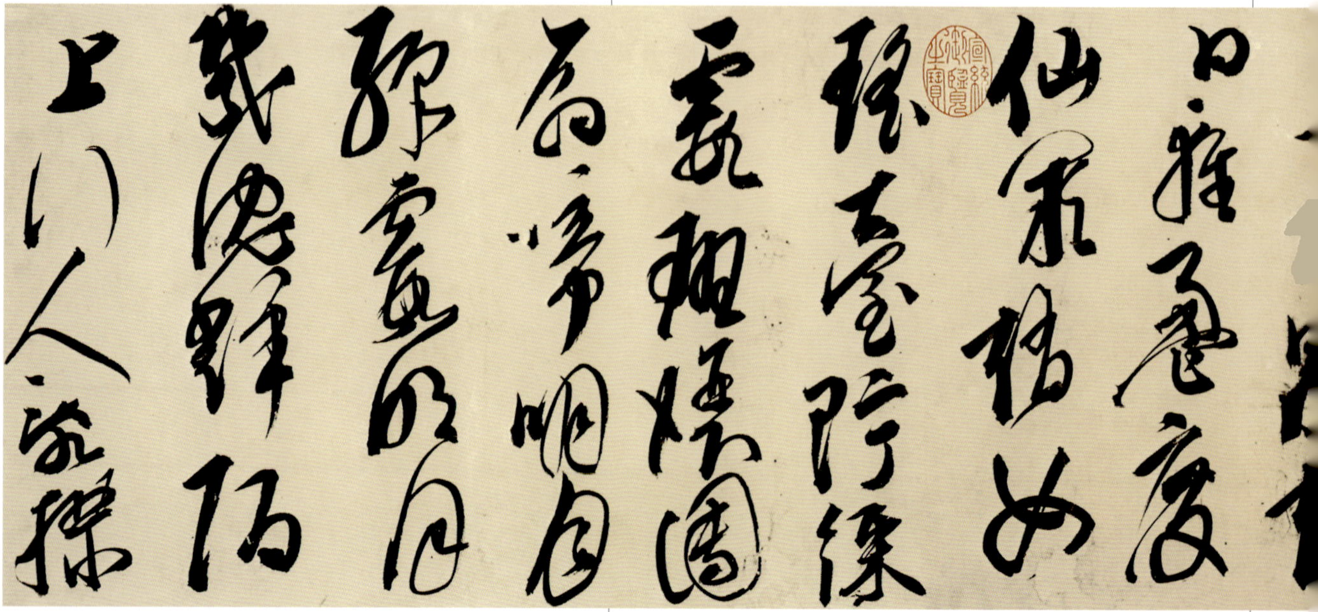

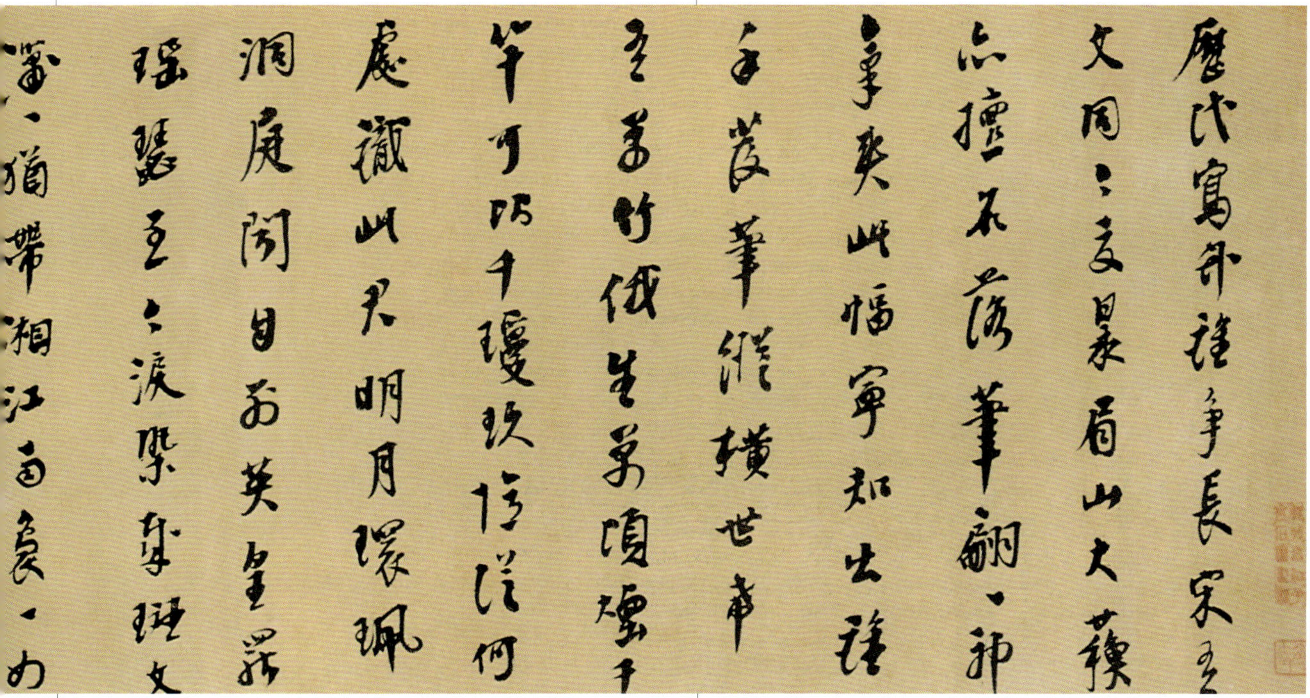

七言古詩

明
邢侗
高28.2、寬442.8厘米。
紙本。此選爲局部。
現藏臺北故宫博物院。

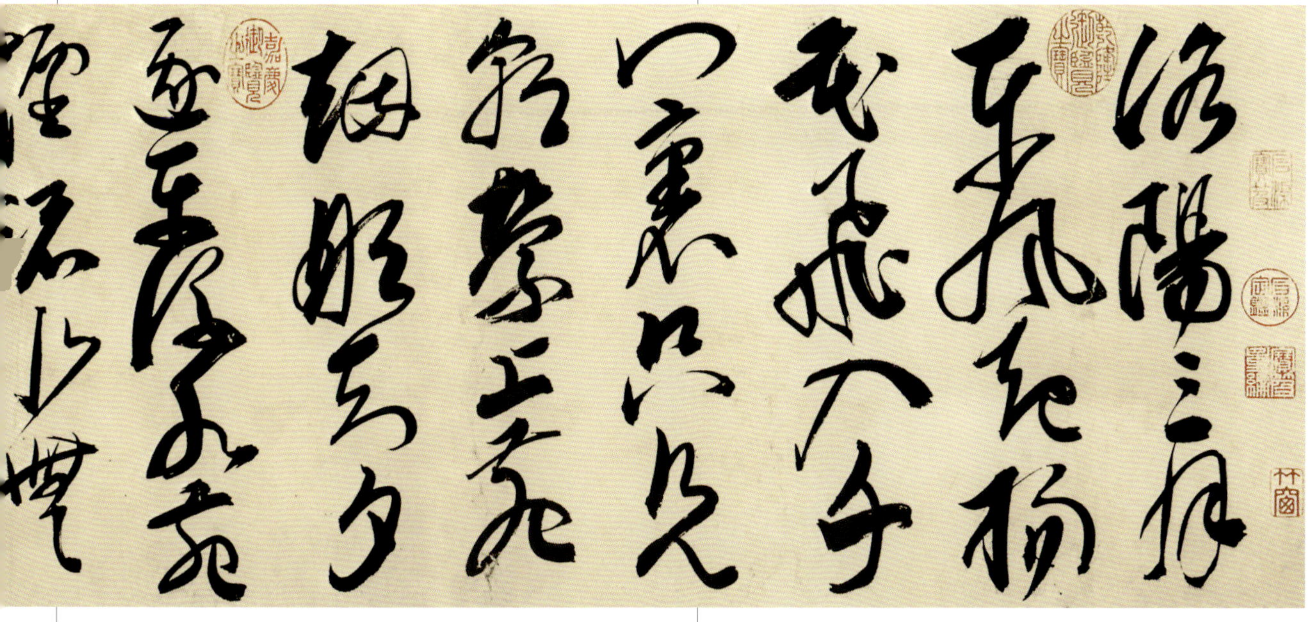

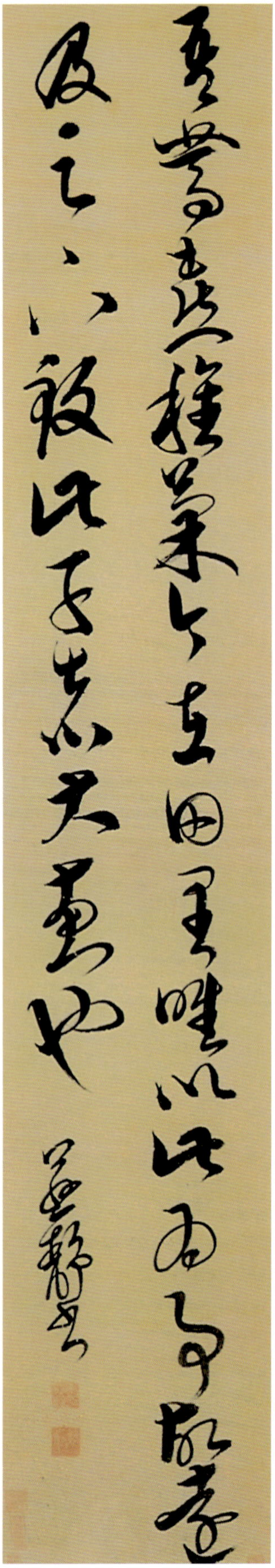

邢慈静

生卒年不詳。臨邑（今屬山東）人。邢侗之妹。擅書法，其書法秀中見雄。

臨王羲之書

明

邢慈静

高155.6、寬27厘米。

緞本。

現藏南京博物院。

董其昌（公元1555－1636年）

華亭（今上海松江）人。字玄宰，號思白、香光居士。人稱“董華亭”。官居南京禮部尚書，謚文敏。明代著名書畫藝術家和書畫理論家。精擅書法，在明末清初有極大影響。兼擅繪畫，時人以爲書、畫“二絶”。著有《容臺集》、《容臺别集》和《畫禪室隨筆》等。

樂毅論

明

董其昌

高26、寬224.5厘米。

紙本。

現藏廣東省博物館。

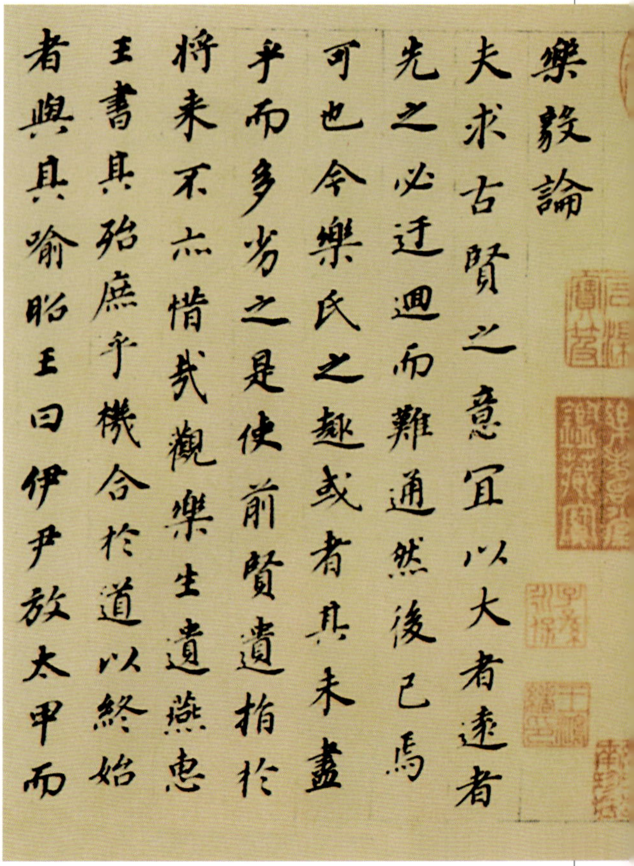
樂毅論
夫求古賢之意宜以大者遠者
先之必迂迴而難通然後已焉
可也今樂氏之趣或者其未盡
乎而多劣之是使前賢遺指於
將來不亦惜哉觀樂生遺燕惠
王書其殆庶乎機合於道以終始
者與其喻昭王曰伊尹放太甲而

答客難　東方朔

客難東方朔曰蘇秦張儀壹當万乘之主而身都卿相之位澤及後世今子大夫修先王之術慕聖人之義諷誦詩書百家之言不可勝紀著於竹帛脣腐齒落服膺而不可釋好學樂道之效明白甚矣自以為智能海內無雙則可謂博聞辯智矣然悉力盡忠以

樂毅論

夫求古賢之意宜以大者遠者先之必迂迴而難通然後已焉可也今樂氏之趣或者其未盡乎而多劣之是使前賢遺指於將來可不惜哉觀其遺燕惠王書是存大業於至公而以天下為心者也惜哉觀其遺燕惠王書曰伊尹放太甲而不疑太甲受放而不怨是存大業於至公而以天下為心者也不屑苟得則心無近事不求小成斯意無天下者也由此觀之樂生之志千載一遇也亦將行千載一隆之道豈局迹當時止於兼并而已哉夫無并者既非樂生之所志強燕而廢道又非樂生之所能也

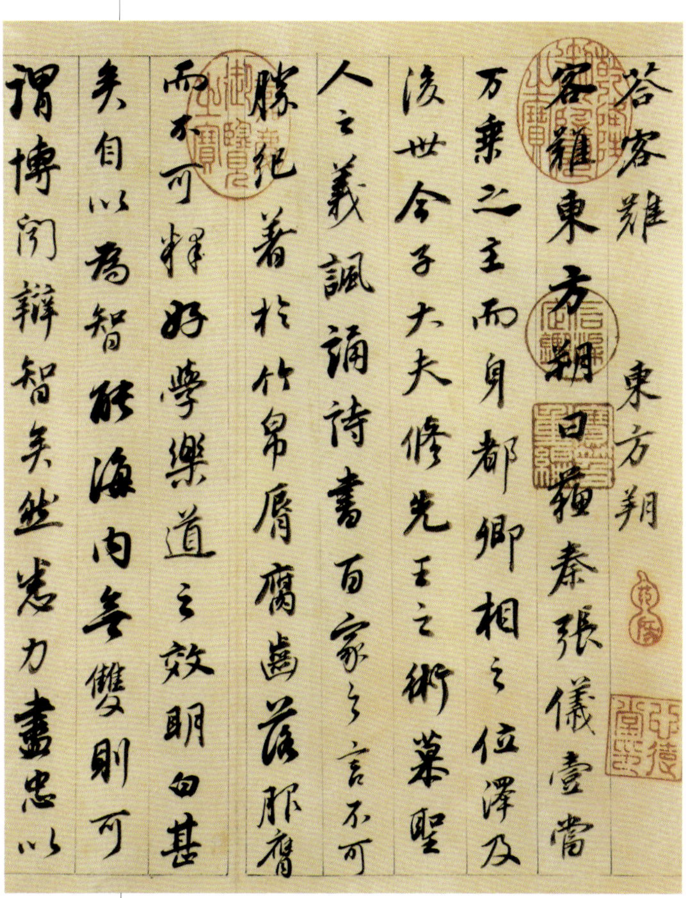

東方朔答客難

明

董其昌

高26、寬334厘米。

紙本。此選爲局部。

現藏遼寧省博物館。

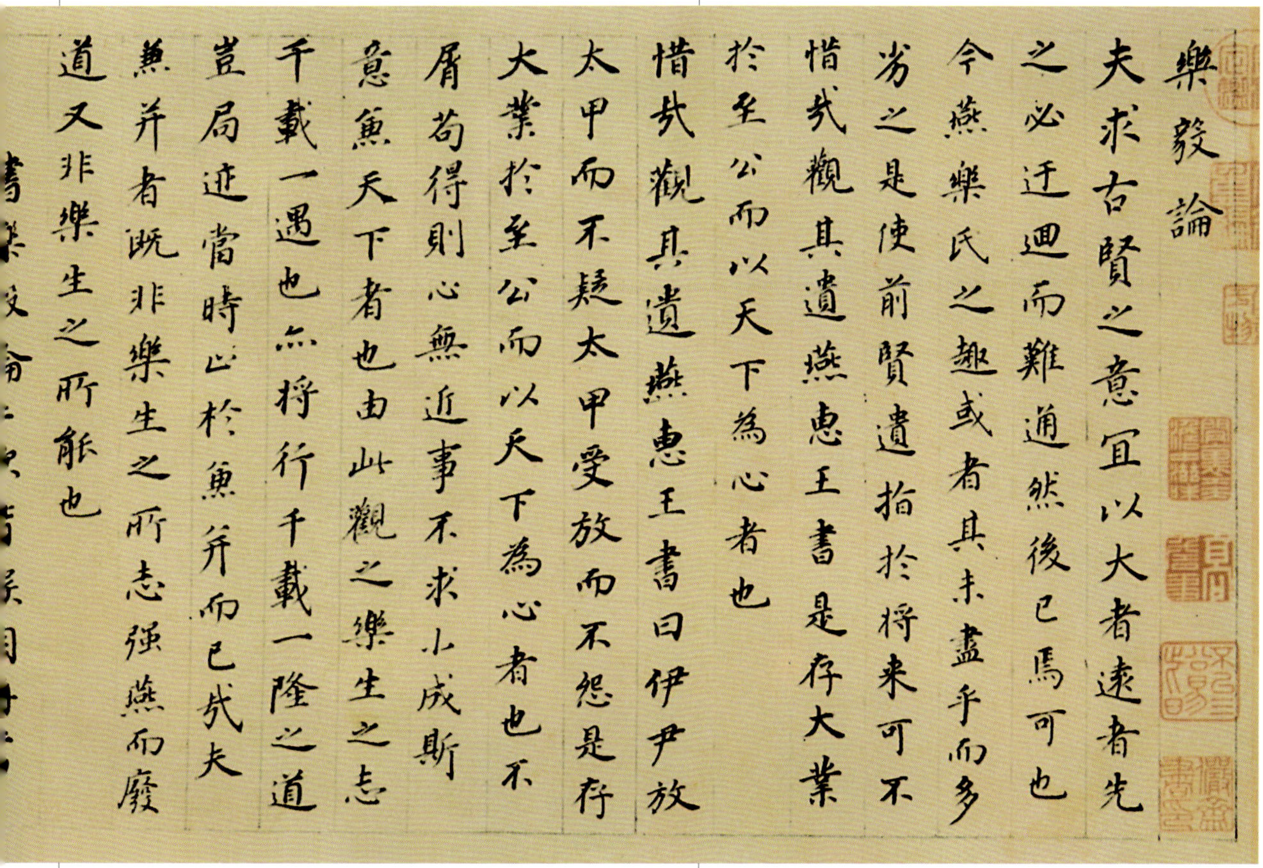

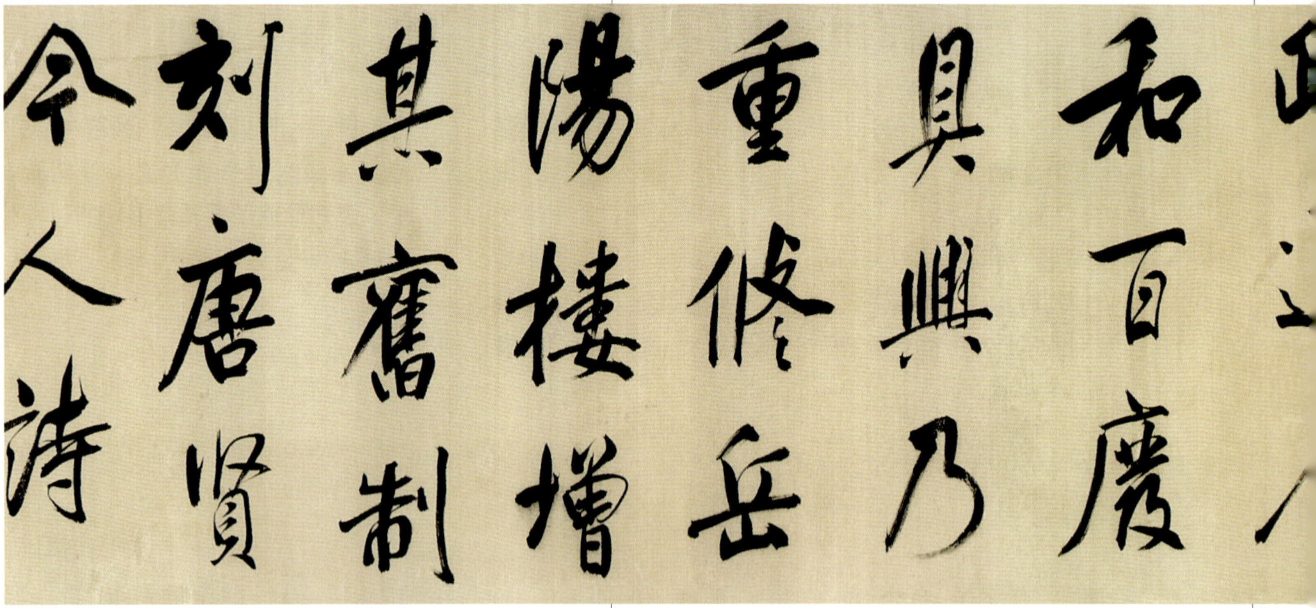

岳陽樓記

明

董其昌

高37.6、寬1499.5厘米。

紙本。此選爲局部。

現藏故宫博物院。

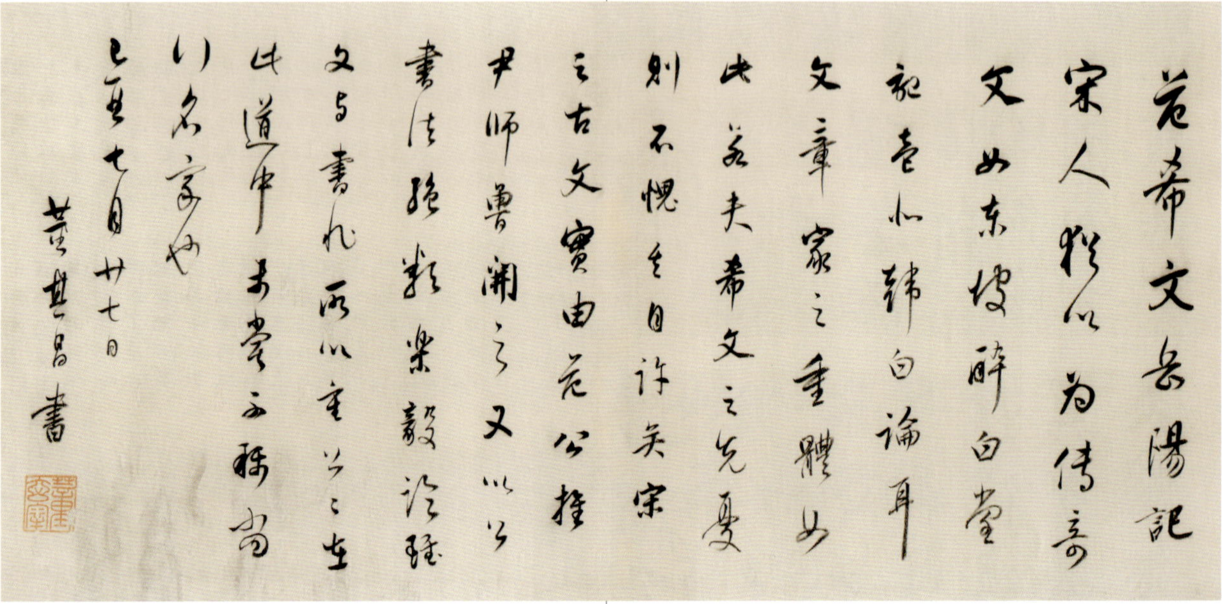

岳陽樓記卷尾

岳陽樓記
慶曆四
年春滕
子京守
巴陵郡
越明年

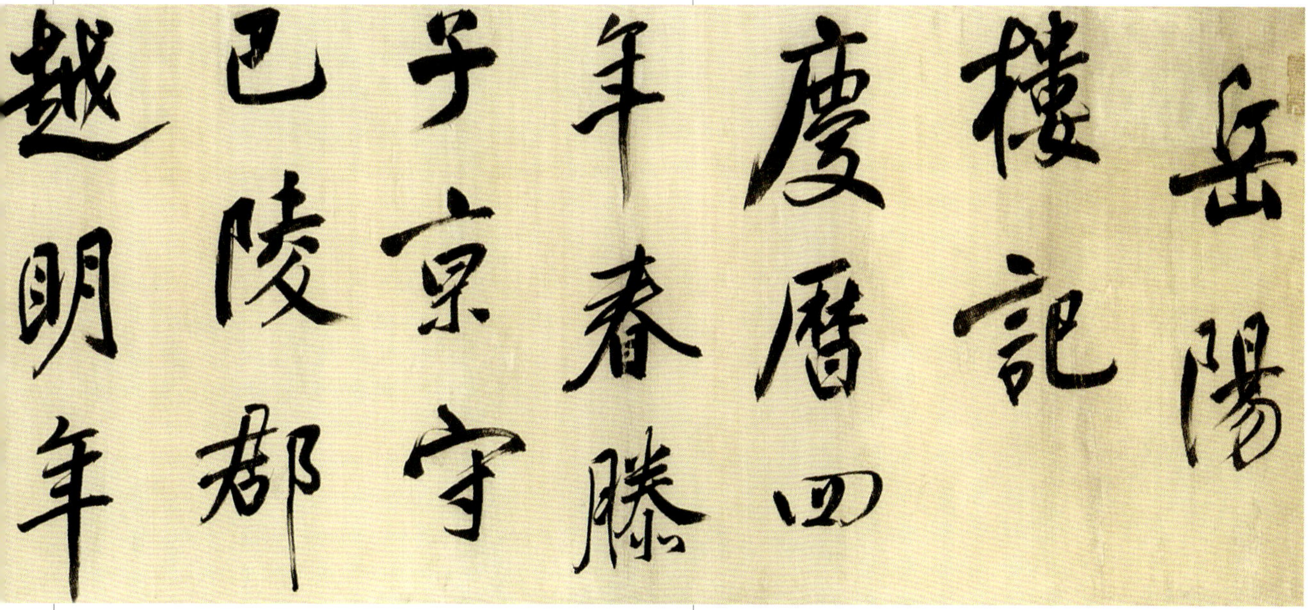

岳陽樓記卷首

臨柳公權蘭亭詩

明
董其昌
高27.2、寬1070.3厘米。
紙本。此選爲局部。
現藏故宮博物院。

王獻之四言詩並序
四言詩王羲之爲序
行於代故不錄其詩
矢多不可全載今多
裁其佳句而題之名
古人斷章之義也
王羲之 自此已下十一人兼有五言
代謝鱗次忽焉以周
欲此暮春和氣載柔
詠彼舞雩異代同流

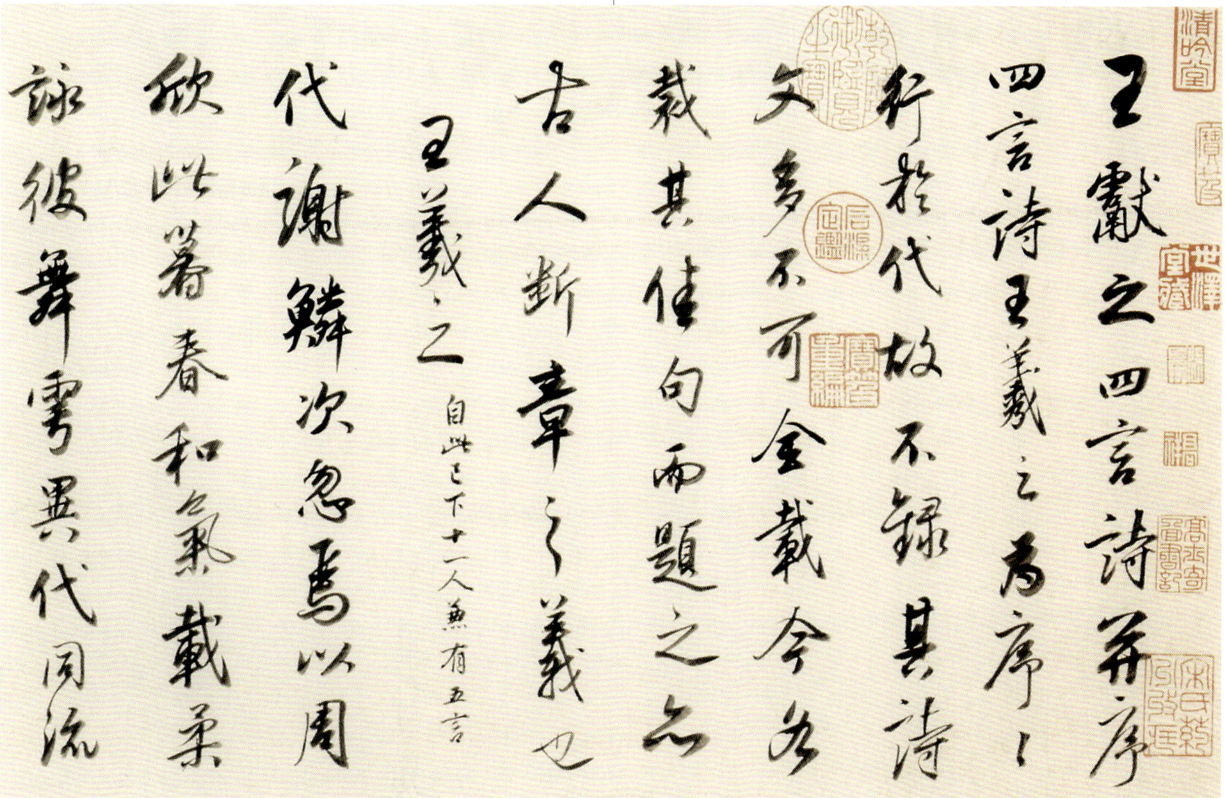

王維五言絶句

明
董其昌
高154.5、寬54厘米。
綾本。
現藏南京博物院。

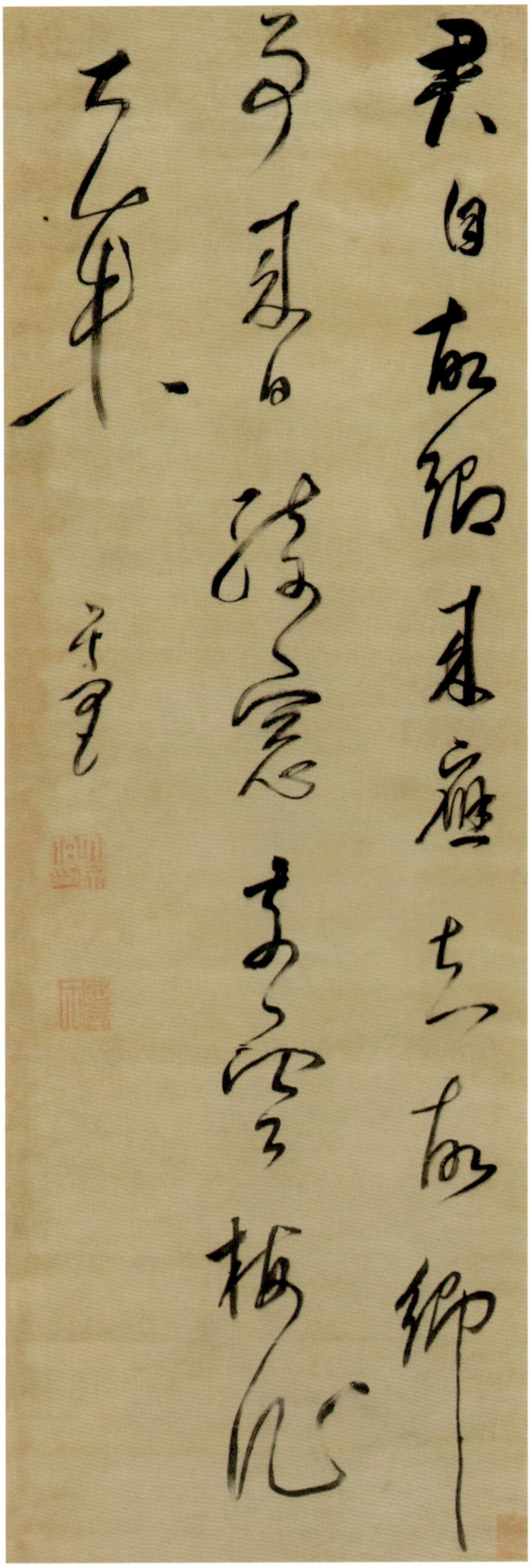

陳繼儒（公元1558－1639年）

華亭（今上海松江）人。字仲醇，號眉公，又號麋公。工詩文，善書法，擅繪水墨花卉。著有《眉公書畫史》和《妮古録》等。

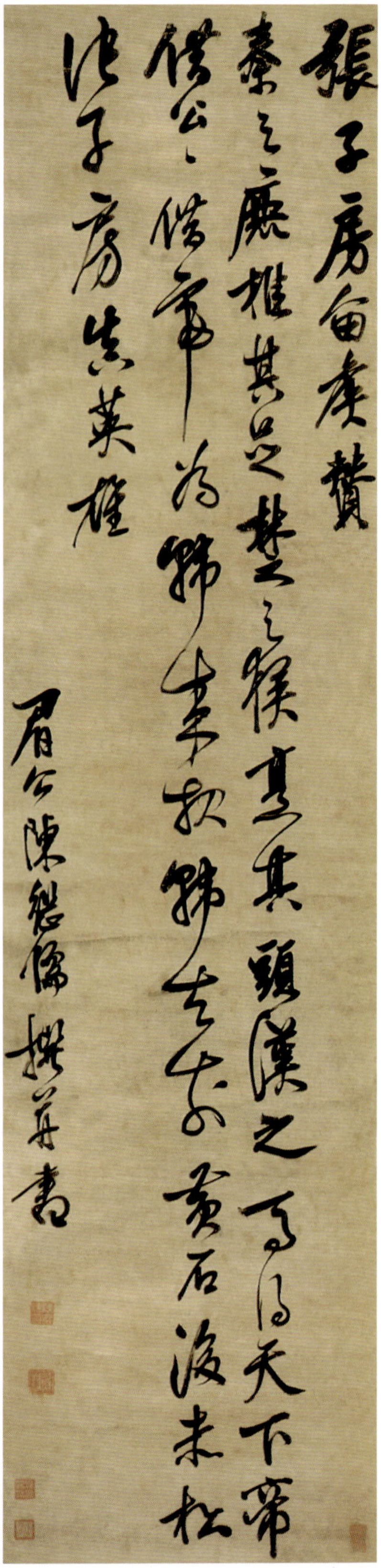

張子房留侯贊

明
陳繼儒
高147.7、寬35.7厘米。
紙本。
現藏南京博物院。

自書詩

明

陳繼儒

高142.3、寬35.5厘米。

紙本。

現藏遼寧省博物館。

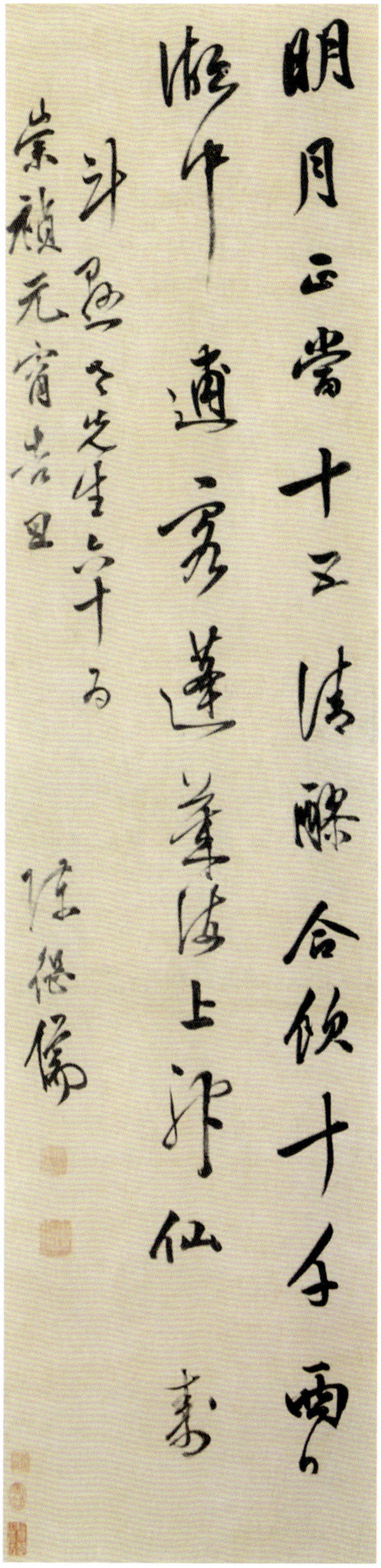

薛文清語

明

陳繼儒

高112.5、寬51.6厘米。

紙本。

現藏上海博物館。

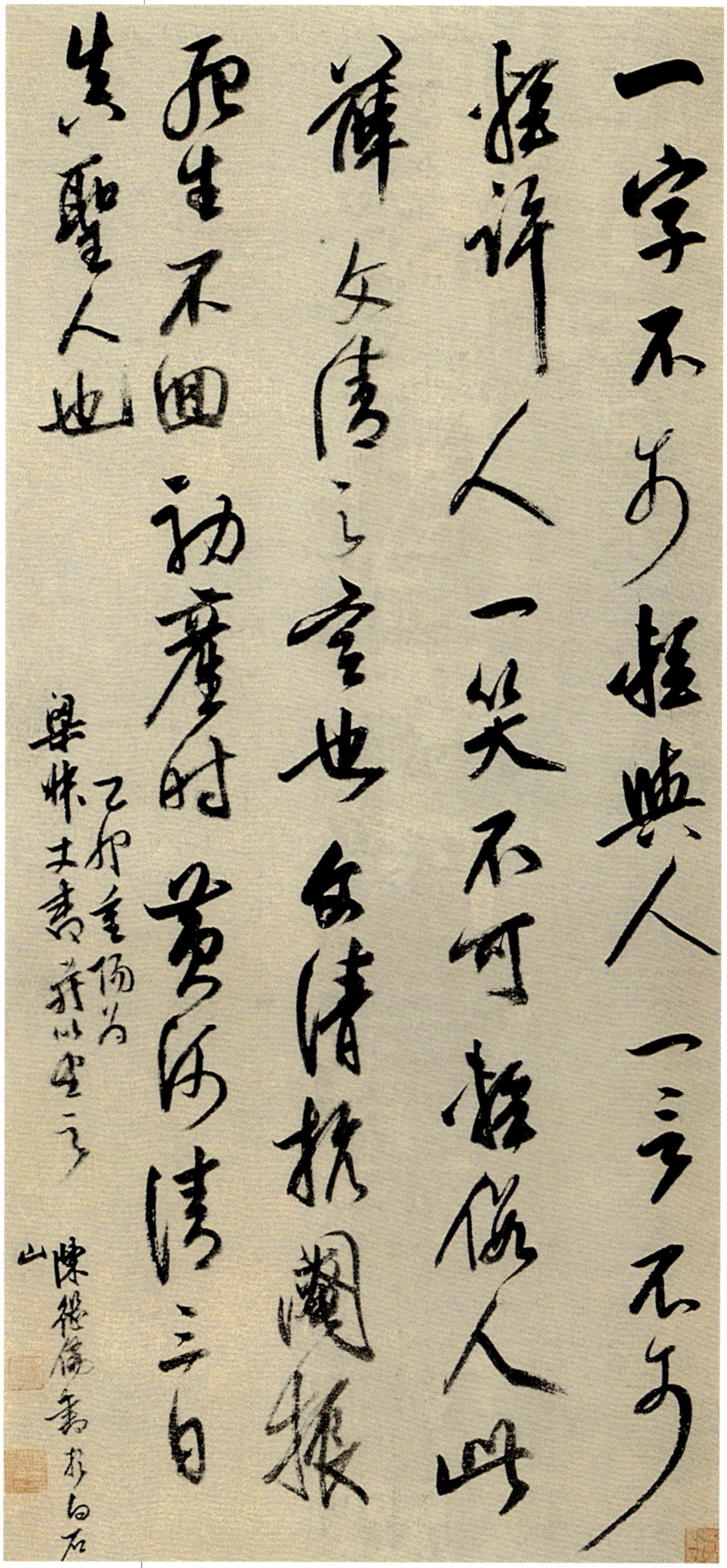

趙宧光（公元1559－1625年）

太倉（今屬江蘇）人，寓居吴縣（今江蘇蘇州）寒山。字凡夫，一字水臣，號廣平，又號寒山子。精研文字學，擅長書法，開創了以草書筆法寫篆字的體式，世稱“草篆”。著有《説文長箋》等。

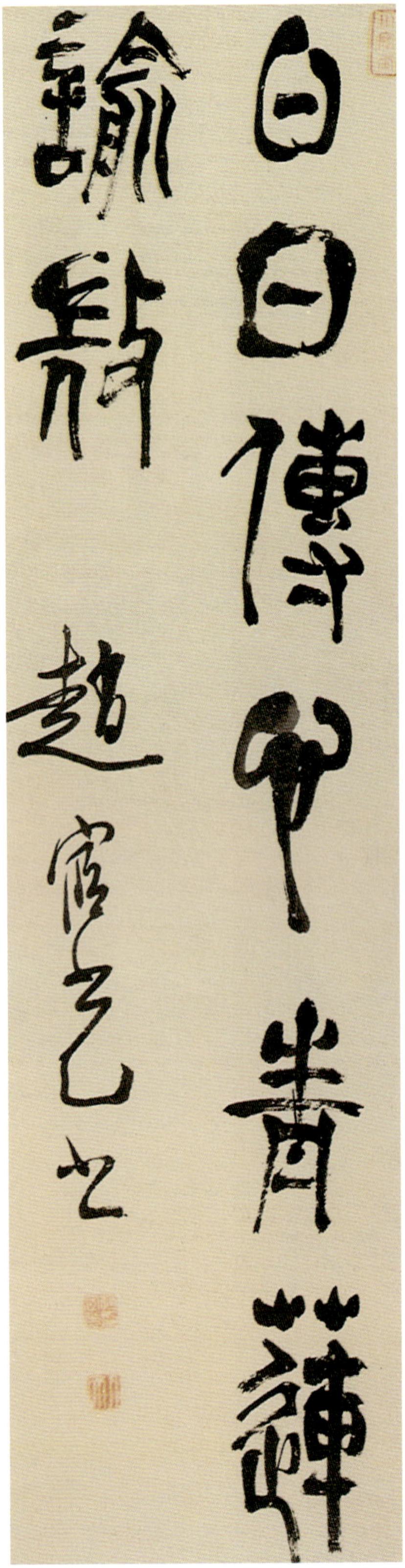

綦母潛詩句
明
趙宧光
高120、寬31.4厘米。
紙本。
現藏上海博物館。

七言對句
明
趙宧光
高141、寬31.6厘米。
紙本。
現藏故宮博物院。

葉向高（公元1559－1627年）

福清（今屬福建）人。字進卿，號臺山。萬曆十一年（公元1583年）進士，官至禮部尚書、東閣大學士。爲東林黨人，有時名，謚文忠。其書師法“二王”。

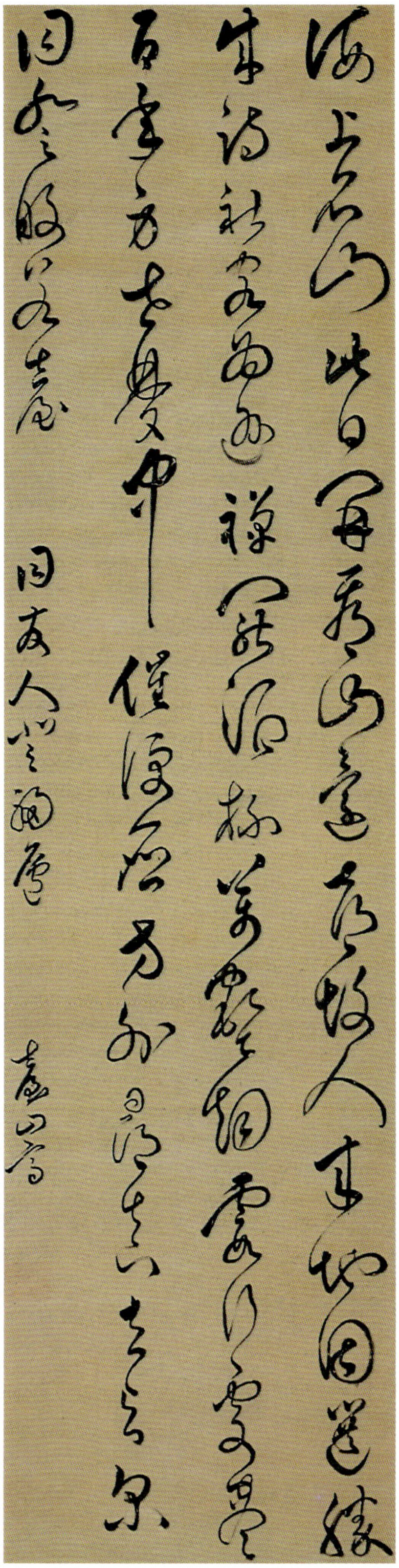

登福廬詩

明
葉向高
高199.2、寬51厘米。
綾本。
現藏故宫博物院。

莫是龍（公元?－1587年）

華亭（今上海松江）人。字雲卿，更字廷韓，號秋水，又號後明。書法師鍾、王，精小楷，行草豪逸有態。

五言絶句

明
莫是龍
高120、寬30厘米。
絹本。
現藏吉林省博物院。

五言律詩

明
莫是龍
高141.7、寬37.7厘米。
紙本。
現藏故宫博物院。

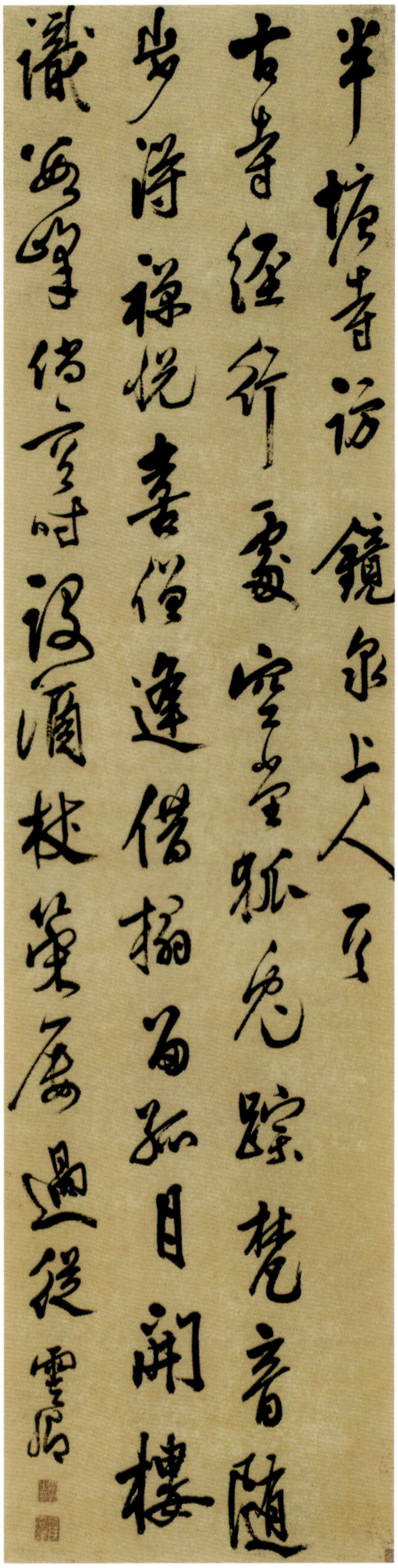

黄 輝

生卒年不詳。南充（今屬四川）人。字平倩，一字昭素，號無知居士。萬曆十七年（公元1589年）進士，官至少詹事兼侍讀學士。工書法，楷法鍾繇，擅行草。著有《鐵庵集》和《平倩逸稿》等。

五言律詩

明
黄輝
高349.4、
寬104
厘米。
紙本。
現藏四川博物院。

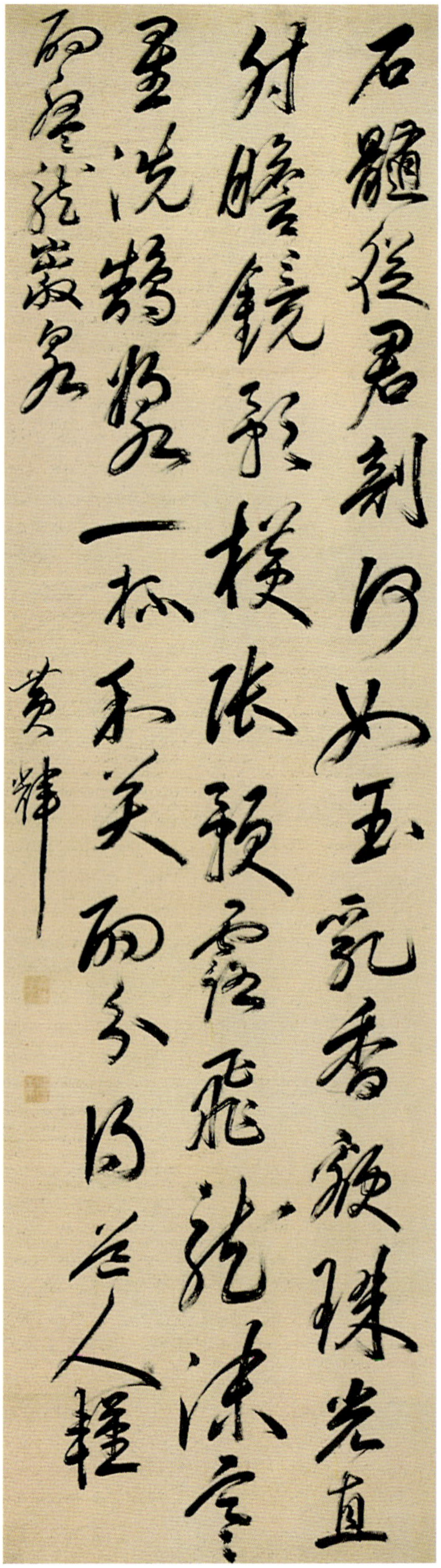

姜逢元

生卒年不詳。餘姚（今屬浙江）人。字仲訒。萬曆四十一年（公元1613年）進士，纍官國子司業。善書法。

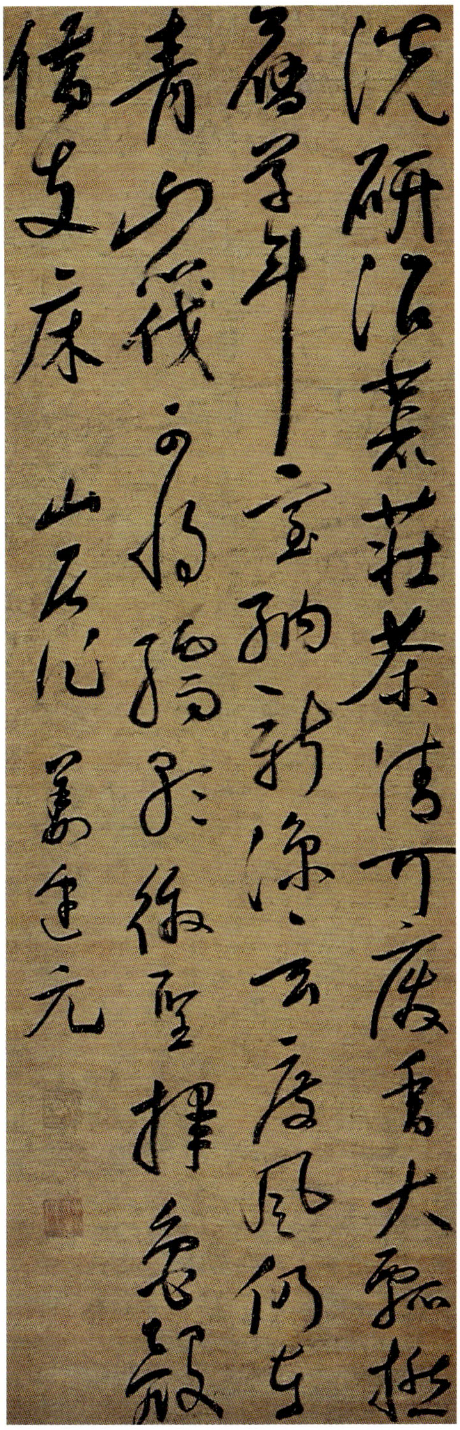

五言律詩
明
姜逢元
高159.1、寬50厘米。
絹本。
現藏故宫博物院。

孫慎行(公元1565－1636年)

武進（今江蘇常州）人。字聞斯。萬曆二十三年（公元1595年）進士，授編修，官至禮部尚書。其書取法黄庭堅和李邕。

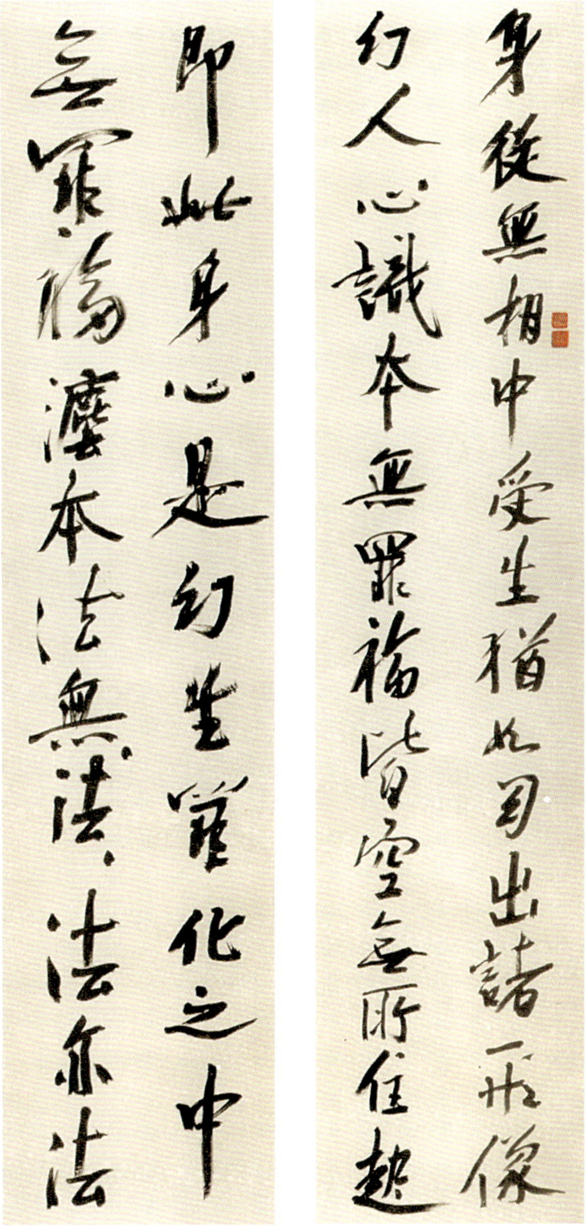

録佛家語
明
孫慎行
每屏高164、寬36厘米。
紙本。八屏條，選二屏。
現藏江蘇省常州博物館。

詹景鳳

生卒年不詳，活動于十六世紀。休寧（今屬安徽）人。字東圖，號白岳山人。曾官南豐掌教、吏部司務。書畫皆精。

北嚴寺詩

明

詹景鳳

高30、寬208.5厘米。

紙本。此選爲局部。

現藏故宫博物院。

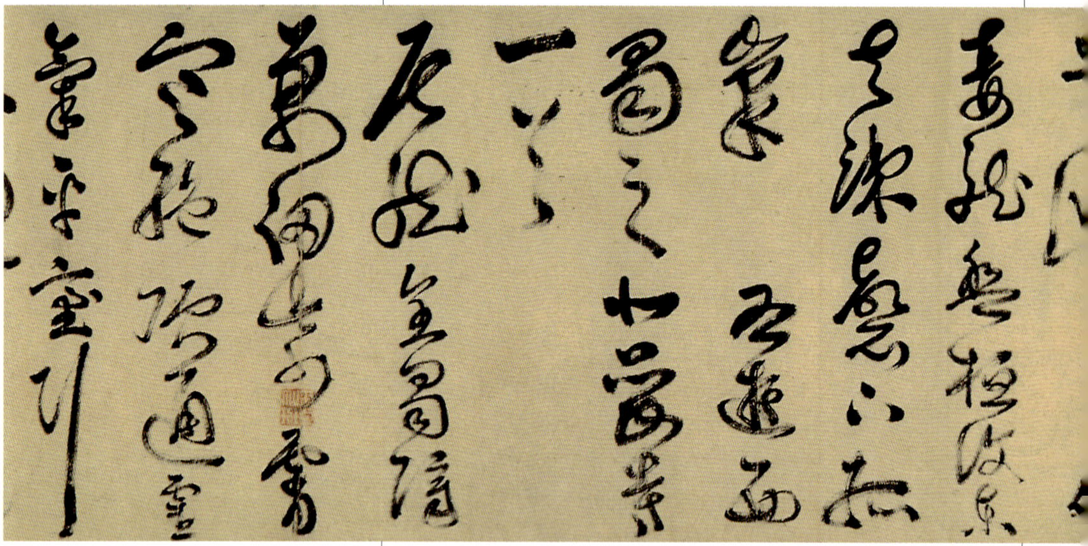

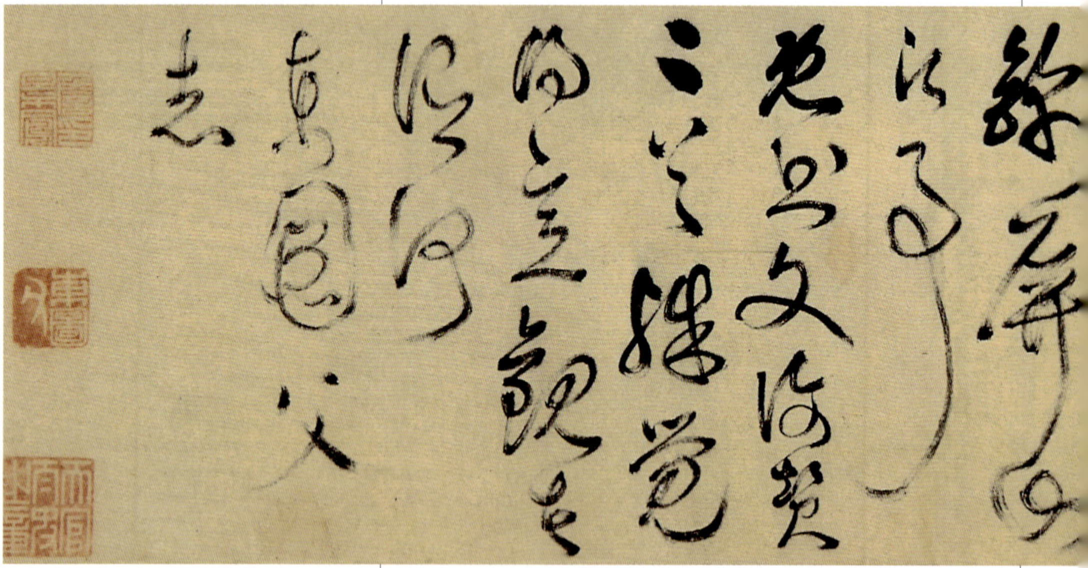

婁　堅（公元1567－1631年）

嘉定（今屬上海）人。字三堅、子柔。擅書法，書學蘇軾。

唐人絶句六首（下圖）

明

婁堅

高32.5、寬515厘米。

紙本。此選爲局部。

現藏上海博物館。

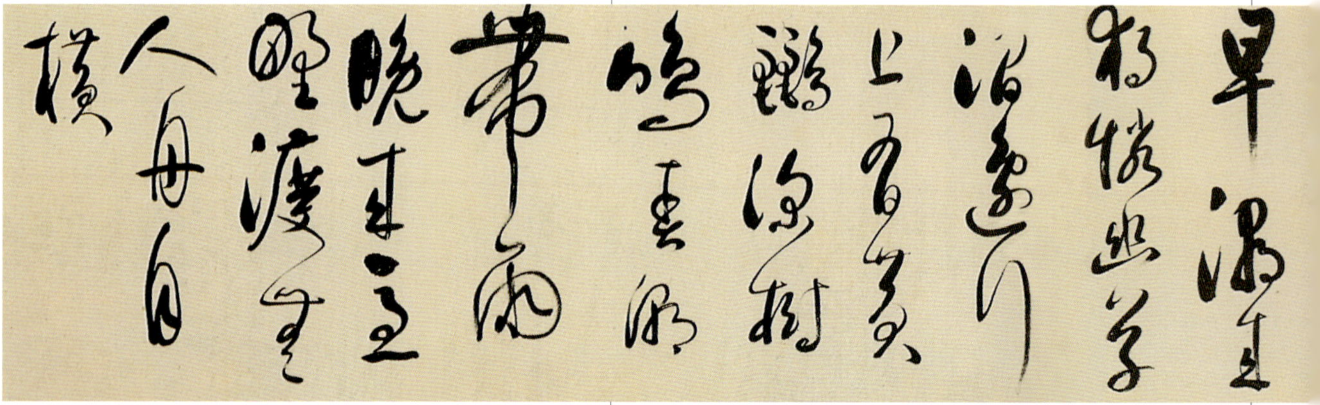

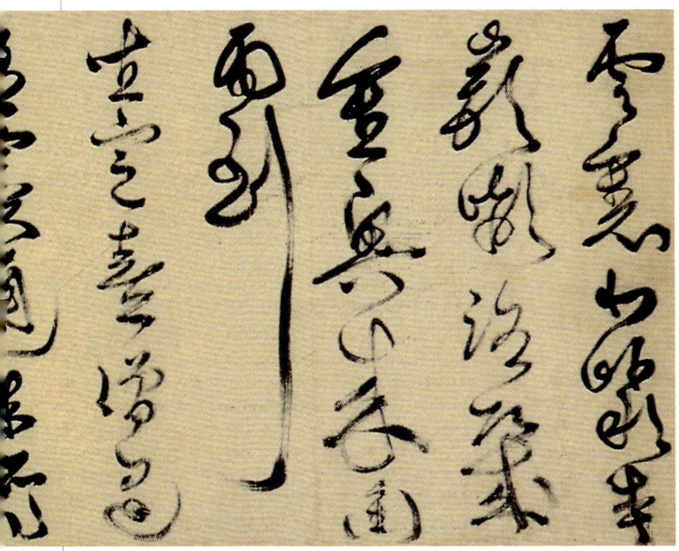

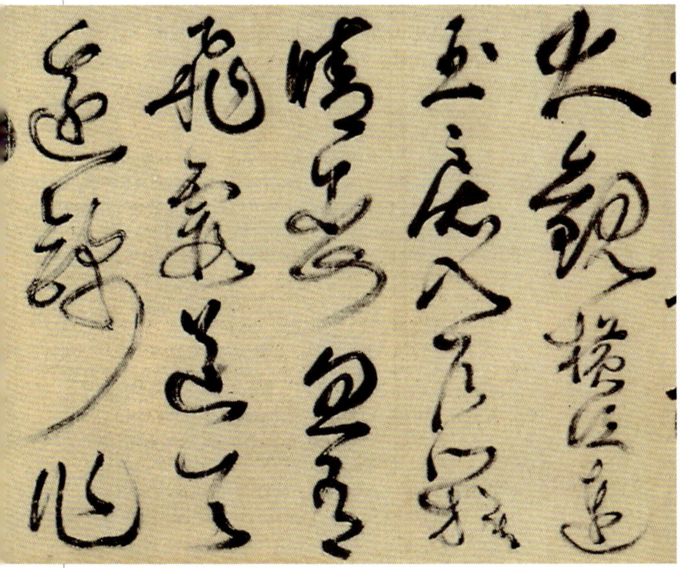

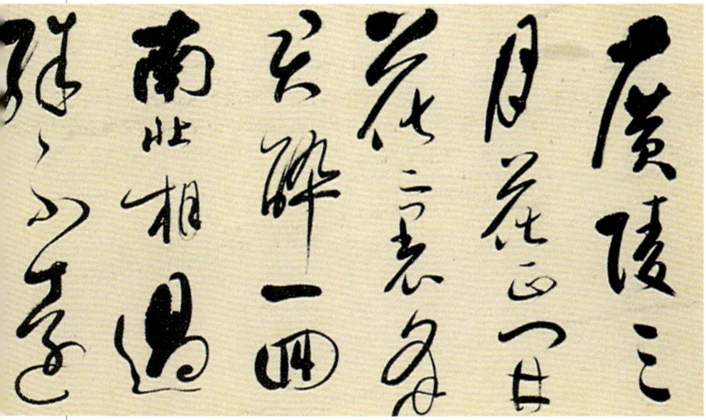

閒居感懷詩

明

婁堅

高173.1、寬63.1厘米。

絹本。

現藏故宮博物院。

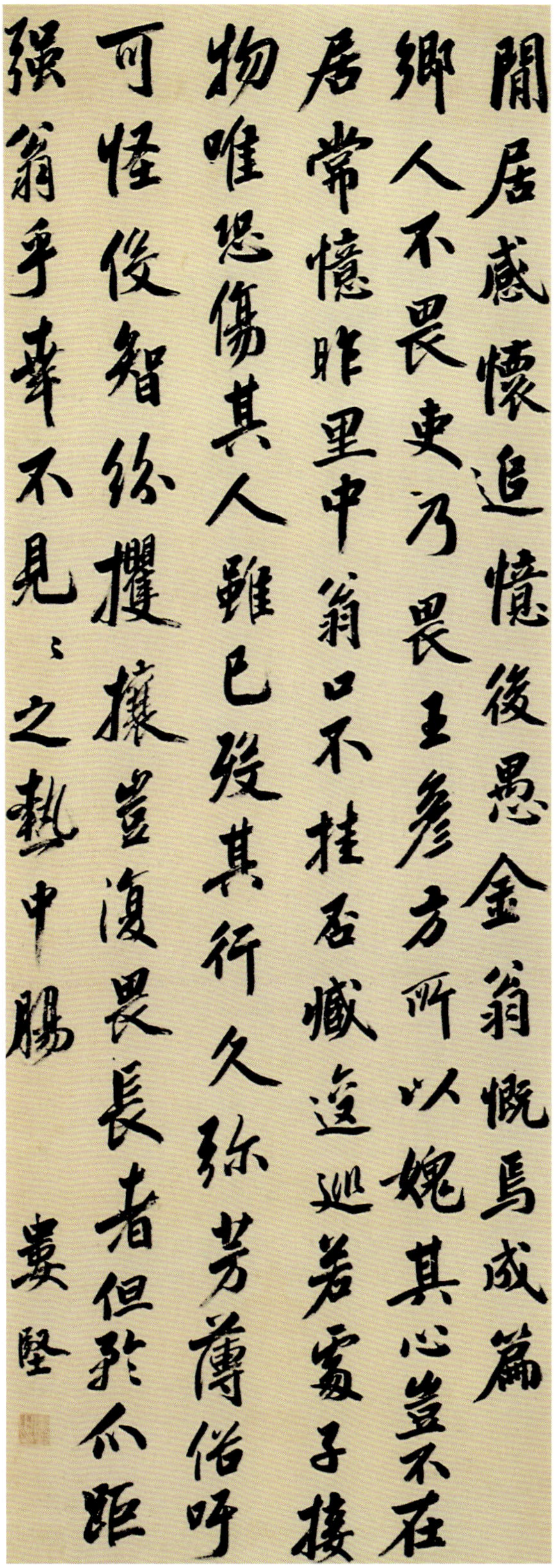

米萬鍾（公元1570－1628年）

順天宛平（今北京豐臺人）。字仲詔，號友石、湛園，又號海淀漁長、石隱庵居士。萬曆間進士，官至太僕少卿。工書善畫，爲“晚明四大家”之一。著有《篆隸考訛》。

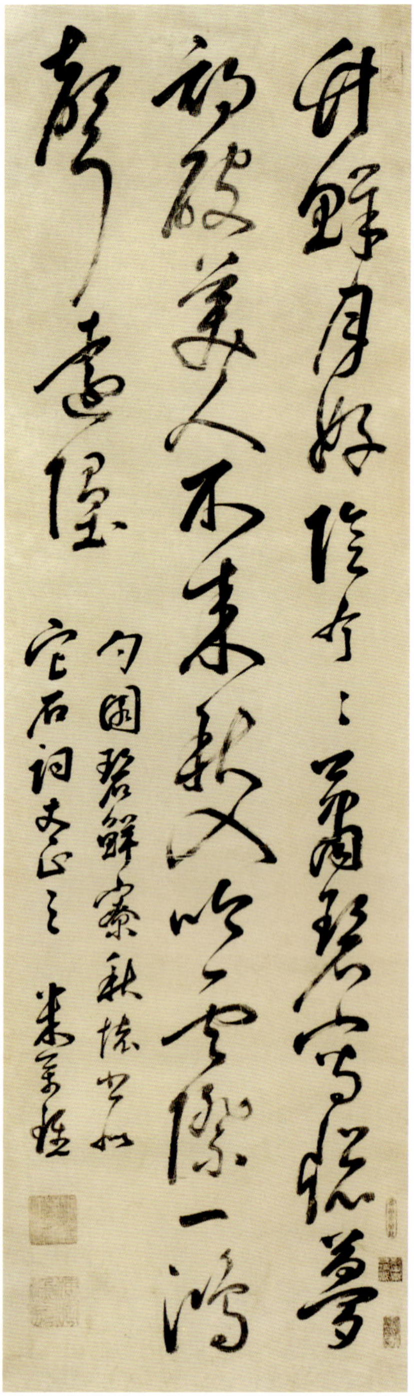

七言律詩

明

米萬鍾

高136.5、寬40.5厘米。

紙本。

現藏首都博物館。

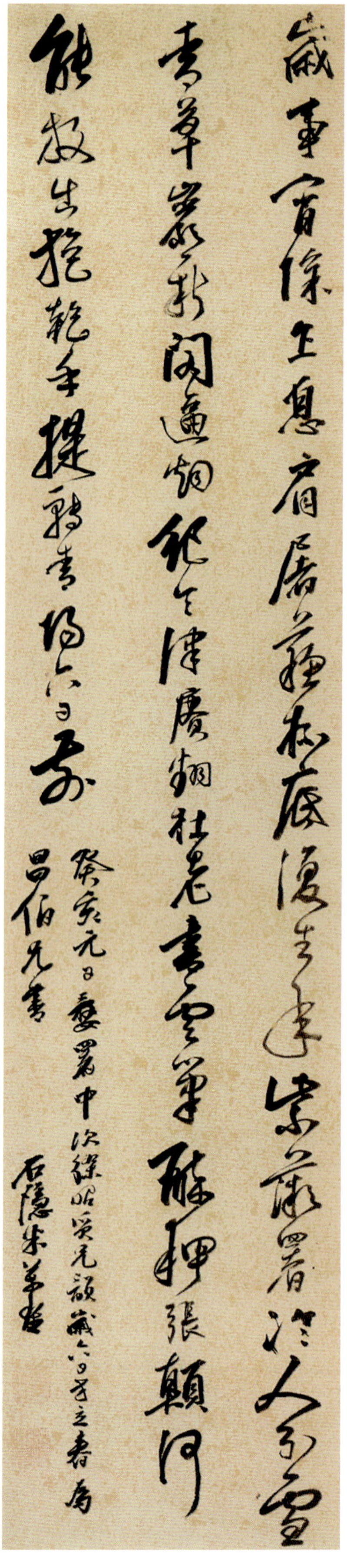

七言律詩

明

米萬鍾

高151.7、寬33.2厘米。

紙本。

現藏上海博物館。

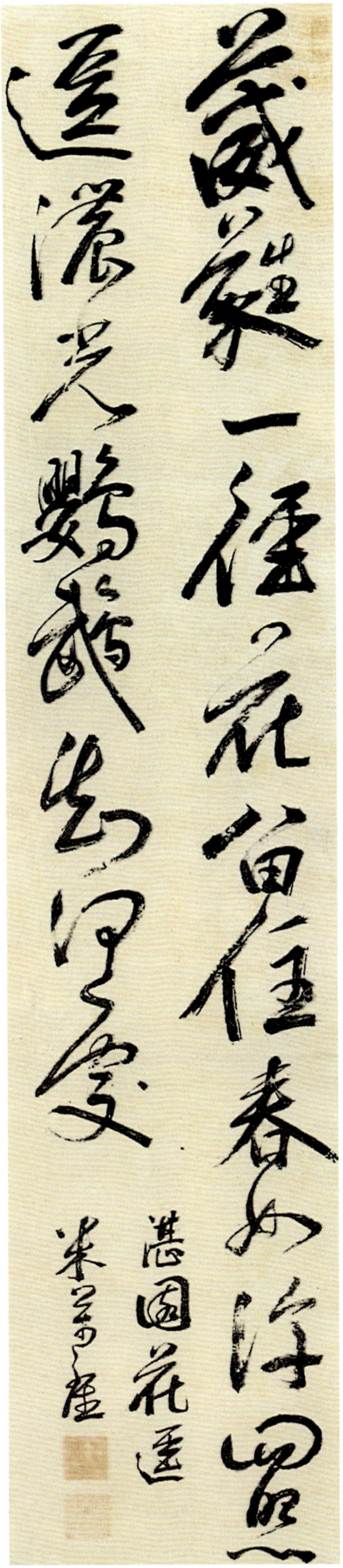

湛園花徑詩
明
米萬鍾
高167、寬36.4厘米。
紙本。
現藏故宮博物院。

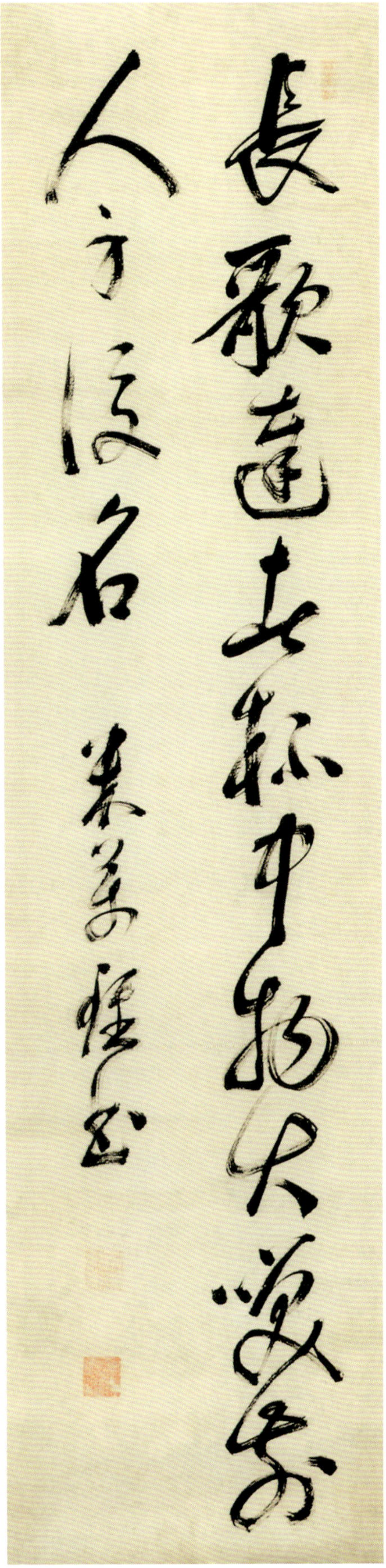

七言對句
明
米萬鍾
高166.8、寬42.8厘米。
紙本。
現藏故宮博物院。

張瑞圖（公元1570－1644年）

晋江（治今福建泉州）人。字長公，號二水，又號果亭山人。擅長行草書，與邢侗、董其昌和米萬鍾同爲"晚明四大家"。

言志書

明
張瑞圖
高25、寬484厘米。
絹本。
現藏首都博物館。

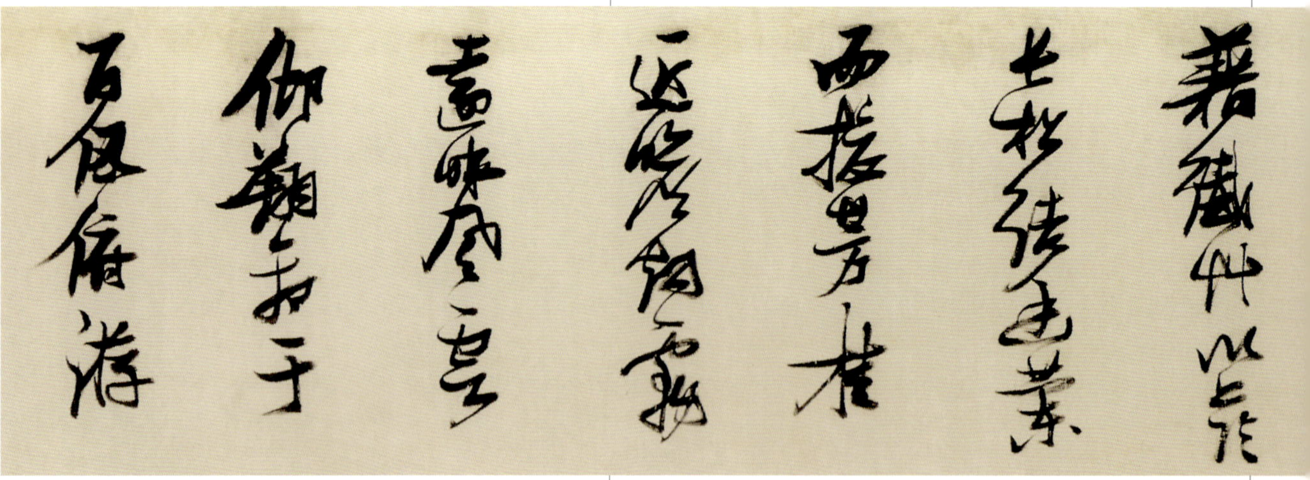

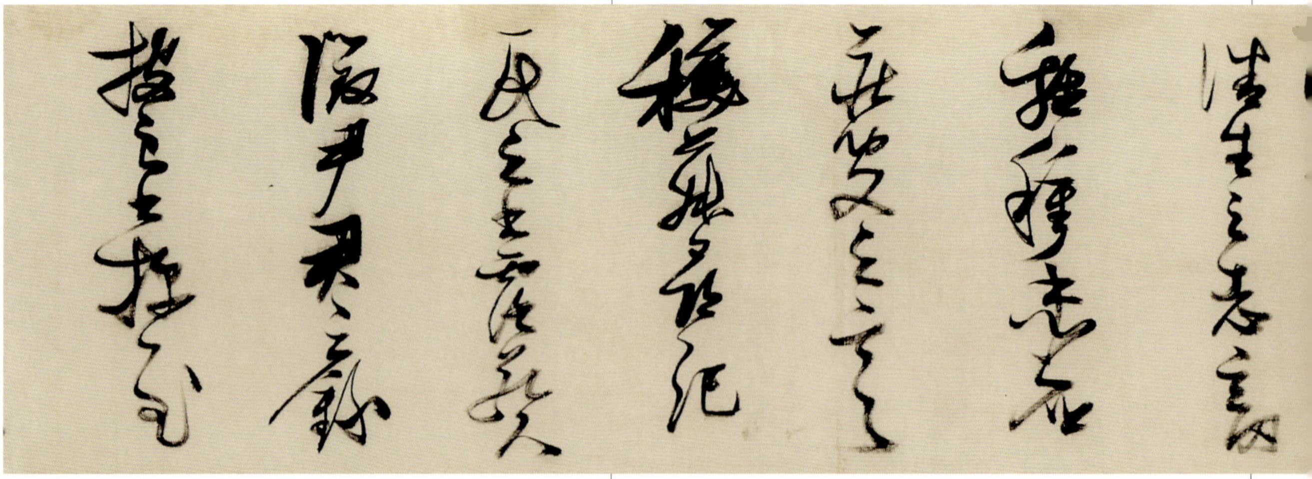

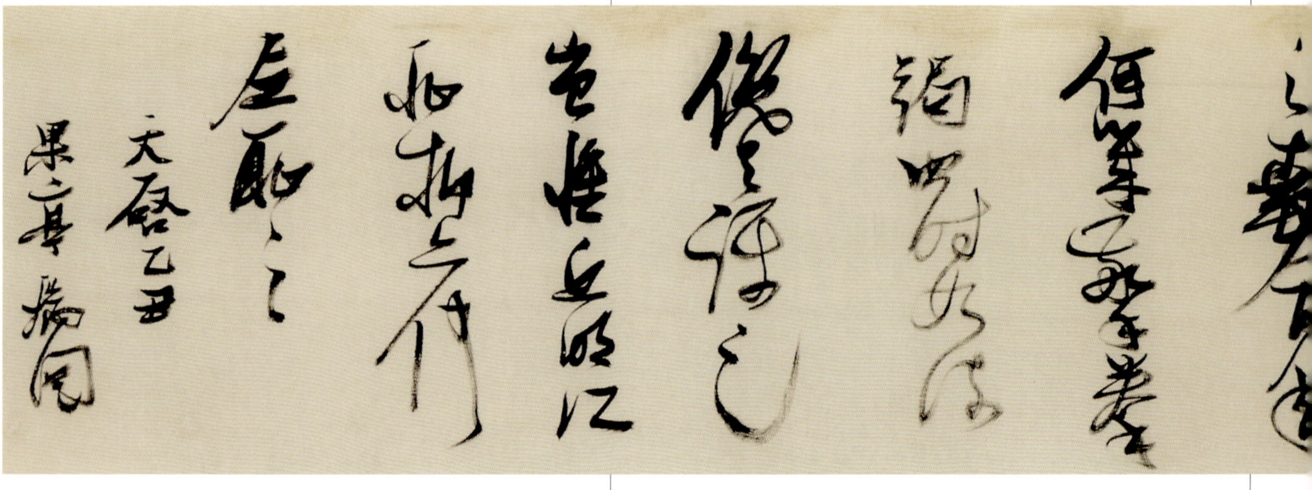

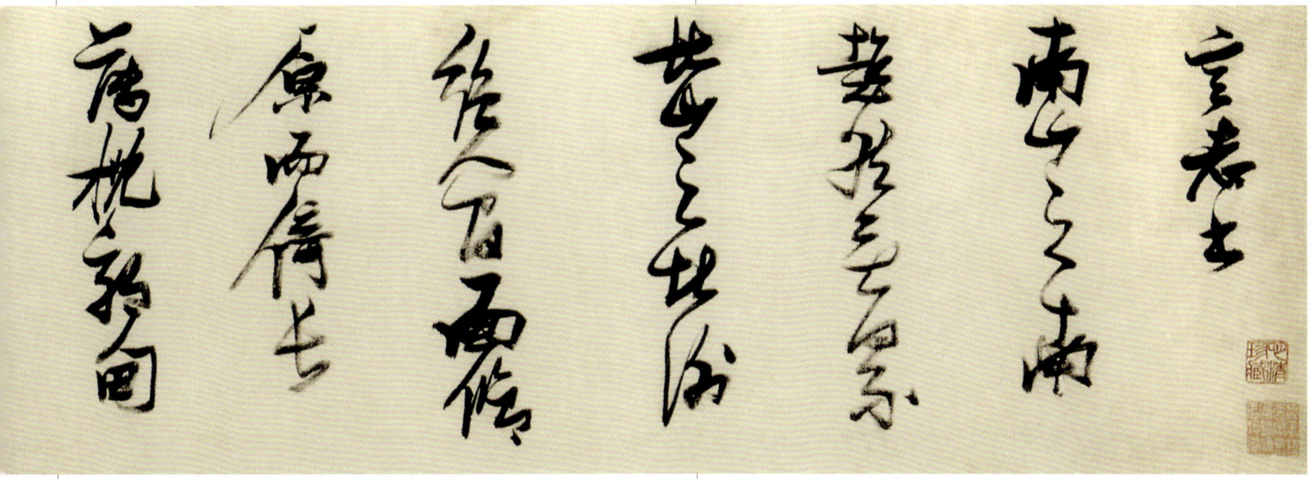

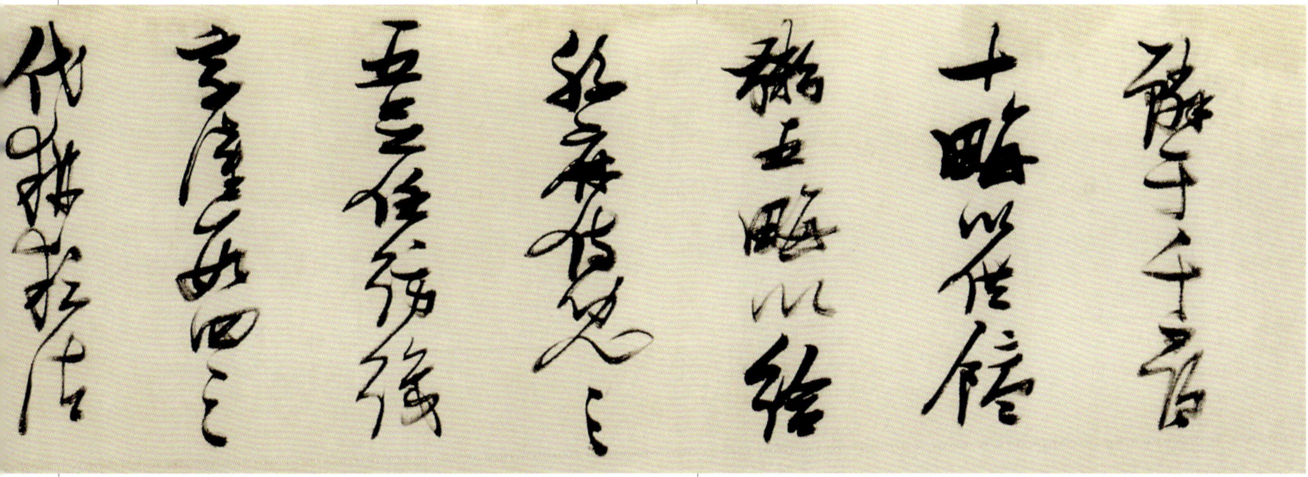

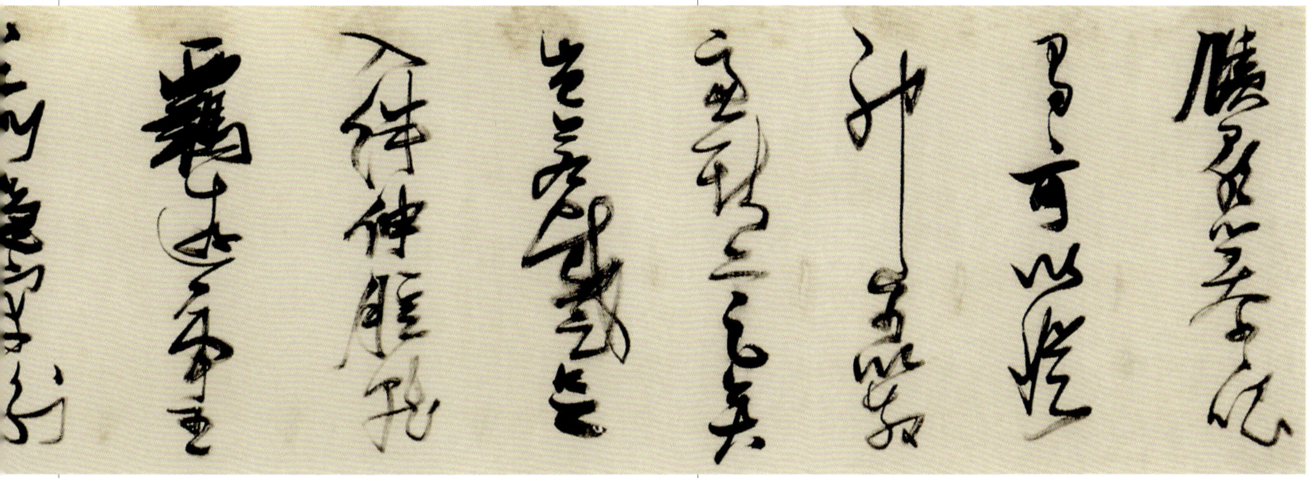

五言詩

明

張瑞圖

高123.1、寬26.2厘米。

紙本。

現藏首都博物館。

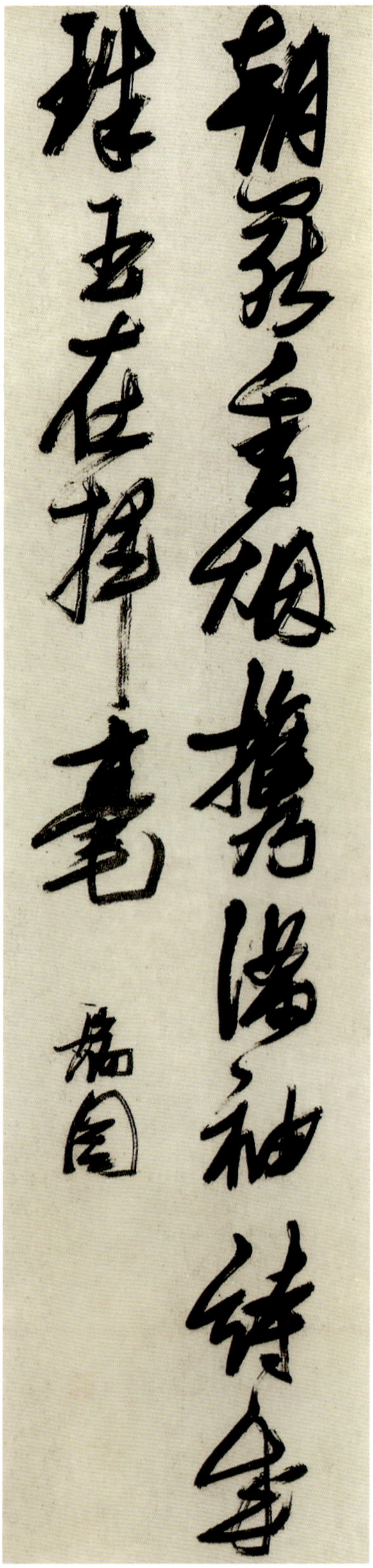

杜甫五言律詩

明

張瑞圖

高193.3、寬60.8厘米。

紙本。

現藏上海博物館。

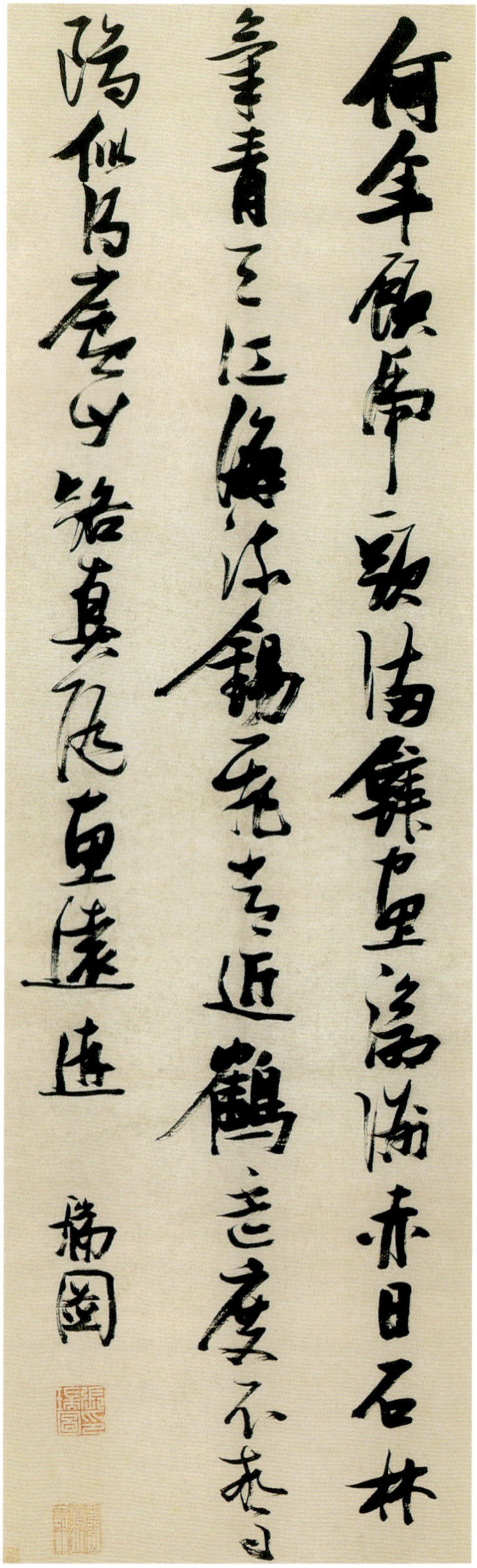

五言律詩

明
張瑞圖
高189.5、寬55.5厘米。
綾本。
現藏江西省博物館。

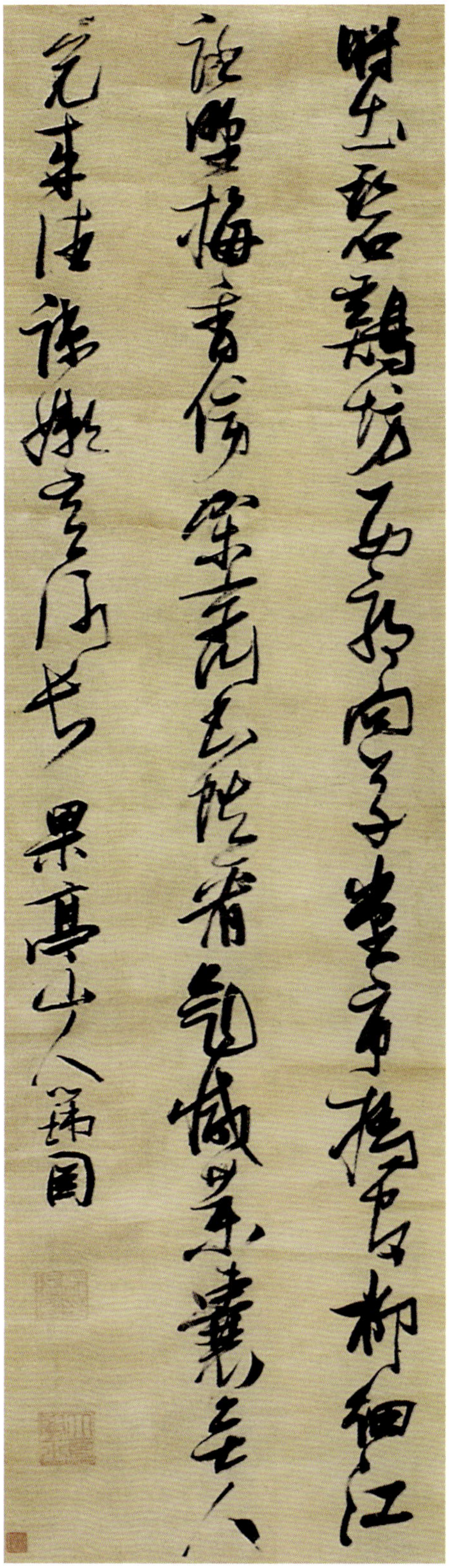

喬一琦（公元1571－1619年）

華亭（今上海松江）人。字伯圭，號原魏。萬曆三十一年（公元1603年）武科舉人，官至游擊將軍，後與清軍戰死。善草書。

李賀詩

明
喬一琦
高141.5、寬29.1厘米。
紙本。
現藏上海博物館。

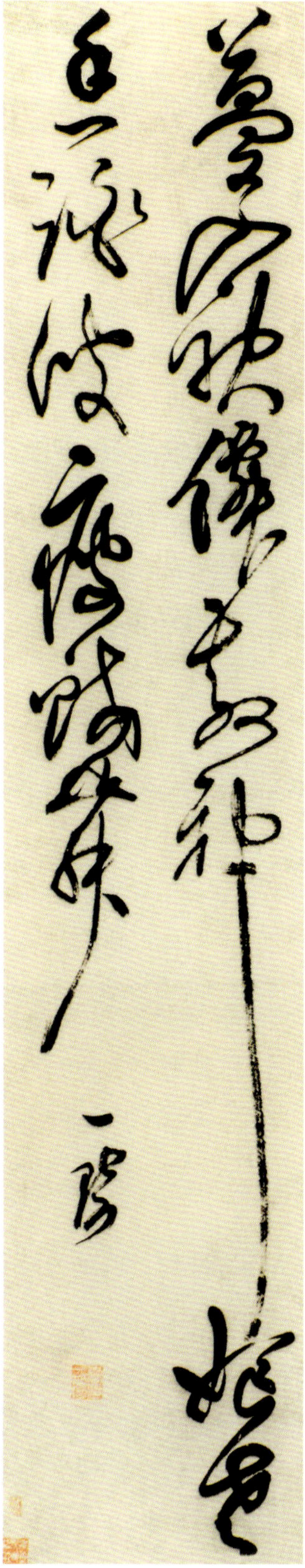

杜大綬

生卒年不詳，主要活動于十六世紀。長洲（今江蘇蘇州）人。字子紆。書法擅行、楷書。

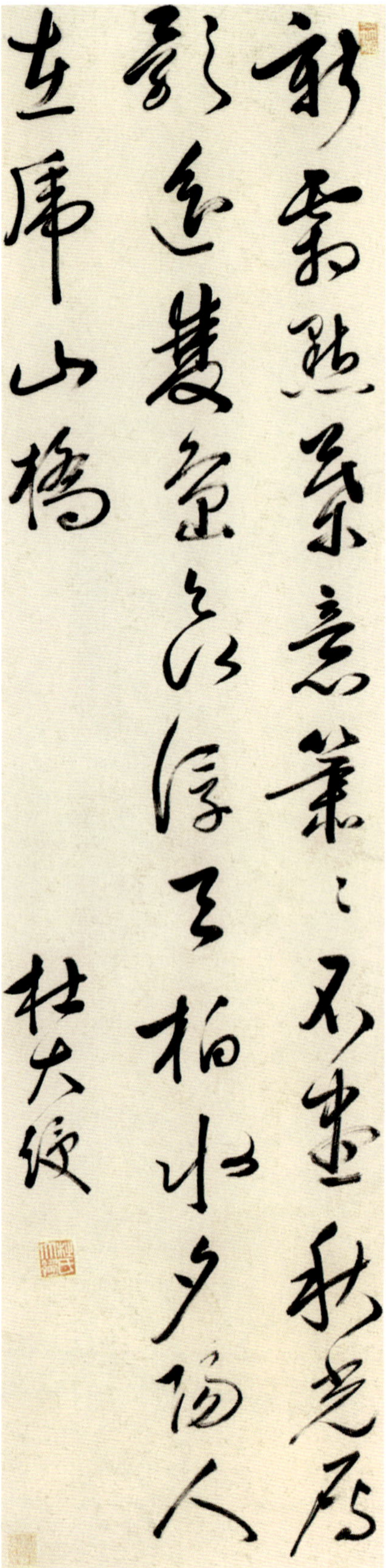

七言絶句

明
杜大綬
高127.5、寬32.5厘米。
紙本。
現藏上海博物館。

文震孟 (公元1574－1636年)

長洲（今江蘇蘇州）人。字文起，號湛村。文徵明曾孫。天啓二年（公元1622年）殿試進士第一名，授修撰，官至禮部左侍郎兼東閣大學士，謚文肅。工書法，得自家傳。

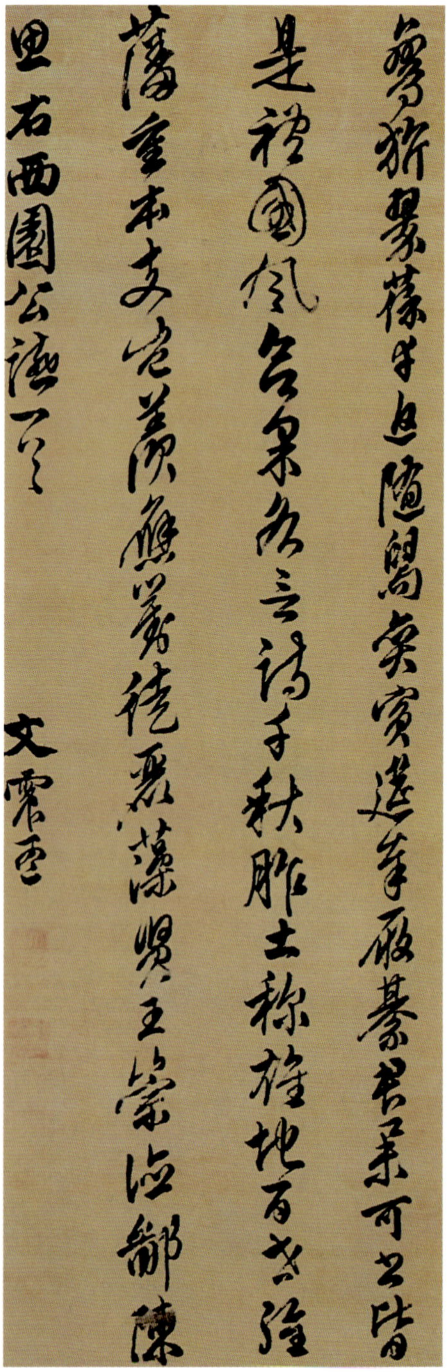

西園公讌詩

明
文震孟
高196.3、寬66.8厘米。
綾本。
現藏故宮博物院。

李流芳（公元1575－1629年）

祖籍歙縣（今屬安徽），僑居嘉定（今屬上海）。字茂宰、長蘅，號檀園，別署泡庵、香海，晚自稱檀園老人、慎娱居士等。以才著名，詩書畫印無所不精。其書諸體兼工，宗法蘇東坡。

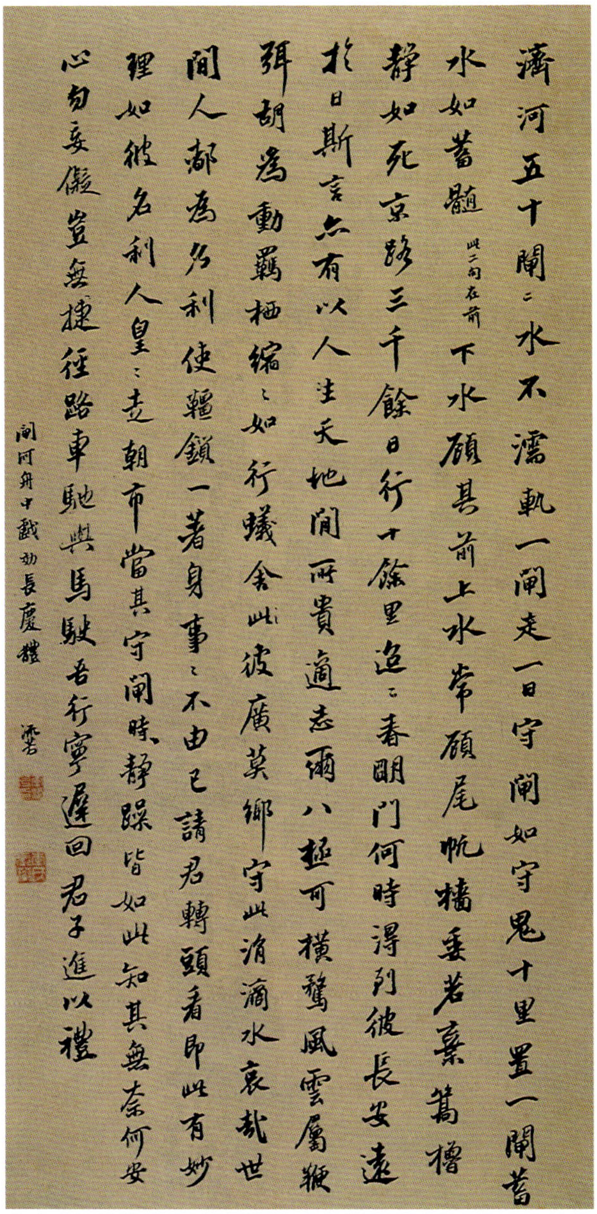

自書詩

明

李流芳

高58.5、寬30.4厘米。

紙本。

現藏遼寧省博物館。

五言律詩

明

李流芳

高128、寬58.8厘米。

紙本。

現藏上海博物館。

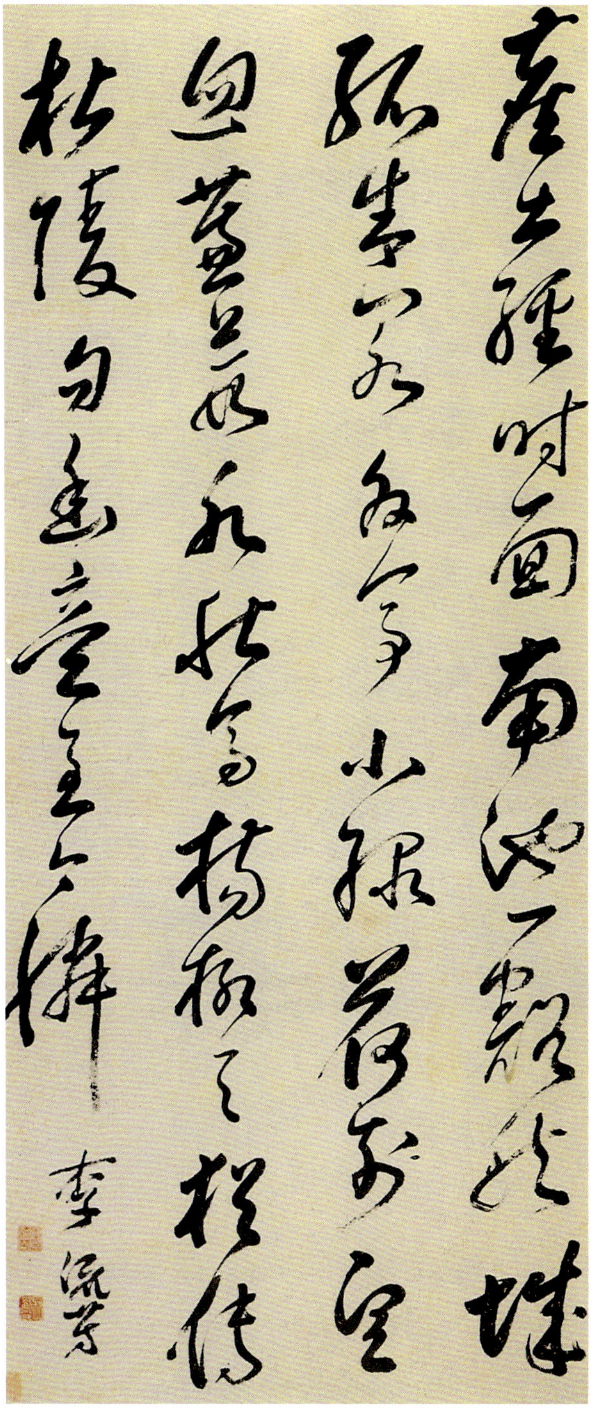

陳元素

生卒年不詳。長洲（今江蘇蘇州）人。字古白，自號處廓先生，私謚貞文先生。擅書法。

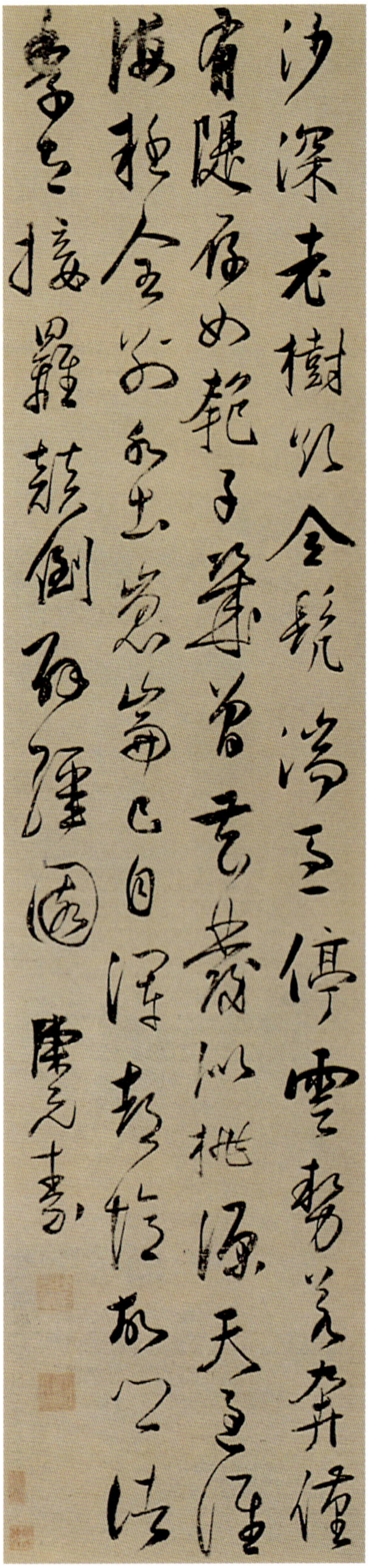

七言律詩

明

陳元素

高132.5、寬32厘米。

紙本。

現藏上海博物館。

宋　鈺（公元1576－1632年）

莆田（今屬福建）人。名一作珏，字比玉，自號荔枝仙。流寓金陵（今江蘇南京），能書善畫。其隸書成就最高，對後來清代的漢隸、碑學之興起有一定的影響。兼擅篆刻，亦有很大影響。

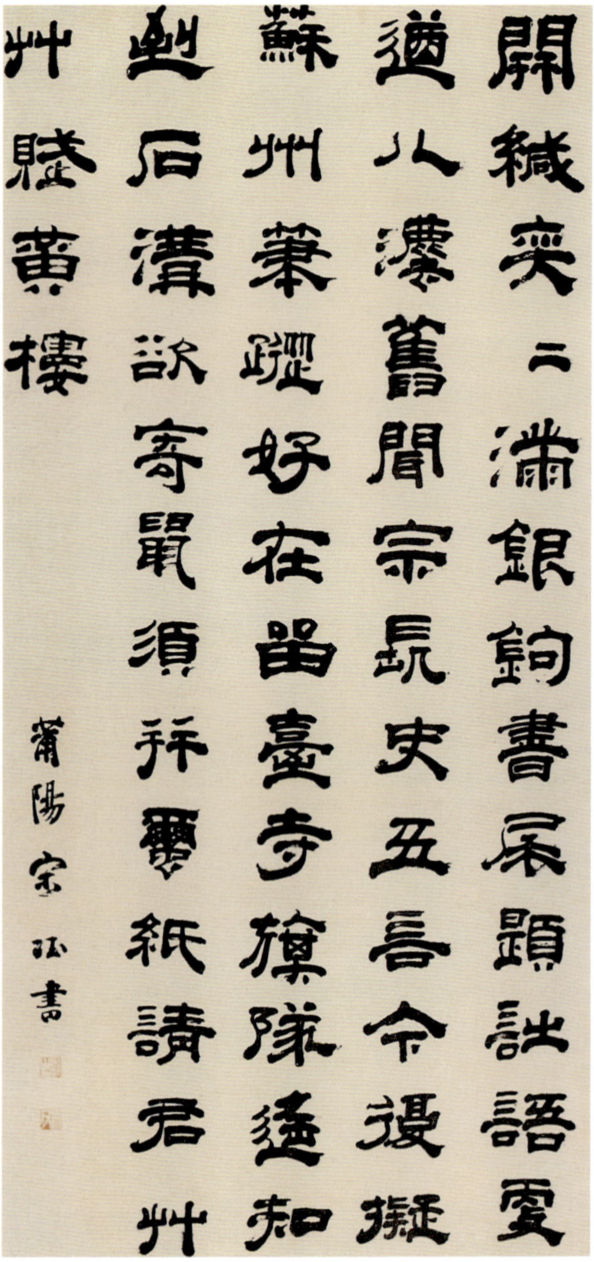

七言律詩

明

宋鈺

高63.5、寬132.5厘米。

紙本。此選爲局部。

現藏故宮博物院。

劉重慶

生平不詳。山東人。擅作巨幀草書。

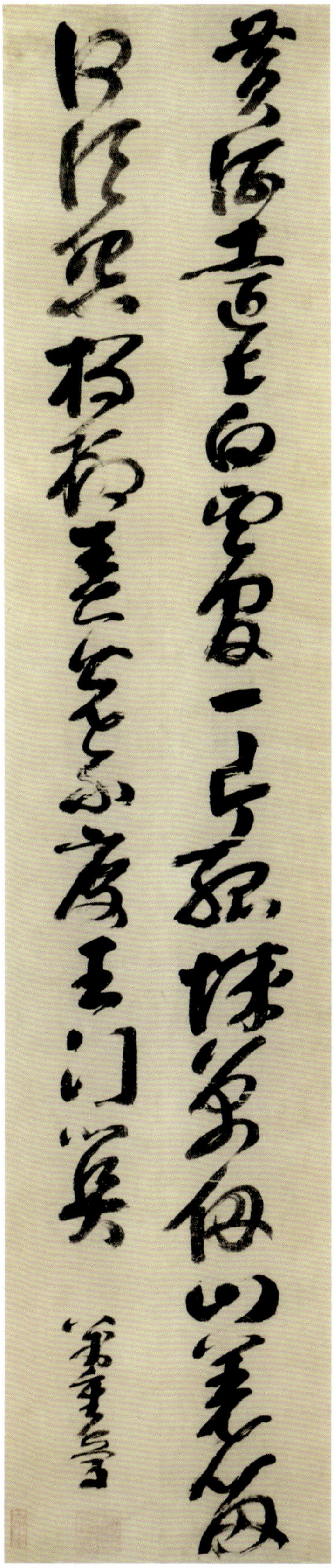

涼州詞

明

劉重慶

高206.1、寬45.5

厘米。

綾本。

現藏首都博物館。

眭明永（公元？－1645年）

丹陽（今屬江蘇）人。字嵩年。崇禎十五年（公元1642年）舉人。善書畫。書法善楷、草。

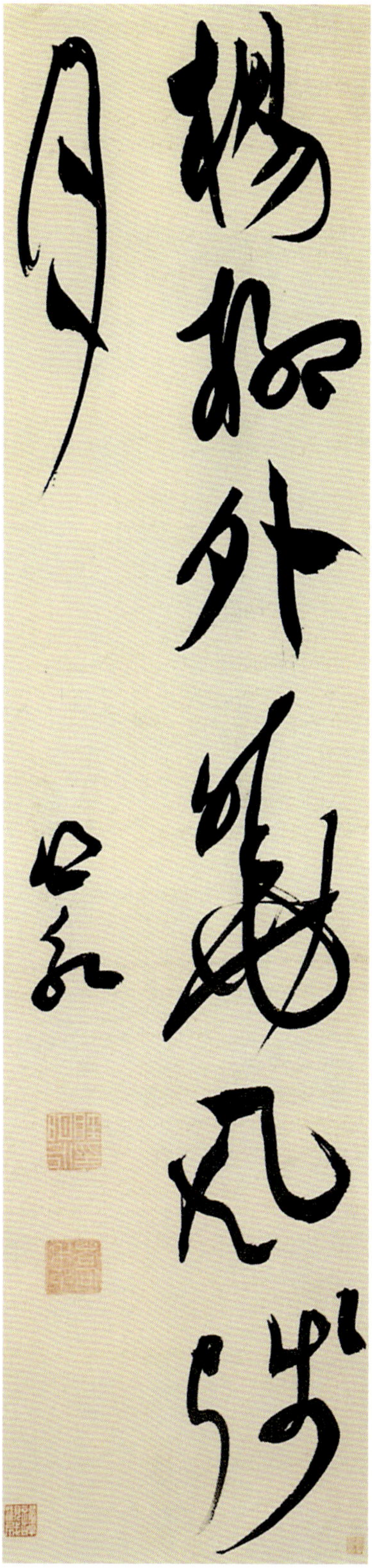

柳永詞句

明

眭明永

高113.5、寬28.3

厘米。

紙本。

現藏故宮博物院。

許光祚

生卒年不詳。陝西人，一作仁和（今浙江杭州）人。字靈長。工書法，所作草書優美酣暢。著有《許靈長集》。

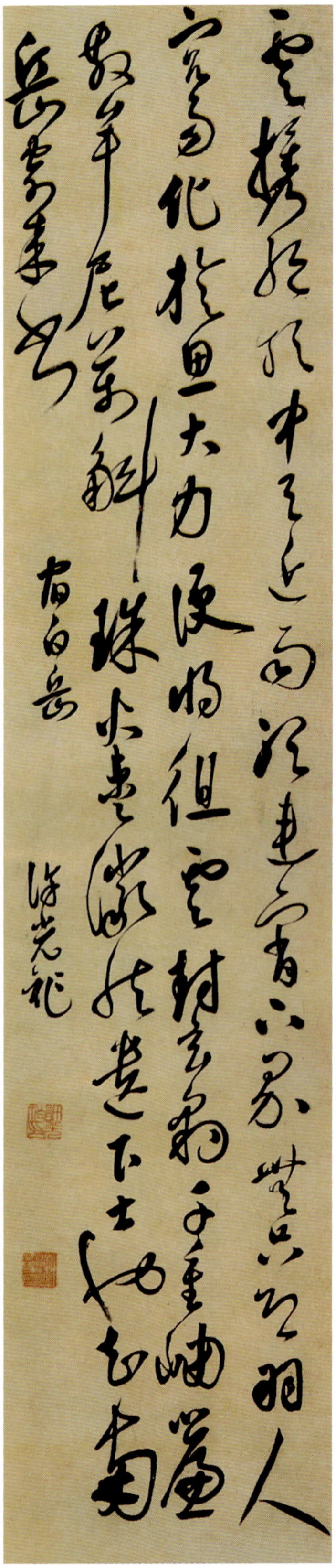

七言律詩

明
許光祚
高159.8、寬36.9厘米。
紙本。
現藏江蘇省蘇州博物館。

黄道周（公元1585－1646年）

漳浦（今屬福建）人。字幼平，或作幼玄，一字螭若，號石齋。工詩能文，精書擅畫。書法自成一家，對後世影響很大。

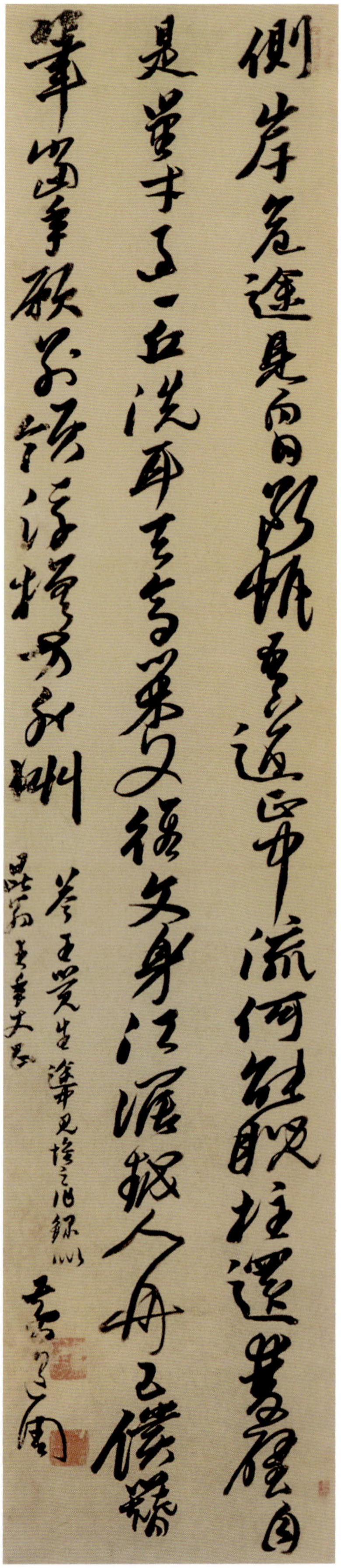

自書詩

明
黄道周
高141、寬32厘米。
紙本。
現藏故宮博物院。

語摘

明

黄道周

高143.2、寬50.8厘米。

綾本。

現藏上海博物館。

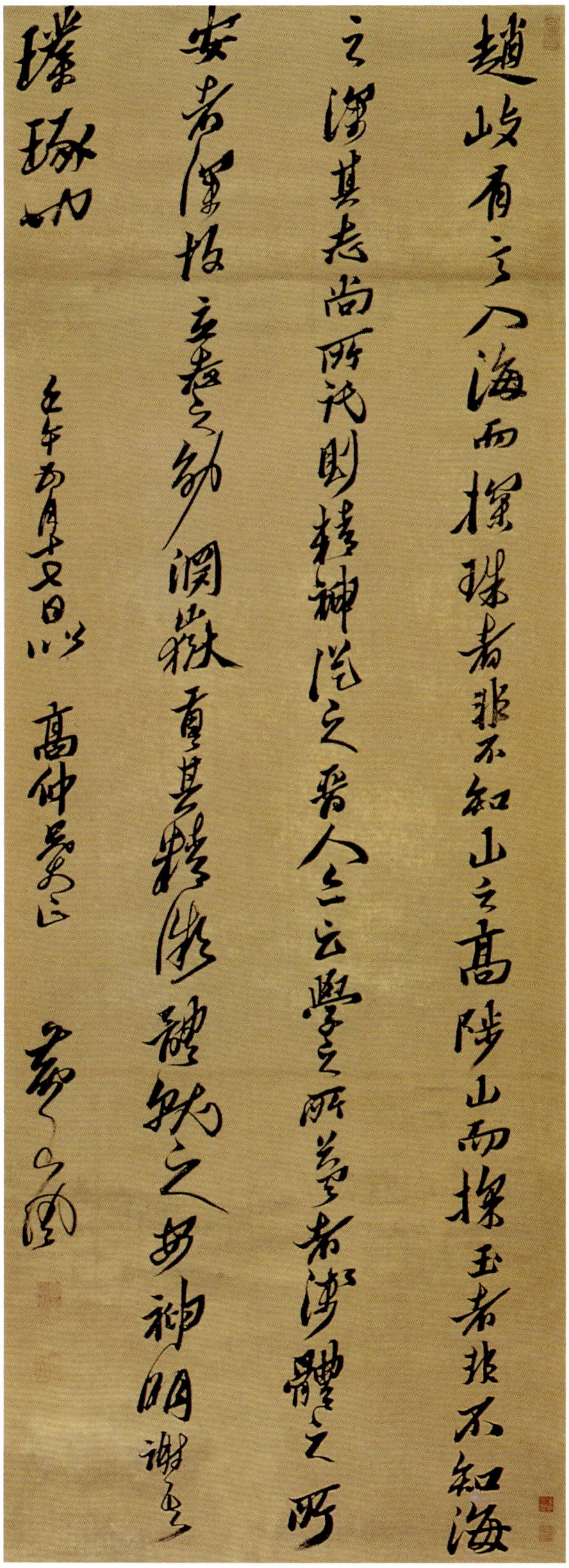

五言律詩

明

黄道周

高200.3、寬71厘米。

紙本。

現藏首都博物館。

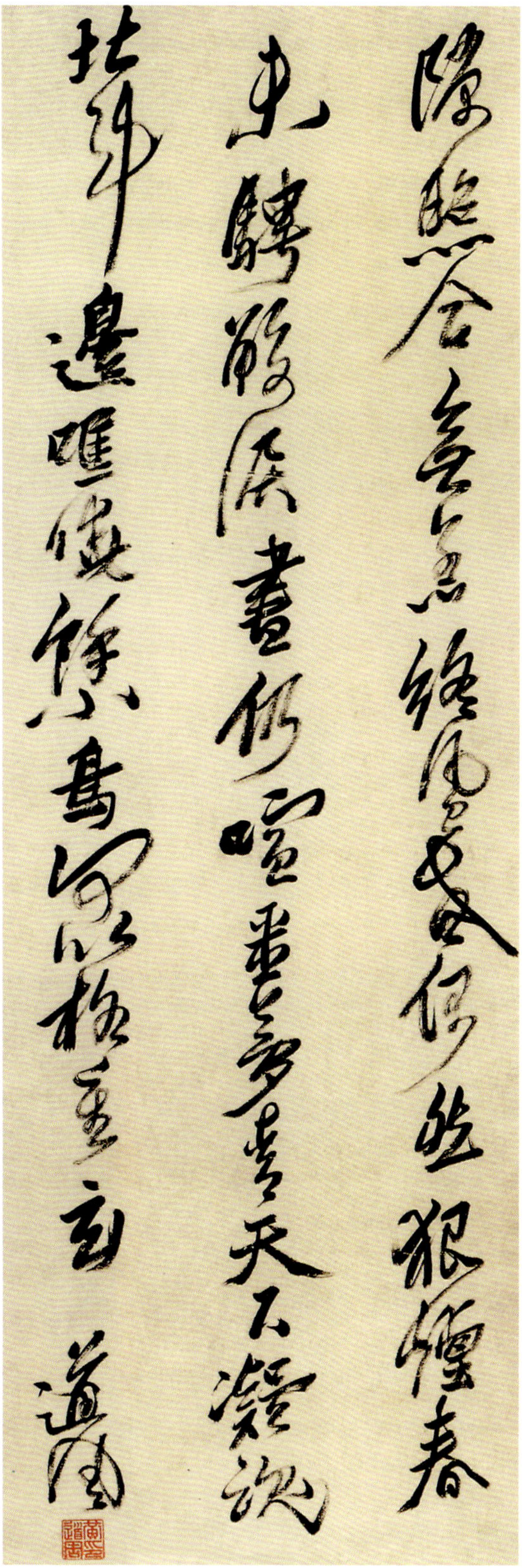

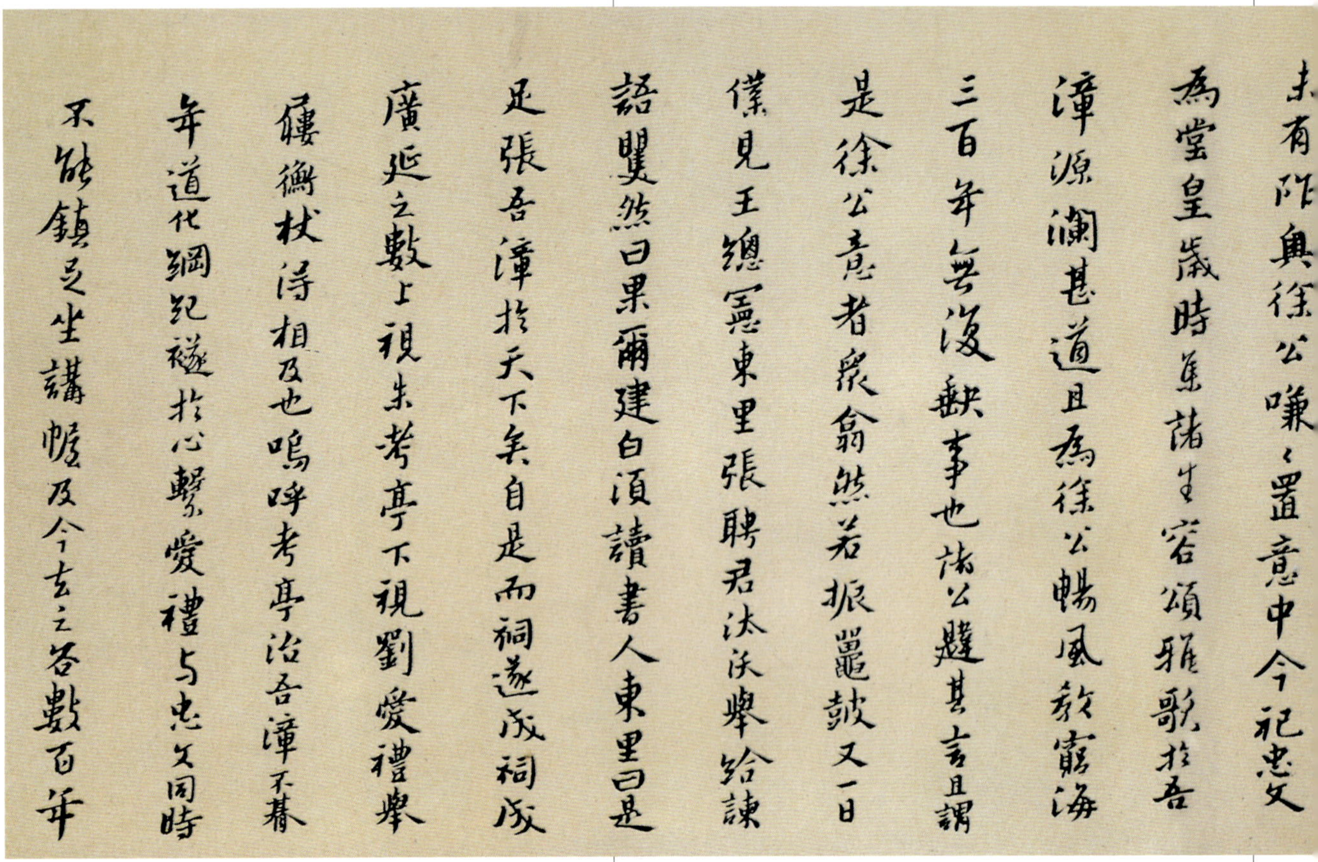

朱有陛與徐公噱々置意中今祀忠文
為堂皇歲時集諸生容頌雅歌於吾
漳源瀾甚道且為徐公暢風教寰海
三百年無沒蘇事也諸公雖其言且調
是徐公意者眾翁然若振體鼓又一日
僕見王總憲東里張聘君沐浴舉給諫
語雙然曰果爾建白頃讀書人東里曰退
足張吾漳於天下矣自是而祠遂成祠成
廣延之數上視朱考亭下視劉愛禮舉
礐德杖得相及也嗚呼考亭治吾漳不暮
年道化綱紀繫於心繫愛禮與忠文同時
不能鎮之坐講帳及今玄之咨數百年

王忠文祠碑文

明

黃道周

高30、寬261.5厘米。
紙本。此選爲局部。
現藏廣東省博物館。

五言絕句

明

侯峒曾

高29.5、寬119.8厘米。
紙本。
現藏南京博物院。

侯峒曾（公元1591－1645年）

　　嘉定（今屬上海）人。字豫瞻。天啓
五年（公元1625年）進士，弘光元年
（公元1645年）在嘉定領導抗
清鬥爭，城破之日投
水而死。著有《易
解》。

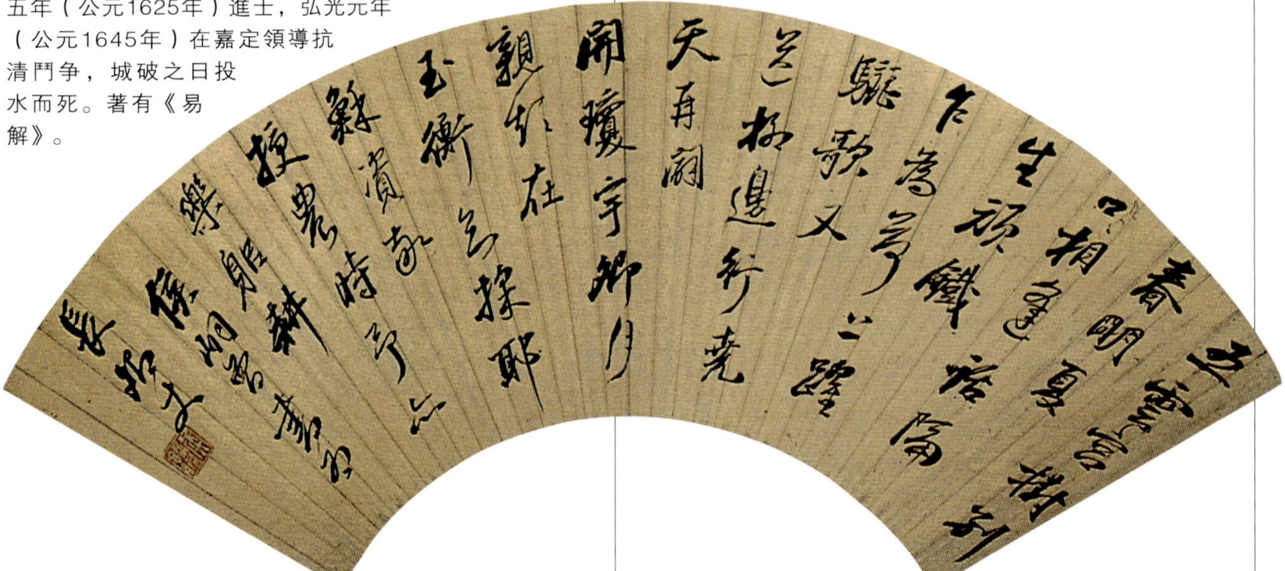

漳州新建王忠文先生碑

辜芝山之麓東瞰朝暾有王忠文祠焉

龍溪令慕義徐公之所建也徐公以精敏

敷治既店積將汗矣諸生者宿謀所以

貌徐公者徐公遂巡謝諸生曰不敏自塗

餼之未能敢尸逆旅之舍一日僕入漳

諸公坐聞談祠事且道徐公遂敦懇也

魏給諫中嚴時以抗疏里居謂諸公曰

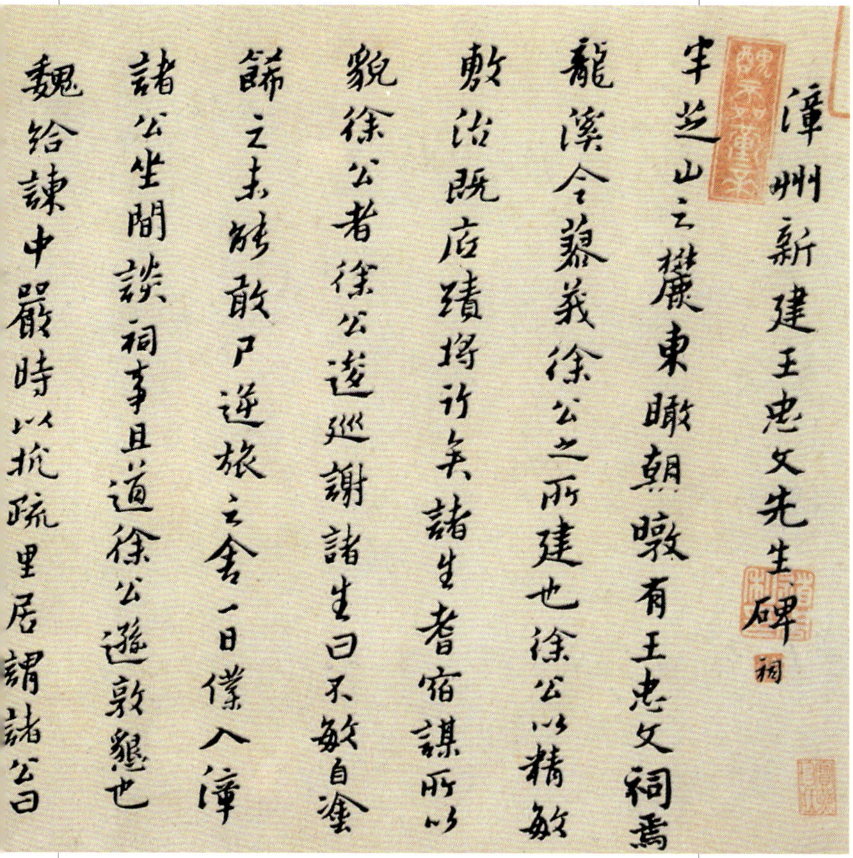

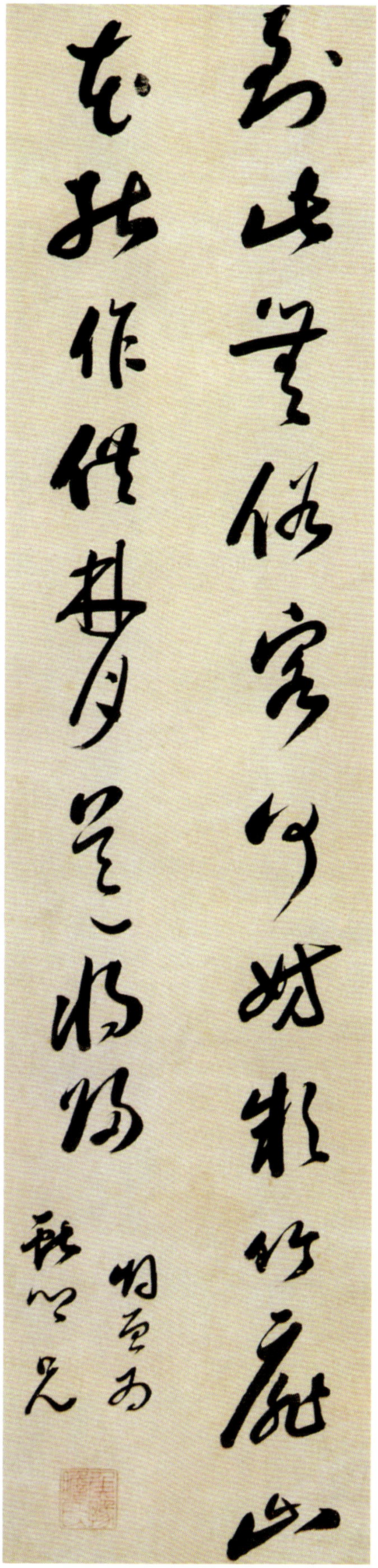

七言律詩（右圖）

明

侯峒曾

高50.5、寬15.6厘米。

紙本。

現藏遼寧省博物館。

邵彌

生卒年不詳。長洲（今江蘇蘇州）人。字僧彌，號瓜疇、彌遠，又號芬陀居士。工詩文，善書法。

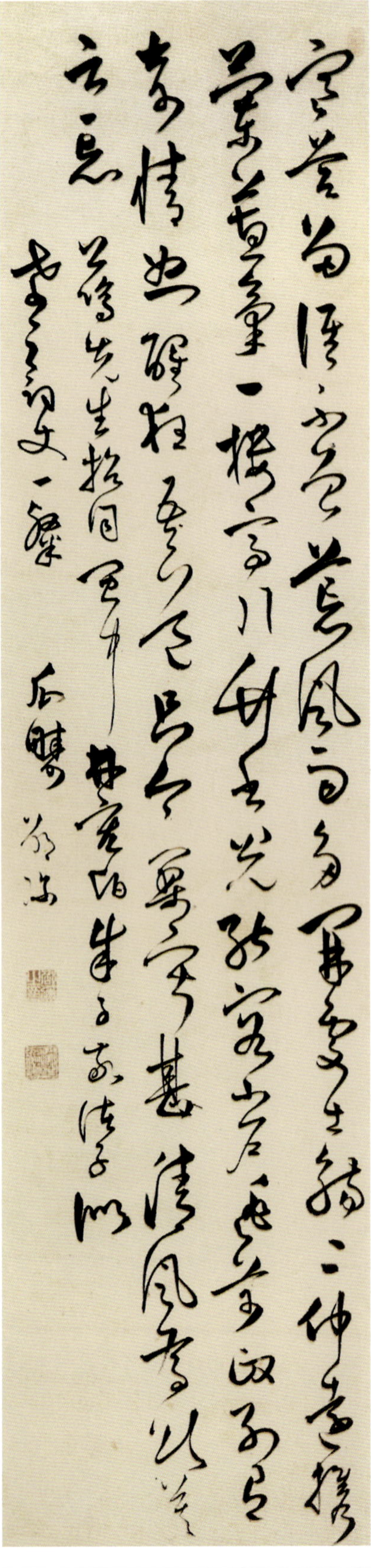

七言律詩
明
邵彌
高177.8、寬30.4厘米。
紙本。
現藏南京博物院。

王鐸（公元1592－1652年）

孟津（今河南孟津東）人。字覺斯，號嵩樵、十樵、痴庵等。順治間降清，官禮部尚書、東閣大學士。工詩文和書畫。書法宗“二王”，又取法顏真卿和米芾，自成一派。

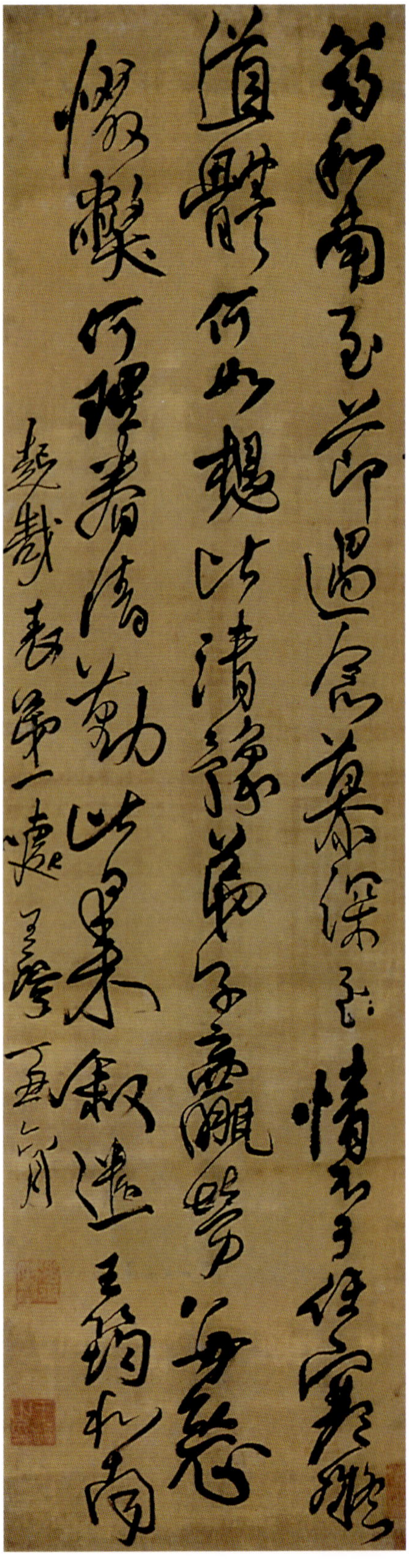

臨王筠書
明
王鐸
高186.8、寬50.7厘米。
綾本。
現藏上海博物館。

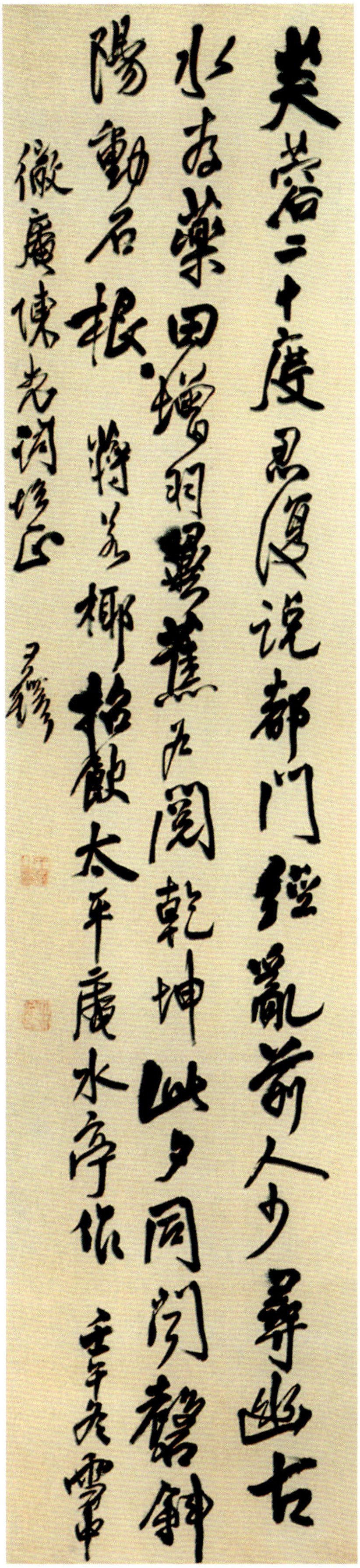

五言律詩
明
王鐸
高224、寬52.7
厘米。
綾本。
現藏天津博
物館。

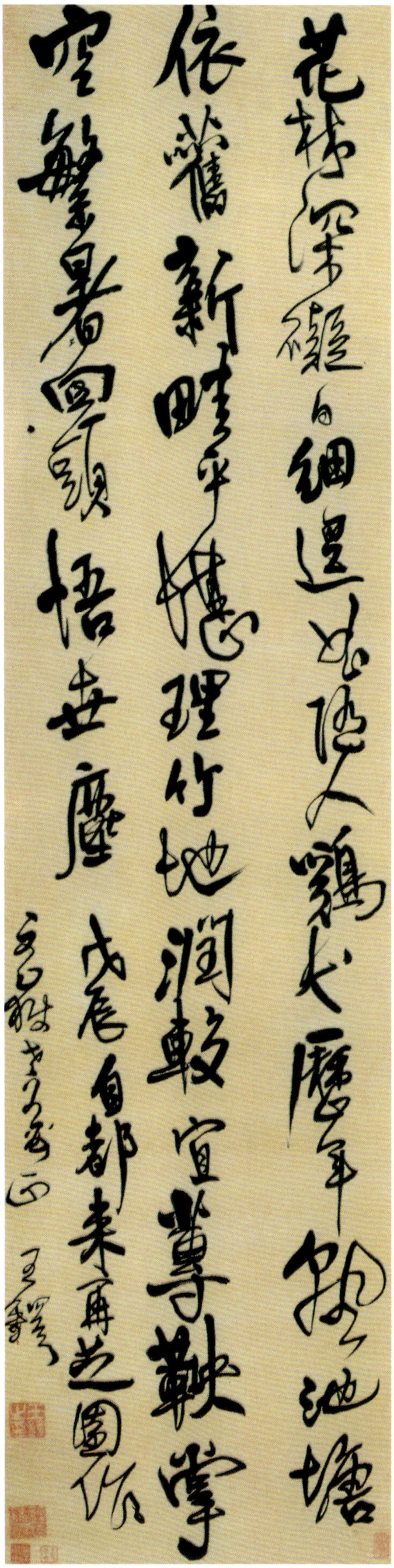

五言律詩
明
王鐸
高188、
寬49
厘米。
絹本。
現藏上海
朵雲軒。

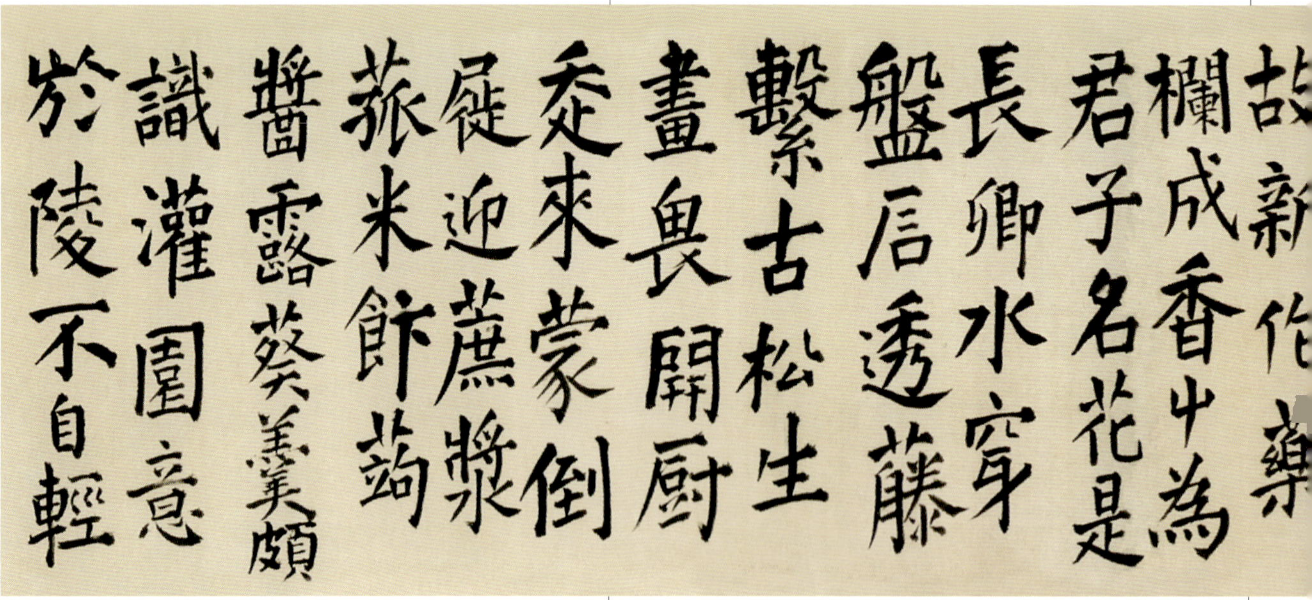

王維詩

明

王鐸

高21、寬165.5厘米。

紙本。此選爲局部。

現藏故宫博物院。

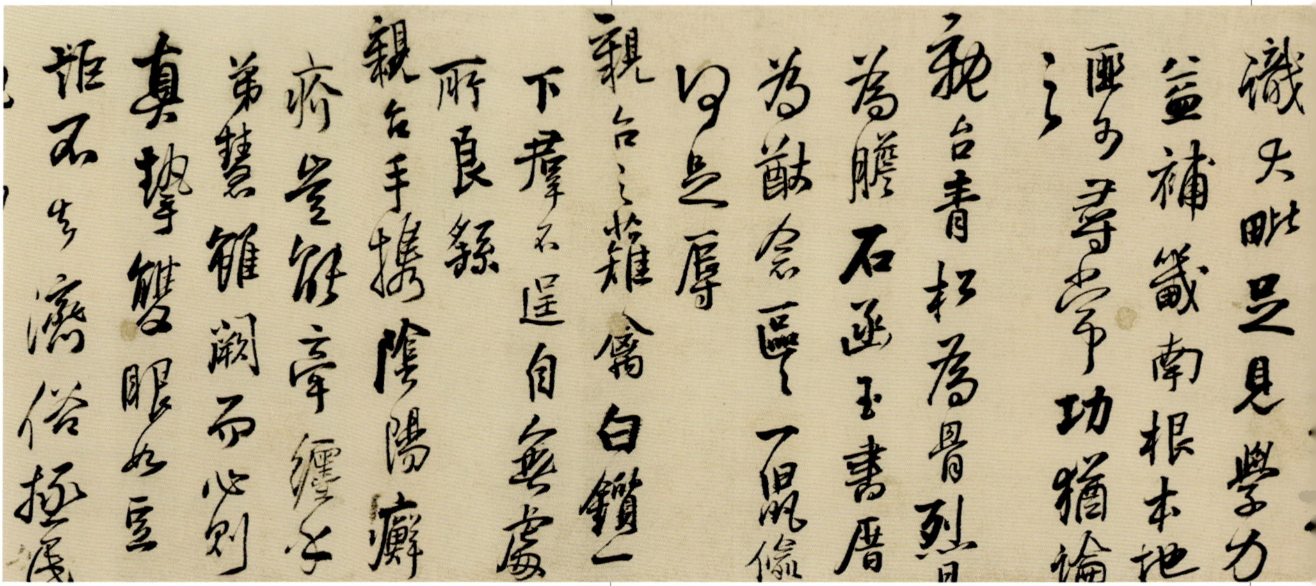

雖與人境接
開門戒隱居
道言莊叟事
儒行魯人餘
深巷斜暉
靜閒門高柳
疎荷鋤修藥
圃散帙曝農
書上客搖芳
翰中尉饋野
蔬夫君第高
歙景晏出林
閟高 滁州遇趙叟父家

報寇葵衷書
明
王鐸
綾本。此選爲局部。

大悲閣上天風爲我
兩人來酒意情長
星辰錯尸衹袖間
此夜梵聲雲巘
常所夢樂來均
扵此恨天修曙
公我
心父使華憒然
大陸井碪閣左兵
驄魄驚未諱舉
盍隆龝午晢五行
敗筆口駁太平已
久生齒藥雜天哉
霄驟手藥相仍
無悰手天窮髮

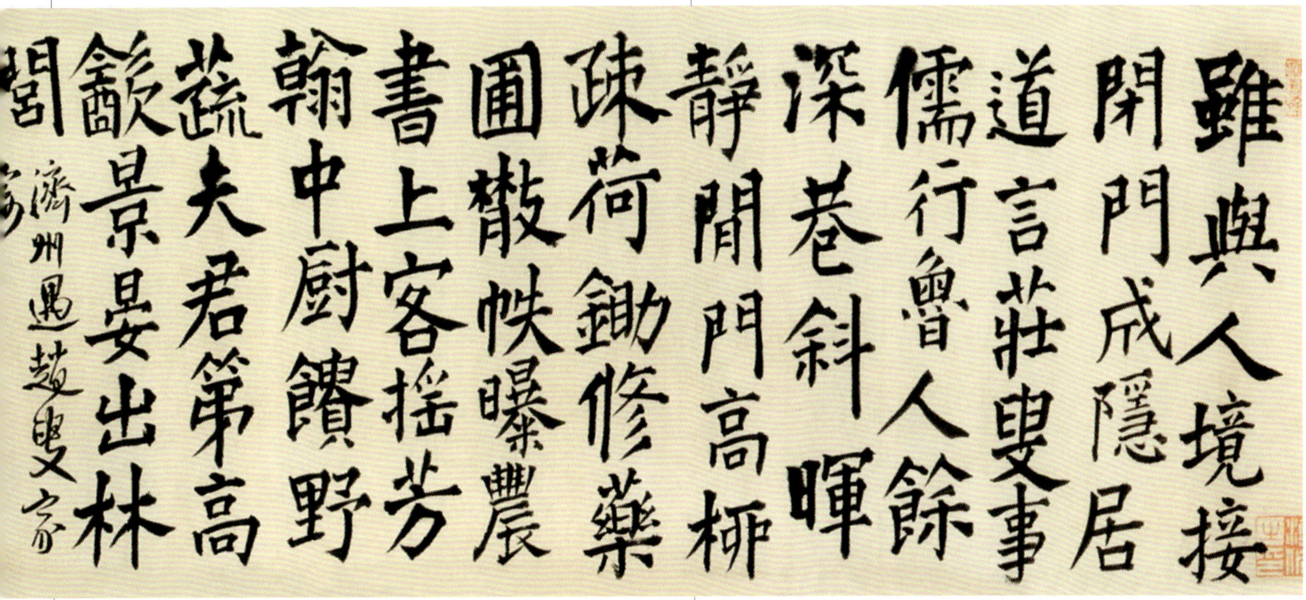

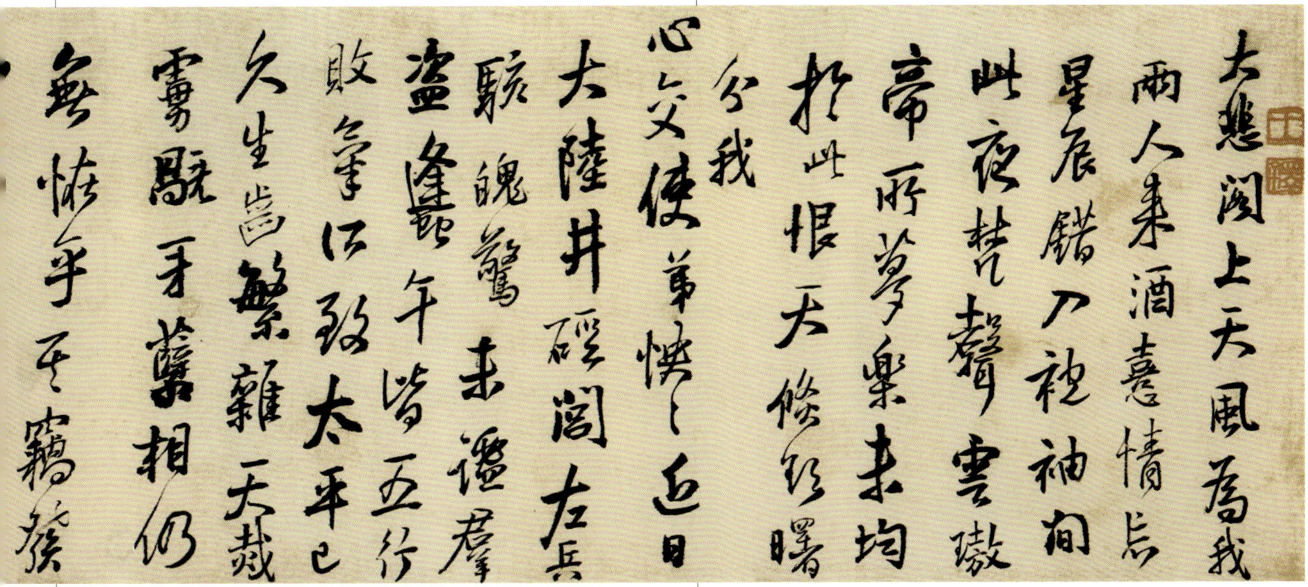

倪元璐 (公元1593－1644年)

上虞（今浙江上虞南）人。字玉汝，號鴻寶。天啓二年（公元1622年）進士，授編修，官禮部尚書、翰林院學士，累遷國子監祭酒。工書法，尤精擅行草。

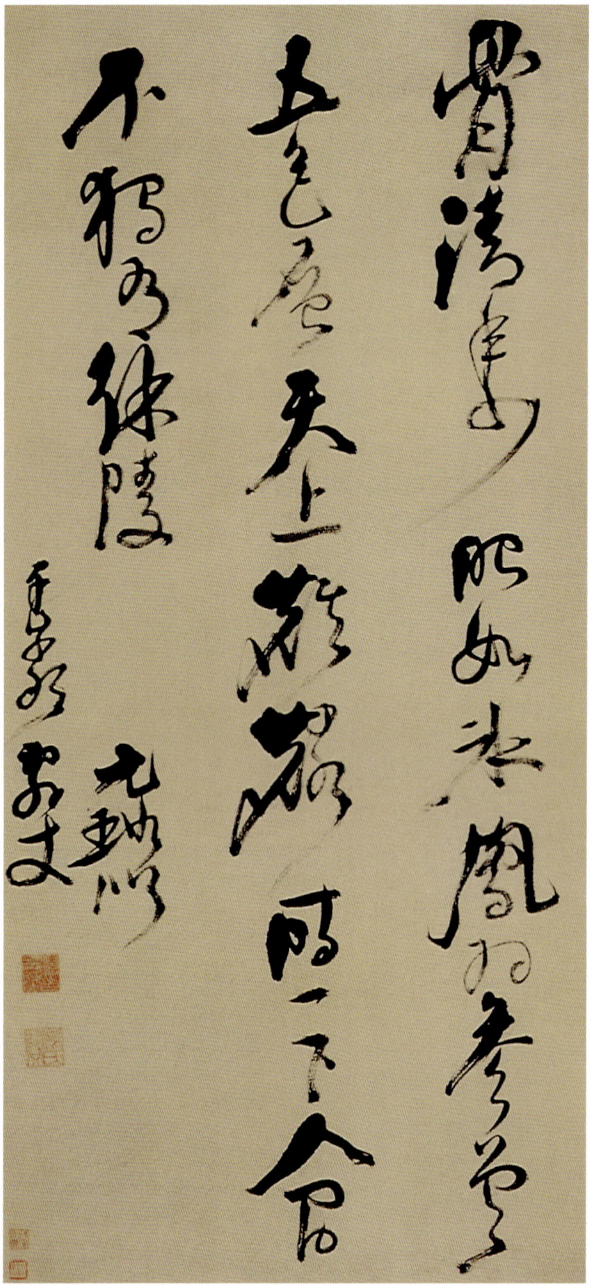

七言絶句

明
倪元璐
高128.5、寬93.1厘米。
紙本。
現藏故宫博物院。

五言律詩

明
倪元璐
高128.2、寬43.1厘米。
綾本。
現藏上海博物館。

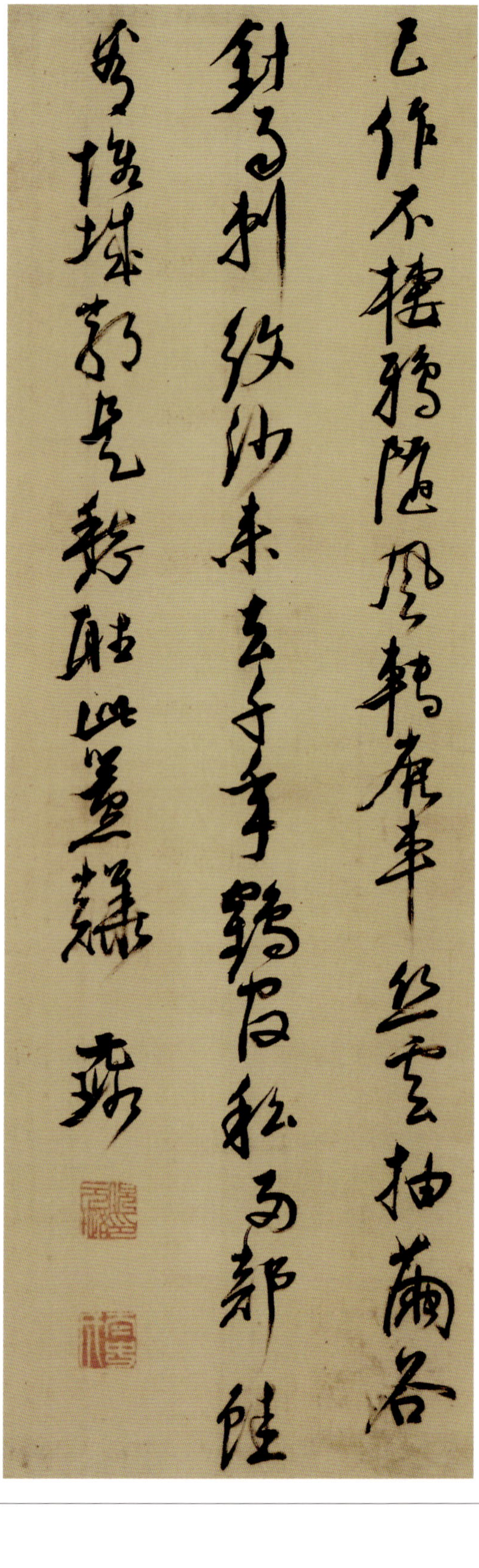

自書詩

明
倪元璐
高125、寬49厘米。
綾本。
現藏湖北省博物館。

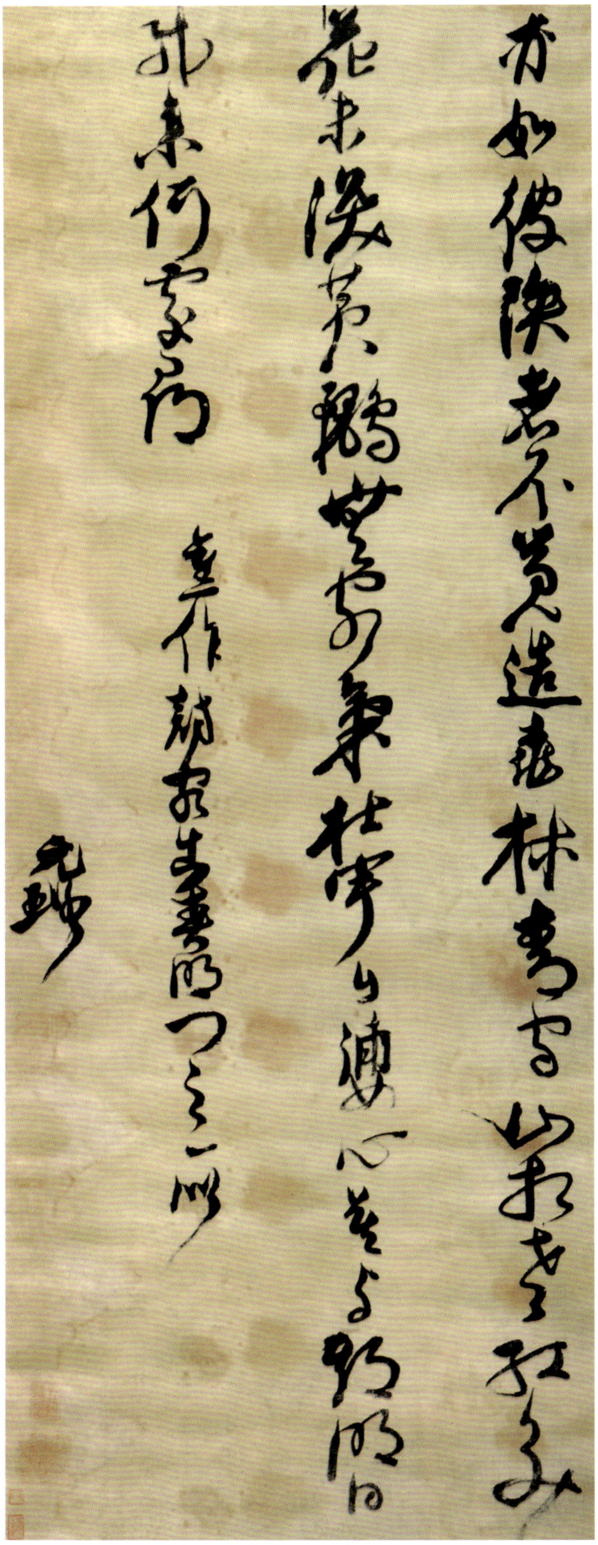

陳洪綬（公元1598－1652年）

諸暨（今屬浙江）人。字章侯，號老蓮，晚號悔遲。明亡，落髮紹興雲門寺爲僧，一年餘還俗，後在紹興、杭州賣畫爲生。能詩文，善書法，尤以擅繪畫名于世。

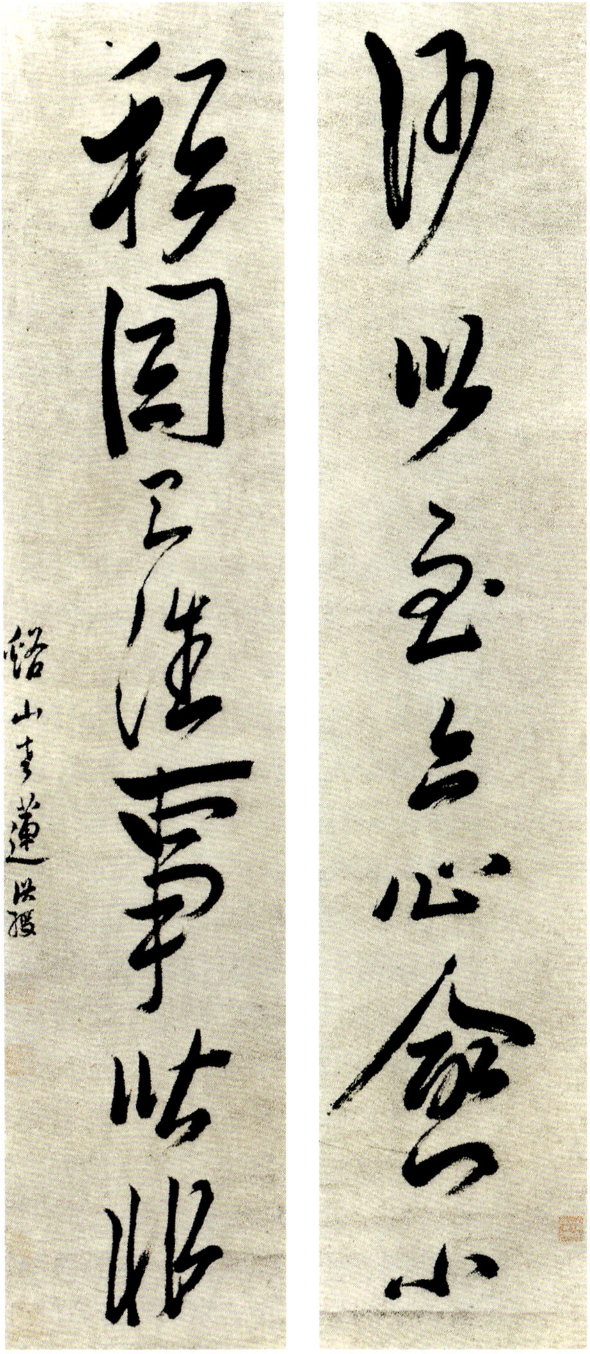

七言聯

明
陳洪綬
紙本。
現藏私人處。

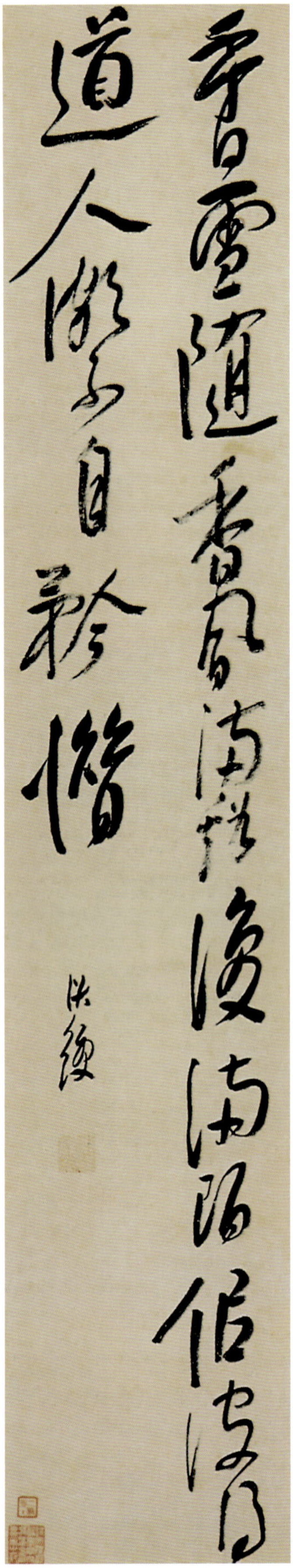

五言絶句

明
陳洪綬
高138、寬26.9厘米。
紙本。
現藏南京博物院。

黄淳耀（公元1605－1645年）

嘉定（今屬上海）人。初名金耀，改名淳耀，字蘊生，一字松崖，號陶庵，又號水鏡居士。善書法。

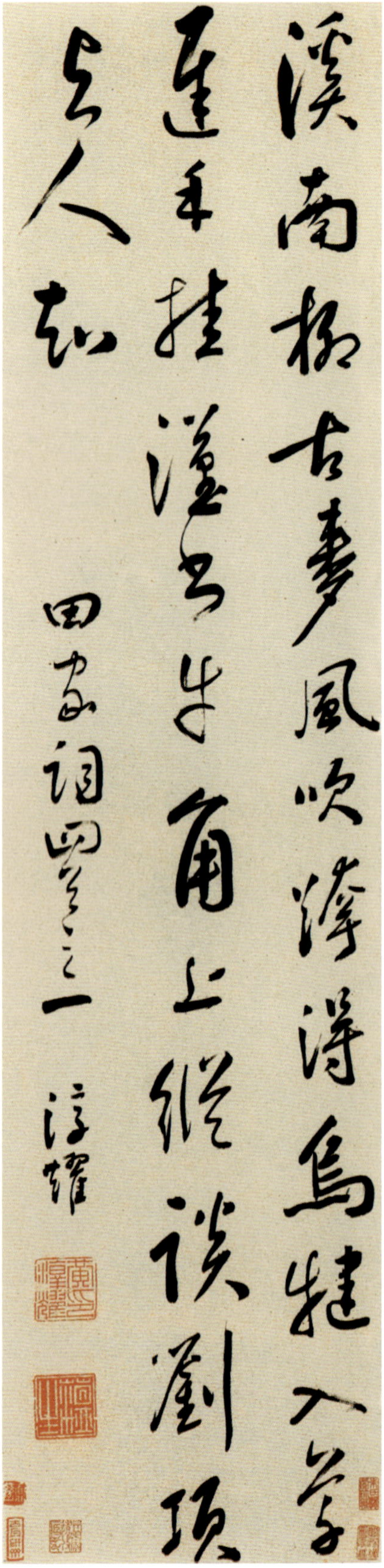

田家詞

明
黄淳耀
高119、寬29.7厘米。
紙本。
現藏上海博物館。

王時敏（公元1592－1680年）

太倉（今屬江蘇）人。字遜之，號烟客，又號西廬老人、西田主人等。崇禎年間，以蔭官至太常寺少卿。入清不仕，隱于村野。工詩文，善書法，隸書最精，與鄭簠、朱彝尊并被推爲清初三隸；繪畫造詣高深，爲清初“四王”之首。著有《王烟客先生集》和《西廬畫跋》。

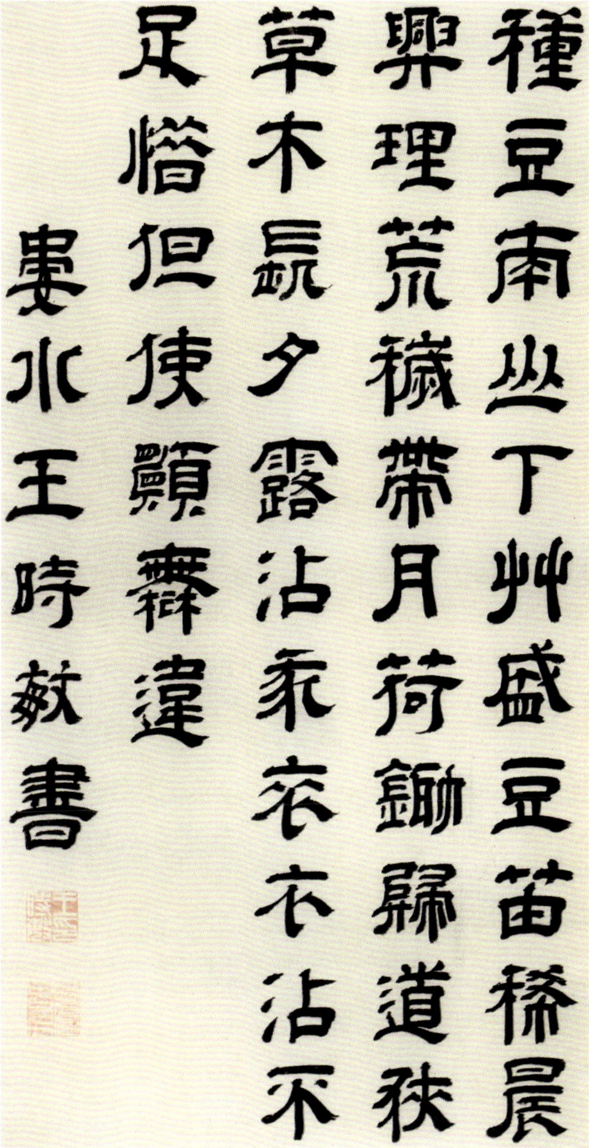

陶潛詩

清

王時敏

高111.4、寬59.5厘米。

紙本。

現藏故宫博物院。

自作七絶

清

王時敏

高118.6、寬48.5厘米。

紙本。

現藏上海博物館。

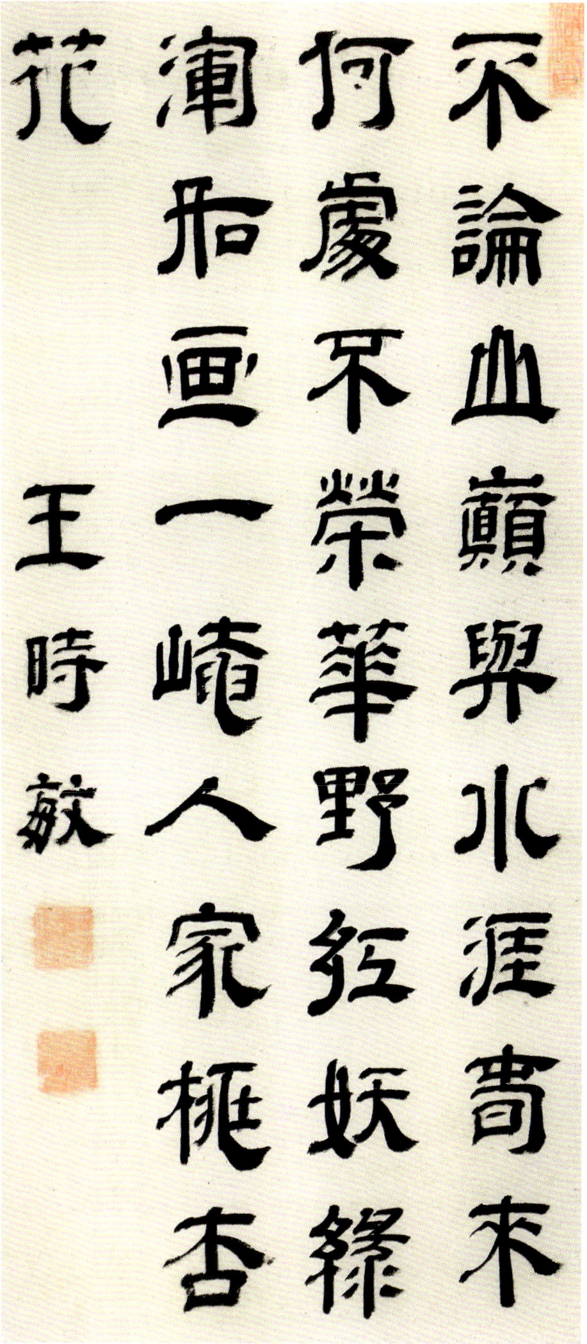

普荷（公元1593－1683年）

晋寧（今雲南晋寧東）人。本姓唐，名泰，字大來。明亡後削髮爲僧，隱于鷄足山，法名普荷，號擔當。著有《修園集》和《橛庵草》。

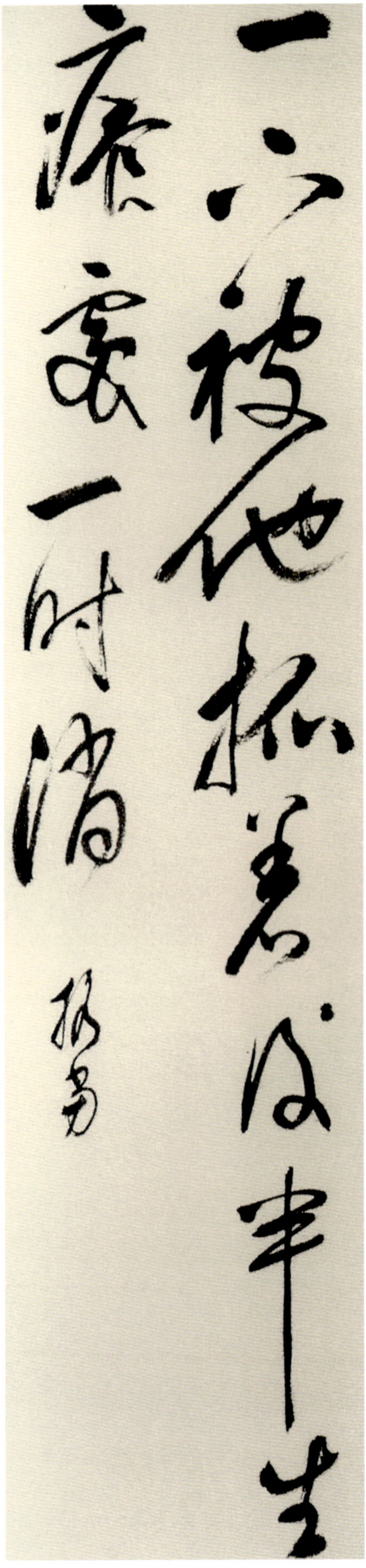

語摘

清

普荷

高131、寬30厘米。

紙本。

現藏重慶市博物館。

祁豸佳（公元1594－1683年）

山陰（今浙江紹興）人。字止祥，號雪瓢。明亡不仕，書學董其昌。

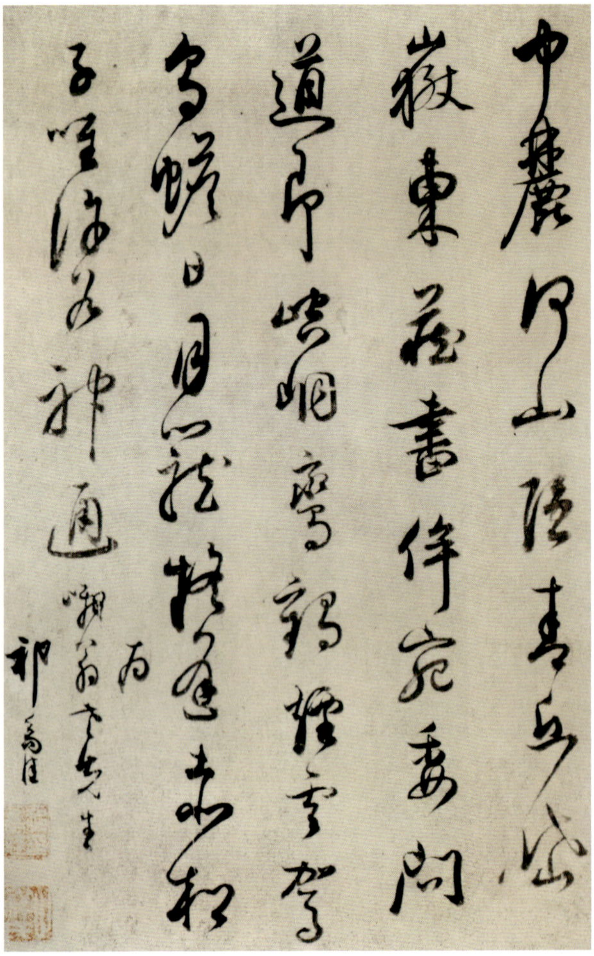

五言律詩

清

祁豸佳

高30、寬20厘米。

紙本。

現藏日本大阪市立美術館。

王光承（公元1606－1677年）

華亭（今上海松江）人。字玠右。善書法。

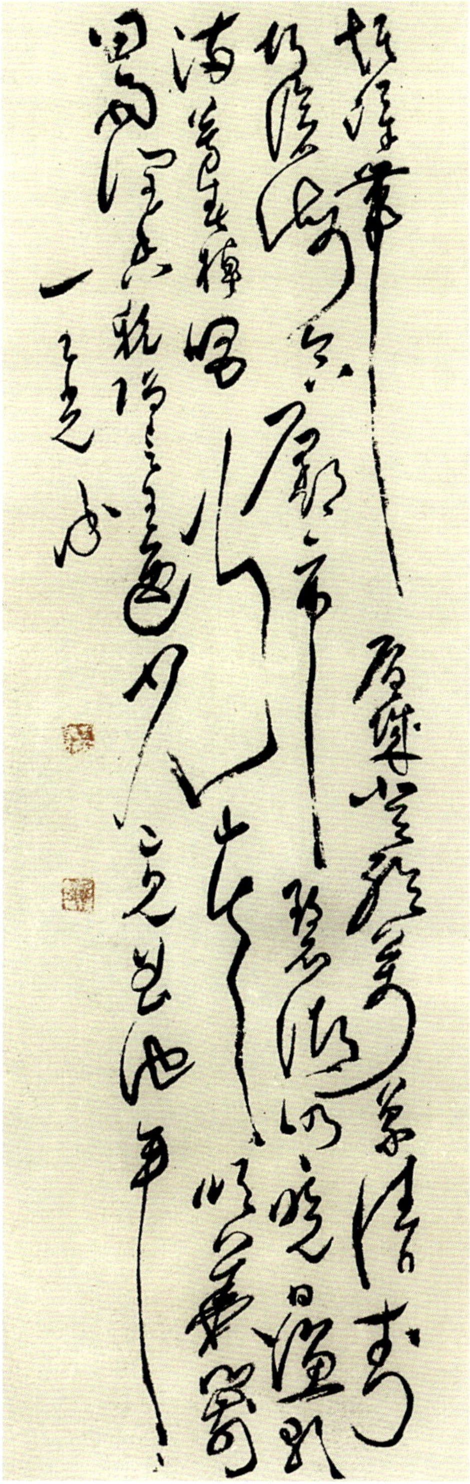

五言律詩

清

王光承

高91.3、寬23.5厘米。

紙本。

現藏江蘇省蘇州博物館。

傅　山（公元1607－1684年）

陽曲（治今山西太原）人。初名鼎臣，後改名山，原字青竹，更字青主，又字仁仲，號石頭、石道人、朱衣道人等。工書法，尤以草書最爲著稱。在清初書壇占有重要位置。

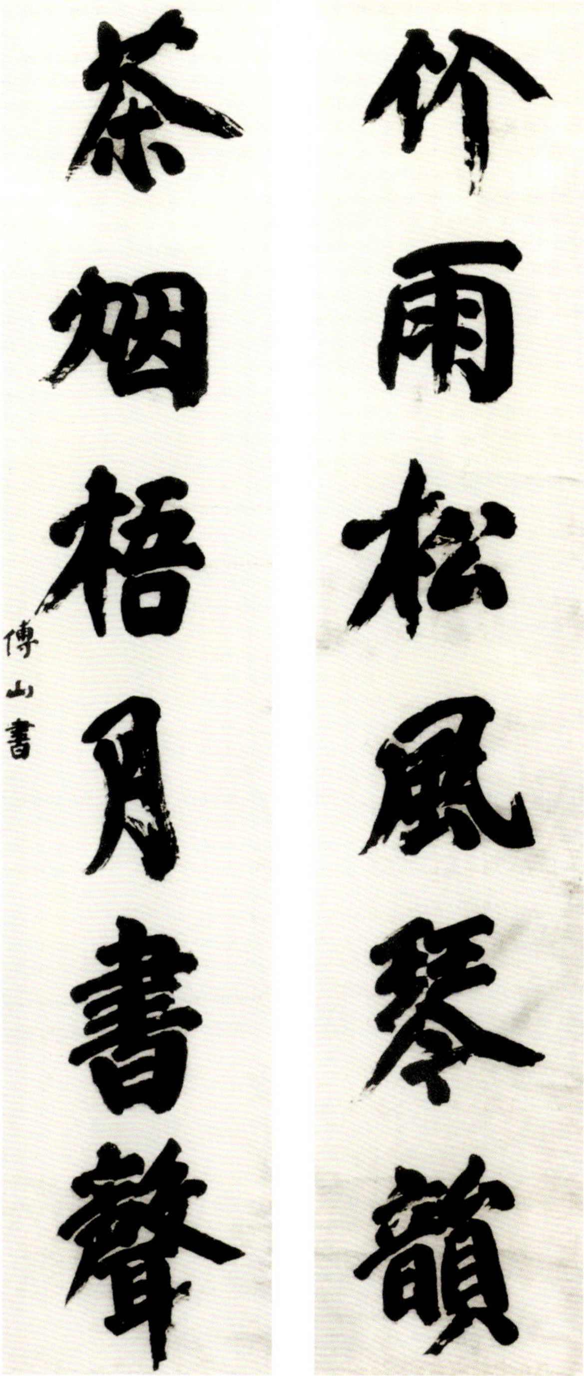

六言聯

清

傅山

高225、寬44.5厘米。

紙本。

現藏山西省晋祠文物管理所。

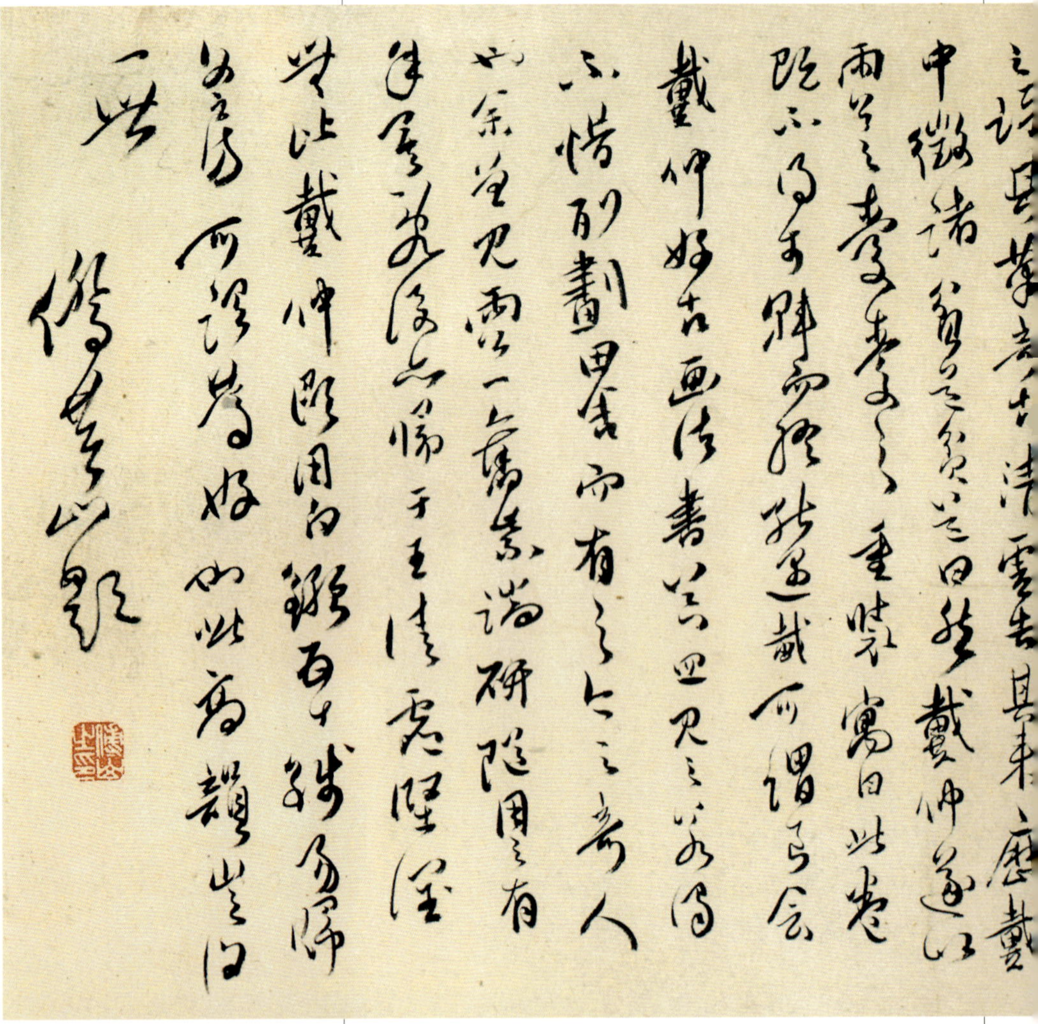

江山樓觀圖跋

清

傅山

高32厘米。

紙本。

此書跋于北宋燕文貴《江山樓觀圖》後。

現藏日本大阪市立美術館。

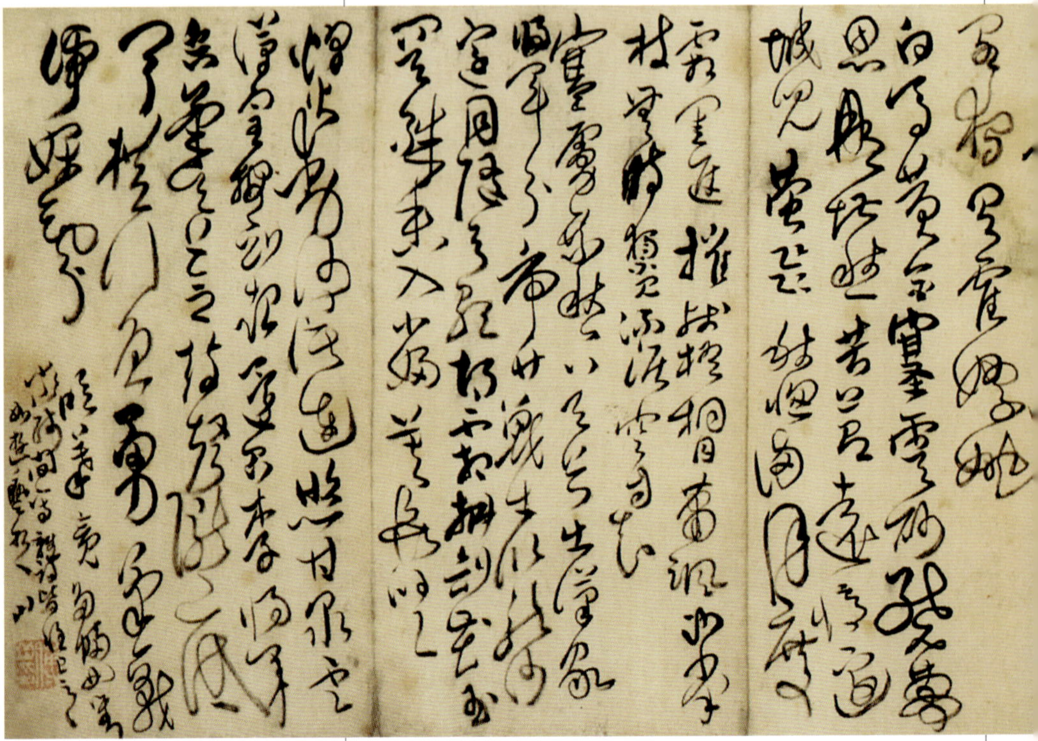

自書詩

清

傅山

高24.5、寬104厘米。

絹本。此選爲局部。

現藏故宫博物院。

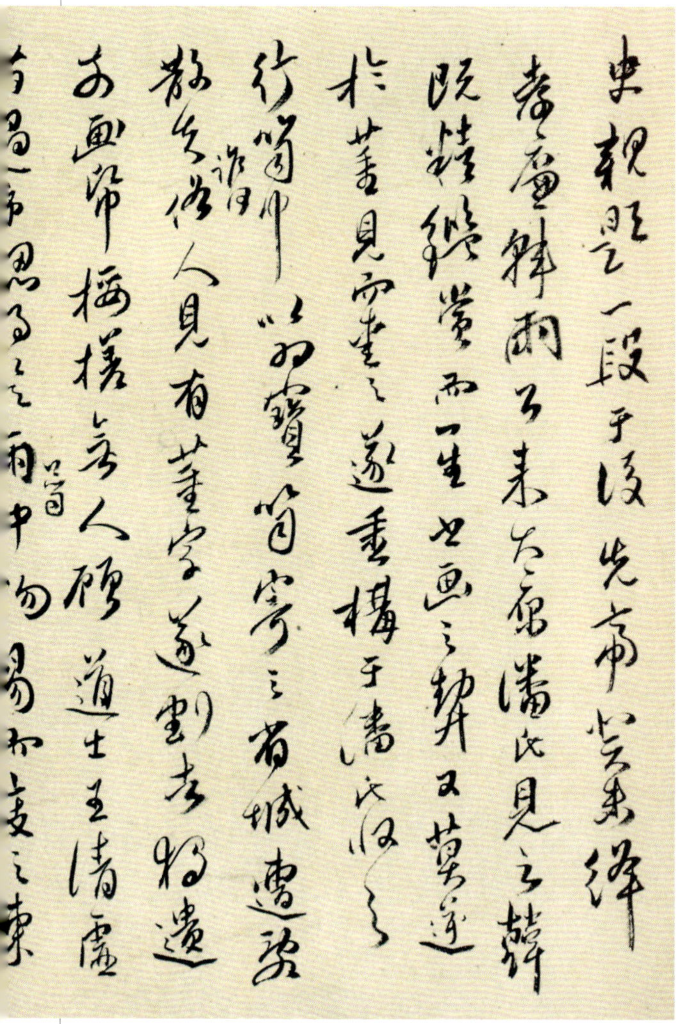

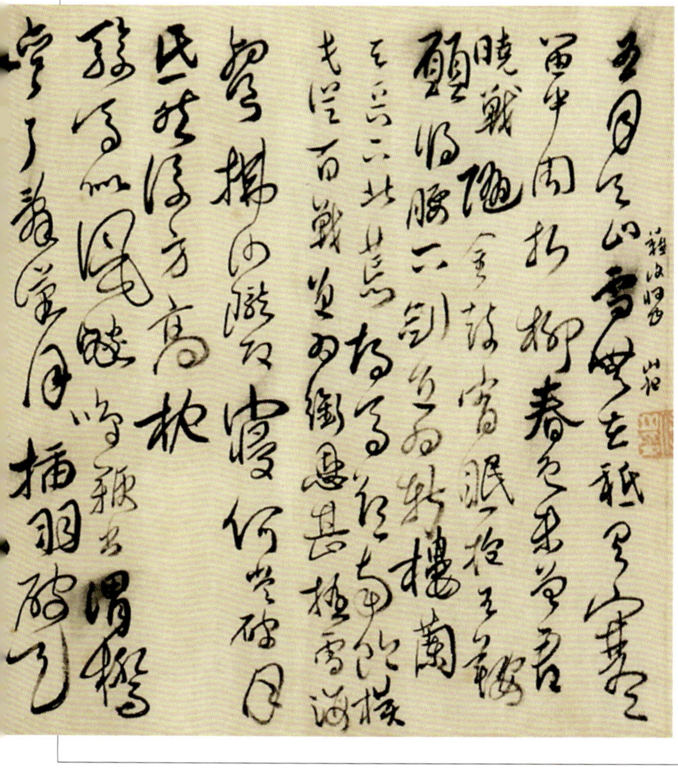

七言絶句

清
傅山
高202.7、寬44.2厘米。
絹本。
現藏南京博物院。

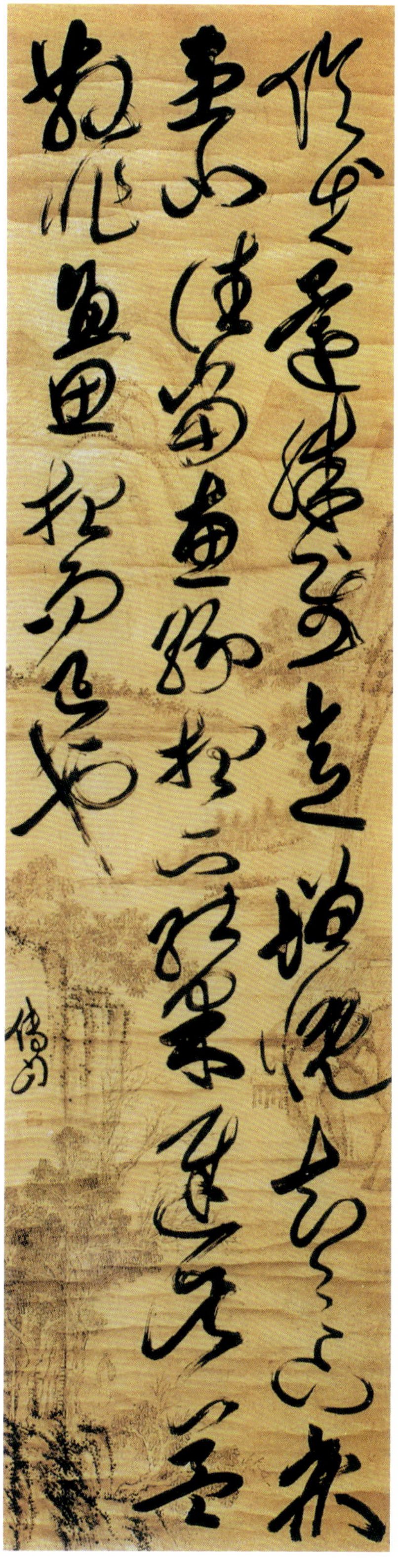

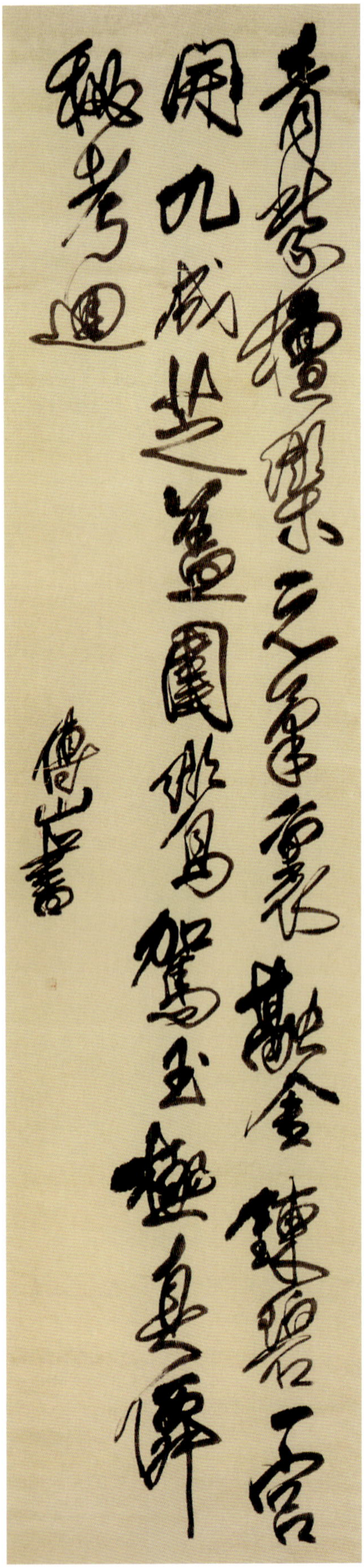

七絶詩

清
傅山
高203、寬50.1厘米。
綾本。
現藏首都博物館。

程邃（公元1605－1691年）

歙縣（今屬安徽）人。字穆倩、朽民，號垢區、垢道人等。工詩文，擅書畫篆刻。

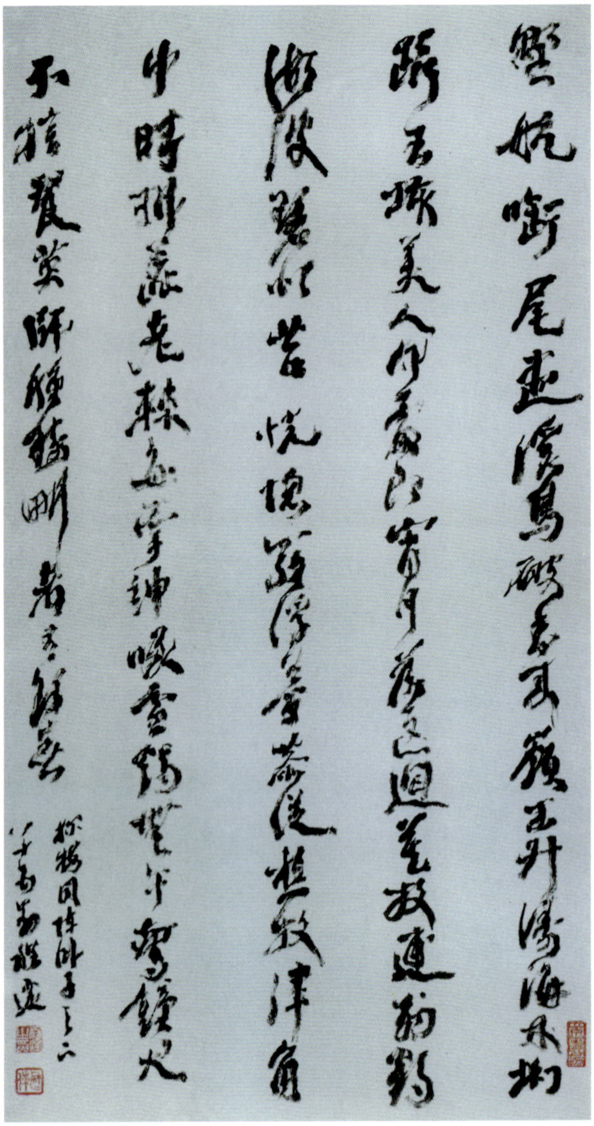

探梅詩

清
程邃
高86.3、寬46.9厘米。
紙本。
現藏上海博物館。

侯艮陽（約公元1608－1700年）

里籍不詳。字石庵。善畫驢，有時名。工書法。

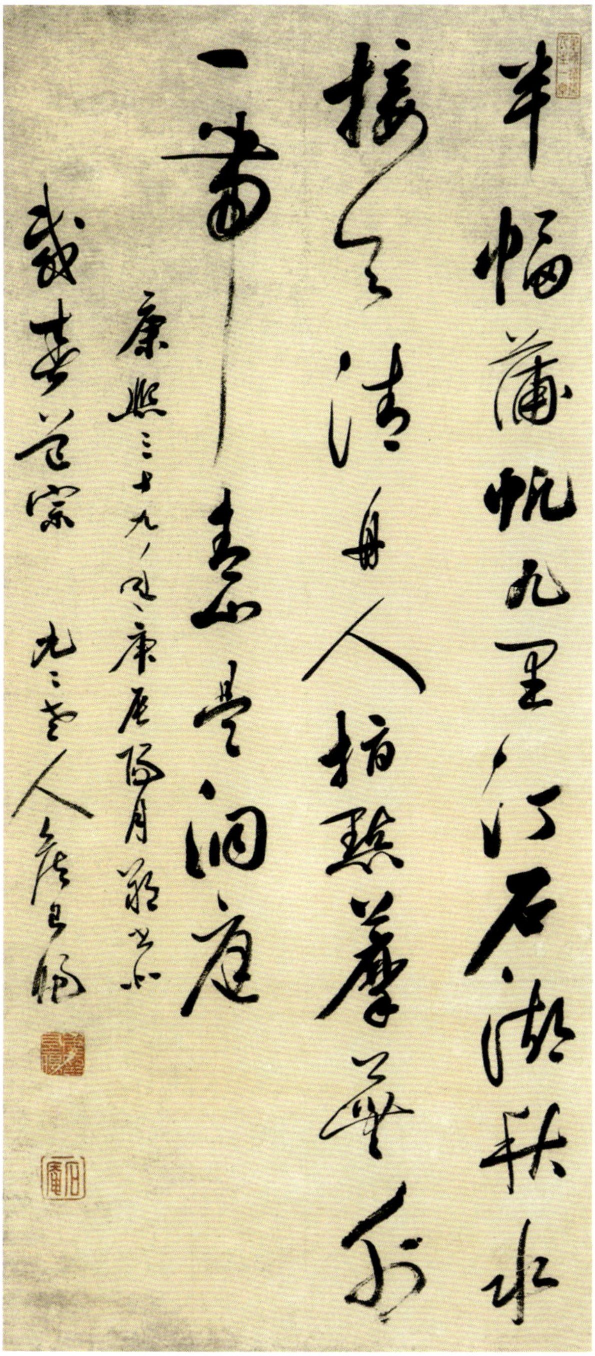

七言絶句

清

侯艮陽

高123.4、寬56.4厘米。

紙本。

現藏南京博物院。

米漢雯

生卒年不詳。直隸宛平（今北京豐臺）人。字紫來，號秀岩。順治八年（公元1651年）進士。善金石篆刻，兼能書法。

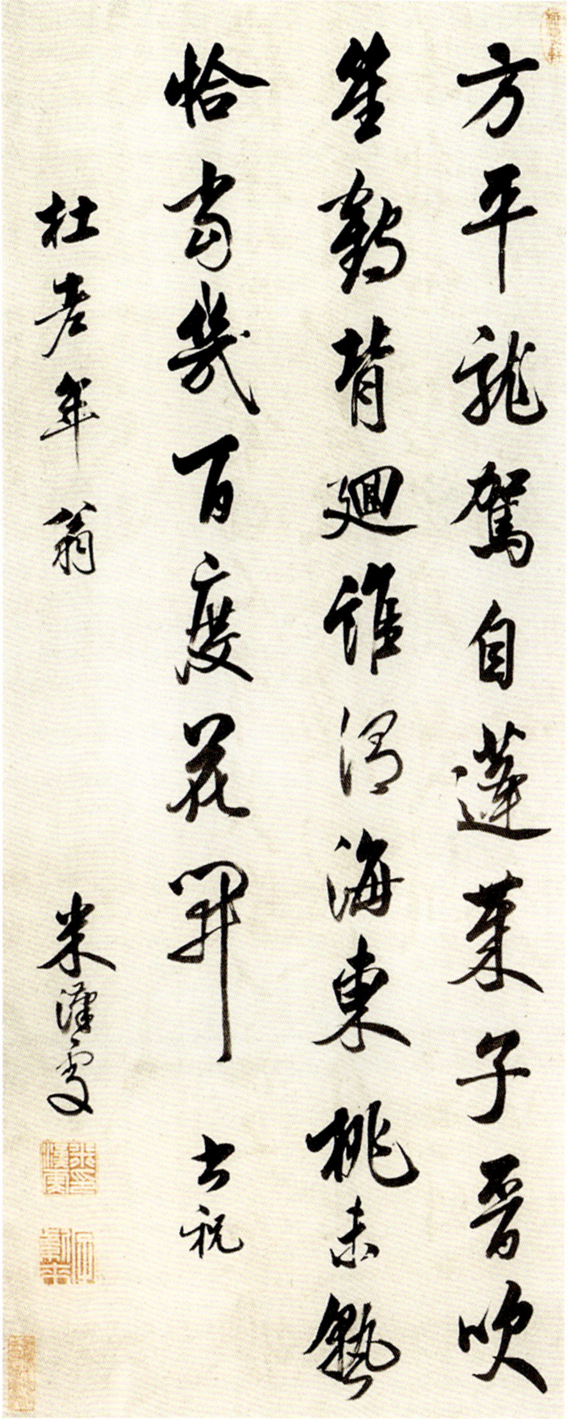

七言絶句

清

米漢雯

高140、寬57厘米。

綾本。

現藏河北省博物館。

李嘉胤（公元? – 1670年）

泰州（今屬江蘇）人。字爾止，號草樓。順治六年（公元1649年）進士。善書法。

冒 襄（公元1611 – 1693年）

如臯（今屬江蘇）人。字辟疆，號巢民、樸庵、樸巢。書法晋人，曾師董其昌。

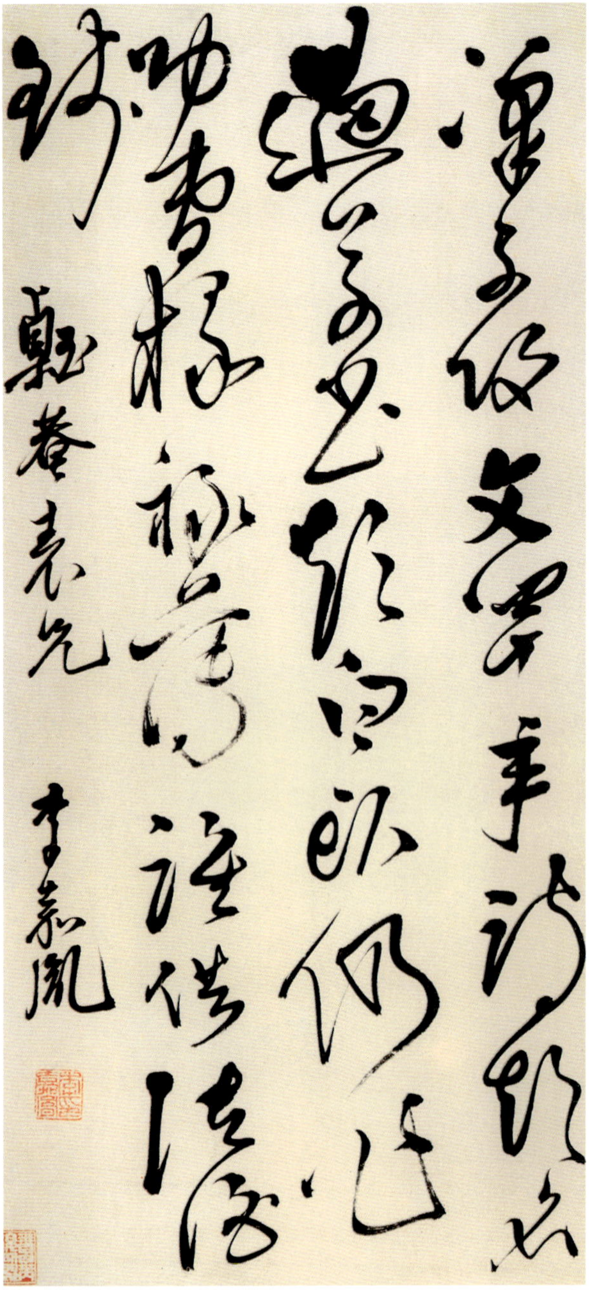

自作絶句

清
李嘉胤
高57.1、寬27.8厘米。
紙本。
現藏江蘇省蘇州博物館。

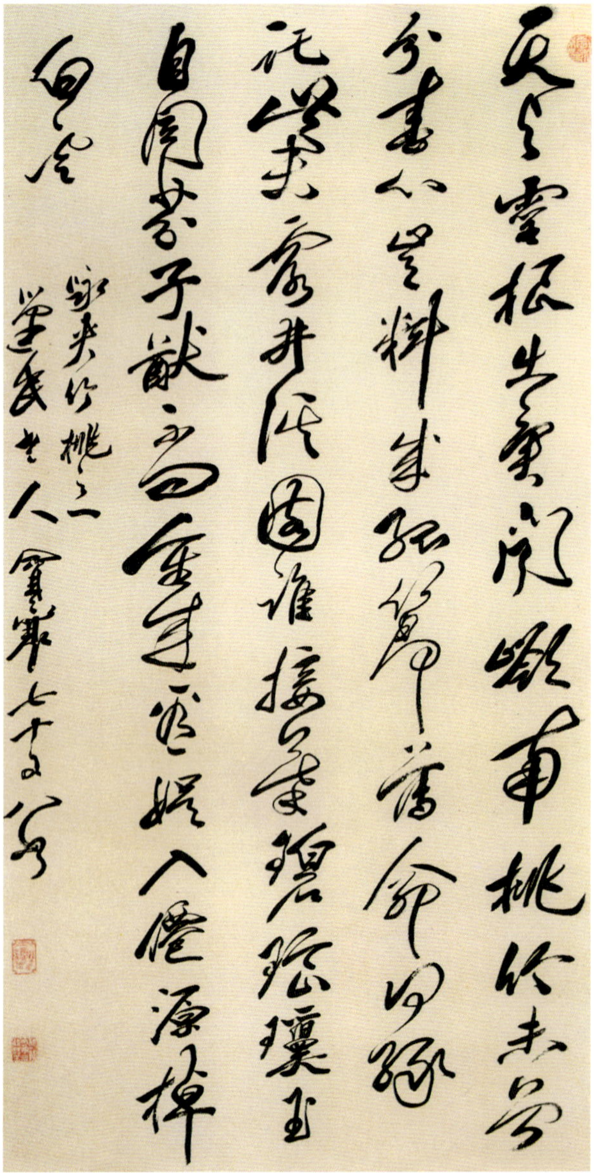

咏夾竹桃之一

清
冒襄
高115.1、寬58.2厘米。
紙本。
現藏江蘇省揚州博物館。

和俞懷梅花詩

清

冒襄

高113.3、寬40.3厘米。

紙本。

現藏南京博物院。

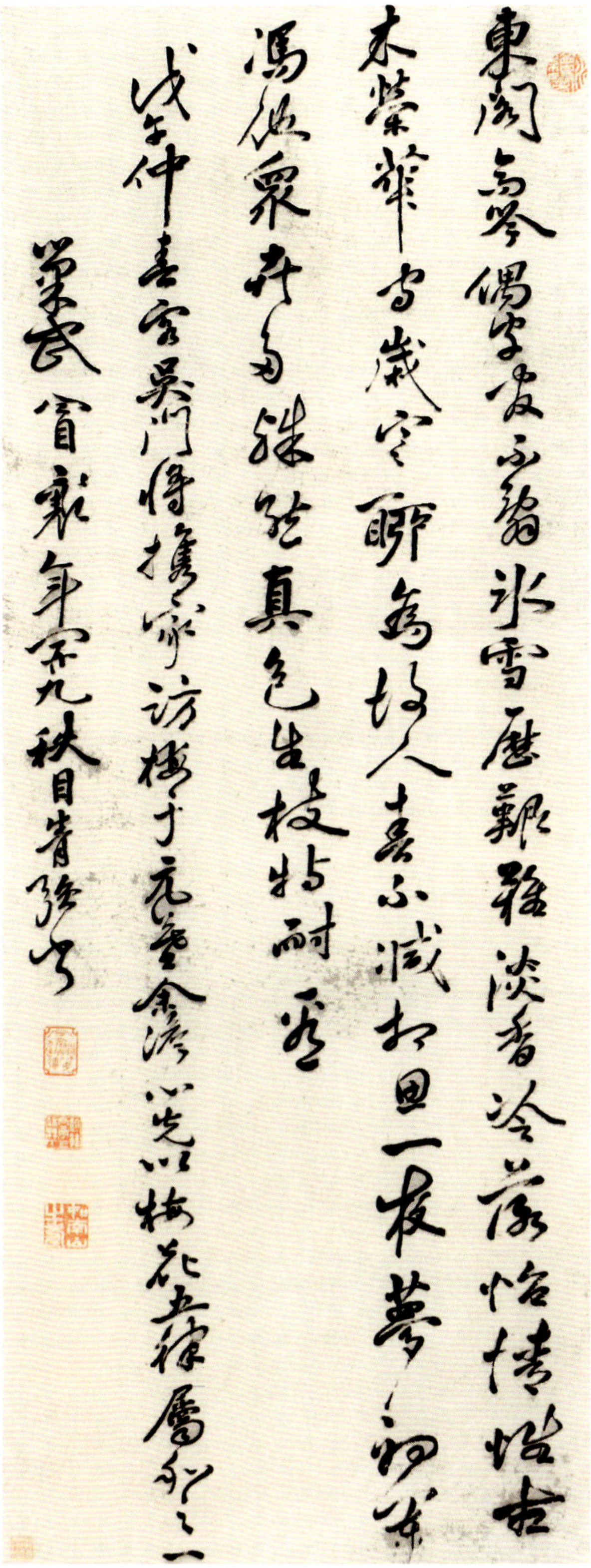

周亮工（公元1612－1672年）

祥符（今河南開封）人。字元亮，一字減齋，一作緘齋，號陶庵，别號櫟園、櫟老、櫟下先生等。明崇禎十三年（公元1640年）進士，官御史，清初歷任福建按察使、户部侍郎。工詩文，善書法。

自書詩

清

周亮工

高202.8、寬50.6厘米。

紙本。

現藏故宫博物院。

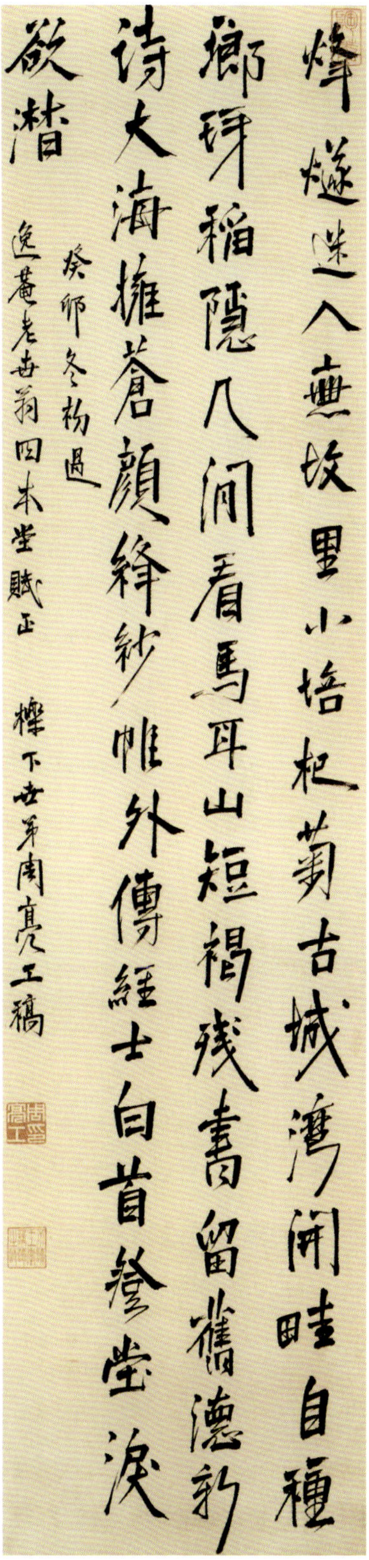

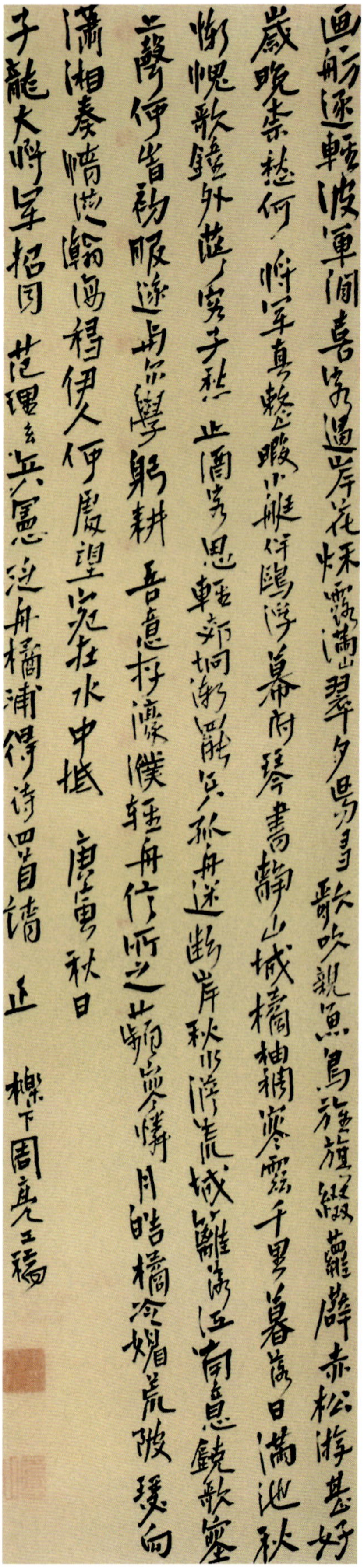

自書五律四首

清
周亮工
高208、寬49厘米。
紙本。
現藏故宮博物院。

法若真（公元1613－1696年）

膠州（今屬山東）人。字漢濡，號黃石，亦號黃山。順治三年（公元1646年）進士，官安徽布政使，康熙十八年（公元1679年）舉博學鴻詞。工詩文，善書畫。

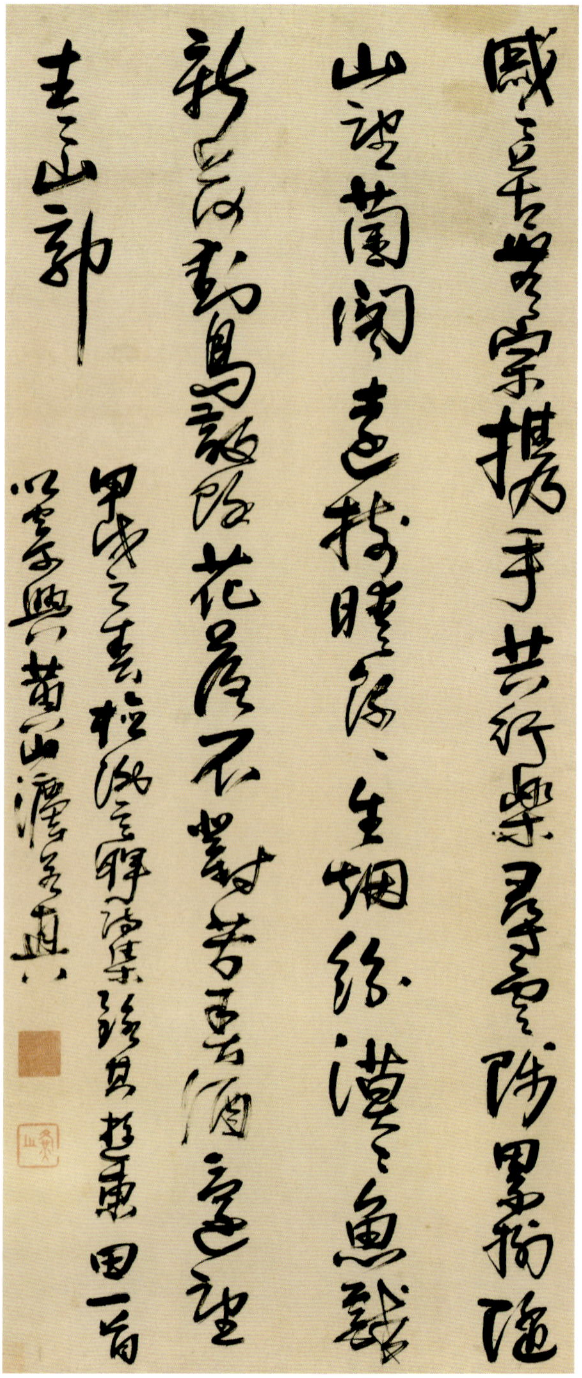

游東田詩

清
法若真
高125.8、寬55.1厘米。
紙本。
現藏故宮博物院。

顧炎武（公元1613－1682年）

昆山（今屬江蘇）人。初名絳，字寧人，後更名炎武，號亭林，又署蔣山傭。明朝諸生，曾參加抗清起義。生平著述豐富，學問淵博。

七言絶句

清
顧炎武
高115.1、寬58.2厘米。
紙本。
現藏江蘇省揚州博物館。

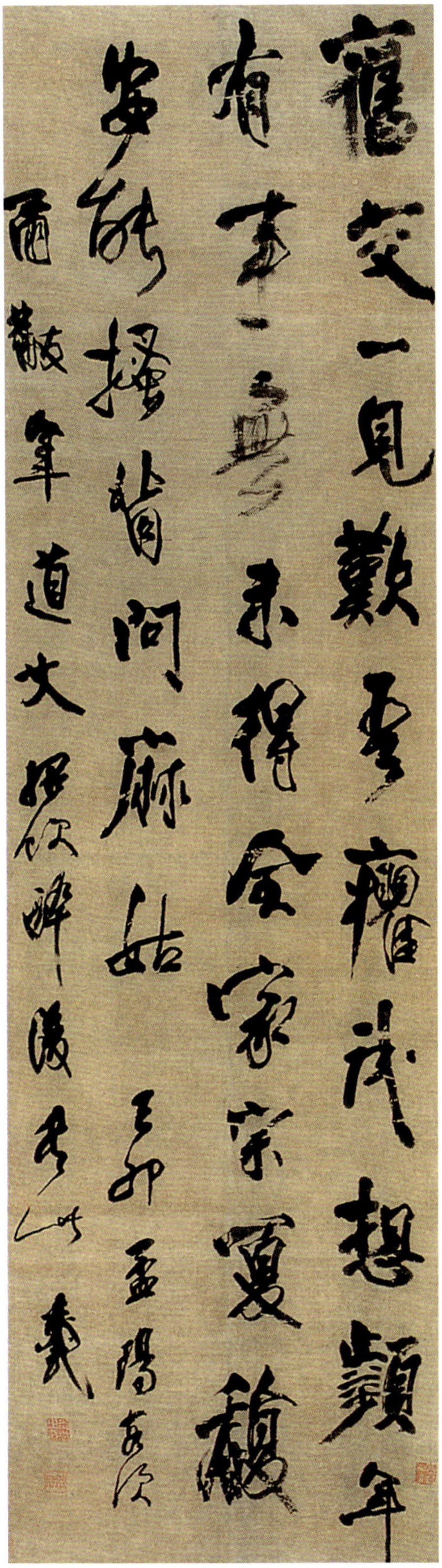

歸莊（公元1613－1673年）

昆山（今屬江蘇）人。一名祚明，字玄恭，號恒軒等。工書善畫，善書大字。著有《恒軒集》等。

杜甫詩

清
歸莊
高146.7、寬37.8厘米。
紙本。
現藏上海博物館。

今釋（公元1614–1680年）

浙江人。俗姓金，名堡，字道隱，號衛公，僧號今釋、淡歸、性因等。出家于韶州丹霞寺。

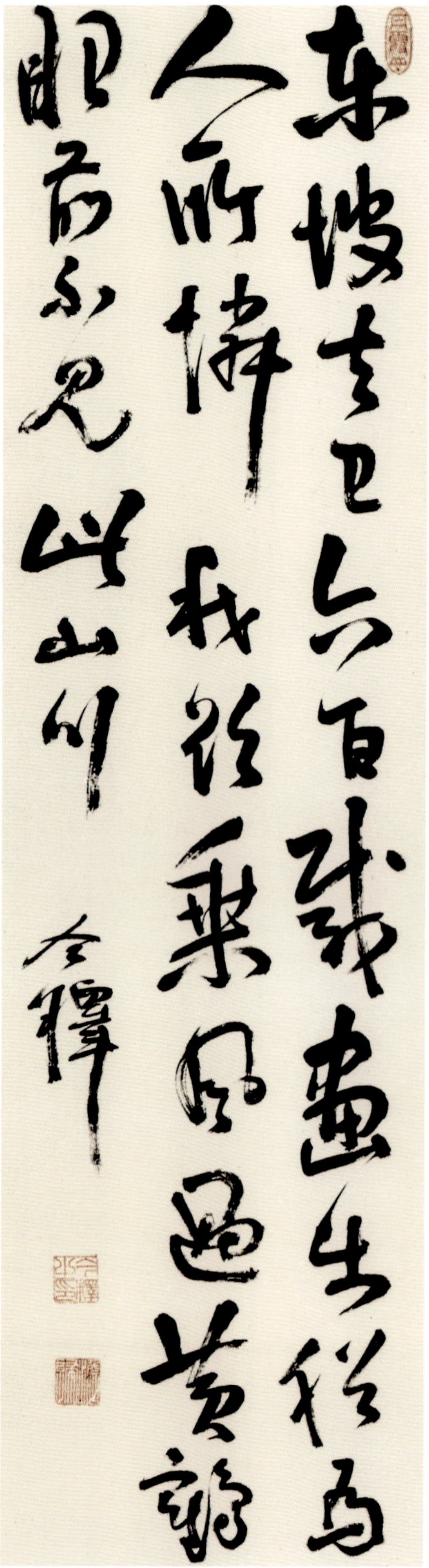

七言絶句
清
今釋
高129.8、寬33.4厘米。
紙本。
現藏江蘇省蘇州博物館。

查士標（公元1615－1698年）

休寧（今屬安徽）人，寓居揚州。字二瞻，號梅壑散人，又號後乙卯生。一生專事書畫，書法師法米芾，似董其昌。有《種書堂遺稿》傳世。

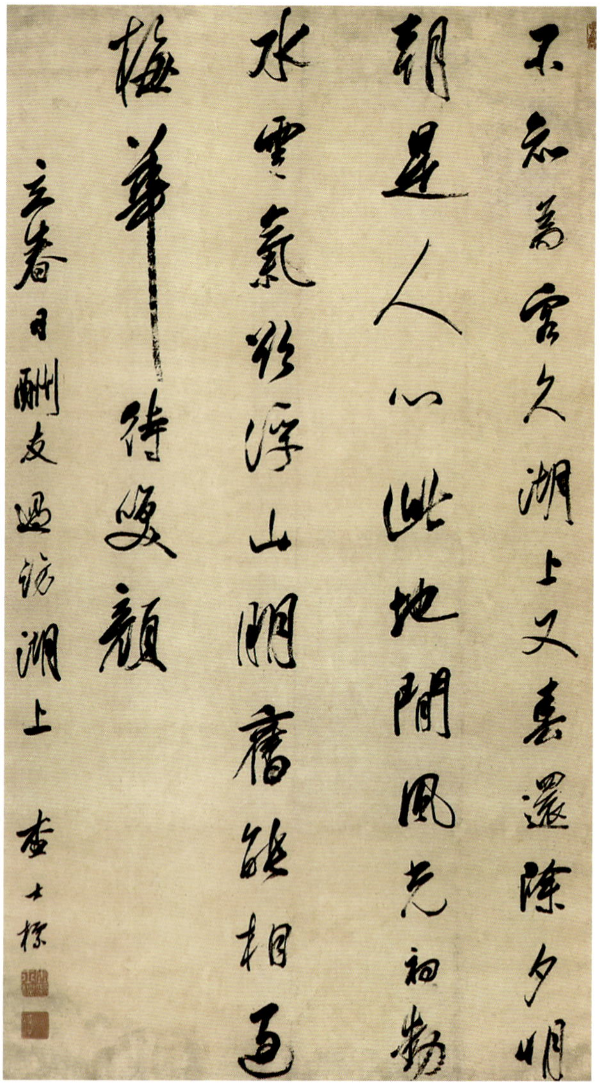

湖上酬友詩
清
查士標
高162.5、寬91.8厘米。
紙本。
現藏南京博物院。

臨米芾詩

清
查士標
高215.4、寬71.8厘米。
紙本。
現藏遼寧省博物館。

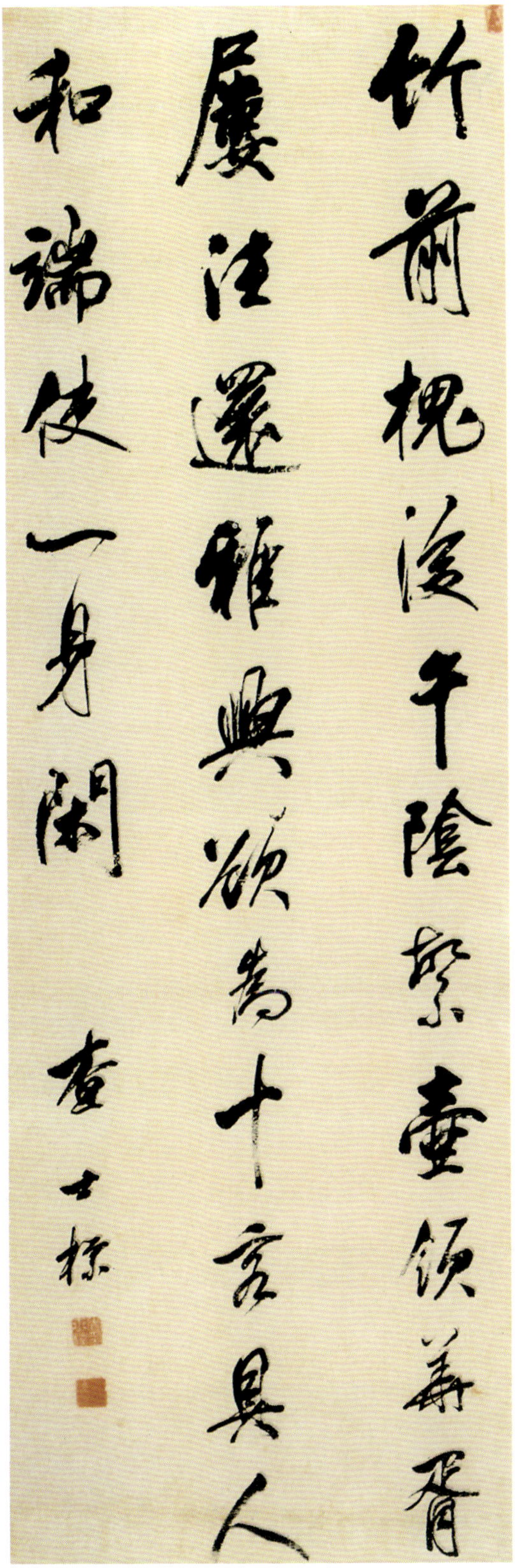

七言絶句

清
查士標
高218、寬72厘米。
紙本。
現藏湖北省博物館。

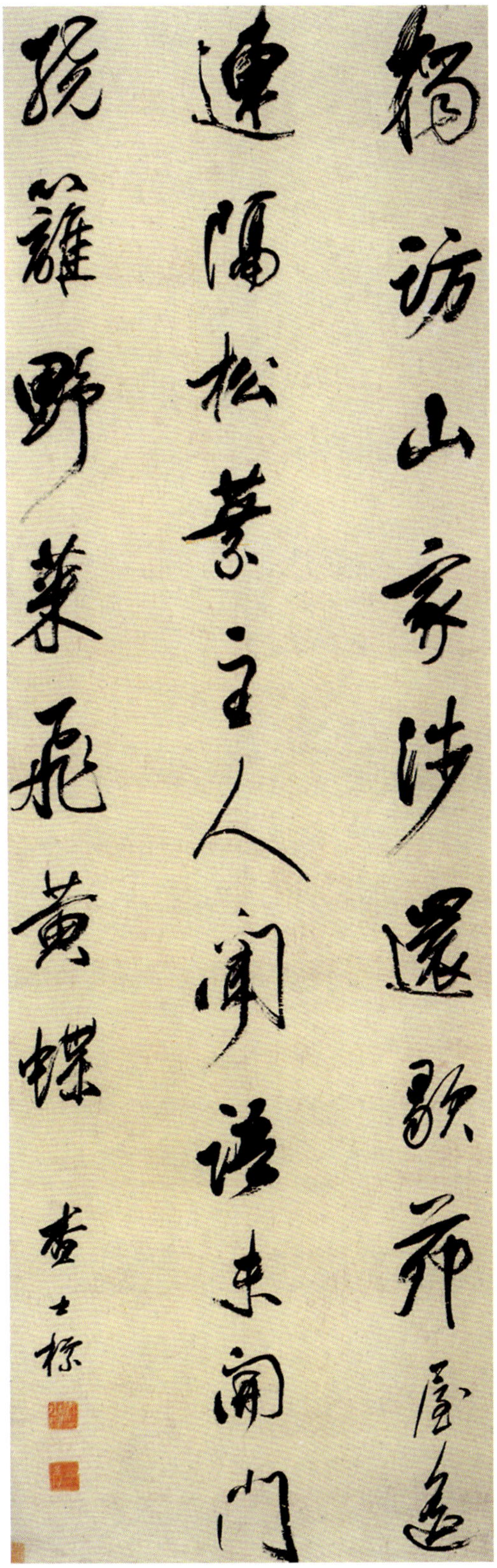

龔 賢（公元1618－1689年）

昆山（今屬江蘇）人。字半千，又字野遺，號半畝、柴丈人。入清不仕。擅畫山水，爲“金陵八家”之首。書法擅行草。

題畫詩

清

龔賢

高35、寬62厘米。

紙本。此選爲局部。

現藏首都博物館。

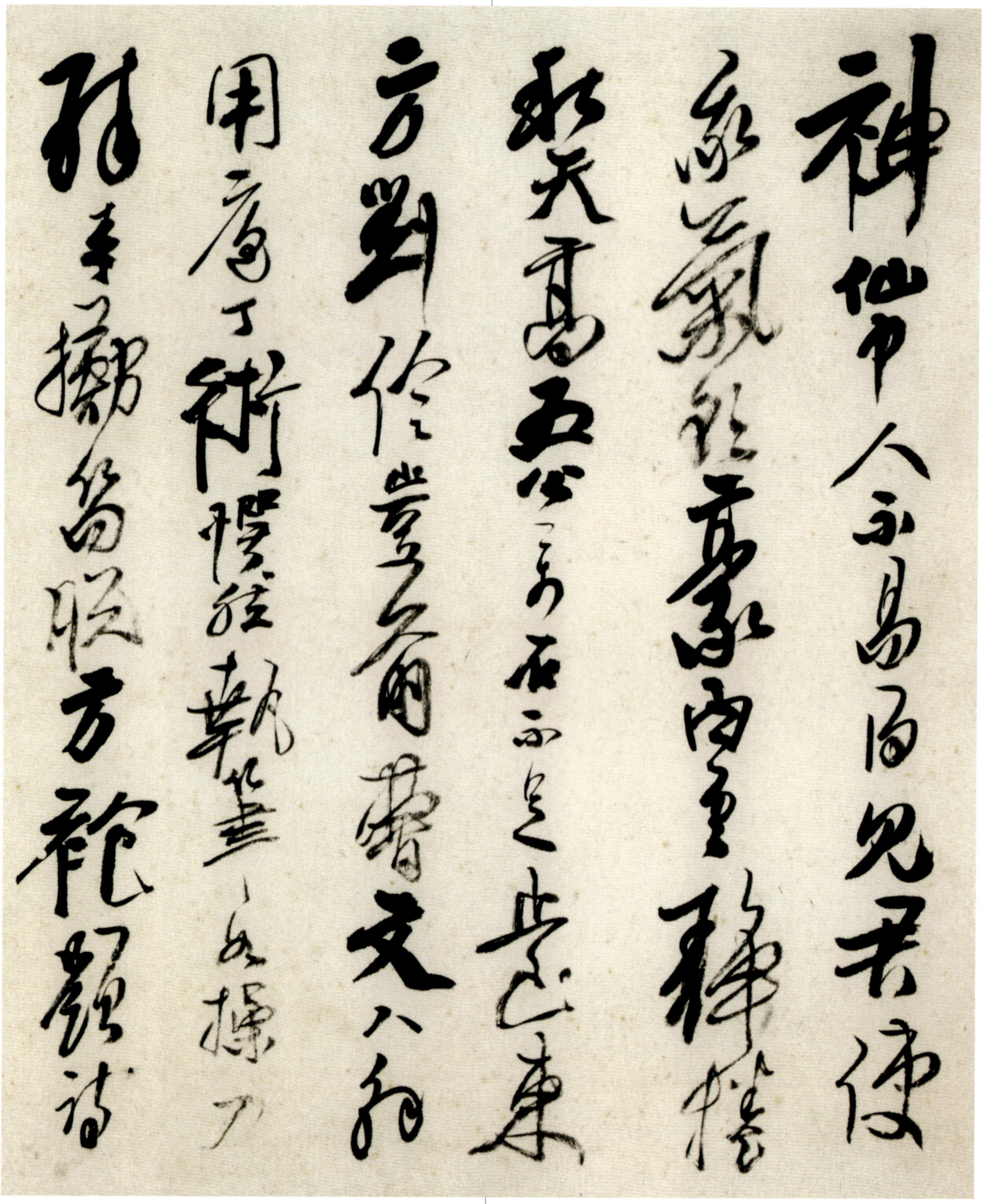

王夫之（公元1619－1692年）

衡陽（今屬湖南）人。字而農，號薑齋，人稱“船山先生”。清初杰出的思想家和學者，著有《船山遺書》等。

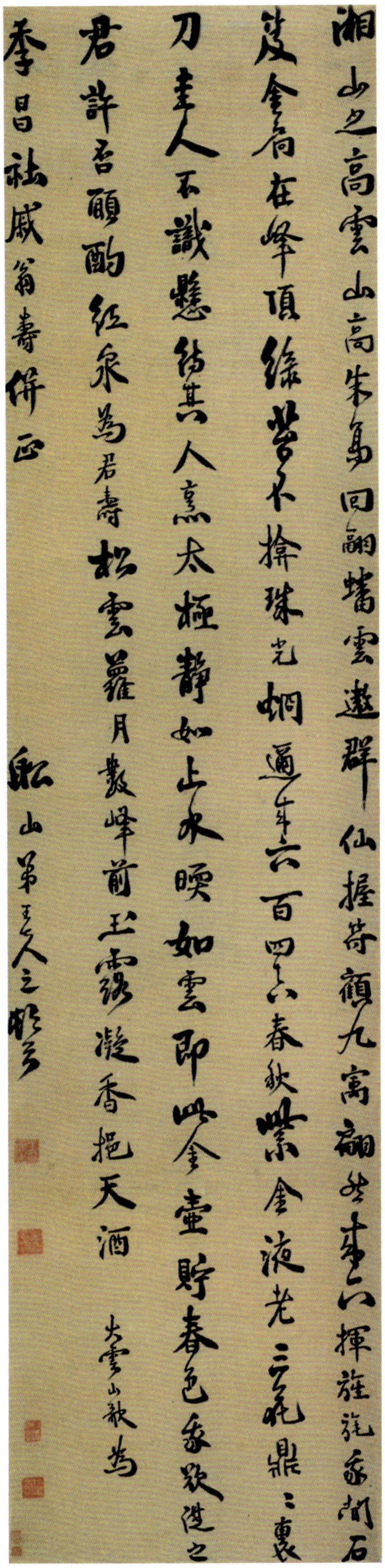

大雲山歌

清

王夫之

高185.8、寬45.5厘米。

絹本。

現藏故宮博物院。

施閏章（公元1619－1683年）

宣城（今屬安徽）人。字尚白，號愚山。著有《學餘堂詩文集》等。

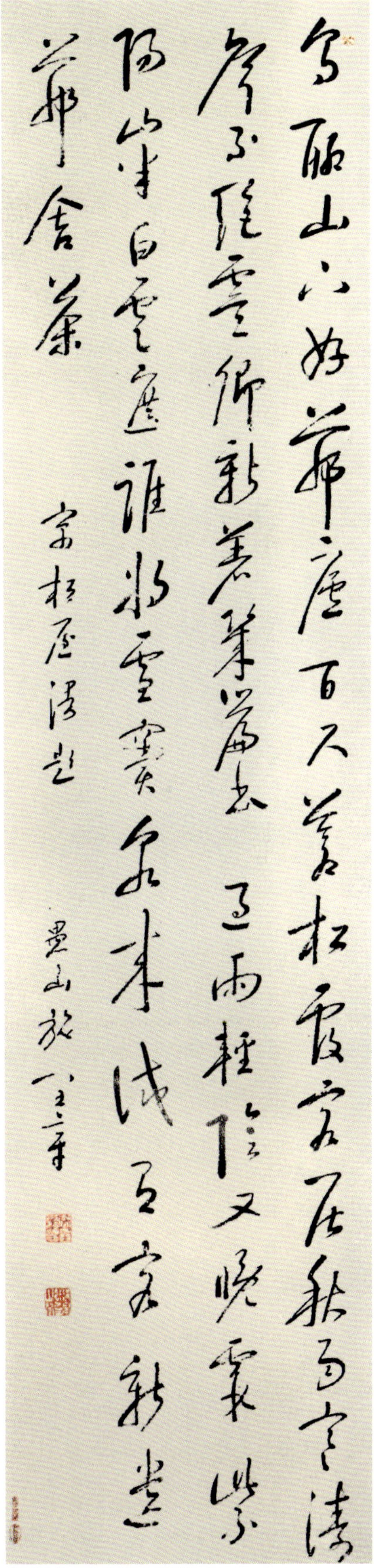

寓松屋漫題

清

施閏章

高180.1、寬43厘米。

紙本。

現藏上海博物館。

宋曹（公元1620－1701年）

鹽城（今屬江蘇）人。字彬臣，一字邠臣，號射陵。在明曾官中書，入清隱居不仕。工書法，其書上溯“二王”，個性鮮明。

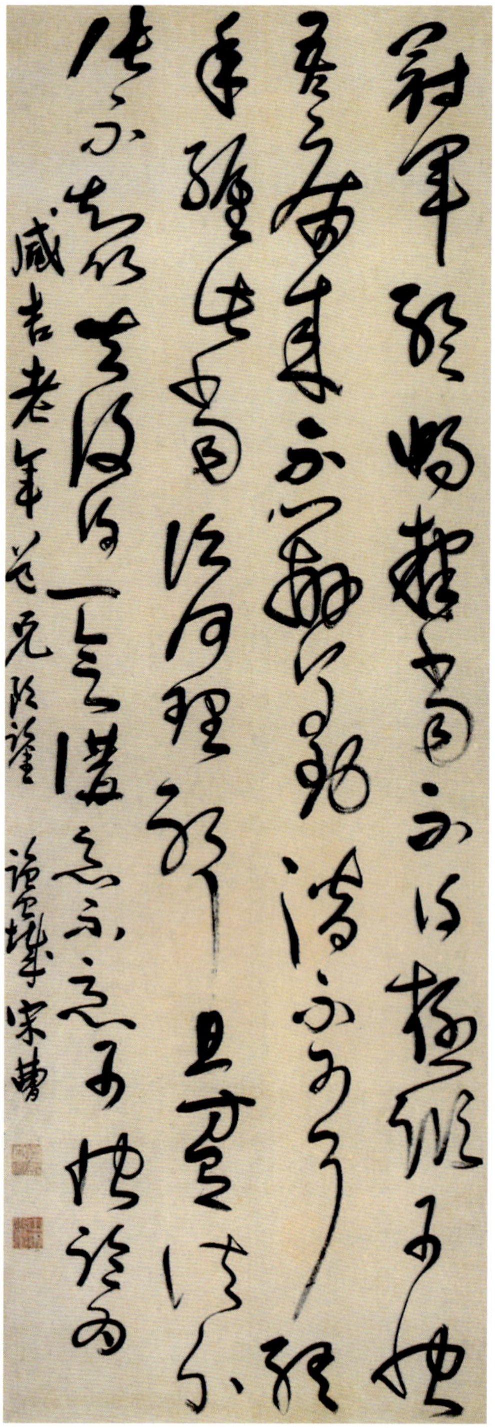

臨古法帖

清

宋曹

高224.3、寬79.8厘米。

紙本。

現藏南京博物院。

臨古法帖

清

宋曹

高152、寬54.5厘米。

綾本。

現藏北京藝術博物館。

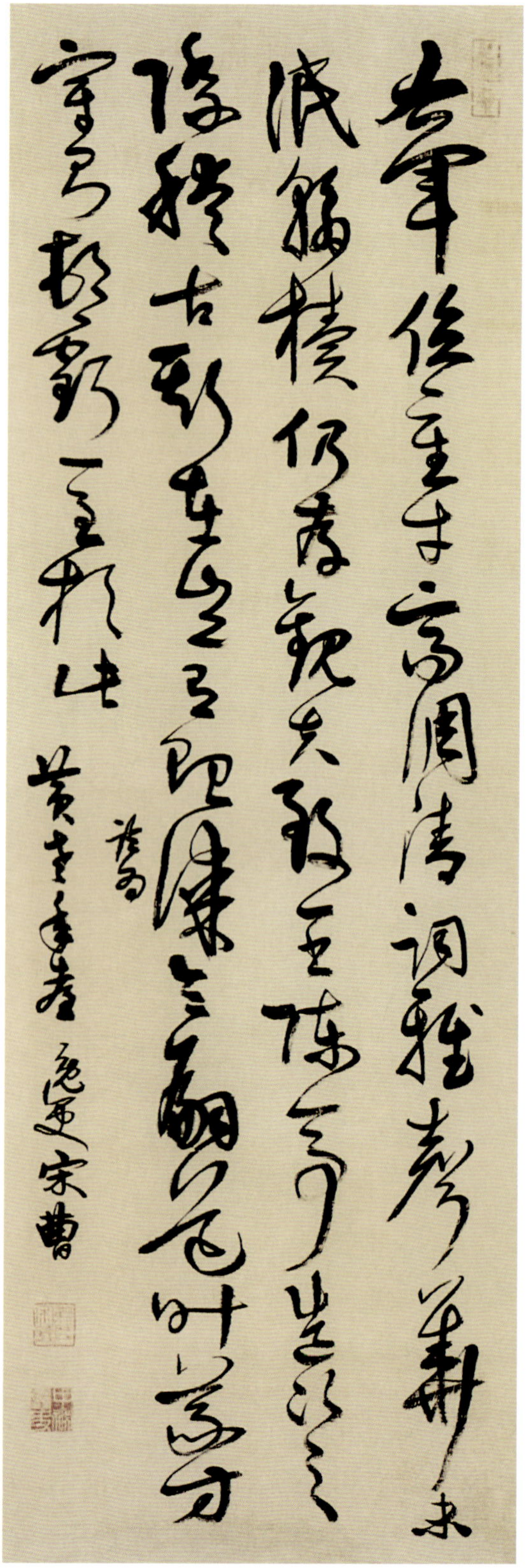

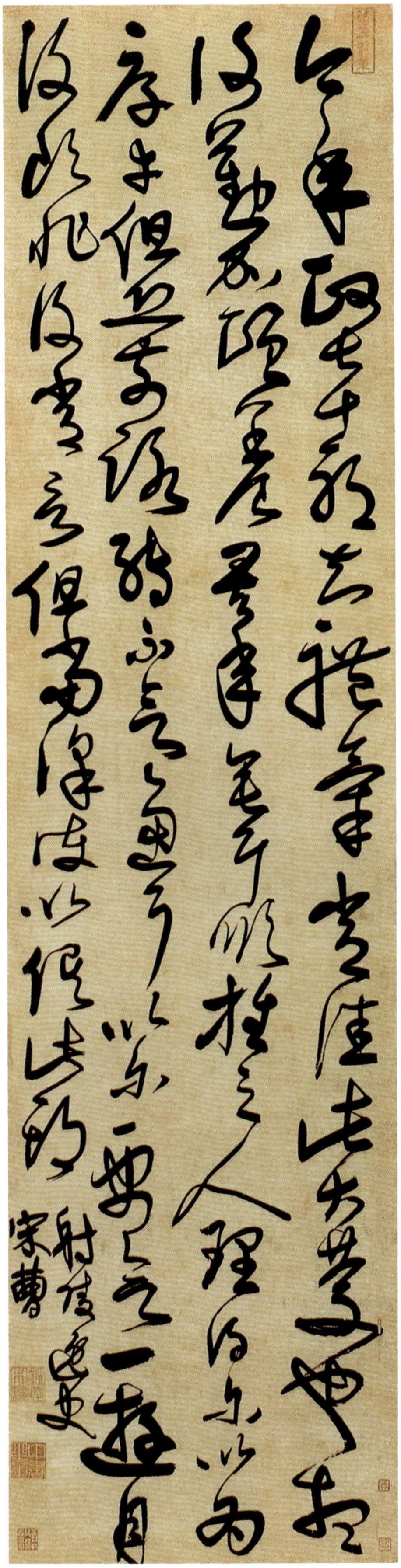

臨古法帖
清
宋曹
高209.8、寬56.3厘米。
綾本。
現藏遼寧省博物館。

吕 潜（公元1621–1706年）

遂寧（今屬四川）人。寓居揚州（今屬江蘇），字孔昭，號半隱，晚號石山農。崇禎十六年（公元1643年）進士，官行人。入清不仕。工書善畫。

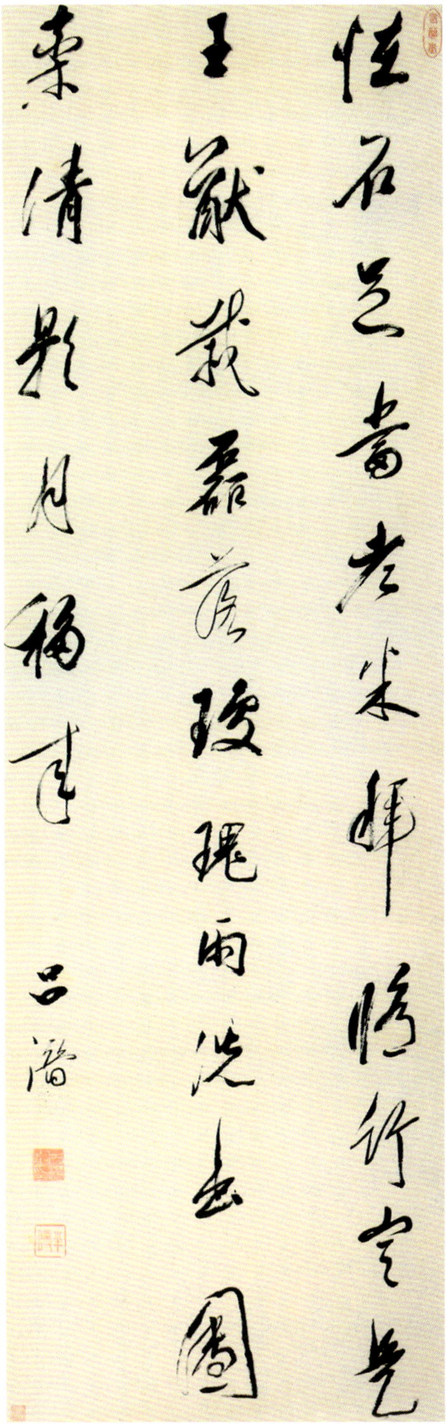

自作絶句
清
吕潜
高188.4、寬61.1厘米。
紙本。
現藏上海博物館。

鄭簠（公元1622－1693年）

上元（今江蘇南京）人，字汝器，號谷口。精于書法，尤善隸書，廣泛臨習古代隸書名作，尤得力于《曹全碑》，對後來清代碑學有重要的啓發性作用。

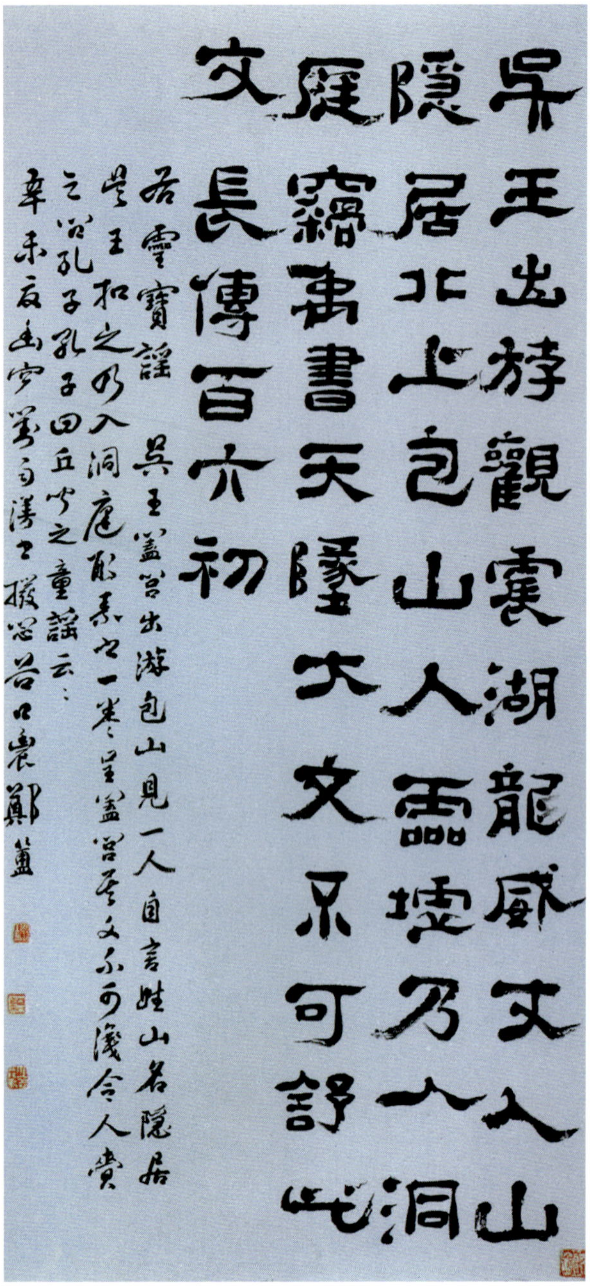

靈寶謠

清

鄭簠

高132.7、寬62.4厘米。

紙本。

現藏上海博物館。

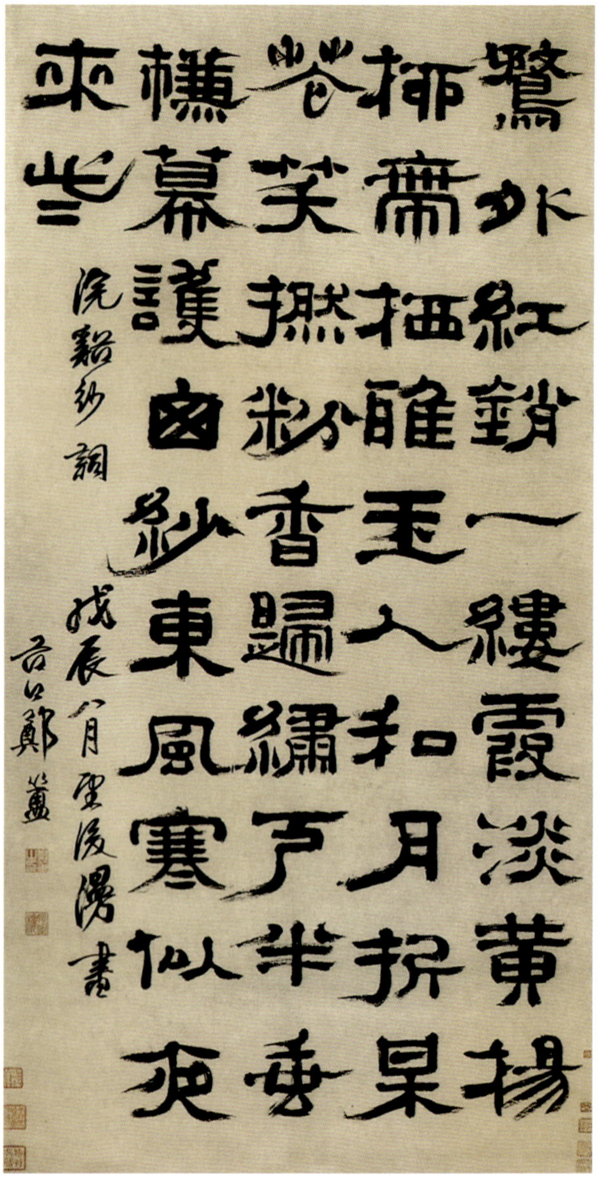

浣溪紗詞

清

鄭簠

高173.6、寬89.6厘米。

紙本。

現藏上海博物館。

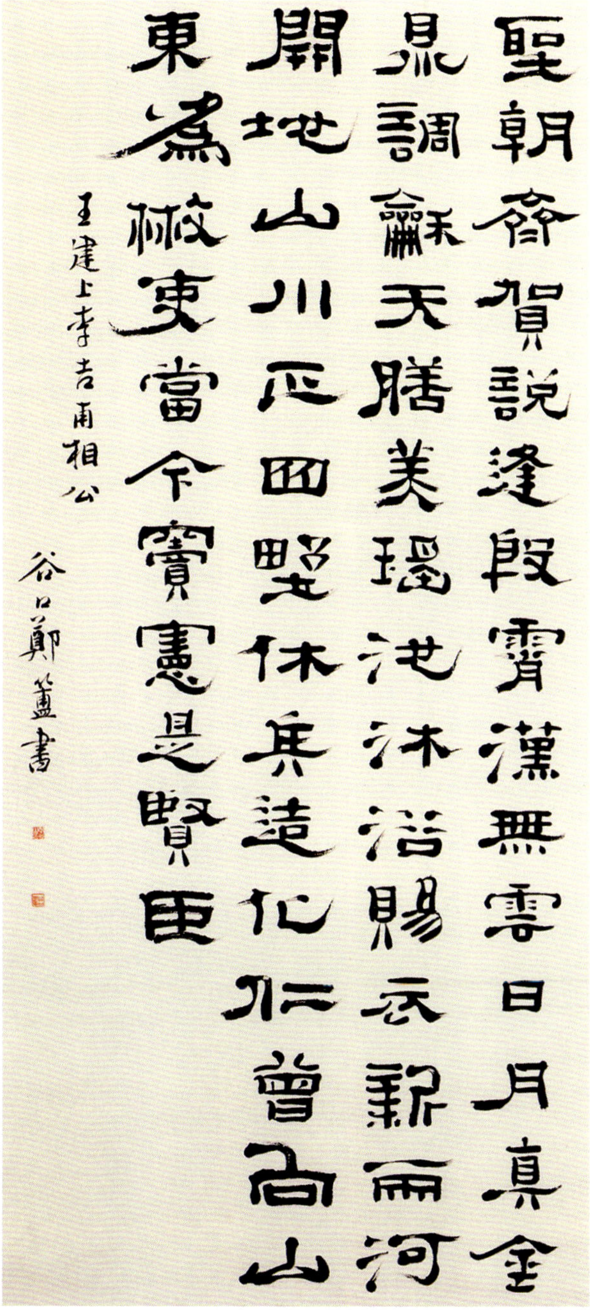

七言律詩
清
鄭簠
高202.2、寬96.9厘米。
紙本。
現藏故宮博物院。

徐枋（公元1622－1694年）

長洲（今江蘇蘇州）人。字昭法，號俟齋，又號秦餘山人。工書法，善行草書。著有《居易堂集》。

五言詩
清
徐枋
高206.1、寬48.3厘米。
紙本。
現藏上海博物館。

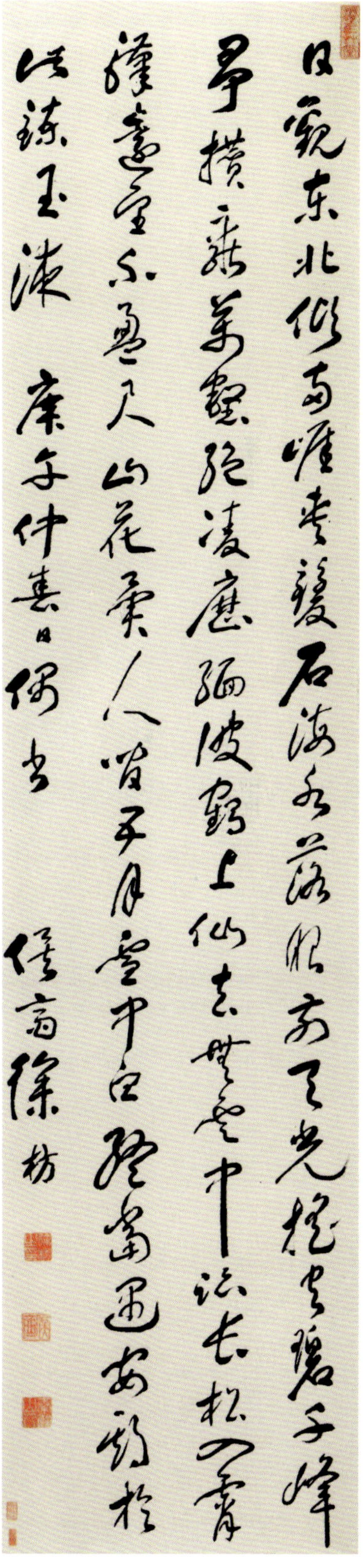

王弘撰（公元1622－1701年）

華陰（今屬陝西）人。字無异，一字文修，號山史，又號鹿馬山人、天山老人。工書法，精鑒賞，喜金石。其書工楷、行、草諸體。著有《十七帖述》、《砥齋集》和《砥齋題跋》。

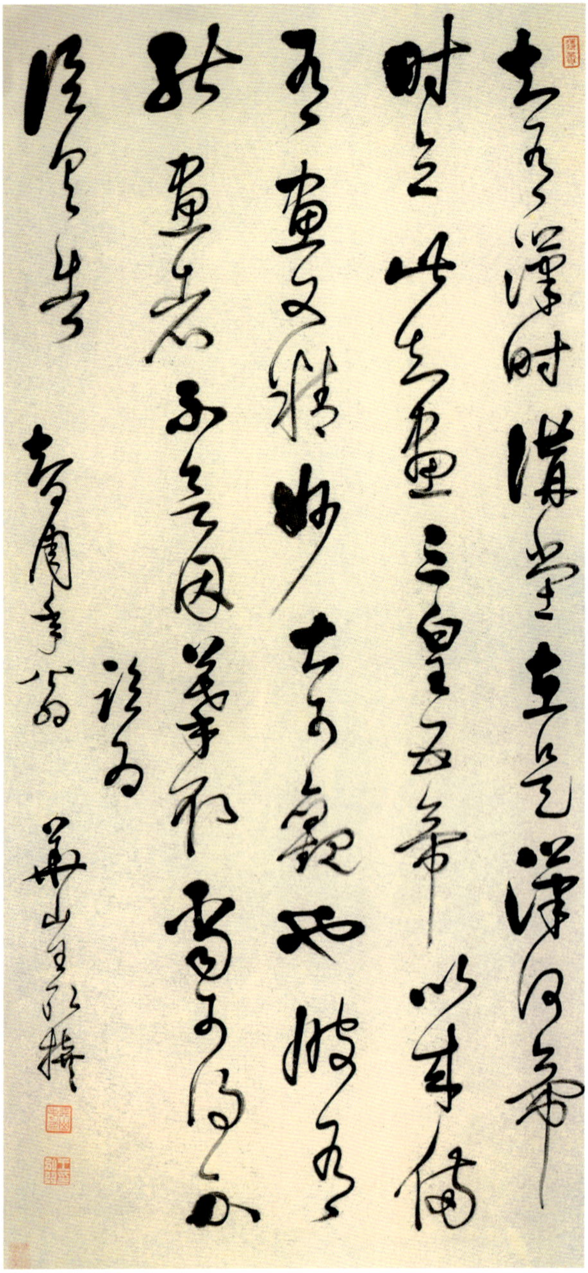

臨講堂帖
清
王弘撰
高128.1、寬61.7厘米。
紙本。
現藏上海博物館。

笪重光（公元1623－1692年）

鎮江（今屬江蘇）人。字在辛，號江上外史，晚年居茅山學道，改名傳光，自稱“郁岡掃葉道人”，晚署“蟾光”，號逸叟。順治九年（公元1652年）進士，官御史。精鑒賞，書畫名重一時，與姜宸英、汪士鋐、何焯并稱四大家。著有《書筏》和《畫筌》等。

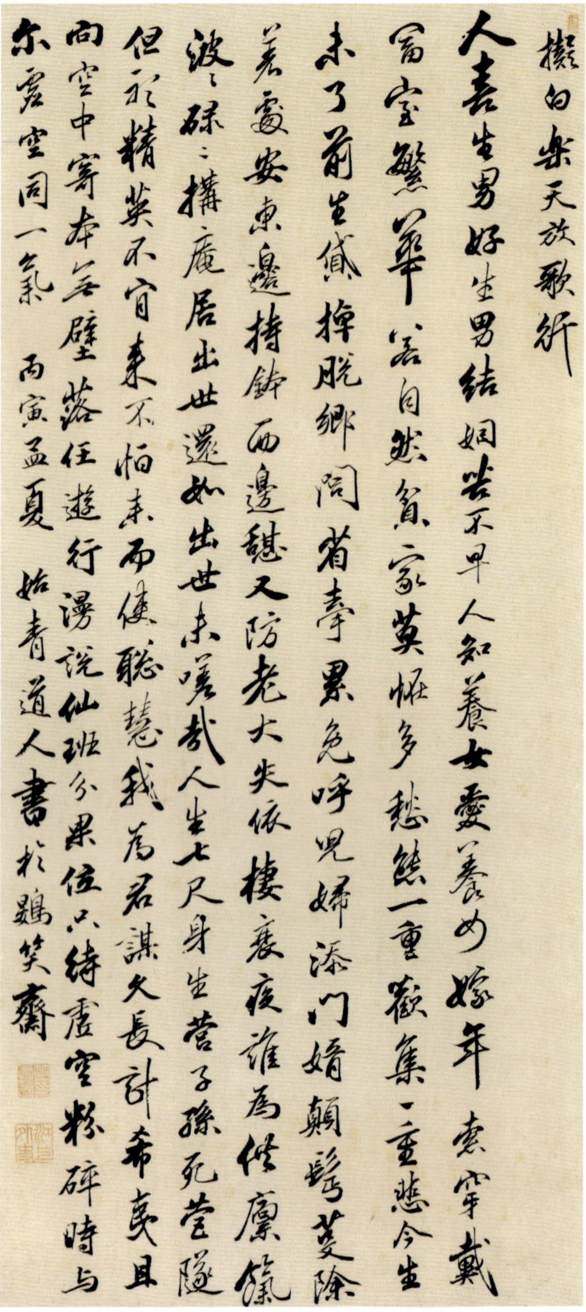

擬白居易放歌行
清
笪重光
高94、寬42.6厘米。
紙本。
現藏故宮博物院。

自作絶句

清

笪重光

高121.8、寬37厘米。

紙本。

現藏遼寧省博物館。

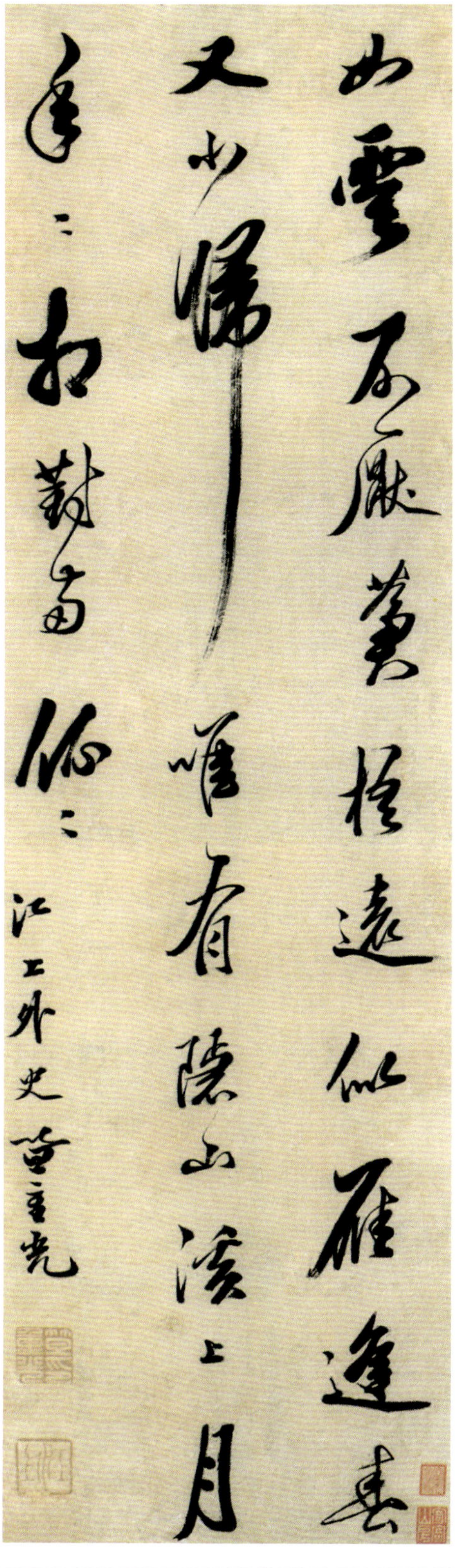

梅清（公元1623－1697年）

宣城（今屬安徽）人。原名士羲，字淵公，或作遠公，號瞿山。善書畫，與石濤、戴本孝等爲黄山畫派代表人物。著有《天延閣集》，輯有《梅氏詩略》。

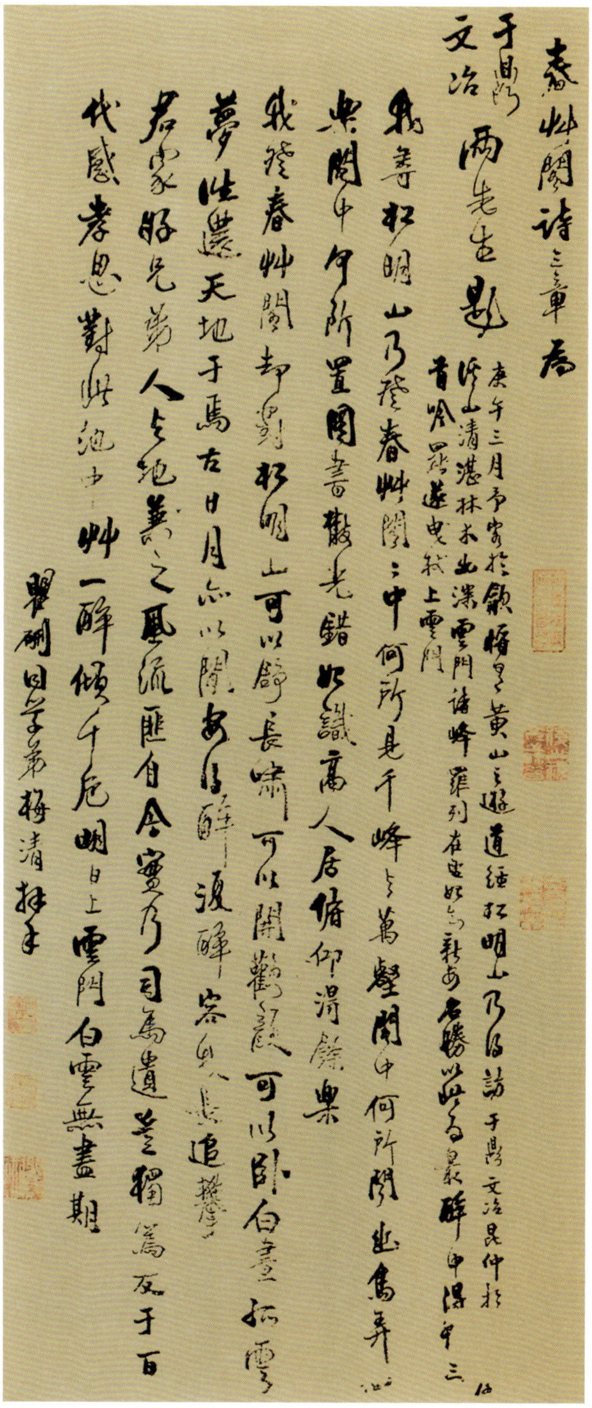

春草閣詩三章

清

梅清

高104、寬42.5厘米。

紙本。

現藏浙江省寧波市天一閣博物館。

秦淮舟泛詩

清
梅清
高163、寬46厘米。
紙本。
現藏上海朵雲軒。

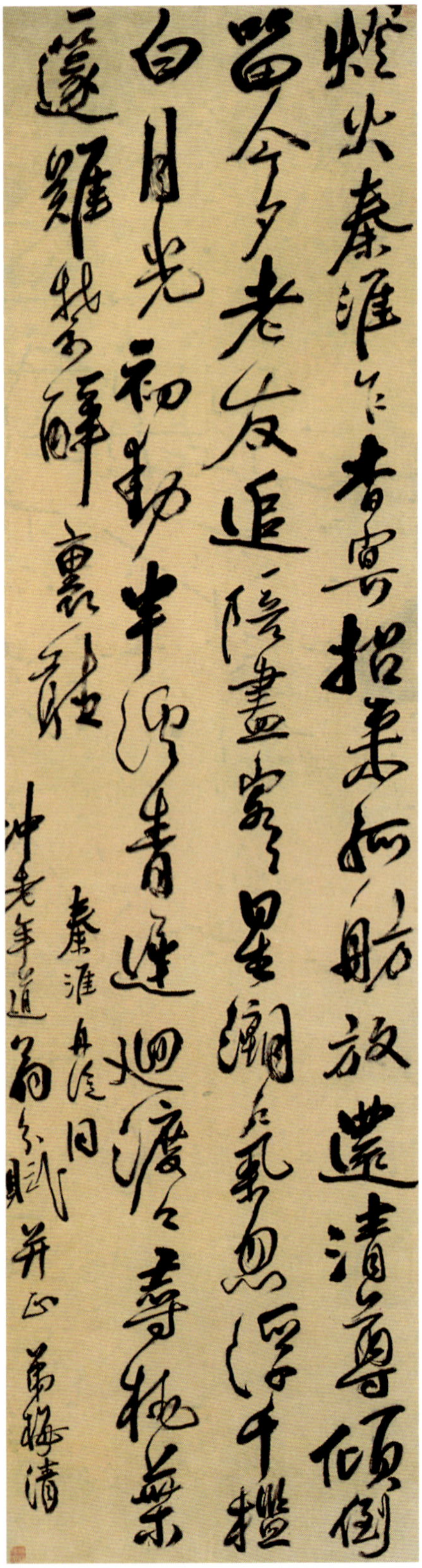

毛奇齡（公元1623－1716年）

蕭山（今屬浙江杭州）人。字大可，一字齊于、僧開等，號初晴、秋晴等。工詩文書畫，尤通經史。

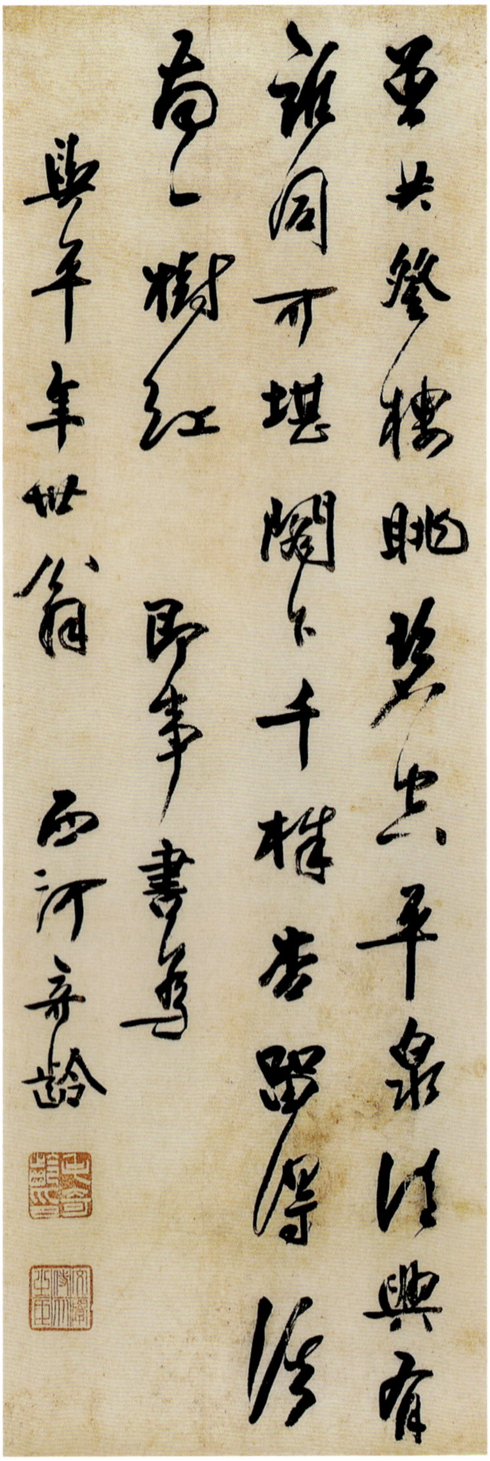

即事詩

清
毛奇齡
高115、寬40厘米。
紙本。
現藏遼寧省博物館。

沈荃（公元1624－1684年）

華亭（今上海松江）人。字貞蕤，號繹堂。順治九年（公元1652年）探花，官至禮部侍郎，謚文恪。

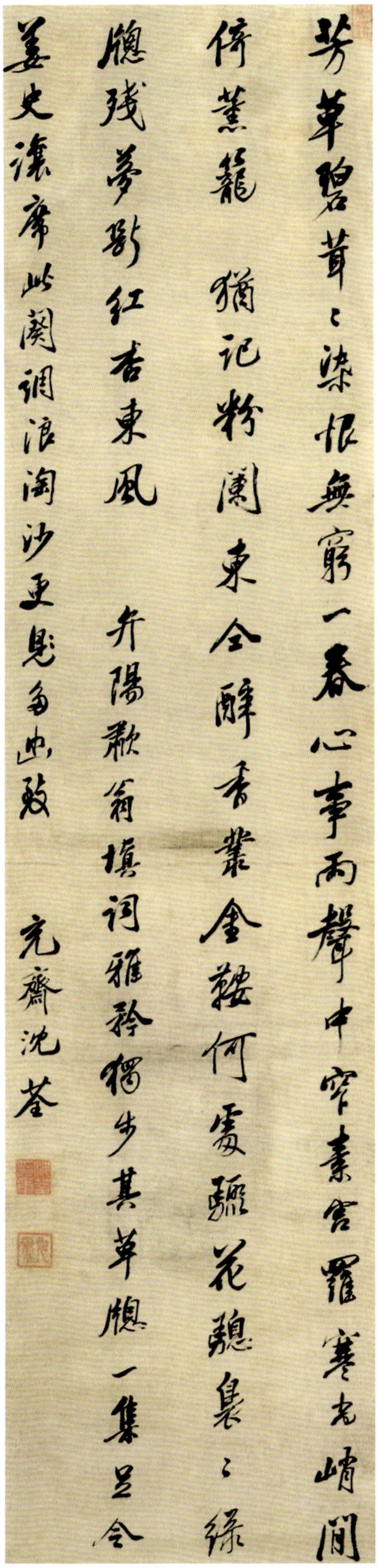

浪淘沙詞

清

沈荃

高178.2、寬44.3厘米。

綾本。

現藏故宫博物院。

朱耷（公元1626－1705年）

南昌（今屬江西）人。譜名統鏊。號雪个，又號个山、人屋、八大山人等。清初著名書畫家。

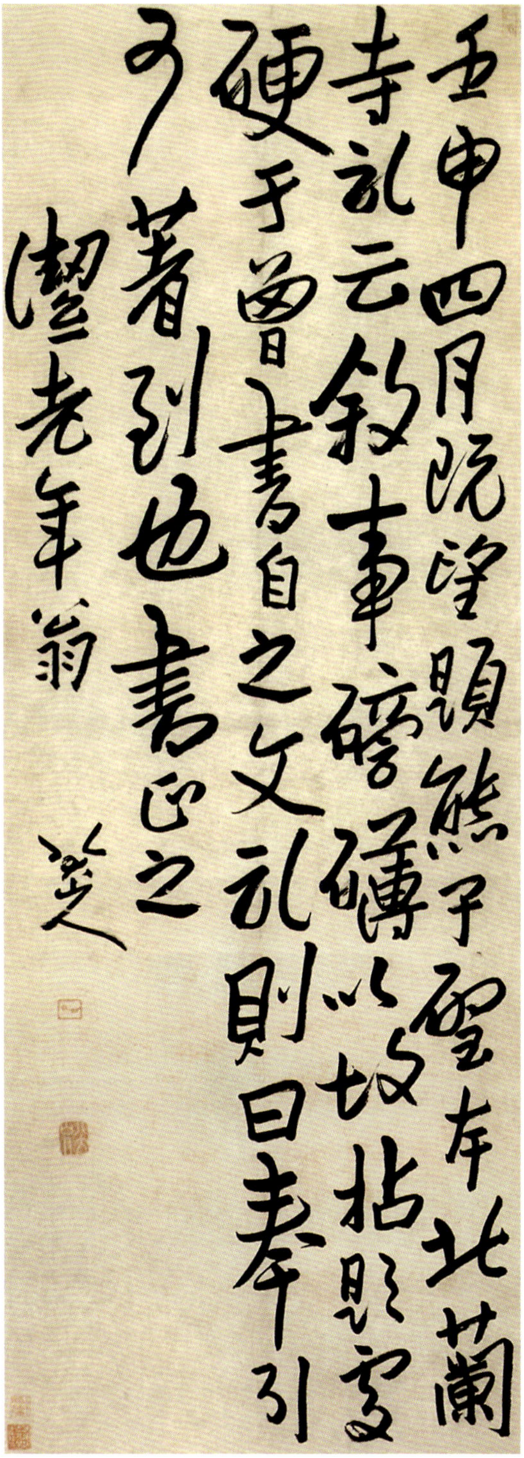

題北蘭寺記

清

朱耷

高150、寬57.2厘米。

紙本。

現藏故宫博物院。

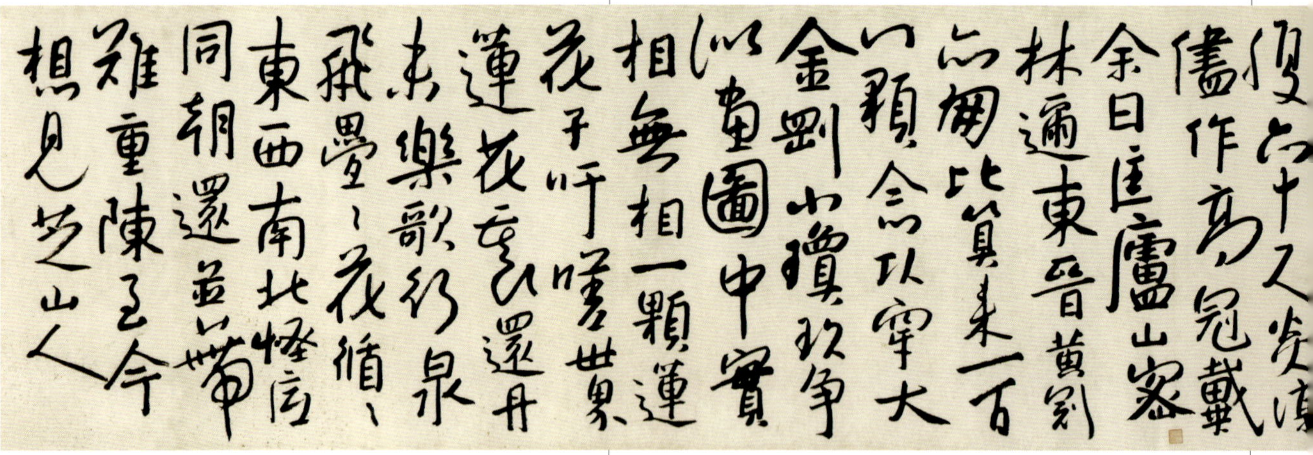

河上花歌

清

朱耷

高47、寬1292.5厘米。

紙本。此選爲局部。

現藏天津博物館。

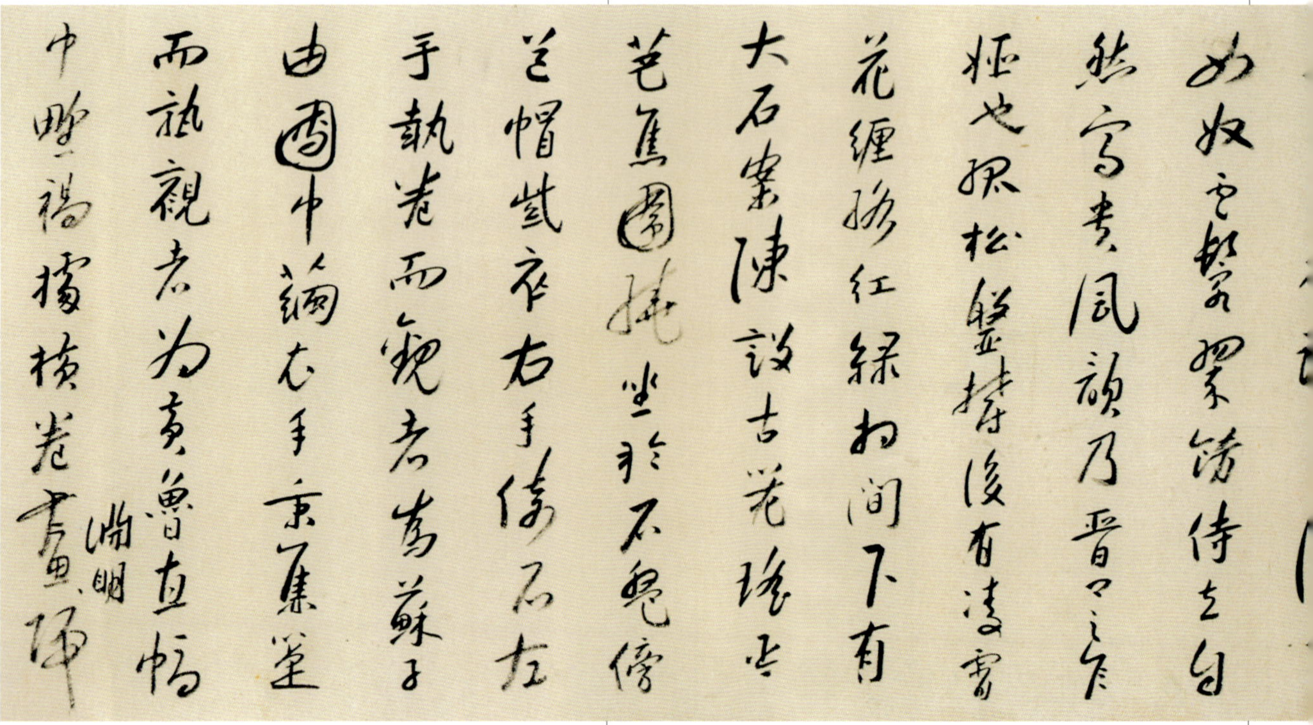

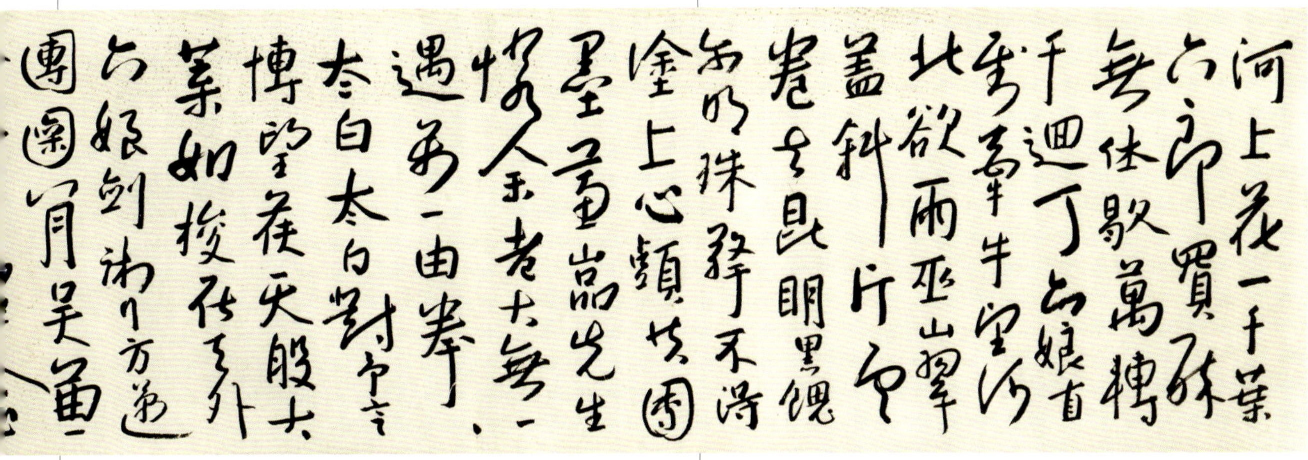

西園雅集
清
朱耷
高26、寬211厘米。
紙本。此選爲局部。
現藏故宫博物院。

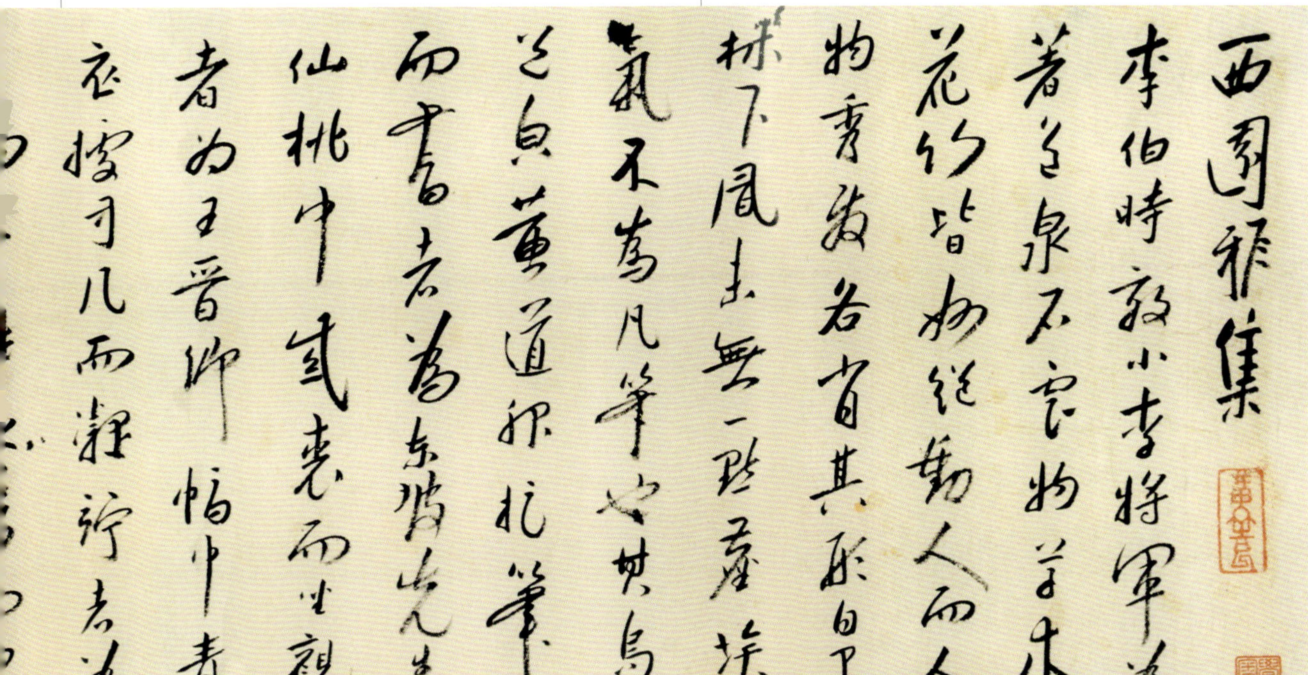

姜宸英（公元1628－1699年）

慈溪（今浙江慈溪南）人。字西溟，號湛園，又號葦間。康熙三十六年（公元1697年）七十歲時中探花，授編修。能書善畫，名重一時，以小楷爲第一，行書亦秀逸。著有《西溟全集》和《湛園題跋》等。

元遺山論詩絶句

清

姜宸英

高96.8、寬61.1厘米。

紙本。

現藏上海博物館。

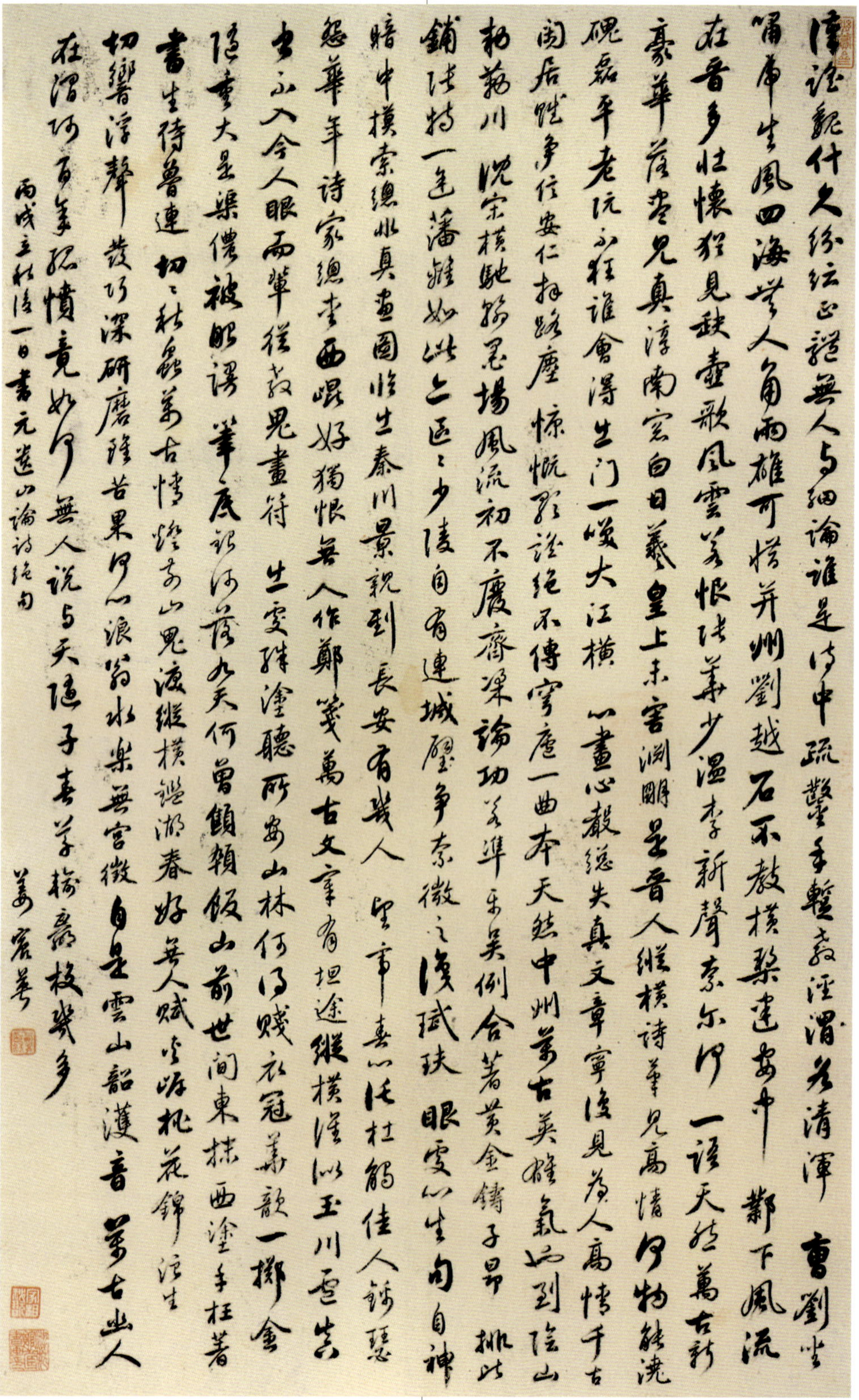

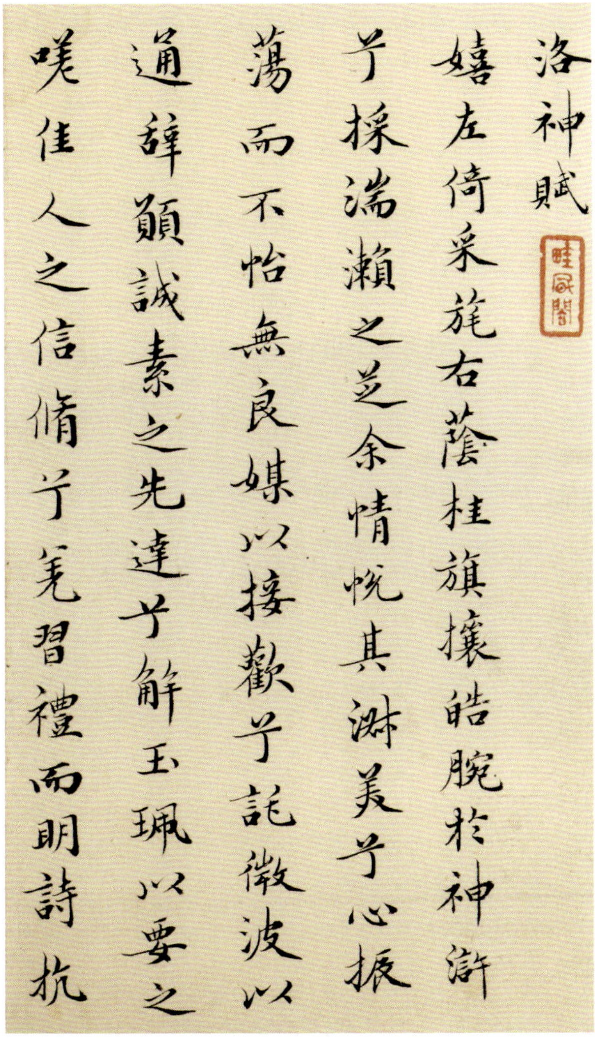
洛神賦
嬉左倚采旄右蔭桂旗攘皓腕於神滸
兮採湍瀨之芝余情悅其淑美兮心振
蕩而不怡無良媒以接歡兮託微波以
通辭願誠素之先達兮解玉珮以要之
嗟佳人之信脩兮羌習禮而明詩抗

洛神賦

清

姜宸英

高24.7厘米。

紙本。此選爲局部。

現藏故宫博物院。

五言律詩

清

姜宸英

高64.5、寬32.1厘米。

紙本。

現藏四川博物院。

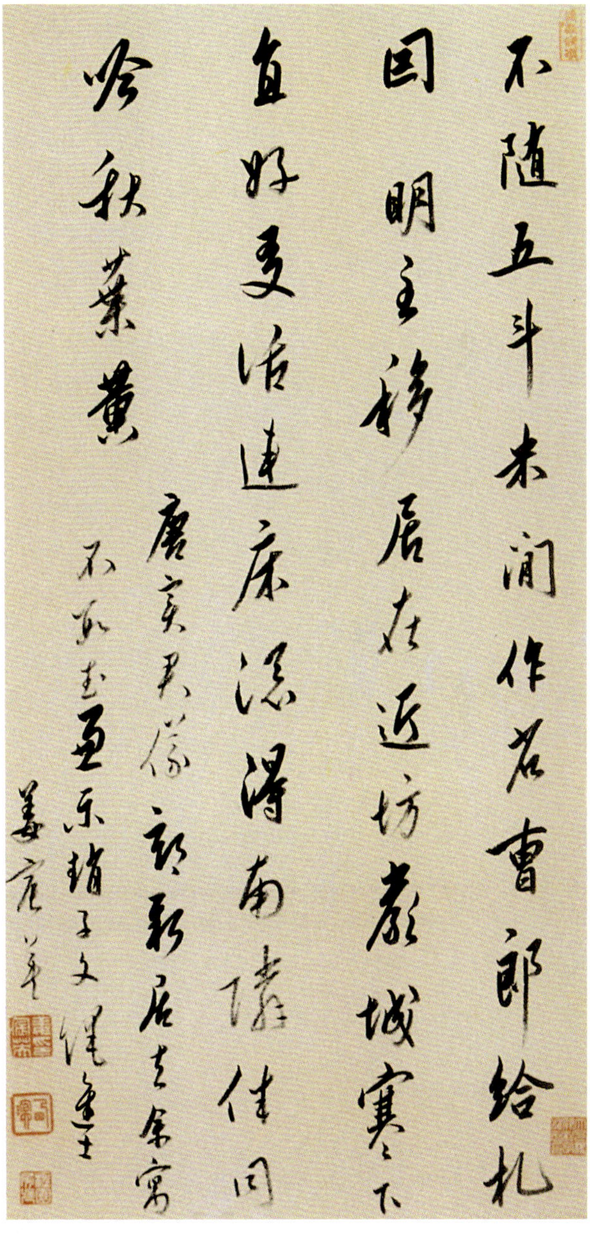

王士禛（公元1634－1711年）

新城（今山東桓臺）人。字子真，一字貽上，號阮亭，又號漁洋山人。清代著名詩人。善書法，書名爲詩名所掩。工楷、行、草書。

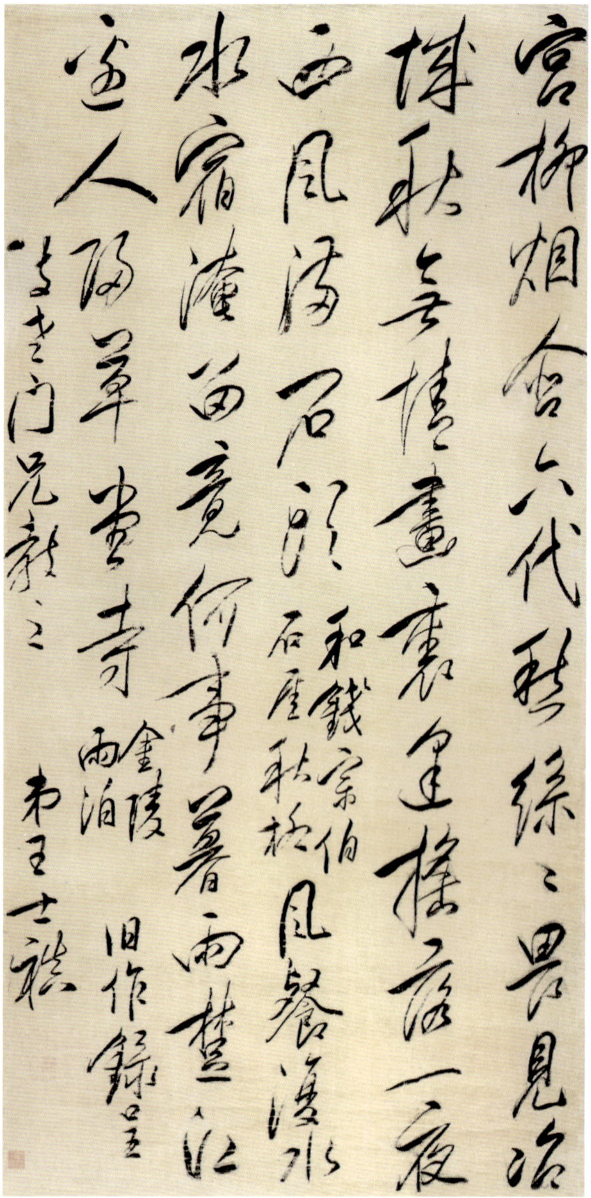

舊作二首
清
王士禛
高100、寬51厘米。
紙本。
現藏遼寧省博物館。

孫岳頒（公元1639－1708年）

吴縣（今江蘇蘇州）人。字雲韶，號樹峰。康熙二十一年（公元1682年）進士，官至禮部侍郎。工書法，爲康熙帝所賞識，每有御製碑版則命之書。

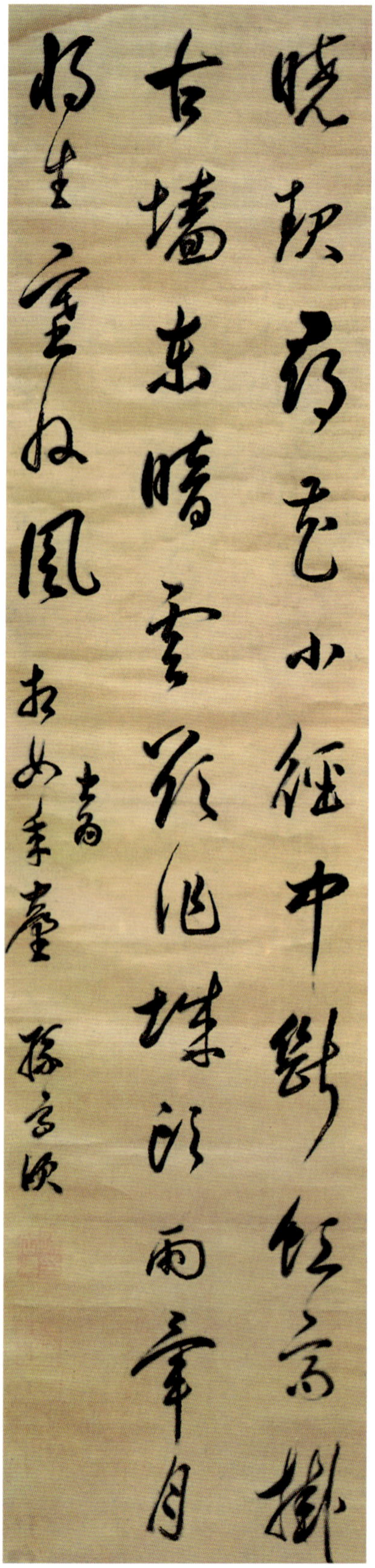

七言絶句
清
孫岳頒
高192、寬47厘米。
綾本。
現藏重慶市博物館。

石濤（公元1642－1707年）

全州（今屬廣西）人。原名朱若極，僧名原濟，一作元濟，號石濤，又號苦瓜、阿長、鈍根、大滌子、石道人等。晚年定居揚州，以賣畫爲生。所畫山水、人物、花卉一反當時仿古之風，取得了極高的成就。兼工書法，諸體皆善，融各家之長，并將畫法糅入，形成獨具一格的書體。著有《石濤畫語録》。

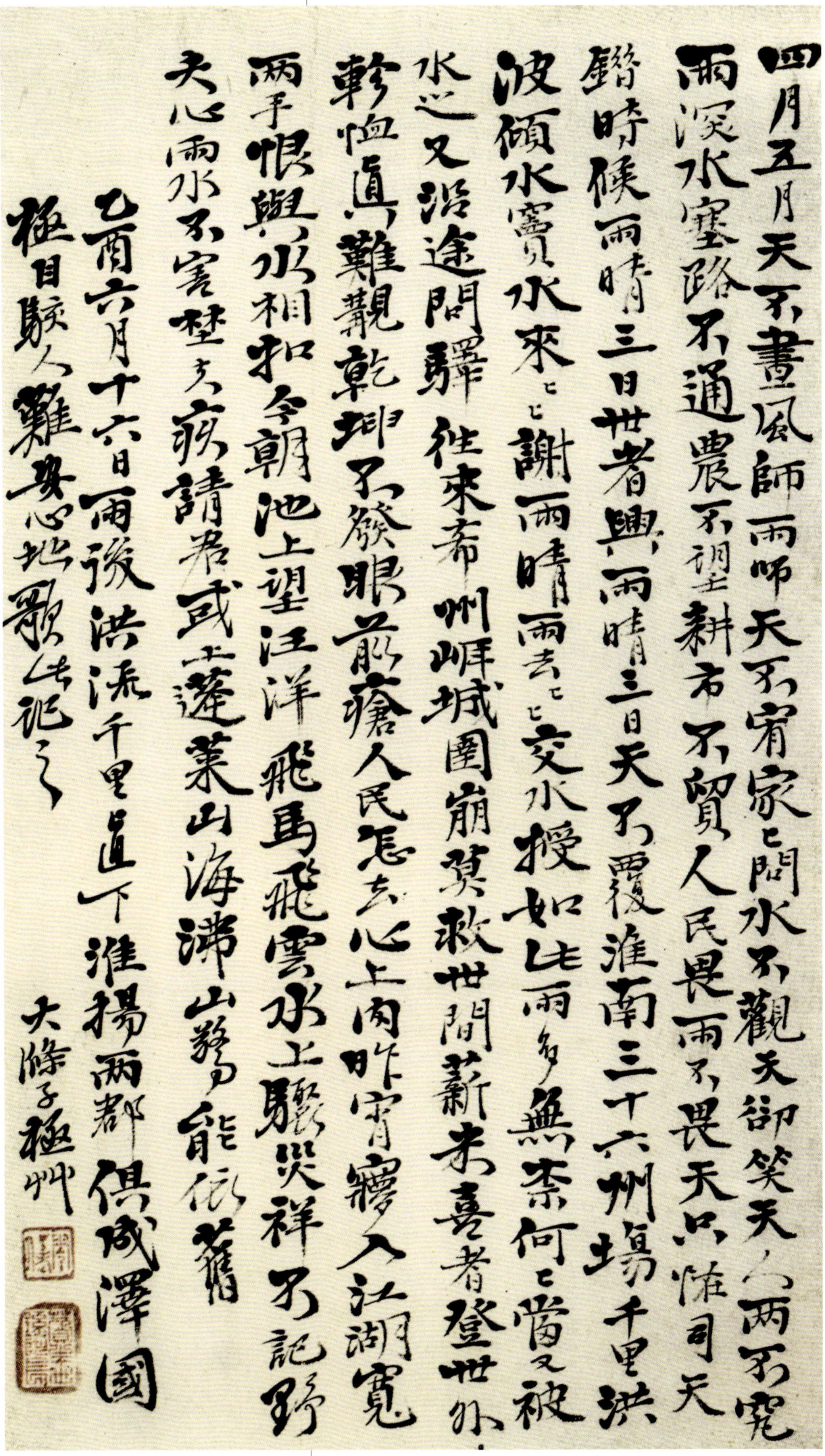

記雨歌

清
石濤
高50、寬30厘米。
紙本。
現藏上海博物館。

王鴻緒（公元1645－1723年）

華亭（今上海松江）人。字季友，號儼齋，又號橫雲山人。康熙十二年（公元1673年）進士，授翰林院編修，官至工部尚書，曾充《明史》總裁，編成《明史稿》。工書法，學米芾和董其昌。著有《橫雲山人集》和《賜金園集》。

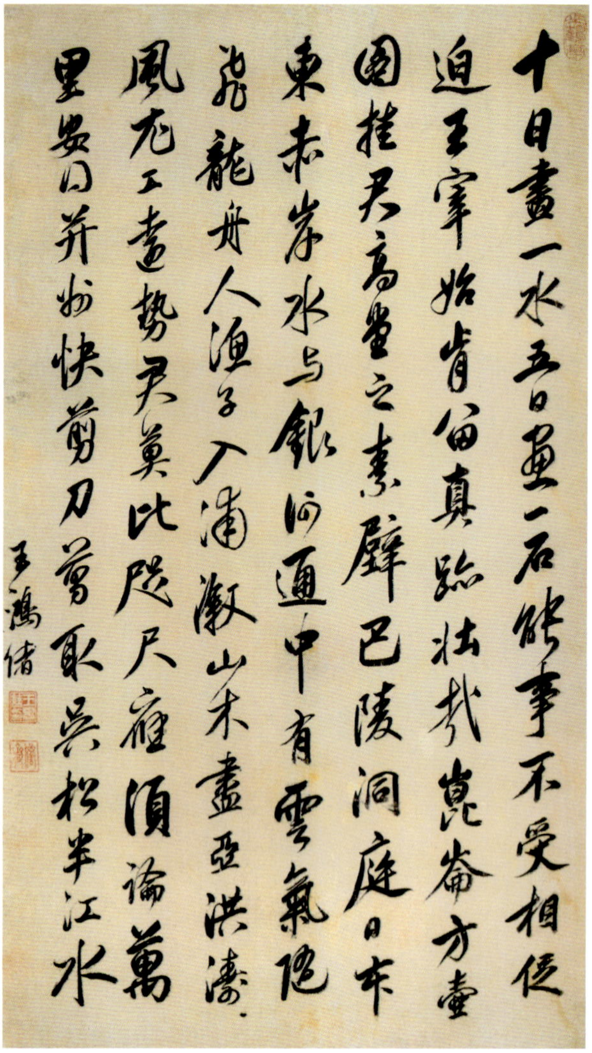

杜甫詩

清
王鴻緒
高95、寬56厘米。
紙本。
現藏重慶市博物館。

陳奕禧（公元1648－1709年）

海寧（今屬浙江）人。字六謙，又字子文，號香泉、葑叟。書法取法晋人，楷書著名；行草書師法米芾和董其昌，亦爲世所推重。著有《隱緑軒題跋》和《金石文録》等；刻有《予寧堂帖》和《夢墨樓帖》行世。

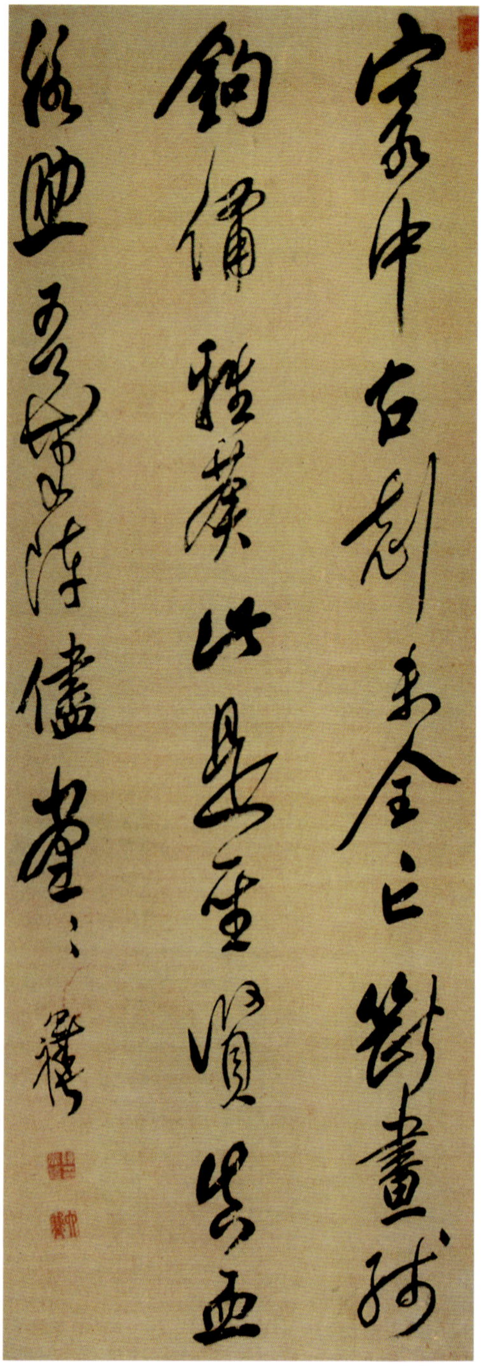

七言絶句

清
陳奕禧
高129、寬48厘米。
紙本。
現藏重慶市博物館。

七言絕句

清
陳奕禧
高105、寬42厘米。
絹本。
現藏浙江省嘉興博物館。

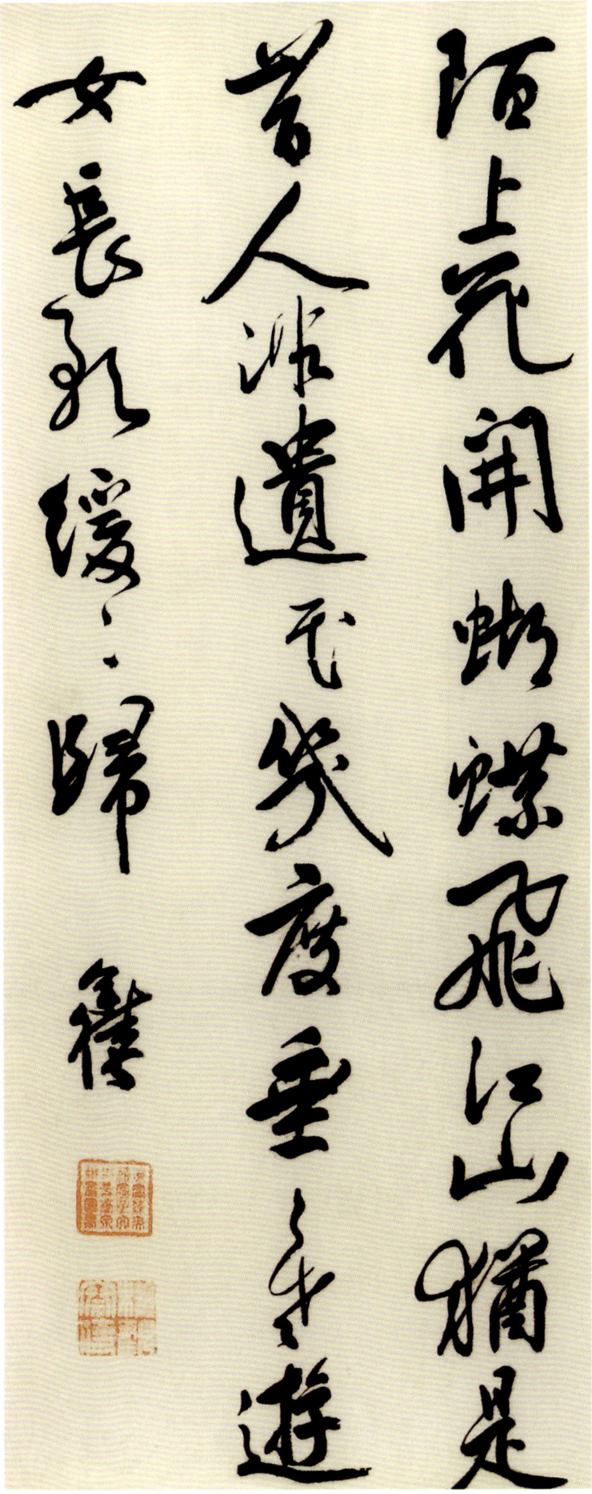

查昇（公元1650－1707年）

海寧（今屬浙江）人。字仲韋、漢中，號聲山。康熙二十七年（公元1688年）進士，纍官至少詹事。能詩詞，工書法。其書學董其昌。著有《澹遠堂集》。

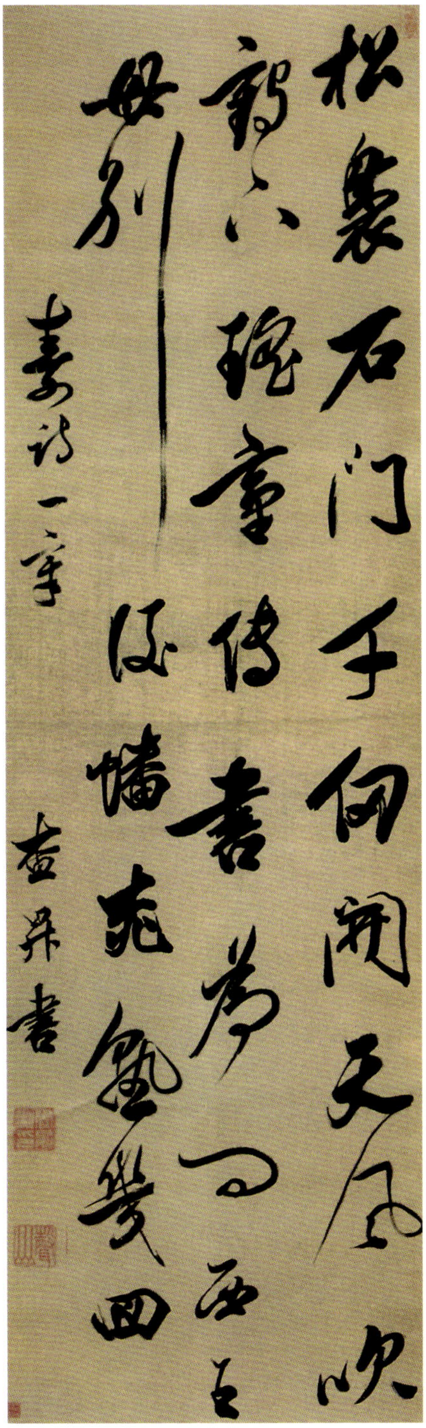

壽詩一章

清
查昇
高162.1、寬49.1厘米。
綾本。
現藏四川博物院。

五言律詩

清
查昇
高116、寬35厘米。
紙本。
現藏上海朵雲軒。

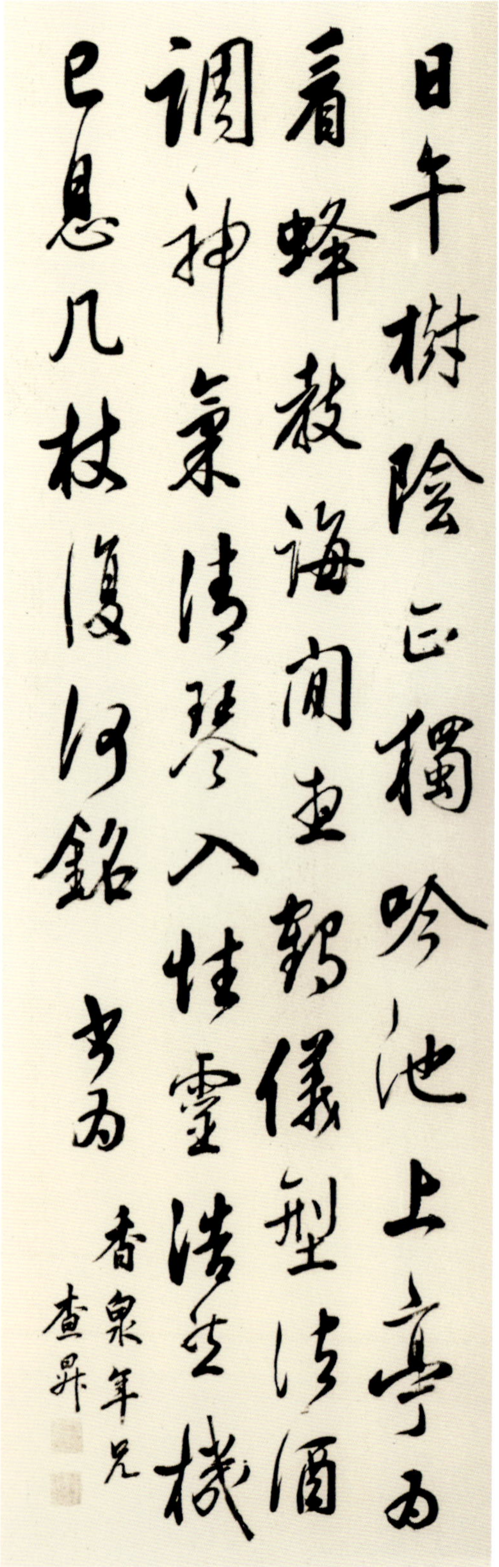

汪士鋐（公元1658－1723年）

長洲（今江蘇蘇州）人。字文升，號退谷，又號秋泉。書法被時人推崇，與姜宸英齊名。

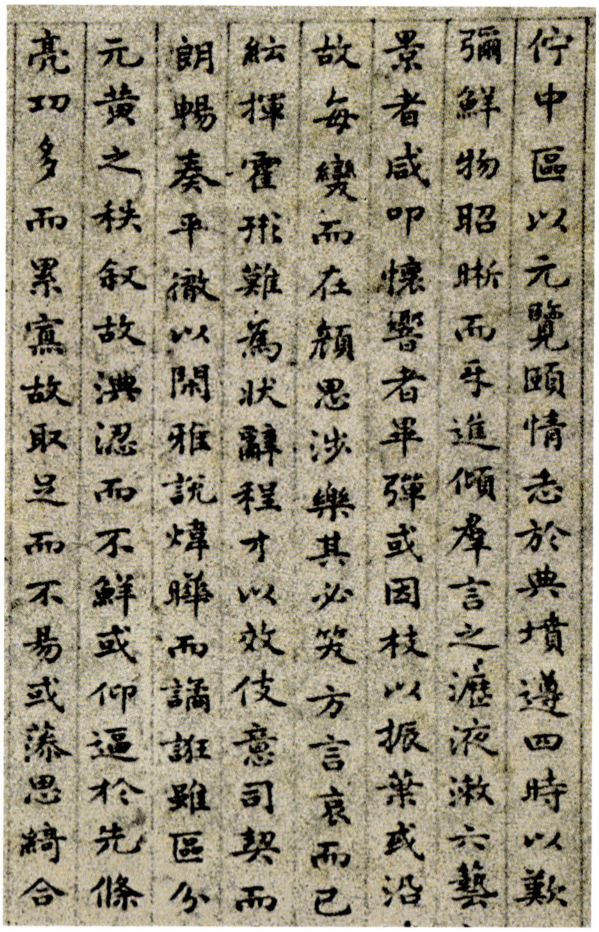

文賦

清
汪士鋐
高132.5、寬29.6厘米。
紙本。此圖爲局部。
現藏故宮博物院。

白居易吴郡詩石記

清

汪士鋐

高177、寬59厘米。

紙本。

現藏重慶市博物館。

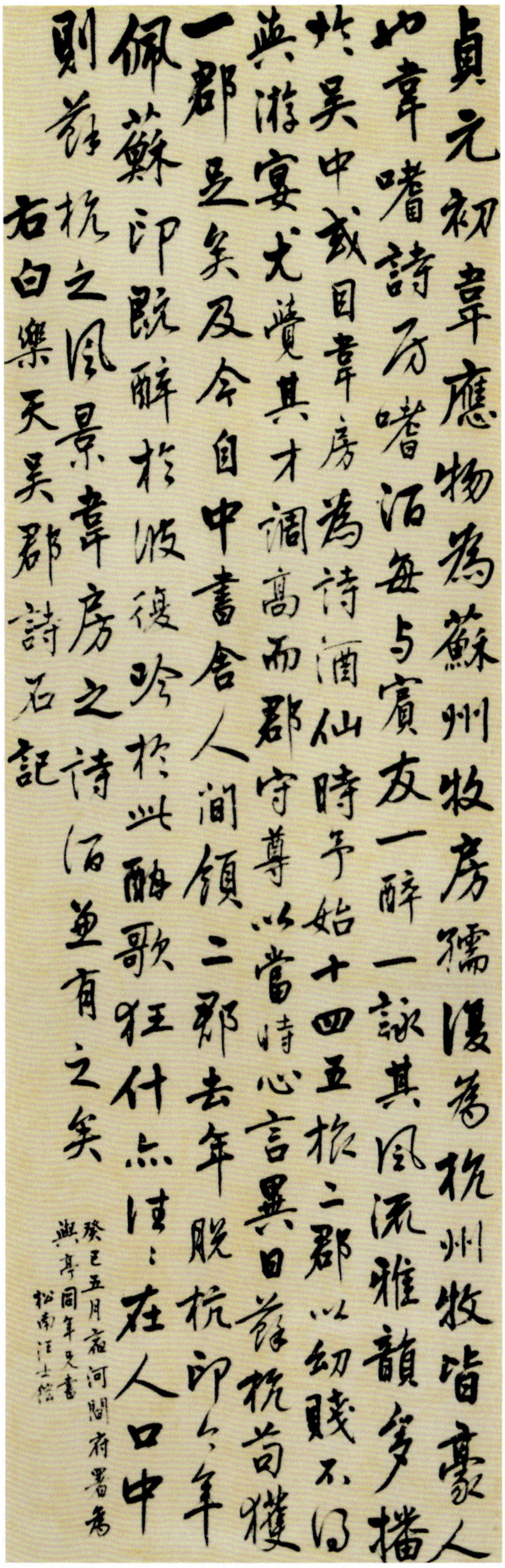

喬崇烈

生卒年不詳，約活動于十七、十八世紀間。寶應（今屬江蘇）人。字無功，號學齋。康熙四十五年（公元1706年）進士，授翰林院庶吉士。工書善畫。

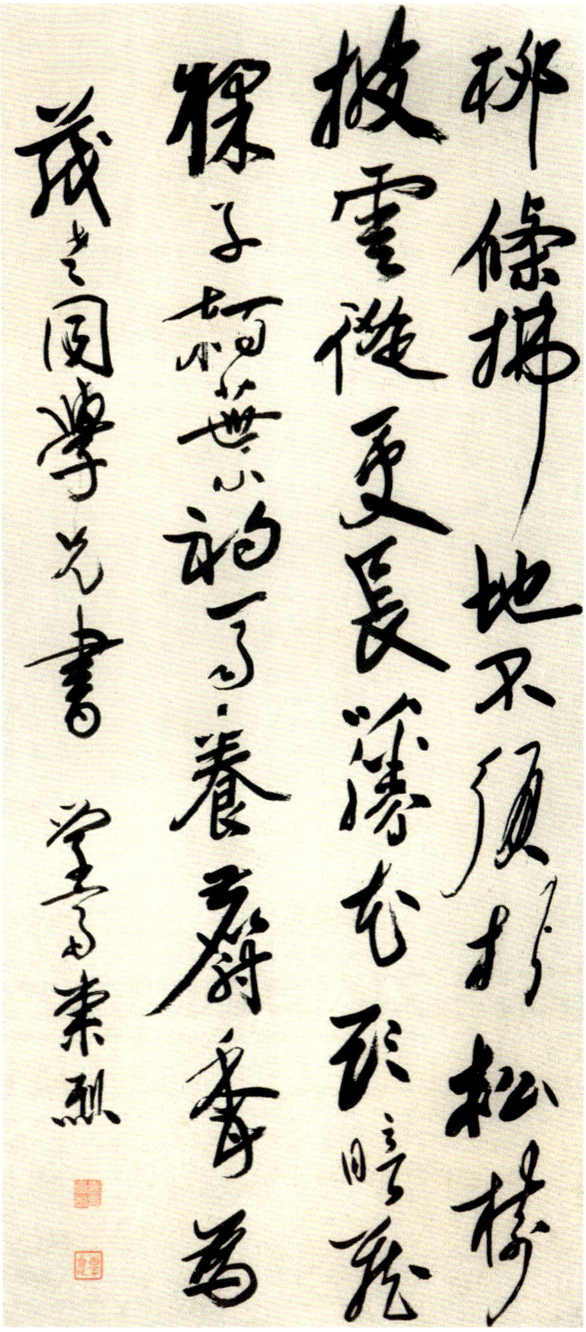

自作絶句

清

喬崇烈

高126.4、寬57.2厘米。

紙本。

現藏江蘇省揚州博物館。

何焯（公元1661－1722年）

長洲（今江蘇蘇州）人。字屺瞻，號義門，又號茶仙、潤千、香案小吏等。康熙四十二年（公元1703年）進士，授庶吉士。書法爲時人推崇。

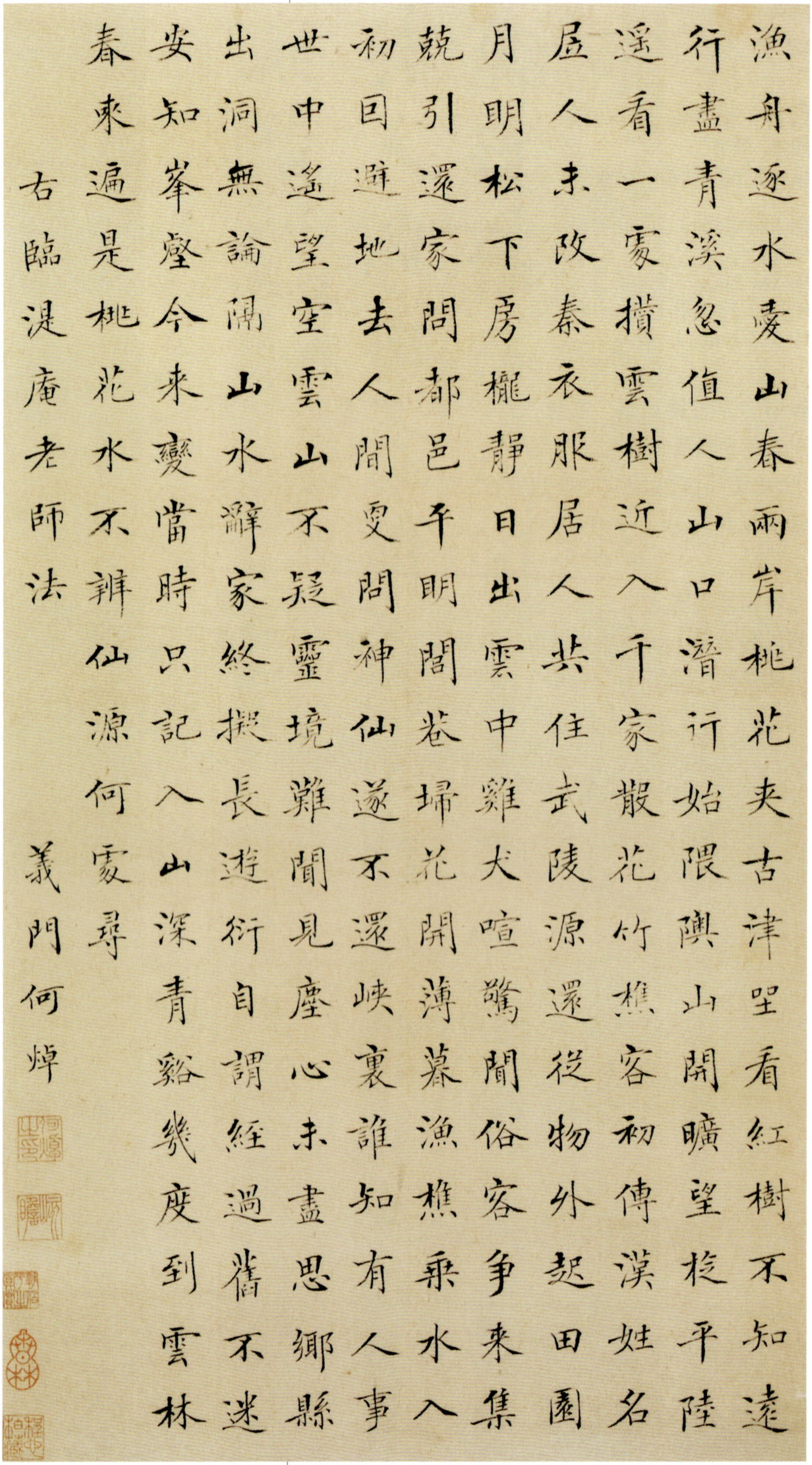

漁舟逐水愛山春兩岸桃花夾古津坐看紅樹不知遠
行盡青溪忽值人山口潛行始隈隩山開曠望旋平陸
遙看一處攢雲樹近入千家散花竹樵客初傳漢姓名
居人未改秦衣服居人共住武陵源還從物外起田園
月明松下房櫳靜日出雲中雞犬喧驚聞俗客爭來集
競引還家問都邑平明閭巷掃花開薄暮漁樵乘水入
初因避地去人間更問神仙遂不還峽裏誰知有人事
世中遙望空雲山不疑靈境難聞見塵心未盡思鄉縣
出洞無論隔山水辭家終擬長遊衍自謂經過舊不迷
安知峰壑今來變當時只記入山深青谿幾度到雲林
春來遍是桃花水不辨仙源何處尋
古臨湜庵老師法 義門何焯

桃花源詩

清

何焯

高60.4、寬33.8厘米。

紙本。

現藏故宮博物院。

七言律詩

清
何焯
高116.7、寬43.8厘米。
紙本。
現藏上海博物館。

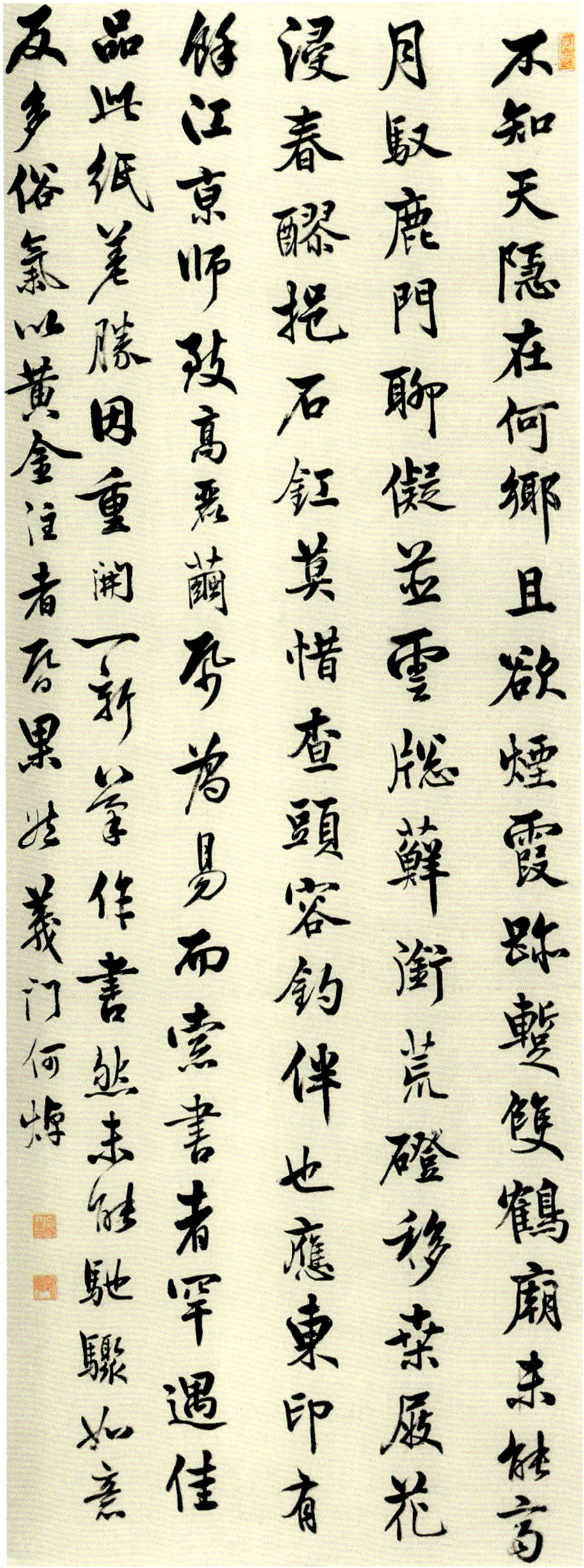

王澍（公元1668－1743年）

金壇（今屬江蘇）人。字若林，號虛舟，別號竹雲。著有《淳化閣帖考正》和《古今法帖考》等。

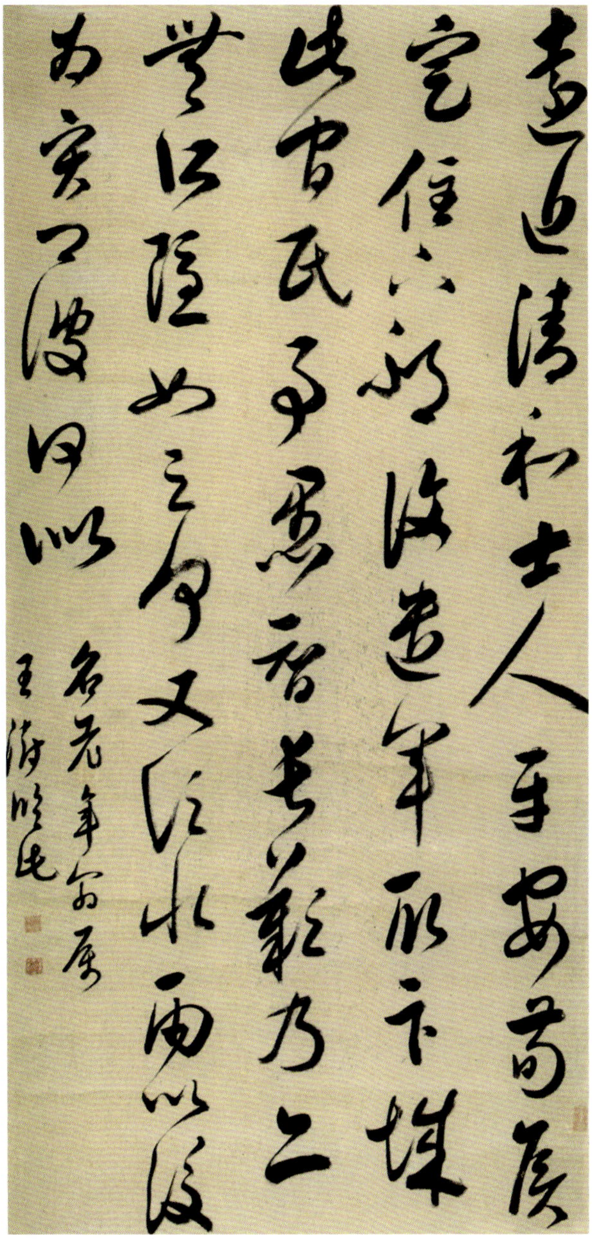

臨古法帖

清
王澍
高139、寬69厘米。
紙本。
現藏吉林省博物院。

陳邦彥（公元1678－1752年）

海寧（今屬浙江）人。字世南，號春暉，匏廬等。官至禮部侍郎。善書法，爲“康熙四家”之一。

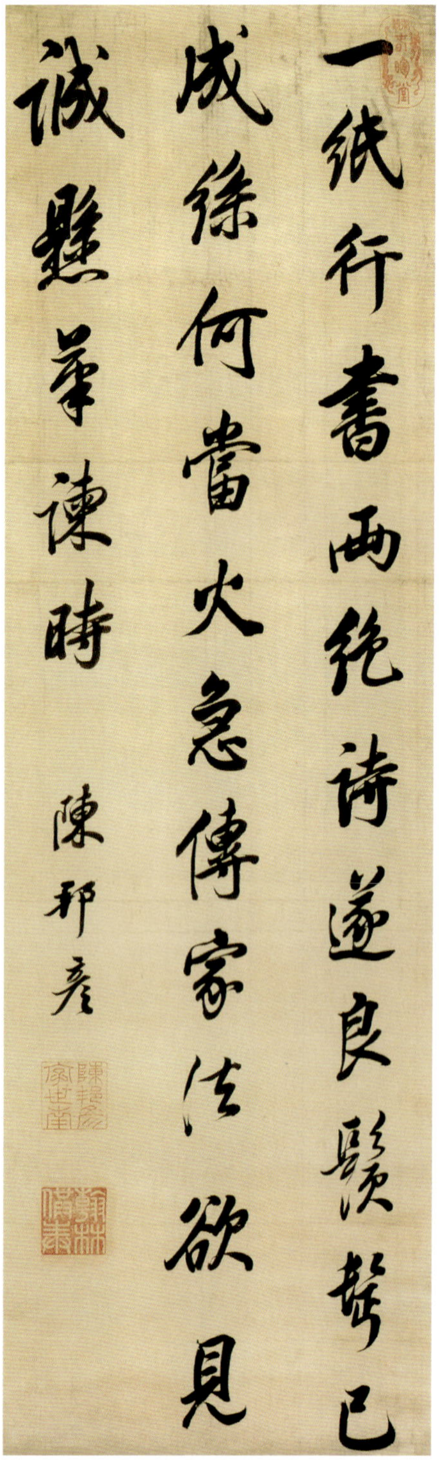

七言絶句

清

陳邦彥

高145.7、寬47.6厘米。

綾本。

現藏故宮博物院。

沈銓（公元1682－1762年）

德清（今屬浙江）人。字衡之，號南蘋。工繪畫，曾赴日本傳授畫學。亦能書，結體嚴謹，行筆遒勁。

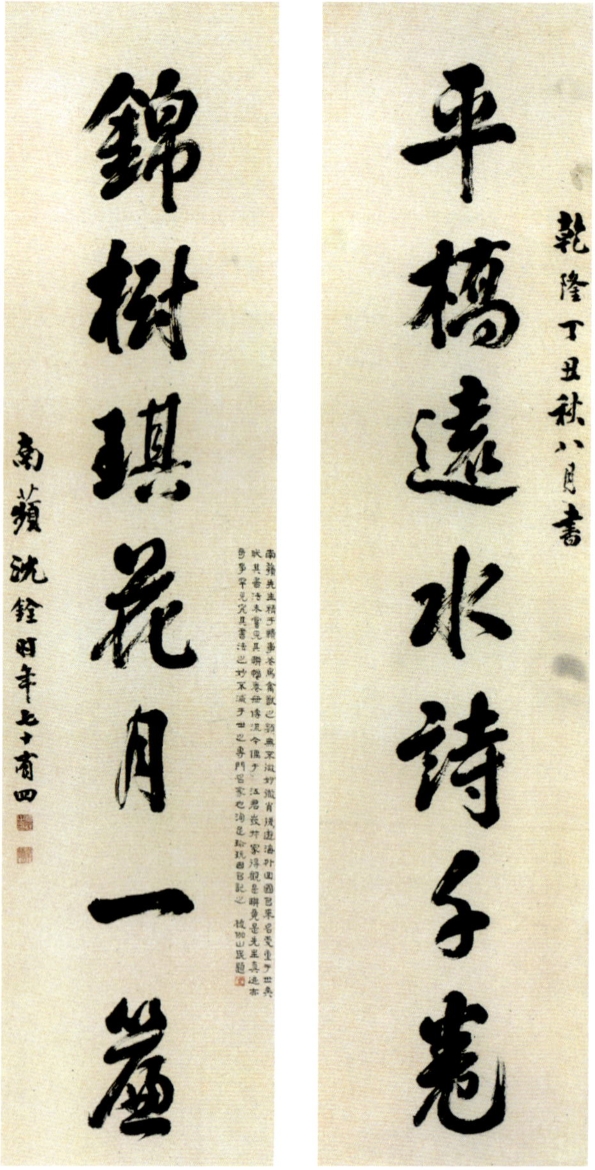

七言聯

清

沈銓

高127.4、寬31.3厘米。

紙本。

現藏上海博物館。

高鳳翰（公元1683－1748年）

膠州（今屬山東）人，曾長期生活在揚州（今屬江蘇）一帶。字西園，號南村、南阜等。著有《硯史》和《南阜山人全集》等。

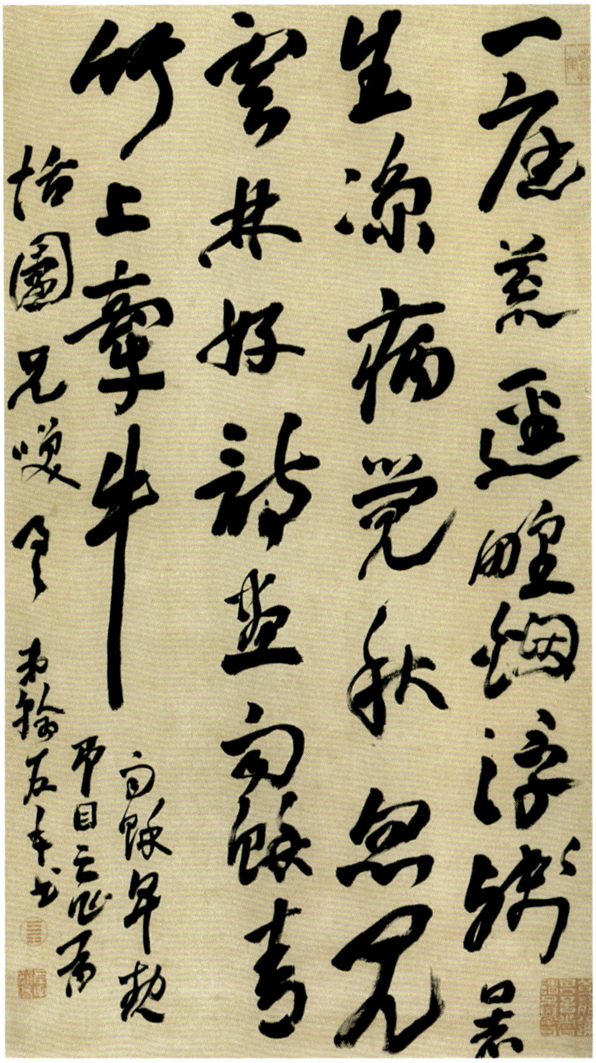

自作七言絶句

清
高鳳翰
高89、寬51.9厘米。
綾本。
現藏天津博物館。

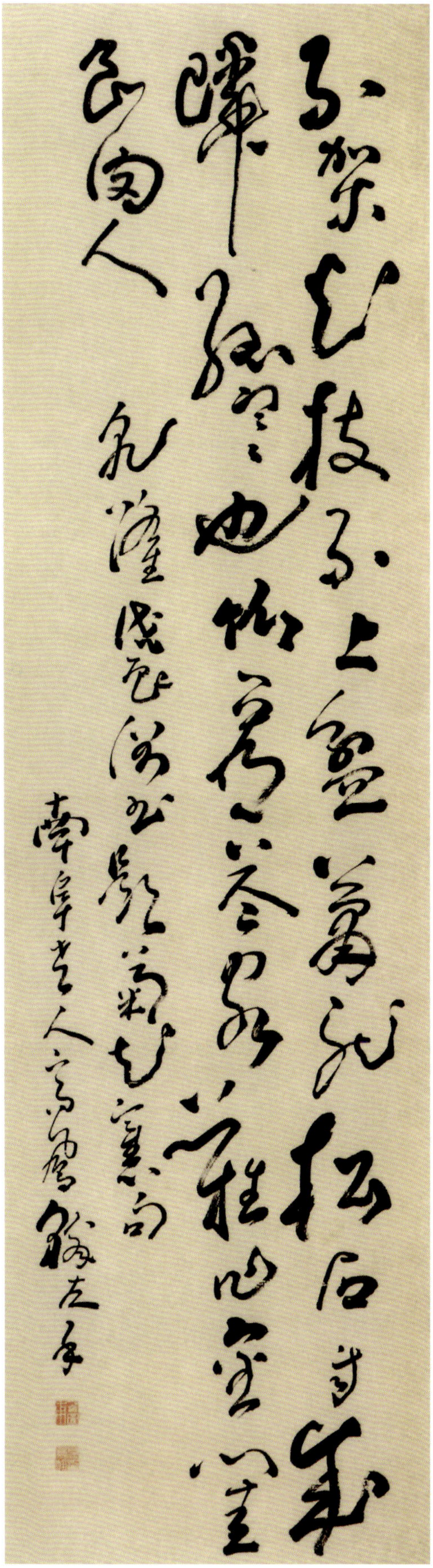

菊花詩（右圖）

清
高鳳翰
高181.1、寬52厘米。
紙本。
現藏首都博物館。

汪士慎（公元1686－1762年）

休寧（今屬安徽）人，一作歙縣（今屬安徽）人，寓居揚州（今屬江蘇）。字近人，號巢林，别號溪東外史等。金農弟子，久寓揚州，爲“揚州八怪”之一。精篆刻，善隸書，著有《巢林詩集》。

五言詩

清
汪士慎
紙本。
現藏安徽省博物館。

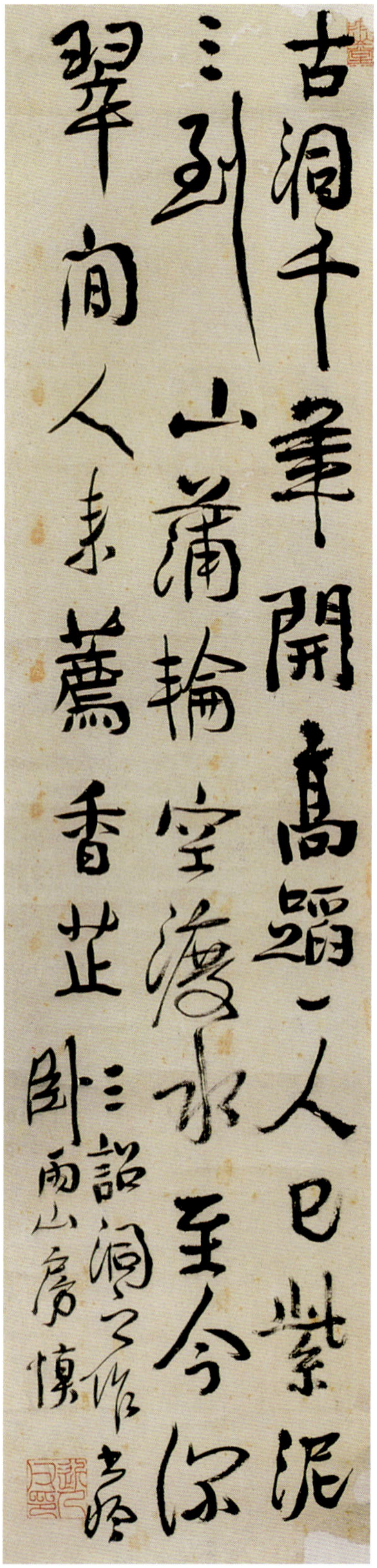

觀繩伎詩

清
汪士慎
高183.2、寬34.8厘米。
紙本。
現藏故宫博物院。

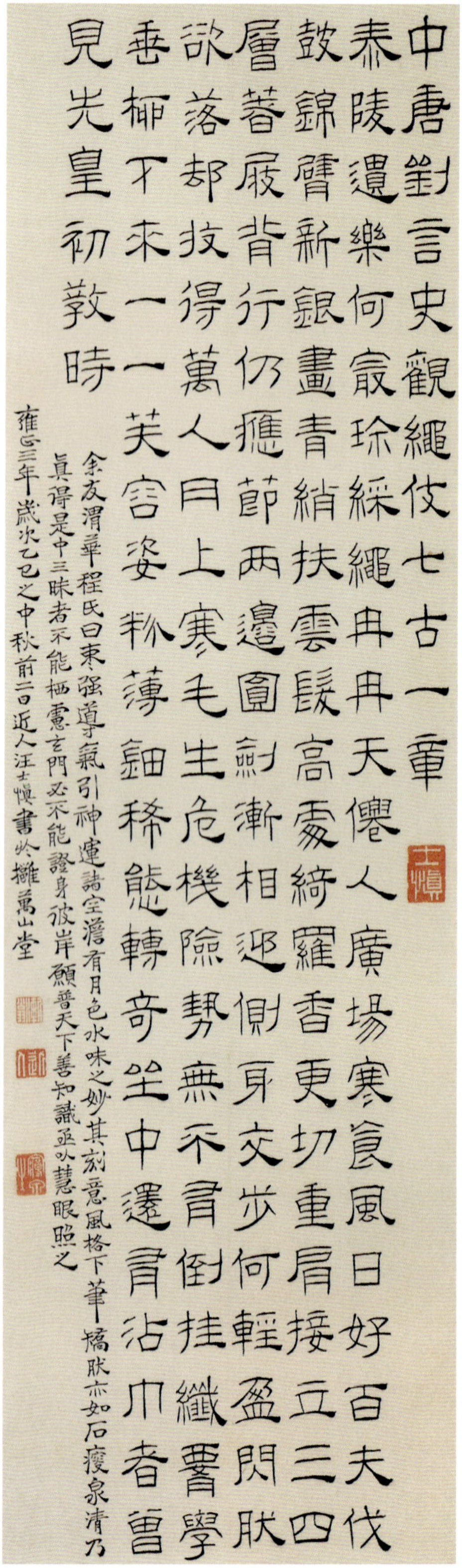

李　鱓（公元1686－1762年）

興化（今屬江蘇）人。字宗揚，號復堂、懊道人。康熙壬辰舉人，曾任山東滕州知縣，後辭歸故里，于揚州賣畫爲生，爲“揚州八怪”之一。其書法標新立异。

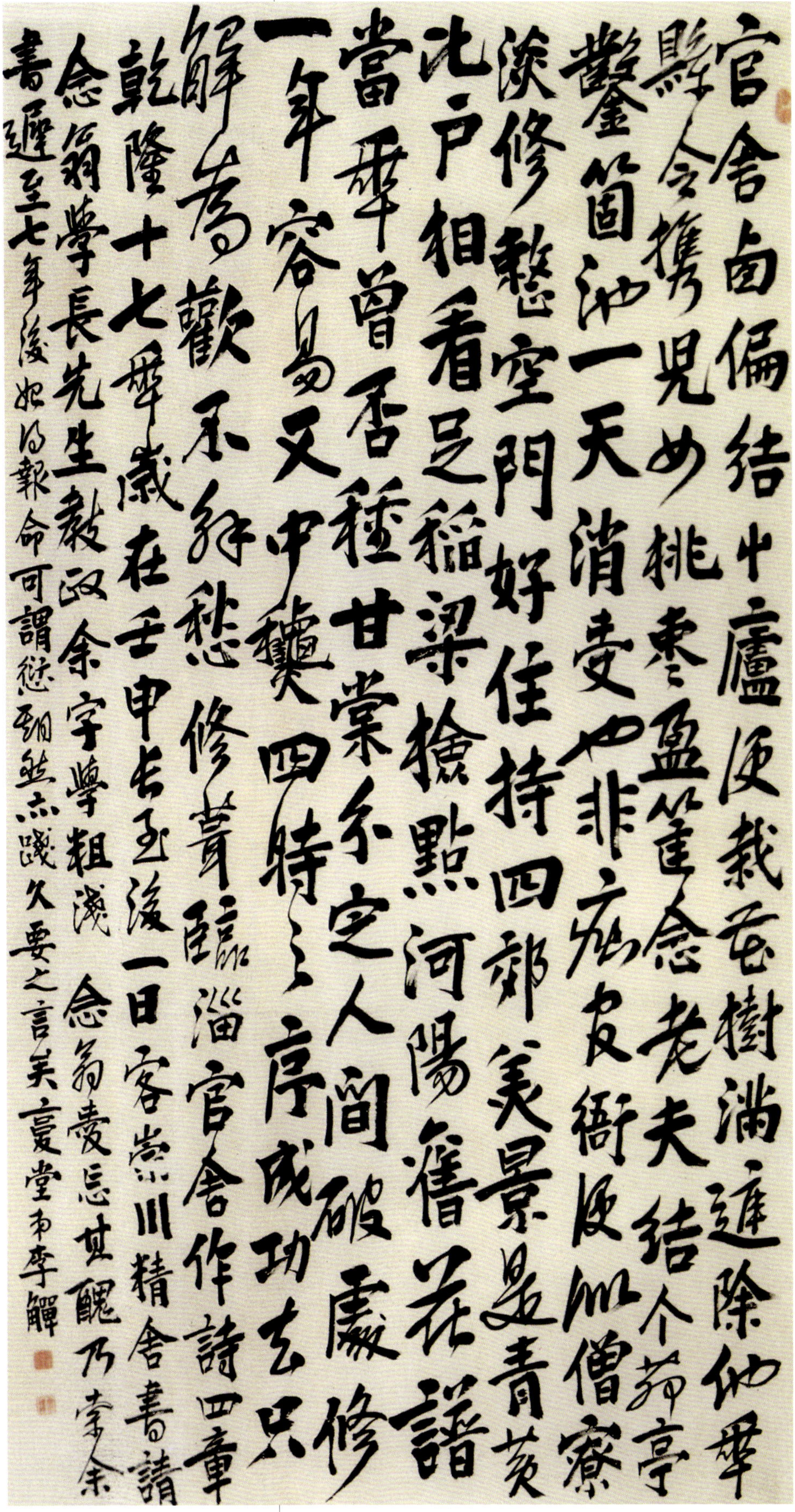

絶句四章

清

李鱓

高173、寬92.5厘米。

紙本。

現藏江蘇省揚州博物館。

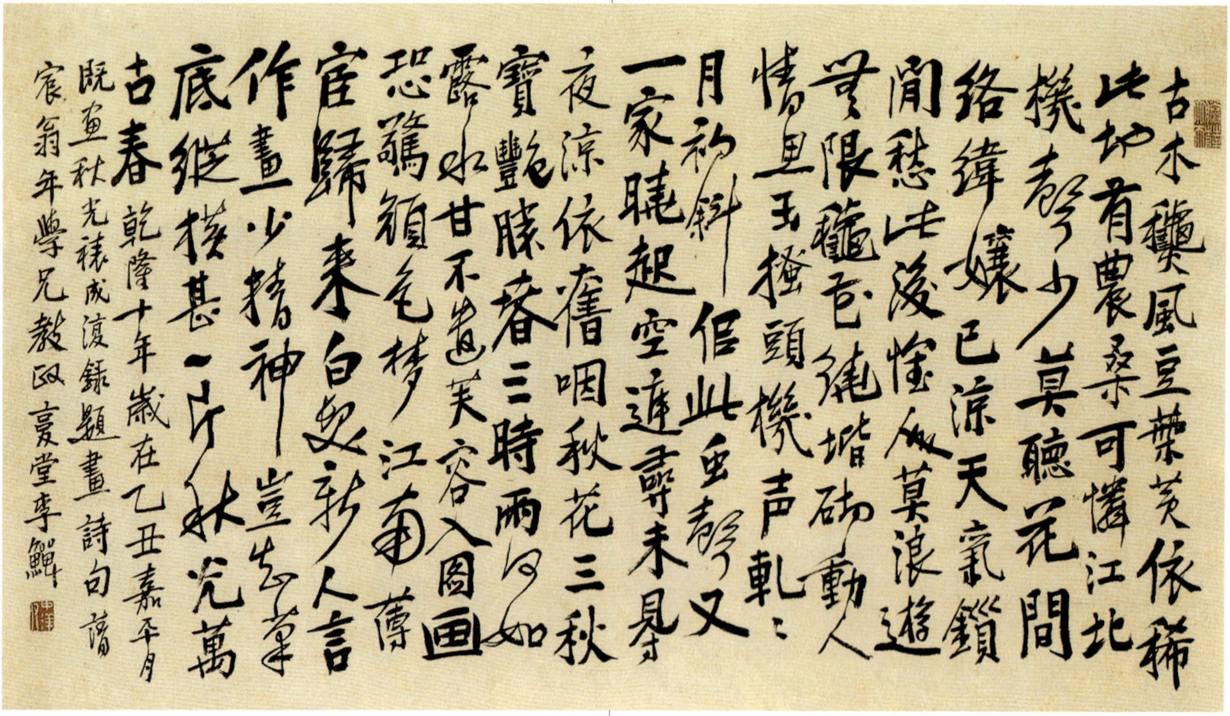

題畫詩

清
李鱓
寬114厘米。
紙本。
現藏浙江省杭州市西泠印社。

金　農（公元1687－1763年）

錢塘（今浙江杭州）人。字壽門，一字司農。號冬心，別號稽留山民等。“揚州八怪”之一，清代著名書畫家，所書隸書人稱“漆書”。

廣陵旅舍之作

清
金農
高67、寬22厘米。
紙本。六屏條，此選爲局部。
現藏上海朵雲軒。

臨乙瑛碑

清
金農
高98.5、寬41.4厘米。
紙本。
現藏故宮博物院。

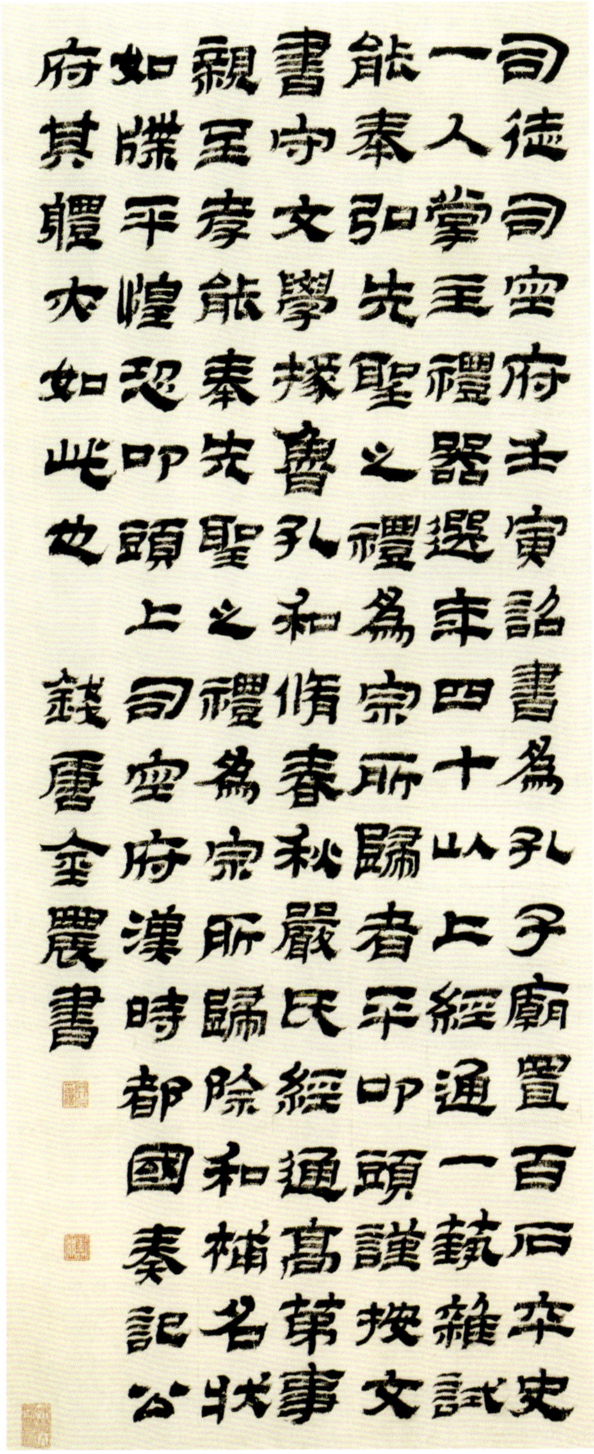

題畫詩

清
金農
高96.8、寬35厘米。
紙本。
現藏上海博物館。

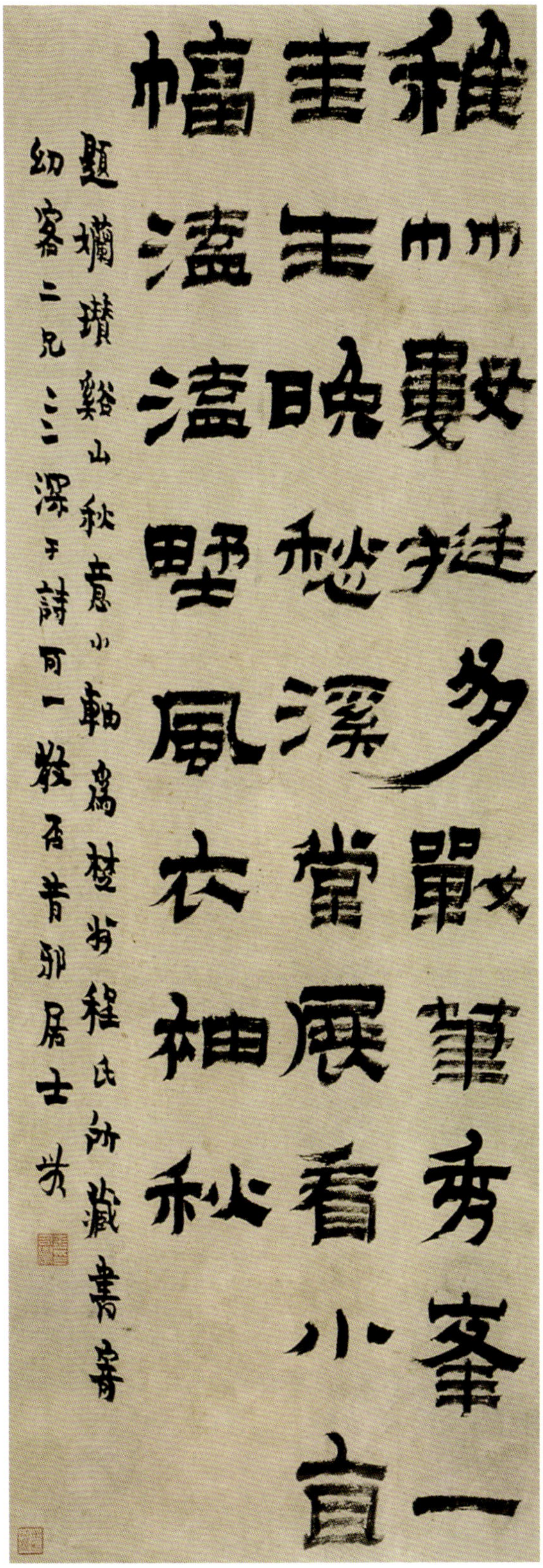

語摘

清

金農

高278、寬50.7厘米。

紙本。

現藏故宫博物院。

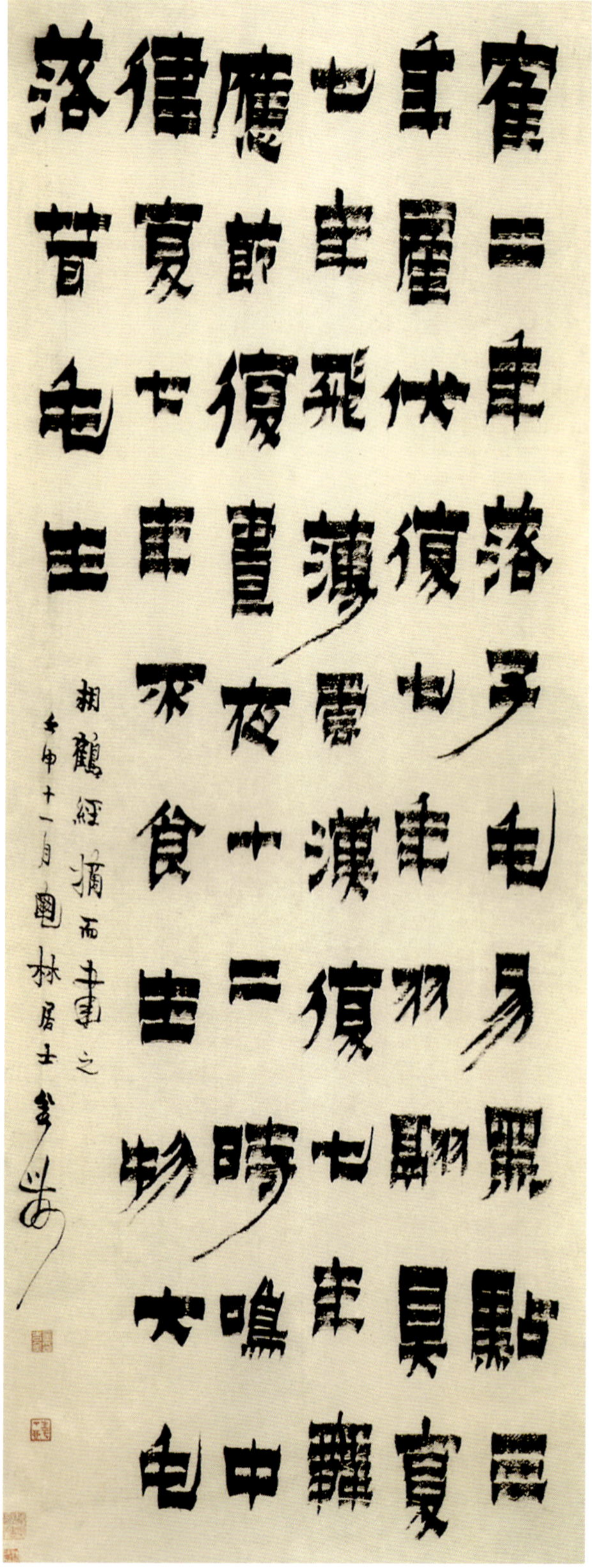

黄　慎（公元1687－1770年）

寧化（今屬福建）人，寓居揚州。字躬懋，又字恭懋，一字恭壽，號癭瓢。善繪畫，工書法，爲“揚州八怪”之一。其書法有疏影横斜、蒼藤盤結之妙。

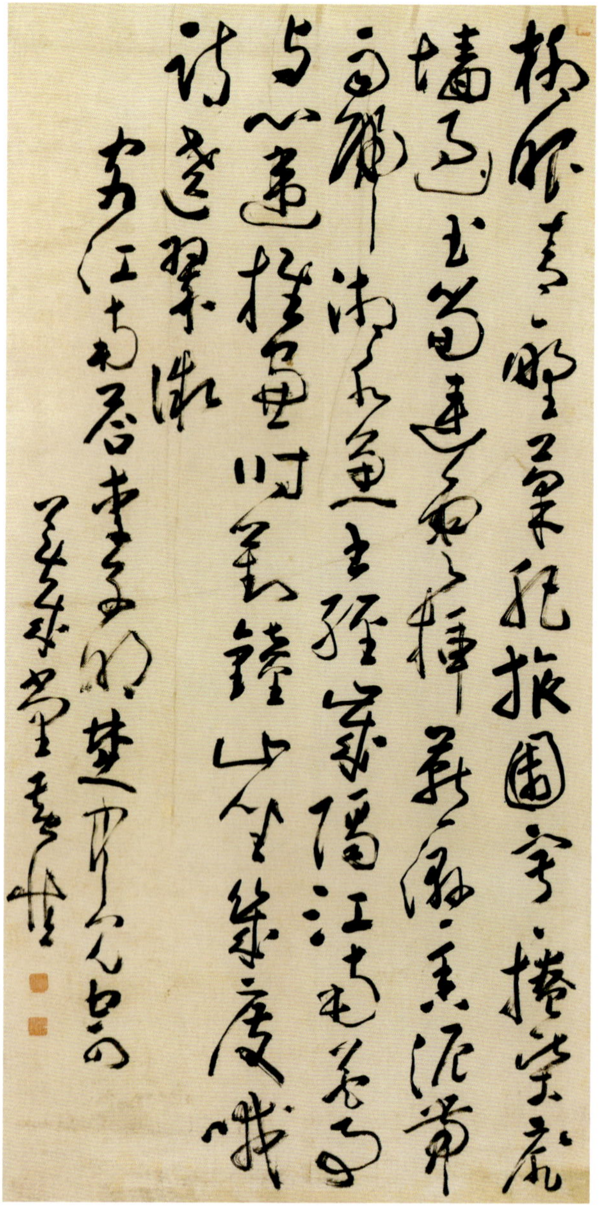

自書詩

清

黄慎

高179.3、寬93厘米。

紙本。

現藏故宫博物院。

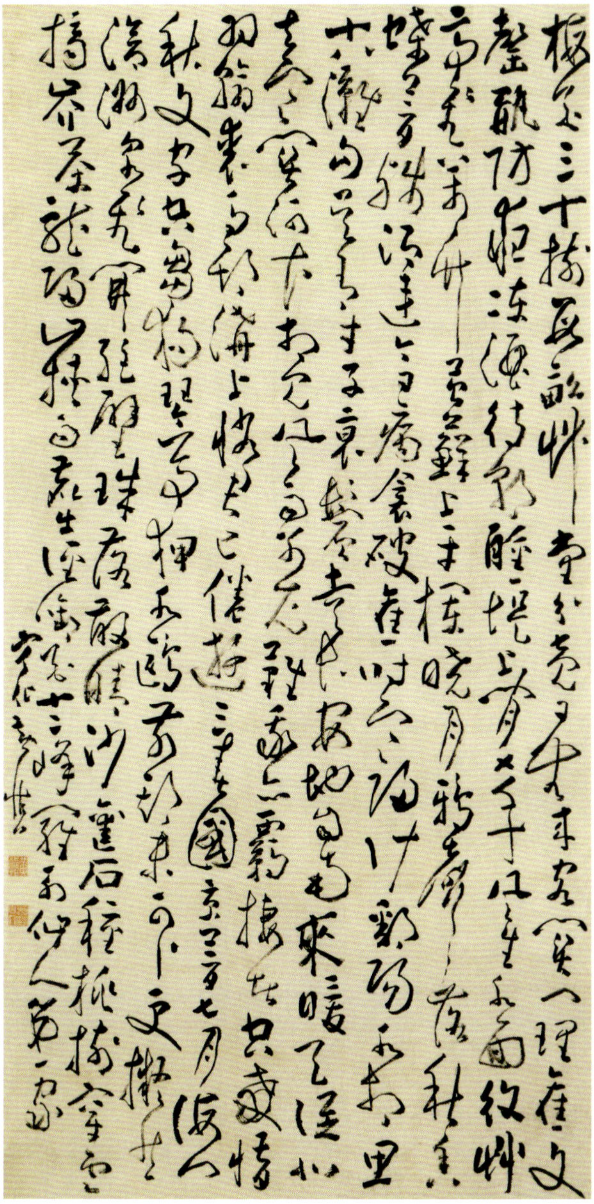

五律五首

清

黄慎

高166.9、寬84.6厘米。

紙本。

現藏故宫博物院。

送汪瞻侯歸姑蘇詩

清

黄慎

高155.8、寬62.5厘米。

紙本。

現藏天津博物館。

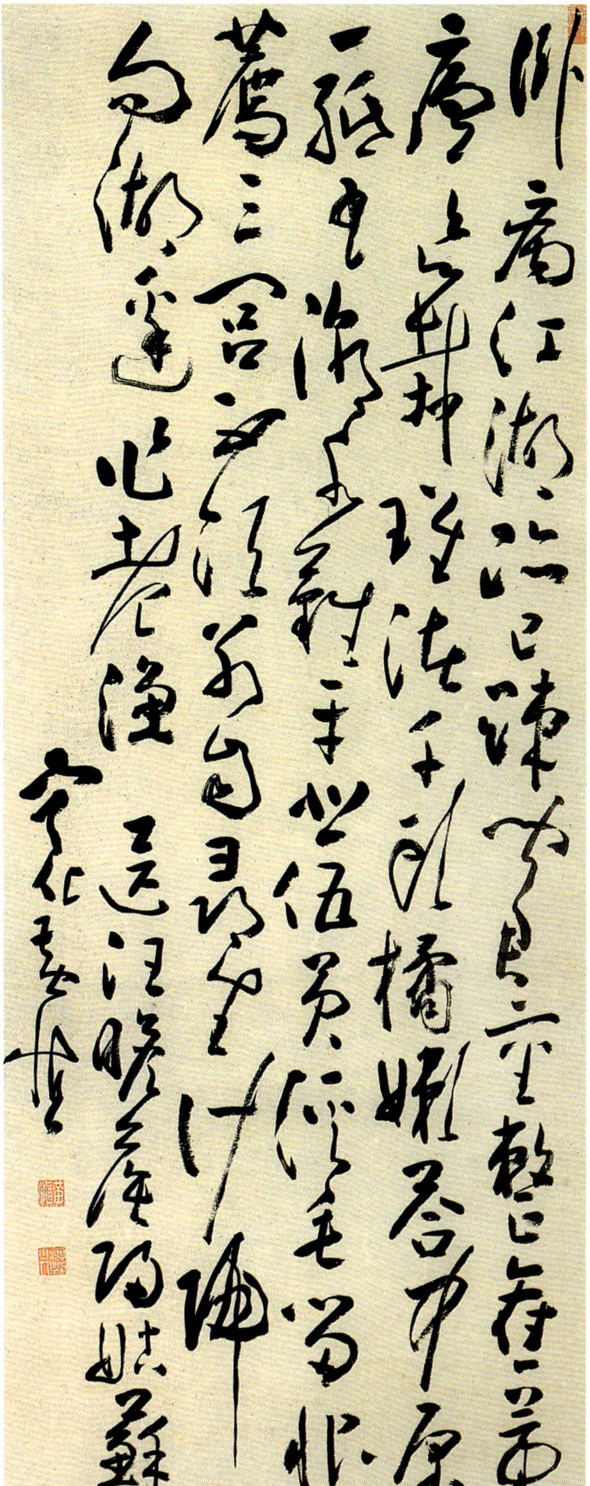

高　翔（公元1688－1753年）

甘泉（今江蘇揚州）人。字鳳岡，號西唐，一作犀堂或樨堂。“揚州八怪”之一，書法善隸書。著有《西唐詩鈔》。

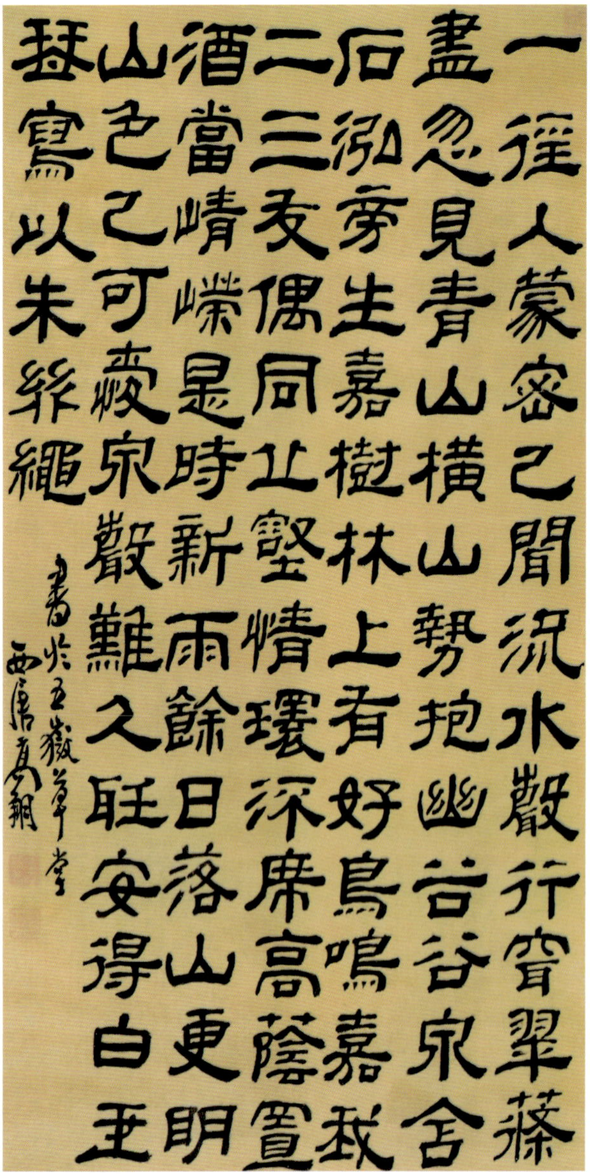

五言詩

清

高翔

高101.7、寬51.8厘米。

紙本。

現藏上海博物館。

張　照（公元1691－1745年）

華亭（今上海松江）人。初名默，字得天，又字長卿，號涇南，別號梧囱，又號天瓶居士。康熙四十八年（公元1709年）進士，官至刑部尚書，謚文敏。書法爲當世推賞。著有《天瓶齋書畫題跋》和《得天居士集》，刻有《天瓶齋帖》。

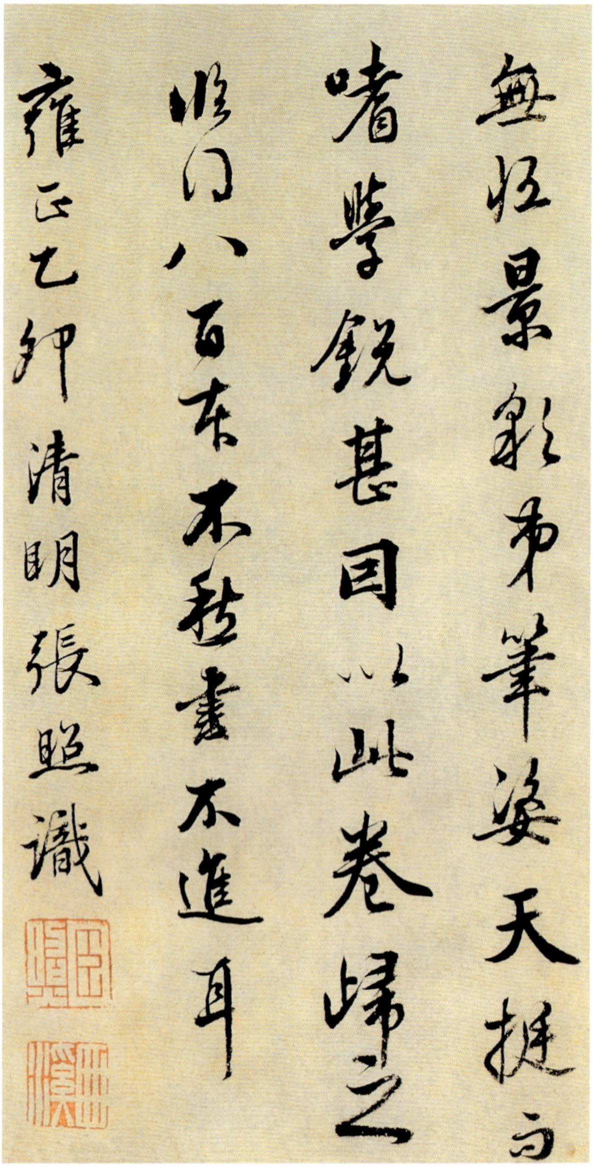

趙孟頫臨蘭亭跋

清

張照

紙本。

現藏江蘇省蘇州博物館。

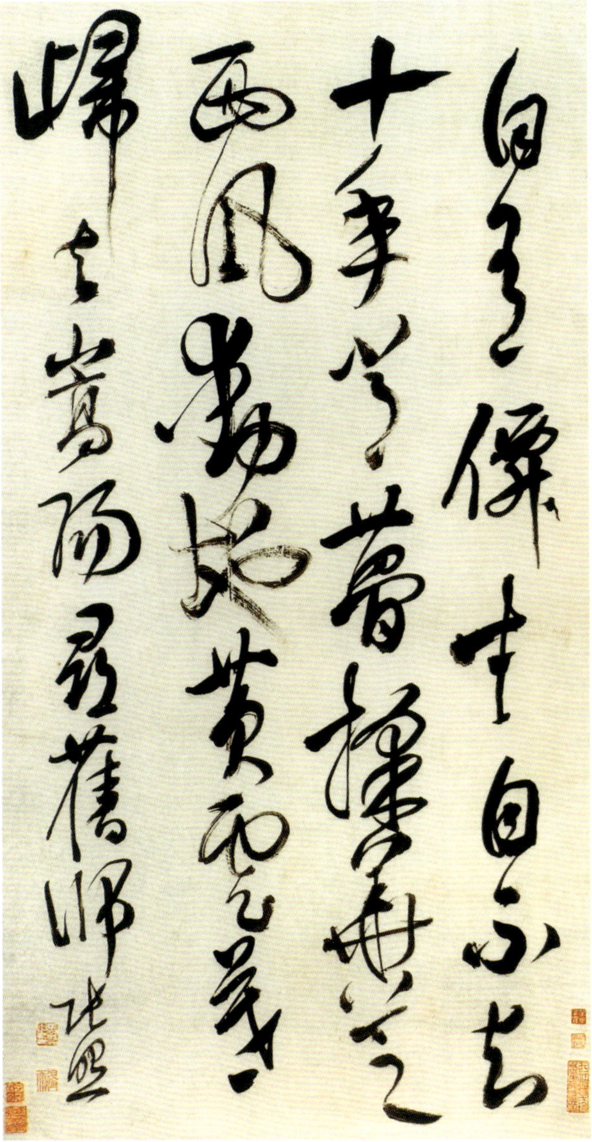

七言絶句

清

張照

高108.6、寬56.7厘米。

紙本。

現藏上海博物館。

七言律詩

清

張照

高143.7、寬54.8厘米。

紙本。

現藏故宫博物院。

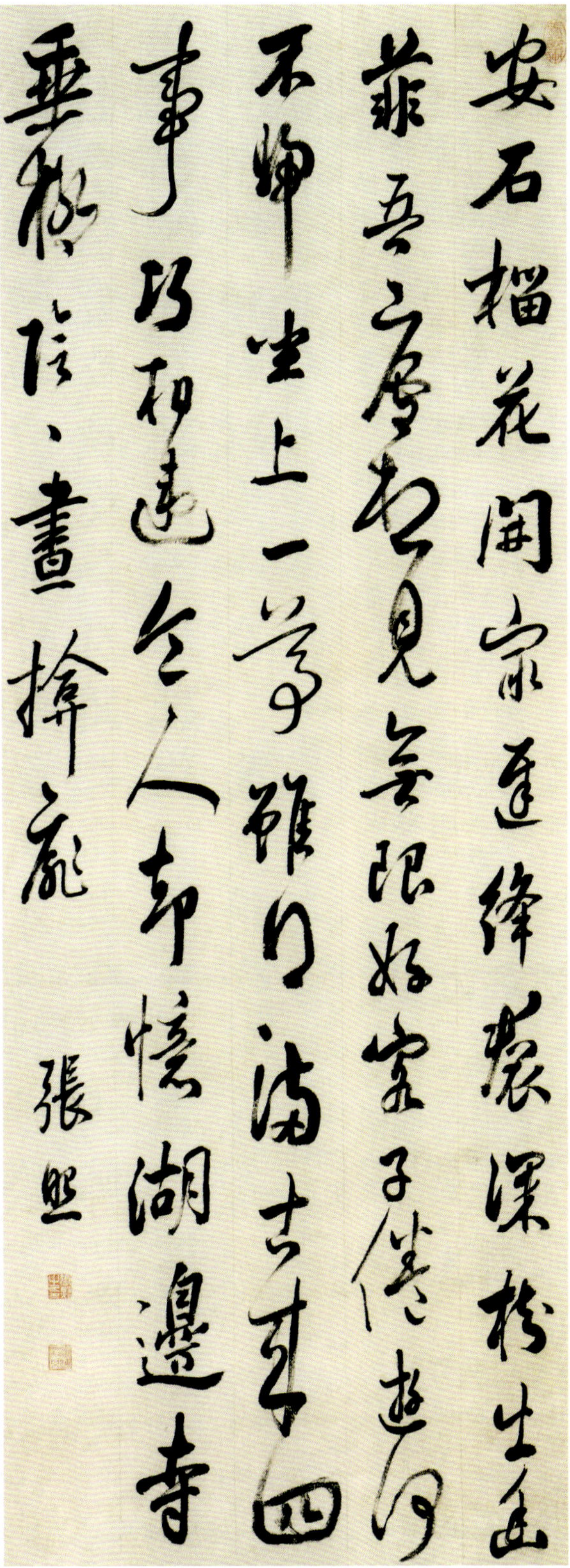

汪由敦（公元1692－1758年）

休寧（今屬安徽）人。字師茗，又字謹堂，號松泉。雍正二年（公元1724年）進士，官至吏部尚書、協辦大學士，謚文端。工書法，力追晉、唐。

鄭　燮（公元1693－1765年）

興化（今屬江蘇）人。字克柔，號板橋，“揚州八怪”之一，書法以隸入行楷，同時參以草篆，稱“六分半書”。

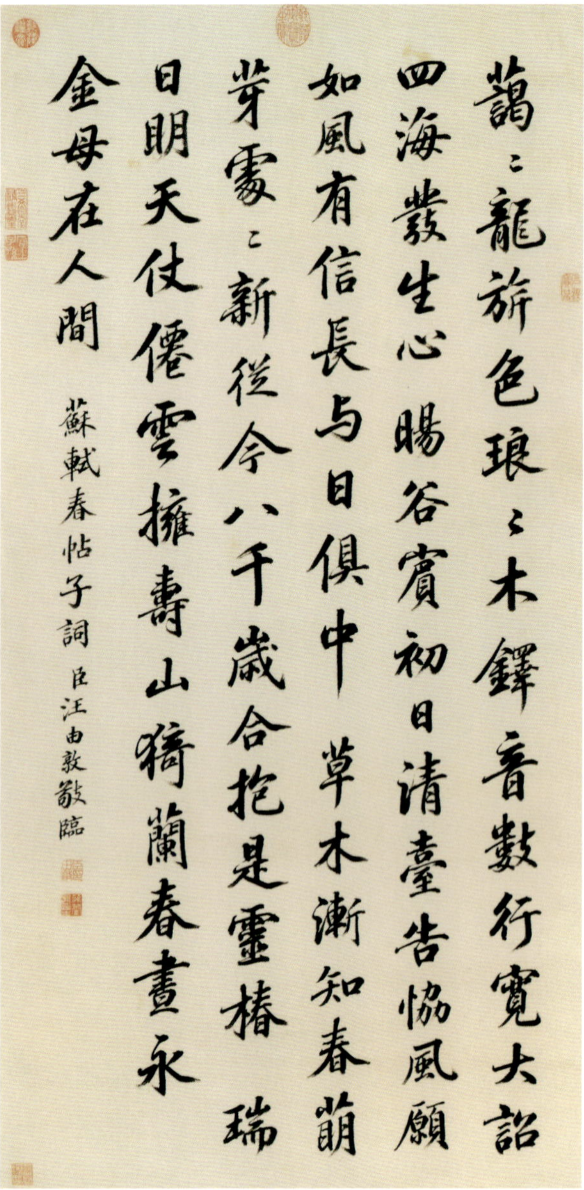

蘇軾春帖子詞

清

汪由敦

高115.5、寬59.7厘米。

紙本。

現藏故宮博物院。

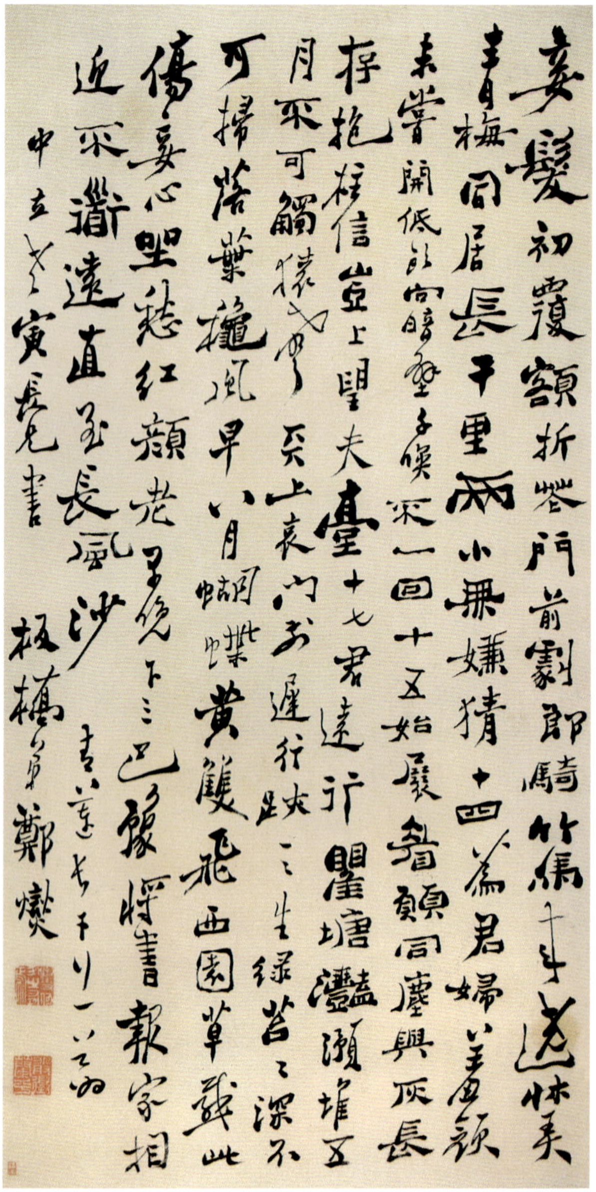

李白長干行

清

鄭燮

高93.2、寬47.7厘米。

紙本。

現藏四川博物院。

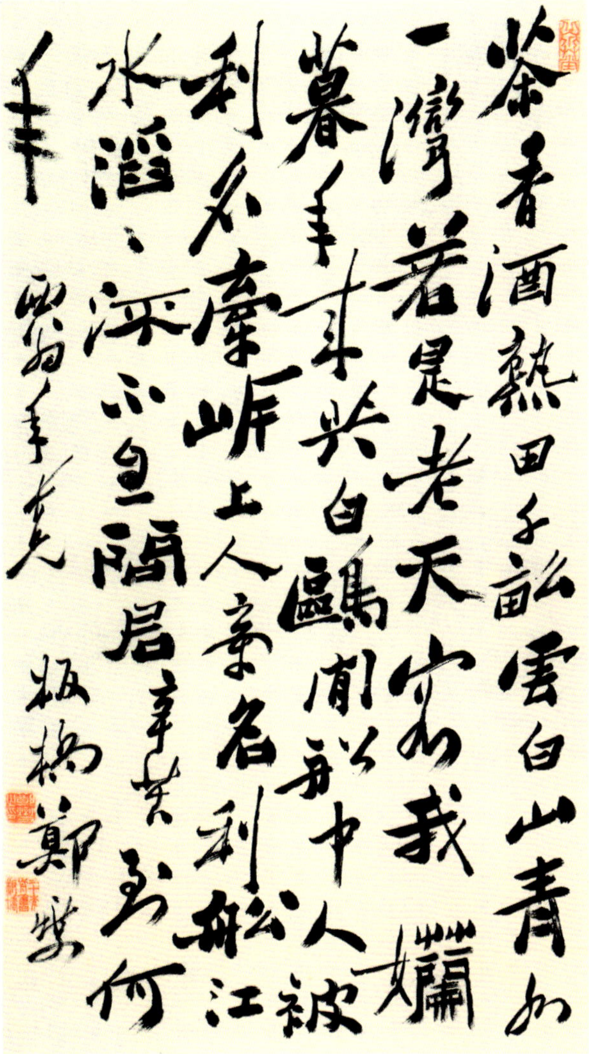

自書詩

清

鄭燮

高70.8、寬43.1厘米。

紙本。

現藏上海博物館。

七言律詩

清

鄭燮

高185.8、寬85.5厘米。

紙本。

現藏故宮博物院。

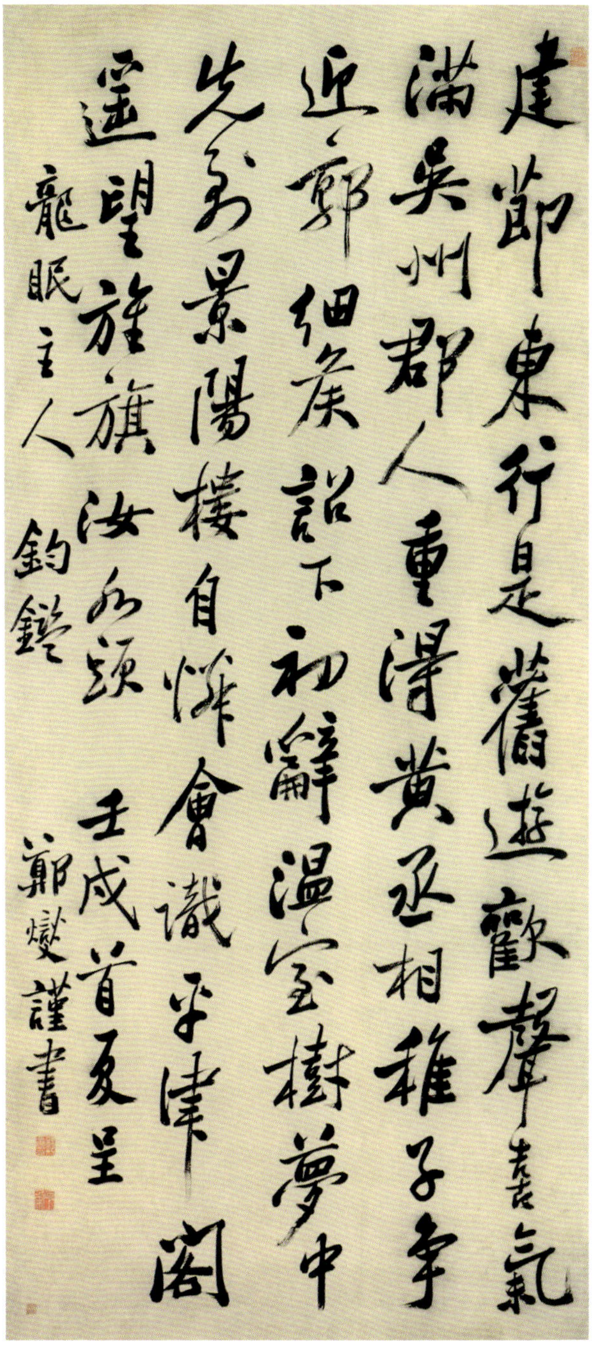

丁 敬（公元1695－1765年）

錢塘（今浙江杭州）人。字敬身，號鈍丁、硯林。善篆書。爲“浙派”、“西泠八家”之首。

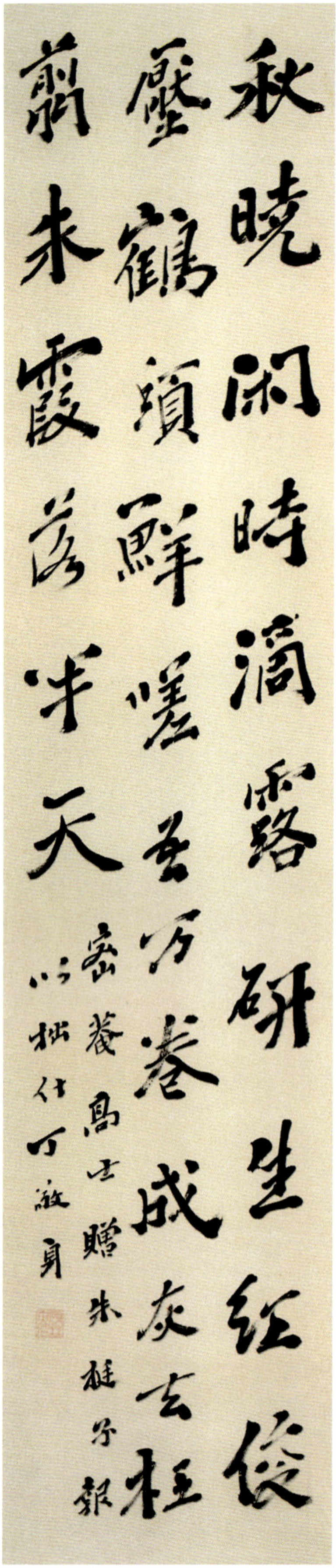

七言絶句

清

丁敬

高133.7、寬28.7厘米。

紙本。

現藏故宫博物院。

楊 法（公元1696－1753年後）

江寧（今江蘇南京）人，寓居揚州。字己軍，號白雲帝子。精于刻印，書法獨創一格。

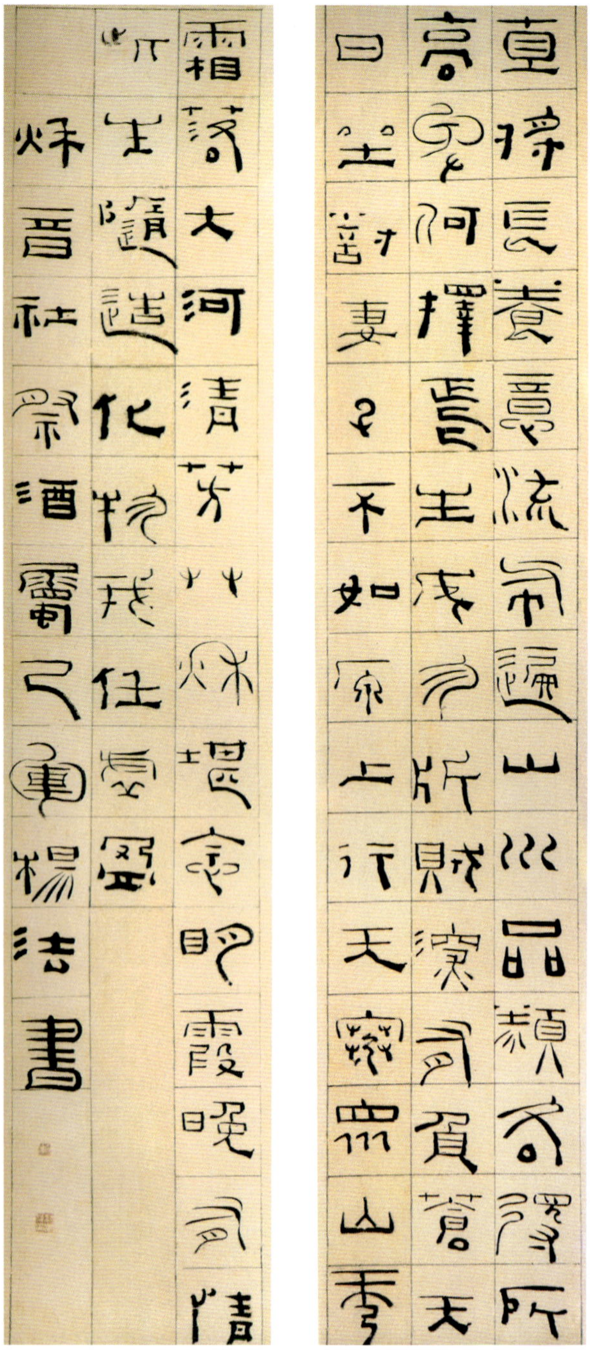

五言詩

清

楊法

高122.9、寬33.9厘米。

紙本。

現藏江蘇省揚州博物館。

梁巘（約公元1710－1785年）

安徽亳州（今屬安徽）人。字聞山，一作文山，號松齋。乾隆二十七年（公元1762年）舉人，曾官湖北巴東縣知縣。其書法學李邕。著有《評書帖》和《論書筆記》。

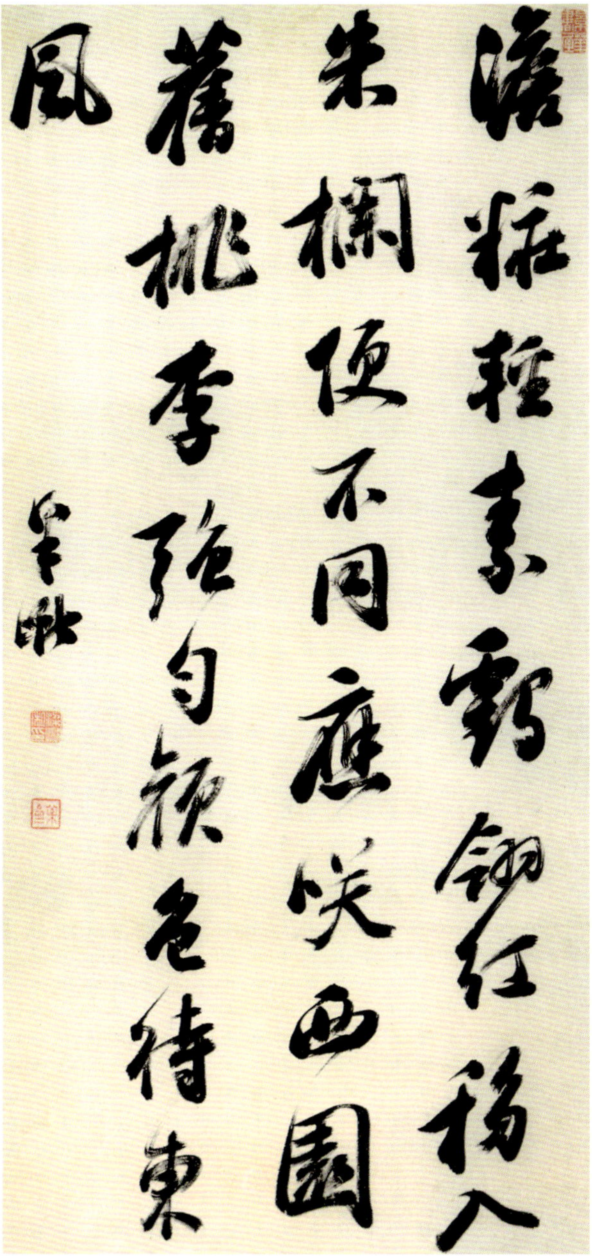

七言絶句

清

梁巘

高118.3、寬56.5厘米。

紙本。

現藏故宮博物院。

蘇東坡句

清

梁巘

高202、寬88厘米。

紙本。

現藏浙江省杭州市西泠印社。

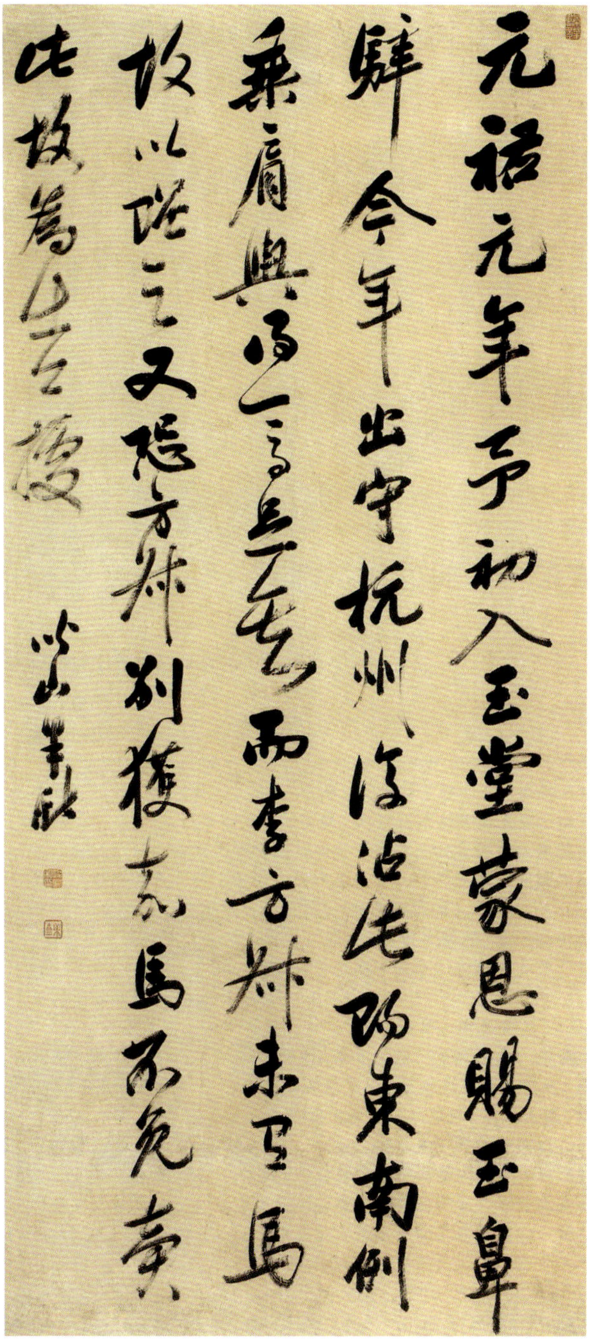

劉　墉（公元1719－1804年）

諸城（今屬山東）人。字崇如，號石庵。官至東閣大學士，謚文清。取法董其昌，兼師顏、蘇，并研習北朝碑版，自成一家，與梁同書、王文治和翁方綱并稱“清四家”。

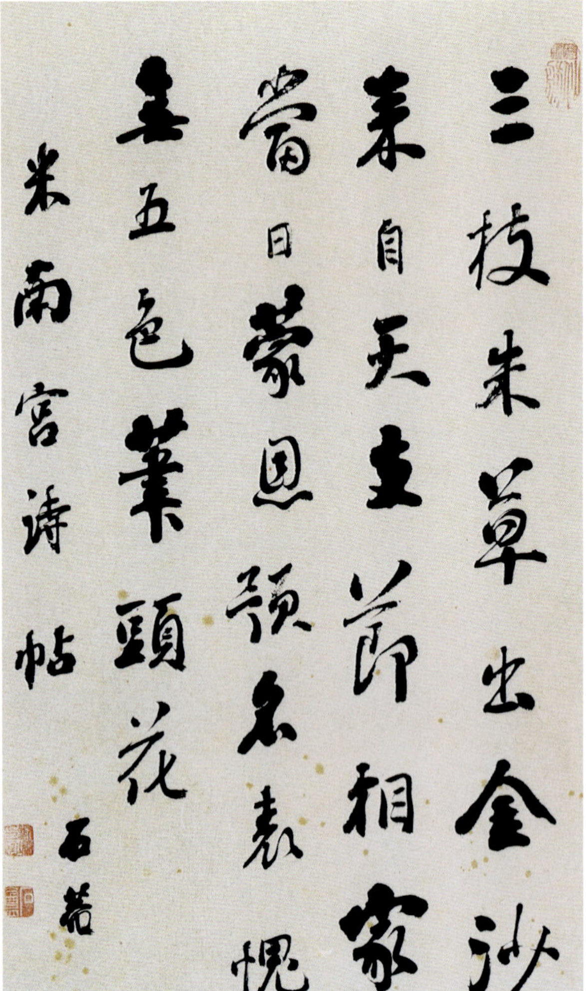

米芾詩

清
劉墉
高80.1、寬46.7厘米。
紙本。
現藏上海博物館。

七言詩

清
劉墉
高17.8、寬13.3厘米。
紙本。册裝六開，此選爲局部。
現藏故宫博物院。

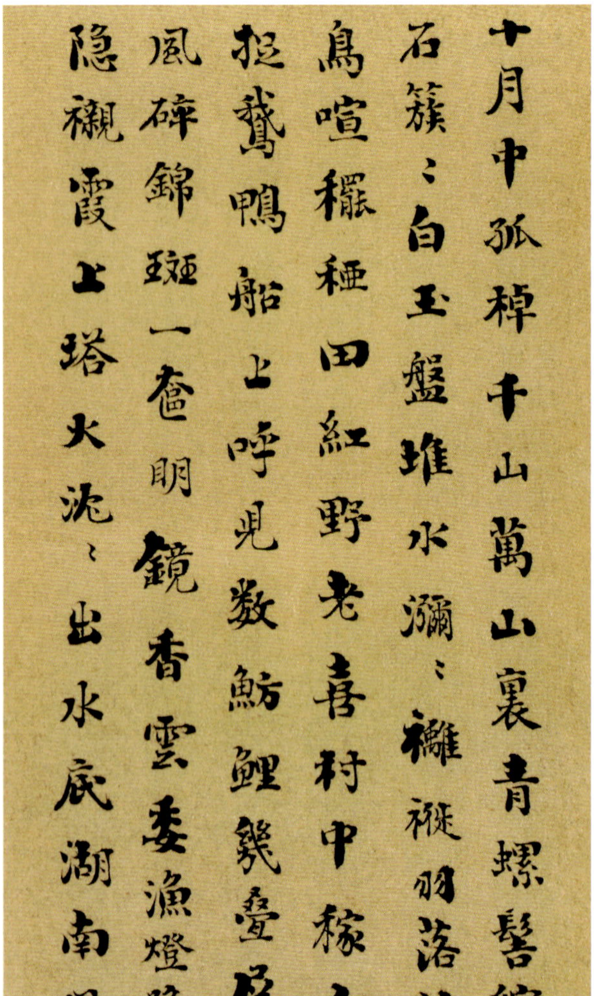

論書語一則

清
劉墉
高93、寬35厘米。
紙本。
現藏故宫博物院。

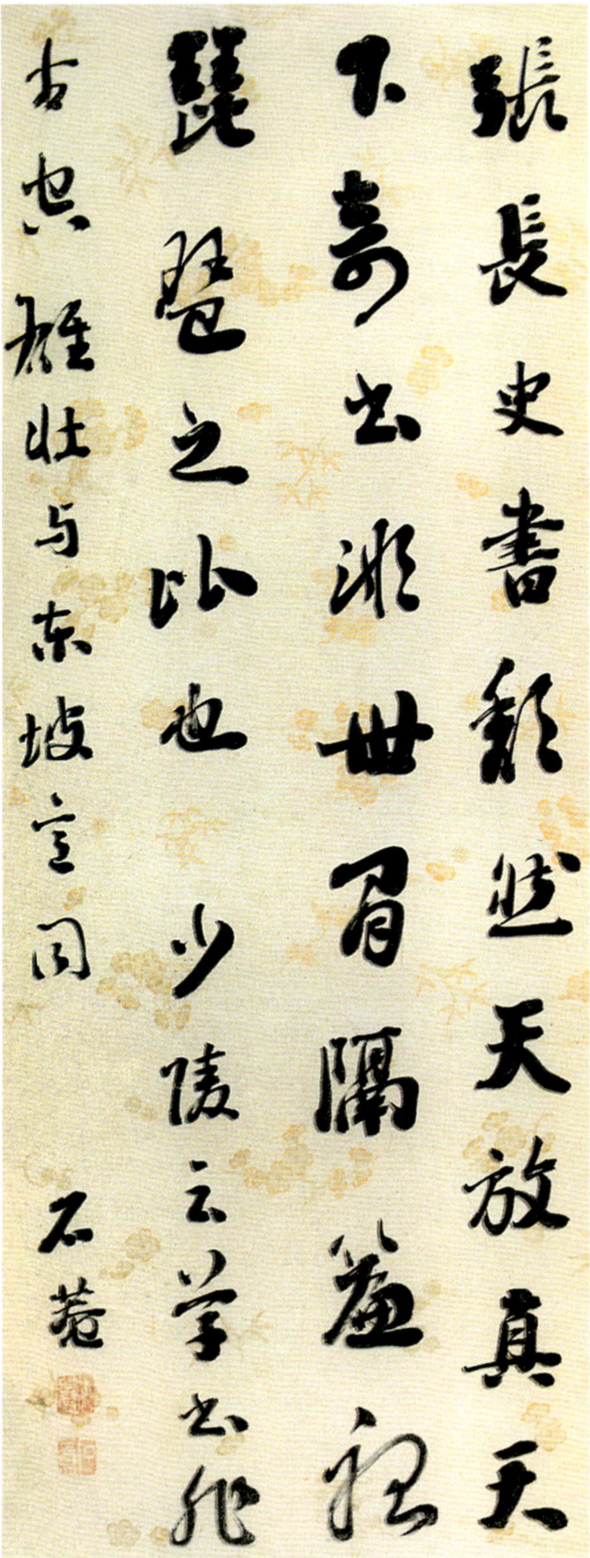

元人絶句

清
劉墉
高90、寬36.9厘米。
紙本。
現藏四川博物院。

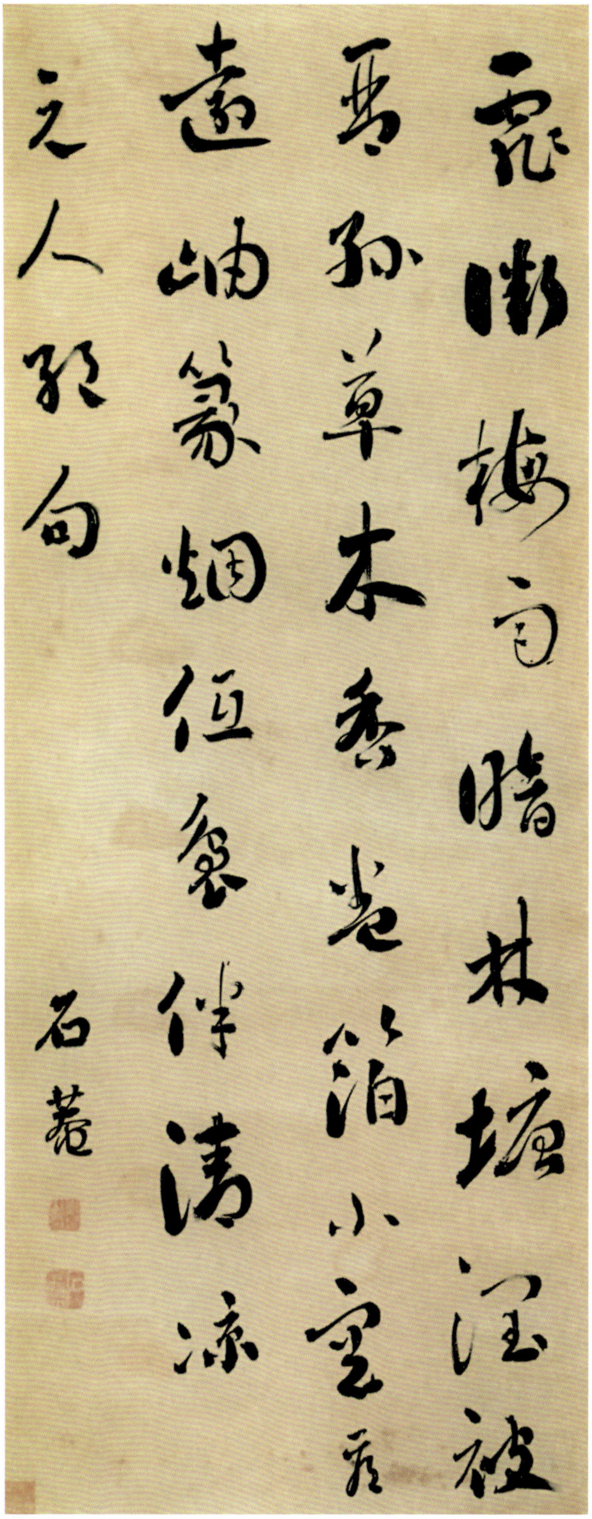

梁同書（公元1723－1815年）

錢塘（今浙江杭州）人。字元穎，號山舟、不翁。初學顔、柳，中年法米芾，爲時人推崇，爲“清四家”之一。

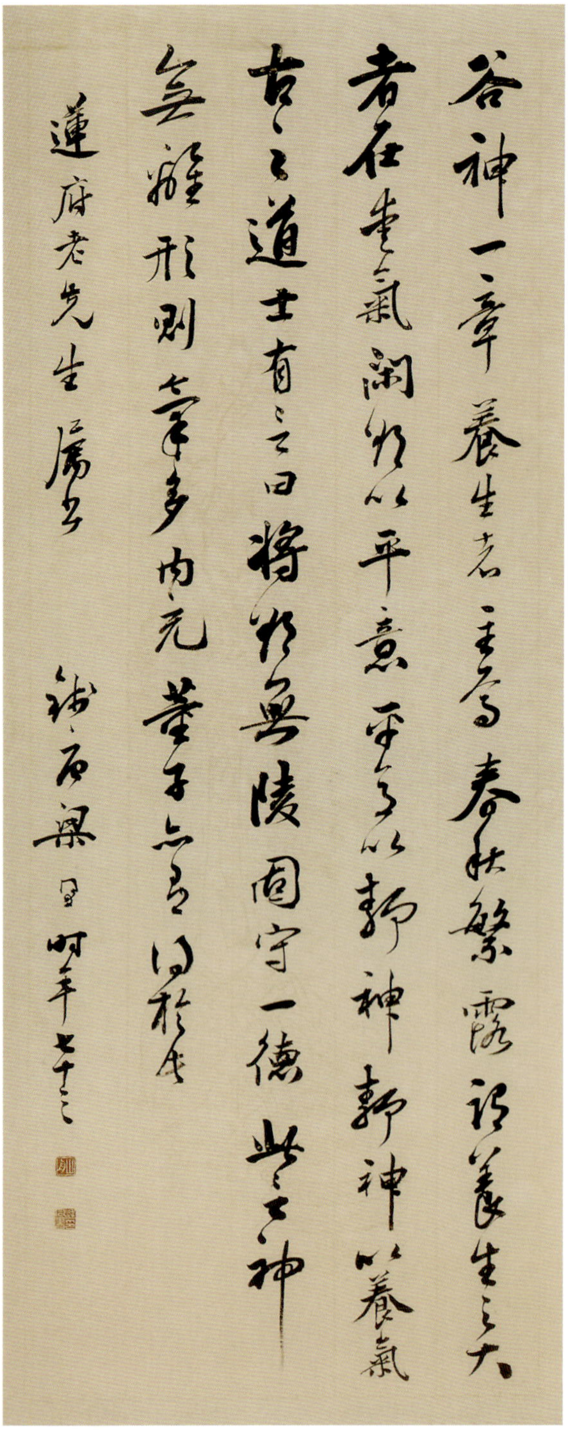

論谷神章

清

梁同書

高112.9、寬45.8厘米。

紙本。

現藏上海博物館。

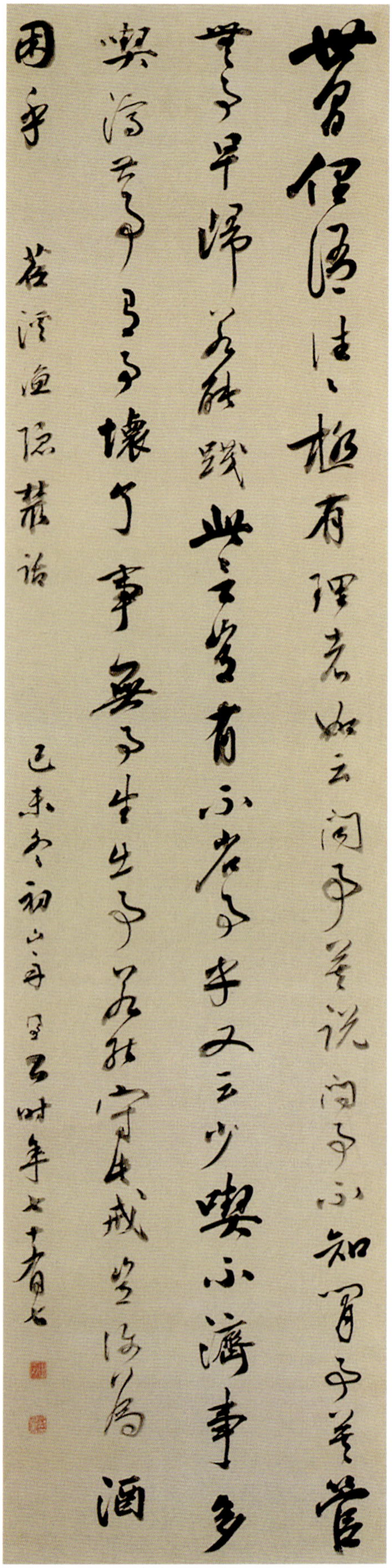

苕溪漁隱叢話

清

梁同書

高130.3、寬34.5厘米。

紙本。

現藏故宫博物院。

錢大昕（公元1728－1804年）

嘉定（今屬上海）人。字及之、曉徵，號辛楣、竹汀。乾隆十九年（公元1754年）進士，官至少詹事。長于考證，是乾嘉學派的代表學者之一。

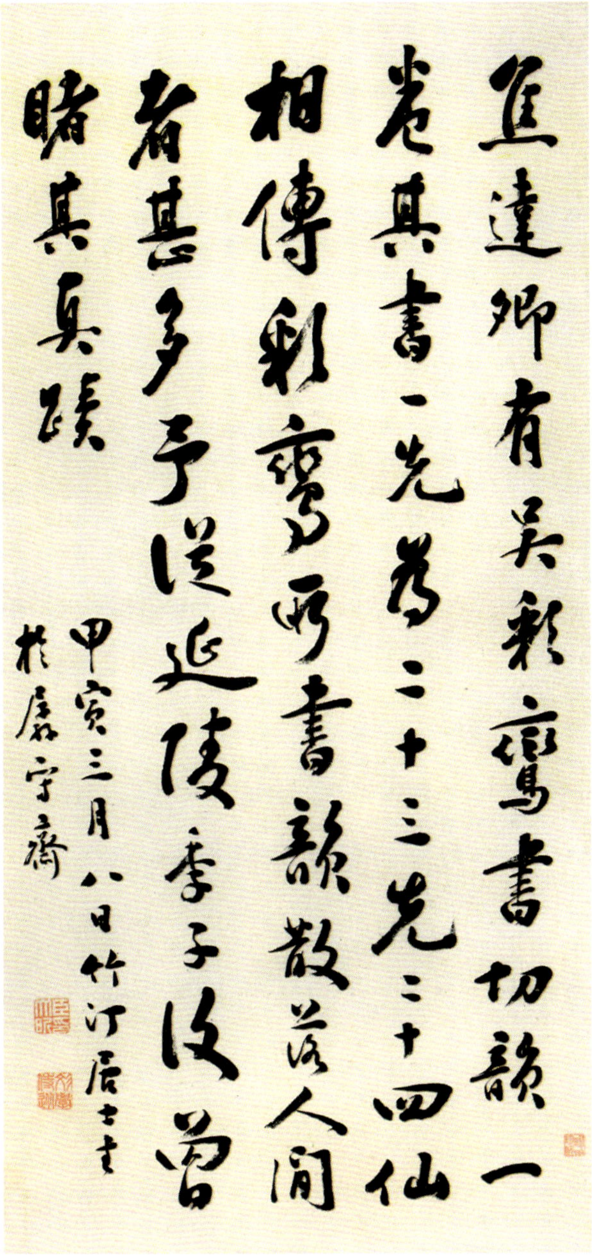

跋記

清

錢大昕

高98.3、寬48厘米。

紙本。

現藏故宫博物院。

王文治（公元1730－1802年）

丹徒（今江蘇鎮江）人。字禹卿，號夢樓。乾隆二十五年（公元1760年）探花，官翰林院侍讀，出爲雲南姚安府知府。工書法，喜用淡墨，爲“清四家”之一。著有《夢樓詩集》和《賞雨軒題跋》。

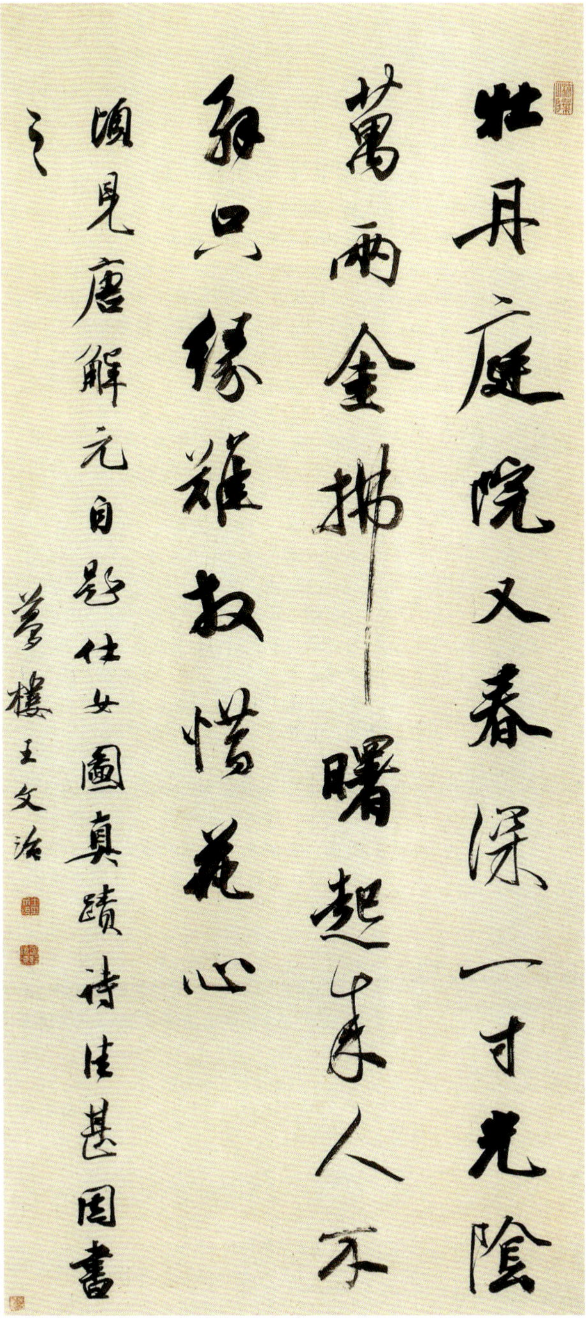

七言絶句

清

王文治

高138、寬57厘米。

紙本。

現藏浙江省杭州市西泠印社。

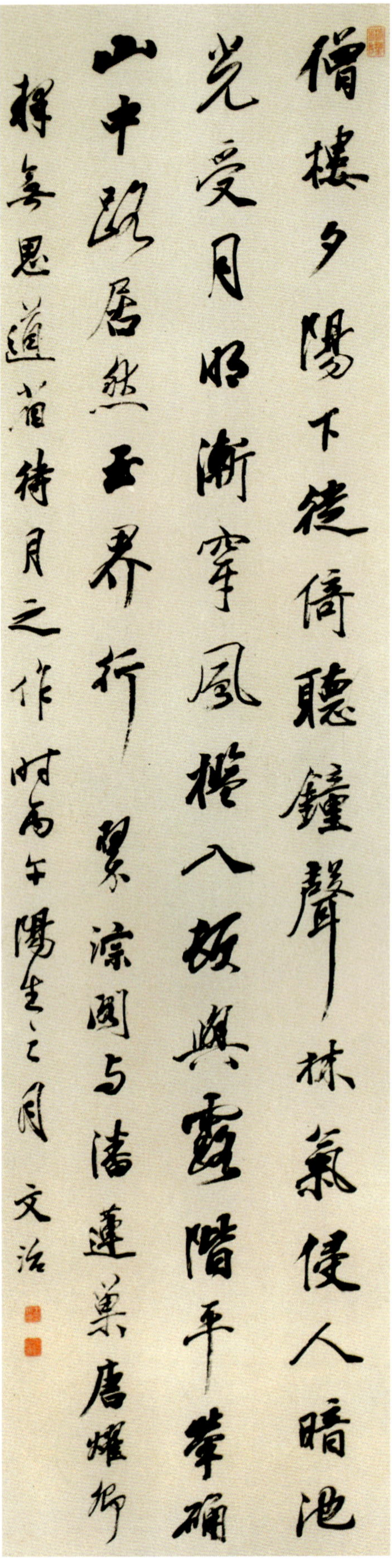

待月之作

清

王文治

高172.9、寬44.3厘米。

紙本。

現藏故宮博物院。

五言詩

清

王文治

高129.8、寬45.2厘米。

紙本。

現藏故宮博物院。

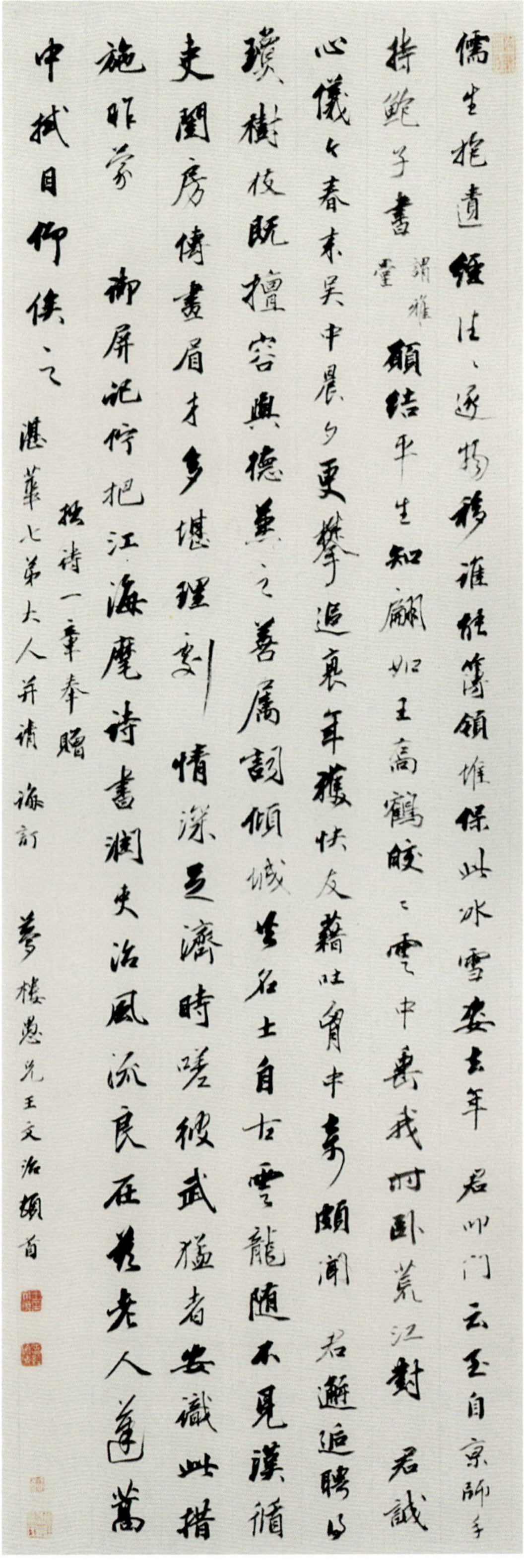

姚 鼐（公元1731－1815年）

桐城（今屬安徽）人。字姬傳，號惜抱。著名文學家。

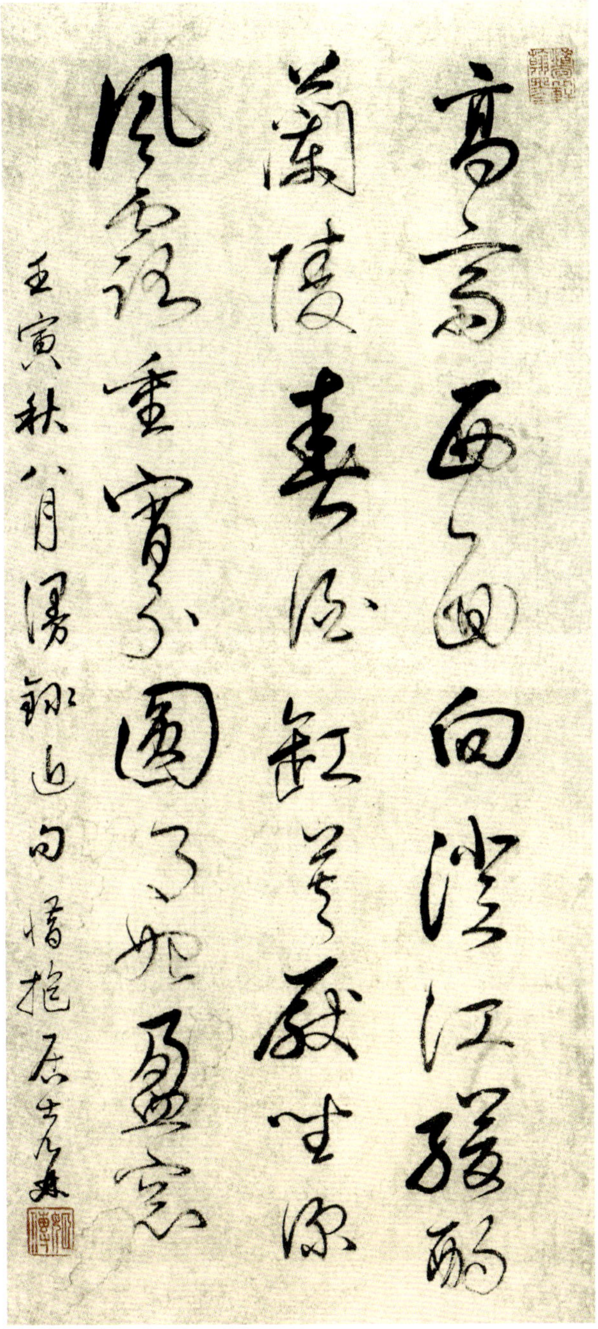

七言絕句
清
姚鼐
高82.6、寬37.4厘米。
紙本。
現藏湖北省博物館。

翁方綱（公元1733－1818年）

直隸大興（今屬北京）人。字正三，一字忠叙，號覃溪，晚號蘇齋。乾隆十七年（公元1752年）進士，官至内閣學士。工書法，其書法學古法，爲“清四家”之一。著有《兩漢金石記》、《粵東金石略》和《蘇米齋蘭亭考》等。

七言絕句
清
翁方綱
高127、寬30.5厘米。
紙本。
現藏上海博物館。

段玉裁（公元1735－1815年）

金壇（今屬江蘇）人。字若膺，號懋堂。清代著名樸學大師，“乾嘉學派”代表人物。工書法，善篆書和行書。

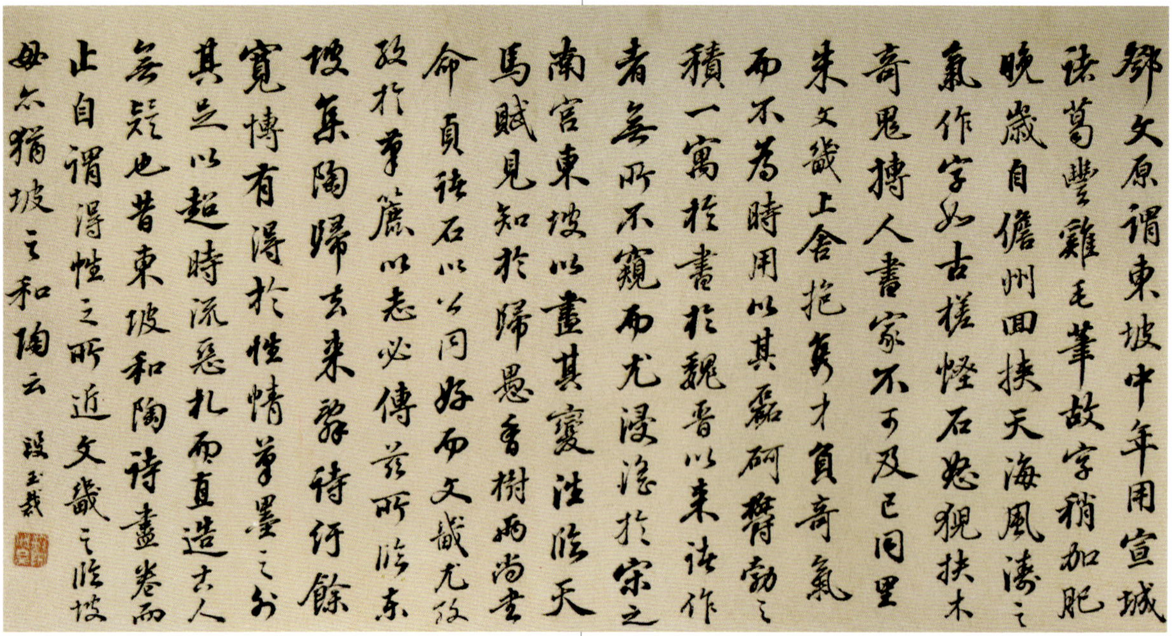

論書一則

清
段玉裁
高23、寬45厘米。
紙本。
現藏江蘇省常州博物館。

桂馥（公元1736－1805年）

曲阜（今屬山東）人。字冬卉，未谷，號雩門，晚號老苔。精于碑版考證。善隸書。

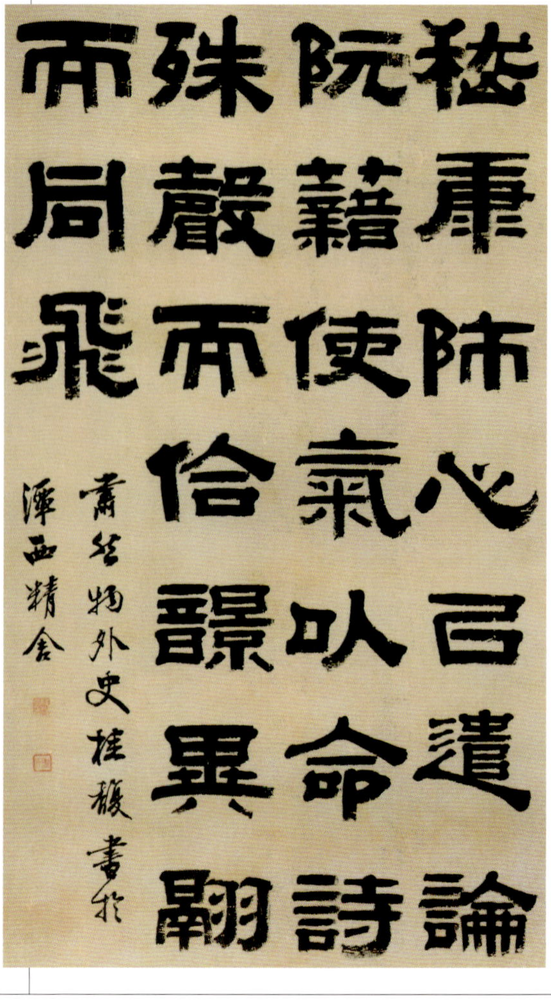

語摘

清
桂馥
高116.5、寬67.5厘米。
紙本。
現藏天津博物館。

語摘

清
桂馥
高84、寬41.5厘米。
紙本。
現藏故宮博物院。

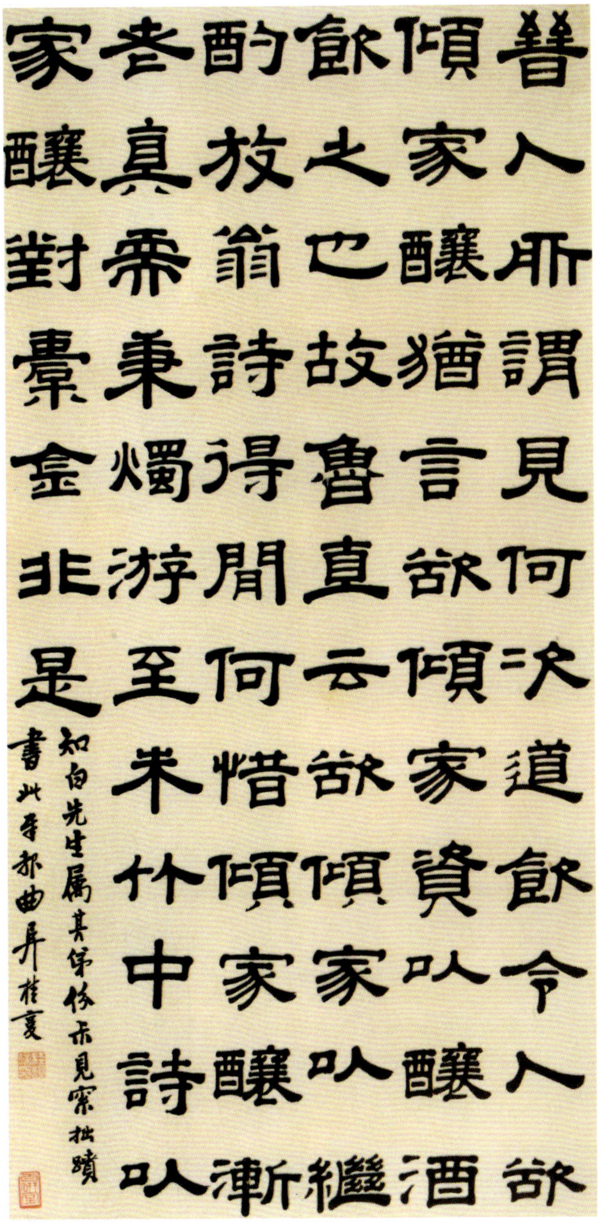

錢灃（公元1740－1795年）

昆明（今屬雲南）人。字東注，號南園。乾隆三十六年（公元1771年）進士。書法學顏真卿。

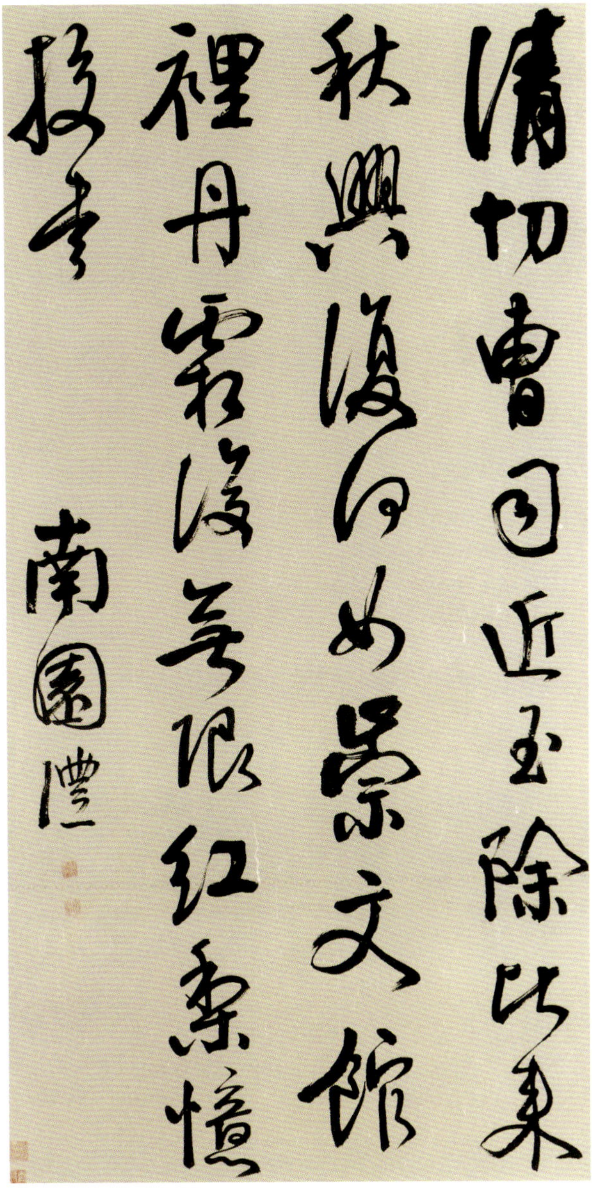

七絶詩

清
錢灃
高133.1、寬67.8厘米。
紙本。
現藏上海博物館。

書課文

清

錢灃

高57、寬22厘米。

紙本。

現藏山西博物院。

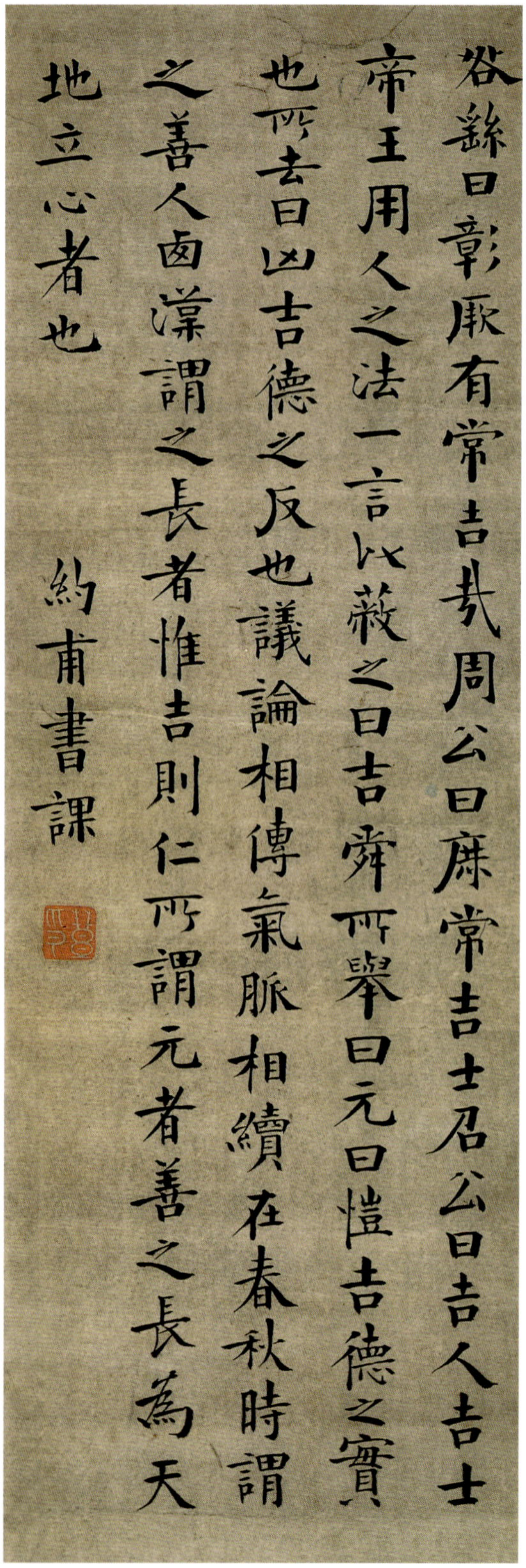
咎繇曰彰厥有常吉哉周公曰庶常吉士召公曰吉人吉士
帝王用人之法一言以蔽之曰吉舜所舉曰元曰愷吉德之實
也所去曰凶吉德之反也議論相傳氣脈相續在春秋時謂
之善人兩漢謂之長者惟吉則仁所謂元者善之長為天
地立心者也
約甫書課

鄧石如（公元1743－1805年）

懷寧（治今安徽安慶）人。原名琰，字頑伯，號完白，又號完白山人、古浣子、笈游道人和鳳水漁長等。工書法，好篆刻。經自學而成碑學巨擘，對碑學有着不可磨滅的貢獻。有《完白山人篆刻偶存》等傳世。

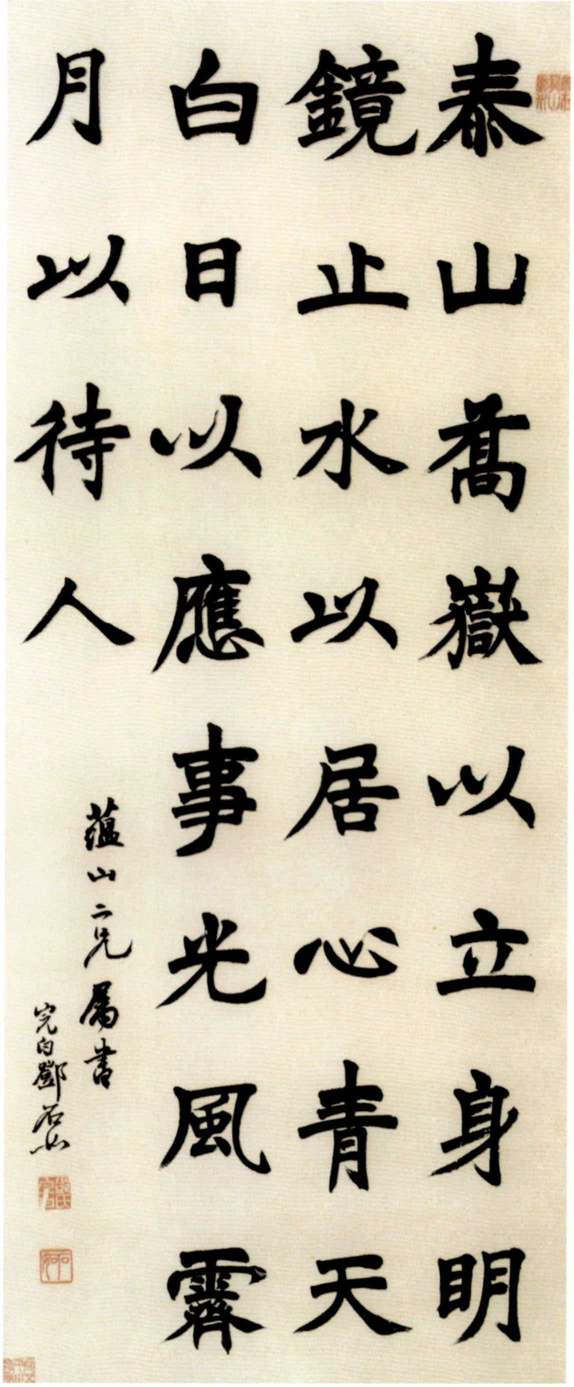
泰山喬嶽以立身
明鏡止水以居心
青天白日以應事
光風霽月以待人
蘊山二兄屬書
完白鄧石如

警語

清

鄧石如

高94.5、寬39.5厘米。

紙本。

現藏故宮博物院。

警語

清

鄧石如

高116.7、寬34.5厘米。

紙本。

現藏故宮博物院。

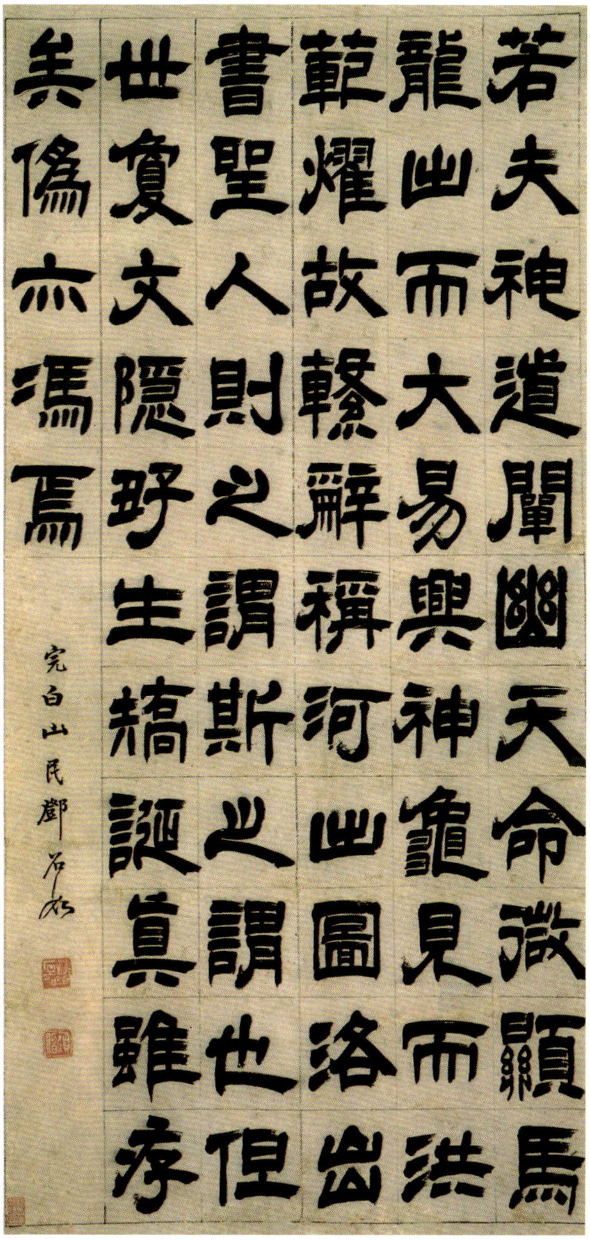

節文心雕龍正緯

清

鄧石如

高90、寬44.5厘米。

紙本。

現藏廣東省博物館。

山居早起詩

清
鄧石如
紙本。
現藏日本。

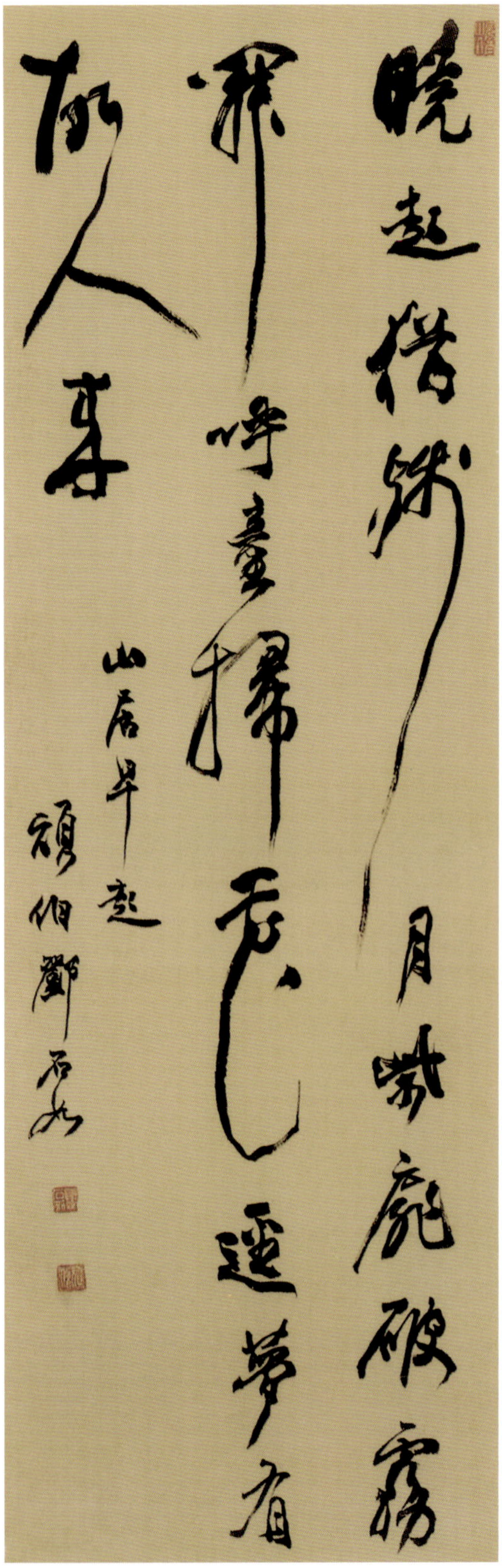

蔣仁（公元1743－1795年）

仁和（今浙江杭州）人。原名泰，字階平，號山堂、吉羅居士等。“西泠八家”之一，工書畫、篆刻。

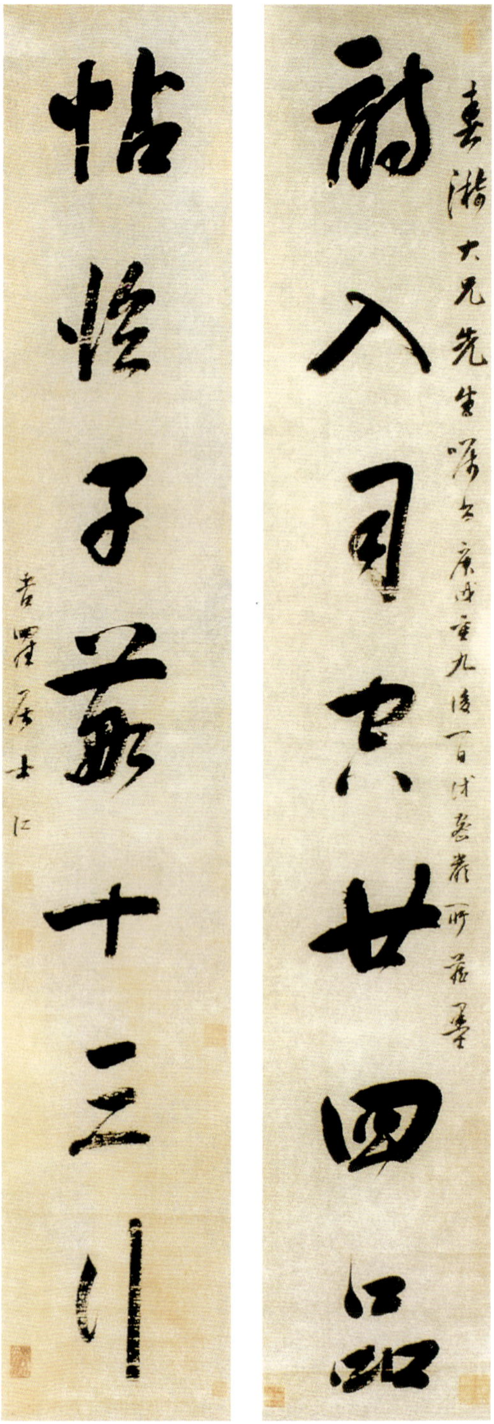

七言聯

清
蔣仁
高130.4、寬26厘米。
紙本。
現藏私人處。

黄易（公元1744－1802年）

杭州（今屬浙江）人。字大易，號小松、秋盦、秋景盦主等。擅隸書，精金石考證。著有《小蓬萊閣金石小字》和《嵩洛訪碑記》等。與丁敬并稱“丁黄”，爲“西泠八家”之一。

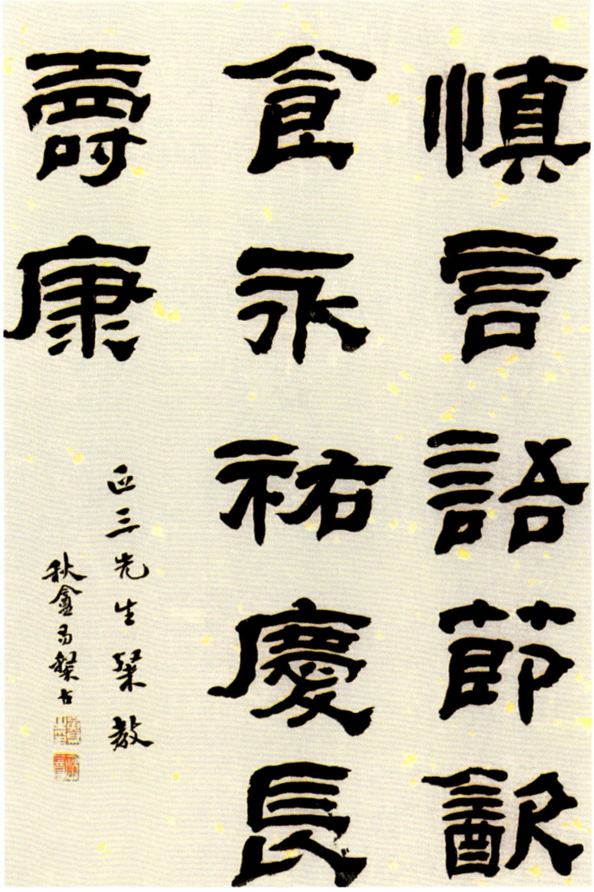

警語

清

黄易

高59.5、寬39.9厘米。

紙本。

現藏上海博物館。

摹婁壽碑九十二字（右圖）

清

黄易

高102、寬30厘米。

紙本。

現藏故宫博物院。

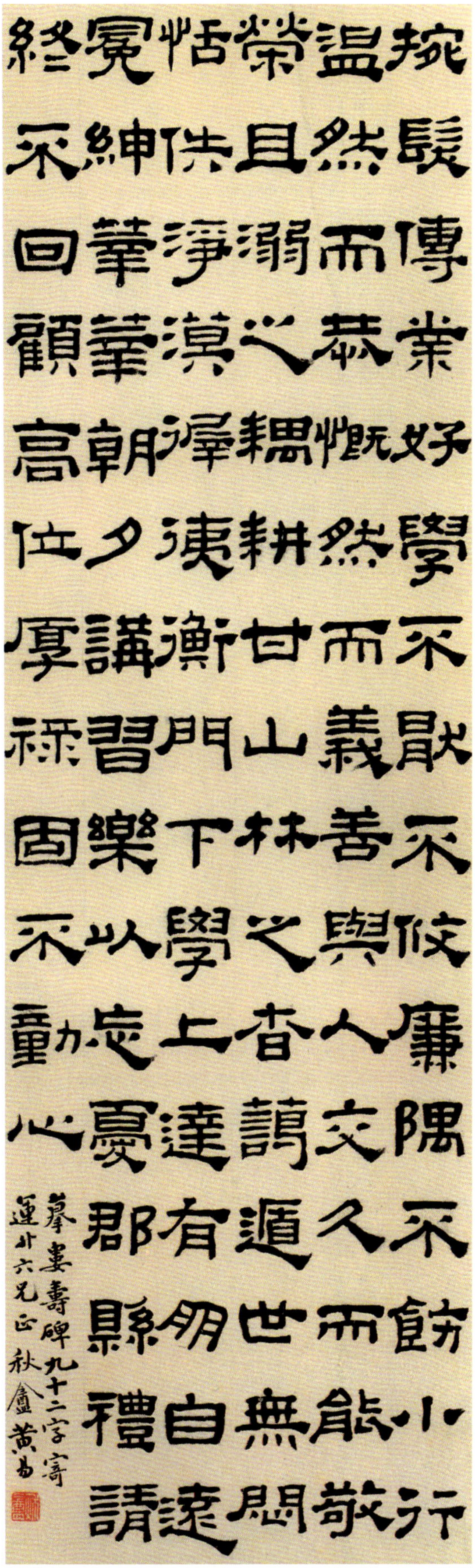

錢坫（公元1744－1806年）

嘉定（今屬上海）人。字獻之，號十蘭。錢大昕之侄。善篆書，尤工小篆，書法宗李斯及李陽冰。著有《史記補注》和《爾雅釋義》等。

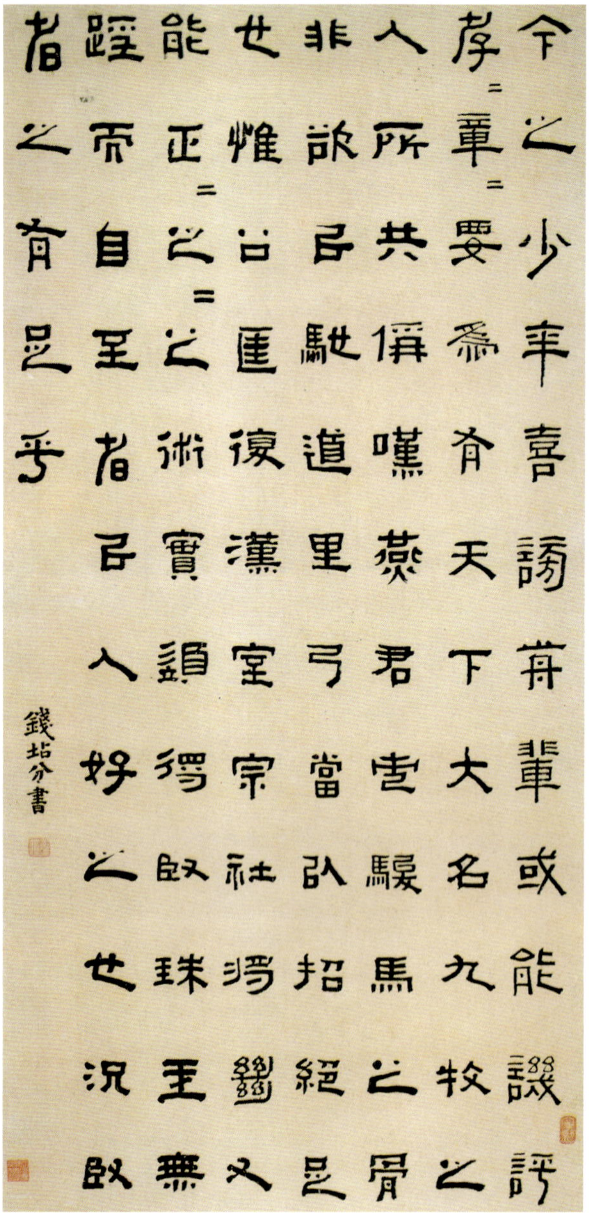

語摘

清

錢坫

高112.5、寬56.1厘米。

紙本。

現藏四川博物院。

菩薩蠻詞

清

錢坫

高169.5、寬57厘米。

紙本。

現藏浙江省杭州市西泠印社。

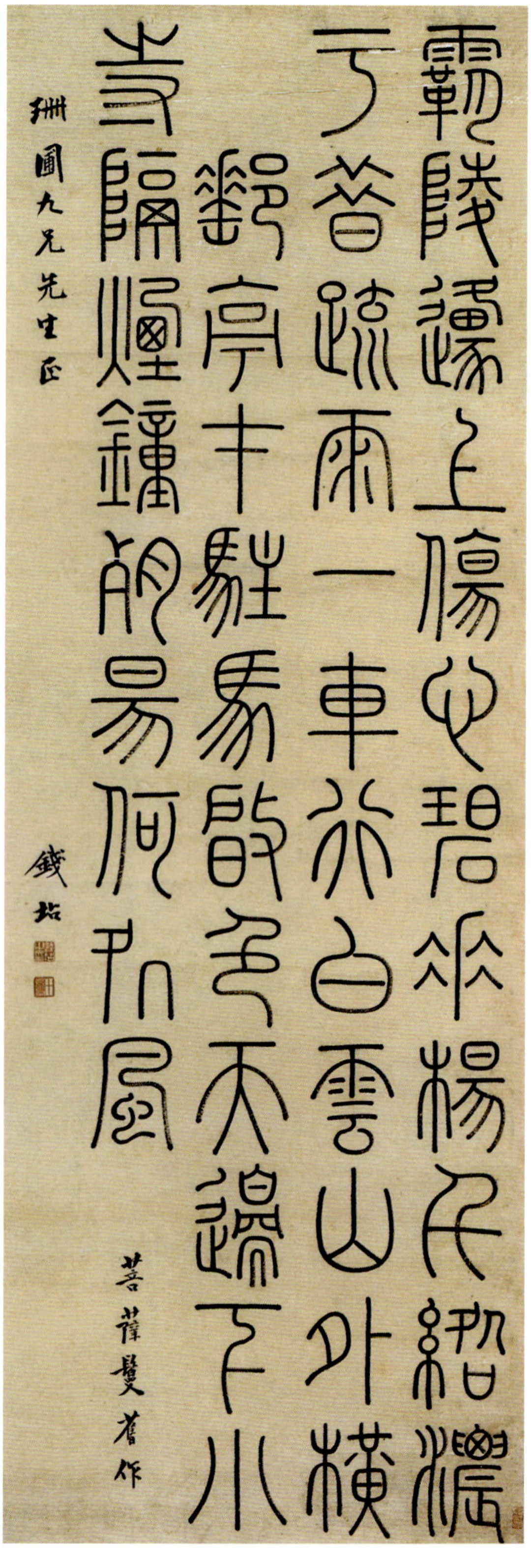

巴慰祖（公元1744－1793年）

歙縣（今屬安徽）人。字予籍，一字子安。號雋堂。官候補中書。工書善印，以隸書見長。

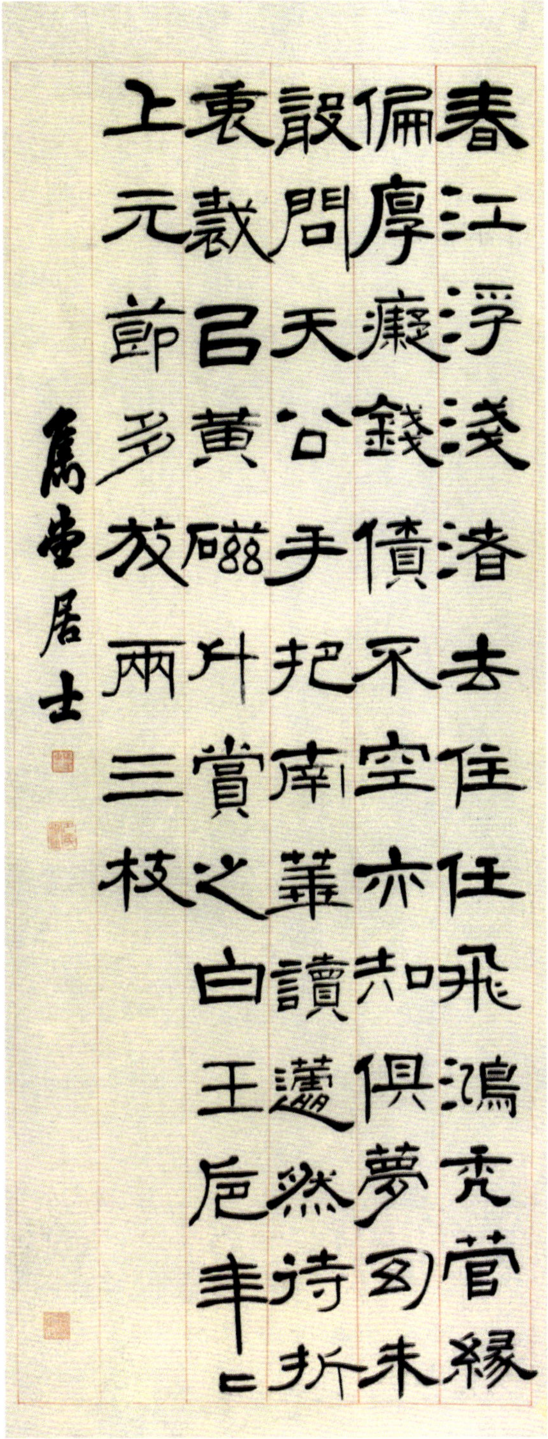

五言詩

清
巴慰祖
高125、寬48.3厘米。
紙本。
現藏故宮博物院。

隸書屏

清
巴慰祖
高154、寬22.5厘米。
紙本。四屏條，選二屏。
現藏安徽省博物館。

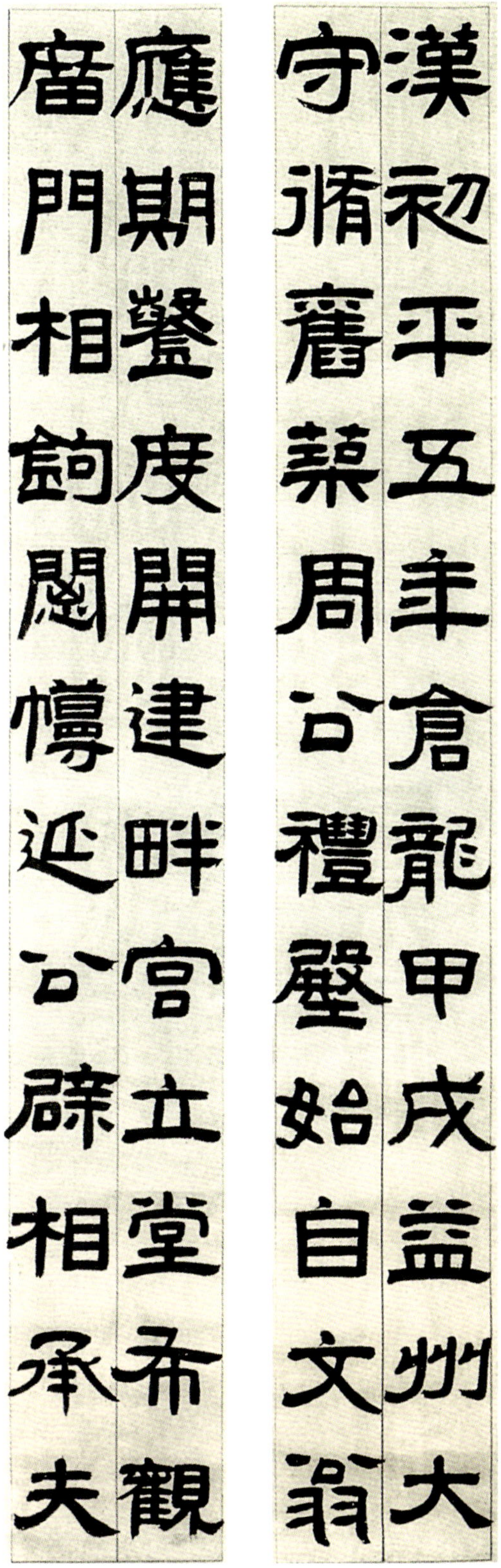

洪亮吉（公元1746－1809年）

陽湖（今江蘇常州）人。原名禮吉，字稚存，號北江，又號更生居士。乾隆五十五年（公元1790年）進士，官編修，後因言事獲罪，發配伊犁，五年後赦歸。工書法，善篆、隸。著有《春秋左傳詁》和《北江詩話》等。

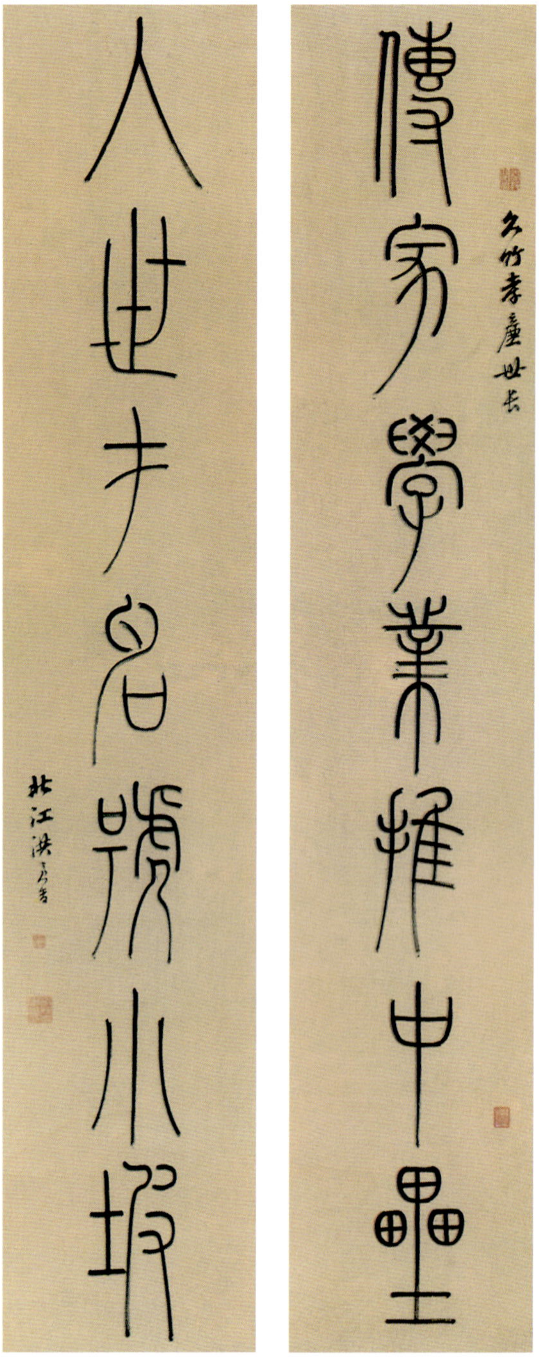

七言聯

清
洪亮吉
高132.5、寬26.2厘米。
紙本。
現藏四川博物院。

書札

清
洪亮吉
高26.5厘米。
紙本。此選爲局部。
現藏上海博物館。

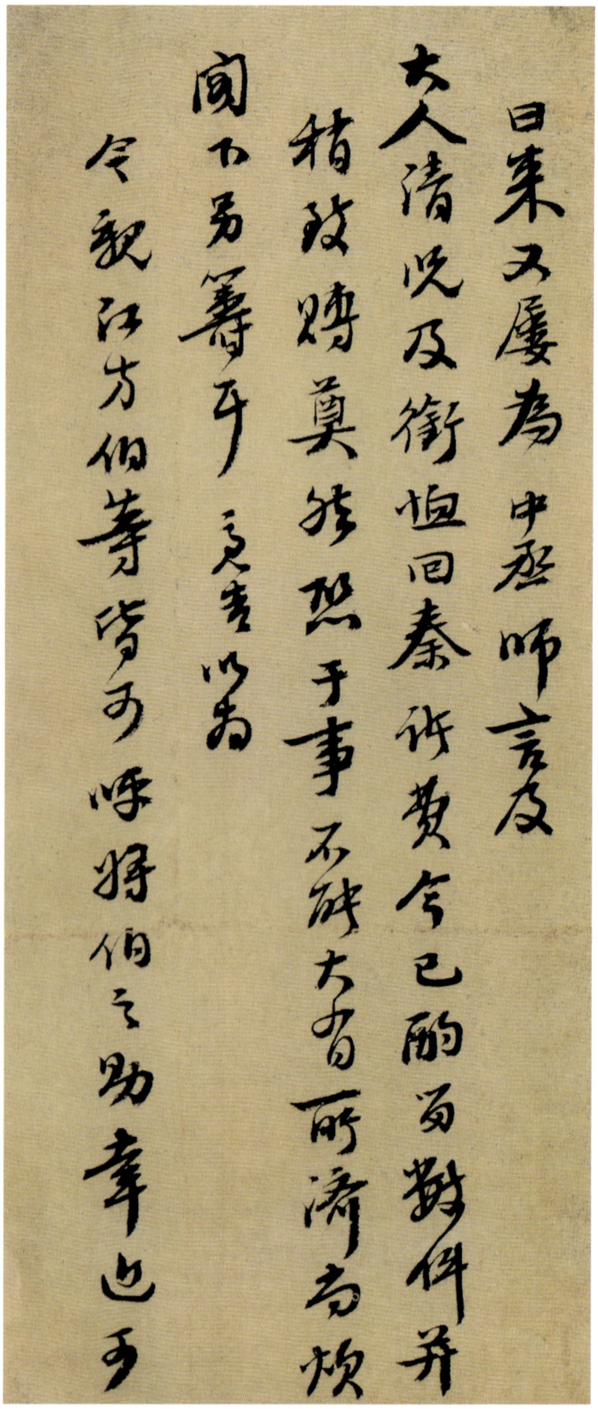

奚岡（公元1746－1803年）

原籍歙縣（今屬安徽），寓居杭州（今屬浙江）。原名鋼，字鐵生、純章，號蘿龕。擅篆刻和書畫。

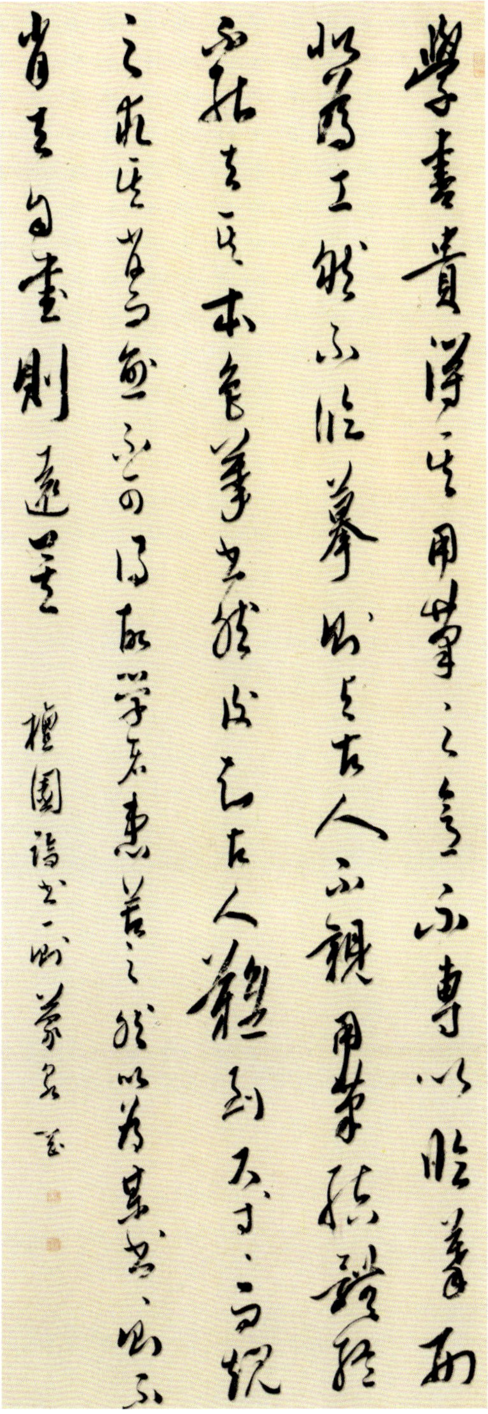

檀園論書一則

清

奚岡

高135.6、寬49厘米。

紙本。

現藏上海博物館。

黎簡（公元1747－1799年）

順德（今屬廣東佛山）人。字簡民，一字未裁。號二樵山人、狂簡。善書法、篆刻。

五言聯

清

黎簡

高87、寬17厘米。

紙本。

現藏上海朵雲軒。

永瑆（公元1752－1823年）

字鏡泉，號少庵、詒晋齋主人。高宗（弘曆）十一子，乾隆年間封成親王。書法精楷、行二體，爲“乾隆四家”之一。著有《詒晋齋詩文集》等。

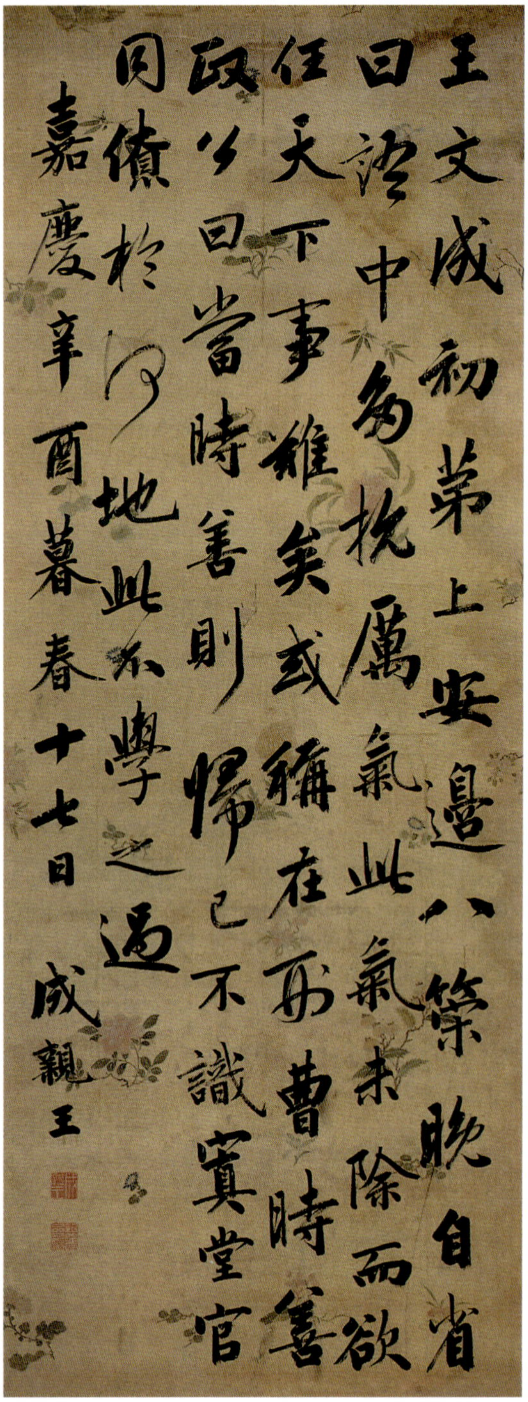

語摘

清

永瑆

高149、寬59厘米。

絹本。

現藏瀋陽故宫博物院。

詞林典故序

清

永瑆

高186.4、寬81.8厘米。

絹本。

現藏故宫博物院。

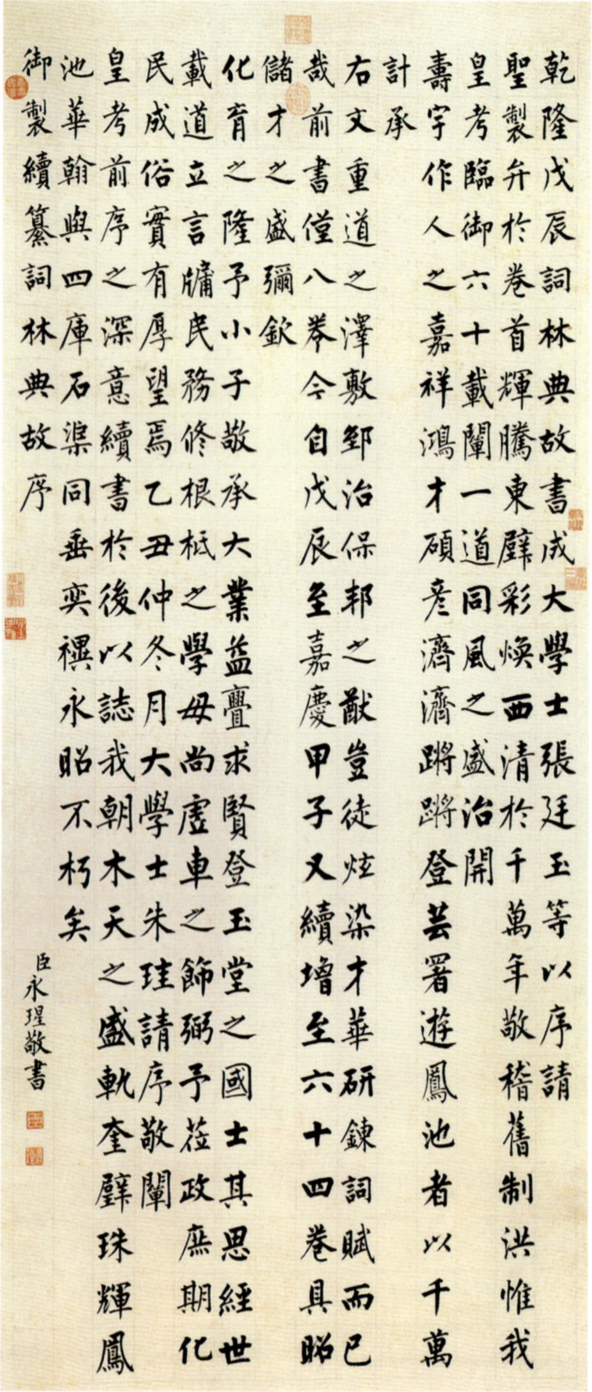

鐵保（公元1752－1824年）

滿洲正黄旗人。字冶亭，號梅庵、懷清齋、鐵卿，姓棟鄂氏。乾隆三十七年（公元1772）進士，嘉慶時官兩江總督，後官至吏部尚書。善畫梅，工書法，爲“乾隆四家”之一。著有《懷清齋全集》等，刻有《懷清齋帖》。

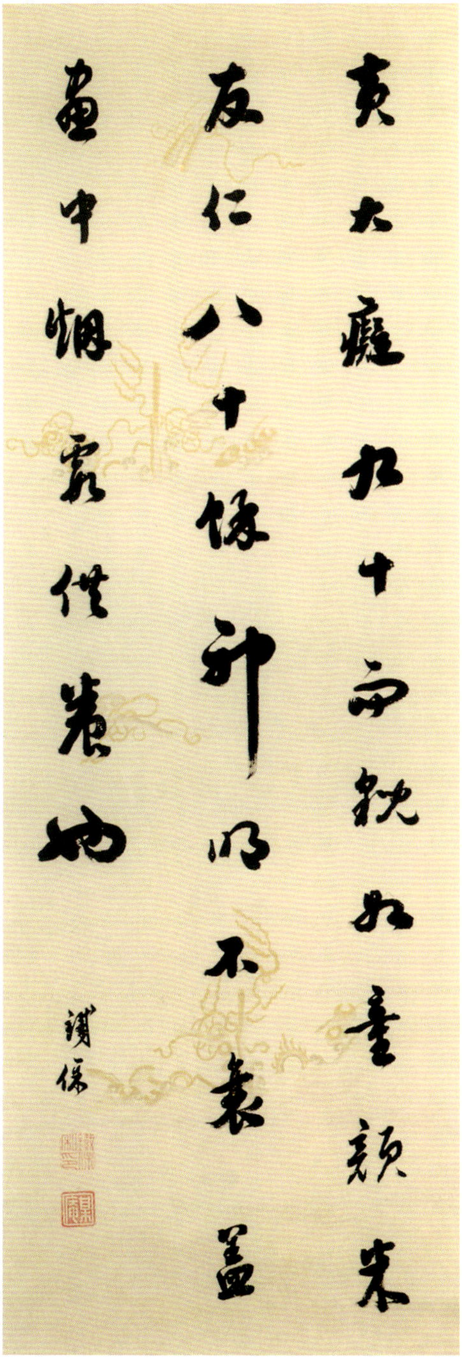

語摘
清
鐵保
高113.7、寬39.8厘米。
紙本。
現藏故宫博物院。

語摘
清
鐵保
高107、寬41厘米。
紙本。
現藏首都博物館。

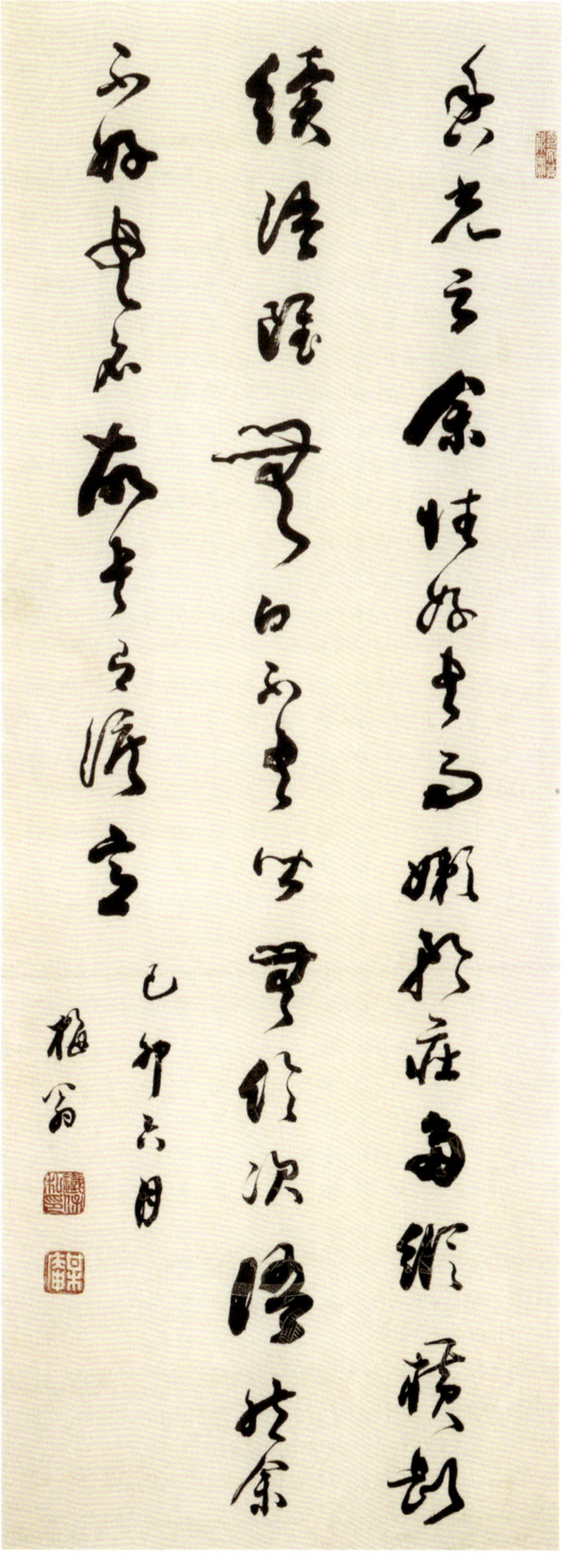

孫星衍（公元1753－1818年）

陽湖（今江蘇常州）人。字伯淵、淵如，號妾逑，又號薇隱。著述甚豐。書法以隸、篆爲最佳。

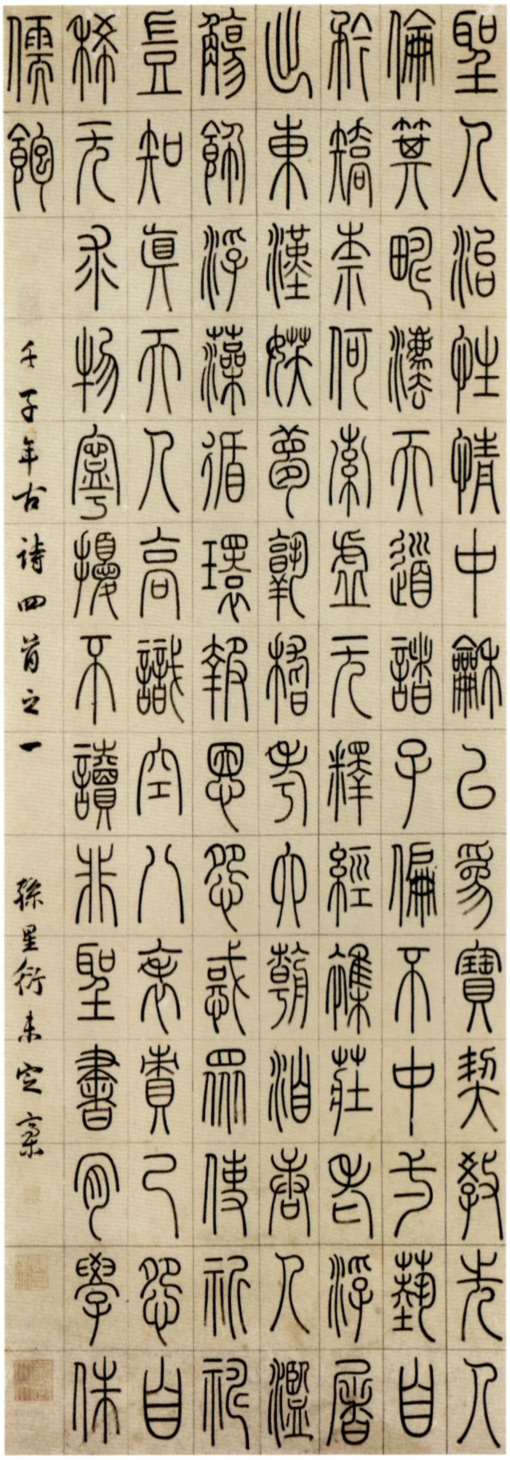

五言古詩
清
孫星衍
高163.4、寬60厘米。
紙本。
現藏故宮博物院。

伊秉綬（公元1754－1815年）

寧化（今屬福建）人。字組似，號墨卿、墨庵。官至揚州知府。善書法，以隸書最負盛名，爲“乾嘉八隸”之首。

五言聯
清
伊秉綬
高109.3、寬25.3厘米。
紙本。
現藏故宮博物院。

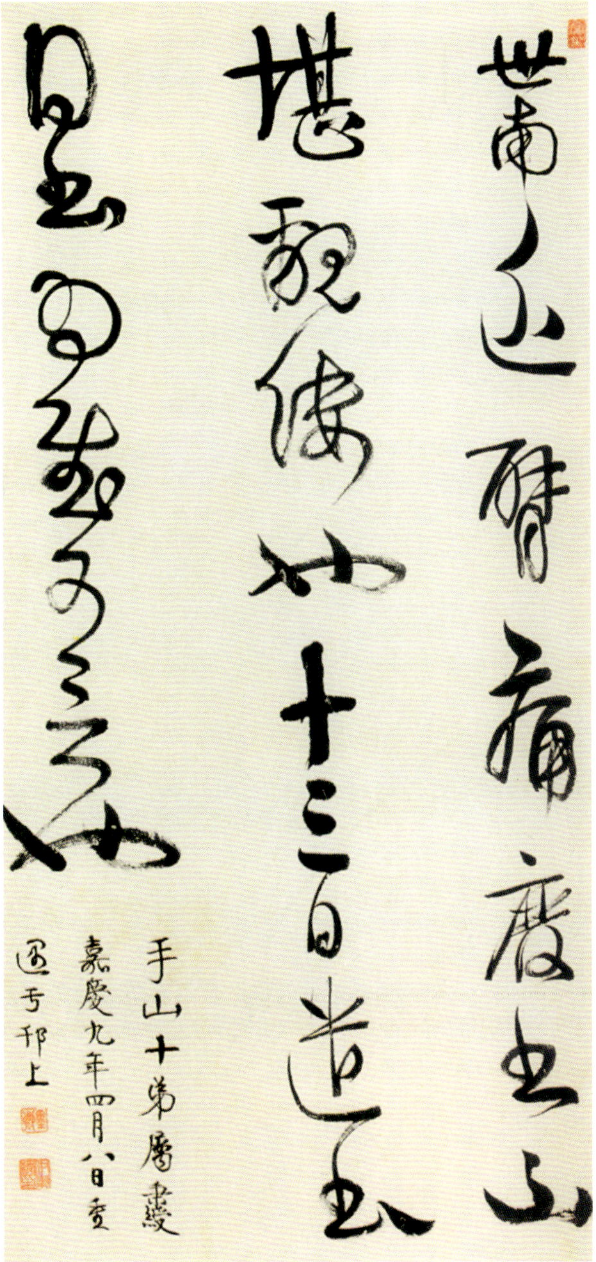

臨古法帖

清

伊秉綬

高93.5、寬43.8厘米。

紙本。

現藏故宮博物院。

語摘

清

伊秉綬

高172、寬62.8厘米。

紙本。

現藏故宮博物院。

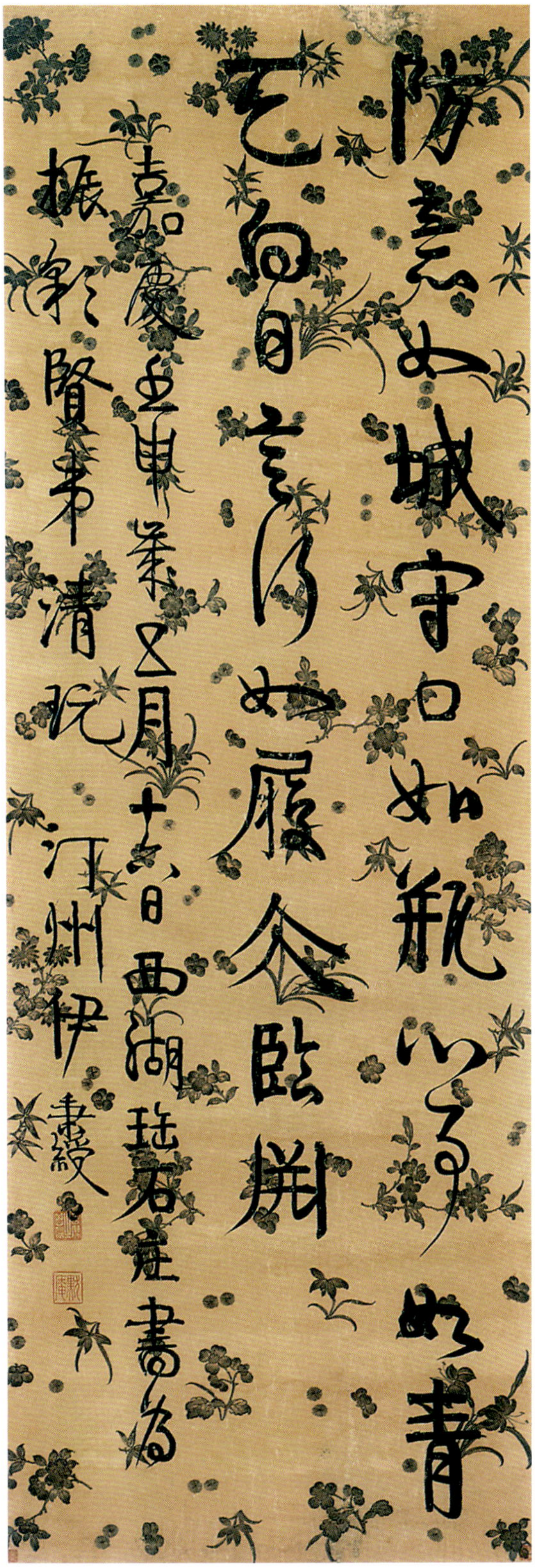

錢泳（公元1759－1844年）

金匱（今江蘇無錫）人。原名鶴，字立群，號梅溪。善篆、隸，精鎸碑版。著有《履園從話》、《履園譚詩》等。

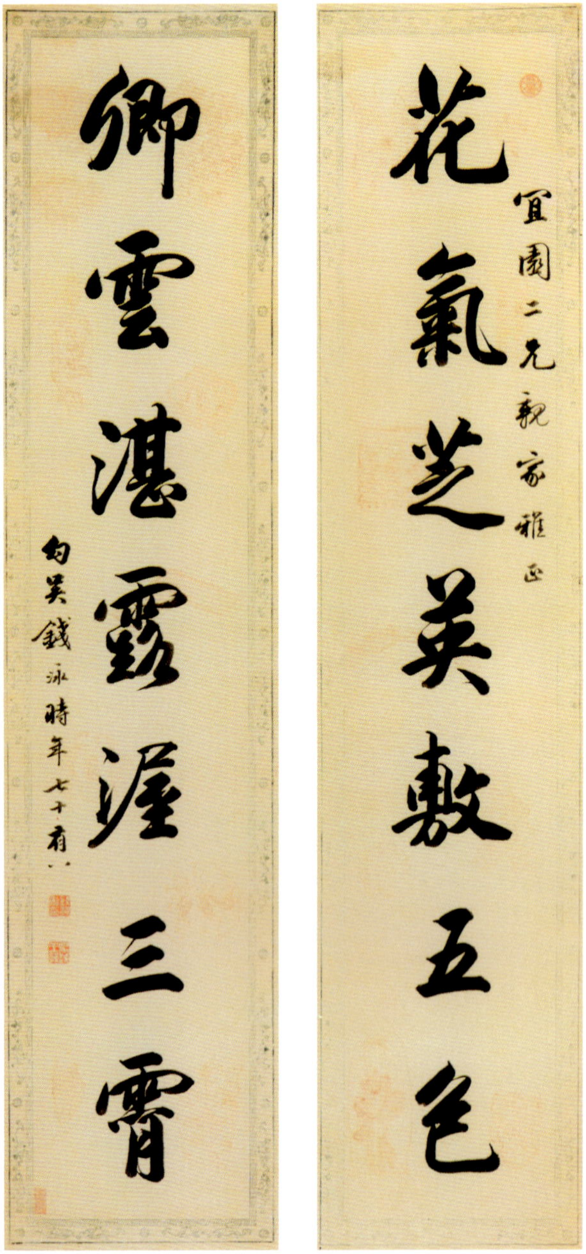

七言聯

清
錢泳
高132、寬29厘米。
紙本。
現藏上海朵雲軒。

張問陶（公元1764－1814年）

遂寧（今屬四川）人。字仲冶，號船山。乾隆五十五年（公元1790年）進士，官萊州知府。工書法，善楷、行、草三體。

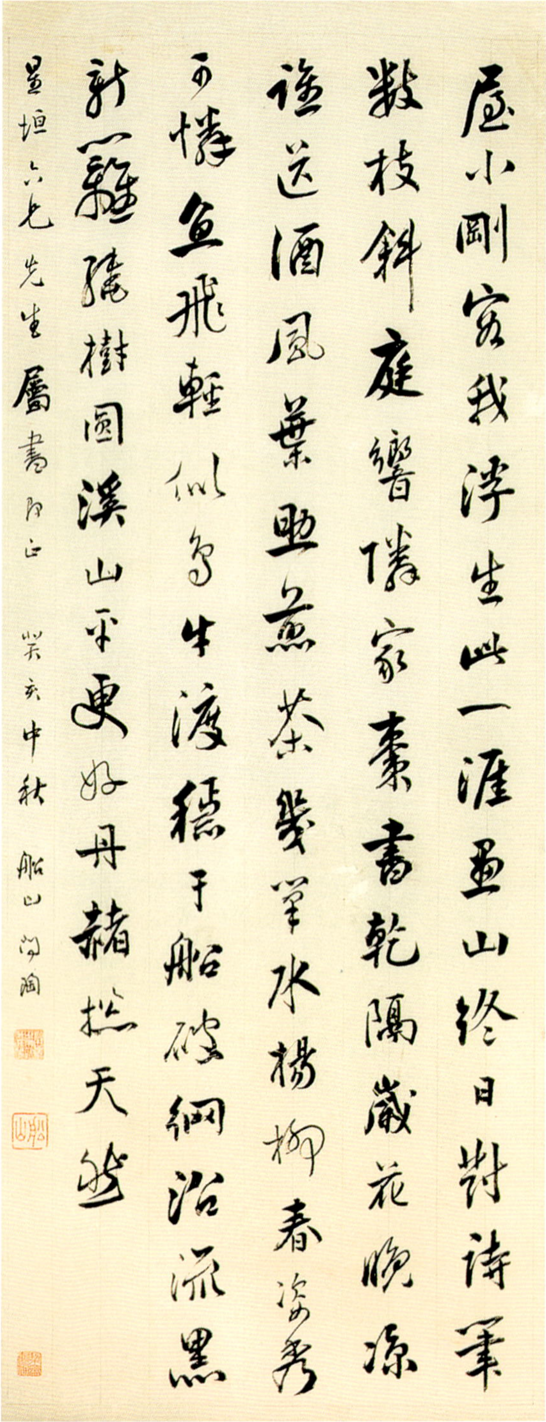

五言詩二首

清
張問陶
高106、寬42厘米。
紙本。
現藏廣東省深圳博物館。

七言絶句

清
張問陶
高121.7、寬36.5厘米。
紙本。
現藏故宫博物院。

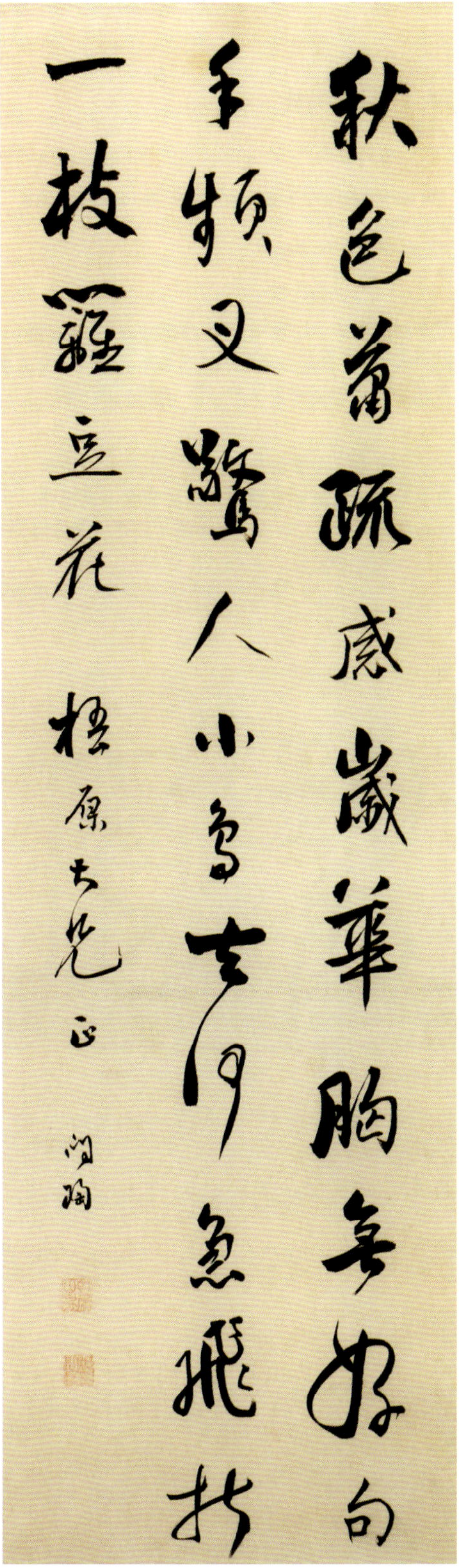

阮元（公元1764－1849年）

儀徵（今屬江蘇）人。字伯元，號芸臺，又號雷塘庵主，晚號怡性老人等。乾隆五十四年（公元1789年）進士，官至體仁閣大學士，曾歷任地方大員，謚文達。工詩文，精鑒金石書畫。其書法宗北碑，善篆、隸、行、楷。著有《疇人傳》、《皇清碑版録》和《兩浙金石志》等。論文之作有《南北書派論》和《北碑南帖論》，爲碑學之首倡。

五言聯

清
阮元
高133.9、寬29.6厘米。
紙本。
現藏故宫博物院。

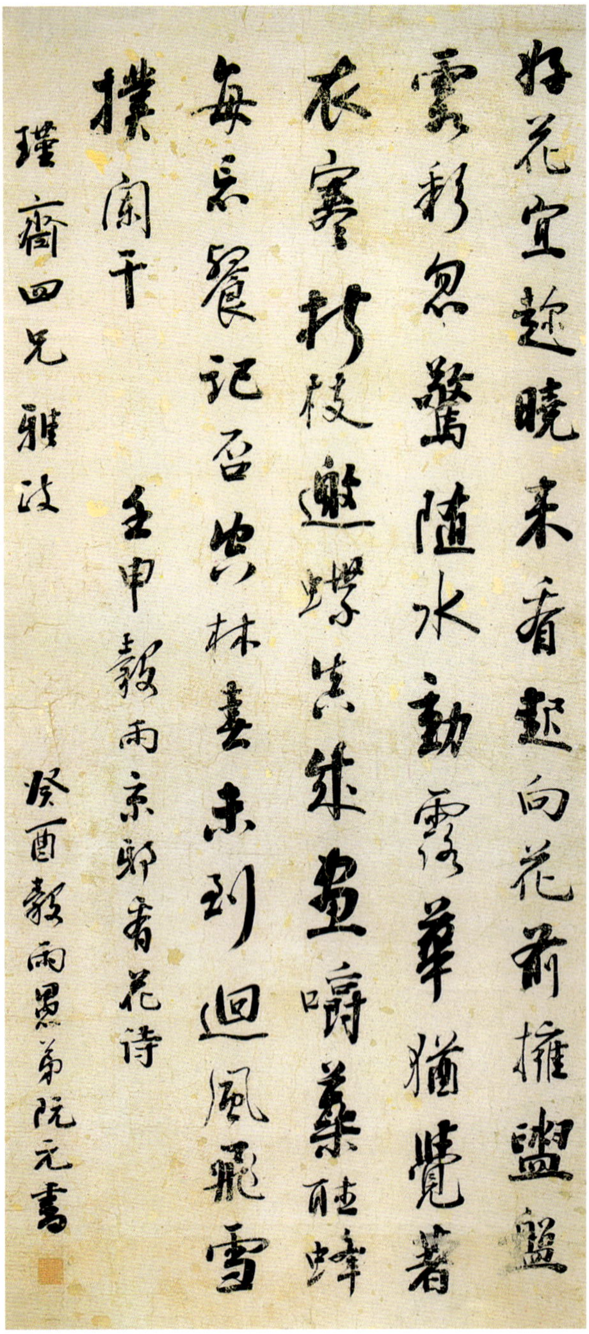

京邸看花詩

清
阮元
高127.3、寬59.4厘米。
紙本。
現藏四川博物院。

陳鴻壽（公元1768－1822年）

錢塘（今浙江杭州）人。字子恭，號曼生。擅詩文，工書畫和篆刻。

七言聯

清
陳鴻壽
高124、寬25.5厘米。
紙本。
現藏首都博物館。

七言聯

清
陳鴻壽
高132.5、寬26厘米。
紙本。
現藏湖北省博物館。

張廷濟（公元1768－1848年）

嘉興（今屬浙江）人。字順安，一字説舟，號叔未、竹田，又號海岳。工書善畫，書法諸體皆工。

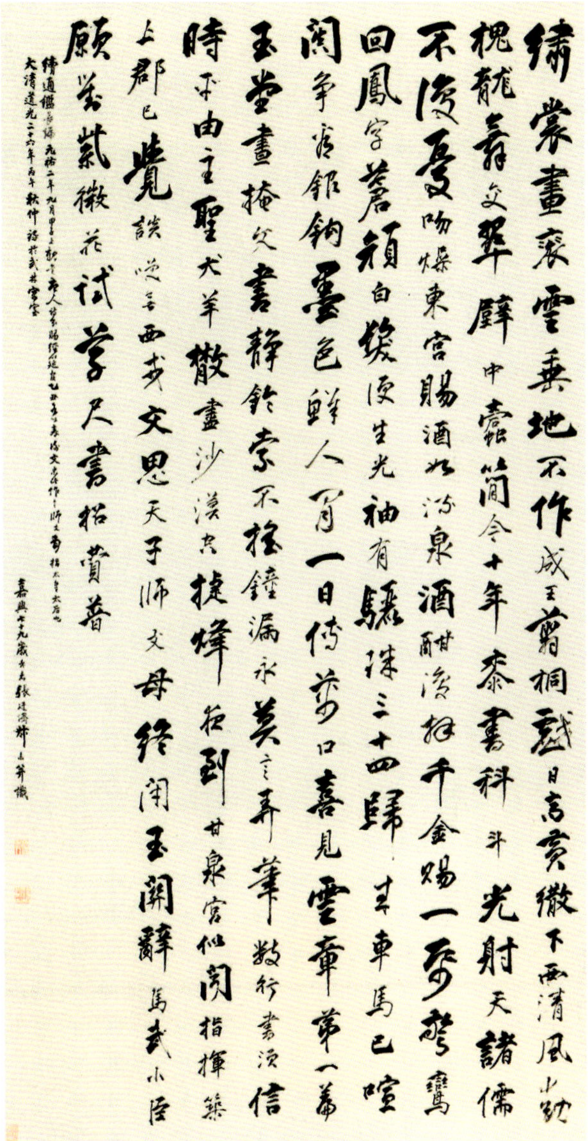

七言詩

清
張廷濟
高177.6、寬93.1厘米。
紙本。
現藏上海博物館。

臨史頌鼎銘

清

張廷濟

高137.3、寬30.9厘米。

紙本。

現藏故宮博物院。

李兆洛（公元1769－1841年）

常州（今屬江蘇）人。字申耆，號紳綺、養一老人。擅書法，尤工行書。著有《養一齋文集》。

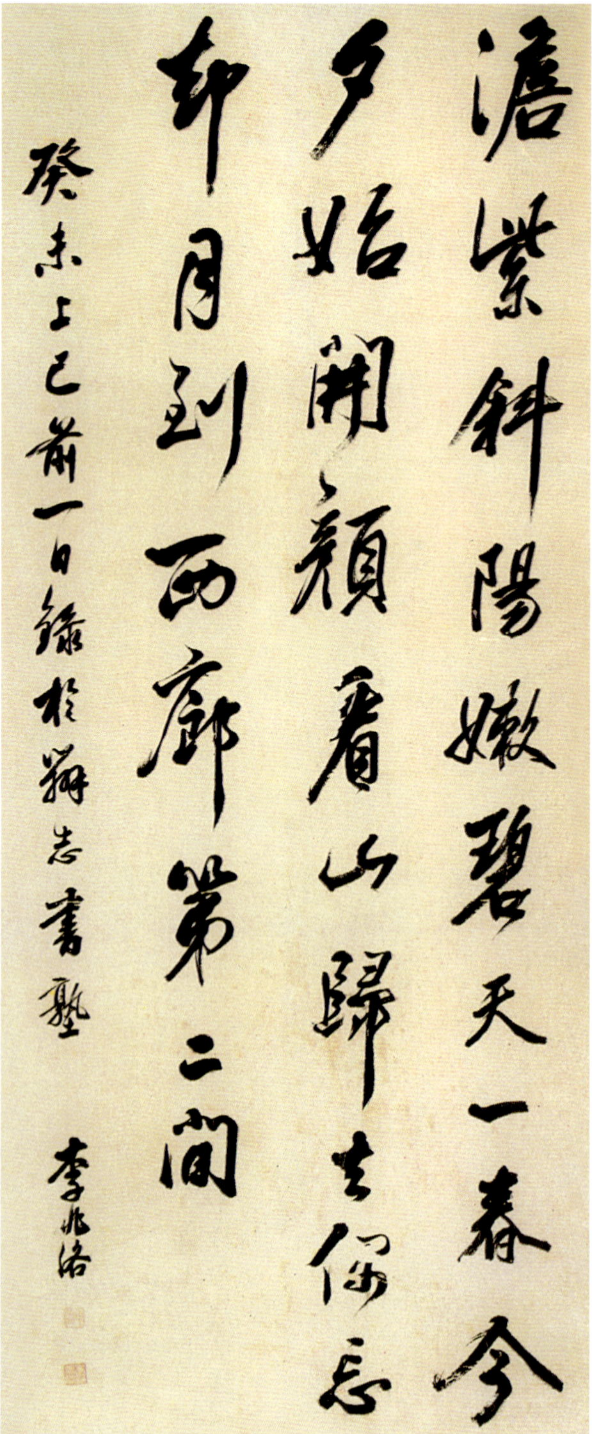

七絶

清

李兆洛

高131、寬55厘米。

紙本。

現藏江蘇省常州博物館。

吴榮光（公元1773－1843年）

南海（治今廣東廣州）人。字伯榮，號荷屋，又號石雲山人。嘉慶四年（公元1799年）進士，道光間官至湖南巡撫兼署湖廣總督。工書法，精鑒賞。著有《筠清館金石録》等。刻有《筠清館法帖》。

十一字聯
清
吴榮光
高181.8、寬36.7厘米。
紙本。
現藏吉林省博物院。

包世臣（公元1775－1855年）

涇縣（今屬安徽）人。字慎伯，號倦翁、小倦游閣外史。涇縣古稱“安吴”，故人稱“包安吴”。擅書法，于理論上竭力提倡碑學，促成了中國書法史上的“乾嘉之變”，對後來書風的變革起到了重大影響，著有《安吴四種》，其中《藝舟雙楫》下篇爲書法理論著作，歷來備受學者推重。

華亭題魯公書絶句
清
包世臣
高137.5、寬61.5厘米。
紙本。
現藏中國國家博物館。

語摘

清

包世臣

高171.2、寬83.6厘米。

綾本。

現藏上海博物館。

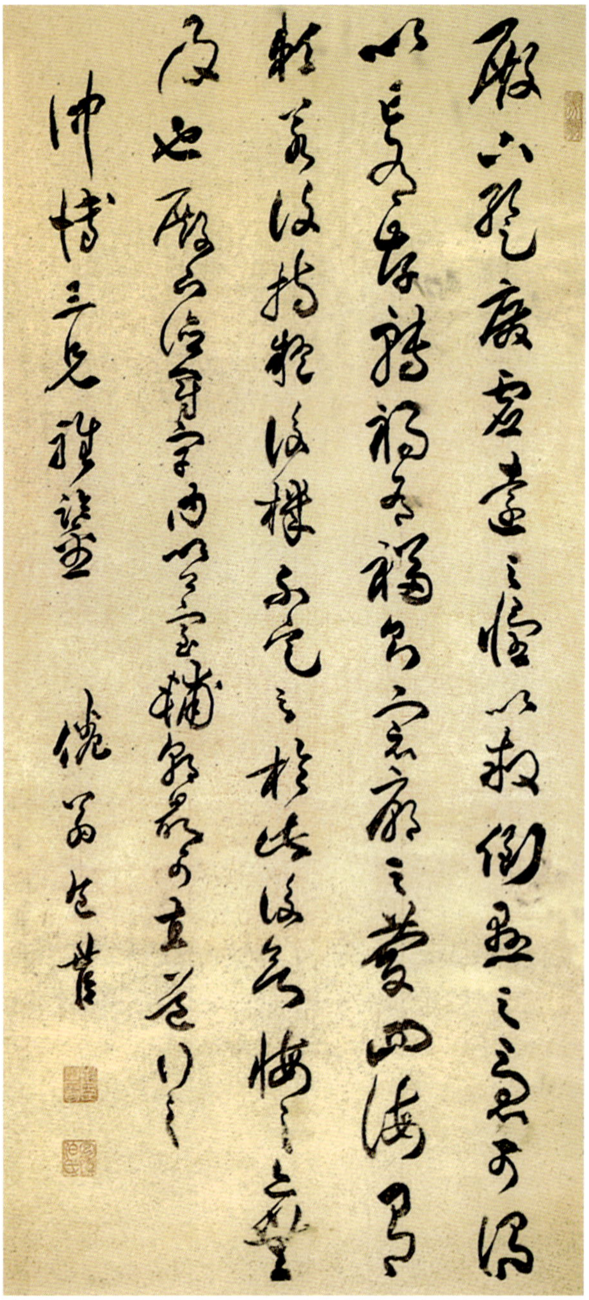

林則徐（公元1785－1850年）

侯官（今福建福州）人。字少穆。嘉慶十六年（公元1811年）進士。任官湖廣總督。後被委爲欽差大臣，至廣東查禁鴉片，舉行著名的虎門銷烟。後爲投降派誣害，革職充軍新疆。工詩文，擅書法。

上皇山采石

清

林則徐

高169、寬59.5厘米。

紙本。

現藏浙江省杭州市西泠印社。

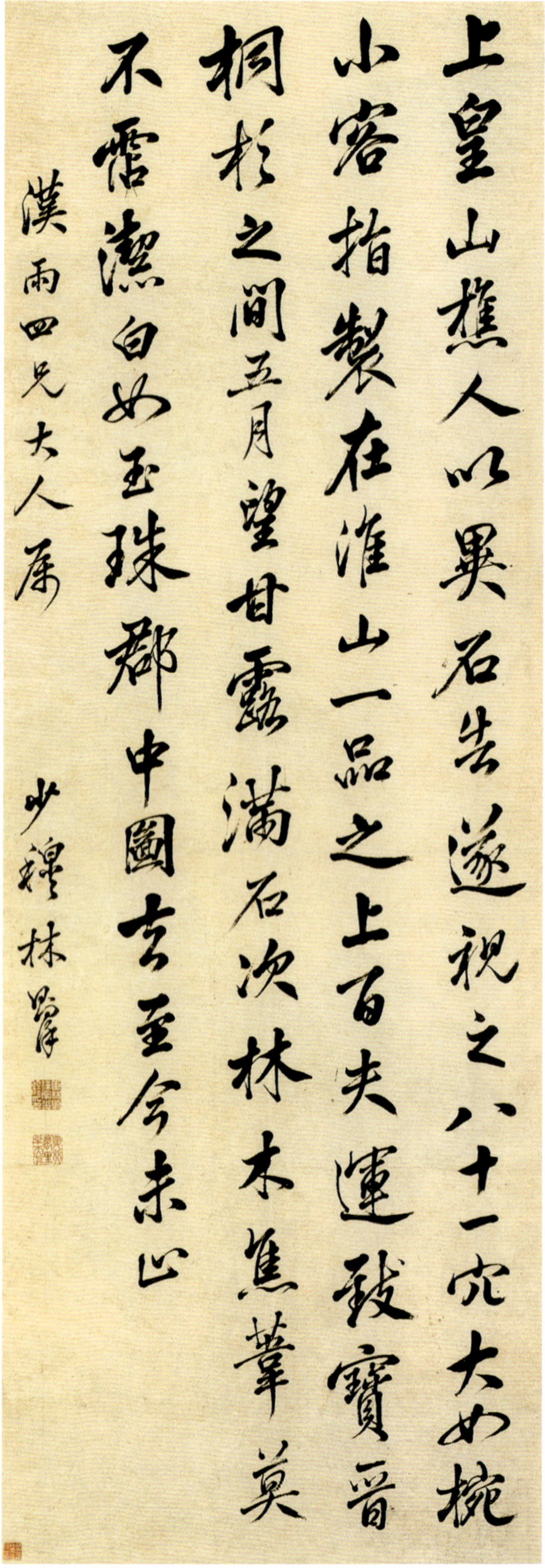

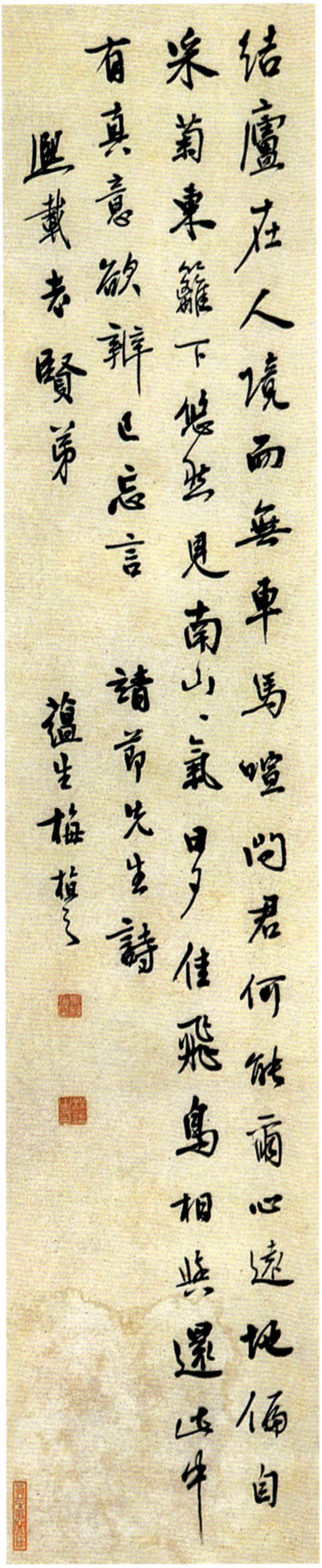

梅植之（公元1794－1843年）

揚州（今屬江蘇）人。字蘊生，號嵇庵。道光十九年（公元1839年）舉人。工書法。

陶潛詩

清
梅植之
高136.9、寬28.8厘米。
紙本。
現藏江蘇省揚州博物館。

吴熙載（公元1799－1870年）

儀徵（今屬江蘇）人。原名廷颺，號讓之、攘之，又號晚學居士。擅篆、隸，爲時人推崇。篆刻亦有名。

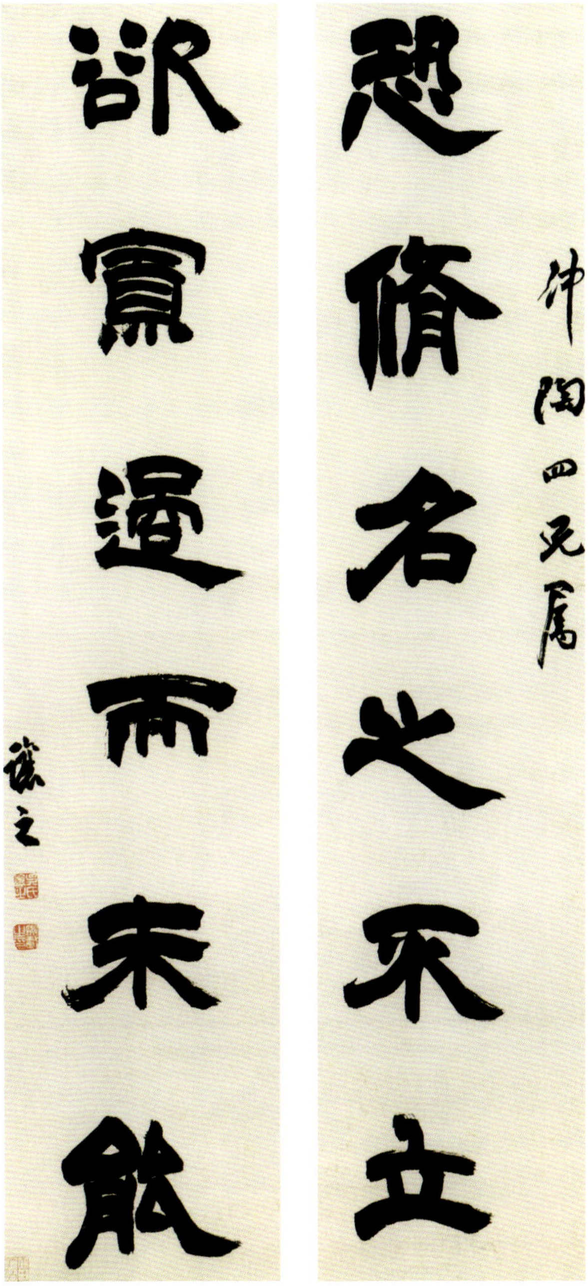

六言聯

清
吴熙載
高113.2、寬28厘米。
紙本。
現藏故宫博物院。

尚書語摘

清
吳熙載
高122.7、寬39.8厘米。
紙本。
現藏故宮博物院。

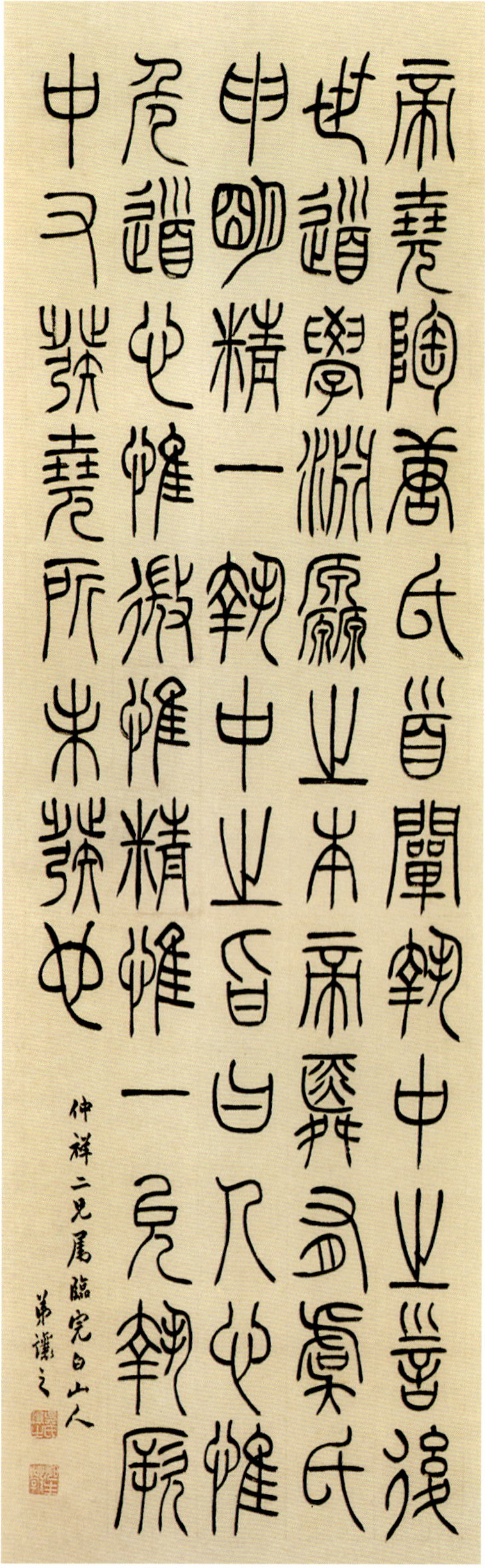

何紹基（公元1799－1873年）

道州（今湖南道縣）人。字子貞，號東洲。道光十六年（公元1836年）進士，官翰林院編修、四川學政。書學顏真卿，并學秦漢和六朝，風格自成一體。

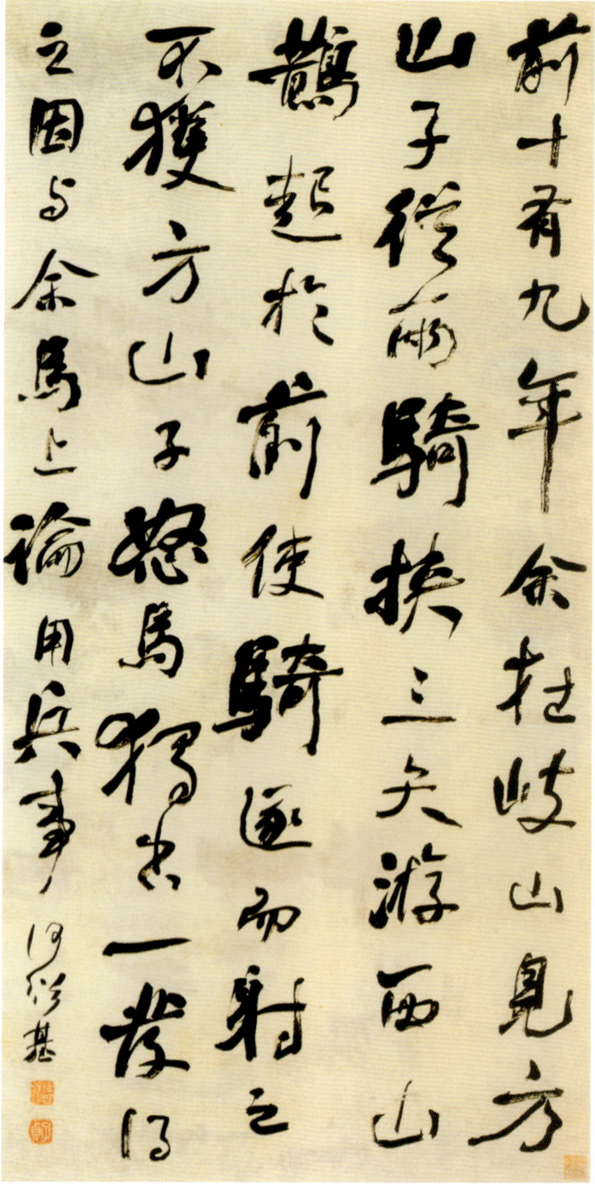

語摘

清
何紹基
高127、寬63.5厘米。
紙本。
現藏臺北故宮博物院。

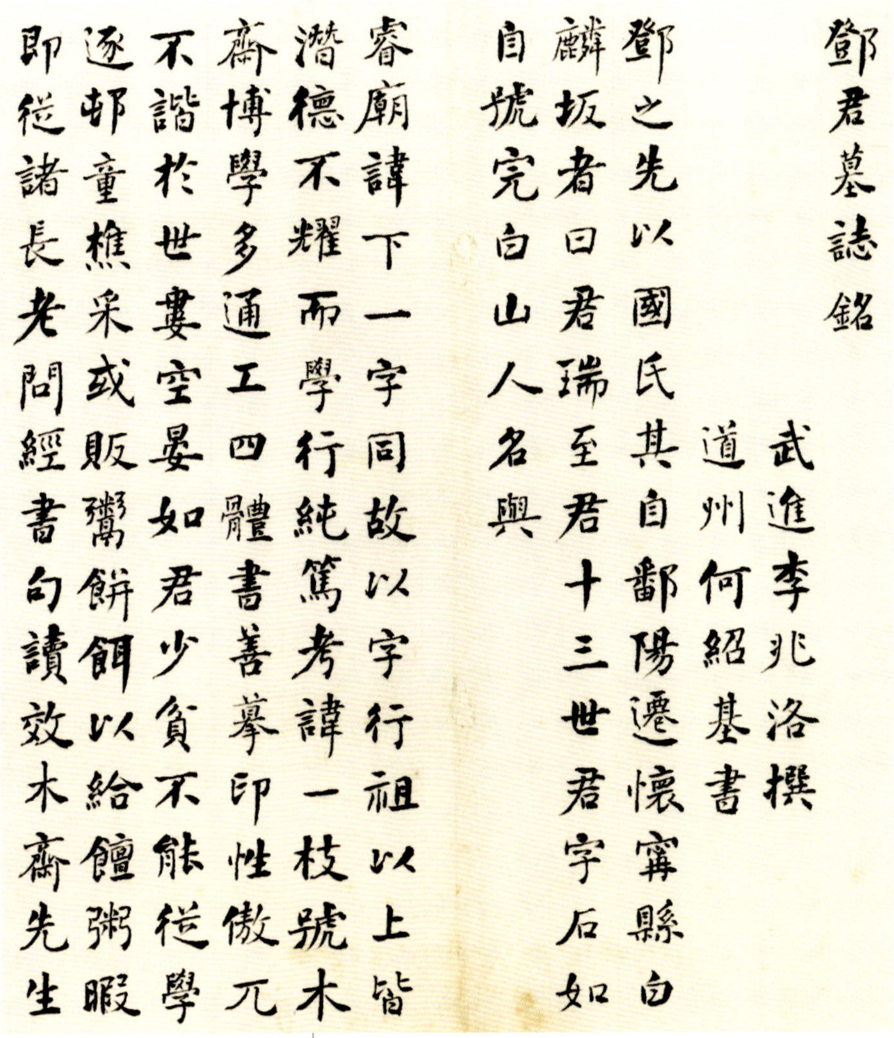
鄧君墓誌銘
武進李兆洛撰
道州何紹基書
鄧之先以國氏其自鄧陽遷懷寧縣白
麟坂者曰君瑞至君十三世君字石如
自號完白山人名與
睿廟諱下一字同故以字行祖以上皆
潛德不耀而學行純篤考諱一枝號木
齋博學多通工四體書善摹印性傲兀
不諧於世晝空晏如君少貧不能從學
逐邨童樵采或販鬻餅餌以給饘粥暇
即從諸長老問經書句讀效木齋先生

鄧君墓志銘

清

何紹基

高30.6、寬30.3厘米。

紙本。册裝七開，此選爲局部。

現藏故宫博物院。

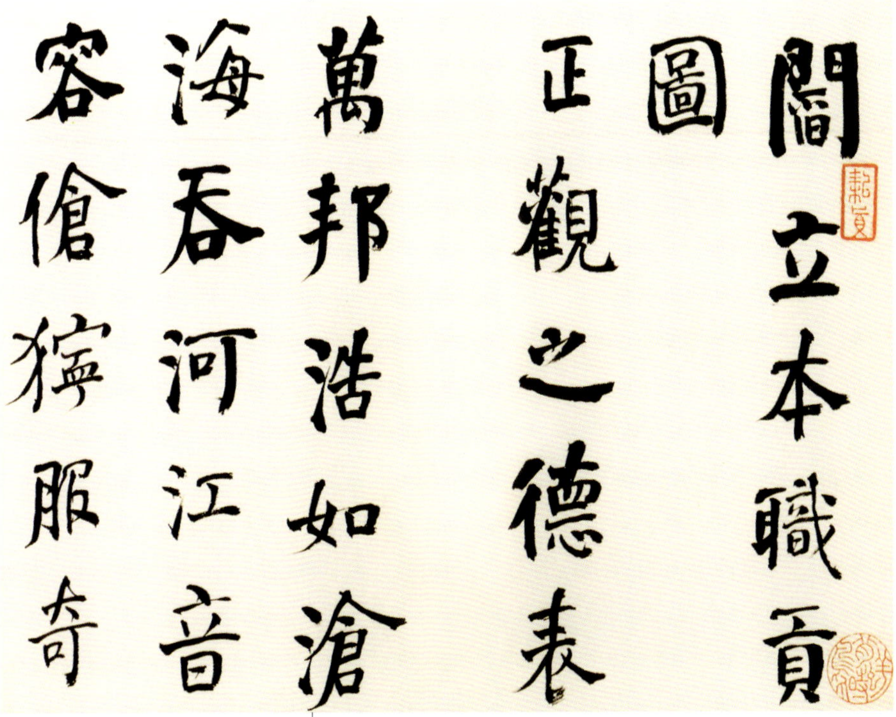
閻立本職貢
圖
正觀之德表
萬邦浩如滄
海吞河江音
容傖獰服奇

古律詩

清

何紹基

高22.8、寬13.3厘米。

紙本。册裝十二開，爲楷、隸二體書合册。此選爲局部。

現藏故宫博物院。

論書畫

清

何紹基

高156.2、寬81.7厘米。

紙本。

現藏湖南省博物館。

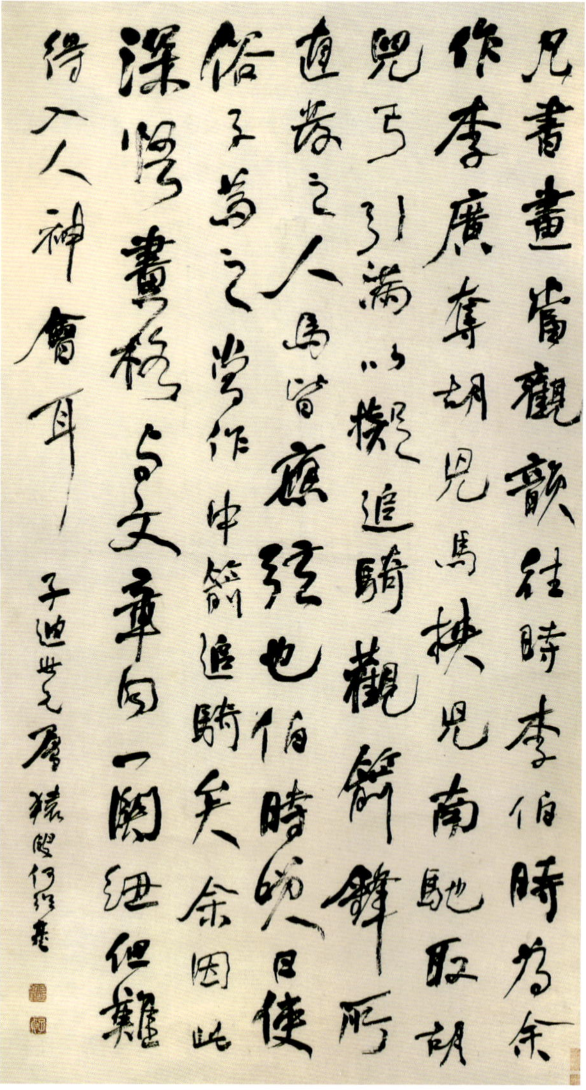

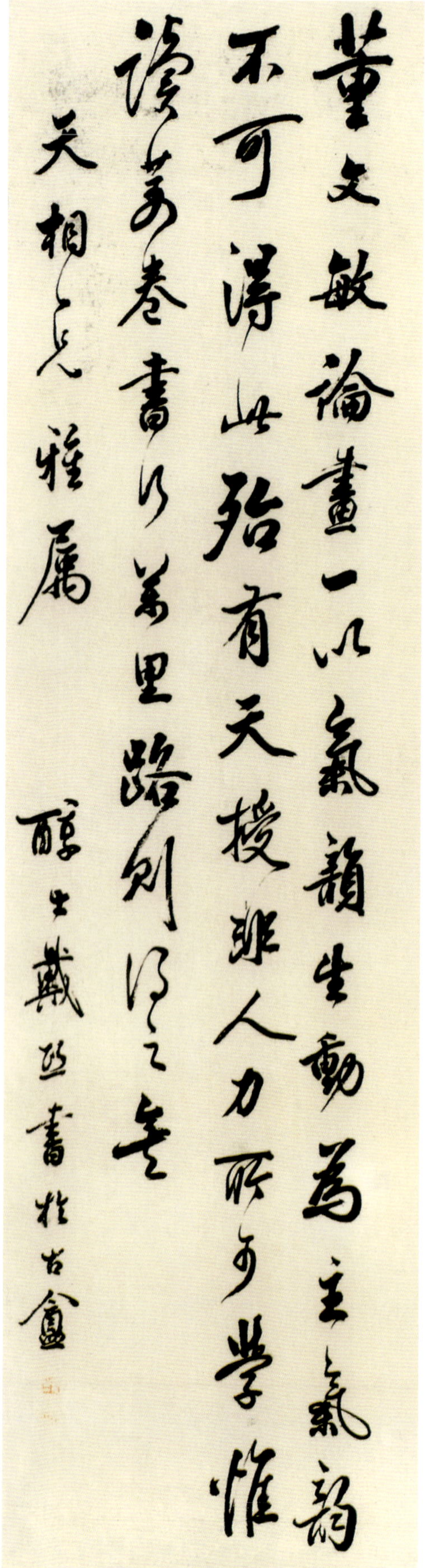

戴熙（公元1801－1860年）

錢塘（今浙江杭州）人。字醇士，號榆庵、井東居士。道光進士，官至兵部右侍郎。擅行草。

語摘（右圖）

清

戴熙

高160.4、寬45.5厘米。

紙本。

現藏遼寧省博物館。

馮桂芬（公元1809－1874年）

吴縣（今江蘇蘇州）人。字林一，號景亭。道光二十年（公元1840年）進士，授翰林院編修，纍官至詹事府右春坊。精古文辭，通算學，兼擅書法。

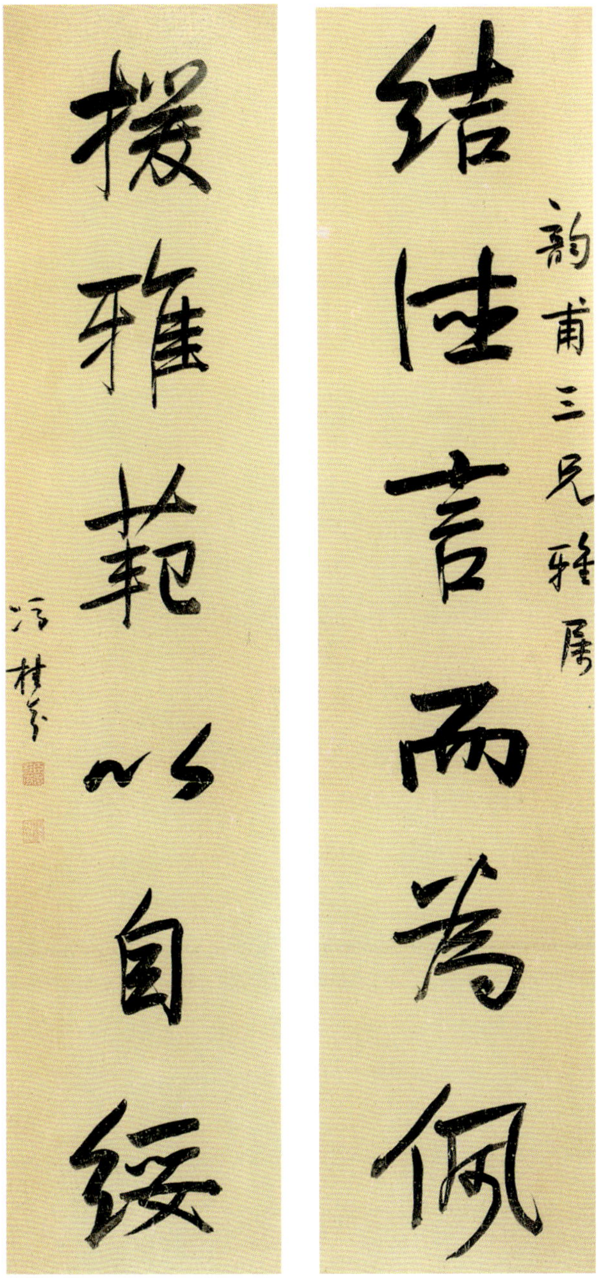

六言聯

清

馮桂芬

高128、寬30厘米。

紙本。

現藏江蘇省常州博物館。

曾國藩（公元1811－1872年）

湘鄉（今屬湖南）人。原名子城，字伯涵，號滌生。道光十八年（公元1838年）進士，官至大學士、兩江總督。謚文正。

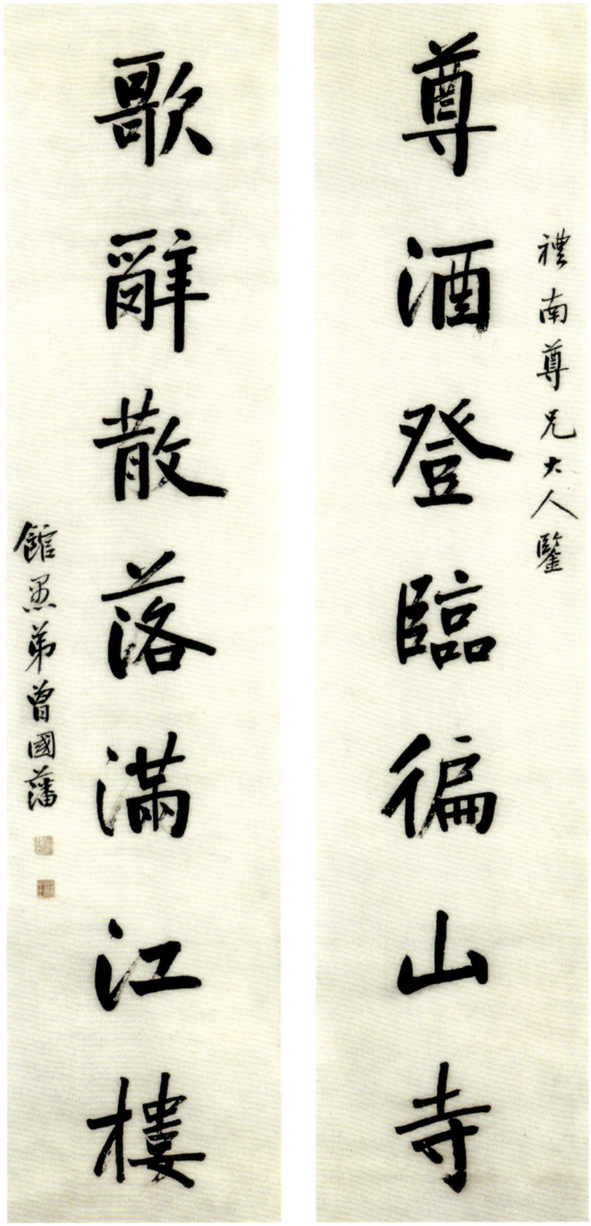

七言聯

清

曾國藩

高170、寬40厘米。

紙本。

現藏中國國家博物館。

莫友芝（公元1811－1871年）

獨山（今屬貴州）人。字子偲，號郘亭，別號眲叟。道光十一年（公元1831年）中舉，其後多次入京會試不中。精于書畫碑版的鑒定考證，擅長書法，篆書爲最佳。

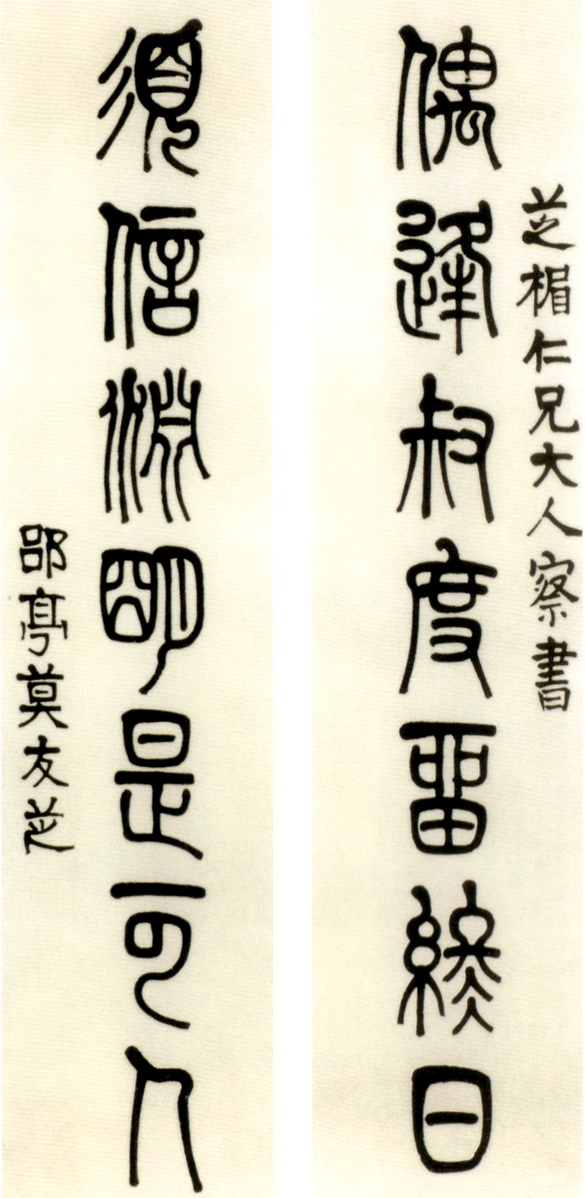

七言聯

清
莫友芝
高132、寬30.5厘米。
紙本。
現藏上海朵雲軒。

左宗棠（公元1812－1885年）

湘陰（今屬湖南）人。字季高。道光舉人，歷官浙江巡撫、陝甘總督、軍機大臣、兩江總督等職，卒謚文襄。工書法，以小篆、楷、行書見高。

七言聯

清
左宗棠
高199、寬37厘米。
紙本。
現藏首都圖書館。

楊沂孫（公元1813－1881年）

常熟（今屬江蘇）人。字子與，號泳春，晚號濠叟。道光舉人，官至鳳陽知府。工書法，尤精篆隸。

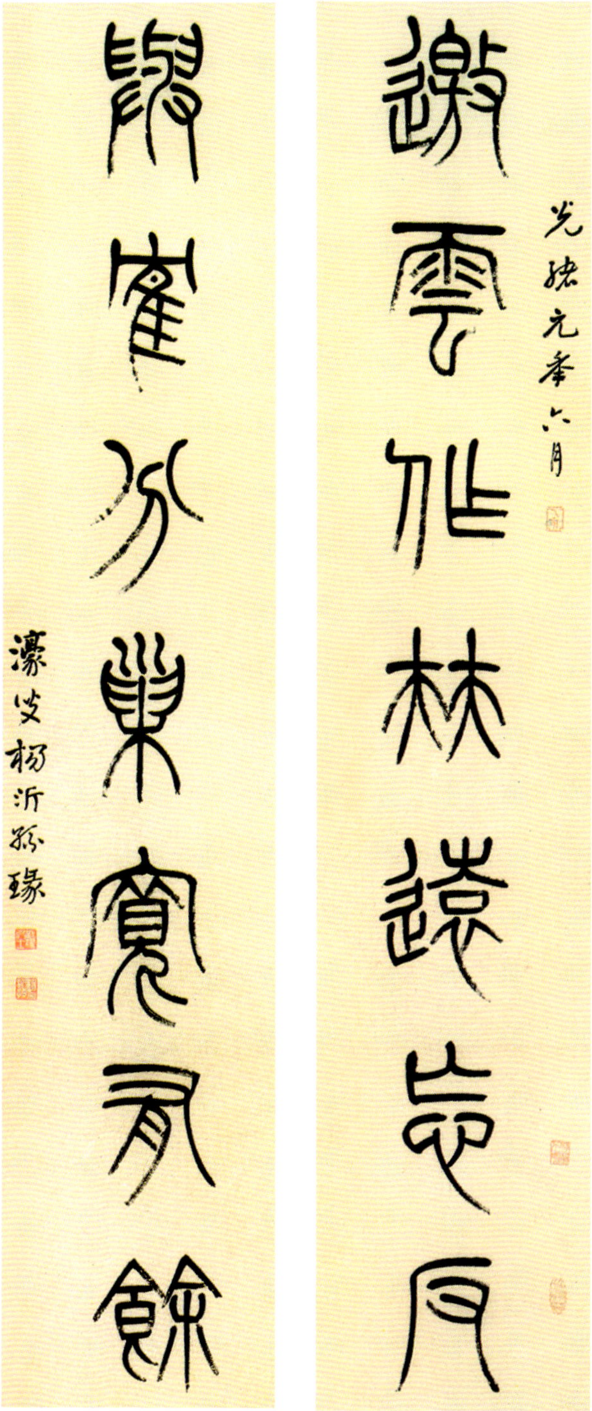

七言聯
清
楊沂孫
高134、寬30.2厘米。
紙本。
現藏故宮博物院。

蔡邕熹平書經四屏
清
楊沂孫
高138.3、寬31.3厘米。
紙本。四屏條，選二屏。
現藏故宮博物院。

楊峴（公元1819－1896年）

歸安（今浙江湖州）人。字廣齋、見山，號季仇，晚號藐翁。咸豐舉人，官至常州知府。通金石考據之學。工書法，精研隸書。著有《庸齋文集》等。

七言聯
清
楊峴
高142.5、寬32厘米。
紙本。
現藏故宮博物院。

俞樾（公元1821－1906年）

德清（今屬浙江）人。字蔭甫，號曲園。道光三十年（公元1850年）進士，官翰林編修，督河南學政。被劾爲民，後居于蘇州。書法以篆、隸法作楷書。著有《讀漢碑》、《駢隸》和《讀隸輯詞》等。

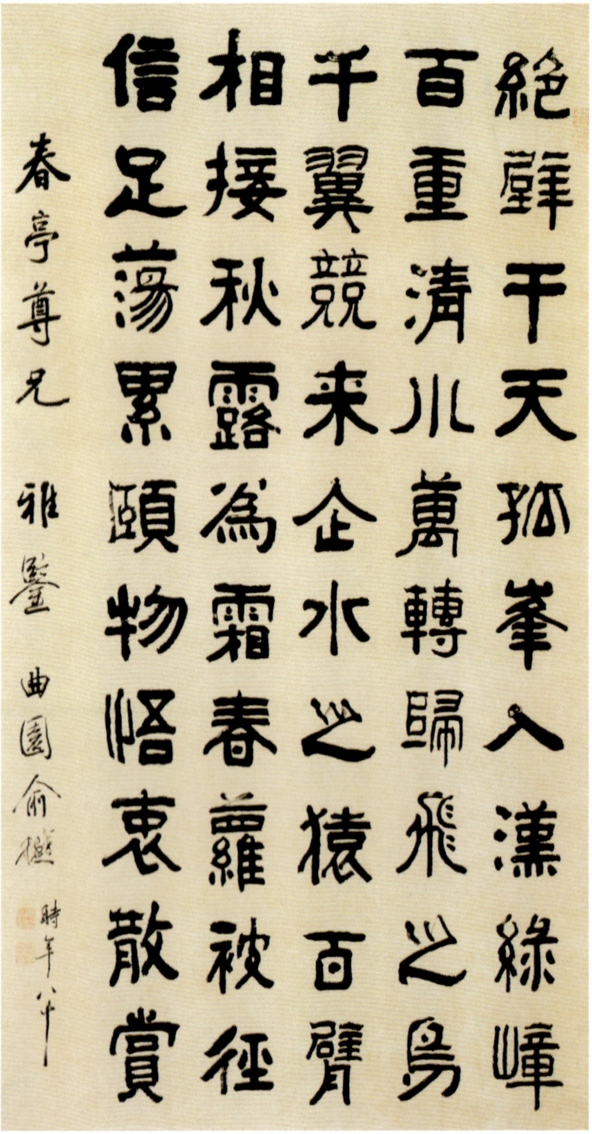

四言古詩
清
俞樾
高148.2、寬80厘米。
紙本。
現藏故宮博物院。

張裕釗（公元1821－1894年）

武昌（今湖北武漢）人。字廉卿。道光舉人，官内閣中書。書法宗魏碑。

徐三庚（公元1826－1890年）

上虞（今浙江上虞南）人。字辛谷，號井罍、袖海等。擅刻印，工書法，尤善篆隸。

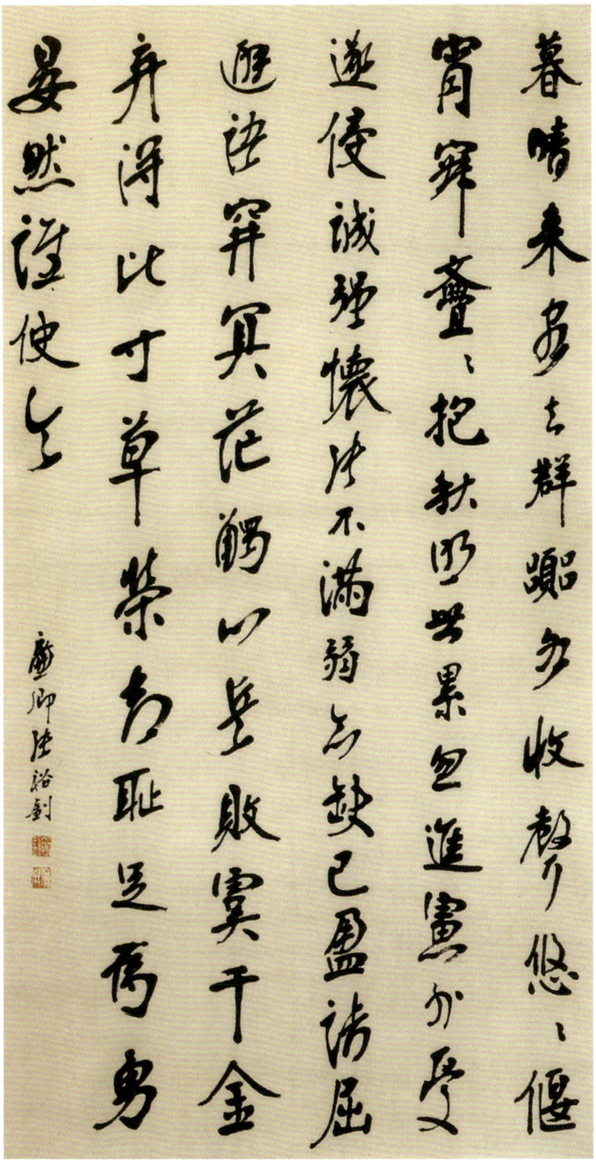

五言詩

清
張裕釗
高128.8、寬66.6厘米。
紙本。
現藏中國國家博物館。

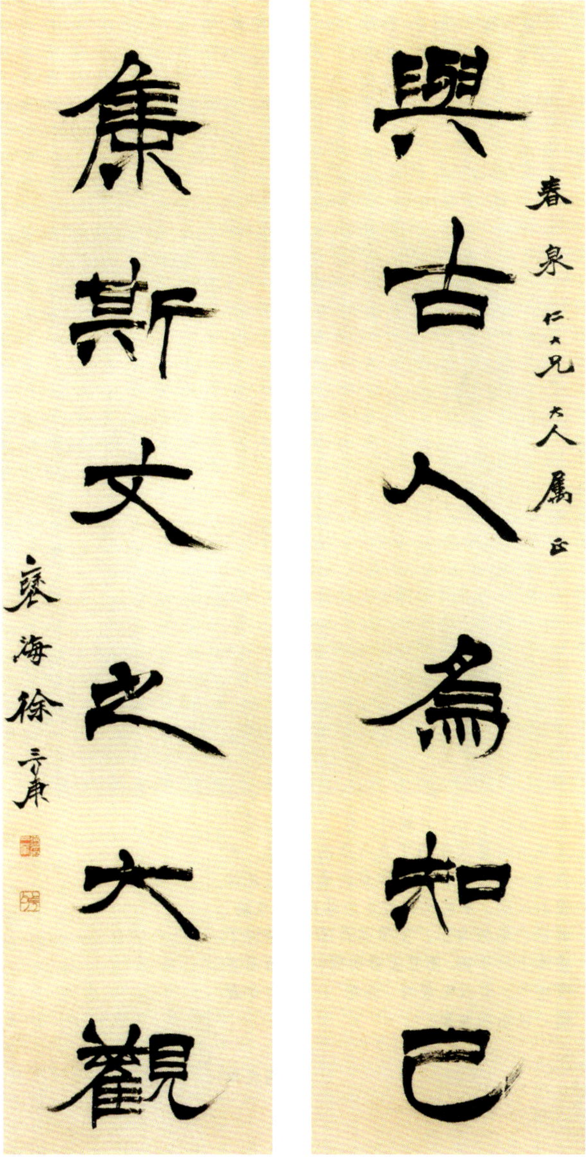

六言聯

清
徐三庚
高130、寬31厘米。
紙本。
現藏浙江省杭州市西泠印社。

趙之謙（公元1829－1884年）

會稽（今浙江紹興）人。字撝叔，初字益甫，號鐵三、㒸卿、悲盦等。曾官江西鄱陽、奉新和南城知縣。清代著名書畫家，對近現代有較大影響。著有《補寰宇訪碑録》等。

五言聯

清
趙之謙
高189、寬56.5厘米。
紙本。
現藏故宫博物院。

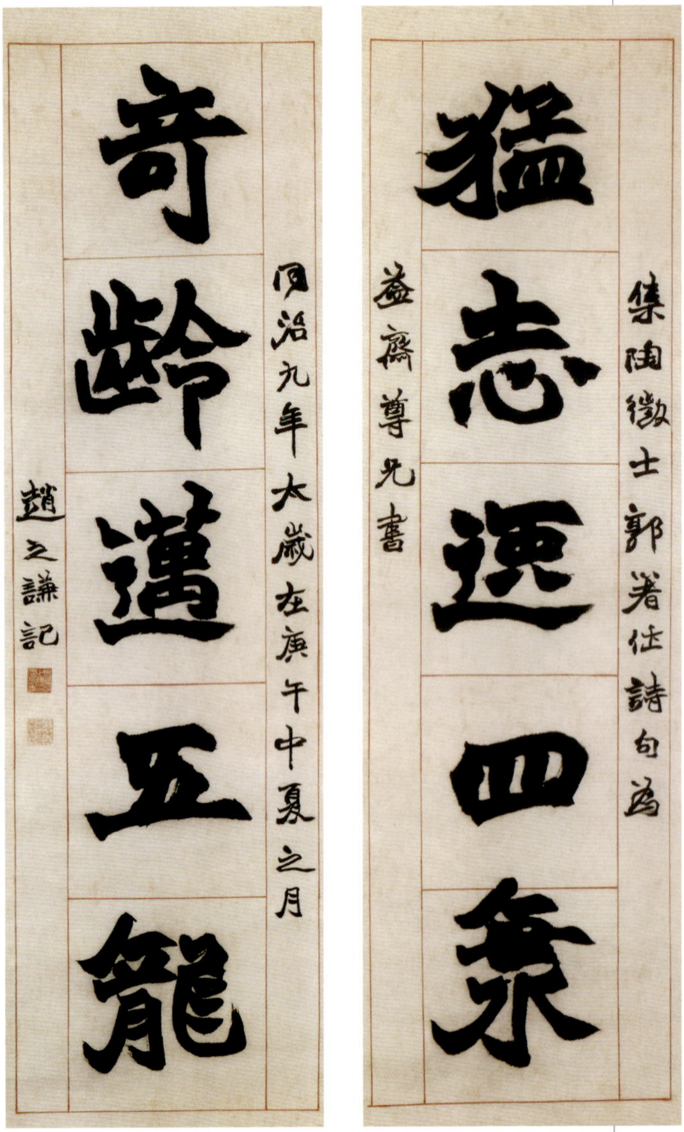

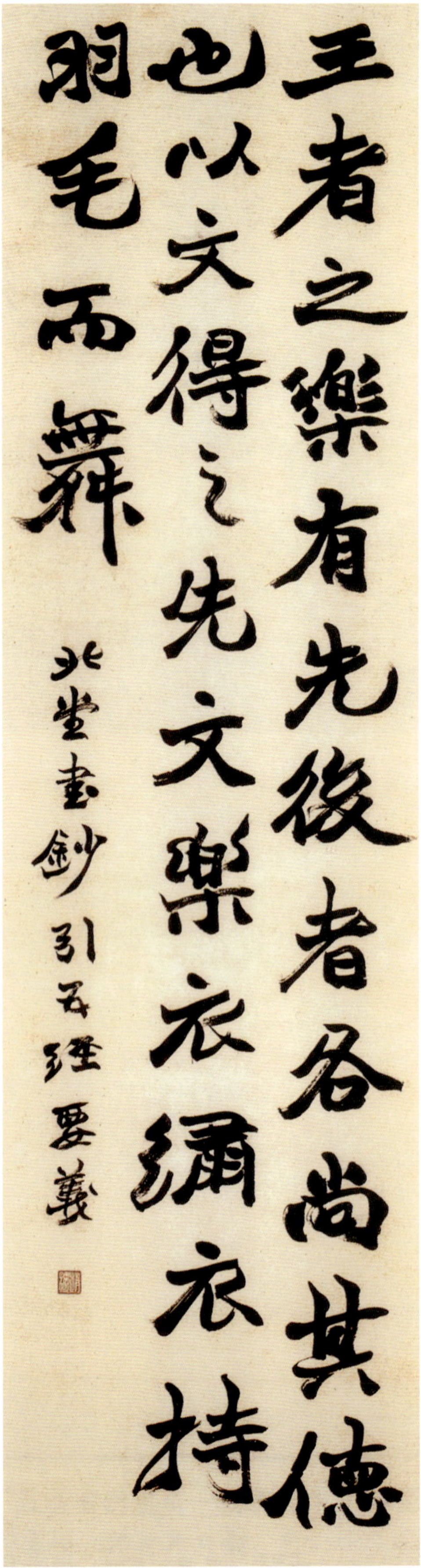

語摘（右圖）

清
趙之謙
高165、寬44厘米。
紙本。
現藏浙江省杭州市西泠印社。

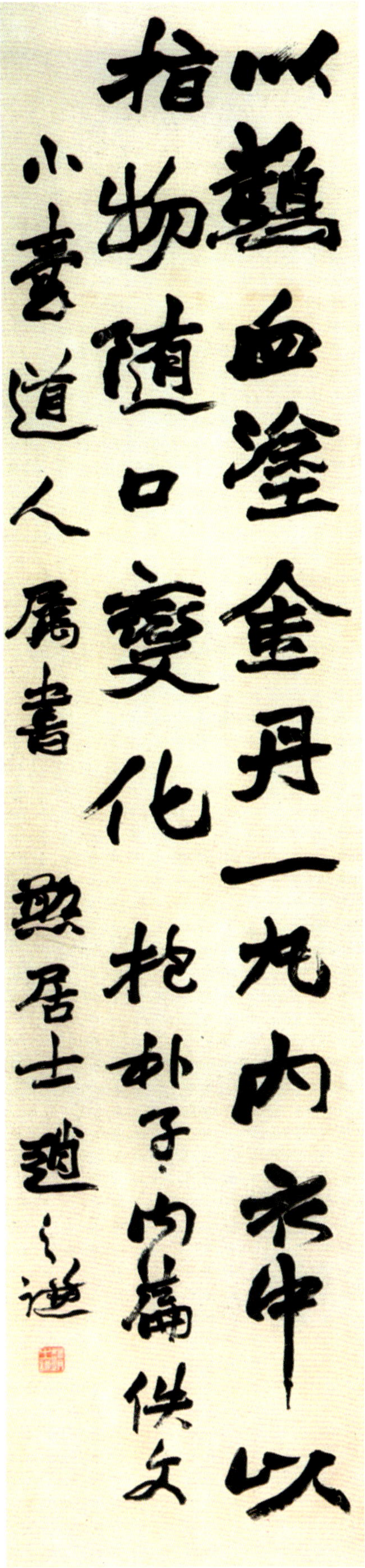
以鵝血塗金丹一丸內衣中以
指物隨口變化 抱朴子內篇佚文
悲盦居士趙之謙

抱朴子內篇佚文

清
趙之謙
高130、寬30.5厘米。
紙本。
現藏天津博物館。

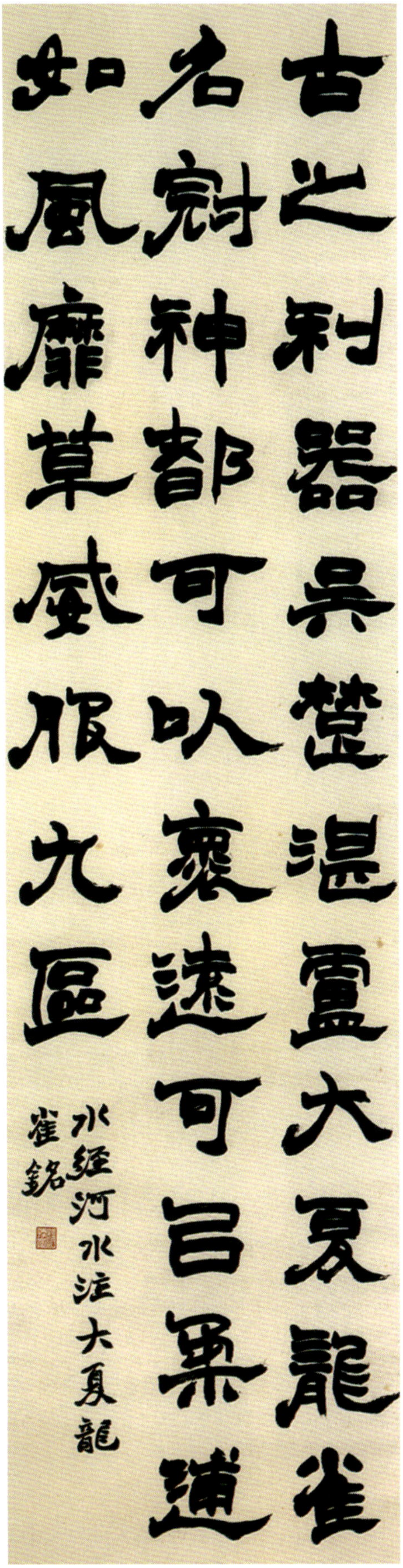
古之利器吳楚湛盧大夏龍雀
名冠神都可以懷遠可以柔邇
如風靡草威服九區
水經河水注大夏龍雀銘

語摘

清
趙之謙
高177、寬47厘米。
紙本。
現藏上海博物館。

節録史游急就篇

清
趙之謙
高113、寬47厘米。
紙本。
現藏故宫博物院。

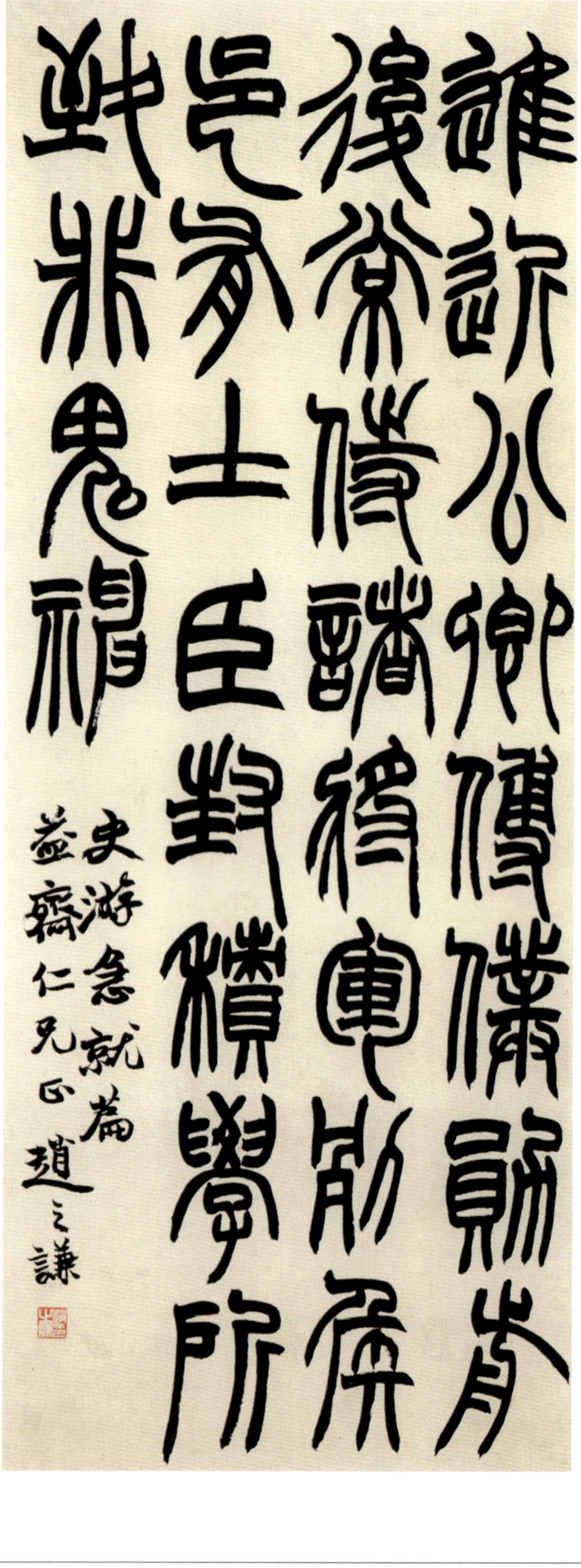

翁同龢（公元1830－1904年）

常熟（今屬江蘇）人。字叔平，號韻齋、松禪、瓶生。咸豐六年（公元1856年）進士，官至户部、工部尚書，軍機大臣兼總理各國事務衙門大臣。謚文恭。書法爲時人推崇。

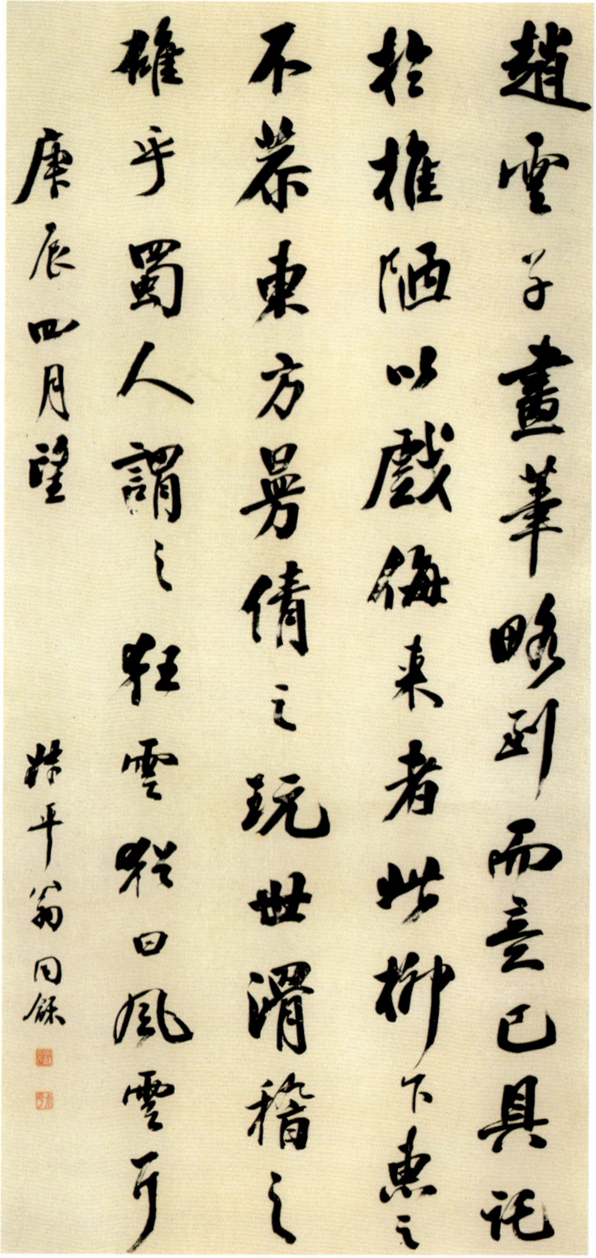

論畫語

清
翁同龢
高166、寬79.9厘米。
紙本。
現藏吉林省博物院。

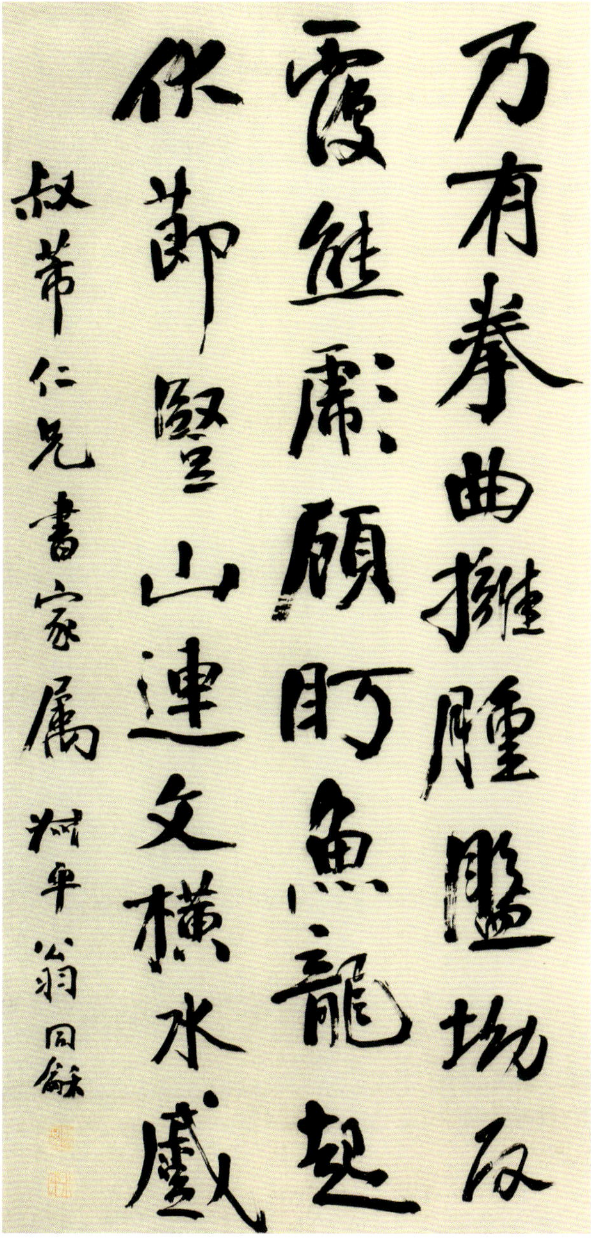

語摘

清
翁同龢
高137.7、寬68厘米。
紙本。
現藏故宮博物院。

蒲華（公元1832–1911年）

秀水（今浙江嘉興）人。字作英，别號胥山野史、種竹道人。著有《芙蓉庵燹餘草》和《蒲作英畫集》等。

節書長史率令帖

清
蒲華
高149、寬40厘米。
紙本。
現藏重慶市博物館。

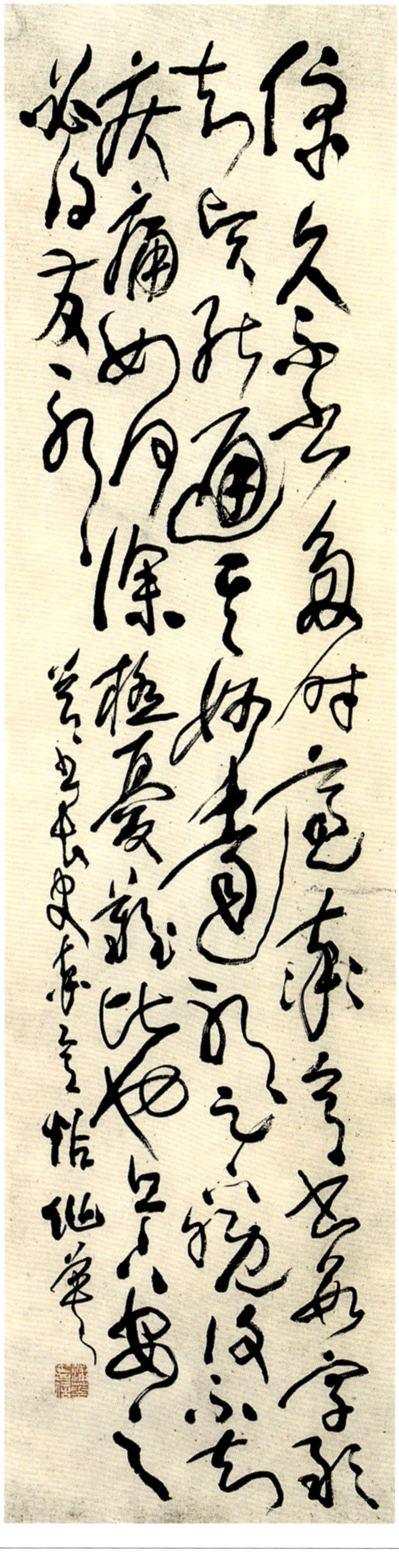

語摘
清
蒲華
高18、寬53厘米。
紙本。
現藏上海朵雲軒。

包弼臣（公元1831－1917年）

四川南溪（今屬四川）人。名汝諧，字弼臣。諸體皆精，尤擅行草，世稱“包體”。

李白詩四屏
清
包弼臣
每屏高92、寬27厘米。
紙本。
現藏私人處。

李文田（公元1834－1895年）

順德（今屬廣東佛山）人。字畬光，號若農，謚文誠。咸豐九年（公元1859年）進士，官至禮部侍郎。書法名重一時。

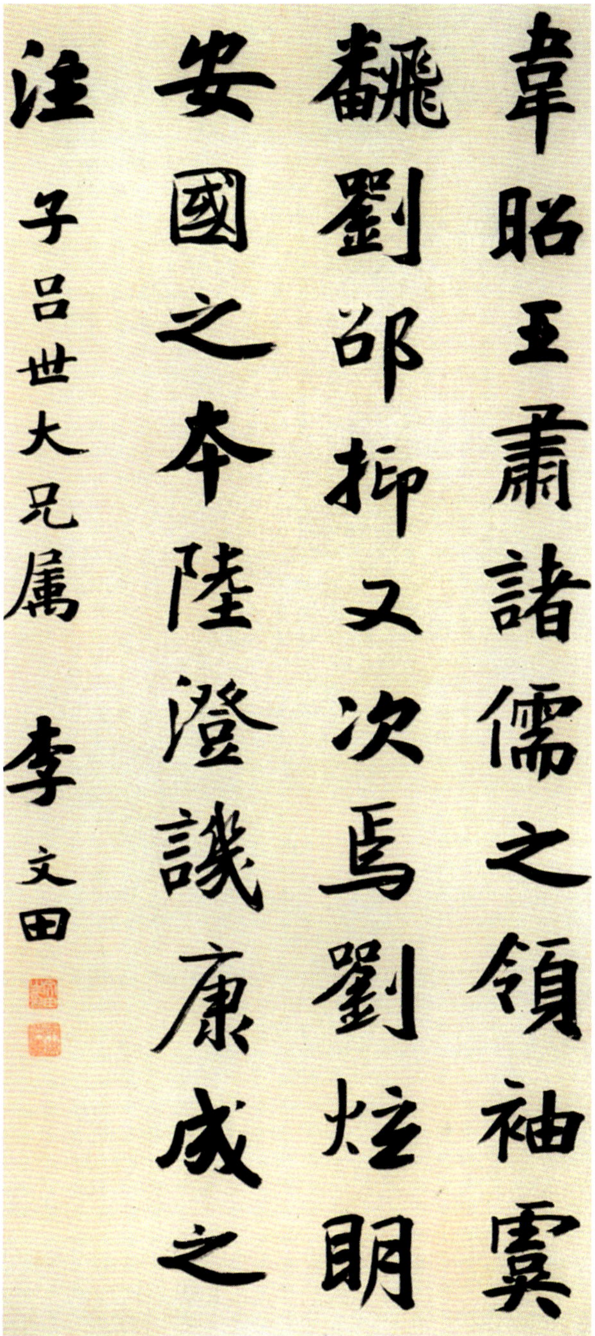
韋昭王肅諸儒之領袖實
飜劉邵柳又次焉劉炫明
安國之本陸澄議康成之
注
子呂世大兄屬
李文田

語摘

清

李文田

高112、寬53厘米。

紙本。

現藏廣東省廣州美術館。

吴大瀓（公元1835－1903年）

蘇州（今屬江蘇）人。字清卿，號恒軒，又號㥣齋。精于鑒賞，爲著名金石學家。善詩文，書畫、篆刻均有獨到之處。著有《説文古籀補》、《㥣齋集古録》和《恒軒吉金録》等。

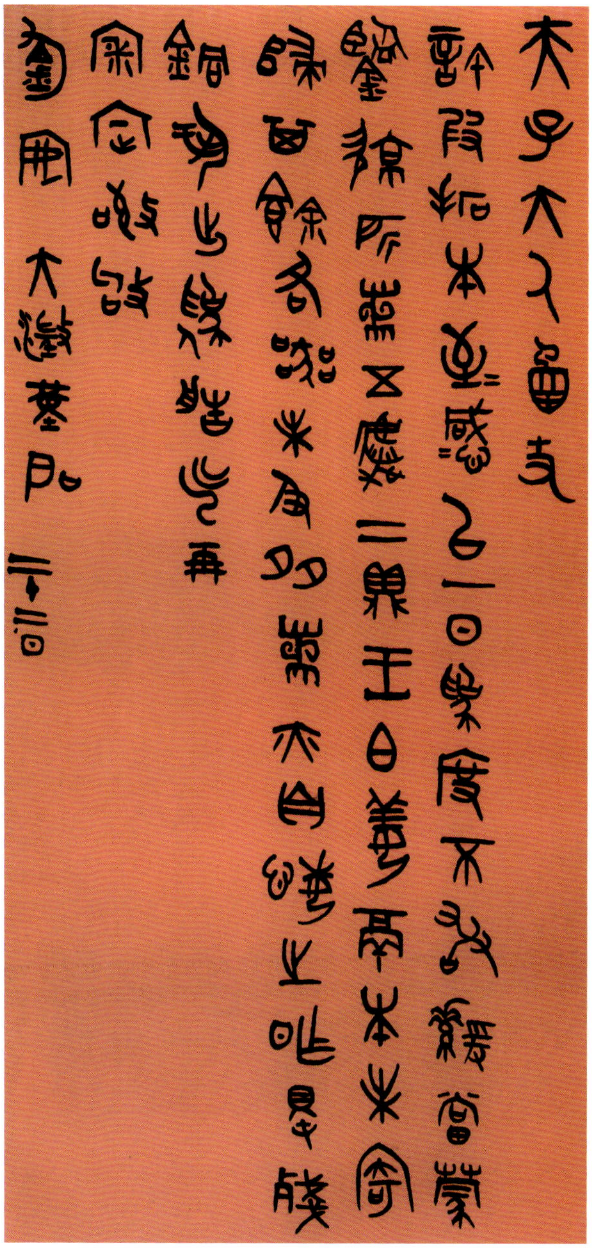

書札

清

吴大瀓

高24.5、寬12.2厘米。

紙本。

現藏私人處。

知過論

清
吴大澂
高129.3、寬60.3厘米。
紙本。
現藏故宫博物院。

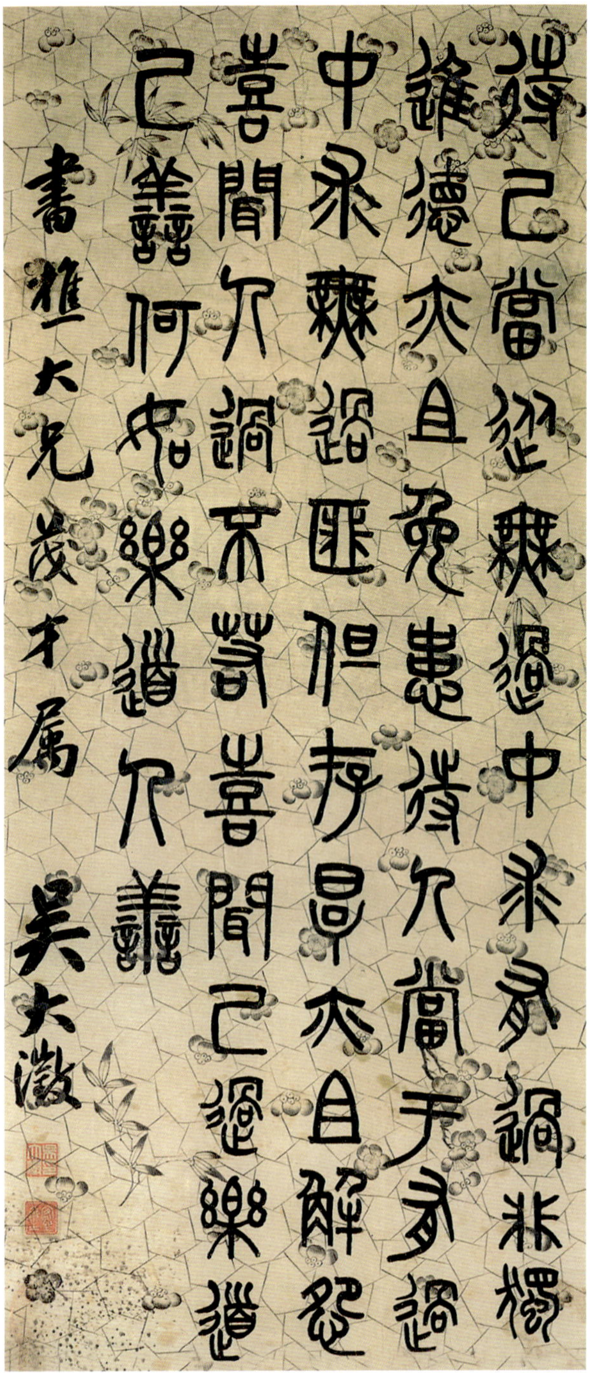

楊伯潤（公元1837－1911年）

嘉興（今屬浙江）人。字佩甫，號茶禪。幼承家學，書風近顔、米，尤工行草。

七言聯

清
楊伯潤
高135、寬21厘米。
紙本。
現藏上海朵雲軒。

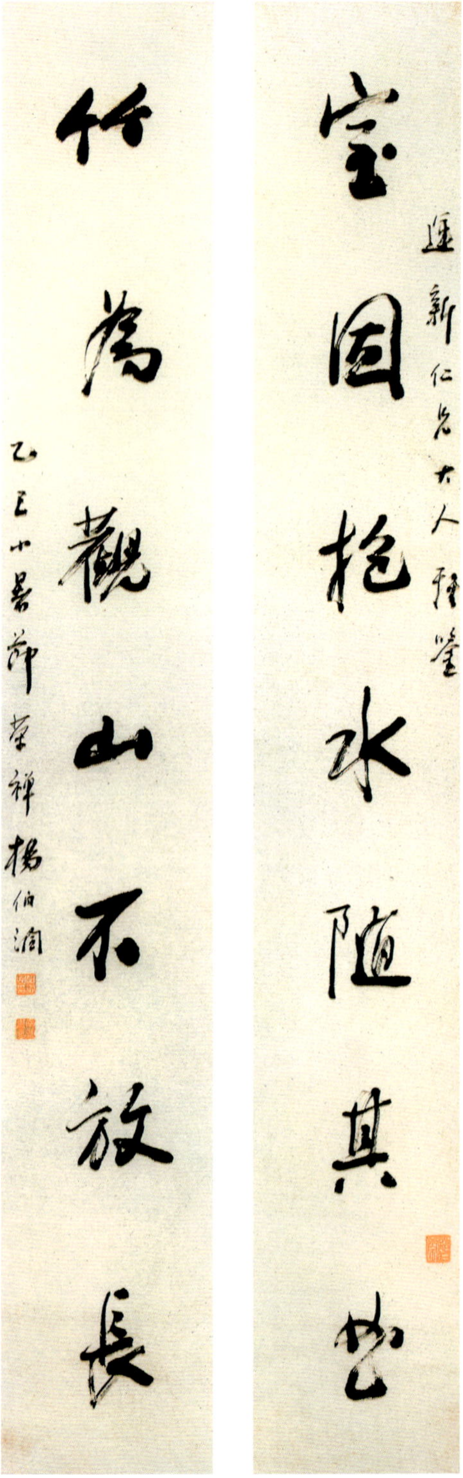

楊守敬（公元1839－1915年）

宜都（今屬湖北）人。字惺吾，號鄰蘇。清同治元年（公元1862年）舉人，後考取景山官學教習，曾作駐日欽使隨員。工書法，有金石味，對近世日本書壇產生過重大的影響。著有《楷法溯源》、《學書邇言》等。

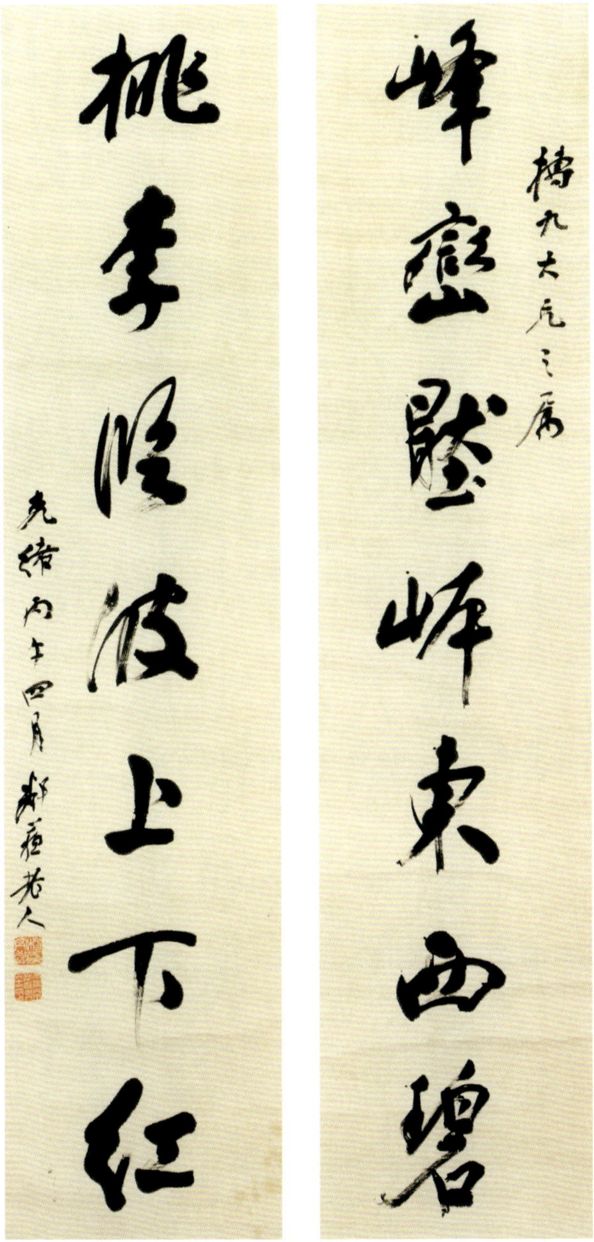

七言聯

清
楊守敬
高134.4、寬32.5厘米。
紙本。
現藏故宮博物院。

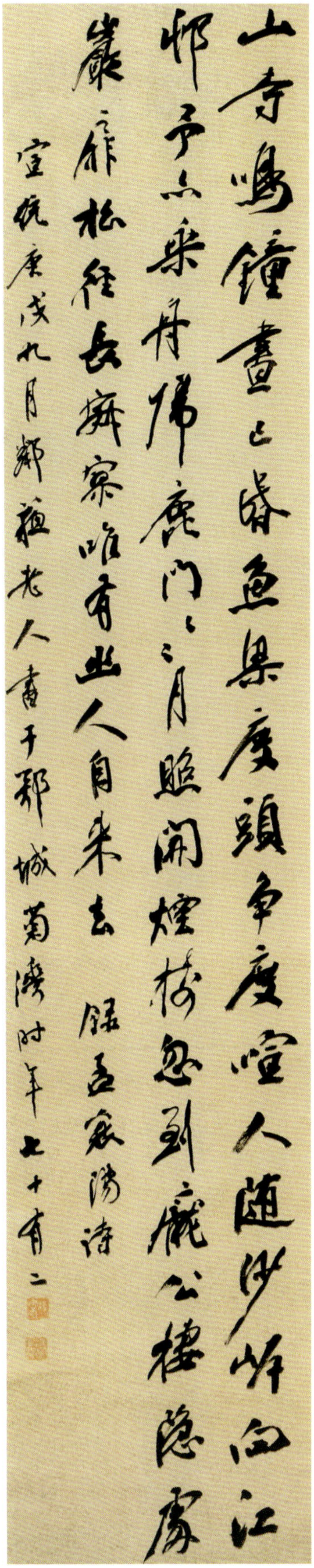

孟浩然詩

清
楊守敬
高165.1、寬35.7厘米。
紙本。
現藏故宮博物院。

趙世駿（公元? – 1927年）

南豐（今屬江西）人。字聲伯。久居北京。其書法宗鍾、王，工寸楷。

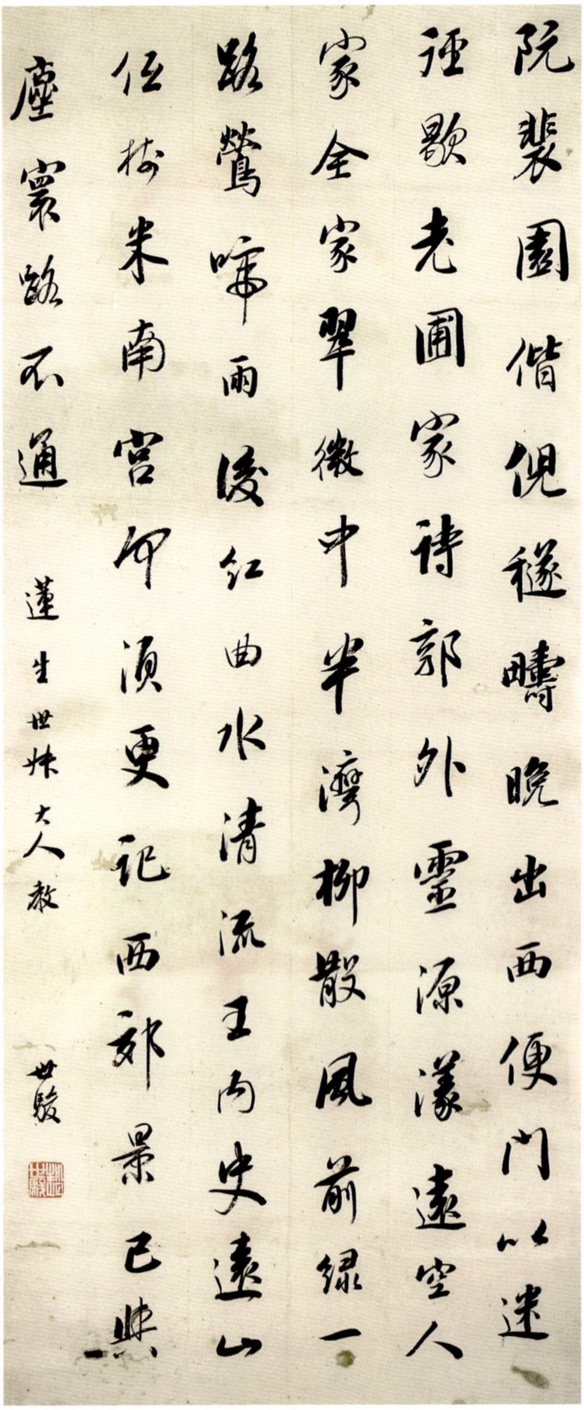

七言詩

清
趙世駿
高75、寬32厘米。
紙本。
現藏私人處。

馬 良（公元1840 – 1939年）

丹徒（今江蘇鎮江）人。字相伯。早年任上海徐匯公學校長、清政府駐日使館參贊。辛亥革命後一度任北京大學校長，爲近代杰出的教育家。

五言聯

清
馬良
高142、寬38厘米。
紙本。
現藏上海朵雲軒。

陸潤庠（公元1841－1915年）

元和（今江蘇蘇州）人。字鳳石。同治年間狀元，歷官至内閣學士、工部尚書，兼領順天府尹，宣統年間升爲弼德院院長。

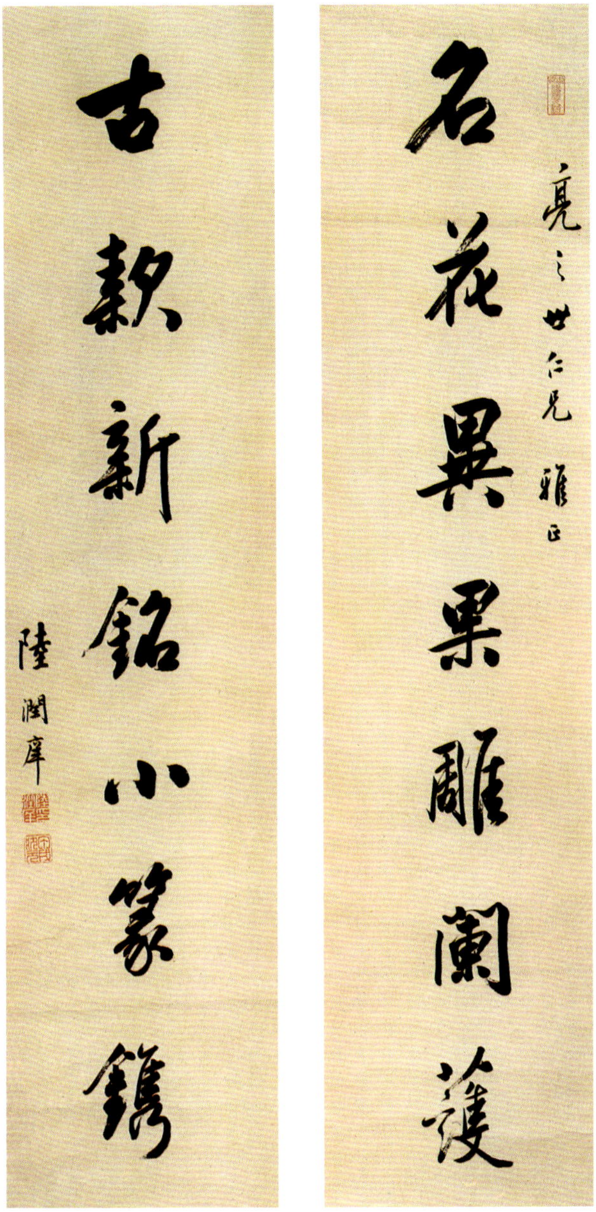

七言聯

清

陸潤庠

高129.9、寬31.1厘米。

紙本。

現藏故宫博物院。

何維樸（公元1844－1925年）

道州（今湖南道縣）人。字詩孫，號盤止秋華居士、晚遂老人等。同治六年（公元1867年）副貢，歷官内閣中書、江蘇候補知府、上海浚浦局局長等。其書法宗其祖何紹基。

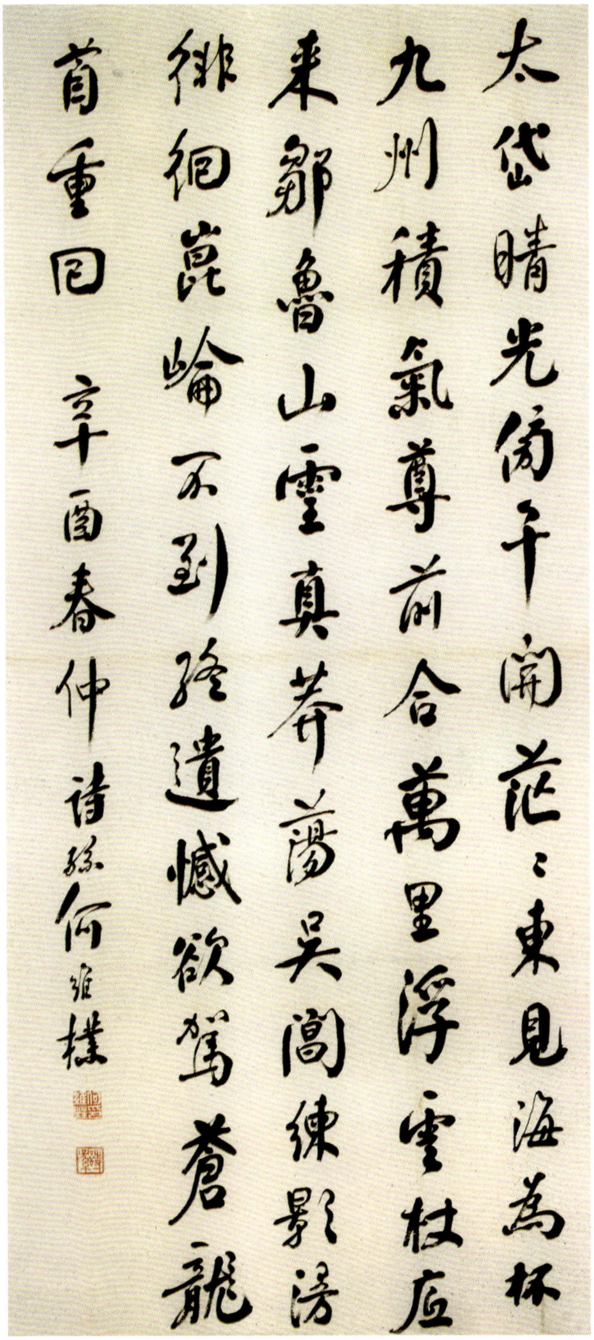

七言律詩

清

何維樸

高139、寬65厘米。

紙本。

現藏上海朵雲軒。

吴昌碩（公元1844－1927年）

安吉（今屬浙江）人，寓居蘇州和上海。原名俊卿，初字香補，中年以後更字昌碩，又字倉石，别號缶廬、苦鐵，又署破荷、老缶、老倉、大聾等。書、畫、印皆有盛名。光緒三十年（公元1904年）成立西泠印社，公推吴昌碩爲社長。著有《缶廬詩存》、《缶廬印存》和《缶廬近墨》等。

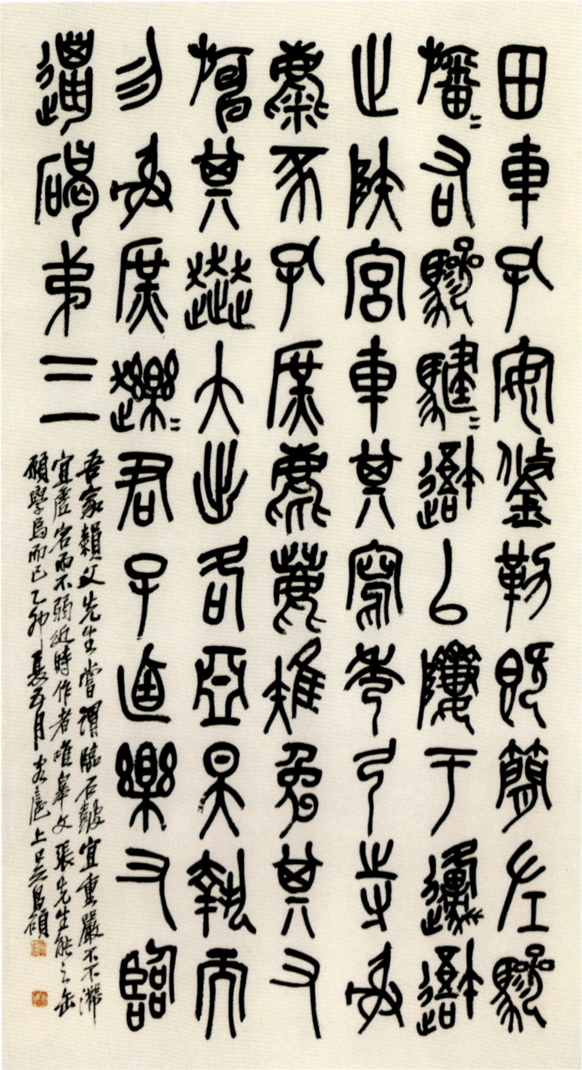

臨石鼓文

清
吴昌碩
高149.5、寬82.3厘米。
紙本。
現藏故宫博物院。

七言聯

清
吴昌碩
高155、寬30厘米。
紙本。
現藏上海朵雲軒。

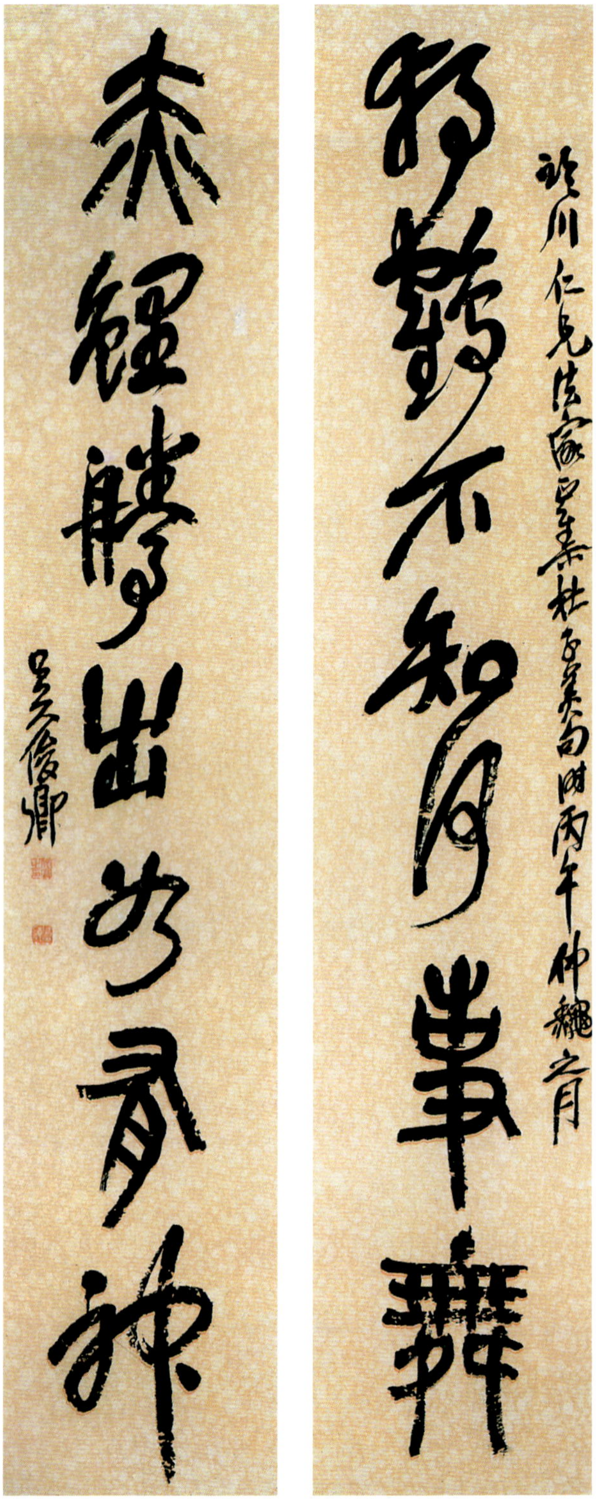

五言律詩

清
吴昌碩
高147.3、寬80厘米。
紙本。
現藏上海博物館。

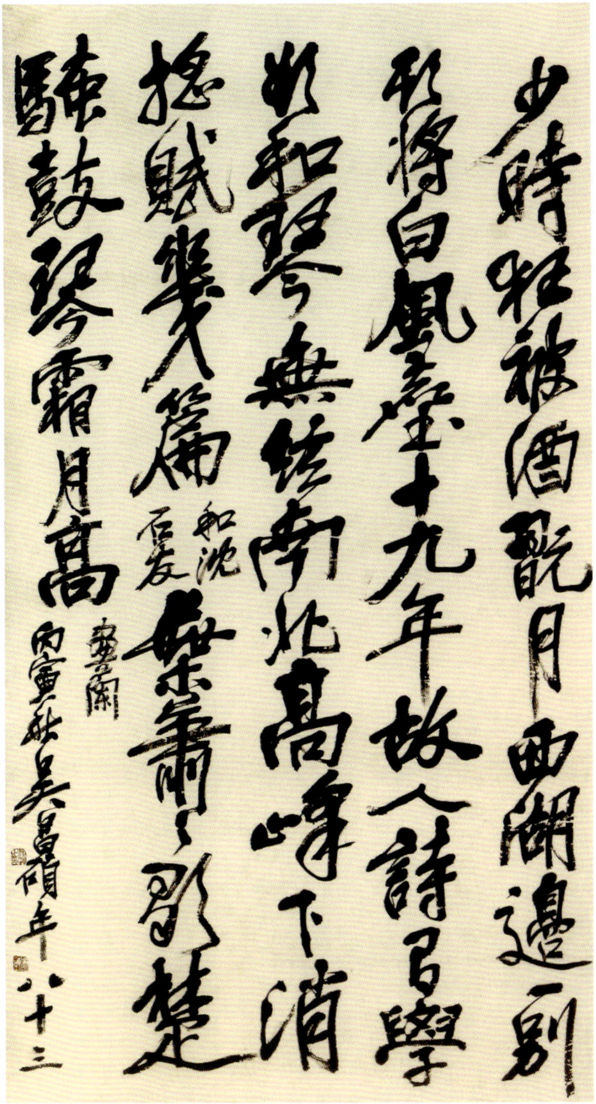

陶濬宣（公元1846－1916年）

會稽（今浙江紹興）人。字心雲，又字文衡，號稷山、東湖。書法宗魏碑。

觀寶春山獲珠大海
弄琴朗月酌酒餘風

八言聯

清
陶濬宣
高134.5、寬17.2厘米。
紙本。
現藏安徽省博物館。

樊增祥（公元1846－1931年）

恩施（今屬湖北）人。字嘉父，號雲門，別號樊山。清光緒三年（公元1877年）進士。工書法。著有《樊山全集》。

七言聯

清

樊增祥

高133、寬30厘米。

紙本。

現藏私人處。

黃士陵（公元1849－1908年）

黟縣（今屬安徽）人。字牧甫。工書畫、篆刻，善篆、隸書。

七言聯

清

黃士陵

高132.4、寬31.5厘米。

紙本。

現藏首都博物館。

高邕（公元1850－1921年）

仁和（浙江杭州）人，寓居上海。字邕之，號李盦、聾公，自署苦李。工書法，書宗李邕。

沈曾植（公元1850－1922年）

嘉興（今屬浙江）人。字子培，號乙盦。光緒六年（公元1880年）進士，官至安徽布政使。師法北朝碑版，參以章草筆勢，自成一家。

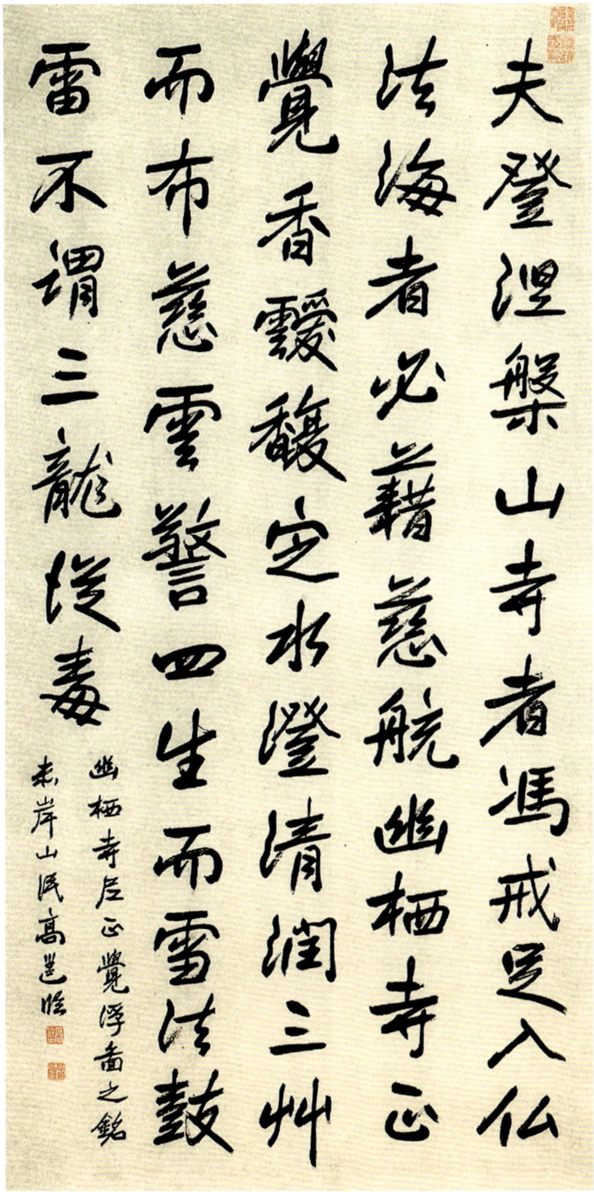

幽栖寺尼正覺浮圖之銘

清

高邕

高134.5、寬64厘米。

紙本。

現藏遼寧省博物館。

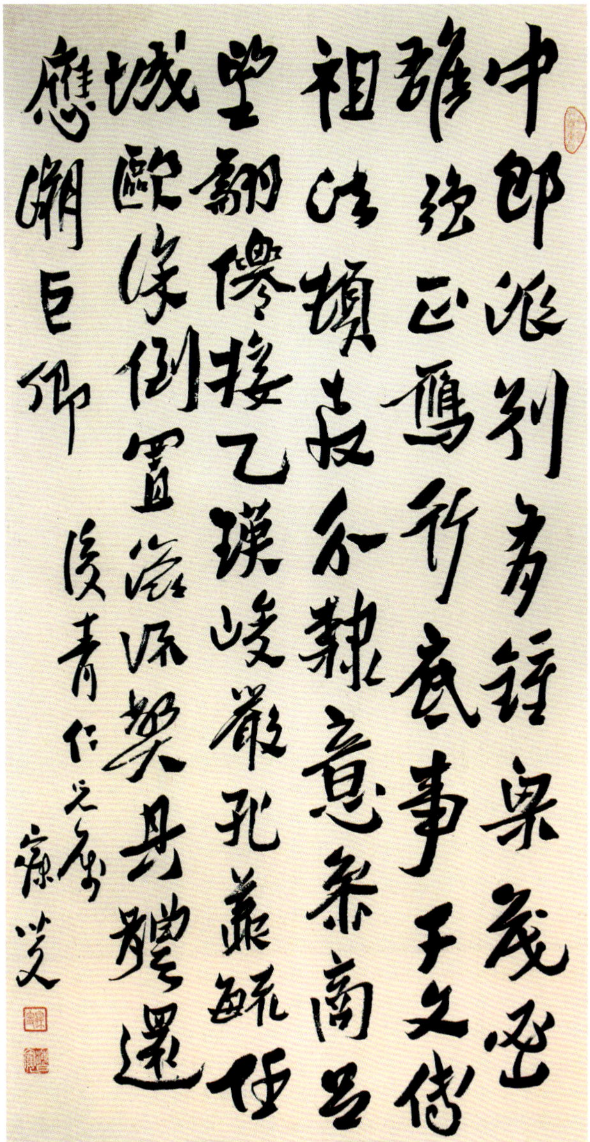

七言律詩

清

沈曾植

高127.8、寬66.2厘米。

紙本。

現藏遼寧省博物館。

七言聯

清
沈曾植
高170、寬37.5厘米。
紙本。
現藏私人處。

陸恢（公元1851－1920年）

吴江（今屬江蘇）人。字廉夫，號狷庵。能書法，工畫花卉、山水，名噪一時。

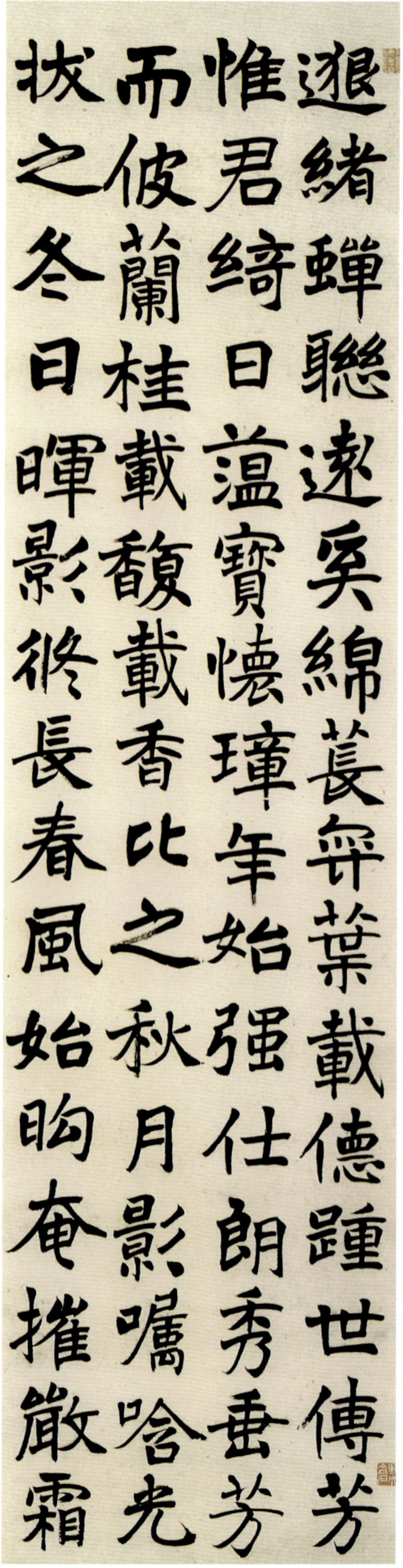

臨墓志

清
陸恢
高142、寬39厘米。
紙本。
現藏上海朵雲軒。

康有爲（公元1858－1927年）

南海（治廣東廣州）人。原名祖詒，字廣厦，號長素，又號更生、天游化人等，世稱“南海先生”。公元1895年組織會試舉人上書要求變法圖强，史稱“公車上書”。同年中進士，主持戊戌變法。工書法，是清代碑學書法的積極響應者，晚年一度專攻書法理論研究，所著《廣藝舟雙楫》著稱于世。

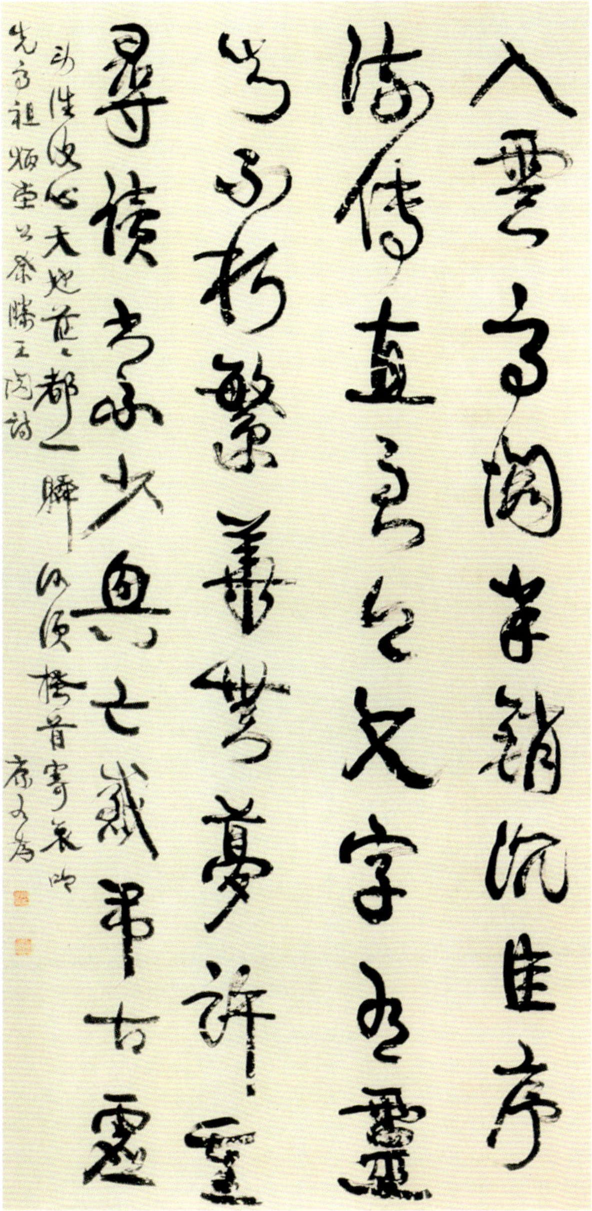

滕王閣詩

清
康有爲
高241.7、寬121.5厘米。
紙本。
現藏廣東省汕頭市博物館。

語摘

清
康有爲
高151、
寬40
厘米。
紙本。
現藏山西
博物院。

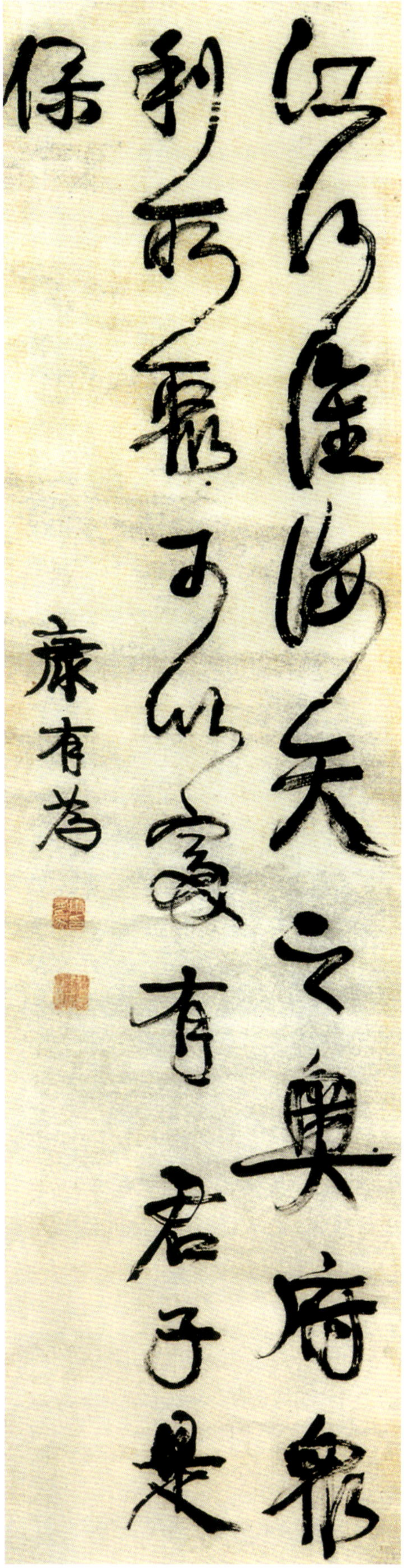

曾熙（公元1861－1930年）

衡陽（今屬湖南）人。字嗣元、子緝，號俟園、農髯。善書法，自稱南宗。

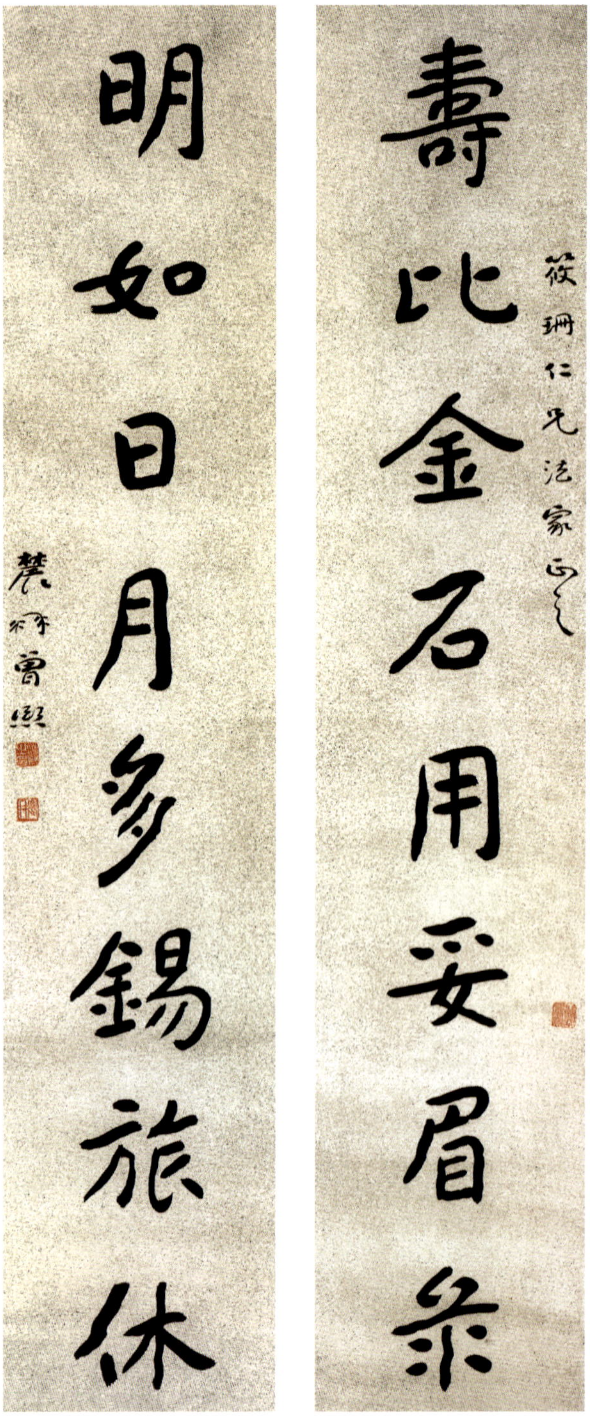

八言聯

清

曾熙

高169、寬35厘米。

紙本。

現藏上海朵雲軒。

李瑞清（公元1867－1920年）

臨川（今屬江西撫州）人。字仲麟、阿梅，號梅庵、梅花盦主，晚號清道人。工詩善畫，精書法。

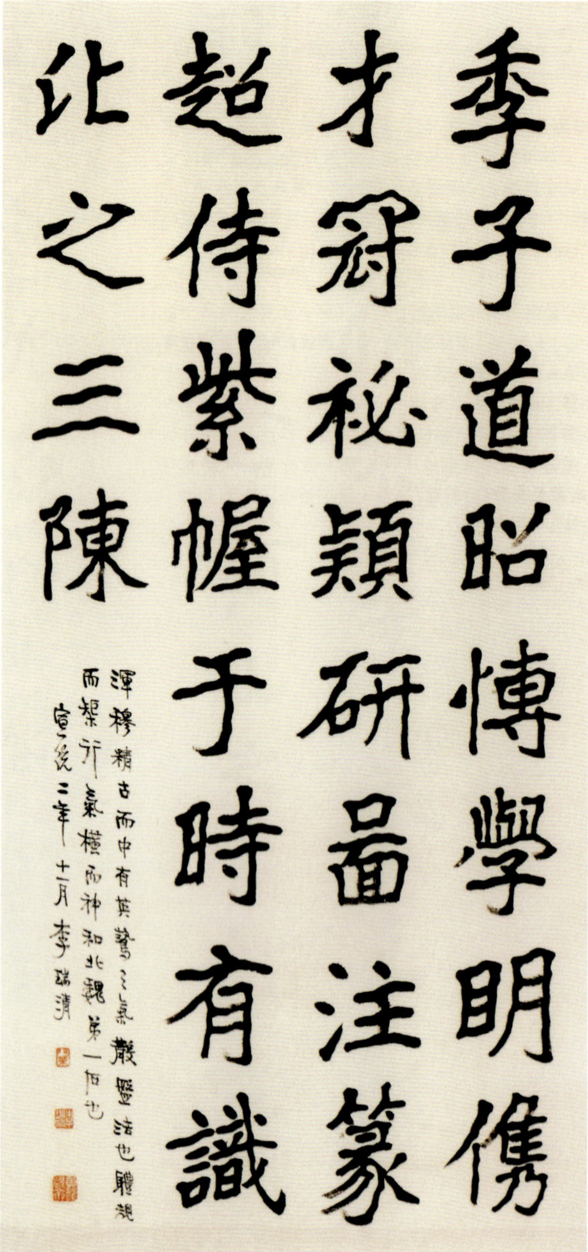

臨鄭羲碑

清

李瑞清

高131.1、寬69.3厘米。

紙本。

現藏故宮博物院。

梁啓超（公元1873－1929年）

新會（今屬廣東江阿）人。字卓如，號任公，別號滄江，又號飲冰室主人。著名學者。工書法。著作宏富，集爲《飲冰室合集》。

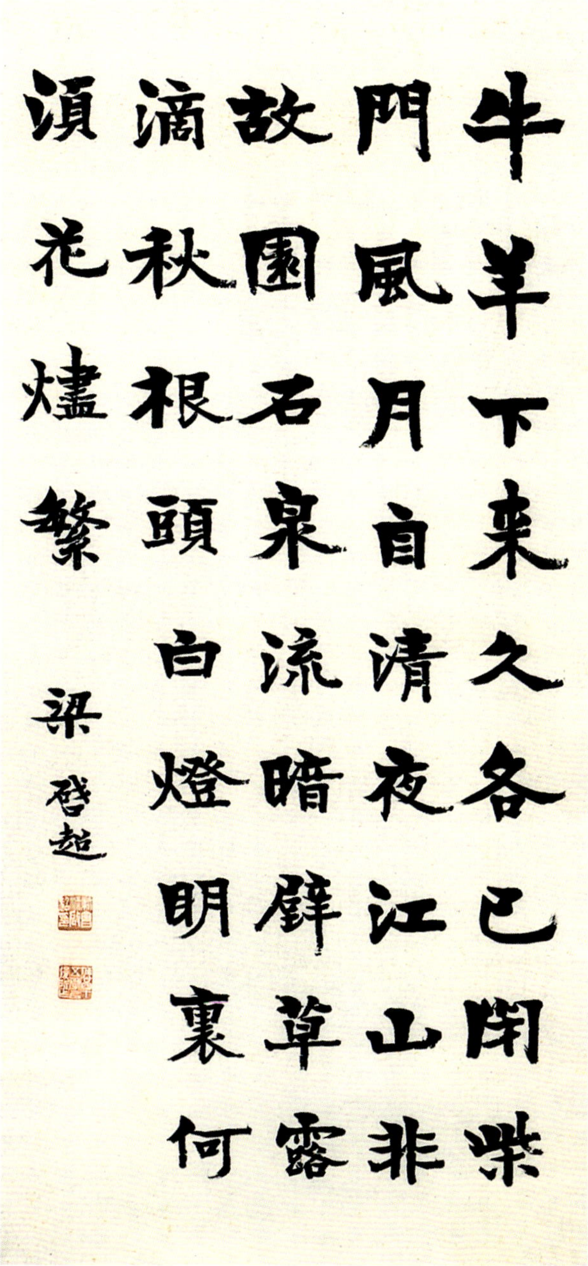
牛羊下来久
各已閉柴門
風月自清夜
江山非故園
石泉流暗壁
草露滴秋根
頭白燈明裏
何須花燼繁
梁啓超

五言律詩
清
梁啓超
高112、寬54厘米。
紙本。
現藏廣東省廣州美術館。

陳衡恪（公元1876－1923年）

義寧（今江西修水）人。字師曾、朽者，號朽道人、槐堂。書諸體皆精。

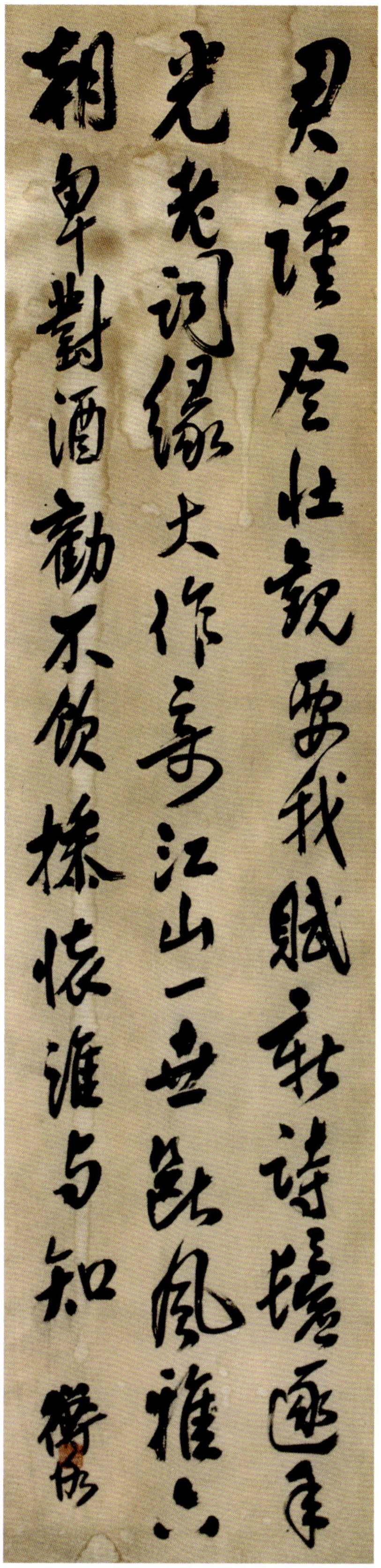

五言律詩
清
陳衡恪
高179、寬47厘米。
紙本。
現藏重慶市博物館。

年　表

（紅色字體爲本卷涉及時代）

新石器時代（公元前8000年－公元前2000年）

裴李崗文化（公元前5500年—公元前4900年）

大汶口文化（公元前4100年—公元前2600年）

龍山文化（公元前2600年—公元前2000年）

夏（公元前21世紀－公元前16世紀）

商（公元前16世紀－公元前11世紀）

西周（公元前11世紀－公元前771年）

春秋（公元前770年－公元前476年）

戰國（公元前475年—公元前221年）

秦（公元前221年—公元前207年）

漢（公元前206年—公元220年）

西漢（公元前206年—公元8年）

新（公元9年—公元23年）

東漢（公元25年—公元220年）

三國（公元220年—公元265年）

魏（公元220年—公元265年）

蜀（公元221年—公元263年）

吴（公元222年—公元280年）

西晋（公元265年—公元316年）

十六國（公元304年—公元439年）

東晋（公元317年—公元420年）

北朝（公元386年—公元581年）

北魏（公元386年－公元534年）

東魏（公元534年－公元550年）

西魏（公元535年－公元556年）

北齊（公元550年－公元577年）

北周（公元557年－公元581年）

南朝（公元420年—公元589年）

宋（公元420年－公元479年）

齊（公元479年－公元502年）

梁（公元502年－公元557年）

陳（公元557年－公元589年）

隋（公元581年—公元618年）

唐（公元618年—公元907年）

五代十國（公元907年—公元960年）

遼（公元916年—公元1125年）

宋（公元960年—公元1279年）

北宋（公元960年—公元1127年）

南宋（公元1127年—公元1279年）

西夏（公元1038年—公元1227年）

金（公元1115年—公元1234年）

元（公元1271年—公元1368年）

明（公元1368年—公元1644年）

清（公元1644年—公元1911年）